ISBN 978-0-265-69917-1
PIBN 10991616

Handbuch

der

pathologischen Anatomie

von

Johann Friedrich Meckel,

Professor der Anatomie und Physiologie zu Halle, mehrerer gelehrten Gesellschaften Mitgliede.

Zweiter Band.

Erste Abtheilung.

Leipzig, 1816.

bei Carl Heinrich Reclam.

V o r r e d e.

Als ich vor fünf Jahren den ersten Band des vorliegenden Werkes herausgab, war der jetzt erscheinende gleichfalls zum Druck bereit, und dieser wurde nur einige Monate lang ausgesetzt, während welchen ich gerade im Sommer 1812, Behufs einer Reise, abwesend war. Die nachher eingetretenen politischen Ereignisse hinderten den Anfang des Druckes bis vor kurzer Zeit. Diesen langen Stillstand habe ich, so viel mir Kräfte, Zeit und Gelegenheit erlaubten, unausgesetzt benutzt, um theils vorhandene Mängel zu mindern, theils die neu er-

gern eher gewonnen als verloren

Es wird, wie die ursprüngli
sicht war, mit diesem zweiten Ba
schlossen, nur habe ich, der grö
quemlichkeit und des schnellern
nens wegen, denselben in zwey A
gen zerfällt, von denen die erste
schlufs der ursprünglichen Bildun
chungen und die wichtigsten zufälli
henden Fehler der äufsern Form
Die zweyte Abtheilung, an der be
druckt wird, und welche die Texti
derungen enthält, erscheint noch i
dieses Jahres.

Bey dieser Gelegenheit beme
dafs ich mich in keiner Hinsicht
lafst finde, die im ersten Bande n
genen Ansichten zu ändern. Die
ich als gewifs vortrug und erwies

wahrscheinlich vorlegte, sind wenigstens nicht umgestoſsen worden.

Zum Schluſs wird auch noch die Bemerkung nicht überflüssig seyn, daſs mein anatomisches Handbuch und das gegenwärtige Werk, wenn gleich im erstern die pathologische Anatomie berücksichtigt ist; einander keinesweges im Wege stehen, sondern einander durchaus nur gegenseitig ergänzen. Die Lehre von den Abweichungen vom Normal wurde in dem erstern nur zugleich vorgetragen, um dem Anfänger ein vollständiges Bild von der menschlichen Form darzustellen, wobey er aber zugleich beständig auf die Nothwendigkeit der ausführlichern Darstellung des regelwidrigen Zustandes in eignen Werken und Vorlesungen aufmerksam gemacht wird. Daſs

iebt sich, denke ich, hinläng-
ıus einer Vergleichung ihres Um-
selbst, indem beide ungefähr
rke haben und bei dem, was
ıdbuche der Anatomie über den
en Zustand sage, beständig auf
uch der pathologischen Anato-
viesen wird.

am 8. *September* 1816.

J. F. Meckel.

Inhaltsanzeige.

:hſacke und den in ihm enthaltnen Theilen. S. 369 —
3. Beſchaffenheit und Veränderungen der im Bruch-
ıthaltnen Theile. S. 372 — 406. — II. Aeuſsere
nsbeſondere. S. 406 — 461. — a. Leiſtenbruch. S. 406
b. Schenkelbruch. S. 430 — 36. — c. Nabelbruch.
444. — d. Bauchbruch. S. 444 — 448. — e. Bruch
ıs eirunde Hüftbeinloch. S. 448 — 450. — f. Schei-
ı. S. 450 — 454. — g. Rückenbruch S. 454 — 457.
ittelfleiſchbruch. S. 458 — 461. — III. Innere Brü-
461 — 480. — Fettbrüche. S. 480 — 483. — Bruſtbrü-
483 u. 484. — Zweyter Abſchnitt. Von den
. S. 484 — 492. — Dritter Abſchnitt. Von den
;sveränderungen. S. 492 — 499.

Erſtes Buch.

Erſte Abtheilung.

Zweytes Hauptſtück.

Von der zweyten Claſſe der Miſsbildungen oder den Miſsbildungen aus zu groſser Energie der bildenden Kraft.

Die zweyte Claſſe von Miſsbildungen zerfällt, wie die erſte, in zwey Abtheilungen, von denen die erſte diejenigen, die in Rückſicht auf die Zeit vom Normal abweichen, die zweyte diejenigen begreift, wo ſich das Uebermaaſs der bildenden Thätigkeit durch vermehrte Zahl der Organe ausſpricht. Die erſte ſieht der erſten Abtheilung der erſten Claſſe entgegen, begreift die Fälle, wo der ganze Organismus oder einzelne Organe ſich auf irgend eine Weiſe zu früh entwickelten, und ſtellt alſo, ſo wenig als die erſte Abtheilung der erſten Claſſe, Formen dar, welche dem Typus der Species fremd ſind. Wohl aber gilt dies für die zweyte Unterabtheilung, welche der zweyten Unterabtheilung der erſten Claſſe entgegenſteht.

ten, und im erſten Falle, bisweilen wenig-
zu der Meinung veranlaſſen, daſs ſich
Schwangerſchaft bis über den gewöhnlichen
min hinaus verlängert habe. Die vorſchı
Entwicklung vor der Geburt kündigt ſich d
anſehnlichere Gröſse und Gewicht des gaı
Korpers, beſonders aber durch Verſchlieſ
der Näthe, gröſsere Stärke und Länge der l
re, durch Hervorgebrochenſeyn eines oder r
rerer, bisweilen ſelbſt aller Zähne, bei der
burt an. In einem von Vieuſſens [1])
obachteten Falle war das Herz inſofern
deutend vorausgeeilt, als bey einem neuge
nen Kinde das eirunde Loch völlig verſchlo
war. Höchſt wahrſcheinlich ſtarb das K
hier eben ſo wegen eines Miſsverhältniſſes
ſchen ſeinem Oxygenbedürfniſſe und der C
genirung, welche das Blut durch dieſe Anordn
erhielt, als wegen Hemmung der Entwickl
des Herzens. Blauſüchtige ſterben, nur auf
gegengeſetzte Weiſe, dort, weil die Oxygenir
zu ſtark, hier, weil ſie zu ſchwach
Auch andre Theile ſchreiten bisweilen ein
bedeutend in der Entwicklung vor. So l
Wrisberg ſchon bei einem Fötus von 7
naten die Hoden im Hodenſack.

Tritt die vorſchnelle Entwicklung erſt n
der Geburt ein, ſo ſpricht ſie ſich auſser der
gelwidrigen Gröſse auch beſonders durch

---

1) Tr. du coeur. 1715. p. 35.

frühes Erscheinen der Geschlechtsfunctionen und der sichtbaren Zeichen der Pubertät aus.

Haller [1]) hat mehrere Fälle dieser Art zusammengestellt, denen man noch mehrere neuere, namentlich z. B. die von Bevern, [2]) White, [3]) Cooke, [4]) Wall, [5]) Cooper, [6]) Moreau, [7]) Casals, [8]) beifügen kann.

Vergleicht man diese sieben Fälle und die sechs und zwanzig, welche Haller gesammelt hat, so findet man sogleich, 1) als ein sehr merkwürdiges Resultat das bedeutende Uebergewicht, welches die männlichen über die weiblichen haben, indem unter diesen 33 Fällen nur zwölf weibliche, dagegen ein und zwanzig männliche sind. Dies wird um so auffallender, da in den meisten weiblichen Fällen mehr regelwidriges Fettwerden als wirkliches stärkeres Wachsthum und vorschnelle Entwicklung der wirkliche Krankheitszustand zu seyn schien, so daſs also das Verhältniſs noch mehr zu Gunsten der männlichen Kinder wäre. Ich weiſs nicht, ob dieses Resultat nur zufällig ist. Die Vergleichung der von mir angeführten Fälle allein würde ein ganz entgegengesetztes, wie 5 : 2 geben, was sich auch allerdings eher hätte erwarten lassen, da theils auch unter normalen Bedingungen das weibliche Geschlecht sich früher entwickelt als das männliche, theils

1) Elem. physſ. Tom. VIII. p. 2. §. 15. p. 37—39.
2) Hufelands Journal f. prakt. Medicin. Bd. 14. St. 3. S. 141 ff.
3) Medico-chirurgical transact. Vol. I. Lond. 1809. No. 21.
4) Ebendaſ. Vol. II. Lond. 1810. No. II.
5) Ebendaſ. No. XIII.
6) Ebendaſ. Vol. IV. Lond. 1813. No. XII.
7) Dictionnaire de médecine; à Paris 1813. Vol. IV. p. 202.
8) Ebendaſ. p. 203.

ichungen von der Regel dort häufiger als
vorkommen.

Indessen scheint doch das oben angegebene
zufällig. Höchst wahrscheinlich ist es wohl
is zu erklären, dass auch im normalen
nde

die Zeugungskraft sich beim Manne länger
erhält, als beim Weibe, und

das männliche Geschlecht im Allgemeinen
grösser, stärker und zu sthenischen Krankheiten geneigter als das weibliche ist.

Diese Erscheinung ist übrigens, so uner-
t sie auch ist, weniger auffallend, wenn
erwägt, dass, ungeachtet Bildungsabwei-
gen im Allgemeinen beim weiblichen Ge-
cht häufiger als beim männlichen vorkom-
dennoch manche, z. B. die des Herzens,
männlichen eigenthümlicher sind.

2) Der Eintritt dieses Vorauseilens
er Entwicklung fällt nicht immer
ieselbe Periode.

Bisweilen sind schon bei der Geburt alle
mehrere Zeichen von Pubertät vorhanden.
ls äussert sich dies durch die Anordnung
Genitalien und die Struktur des Körpers
haupt, [1]) theils durch sehr frühen Aus-
i der Menstruation, die bisweilen schon am
rtstage eintritt, und einige Tage dauert, [2])
, zu derselben Zeit erschienen, regelmässig
esetzten Zeit wiederkehrt. [3]) In andern
n trat die Menstruation zwar nicht am Ge-
tage, aber wenige Tage nachher ein.

---

aillot in Mém. de Paris 1761. 6. p. 59.
ünerwolf in Act. n. c. Dec. II. a. IX. o. C.
erkring obs. anat. 87. p. 169.

So in einem von Langlade beschriebnen Falle am achten; [1]) in einem andern von Cummen, am zwanzigsten Tage. [2])

Die Regelmäſsigkeit, mit welcher unter diesen Umständen meistens die Menstruation wiederkehrt, macht es höchst wahrscheinlich, daſs in der That diese Blutflüsse wirklich nicht zufällig sind, sondern mit einer zu frühen Entwicklung im Zusammenhange stehen, wenn diese gleich nicht vollkommen ist.

Treten auch nicht die Pubertätserscheinungen so früh ein, so ist doch oft wenigstens das Wachsthum schon von der Geburt an vorschnell. So wurde z. B. ein bei der Geburt schon ungewöhnlich groſser Knabe binnen 3 Jahren 3' 9'' lang, bekam die Stärke eines siebenjährigen Knaben und sehr tiefe Stimme. Die erigirte Ruthe hatte die Länge von vier Zollen. [3])

Gewöhnlicher nimmt die vorauseilende Entwicklung erst einige Zeit nach der Geburt ihren Anfang, es entwickeln sich wenigstens dann erst alle Zeichen der Mannbarkeit vollkommen, wenn auch bei der Geburt schon mehrere vorhanden waren. Bei einem Mädchen, das schon bei der Geburt in Hinsicht auf die Form alle Zeichen der Mannbarkeit hatte, erschien doch die Menstruation erst im vierten Monat. [4]) Bei Walls Mädchen im neunten.

Bei einem Knaben nahm die ungewöhnliche Vergröſserung des Körpers erst im sechsten Monat ihren Anfang. In kurzer Zeit hatte der Stamm und Kopf die Länge und den Umfang,

1) Mém. de Paris, 1708. hist.
2) Eph. n. c. dec. I. a. III. o. CXIV.
3) Almond in Phil. tr. no. 475. p. 249.
4) Mém. d. Paris 1761. p. 59.

bei dreifsigjährigen Männern zu haben
¹) Ein Knabe, den Mead sahe, be-
t nach dem ersten Jahre die ersten Zei-
r Pubertät. ²) Bei White's Knaben
lie Vergrösserung erst nach Ablauf des
ahres ihren Anfang. Das Kind wurde
, es brachen Schamhaare hervor, Hoden
the nahmen bedeutend zu. In einem
ulsay beschriebenen Knaben fing das
hum erst am Ende des zweiten Jahres
leutend zu werden. Noch vor dem Ab-
dritten hatte er über drei Fuss Höhe. ³)
i Coopers Mädchen erschien die erste
ation im dritten Jahre.
weilen tritt das plötzliche Wachsthum
nlich spät ein. So bei einem Knaben
vierten Jahre. Im fünften waren schon
chen der Pubertät vorhanden, im sechste er fünf Fuss Länge. ⁴)
i Cooke's Mädchen entwickelten sich
chen der Pubertät gleichfalls im vierten
Die Menstruation trat nie ein, ungeach-
rst im siebenten Jahre starb. Das Mäd-
on Casals bekam sie im sechsten Jahre
tenmal.
Auch die Schnelligkeit und der
des Wachsthums und der Ent-
ung ist nicht derselbe.
weilen ist sie sehr beträchtlich.
n Knabe entwickelte sich in den ersten
aten seines Lebens so, dass er die Grö-
s Erwachsenen hatte. ⁵)

ac. med. gall. II. p. 210.
tr. V. 43.
ml. auserl. Wahre. A. d. Fr. B. 7. S. 239.
ages Mém. d. Paris 1758. p. 77.
llus Cent. I. Obs. 42.

Der Moreaufche Knabe dagegen wuchs bis zum zehnten Jahre, wo er 4' 5'' hatte, ungeachtet er fchon bei der Geburt 16 Pfund wog. In dem darauf folgenden Jahre wuchs er nicht weiter. Ein dreijähriger Knabe war fchon fo ftark und grofs, dafs er alle Gefchäfte eines Knechtes verrichtete. [1])

Coopers Mädchen war in einem Alter von $5\frac{1}{2}$ Jahren 4' 1'' hoch, in der Lendengegend beträchtlich breit, fo dafs der gröfste Durchmeffer des obern Beckens 17'' betrug, da er bei einer fünf Jahr ältern Schwefter, welche diefelbe Gröfse hatte, nur 13'' mafs. White's dreijähriger Knabe war 3' $4\frac{1}{2}$'' hoch, und wog $51\frac{1}{4}$ Pfund. Langlade's Mädchen hatte im vierten Jahre $3\frac{1}{2}$'.

4) **Vorfchnelle Entwicklung der Pubertät und regelwidriges Wachsthum des Körpers find nicht nothwendig verbunden.**

Das letztere findet zwar im Allgemeinen nie ohne die erfte Statt, jene aber tritt oft ohne diefes ein. Hieher gehören befonders die Falle von zu früh eintretender Menftruation, und andere Pubertätsentwicklungen bei Mädchen. Dies war auch namentlich der Fall bei den von Cafals, Cooke und Wall beobachteten Mädchen, ungeachtet die Brüfte und Schamtheile völlig entwickelt waren. Meiftens aber find beide Zuftände vereinigt.

5) **Der ungewöhnlichen Gröfse entfpricht oft auch eine beträchtliche Stärke.** So verhielt es fich in den von Dobrfensky, Saulfay, Sauvages, Moreau,

---

1) Dobrfensky in Eph. n. c. Dec. II. a. 4. O. CXIII.

White betrachteten Fällen. Indessen dauert diese nicht beständig, sondern sinkt gewöhnlich sehr früh. Der von Sauvages beobachtete Knabe wurde schon im siebenten Jahre, ungeachtet er vorher sehr stark gewesen war, schwach, seine Füsse krümmten sich, und sein Verstand nahm merklich ab.

Die Bildung des Körpers ist nicht bei allen Kindern dieser Art dieselbe. Nicht selten sind die Extremitäten etwas kurz, besonders die untern gekrümmt.

Die starke Entwicklung des Haarsystems ist häufig so ansehnlich, dass sie nicht bloss Pubertätserscheinung zu seyn scheint, indem z. B. in den Fällen von Blegny, Cooke, Bevern, der ganze Körper mit ungewöhnlich starken Haaren bedeckt war, was besonders bei den letzten, als weiblichen, merkwürdig ist.

Die äussern Geschlechtstheile sind gewöhnlich sehr ansehnlich entwickelt.

Die innern dagegen scheinen sich entweder nicht so vollkommen zu entwickeln als die äussern, oder sehr schnell die gewöhnlichen Perioden zu durchlaufen und zu veralten.

Das erstere fand in dem von Cooke beobachteten Mädchen Statt; während die äussern völlig dieselbe Grösse, als bei einem erwachsenen Mädchen hatten, waren die Gebärmutter und Ovarien noch ganz im kindlichen Zustande.

Diese letztere Bedingung bot das von Bevern beobachtete Mädchen und der Moreausche Knabe dar. Die Gebärmutter und Ovarien des Bevernschen Kindes waren in eine statomatöse Masse von ungefähr vier Pfunden Gewicht ausgeartet.

Die Hoden des Moreauschen Knaben

waren ungeheuer groſs, aber gröſstentheils in Knorpel und Knochen verwandelt.

Die ungewöhnlich ſtarke Entwickelung der Haare in einigen weiblichen Fällen iſt in ſofern beſonders merkwürdig, als bei alten Frauen mit dem Verſchwinden der Menſtruation der Bart bedeutend ſproſst, und der Körper ſich überhaupt ſtärker behaart. Die ſtarke Haarbildung ſcheint daher mit einem ſchnellen Durcheilen der Geſchlechtstheile durch alle Perioden, einem ſchnellen Abſterben derſelben zuſammenzuhängen und daſſelbe zu bezeichnen.

Dieſe Vermuthung iſt deſto wahrſcheinlicher, da ein frühes Greiſenalter unter dieſen Bedingungen einzutreten pflegt, und das Leben nur kurz iſt.

Ueber den Grad der Vollkommenheit der Functionen der Geſchlechtstheile läſst ſich nichts mit Beſtimmtheit ſagen. Bei dem dreijährigen Saulſayſchen Knaben, deſſen Ruthe drei Zoll lang war, fanden ſich des Nachts Erectionen, doch ohne Ejaculation. Der Blegnyſche 3½ Jahr alte Knabe äuſserte häufig Geſchlechtstrieb, der White'ſche befriedigte ihn in einem Alter von 2½ Jahren durch Manuſtupration, und bereitete einen vollkommnen Saamen.

Die einmal eingetretene Menſtruation dauert gewöhnlich mit mehr oder weniger Regelmäſsigkeit fort.

6) Das Verhältniſs der geiſtigen Entwicklung iſt nicht immer daſſelbe. Gewöhnlich entwickelt ſich der Körper und die Geſchlechtsfunction auf Koſten der geiſtigen Kraft, ein höchſt merkwürdiger Umſtand, weil er eine genaue Uebereinkunft der regelwidrigen

vorschnellen Entwicklung beim Menschen mit dem gegenseitigen Verhältniss zwischen geistiger Entwicklung und bildender Kraft hinweist, welches durch die ganze Natur waltet.

Zwar ist dies Gesetz nicht ohne Ausnahmen. Ein dreijähriger Knabe hatte den Verstand eines sechsjährigen Knaben. Dasselbe fand White bei seinem 2½ Jahr alten Knaben.

Indessen hielt doch auch hier die Entwickelung der Geisteskräfte nicht gleichen Schritt mit der körperlichen, die, in Hinsicht auf Grösse und vorzüglich auf die Ausbildung der Thätigkeit der Geschlechtstheile, auch so vor der geistigen um mehrere Jahre voraus war.

Allein ein von Plinius erwähnter Knabe, der in drei Jahren mannbar, und sich auch der Grösse nach vollkommen entwickelt hatte,[1]) war einfältig; der vierjährige Knabe, den le Cat beobachtete, und der die Grösse eines siebenjährigen hatte, war höchst stupide.[2]) Moreau's eilfjähriger Knabe hatte weniger Verstand, als jüngere Kinder.

Der von Sauvages beschriebene Knabe hatte zwar in seinem sechsten Jahre mehr Verstand, als Kinder von diesem Alter gewöhnlich zu haben pflegen; allein im siebenten wurde er blödsinnig.

Saulsay's Knabe war wenigstens nicht klüger, als Kinder von demselben Alter.

In dem von Cooke beobachteten Falle ist es merkwürdig, dass sich endlich Hirnhöhlenwassersucht einfand, an welcher das sieben-

---

1) Hist. nat. L. VII. c. XVII.
2) M. de Paris 1744. hist. p. 17.

jährige Kind ſtarb, nachdem ſie vier Monate gedauert hatte.

Die Lebensdauer dieſer ſich ſo vorſchnell entwickelnden Kinder iſt im Allgemeinen nicht ſehr beträchtlich. So wie in dem von Bevern und Moreau beobachteten Falle die Geſchlechtstheile ſchnell alterten, ſo erfolgt der Eintritt des Greiſenalters überhaupt unter dieſen Umſtänden ſehr früh, und auch der Tod ſehr ſchnell. Mehrere der in den erſten Lebenswochen ſchon menſtruirten Mädchen ſtarben bald nach der Geburt. Blegny's Knabe wurde nur 3½, Beverns Mädchen nicht 4, der Mead'ſche Knabe 5, der Borelli'ſche Knabe und das Cookeſche Mädchen nur 7 Jahre alt. Doch war der Moreau'ſche Knabe noch im 11ten Jahre geſund, und der Dobrſenskyſche Knabe befand ſich im zwölften Jahre vollkommen wohl.

Auch für die frühe Entwickelung einzelner Theile gilt dieſes Geſetz. Ein Kind wurde mit zwei Schneidezähnen geboren. Dieſe fielen ſchon im erſten halben Jahre aus, und bald nachher ſtarb es. [1])

Zweite Unterabtheilung. [2])

Vom Mehrfachwerden.

Das Mehrfachwerden iſt Vermehrung der Zahl der Theile, welche

---

1) Hufel. Journal. Bd. 21. St. 2. S. 57.

2) Auſser einer anſehnlichen Menge von Monographieen einzelner Doppeltmiſsgeburten, bei deren Gelegenheit mehr oder weniger, entweder nur über die beſtimmte Art des Doppeltwerdens, von welcher der Fall ein Beiſpiel giebt,

den organischen Körper bilden, mit regelwidrig vermehrter Masse. Der letztere Zusatz ist nothwendig, um das Mehrfachwerden von der blossen Spaltung zu unterscheiden, mit welcher es zum Theil, z. B. am Zapfen, der Gebärmutter, der Ruthe, dem Gefässsystem verwechselt werden kann und wird.

Sowohl der Art als dem Grade nach bietet diese Abweichung vom Normal mehrere Verschiedenheiten dar.

In Hinsicht auf die Art kann man zwei grosse Abtheilungen des Mehrfachwerdens festsetzen. Entweder nämlich hängen die regelwidrig überschüssigen Theile mit dem übrigen Körper auf dieselbe Weise zusammen, als die normalen Theile unter einander, sie bilden ununterbrochene Fortsetzungen, die bei weitem gewöhnlichere Art des Mehrfachwerdens, oder sie stehen mit ihnen in einem Zusammenhange anderer Art, der mehr oder weniger mit dem

oder über Doppeltwerden überhaupt, allgemeine Darstellungen gegeben werden, und einzelnen Abschnitten in den allgemeinen Abhandlungen über Missbildungen, welche das regelwidrige Mehrfachwerden abhandeln, und wovon ich vorzüglich anführe: Haller de monstris in opp. min. T. III, §. IX. XIII—XXXIV. Lawrence Account of a child born without a brain, which lived four days; with a sketch of the principal deviations from the ordinary formation of the human body in med. ch. transact. Vol. V. p. 135 — 198; siehe als die erste specielle Abhandlung über diesen Gegenstand: De duplicitate monstrosa commentarius, quem conscripsit I. F. Meckel. Halae 1815. fol. accedunt tabulae aeneae VIII., worin ich theils die allgemeinen Gesetze für das Doppeltwerden aufzustellen versucht, theils eine vollstandige Darstellung der einzelnen Phanomene desselben gegeben habe.

übereinkommt, welcher zwischen dem mütterlichen und kindlichen Organismus Statt findet.

Zweckmäſsige Benennungen für diese beiden Arten des Doppeltwerdens, die durchaus nach ganz verschiednen Gesetzen erfolgen, sind sehr schwer aufzufinden. Am besten ist es vielleicht, sie durch den Beisatz gewöhnliches oder ungewöhnliches von einander zu unterscheiden. Doch sind diese Benennungen insofern nicht zweckmäſsig, als sie nicht das Wesen einer jeden Art des Doppeltwerdens andeuten. Doch könnte man das Letztere das zeugungsartige Doppeltwerden nennen.

Die gradweisen Verschiedenheiten des Mehrfachwerdens sind sehr beträchtlich und diese Bildungsabweichungen bilden in dieser Hinsicht mehrere Reihen, welche mit der Vergröſserung und der von Vermehrung der Masse begleiteten Spaltung einzelner Theile, z. B. nicht selten der Finger und Zehen, weit seltner des Herzens oder andrer innerer Organe anfangen, und mit der mehr oder weniger vollkommnen, in Hinsicht auf die Vereinigungsstelle sehr verschiednen, gänzlichen Duplicität des Körpers aufhören.

Diese höhern Grade des Doppeltwerdens kann man als die Vereinigung der Vervielfältigung mehrerer Organe in demselben Körper ansehen, statt daſs sich bei den niedrigern nur einzelne Organe vervielfältigen. Im Allgemeinen kann man bemerken, daſs, wenn die Vervielfältigung sich nicht weit erstreckt, z. B. nur die Zahl der Finger und Zehen vermehrt ist, selten andere entfernte Theile zugleich auf dieselbe Weise abweichen.

Ist aber die Vervielfältigung eines Theiles sehr beträchtlich, ist z. B. eine ganze Extremität überschüssig angebildet, so erstreckt sich die Vervielfältigung auch auf andere Theile. Indessen ist diese Thatsache doch in der That nicht im Widerspruche mit der ersten. Hier nämlich scheint die Zusammensetzung nicht zufällig, und es ist kein Hervorbrechen des Mehrfachwerdens an mehreren Stellen anzunehmen, sondern es ist ein höherer Grad des Mehrfachwerdens der afficirten Gegend vorhanden, indem die Vervielfachung sich nur auf benachbarte Theile erstreckt. Man findet z. B. bei Anbildung einer überschüssigen untern Extremität nicht Mehrzahl des Herzens oder eines entlegnen Theiles des Darmkanals, sondern nur den untern Theil der Gefäſse und den untern Theil des Darmkanals, beim Mehrfachwerden des Kopfes nicht den untern Theil des Darmkanals, sondern die groſsen Gefäſsstämme, höchstens das Herz, mehr oder weniger vervielfacht.

Wie weit sich das Mehrfachwerden erstrecken könne, ist nicht mit Bestimmtheit auszumitteln. Doch kann man im Allgemeinen festsetzen, daſs höchst selten die Zahl einzelner Theile oder des ganzen Körpers mehr als verdoppelt werde, und daſs alles Mehrfachwerden, auch das höchste, doch nur Annäherung an diesen Zustand ist. Es findet sich z. B. vielleicht nur ein Fall von vollkommner Verdoppelung aller Finger und Zehen, und die völlig doppelten Miſsgeburten sind doch immer mehr oder weniger tief verwachsen, die sehr seltenen Fälle, wo die Vereinigung nur an einer kleinen Stelle durch die Haut geschah, ausgenommen.

Auch in Hinsicht auf die Vollkommenheit

der innern Ausbildung des überschüssigen Theiles finden sich viele Grade, die sich vorzüglich an dem Mehrfachwerden der Muskeln, Zähne, Finger und Zehen sehr gut nachweisen lassen.

A. *Vom gewöhnlichen Mehrfachwerden.*

Der niedrigste Grad des Mehrfachwerdens ist das Doppeltwerden einzelner Organe, von welchem ein allmähliger Uebergang zu dem Mehrfachwerden des ganzen Körpers durch das Doppeltwerden zusammengesetzterer, verschiedenartigerer Theile Statt findet. Ich betrachte zuerst das Mehrfachwerden solcher Organe, von welchen aus dieser Uebergang nicht geschieht.

1. Zunge.

Das Doppeltwerden der Zunge ist insofern interessant, als alle Beobachtungen davon in dem Umstande übereinkommen, dafs die beiden Zungen über, nie neben einander lagen. Diese Misbildung hat verschiedene Grade, und ist in dem Maafse dem Sprechen nachtheiliger, als die Trennung beider Zungen vollständiger, und die überschüssige gröfser ist. Beobachtungen davon haben Döläus, [1]) Dillenius, [2]) Targioni Tozzetti, [3]) Penada [4]) und Eschenbach. [5])

2. Zähne.

Das Mehrfachwerden der Zähne ist keine ganz seltene Erscheinung, und sowohl an und

1) E. nat. c. Dec. I. a. 9. 10. o. 137.

2) Ibid. Cent. III. o. 42.

3) Raccolta d'opusc. med. prattici.

4) Saggio secondo di osserv. Padov. 1800. I.

5) Obs. cent. med. chir. Rostock. 1753. p. 10.

für ſich, als wegen der Aehnlichkeit mit manchen Thieren, der Beſchaffenheit der überzähligen Zähne in Hinſicht auf Geſtalt, Stellung, Zeit des Ausbruchs und denſelben begleitende Phänomene merkwürdig.

Bisweilen wird die Mehrzahl durch Nichtausfallen der Milchzähne veranlaſst, während die bleibenden erſcheinen. Einen Fall dieſer Art beſchreibt Bloch. [1]) Im Allgemeinen aber ſind die überzähligen Zähne wirklich ungewöhnliche, die nach dem Ausfallen der normalen alten erſcheinen. Gewöhnlich erſcheinen ſie in einer, weit von der Zeit des Ausbruches, auch der am ſpäteſten ausbrechenden Zähne entfernten Periode, in einem Alter von 36, [2]) 70, [3]) 80, [4]) 82, [5]) 104, [6]) 118, [7]) 119 [8]) Jahren, ſo daſs auch in dieſer Hinſicht das Alter als neue Kindheit erſcheint.

Sie erſcheinen bisweilen auf einmal, bisweilen in ziemlich langen Zwiſchenräumen. Einen Fall, wo bei einem 57 Jahr alten Manne ein neuer Schneidezahn, ſieben Jahr nachher ein neuer Backzahn erſchien, hat Bauer. [9])

Die Zahl der neuerſcheinenden Zähne variirt. Gewöhnlich ſind es einige, ſelten nur einer,

---

1) Med. Bem. S. 19.

2) Foucon in Sedillot rec. pér. t. 32. p. 80. Blankaard coll. m. ph. c. V. o. 73.

3) Foucon a. a. O.

4) Rusca opp. ſc. di Milano. t. 19. p. 79. Blankaard a. a. O.

5) Bloch a. a. O.

6) Rusca a. a. O.

7) Mentzel Eph. n. c. d. 2. a. 3. p. 57.

8) Ebd. Ebdſ.

9) Act. n. c. a. 2. p. 21. Lanzoni Eph. n. c. d. 3. a. 1. p. 51. Lochner ebend. S. 31.

ner, noch ſeltener ſehr viele. In den Menzelſchen Fällen erfolgte eine ganz neue Zahnung.

In Hinſicht auf die Qualität der neuen Zähne iſt es merkwürdig, daſs die neuen Zähne meiſtens Backzähne ſind, [1]) weil dieſer Umſtand beweiſt, daſs die Backzähne ſich unter dieſer Bedingung nur den übrigen verähnlichen.

Nach dem Falle von Yſabeau zu urtheilen, ſind die neuen Zähne kleiner, nach dem von Budäus beobachteten auſserdem von weit kürzerer Dauer als die normalen.

Dieſe Zähne erſcheinen unter denſelben Phänomenen als die gewöhnlichen, ſind aber nach Foucon immer ſchon lange vor ihrem Entſtehen gebildet, indem die in ihnen befindliche Höhle immer in einem directen Verhältniſs zum Alter des Individuums ſteht.

In einem von Ruſca [2]) beobachteten Falle zeichneten ſich die, zugleich mit den normalen vorhandenen überzähligen Zähne durch ihre Aehnlichkeit mit Fiſchzähnen, und ihre groſse Reproductionsfähigkeit auf eine merkwürdige Weiſe aus; in mehrern von Albin [3]) und Tode [4]) gemachten Beobachtungen durch ihre Stellung im Gaumen. Beſonders iſt der eine Albiniſche Fall wegen der vollkommnen Aehnlichkeit mit der Anordnung beim Haaſengeſchlecht ſehr intereſſant.

1) Budäus ebend. cent. 1. 2. p. 222. Yſabeau in Roux I. d. m. t. 25. p. 317., doch haben andre Beobachter auch Fälle von Schneide- und Eckzähnen.

2) A. a. O. S. 80.

3) Ann. ac. l. 1. c. 13. p. 52. p. 53.

4) Med. Journal. B. 2. H. 4. S. 21.

3. *Darmkanal.*

Das Mehrfachwerden des Darmkanals geschieht auf doppelte Weise, entweder durch Spaltung des einfachen Rohres in zwei, oder durch Anhänge am Darm. Eine auf die erste Art zum Theil doppelte Speiseröhre sahe Blasius [1]) zweimal, so wie Calder [2]) einen nach demselbeu Typus gebildeten Zwölffingerdarm. In den gröſsern senkte sich der Gallengang.

Doppelte Mägen gehören nicht hierher, indem sie nur eingeschnürte sind. (S. Path. Anat. Bd. 1. S. 509.)

Als ein Resultat der Wirkung einer regelwidrig erhöhten bildenden Thätigkeit kann man 2) auch Verlängerungen ansehen, welche sich bisweilen in seinem Umfange finden.

Ich rede hier nicht von allen Anhängen, indem ich noch immer überzeugt bin, daſs die am Krummdarm vorkommenden Producte eine entgegengesetzte Abweichung desselben vom Normal sind, und eben so wenig für Producte einer luxuriirenden bildenden Kraft gehalten werden können, als regelwidrig offen bleibende Blutgefaſse oder Oeffnungen anderer Art, oder als bei Fröschen verweilende Larvenkiemen darum für solche gehalten werden könnten, weil durch sie die normale Zahl der Theile vermehrt wird. Die unvollkommne Entwickelung kann sich eben sowohl durch Nichtverschwinden von Theilen, welche in frühern Perioden vorhanden waren, als durch Nichterscheinen von Theilen aussprechen.

Dagegen ist es nicht unwahrscheinlich, daſs

---

1) Obs. m. p. 4. p. 53.
2) Med. ess. of Ed. Vol. 1. p. 167.

manche an andern Stellen vorkommende, aus allen Häuten des Darmkanals gebildete Anhänge, die, da ähnliche an der Harnblase schon beim Fötus gefunden wurden, wohl für ursprüngliche Bildungsfehler gehalten werden müssen, hierher zu zählen sind.

Fälle dieser Art habe ich schon im ersten Bande (S. 574.) angeführt.

Sie sind nicht ohne Interesse, indem sie an ähnliche Bildungen bei den Fischen, die Pförtneranhänge, erinnern, die besonders bei manchen, z. B. den Froschfischen sehr weit und kurz sind.

Hierher gehört auch das bisweilen vorkommende Doppeltwerden des Blinddarms und Wurmfortsatzes, wovon Delius [1]) und Fleischmann [2]) Beispiele beschrieben haben, gleichfalls interessante Abweichungen, weil sie an die doppelten Blinddärme der meisten Vögel und, unter den Säugthieren des Monati erinnern.

4. *Knochen.*

Hier betrachte ich vorzüglich nur die Knochen des Stammes und des Schädels; die der Extremitäten werde ich weiter unten eigends untersuchen.

a. Wirbel.

Merkwürdig ist es, dass sich unter allen Wirbeln die Halswirbel am seltensten vervielfältigen. Unter mehrern von Columbus, [3])

1) Amoen. acad. dec. II, p. 92.
2) Leichenöffn. 1815. S. 4. 5. Fig. 1.
3) De re an. l. 15. p. 484.

Eustach, [1]) Sömmerring [2]) und Leveling [3]) verzeichneten Beobachtungen ist nur die letztere ausführlich beschrieben, und man sieht aus Beschreibung und Abbildung deutlich, dass der achte Halswirbel eben so füglich für einen überschüssigen obersten Rückenwirbel angesehen werden kann. Er trug sogar zwei kleine Rippen.

Die Seltenheit der Vermehrung gerade der Zahl der Halswirbel ist insofern höchst merkwürdig, als sie mit der Constanz der Zahl gerade dieser Knochen bei den Säugthieren zusammenzuhängen scheint. In dem Levelingschen Falle ist es sehr merkwürdig, dass mit der vogelähnlichen Vergrösserung der Zahl der Halswirbel sich auch die Anwesenheit einer kleinen oberen, das Brustbein nicht erreichenden Vogelrippe verband.

Häufiger findet man dreizehn Rückenwirbel, sechs Lendenwirbel und eben so viel Heiligbeinwirbel. Von der ersten und letzten Bedingung habe ich selbst zwei Fälle vor mir. Der dreizehnte Rückenwirbel trägt auf jeder Seite eine kleine falsche Rippe.

b. Rippen.

Die Vermehrung der Zahl der Rippen hat verschiedene Grade. Ich habe eine sehr interessante Reihe davon vor mir.

Der erste Ansatz zum Mehrfachwerden der Rippen ist die grössere Breite derselben, auf welche dann Spaltung der Rippe in einem grössern

---

1) Opp. an. Delph. 1726. Off. ex. p. 188.
2) Ackermann de sex. discr. p. 34. n. K.
3) Obs. an. c. 3. §. 6.

oder geringern Theile ihrer Länge folgt, bis sie zuletzt ganz getrennt erscheinen, und wirklich eine überzählige Rippe gebildet ist. Doch muss man bemerken, dass das partielle Mehrfachwerden sich meistens nur auf die mittlern Rippen erstreckt, während die Anbildung einer neuen Rippe entweder oben oder unten geschieht.

In einem Falle, den ich vor mir habe, wird die siebente Rippe gegen ihr vorderes Ende allmählich so breit, dass sie hier einen Zoll hoch ist. Zugleich ist der Ansatz zur Spaltung dadurch angedeutet, dass ihr vorderer Rand nicht gerade, sondern aus zwei, unter einem gegen das Brustbein vorspringenden Winkel zusammentretenden Hälften, gebildet ist. Der Rippenknorpel ist in seiner grössten Länge, namentlich gegen die Rippen hin, völlig gespalten.

In einem zweiten Falle ist dieselbe Rippe der rechten Seite, die nur in einer sehr kurzen Strecke etwas breiter wird, gleichfalls über einen Zoll hoch, und läuft in zwei getrennte vordere Enden aus. Das untere, dickere und höhere hat die Richtung des Rippenbogens, und macht die Fortsetzung der Rippe aus; das obere geht einen Zoll hinter dem beschriebenen nach oben ab.

In einem dritten Falle ist die sechste Rippe in ihrer ganzen vordern Hälfte plötzlich um die Hälfte breiter als gewöhnlich, und spaltet sich vorn in der Länge eines halben Zolles in zwei gleich lange und hohe Fortsätze. Der Knorpel ist hinten gespalten, in seiner grössten Länge aber einfach.

In einem vierten und fünften Falle erstreckt sich die Spaltung mehr als anderthalb Zoll weit.

Der obere Schenkel ist nur wenig kürzer als untere.

Auch hier ist der Knorpel in seiner gröss Länge einfach.

In den beschriebenen Fällen findet di Bildung nur auf der einen Seite Statt. In z andern finde ich sie auf beiden Seiten zuglei

In dem ersten wird die dritte Rippe auf l den Seiten vorn nur beträchtlich breiter. I rechte, welche schmaler als die linke ist, nur einen Knorpel, die linke dagegen setzt si ungeachtet ihr knöcherner Theil nicht gesp ten ist, durch zwei Knorpel, von denen der o re nur halb so breit als der untere ist, an Brustbein. Die Gelenkflächen beider Knor stehen einen halben Zoll, um die ganze Hö des einfachen dritten Knorpels der rechten S te, aus einander.

Im zweiten Falle ist auf der linken Seite dritte, auf der rechten die vierte vorn gesp ten. Dort ist die Rippe vor ihrer Spaltung nen Zoll breit und läuft in ein unteres, z Zoll langes Ende, welches die normale Höhe l und eine obere, kaum einen Drittheilszoll l ge, dünne Spitze aus. Jene hat nur einen Kn pel von gewöhnlicher Länge, diese aber w durch einen zwei Zoll langen und dünnen Fo satz des untern Knorpels vervollständigt. I vierte rechte Rippe ist vorn anderthalb Zoll ho und spaltet sich in zwei Fortsätze, deren unte zwei, der obere anderthalb Zoll lang ist. I Knorpel ist einen Zoll lang gespalten, einen Z lang einfach. Auf beiden Seiten ist der Kn pel etwas, aber wenig höher als der gleich mige der entgegengesetzten Seite. Viellei ist es merkwürdig, daſs in demſelben Subject der Schwerdtknorpel zwei Oeffnungen hat.

Findet ſich eine eigene, völlig getrennte überzählige Rippe, ſo erſcheint ſie entweder zugleich mit einem überzähligen Wirbel, oder ſie bildet ſich nur dem letzten Halswirbel oder dem erſten Lendenwirbel an. Sie iſt dann, beſonders wenn ſie ſich dem letzten Halswirbel anbildet, nichts als der vergröſserte, von dem Körper getrennt gebliebene, immer ſich als ein eigner Knochenkern entwickelnde Queerſortſatz dieſes Knochens. Gewöhnlich erreicht ſie, eine merkwürdige Vogel- und Reptilienähnlichkeit, das Bruſtbein nicht; auch wenn dies aber, wie in einem von Hünauld [1]) beobachteten Falle, geſchieht, hat ſie doch den Knorpel mit der wahren erſten Rippe gemein, und iſt dünner und ſchwächer als dieſe. Dieſe vogel- und reptilienähnliche Vermehrung iſt ſeltner als die ſäugthierähnliche Vermehrung nach unten, von der ich, wie ſchon bemerkt, zwei Fälle vor mir habe. In beiden finden ſich acht wahre Rippen, eben ſo in einem von Gemmil [2]) und einem andern, von Döveren [3]) beobachteten Falle dieſer Art.

Häufig, auch in dem einen der von mir beobachteten Fälle, iſt die acceſſoriſche Rippe viel kleiner als gewöhnlich. Dies beobachteten z. B. Böhmer [4]) und Morgagni. [5])

---

1) Mém. de Paris 1740. p. 536. ff.
2) Edinb. med. eſſ. vol. 5. p. 1. n. 23.
3) Spec. obſ. ac. p. 201.
4) Obſ. an. faſc. 1. V. 2.
5) De c. et ſ. V. 6.

Gewöhnlich vermehrt sich die Rippenzal auf beiden Seiten gleichmäfsig; doch fand Fa bricius [1]) und ein Ungenannter [2]) nı auf einer Seite dreizehn Rippen.

Eben so findet man auch gewöhnlich nı eine überzählige Rippe auf jeder Seite, merl würdig ist daher eine Beobachtung von Beı tin, [3]) der die überzählige, vom unterste Halswirbel kommende Rippe in drei Zacke gespalten, also eine Annäherung zu drei übe zähligen Rippen auf einer Seite fand.

Die Mehrzahl der Kopfknochen gehö nicht hierher, sofern ihr Wesen nur ein rege widriges Zerfallen der Knochen in mehrere ei zelne ist. Daher ist diese Bildungsabweichuı schon bei den Hemmungsbildungen betracht worden (Bd. 1. S. 313 ff.). Wirkung einer erhö ten Bildungsthätigkeit sind dagegen Fortsät eigner Art, die sich vorzüglich auf eine sehr r gelmäfsige, oft symmetrische Weise am Hi terhauptsbein befinden, und dasselbe auss der gewöhnlichen Stelle mit dem Atlas ei lenken. [4])

5. *Muskeln.* [5])

Die Vervielfachung der Zahl der Muskel welche beinahe jeden Muskel trifft, ist thei

---

1) Anim. var. arg. p. 9.

2) A. m. berol. d. 1. v. 9. p. 58. IV.

3. Ostéol. t. 3. p. 142.

4) Die nähern Momente dieser Abnormität nach eignen u fremden Beobachtungen siehe de duplicitate monstrosa. §. [illegible]

5) Vorzüglich wichtig sind für diesen Gegenstand Heyma (Mayer) Diss. varietates praec. c. h. musculorum siste Traj. ad Viadr. 1784. Brugnone observations myolo ques in den Mém. de l'ac. de Turin. t. VII. pag. 157

wegen häufig dadurch eintretender Thierähnlichkeit, theils wegen Vergröſserung der Analogie zwiſchen den verſchiednen Gegenden des Körpers ſehr merkwürdig.

a. Stamm und Kopf.

Den groſsen geraden hintern Kopfmuskel fand ich, ſo wie auch Brugnone, mehrmals doppelt, ſo daſs der acceſſoriſche nach auſsen neben dem normalen lag.

Eben ſo fanden Brugnone und Albin [1]) den geraden Seitenkopfmuskel doppelt. Beides Vogelbildungen, die erſte auch Ein- und Zweihuferähnlichkeit.

Einigemal fand ich, auſser dem gewöhnlichen Schlüſſelbeinbauche des Kopfnickers, einen kleinern, ganz vom Kopfnicker getrennten, von der Mitte des Schlüſſelbeins entſtehenden Muskel, der ſich abgeſondert an den Zitzenfortſatz heftete. Daſſelbe ſahen auch Brugnone, Roſenmüller, Kelch. Allein ganz getrennt ſind bei allen Säugthieren die beiden Portionen des Kopfnickers, und bei mehrern findet ſich noch eine dritte.

Sehr häufig vervielfachen ſich auch die vom Griffelknochen entſtehenden Muskeln, am häufigſten der Griffelzungenbeinmuskel, wo dieſe Erſcheinung, wenigſtens nach den Fällen, die ich davon geſehen habe, eine weitere Entwicklung der Spaltung deſſelben für die Sehne des zweibäuchigen Unterkiefermuskels iſt.

Lipſ. 1804. Gantzer (Rudolphi) Diſſ. anat. muſculor. varietates ſiſtens. Berol. 1813. Kelch urſprüngliche Bildungsfehler der Muskeln in Beitr. z. path. Anat. Berlin 1813. S. 30—43. Meckel de dupl. monſtr. §. 42.

1) Hiſt. muſc. p. 385.

Auch die Duplicität des Griffelschlundmuskels wurde von Brugnone und Böhmer [1]) gefunden, Beobachtungen, die wegen der normalen Duplicität desselben bei den Einhufern und Wiederkäuern merkwürdig sind.

Der doppelte Ursprung des Omohyoideus, der in dem einen Falle mit einem Kopfe vom Schulterblatte, mit dem andern vom Schulterende des Schlüsselbeins, in dem andern mit beiden vom Schlüsselbeine kam, [2]) ist interessant, weil er bei den mit einem Schlüsselbeine versehenen Säugthieren bloss von diesem Knochen, bei den übrigen meistentheils vom kleinen Brustmuskel kommt.

An seiner Stelle findet sich bisweilen ein Muskel, der vom sechsten Halswirbel zum Schlüsselbein geht. [3])

Besonders häufig ist an der Brust ein Muskel, der, unmittelbar unter der Haut, auf dem grossen Brustmuskel, gewöhnlich gegen das Brustbein hin, gelegen, bisweilen sehr unbedeutend, klein, dünn, bisweilen sehr stark entwickelt, breit, selbst verdoppelt, bisweilen ganz isolirt, bisweilen mit dem Kopfnicker oder dem geraden Bauchmuskel vereinigt, immer als eine Wiederholung des geraden Bauchmuskels an der Brust, so wie der langen Rückenmuskeln an der vordern Körperfläche anzusehen ist, und dessen Entstehen gewissermaassen durch regelwidriges Aufsteigen des geraden Bauchmuskels bis zur dritten Rippe, [4]) welches der regelmässigen

1) Obs. a. F. 1. p. VII. n. 5.

2) Brugnone a. a. O. S. 182. Kelch. 32.

3) Kelch. S. 32.

Boerhaave in C. etr. t 2. . 268.

Anordnung desselben bei den Säugthieren correspondirt, angedeutet erscheint.

Ich fand selbst kürzlich einen Fall dieser Art, den ich noch aufbewahre, bei einem Kinde. Auf der rechten Seite entsprang an der Basis des sechsten Rippenknorpels ein Muskel, der die Breite eines halben Zolles hatte und sich, schief aufsteigend, bis zur Handhabe des Brustbeins erstreckte, wo er sich theils befestigte, theils mit den Sternomastoideus verwebte.

Andere Fälle, die wegen der Gradation in der Entwicklung dieses Muskels merkwürdig sind, haben Haller,[1]) du Puy,[2]) Bonn,[3]) Huber,[4]) Crouzet,[5]) Brugnone,[6]) Boerhaave,[7]) de la Faye,[8]) Albin,[9]) Weitbrecht,[10]) Portal,[11]) Bourienne,[12]) Wilde,[13]) Loschge.[14])

Bisweilen finden sich innere hintere sägeförmige Muskeln.[15])

Böhmer[16]) fand einen doppelten Sub-

1) Ic. an. f. 6. t. 6. n.
2) M de l'ac. des sc. 1726. h. p. 38.
3) Sandifort ex. ac. p. 88.
4) Act. n. c. Vol. X.
5) Bei Brugnone S. 179.
6) A. a. O. S. 177.
7) A. a. O. S. 269. Taf. 11. f. 2.
8) M. des sc. 1736. hist. p. 82.
9) H. musc. p. 291.
10) C. petr. Vol. 4. p. 259.
11) Roux j. d. m. t. 39. 1773. Janv. p. 305.
12) Ebendas. p. 45.
13) C. petr. t. 12. o. 4. t. 8. f. 5.
14) Fleischmann an. Wahrn. in den Erl. Abh. Bd. 1. S. 28.
15) Kelch. S. 41.
16) A. a. O. n. XI. p. IX.

Winslow,[1]) Sabcratier[2]) und ich
midenmuskel auf einer, ſeltner auf bei-
en doppelt.

Ich ſahe an der äuſsern Seite des ge-
ıen geraden Muskels einen anſehnlichen
ſchen von der zehnten Rippe zum Hüft-
ıme gehen. [3])

Auge gehört ein von Kulmus [4]) beer zweiter innerer ſchiefer Augenmus-
ıer, eine weitere Entwicklung des von
[5]) Brugnone [6]) und mir geſehenen
nus oculi, der ſich gewöhnlich ſchon
ıolle verliert.

: nur auf dem Oberkiefer verlaufende
ıs faciei oder Rhomboideus von Santo-
n Analogon des Niederziehers des Rüſ-
ırerer Rüſſelthiere.

ht ſelten ſind beide vordere Bäuche des
ächigen Unterkiefermuskels
r ſo ſtark, daſs ſie in der Mitte ver-
n, oder zwiſchen ihnen finden ſich eig-
ı Zungenbein kommende, paare oder
Muskeln, welche dieſe Verbindung be-
eine Bildung, die ſowohl andere, [7])
einigemal bemerkten, und die wegen
ılichkeit mit einigen Affen [8]) merk-

tern Unterkieferrandes kommenden, unmittelbar unter der Haut auf dem breiten Halsmuskel liegenden Muskels, der queer unter dem Kinne lag, und mit seinem obern Rande an die innere Lippe des unteren Unterkieferrandes gränzte, [1]) eine Andeutung des *Costo - maxillaris* der *Schlangen*. [2])

b. Extremitäten.

a. obere.

Man findet bisweilen mehr oder weniger ansehnliche Muskeln, die entweder, außer den runden Muskeln, vom Schulterblatte, oder vom dreieckigen Muskel, [3]) oder vom breiten Rückenmuskel zum grossen Brustmuskel, oder dem Hakenarmmuskel [4]) und dem zweibäuchigen Armbeuger [5]) gehen; letzteres besonders wegen der Maulwurfs- und Vogelähnlichkeit, so wie auch der Analogie mit dem gemeinschaftlichen Arm-Hals-Kopfmuskel schlüsselbeinloser Säugthiere merkwürdig.

Der zweiköpfige Beuger vervielfacht sich auf verschiedne Weise, indem entweder von einem der benachbarten Muskeln, z. B. dem innern Armmuskel, [6]) oder der Mitte des Oberarmbeines, [7]) oder von diesem und den normalen Köpfen zugleich [8]) einer oder mehrere

---

1) Fleischmann. a. a. O. S. 28. Kelch. S. 30.
2) Cuvier ebend. S. 271.
3) Albin. S. 422.
4) Kelch. S. 35.
5) Brugnone sechsmal. S. 162. 176. 177. Wardrop. Ed. m. j. VIII. p. 282. Kelch. S. 34.
6) Albin. S. 438. Albin. l. c. 438.
7) Sommerring Muskellehre. S. 221. Mayer. Kelch. S. 55.
8) Pietsch in Roux j. d. m. t. 21. p. 245.

accessorische Köpfe entspringen, durch welche die Analogie des zweiköpfigen Armmuskels mit dem gleichnamigen Schenkelmuskel auf eine interessante Weise vermehrt wird.

So wurden auch überzählige Pronatoren [1]) und Supinatoren [2]) gefunden.

An der Hand findet man nicht selten entweder die Sehnen des Indicators in zwei gespalten, von denen eine an den Mittelfinger geht, [3]) oder einen ganz eignen kleinen Mittelfingerstrecker, [4]) der gewöhnlich vom untern Ende der Speiche kommt, eine wegen der Affenähnlichkeit und überhaupt der Vervielfachung der Streckmuskeln an dem Vorderfusse der Säugthiere [5]) merkwürdige Abweichung.

So habe ich auch mehrmals einen ganz eignen dritten Strecker des Daumens gefunden.

Häufig sahe ich auch einen oder mehrere, bisweilen alle Spulmuskeln vorn in zwei Sehnen, deren zweite an die Aussenseite des folgenden Fingers ging, gespalten.

b. untere.

An der untern Extremität vervielfachen sich affenähnlich bisweilen die Anzieher [6]) und Kammmuskeln. [7]) Auch der Birnmuskel [8]) wur-

1) Brugnone. S. 162. Hildebrandt in Blumenb. med. Bibl. Bd. 3. S. 177.

2) Brugnone. S. 165. Bonn bei Sandifort h. musc. p. 93.

3) Brugnone. S. 168. Petsche sylloge etc. rec. in Hall. diss. an. t. 6. p. 771.

4) Brugnone. S. 168. Albin an. ac. l. 4. t. 5. f. 3. o. 6. p. 28. Sandifort ex. ac. p. 95. 96. De la Faye a. a. O. S. 82. Mayer Beschr. des menschl. K. Th. 3. S. 553.

5) Cuvier Vorles. über vergl. Anat. Bd. 1. S. 288.

6) Brugnone. S. 122. 123. 124. 172.

7) Winslow a. a. O. S. 117.

8) Ebend. S. 125.

de doppelt gefunden. Eben fo der Schneidermuskel. [1]) Bisweilen kommt auch ein dritter Kopf des zweiköpfigen Unterfchenkelbeugers vor, der vom Sitzbeinknuppen entfteht. [2]) Bisweilen hat der dreiköpfige Wadenmuskel einen vierten Kopf, der am langen Kopfe des zweiköpfigen entfteht, und fich an die Achillesfehne heftet. [3])

Vom dritten, [4]) gewöhnlicher aber vom kurzen Wadenbeinmuskel fieht man beinahe immer eine mehr oder weniger ftarke Sehne an die kleinen Zehe gehen, und fich entweder mit der Sehne des langen Streckers verbinden, oder früher, abgefondert, aufhören.

Dies ift offenbar eine Andeutung des eigenthümlichen Streckers des kleinen Fingers der Hand. Noch deutlicher fpricht fich diefe Verähnlichung beider Extremitäten durch Anbildung eines eignen kurzen Streckers der fünften Zehe aus, den ich einmal, von dem äufsern Rande des gemeinfchaftlichen kurzen Zehenftreckers entfprungen, fich fchon auf dem Würfelbeine verlieren fahe.

Noch häufiger gefchieht dies durch das Erfcheinen eines eignen Streckers der zweiten Zehe, den Albin [5]), auch ich, wenigftens achtmal, von dem innern Rande des gemeinfchaftlichen kurzen Zehenftreckers kommen, und fich immer, viel fchwächer als die normale eigenthümliche Sehne des kleinen Zehenftreckers, an die innere Seite der zweiten Zehe fetzen fahen.

---

1) Huber a. a. O.
2) Gantzer. S. 15.
3) Kelch. S. 42.
4) Brugnone. S. 174.
5) A. a. O. S. 602.

Hierher gehört auch die Entwicklun
innerſten Portion des kurzen Zehenſtreck
einem eignen kurzen Strecker der groſs
he, noch mehr aber ein einigemal von n
merkter, vom Schienbein kommender M
der, mehr nach auſsen als der groſse St
derſelben liegend, entweder mit einer d
Sehne die groſse Zehe erreichte, oder ſich
auf dem Fuſsrücken im Zellgewebe verlor

Abweichungen, die ſowohl als Verme
der Analogie beider Extremitäten als der
ähnlichkeit wegen höchſt merkwürdig ſi

6. *Geſchlechtstheile.*

Die gewöhnlich ſogenannte Duplicit
Geſchlechtstheile gehört nicht hieher, u
Fälle, die wirklich hier zu betrachten
ſind wenigſtens zweifelhaft.

Thilow [1]) ſpricht von einer drei
Gebärmutter. Da ich, aller Bemühung
geachtet, das Original ſelbſt nicht geſeh
be, ſo ſcheint mir die Vermuthung erlaub
das Weſen der Bildungsabweichung nur i
ſchnürungen beſtand.

Beim männlichen Geſchlecht iſt vorz
die Mehrzahl der Hoden problematiſch.
Blaſius [2]) hat einen dreihodigen Man
tomiſch unterſucht, deſſen Samengang e

Wo diese Abweichung Statt findet, ist sie wegen der Aehnlichkeit mit mehrern Insecten und Würmern, auch den Salamandern, höchst interessant. Vielleicht ist die Morgaginsche Hydatide am Hoden immer ein Rudiment eines dritten, und die Mehrzahl der Hoden nur eine stärkere Entwicklung derselben. Wenigstens ist sie keine krankhafte Erscheinung, da ich sie in allen Lebensperioden immer gefunden habe. Eine doppelte Ruthe beschreibt Günther, [1]) einen doppelten Kitzler Arnaud. [2])

Im ersten Falle lagen beide Ruthen über einander, was wegen der Analogie mit der doppelten Zunge merkwürdig ist; im letzten lagen die Kitzler neben einander, eine Analogie mit der Kitzlerspaltung mehrerer Beutelthiere.

Doppelte Ruthe und Hoden zugleich sahe Loder. [3])

Häufiger und authentischer kommt die Vermehrung der Brüste vor. Im geringsten Grade bilden sich auf derselben Brust nur mehrere, zwei [4]) oder drei [5]), Warzen. Darauf folgt die Anbildung einer dritten Brust, von denen die accessorische gewöhnlich unter einer der normalen, [6]) oder unter und zwischen beiden in

---

1) Cohen vom Stein. Halle 1774. S. 197.

2) Sur les hermaphr. p. 374.

3) Gött. Anz. 1802. p. 466.

4) Borelli o. rar. cent. 1. o. 49. p. 55. o. consult. med. Lib. II.

5) Paullini Eph. n. c. d. 2. a. 5. app. p. 40.

6) Borelli a. a. O. Lanzoni E. n. c. d. 2. a. 5. o. 55. Bartholini a. m. hafn. vol. 3. obs. 93. Borrichius bei Bartholin hist. cent. 4. o. 38. Blancaard coll. phys. m. p. 2. o. 49. Percy mém. sur les femmes multimammes in Corvisart. j. de méd. T. 9.

e, ſelten auf dem Rücken [1]) ſitzt. Selbſt ſte wurden von Cabrol, [2]) Lamy, [3]) [4]) Gardeux, [5]) François [6]) und n [7]) beobachtet. Die überzähligen nter den normalen und waren kleiner Perey [8]) ſahe ſogar eine fünfte, die n war, und mitten zwiſchen beiden achen ſtand. Gewöhnlich gaben die achen ſo gut, bisweilen aber weniger, s die normalen, ſind aber meiſtens kleiieſe.

ſe Abweichung ſcheint vorzugsweiſe nur iblichen Geſchlecht vorzukommen; wefinden ſich unter den angeführten Fälzwei, die von François und Brano ſie bei Männern gefunden wurde.

7. *Herz.*

m Doppeltwerden des ganzen Körpers, uch nur der obern Hälfte deſſelben, g das Herz mehr oder weniger vollkomppelt, ſeltner bei Einfachheit deſſelben. ie Annäherung dazu beobachtete de [9]) durch Anweſenheit eines eignen lanſatzes am linken Vorhofe, Kerkring [10]) Duplicität des Lungenventrikels und der arterie.

---

iolin. E. n. c. d. l. a. 2. o. 72.
an. 7.
ni anat. p. 267.
c. d. I. a. 2. p. 396.
isart. j. d. m. t. 9. p. 378.
ares in Dict. des ſc. médic. à Paris 1813. T. 4. p. 154.
d.
O. S. 386.
med. T. IX. p. 39.
il. obſ. 69.

Plazzoni [1]) ſoll auch bei einem Manne ein doppeltes Herz gefunden haben.

Vollſtändig doppelt war das Herz in einem von Coulomb [2]) unterſuchten, ſehr lange vor dem Erſcheinen ſeiner Werke aber von Winslow [3]) beſchriebnen Kinde, wo es höchſt merkwürdig iſt, daſs am Kopfe und Halſe dagegen mehrere Theile, z. B. Speiſeröhre, Luftröhre, mehrere Knochen ganz fehlten, andere, z. B. die Augen vereinfacht waren.

Merkwürdig iſt, daſs bei den hoch irritabeln Vögeln dieſe Bildungsabweichung am wenigſten ungewöhnlich iſt.

8. *Extremitäten.*

Die Vervielfachung der Extremitäten hat verſchiedne Grade. Sie fängt mit Anbildung eines überſchlüſſigen Zehenrudimentes an, und endigt ſich mit Vervielfachung der ganzen Extremität.

Dies Zehenrudiment erſcheint zuerſt bloſs aus Fett und Haut, indem ſich ſogar bisweilen nicht einmal ein deutlich merklicher Knorpel findet, gebildet. Es hängt in einem Falle dieſer Art, den ich vor mir habe, mit dem normalen fünften Finger, der es an Gröſse dreimal übertrifft, nur durch die Haut zuſammen, und iſt hier ſtark eingeſchnürt.

Dann vergröſsert und vervollſtändigt ſich dies Rudiment durch Erſcheinen von Phalangenknorpeln oder Knochen, die aber, wie in et-

3 *

1) Rhodii mantiſſa a. No. 12.
2) Oeuv. chir. Lyon. 1798.
3) M. de Paris 1743. p. 462.

em vor mir befindlichen und einem von Ober-
euffer [1]) beobachteten Falle in gewöhnli-
her Zahl vorhanden, und nicht mit dem nor-
nalen Finger eingelenkt sind.

Darauf lenkt sich, wie in einem von Morand [2]) abgebildeten Falle, der zu kurze und
nur aus zwei Phalangen gebildete accessorische
Finger mit einem normalen ein.

Darauf wird ein Mittelhandknochen, bisweilen auch die hintere Phalanx breiter, die vordern
aber sind doppelt, wie in einem Falle, den ich
vor mir habe, wo es merkwürdig ist, dass die
fünfte und sechste Zehe plötzlich viel kürzer als
die vierte sind. Nicht die fünfte, sondern nur
die sechste Zehe erhält Sehnen. Damit kommt
ein von Morand abgebildeter Fall überein. [3])

In einem Falle, den ich vor mir habe, ist
der fünfte Mittelfußknochen beträchtlich breiter,
vorn in zwei Gelenkflächen gespalten, die eine
fünfte und eine sechste viel grössere Zehe tragen. Die Sehne des dritten Wadenbeinmus-
kels spaltet sich für die beiden Zehen, der Abzieher aber setzt sich nur an die sechste, der eigne kleine Beuger nur an die fünfte, doch schickt
der Abzieher ein Beugerrudiment an die sechste.
Diese erhält eine Sehne vom langen und kurzen
Zehenbeuger, nur die fünfte aber einen innern Zwischenknochen- und Spulmuskel.

Weiter entwickelt ist das Mehrfachwerden
in einem von Morand [4]) beschriebnen Falle

1) Starks n. A. B. 2. S. 641. 42.
2) Rech. s. quelq. conf. monst. des doigts in M. d. Paris
1770. t. 7.
3) A. a. O. T. 6.
4) Taf. 9.

durch Breite des Würfelbeins und fast totale Spaltung des letzten Mittelfusknochens.

Endlich bildet sich ein vollkommen getrennter, überschüssiger Mittelhand- oder Mittelfusknochen nebst den dazu gehörigen Muskeln. [1])

Die Vervielfachung geht von hier an bisweilen noch weiter, indem sich sieben, [2]) acht, [3]) neun, [4]) selbst zehn [5]) Finger oder Zehen oder beide zugleich finden, wobei gewöhnlich auch die Zahl der Mittelhand- oder Fusknochen in demselben Maasse vermehrt ist.

Sehr häufig sind die überzähligen Theile äusserlich mehr oder weniger verwachsen, wenn auch die Knochen ganz getrennt sind, oder auch viel kürzer als die normalen.

Am gewöhnlichsten bildet sich der überschüssige Theil entweder am Mittelhandknochen oder der ersten Phalanx der fünften Zehe, dieser Stelle zunächst am Daumen oder der grossen Zehe, weit seltner zwischen den übrigen an, also ganz deutlich der Anfang einer neuen Hand oder eines neuen Fusses, vorzüglich, wenn er zugleich, was aber selten der Fall ist, auch viel grösser als der Theil ist, von dem er aussprosst.

Sehr merkwürdig ist die Erblichkeit dieser Bildungsabweichung in mehrern Familien. Ausser den schon oben [6]) angeführten und ältern

---

1) Morand a. a. O. Oberteuffer a. a. O.

2) Valleriola o. m. 1605. p. 256. Plater Obs. l. 3. p. 570. Kerkring Obs. 22. J. des savans 1696.

3) Ebendas. und Morand Taf. 11. S. 438. Neumann. Kerkring spicil. a. 22.

4) Kerkring ebend.

5) Saviard obs. de ch. p. 402.

6) Path. anat. B. 1. S. 19. ff.

ɔn dieſer Art, haben beſonders Menc neuerlichſt Abernethy [2]) Beiſpiele d genau verzeichnet.

Ein eben ſo merkwürdiger Umſtand in ɔhichte dieſer Abweichungen, iſt die gl ge Erſcheinung derſelben mit Hemmı ungen andrer, beſonders früher erſchei und edlerer Organe, wovon ich ſelbſt Fälle vor mir habe, und eine Menge ɔhtungen anderer Schriftſteller verzei(. [3]) Bisweilen iſt auch die Zahl der Fı r Zehen eines Gliedes vermehrt, wäh der andern vermindert ſind, [4]) ja, ɔhſelbeziehung beſchränkt ſich bisweile nicht auf denſelben Körper, ſonderı ɔkt ſich auf Geſchwiſter. [5])

Von hier aus nimmt das Mehrfachwe ganzen Körpers ſeinen Anfang, indem Vervielfachung der Extremitäten imme ſert, ſo daſs eigne vollſtändige Sche r Arme an übrigens einfachen Körpern ɔrechen.

Das Mehrfachwerden des ganzen Kö gleichfalls verſchiedne Grade.

Gewöhnlich rubricirt man die Doppelt ırten nach dem Grade der Duplicität Beſchaffenheit der Theile, welche do heinen; doch ſcheint es mir, als könnte

---

Rozier obſ. ſur l'hiſt. naturelle et ſur les arts. p. 372. ff.

A. d. phil. transact. in medico-chir. transact. Vol

S. mehrere Fälle dieſer Art zuſammengeſtellt von Comm. de duplicitate monſtroſa. §. XX.

Neumann in comm. nor 1740. p. 172. Sue mém. des ſc. 1746. p. 62.

Morand a. a. O. S. 437.

sie fruchtbarer classificiren, wenn man die Seiten und Gegenden des Körpers, an welchen die Verdopplung Statt findet, zum Haupt-Eintheilungsgrunde macht, und die verschiednen Grade nur als eben so viele Unterabtheilungen betrachtet. Man findet dann, dass von den Hauptgegenden und Seiten des Körpers aus, von den Seiten, von vorn, von hinten, von oben, von unten auch die Verdopplungen ausgehen, und sieht, dass, auf eine merkwürdige Weise, das seitliche Doppeltwerden eben so das häufigste ist, als die beiden Seitenhälften des Körpers auch im normalen Zustande sich am vollkommensten entsprechen, während die übrigen Arten, besonders das obere und das untere, in demselben Maasse seltner vorkommen, als auch im normalen Zustande die vordere und hintere, die obere und untere Gegend des Körpers einander weit weniger vollkommen wiederholen.

a. Seitliches Doppeltwerden.

Das seitliche Doppeltwerden spricht sich in seinen niedrigern Graden am Kopfe aus, während der übrige Körper einfach ist.

Den niedrigsten Grad stellt eine von Sömmerring[1]) beschriebne und abgebildete Missgeburt dar, mit welcher eine andere von Asch[2]) übereinkommt.

Darauf folgt eine von Vallisneri,[3]) eine andere von Schellhase[4]) beschriebne; auf diese eine von Ledel[5]) beobachtete.

1) Abb. und Beschr. einiger Missgeb. S. 11. Taf. 3.

2) Zeichn. von Missgeb. von Asch. auf der Gött. Bibl. T. 11.

3) Hist. v. d. Erzeug. S. 697. Taf. 6.

4) E. n. c. d. 2. a. 3. o. 156.

5) Ebds. a. 6. o. 64.

Bisher ſind entweder die zwei innern Augen der beiden Doppelköpfe verſchmolzen, der Mund und die Naſe des einen von denen des andern getrennt; es findet ſich auch ein mehr oder weniger vollkommen doppeltes Rudiment eines oder zweier innerer Ohren; oder umgekehrt, es finden ſich vier Augen, aber ein einfacher Mund und Naſe.

Bei weiterem Doppeltwerden ſind ſowohl die innern Augen als die beiden Mundöffnungen und Naſen ganz von einander abgeſondert. [1])

Noch weiter iſt die Duplicität in einer andern von Sömmerring dargeſtellten Miſsgeburt vorgeſchritten, [2]) wobei zugleich der Stamm ungeheuer breit geworden iſt.

Hier iſt das innere Ohr noch einfach, in einem von Bordenave [3]) beſchriebenen Falle ſchon doppelt. Damit ſtimmte auch die völlige Duplicität des Halstheiles der Wirbelſäule überein; doch waren alle Organe, die Gefäſse am Halſe ausgenommen, einfach, nur Herz und Leber gröſser als gewöhnlich.

Darauf folgt eine von Sömmerring [4]) abgebildete Miſsgeburt, wo die Köpfe ſo vollſtändig ſind, daſs jeder beinahe einen ganzen ausmacht.

Bisher war der Hals äuſserlich einfach. In einem von Joube [5]) beobachteten Falle ſaſs dagegen ein ſehr unvollkommnes Schädelrudiment frei auf dem Halſe auf.

---

1) Sömmerring a. a. O. S. 15. T. 5.
2) Ebend. S. 18. T. 6.
3) Roux j. d. m. t. 15. p. 140.
4) A. a. O. S. 19. T. 7.
5) M. de Paris 1754. p. 93.

Darauf ſetzt ſich, bei getrenntem Halſe, die Duplicität auch durch die ganze Wirbelſäule, bis zum einfachen Heiligbein fort. Fälle dieſer Art haben Berdot [1]) und Bernoulli. [2]) Das Herz und die Lunge waren einfach, doch die gröſsern Gefäſse mehr oder weniger doppelt. Die Duplicität des Verdauungsſyſtems erſtreckte ſich nur bis auf den Magen.

An dieſe ſchlieſst ſich eine von Lemery [3]) beſchriebne, wo nicht bloſs die Wirbelſäule, ſondern auch Heilig- und Steiſsbein doppelt waren, und ſich überdies auf jeder Seite eine innere Reihe kurzer, unmittelbar an einander gehefteter Rippen entwickelt hatte.

Die innern Hälften der doppelten Organe, z. B. des Gehirns, der Wirbelſäule waren in dieſen Fällen kleiner als die äuſsern.

Darauf bildet ſich auch ein Rudiment einer innern obern Extremität an. Sehr unvollkommen war dies in einem von Prochaska [4]) beſchriebenen und abgebildeten Fälle. Aeuſserlich erſchien es nur als ein kleiner, zwiſchen beiden Hälſen befindlicher Höcker, unter dem ſich nur ein ſehr kleines Schulterblatt, das über die Bruſthöhle weg, durch ein einfaches Schlüſſelbein mit dem vorn liegenden Bruſtbeine verbunden war, auſserdem kein Knochen, fand. Die Wirbelſäule war doppelt, beide floſſen aber in der Lendengegend zuſammen.

Damit fällt auch die völlige Gedoppeltheit und Trennung der Herzen und Lungen, die An-

---

1) N. a. helv. t. 6. p. 179—185.
2) Ebendaſ. t. 1. p. 216—229.
3) M. de Paris 1724. p. 63—90.
4) Ann. acad. faſc. 2.

wesenheit zweier Gallenblasen an der einfachen Leber zusammen.

Auf diese folgt eine Doppeltmissgeburt, welche ich vor mir und an einem andern Orte beschrieben und abgebildet habe. [1])

Die Anordnung der innern Theile ist im Wesentlichen dieselbe, allein die innere Rippenreihe ist vollkommner, indem ihre Rippen nur um ein Drittheil kleiner als die äussern sind. Doch findet sich auch hier noch kein zweites Brustbein. Besonders sind die innern obern Extremitäten viel vollkommner entwickelt, indem auf der innern Hälfte der fünf obern Rippenpaare, doppelt zu weit von den respectiven Wirbelsäulen entfernt, zwei normale, mit den, im normalen Zustande äussern Rändern einander entgegen gewandte, und mit den Gelenkhöhlen sogar verschmolzne Schulterblätter liegen, die hier einen einfachen, etwas zu kurzen und viel zu dünnen Oberarmknochen tragen, auf dem ein, kaum einen halben Zoll langer, das einzige Rudiment aller Vorderarm- und Handknochen aufsitzt.

Hierauf folgt eine von Düvernoy [2]) beschriebne Missgeburt, wo sich zwischen die obern Enden der beiden innern Rippenreihen ein unvollkommnes Brustbein geschoben hatte, und der einfache Vorderarmknochen, dem dieselben Knochen, als in dem zuletzt beschriebnen Falle, zur Basis dienten, zwei kleine Fingerwärzchen trug. Auch haben sich zwei eigne kleine hintere Schlüsselbeine, und zuerst zwischen den Heiligbeinen, auch hinten ein Rudiment innerer

1) De duplicitate monstrosa. §. LXI. Tab. I—VIII.
2) Comm. petr. t. 3. p. 188.

Hüftbeine in Gestalt eines breiten unförmlichen, einen Zoll dicken Knochens gebildet. So findet sich auch hinten ein zweites, aber verschmolznes Nierenpaar, da sich bei meiner Missgeburt nur eine dritte mittlere Nebenniere gebildet hatte.

In einer von Brunner, [1]) einer von Knox, [2]) einer dritten von Valentin, [3]) einer vierten von Marisy [4]) beschriebnen Missgeburt spricht sich die vollkommnere Duplicität durch die Anwesenheit zweier ganz getrennter Vorderarme und Hände auf einem gewöhnlich einfachen, breitern aber zu kurzen, von zwei Schulterblättern getragenen, bei Knox doppelten Oberarmbeine aus.

Bei diesen Missgeburten findet sich da, wo die Duplicität bis zur Hervorbringung einer dritten, mittlern, obern Extremität vorgeschritten ist, gewöhnlich eine doppelte Wirbelsäule, ein drittes, mittleres, von den hintern Schulterblättern über die Brusthöhle weg nach vorn zum normalen Brustbeine gehendes Schlüsselbein, bisweilen auch zwei.

Gewöhnlich ist aber nur ein Brustbein vorhanden, die hintern Rippenpaare berühren sich unmittelbar mit ihren vordern Enden, und findet sich ein zweites, hinteres Brustbein, so ist es sehr unvollkommen.

Das Herz ist gewöhnlich doppelt, doch ist das eine im höhern oder geringern Grade unvollkommner entwickelt, als das andre.

Auch die Lungen sind doppelt. Dasselbe

---

1) Foet. monstr. et bic. 1672.

2) Duncan med. comm. d. 2. v. 6. p. 291.

3) Act. n. c. a. II. p. 283.

4) Roux j. de méd. T. 36. p. 312.

gilt für die Mägen. Die Leber ist einfach, indessen finden sich gewöhnlich zwei Gallenblasen. Die dünnen Därme fliessen früher oder später zu einem zusammen, der bis zum Ende einfach bleibt.

Von den Harnorganen sind die Nieren und Nebennieren entweder einfach oder sehr unvollkommen doppelt, die Harnblase und Geschlechtstheile einfach.

Das seitliche Doppeltwerden erstreckt sich, wiewohl in seltenen Fällen, auch durch den ganzen Körper, wo bald die obere, bald die untere Hälfte vollkommen doppelt wird, bald beide sich gleichmäfsig, allein gewöhnlich unvollkommen, vervielfachen.

In einem von Bianchi[1]) beschriebnen und abgebildeten Falle hatte offenbar die obere Hälfte das Uebergewicht. Der Kopf, der Hals, die Brust, die obern Extremitäten waren vollkommen doppelt, und die beiden Köpfe standen fast in derselben Fläche.

Der Unterleib dagegen war zwar breiter als gewöhnlich, allein die beiden innern untern Extremitäten fanden sich zu einer verschmolzen, an der sich jedoch deutlich zwei Unterschenkel und zwei Füfse befanden. Die Afteröffnung war einfach, die nächsten Geschlechtstheile waren unregelmäfsig entwickelt, indem sich unter dem Nabel eine gespaltene Harnblase befand, auf der sich zwei Harnleiter und zwei blinde Gänge öffneten. Die Brusthöhlen waren getrennt und hingen nur durch einige der innern Rippen zusammen. In jeder befand sich ein besonderes Herz. Das linke Herz war weit gröfser als das rechte, viereckig,

1) Storia del mostro di due corpi. Torino. 1748. 8.

bestand aus zwei Kammern, die aber an der Basis sich in einander öffneten, und aus denen die Aorta und linke Lungenarterie so entsprangen, dass die Lungenarterie nur aus dem rechten, die Aorta zugleich aus beiden Kammern hervorkam. Die Aorta war bloss aufsteigende Aorta, verband sich aber durch einen eignen Ast mit der Lungenarterie, aus welcher die rechte Schlüsselbeinarterie entsprang. Die Lungenarterie selbst wurde absteigende Aorta, stieg aber auf der rechten Seite der Wirbel herab, und schickte aus ihrer rechten Hüftarterie einen Verbindungsbogen zur linken Hüftarterie des rechten Körpers. Das Herz und die Gefässvertheilung des rechten Körpers war normal; aus den innern Hüftpulsadren beider entsprang eine gemeinschaftliche, einfache Nabelarterie.

Der Magen war doppelt, der linke lag auf der rechten Seite und senkrecht. Der dünne Darm war anfangs doppelt, dann einfach, bildete bei seiner Verbindung ein Divertikel, und öffnete sich dann in einen gemeinschaftlichen Grimm- und Mastdarm. Die Leber war einfach, aber aus vier Lappen zusammengesetzt. Die Nieren waren doppelt, allein nur die innern Harnleiter öffneten sich in eine gemeinschaftliche regelmässige Harnblase, die äussern in eine invertirt.

Diesem Falle sehr ähnlich ist ein von Tulp [1]) beobachteter. Es fanden sich zwei getrennte Köpfe, vier regelmässige Arme, allein nur drei untere Extremitäten, von denen aber die dritte, hintere einen Fuss mit sechs Zehen trug. Die Verwachsung erstreckte sich vom obern Theile

1) Obss. med. lib. III. obs. 38. p. 246. tab. XIV.

der Bruſt bis zum Ende des Beckens, und die Bruſt- und Bauchhöhle waren verbunden.

Die Leber war doppelt, eben ſo die Herzen, die ſich aber in einem einfachen Herzbeutel befanden. Auch die Lungen waren doppelt und völlig von einander getrennt.

Ungeachtet ſich keine genaue Angabe der Vereinigungsweiſe der Rippen und Bruſtbeine, die auch in dem Bianchiſchen Falle fehlt, findet, ſcheint doch auch hier, wie dort, die Stellung der beiden Köpfe deutlich genug die Seitenduplicität anzudeuten.

Im entgegengeſetzten Falle entwickelt ſich die untere Körperhäfte bei ſeitlicher Duplicität vollkommner doppelt als die obere.

So erſcheinen in einer von Greiſel [1]) beſchriebnen Miſsgeburt zwei vollkommne Körper ſeitlich zuſammengefloſſen. Die vollkommen doppelten Köpfe waren ganz an einander geheftet, die untern Extremitäten doppelt, die obern einfach. Wirbelſäule, Herz, Lungen, Magen, Darmkanal waren zu groſs, aber einfach. Erſt in der Lendengegend ſpaltete ſich die Wirbelſäule und der Darmkanal.

Ein von Paré [2]) unterſuchter Fall unterſcheidet ſich von dieſem durch Trennung der neben einander liegenden Köpfe.

Auf eine andre Weiſe iſt der Körper doppelt, die Zahl der Extremitäten gleichmäſsig um das Doppelte vermehrt, allein der Kopf iſt unvollkommen doppelt, wenn gleich die Wirbelſäule es in ihrem ganzen Verlaufe iſt. Der Kopf iſt vorn gewöhnlich einfach, hinten mehr

1) E. n. c. d. 1. a. 1. o. 55.

2) Oeuvres. Paris 1641. p. 649.

oder weniger zu zweien entwickelt, so dass die hintern Schädelknochen mehr oder weniger doppelt sind, und sich, dem vollkommnen Gesicht gegenüber, ein unvollkommnes, gewöhnlich nur mit einem Augen- und Mundrudiment versehenes findet.

Fälle dieser Art haben Heiland,[1] Klinkosch,[2] Böhmer,[3] Zimmer[4] beschrieben und abgebildet, und ich selbst habe einen solchen vor mir. Herz und Lungen sind gewöhnlich vollkommen doppelt und getrennt, der in der Mitte liegende Magen noch einfach, nur grösser, bisweilen mit einer mittleren Trennungsfurche versehen. Ein grösserer oder kleinerer Theil des dünnen Darms ist gleichfalls einfach. Die übrigen Organe sind doppelt, die von einander getrennten Herzen oft nicht bloss unvollkommen, sondern so gebildet, als hätte sich das eine auf Unkosten des andern vervielfacht.

Vollkommner doppelt als gewöhnlich ist eine von Brugnone[5] beschriebne Missgeburt dieser Art. Zwei Mädchen waren von dem Scheitel bis zum Nabel so verbunden, dass das eine Gesicht nach vorn, das andre nach hinten, das eine Hinterhaupt und der Rücken auf der rechten, das andre auf der linken Seite lag. Die vier Arme und vier Beine waren einander entgegen gewandt, der Nabel befand sich unten in der Mitte der beiden Nabelgegenden in einer ovalen, breiten, mit vier kleinen fleischigen Zitzen ver-

---

1) De monstro Hassiaco. Giessae 1664.
2) Descr. inf. monoc. bicorp. Prag. 1767.
3) Observ. anat. rar. Fasc. II.
4) Ueber Missgeburten. Rudolstadt 1806.
5) Mém. de Turin. an. 1786—87.

sehenen Fläche. Der Nabelstrang bestand aus vier Arterien und zwei Venen.

Jedes Gesicht hatte seine eigne Stirn, zwei Ohren, zwei Augen, zwei Brauen, Nase, Mund und Kinn, nur war das hintere Gesicht kleiner, die Augen näher an einander gerückt, die Nase platt, Mund und Nase verschmolzen, das Kinn unvollendet, beide Ohren nur vier Linien von einander entfernt. Im Munde des hintern Gesichtes befand sich nur ein rundlicher Fleischklumpen ohne Zungenbein. Der Schlundkopf, der Zapfen und der Unterkiefer fehlten.

Alle Kopfknochen waren doppelt, nur etwas kleiner als gewöhnlich, der Türkensattel gemeinschaftlich, indem die beiden Keilbeine einander berührten. Auch die vordere Fontanelle war beiden Köpfen gemein.

Die beiden grossen Gehirne waren mit einander verbunden, die zwei kleinen, wie die Rückenmarke, getrennt.

Alle Brusteingeweide waren regelmässig, aber doppelt, das Zwerchfell einfach, enthielt aber zwei sehnige Mittelpunkte.

Auch das Harn- und Generationssystem waren doppelt, so wie der dicke Darm, die Speiseröhre und der Magen, der aber eine herzförmige Gestalt hatte, und der dünne Darm, an dem aber der Zwölffingerdarm in der Länge eines halben Zolles stark ausgedehnt war, einfach. Die Leber und Gallenblase dagegen waren doppelt.

Sehr merkwürdig für die Geschichte der Doppeltmissgeburten ist es, dass der, einen Fuss und drei Zoll lange obere dünne Darm sowohl als das untere, etwas längere Dünndarmstück

einer

Endlich ſind die Köpfe völlig getrennt, der Rumpf iſt doppelt, aber die obern und untern Extremitäten ſind in dem Maaſs unvollkommner gebildet, als ſich die Köpfe vollkommner entwickelt haben.

So waren in einem von Schützer beſchriebnen Falle [1]) auf einem Rumpfe zwei ganz getrennte Köpfe, drei obere und drei untere Extremitäten vorhanden. Der überzählige Arm hatte nur vier Finger, der Schenkel dagegen ſechs Zehen. Die Wirbelſäule war doppelt, Herz, Generations- und Harnſyſtem einfach. Die bis zum Zwerchfell getrennten Speiſeröhren vereinigten ſich zu einem einfachen Magen und Darmkanal.

In einem etwas weiter entwickelten, von Tulp [2]) beſchriebnen Falle trugen die dritte obere und untere Extremität zwei Hände und zwei Füſse.

In einem von Gabon [3]) beobachteten fehlte zwar die innere obere ganz, allein auch hier war die dritte untere aus zweien zuſammengefloſſen. So fanden ſich auch Rudimente eines zweiten Generations- und Harnſyſtems, die ſich in einen gemeinſchaftlichen Maſtdarm öffneten, der einem durchaus doppelten Darm-

1) Schwed. Abh. Bd. 18. S. 117.
2) Obſ. med. l. 3. c. 37. t. 13.
3) M. de Paris 1745. hiſt. no. 5.

kanal angehörte. Leber und Herz waren einfach, die Lungen dagegen doppelt.

Beim höchsten Grade des seitlichen Doppeltwerdens finden sich zwei vollständige, nur in einer grossern oder kleinern Strecke so verbundne Körper, dass die ungleichnamigen Rippen und Schlüsselbeine beider Körper sich an ein Brustbein setzen. Die beiden Brustbeine stehen senkrecht, und sind durch das zwischen ihnen liegende Herz völlig von einander getrennt. Bisweilen findet sich, bei etwas unvollkommnerem Doppeltwerden, nur ein Brustbein, und die beiden ungleichnamigen Rippenreihen der beiden Körper treten da, wo es fehlt, unmittelbar an einander. So verhielt es sich in einem von Lentilius [1]) beschriebnen Falle. In einem andern, von Zimmer [2]) beschriebnen und abgebildeten, war das zweite Brustbein zwar vorhanden, aber viel unvollkommner als das andre gebildet. In einem von Haller, [3]) einem andern von Melle, [4]) einem dritten von Sigwart [5]) beschriebnen, und einem vierten, den ich im Musäum zu Paris zu untersuchen Gelegenheit hatte, waren dagegen beide gleich vollkommen entwickelt; immer aber sind bei diesen Missgeburten, auch wenn die Körper ganz vollkommen entwickelt sind, die Köpfe nicht einander entgegen, sondern nach derselben Seite, die man darum die vordere nennen kann, gewandt.

1) Comm. noric. a. 1731. p. 338.
2) Physiol. Unters. über Missgeb. Rudolst. 1806. S. 3 — 14. Taf. 1 — 3.
3) De monstris in opp. min. t. III. c. 29.
4) N. a. n. c. t. VI. p. 130. in append.
5) Hist. gemell. coal. Tub. 1769.

Gemeinſchaftlich kommt ihnen vollkommne Duplicität und Trennung des Reſpirationsſyſtems, des Harn- und Generationsſyſtems und, einen gröſsern oder kleinern Theil des Krummdarms ausgenommen, auch des Darmkanals zu. Im Zimmerſchen, Melle'ſchen und dem von mir beobachteten Falle war der ganze Leerdarm einfach, in dem Sigwartſchen nur die Zwölffingerdärme zu einem weiten Gange verſchmolzen, in dem von Lentilius beſchriebnen vereinigte ſich der Zwölffingerdarm des einen Körpers mit dem des andern nur durch einen engen Gang, im Hallerſchen waren beide durchaus von einander getrennt. Die Leber ſcheint immer einfach zu ſeyn, die ganze Breite des Körpers einzunehmen, und immer zwei Gallenblaſen zu enthalten. Nur in dem von Haller beobachteten Falle fehlte die eine Milz.

Die Gefäſsſyſteme beider Hälften ſind nur durch das Herz vereinigt, das nicht immer gleich vollkommen entwickelt iſt. Immer liegt es in der Mitte der Bruſthöhle. In dem von mir unterſuchten Falle war es rundlich viereckig. Oben entſprang auf jeder Seite eine Aorta, von denen die des rechten Körpers ſich in den ungenannten Stamm und zwei andre Arterien ſpaltete. Der ungenannte Stamm aber zerfiel in die Karotiden, die zweite Arterie war die linke, die dritte die rechte Schlüſſelpulsader, welche, hinter dem Schlunde weg, zur rechten Extremität ging. Unter der Aorta entſprang zwar auf jeder Seite eine Lungenarterie, allein ſie hing nur durch den arteriöſen Gang mit ihr zuſammen, war dagegen nach dem Herzen hin durchaus verſchloſſen. Die Hohl- und Lungenvenen jeder Seite öffneten ſich getrennt in einen gemeinſchaftlichen, mit vier Ohren verſehenen Vorhof. Auf der linken Seite fanden ſich zwei obere Hohlvenen, von denen überdies die rechte eine ſehr groſse, ganz aus der rechten Hüft- und Nierenvene gebildete Azygos aufnahm.

In dem Lentiliusſchen Falle war zwar auch die Kammer einfach, der Vorhof aber doppelt. In dem Hallerſchen Falle war das äuſserlich einfache Herz durch eine vollkommne Scheidewand in zwei einfache Hälften getheilt, aus deren jeder die Lungenarterie und Aorta, ohne ſich mit denen der andern Seite zu verbinden, entſprang.

Auch in dem Zimmerſchen Falle war das Herz in zwei Kammern getheilt, die eine derſelben ganz einfach, die andre durch eine unvollkommne Scheidewand wieder halbirt. Aus der letzten entſprangen zwei Aorten, von denen die eine Aorta und Lungenſchlagader des nächſten Körpers wurde, die andre zu dem entfernten Körper ging, und hier, mit einer zweiten, aus der einfachen Kammer entſprungenen, verbunden, ſich auf dieſelbe Weiſe vertheilte.

Darauf folgt der von Melle beſchriebne, wo das Herz zwar auch nur in zwei Kammern getheilt, die eine aber wieder vollſtändig bipartirt war. Nur aus der mittlern Abtheilung entſprangen die beiden Lungenarterien, aus der rechten und linken die Aorten. Nur die Aorta des linken Körpers ſandte aus einem gemeinſchaftlichen Stamme alle Leber- und Darmarterien ab.

In allen dieſen Fällen war das Herz äuſserlich einfach. In dem Sigwartſchen dagegen fanden sich zwei völlig getrennte, wenn gleich in einem Herzbeutel eingeschlossene, durch Zellgewebe dicht an einander geheftete, völlig normale Herzen, aus deren jedem die Gefäſse auf die gewöhnliche Weise entsprangen.

In dem Hallerschen, Sigwartschen, Melle'schen Falle fanden sich eine, in dem Zimmerschen und dem von mir untersuchten zwei Nabelvenen. Den meinigen ausgenommen, wo aus jedem Körper nur eine Nabelarterie trat, fanden sich immer vier Nabelarterien.

b. Vorderes Doppeltwerden.

Weniger häufig erscheint der Körper ganz oder zum Theil dergestalt doppelt, daſs es scheint, als habe sich an die vordere Fläche eines einfachen, ein neuer angebildet, oder seyen zwei ursprünglich getrennte mit ihren vordern Flächen zusammengeflossen.

Der niedrigste Grad ist das Hervorsprossen einer Extremität an der vordern Fläche. Dies sahe Plancus.[1]) Eine ganze untere Extremität saſs am Schambein, war längs der vordern Fläche gegen den Kopf gewandt, und entwickelte sich mit dem Wachsthum weit weniger, als die normalen Extremitäten.

Darauf folgen die Miſsgeburten, wo aus der vordern Fläche, gewöhnlich unterhalb der Brust, des einen Körpers ein gröſserer oder kleinerer Theil eines andern, gewöhnlich viel kleinern hervorsproſst. Fälle dieser Art haben Winslow,[2]) Brossillon,[3]) Trombelli,[4])

1) De monstr. Venet. 1748. p. 10.
2) M. de Paris 1733. p. 506. ff.
3) Vandermonde Samml. etc. Th. 3. S. 38.
4) Vallisneri von d. Erzeugung.

Brückmann,[1]) Louvois,[2]) Buxtorf,[3]) Düvernoy.[4])

Winslow, Broffillon, Trombelli fanden den acceſſoriſchen Körper bloſs aus den untern Extremitäten gebildet, und dieſe, ſo wie auch Düvernoy, was auch Ruyſch[5]) bei ähnlichen Schaafsmiſsgeburten ſahe, bloſs aus Knochen, Haut, Fett, Nerven und Gefäſsen beſtehend, alſo ohne die geringſte Spur von Muskeln.

Brückmann dagegen und Louvois fanden auch die obern Extremitäten, wenn gleich im erſtern Falle unvollkommen, entwickelt.

Gewöhnlich ſindet ſich nur ein, mit dem des vollkommnen Körpers zuſammenhängender oder blind geendigter Darm und mehr oder weniger vollkommen entwickelte Genitalien und Harnorgane in dem acceſſoriſchen.

In dem von Trombelli und Brückmann beobachteten Falle ſchienen an dem ſonſt einfachen Kopfe Spuren von acceſſoriſchen Augen oder Ohren zu ſeyn. Die übrigen Organe ſind einfach, nur etwas gröſser; doch fand Trombelli in der Bruſthöhle des normalen Körpers zwei Herzen von verſchiedner Gröſse und Ausbildung.

Weiter war die Duplicität in einem von Zeriani[6]) beobachteten Falle vorgeſchritten, indem, auſser der vollkommnen Entwicklung der

---

1) Selt. Wundergeburt. Wolfenbüttel.
2) M. de Paris 1706. h. p. 36.
3) Act. helv. t. 7. p. 101.
4) Bei Winslow. a. a O. S. 515.
5) Adv. an. D. I. n. 15.
6) M. della ſoc. Ital. vol. 9. p. 521—32.

obern Extremitäten, das Gesicht auch deutlich aus zweien zusammengesetzt erschien. Die Organisation war die gewöhnliche.

Dieser Bildung entgegengesetzt ist die, wo unter dem Brustbeine ein grösserer oder geringerer Theil der obern Hälfte des Körpers hervorragt. In einem von Walther [1]) beschriebnen Falle ragte bloss ein sehr unvollkommner Kopf, der sich überdies höchst merkwürdig, erst seit der Geburt etwas geformt haben sollte, in einem von Bartholin [2]) beobachteten ausserdem die beiden obern und die linke untere Extremität hervor.

Beim höchsten Grade des vordern Doppeltwerdens ist die äussere Form dieselbe als beim höchsten Grade des seitlichen; allein die innere Structur differirt etwas. Auch sieht man schon äusserlich die Köpfe und die ganzen Körper einander gerade mit den vordern Flächen entgegengewandt, was dort nie der Fall ist. Charakteristisch ist schon die Anordnung des Skelets. Es findet sich nicht ein vorderes und hinteres, senkrechtes Brustbein, welches der rechten und linken Rippenreihe des einen und der entgegengesetzten des andern Fötus gemeinschaftlich wäre, und die einander gegenüber ständen; sondern die beiden Brustbeine liegen oben, laufen einander mit den Schwerdtknorpeln entgegen, vereinigen sich dadurch, und an jedes setzt sich oben das Schlüsselbeinpaar eines und desselben Fötus.

Fälle dieser Art, wo diese Anordnung aus-

---

1) Thes. obs. med. ch. Leipz. 1715. p. 58.

2) Hist. a. rar. cent. I. h. 66.

drücklich bemerkt wird, haben Salzmann,[1]) Parsons,[2]) Hoffmann,[3]) ich selbst.

Die innere Organisation ist übrigens der, welche die vollkommne Seitenduplicität darbietet, sehr ähnlich, nur findet man die Herzen, wenn sie getrennt sind, einander mit den Spitzen entgegengewandt, oder im entgegengesetzten Falle damit verwachsen. In jenem Falle findet keine Vereinigung zwischen den Unterleibsaorten beider Körper Statt. Parsons bemerkt aber das Gegentheil ausdrücklich. Im Salzmannschen Falle waren die Darmkanäle getrennt, was dort nie beobachtet wurde.

Uebrigens sind diese Missgeburten, wie die vordern Doppeltmissgeburten überhaupt, viel seltner, als die seitlichen.

c. Unteres Doppeltwerden.

Unteres Doppeltwerden nehme ich da an, wo eine Verwachsung im Becken Statt findet und von hier aus zwei mehr oder weniger vollkommen doppelte Körper abgehen, die mehr oder weniger in einer geraden Linie liegen.

Den Uebergang von dieser Art des Doppeltwerdens zu der so eben betrachteten macht ein von Walter[4]) beschriebner Fall, wo Verwachsung eines unvollkommen doppelten Beckens und Anordnung der Brustbeine nach jenem Typus Statt fand, die Verwachsung sich also viel weiter als dort erstreckte. Die obere Körperhälfte war ganz doppelt, unten fand sich aber nur eine unvollkommne dritte, aber mit

1) A. n. c. t. 4. o. 63.
2) Ph. tr. no. 489. p. 527.
3) E. n. c. t. 2. a. 4. p. 288.
4) Ann. anat. Ber. 1775. c. 1. c. fig.

acht Zehen verſehene Extremität. Die Herzen lagen, weit entfernt in ihren reſpectiven Bruſthöhlen und die Unterleibsaorten anaſtmoſirten durch einen groſsen Queeraſt mit einander. Die einfache Leber enthielt zwei Gallenblaſen: vom Darmkanal war nur der Grimmdarm einfach.

In einer von Prochaska [1]) unterſuchten Miſsgeburt hatten ſich die Körper oben weiter von einander getrennt; auch hier war die dritte untere Extremität unvollkommen, die im doppelten Becken befindlichen Theile doppelt, aber alle zu einem gemeinſchaftlichen Kloak verbunden.

Fälle von vollkommner Duplicität dieſer Art haben Palfyn, [2]) Haſeneſt, [3]) Treyling, [4]) Düvernoy, [5]) Peyer [6]) und Prochaska [7]) beſchrieben.

Die Verbindung geſchieht ſo, daſs ſich das rechte Schambein des einen Kindes an das linke des andern heftet und umgekehrt. Die Darmkanäle der beiden Körper vereinigen ſich in einer gröſsern oder geringern Entfernung von dem After mit einander. Dieſer liegt unten in der Mitte des gemeinſchaftlichen Beckens, und iſt gewöhnlich die gemeinſchaftliche Oeffnung eines Kloaks, worin ſich auſserdem die Genitalien und Harnorgane beider Körper, die mehr oder weniger vollkommen entwickelt und getrennt ſind, öffnen.

---

1) Abh. d. Böhm. Geſellſch. 1786. S. 224. ff.
2) Descr. anat. de deux enfans etc. à Leide 1708.
3) C. noric. 1741. p. 59.
4) A. n. c. t. 5. p. 445.
5) M. de Paris 1706. p. 538—55.
6) E. n. c. d. 2. a. 2. o. 111.
7) A. a. O. S. 220.

d. Oberes Doppeltwerden.

Dieſen Miſsbildungen ſtehen die entgegen, wo beide Körper, von denen der eine bald vollkommen, bald unvollkommen entwickelt iſt, in gerader Linie ſo über einander ſtehen, daſs ſie mit den Köpfen verwachſen ſind. Dieſe Bildung iſt gleichfalls ſehr ſelten, doch finden ſich auch hier verſchiedne Stufen.

Statt daſs gewöhnlich, wenn die Duplicität am obern Theile des Körpers ihren Anfang nimmt, der Kopf ſich in zwei ſeitliche Hälften theilt, bildet ſich, aber in äuſserſt ſeltnen Fällen, ein zweiter Kopf nach oben vom erſten an. Einen ſolchen, vielleicht einzigen Fall, beſchreibt Home, der die Beſchreibung und Abbildung von Banks erhielt. [1]) Der Körper war normal: auf dem Scheitel des erſten Kopfes aber fand ſich ein zweiter, der verkehrt auf demſelben ſtand, und ununterbrochen mit ihm zuſammenhing, ohne daſs ſich eine andre als eine ſehr unbedeutende Einſchnürung an dieſer Stelle gefunden hätte. Auch die Haare gingen ununterbrochen über beide fort. Beide aber ſtanden nicht gerade, ſondern queer über einander, der Mittelpunkt des linken Auges des acceſſoriſchen Kopfes über dem rechten Auge des normalen. Im ſechsten Monate ſchien die Verknöcherung in beiden Köpfen regelmäſsig vollendet zu ſeyn: nur am obern Kopfe bemerkte man vorn eine Art von Fontanelle. Der Hals dieſes Kopfes war zwei Zoll lang, und endigte ſich in eine abgerundete Geſchwulſt. Die Regenbogenhaut zog ſich bei ſchnell einfallendem Lichte plötzlich, doch nicht ſo ſtark wie ge-

1) Phil. trans. 1791. p. 299.

wöhnlich, zusammen. Die Augen dieses Kopfes harmonirten nicht in ihren Bewegungen mit den Augen des untern Kopfes, sondern fanden sich oft offen, wenn das Kind schlief, verschlossen, wenn es wachte, waren überhaupt nie völlig verschlossen, selbst wenn das Kind schlief, und die Augäfel rollten, ohne die Gegenstände zu fixiren. Beinahe immer flossen Thränen aus den obern Augen. Die Ohren erschienen anfangs als unvollkommene, blind geendigte Hautfalten, als das Kind aber zwei Jahr alt war, fand man sie normal; der Unterkiefer war beweglich, aber zu klein, eben so die, fast überall fest angewachsene Zunge. Die Lippen saugten, das Gesicht verzog sich zum Weinen, wenn die Haut hart berührt wurde, und dieselben Bewegungen zeigten sich, wenn der untere Kopf afficirt wurde. So lächelte der zweite Kopf auch, wenn der untere saugte, und der Schleim floss häufiger aus seinem Munde.

Das Kind war gesund, starb aber im zweiten Jahre an einem Schlangenbisse.

Bei der Untersuchung fand man alle Knochen des Schädels an beiden Köpfen regelmäſsig gebildet. Die Scheitel- und Stirnbeine bogen sich nicht nach Innen, sondern standen gerade aufwärts und waren so durch Näthe unter einander verbunden, aber, wegen der schiefen Stellung beider Köpfe auf einander, etwas zwischen einander geschoben. Doch wurde der obere Kopf in dem Maaſse unvollkommner, als er sich vom untern entfernte. Der Gehörgang fehlte ganz, das groſse Hinterhauptsloch war eine sehr kleine unregelmäſsige Oeffnung, über der sich keine Gelenkfortsätze befanden, nur auf einer Seite fand sich ein äuſserst kleines gerissenes Loch. Der hintere Theil der Gaumenbeine fehlte, und eben so der Gelenkkopf an der einen Seite des Unterkiefers. In jedem Schädel aber fanden sich sechszehn Zähne, indem nur der letzte Backzahn nicht ausgebrochen war.

Ein vollkommnes Beispiel dieser Art des Doppeltwerdens enthält ein erst kürzlich beobachteter Fall. [1])

Zwei völlig ausgebildete sechsmonatliche, einander sehr ähnliche Knaben sind in den Wirbeln der Köpfe mit einander verwachsen, und stehen so, daſs die Beine des einen nach oben, des andern nach unten gerichtet sind, liegen also in einer geraden Linie, wie die vollkommen doppelten Miſsgeburten, die nur im Becken verwachsen sind.

Beide lebten vier und sechzig Stunden, der eine eine halbe Stunde länger als der andre. Sie schluckten, bewegten sich, weinten meistens abwechselnd. Sie befinden sich im Naturalienkabinet zu Stuttgard.

Damit sind auch andre Kopfverwachsungen verwandt.

Münster [2]) z. B. sahe zwei Mädchen, deren Körper völlig getrennt, nur in den Stirnen mit einander verbunden wären, aber durchaus nicht von einander getrennt werden konnten. Die eine starb im zehnten Jahre; wurde zwar weggenommen, allein die zweite starb dennoch bald darauf an der Wunde.

---

1) Salzb. med. chir. Zeitung. 1799. Bd. 2. No. 40. S. 272. Harles Jahrb. der deutschen Med. u. Chir. III. 1. p. 17 — 23.

2) Paré oeuvres. p. 650.

Hierher ſcheint auch der von Albrecht [1]) beſchriebne und abgebildete Fall zu gehören. Beide Mädchen, die aber zur Zeit der Beſchreibung am Leben waren, ſcheinen ſo verwachſen zu ſeyn, daſs der Scheitel des einen von oben mit dem rechten Scheitelbein des andern verbunden iſt, und bilden daher zuſammen einen rechten Winkel. Zugleich liegt die vordere Fläche des einen Körpers nach der Seite, gegen welche die hintere des andern gewandt iſt.

e. Hinteres Doppeltwerden.

Endlich giebt es eine Art des Doppeltwerdens, wo beide Hälften von einander abgewandt ſind, das hintere Doppeltwerden. Doch iſt dieſe ſehr ſelten; indeſs finden ſich hier, nur weniger nüancirt, dieſelben verſchiednen Grade, als bei den vorigen Arten.

Den erſten Verſuch dazu ſcheint eine von Dümeril [2]) beſchriebne Bildung darzuſtellen. Er fand bei einem vierzehnjährigen Knaben eine überzählige untere Extremität, die auf einer weichen, mitten in der Lendengegend befindlichen Grundfläche ſaſs, an dem Anfange derſelben lange, lockige Haare, ungeachtet der übrige Körper des Kindes keine Spur davon zeigte.

Stärker war dieſe Art des Doppeltwerdens in dem von Chabelard [3]) beobachteten Falle entwickelt. Bei einem Kinde fanden ſich auf einem einfachen Rumpfe zwei Köpfe. Der eine ſaſs an der normalen Stelle, der andre mit einem, zwei Queerfinger langen Halſe, das Ge-

1) Comm. noric. 1734. p. 321. tab. IX. fig. 10.

2) Bull. de la ſoc. philom. III. 3.

3) Mem. de l'ac. roy. des ſc. a. 1746. hiſt. p. 68.

ſicht gegen die Erde gewandt, auf dem letzten Rückenwirbel.

Bei höher entwickeltem Doppeltwerden ſind beide Körper gebildet und hinten verſchmolzen.

Einen Fall von totaler Verwachſung vom Scheitel an bis zum Ende des Rückens beſchreibt Condamine.[1])

Er ſahe und zeichnete ſelbſt eine ſiebenmonatliche menſchliche Miſsgeburt, die aus zwei Körpern, einem männlichen und einem weiblichen, beſtand, die im Rücken verbunden waren. Doch iſt es merkwürdig, daſs auch hier, wie in den Fällen, wo die doppelten Körper von vorn mit einander verbunden, und die Köpfe verſchmolzen ſind, die Geſichter nicht nach der Seite der reſpectiven vordern Körperflächen, ſondern nach den Schultern gewandt waren, der gemeinſchaſtliche Kopf alſo auf dem Rumpfe gedreht zu ſeyn ſchien, und, wenn der eine Körper von vorn angeſehen wurde, beide am Hinterhaupt mit einander verbundne Köpfe erſchienen. Uebrigens waren alle äuſsern Organe vollſtändig doppelt; doch fehlt leider die Anatomie.

Den Grad dieſer Art des Doppeltwerdens, der mit dem untern Doppeltwerden, wo die Verbindung nur im Becken Statt findet, übereinkommt, ſtellen die berühmten Ungariſchen Mädchen dar.[2])

---

1) Mém. de l'ac. roy. des ſc. a. 1732. p. 424. fol. 19. f. 1. u. 2. zu S. 646.

2) Werther diſſ. med. de monſtro hungarico. Lipſ. 1707. giebt nur eine äuſsere und unvollkommne Beſchreibung derſelben aus ihrem ſechsten Jahre. Torkos obſervat. anat. medicae de monſtro bicorporeo virgineo. a. 1701.

Beide waren nur am Ende des Rückens, mit einander verwachsen, doch etwas seitlich gegen einander gewandt, so daſs sie bequem sitzen und gehen konnten. Zwischen dem rechten Gesäſs der einen und dem linken der andern, befand sich ein gemeinschaftlicher After. Die Schamtheile waren äuſserlich beiden gemein, und zwischen den Schenkeln verborgen, so daſs man sie, bei aufrechter Stellung, nicht wahrnahm. Doch liefen nur die groſsen Lefzen im Mittelfleisch zusammen, und umgaben eine unten gemeinschaftliche Scheide. Der Kitzler, die Nymphen, die Harnröhrenöffnung, so wie die innern Harn- und Geschlechtstheile, nur den untern Theil der Scheide ausgenommen, waren völlig von einander getrennt. So waren auch die Darmkanäle doppelt und getrennt, nur vereinigten sich die Mastdärme beider Körper unten zu einem weiten, gemeinschaftlichen Kanal, indem sie sich von beiden Seiten am Heiligbeine einander entgegen bogen. Dieser Knochen war vom zweiten Wirbel an einfach, und lief in ein Steiſsbein aus. Auſser den angegebenen Organen waren auch die Gefäſssysteme mit einander verschmolzen, indem sowohl die Aorte als Hohlvene, ehe die Hüftgefäſse aus ihnen traten, sich zu einem Gefäſs verbanden.

Ein ähnlicher Fall findet sich auch bei Paré,[1]) nur ist die Verwachsung höher.

---

in lucem edito atque a. 1723. morte functo, in den philos. transact. vol. L. part. I. no. XXXIX. p. 311. ff. liefert die anatomische Beschreibung, der Notizen über das Leben der Miſsgeburt von Burnett und Driesch beigefügt sind.

1) Oeuvres d'Ambr. Paré. 1641. p. 647.

So wie im vorigen Falle die beiden Körper
ur im Becken zusammenhängen, scheinen sie
n einem von Hémery [1]) beschriebnen nur am
Schädel verbunden zu seyn.

Beide Körper waren völlig von einander
getrennt und regelmäſsig gebildet, nur der Schei-
el und das Hinterhaupt beiden gemein, so daſs
die Gesichter des verschmolznen Schädels nach
entgegengesetzten Richtungen schauten. Beide
waren vollkommen gesund, und bewegten sich
unabhängig von einander.

f. Anderweitiges Doppeltwerden.

Ungelungne Versuche des hintern Doppeltwerdens, scheinen auch folgende zu seyn, die
zugleich einen Uebergang von dem gewöhn-
ichen zum zeugungsartigen Doppeltwerden
machen.

Einen Fall dieser Art, der mit dem gewöhn-
ichen Doppeltwerden die meiste Uebereinkunft
hat, führt Wagner [2]) an. Ein neugebornes
Kind hatte am rechten Gesäſs zur Seite und hin-
en einen Beutel, der bis unter die Kniekehle
herabreichte, an der äuſsern Seite knorplig, an
der inneren weich, 5¼ Zoll lang, vier Zoll breit
war, und an dessen innerer Fläche sich der Ausgang des Afters befand, der an der gewöhnlichen Stelle fehlte. Am äuſsern und obern Thei-
e dieses Gewächses befand sich ein Arm, der
zwei und einen halben Zoll lang und mit zwei
Fingern versehen war, die ungefähr neun Linien lang waren. An der entgegengesetzten
Seite der Geschwulst saſsen zwei warzenförmige
Er-

1) Mem. de l'ac. des sc. 1703. hist. p. 48. No. 7.
2) Frankische Sammlungen. Bd. II. S. 343. Ebdſ. Bd. V. S. 195.

Erhabenheiten: in der mittlern Gegend war sie stark aufgebläht, und im Mittelpunkte dieser Aufblähung nabelähnlich eingedrückt. Das Kind starb, als es anderthalb Jahr alt war. In dieser Zeit waren die accessorischen Theile zwar etwas, aber doch nicht in demselben Verhältniss, als die übrigen, fortgewachsen.

Bei der anatomischen Untersuchung fand man die Leber doppelt so groſs als gewöhnlich, mit der Milz stark verwachsen; alle Unterleibstheile des Kindes ohne Zusammenhang mit dem Anhange. Die Vorderarmknochen des letztern waren in der Gegend des Ellenbogens sehr verunstaltet, auch der Oberarmknochen krumm und breit, diese ganze Extremität durchaus ohne Muskeln und, ausser den Knochen, bloſs aus Fett gebildet. Der ganze Anhang lieſs sich leicht vom Becken absondern, ohne Blutgefäſse und Nerven aufzunehmen, und bestand aus Knorpelmasse und Knochen, die vielleicht Ansätze zu Rückenwirbeln waren, und zwischen denen sich mit Gallerte angefüllte Höhlen befanden.

Wills [1]) sahe bei einem neugebornen Mädchen von der Lendengegend, dem Gesäſs bis zu den Schamtheilen herab eine, mit den allgemeinen Bedeckungen bekleidete Geschwulst entstehen, die bis zu den Hacken des Kindes herabhing, und gröſser als der Körper desselben selbst war. Durch einen Einstich wurden zwei Quart Wasser entleert, auf welches nach einiger Zeit Eiter folgte, bis das Kind am Ende der zweiten Woche starb.

Bei Eröffnung der Geschwulst fand man im

1) Philos. transact. no. 487. X. p. 325.

der Grösse eines Hühnereies hing, die mit dem Kopfe eines Embryo Aehnlichkeit hatte, eine Art von grossem und kleinem Gehirn enthielt, ein deutliches Ohr, einen Mund, und in demselben eine Zunge hatte.

Einen ähnlichen Fall beobachtete auch Simons. [1]) Ein Mädchen wurde mit einer grossen Geschwulst am Ende der Wirbelsäule geboren, welche die Grösse des ganzen Körpers und mit dem übrigen Körper dieselbe Farbe hatte. Man fühlte darin beckenähnliche, in der Gegend der Schambeinfuge weit von einander entfernte Knochen, und nahm äusserlich an ihr zwei krumme Füsse wahr. Vorn bildete sie eine ansehnliche Höhle, in welche der Harn des Kindes tröpfelte, weil die Geschwulst sehr weit nach vorn lag. Oben und hinten befand sich ein, aber undurchbohrter After, an dem sich drei Monate vor dem Tode, der am Ende des zweiten Jahres erfolgte, ein Geschwür bildete.

Bei der Untersuchung fand man die Geschwulst mit der Spitze des Steissbeins nur durch eine bandähnliche Masse verbunden, und nur eine Arterie und einen Nerven von der Grösse einer Rabenfeder in sie tretend. Auch hier hing die Unterleibshöhle des Kindes nicht mit dem Anhange zusammen, der nur aus Fett bestand, und in der Mitte einen überall verschlossenen,

1) Medic. facts. vol. VIII. London. 1800. p. 1—15.

auf einer knöchernen Hervorragung liegenden, mit Kindspech angefüllten Darm enthielt, der, nach dem Kupfer zu urtheilen, aus dem Ende des Krummdarms und dem Anfange des dicken Darms bestand und, was äusserst merkwürdig ist, so wie der Krummdarm des Stammkörpers, mit einem blinden Anhange versehen war. Auch in der oben beschriebnen Brossillonschen Missgeburt aber fand sich ein blindgeendigter Darm, und wahrscheinlich deuten wohl hier die beiden Anhänge auf eine Tendenz zur Verwachsung der beiden Krummdärme. Aber warum musste sich auch hier an dem kleinen Darmrudiment ein dünner Darm bilden, der dieses Rudiment eines Verbindungsganges abschickte, und warum fand sich dies überhaupt? Warum geschieht die Vereinigung und die Trennung der Darmkanäle von Doppeltmissgeburten immer im Krummdarm oder wenigstens im Dünndarm, nie im dicken, nur die Fälle ausgenommen, wo beide Körper nur im Becken verbunden sind, und auch da, wie Düvernoy's Fall beweist, nicht immer? Warum findet sich bei allen gut beschriebnen Acephalen immer auf dem dicken Darm ein Rudiment eines dünnen Darms?

Uebrigens fand sich im Anhange ein heiligbeinähnlicher, mit einer Markhöhle versehener Knochen, zwei Schienbeinknochen und zwei, unter der Haut als ein einziger erscheinende Füsse, ausserdem noch eine gekrümmte, sehr unförmliche Hand.

Auch Guyon [1]) fand am Ende der Lendengegend eines neugebornen Kindes eine

1) Mém. de l'ac. des sc. 1771. hist. p. 72.

Masse, die um ein Drittheil grösser, als der Kopf des Kindes selbst war. Sie enthielt unregelmäfsig ausgebildete Schädel-, Becken- und Schenkelknochen, die nur die Grösse der Knochen eines viermonatlichen Fötus hatten.

Doch zeigten sich in andern Fällen diese unvollkommnen Spuren des Doppeltwerdens auch an andern Stellen. So fand Laclüse [1]) am Schambeine eines neugebornen Kindes einen runden, vier Zoll langen, und ein und einen halben Zoll im Umfange haltenden Auswuchs, der mit der gewöhnlichen Haut bedeckt war, gröfstentheils aus Fett, ohne Muskeln, bestand, und in seiner Mitte einen Knochen enthielt, der mit einem unvollkommnen, menschlichen Oberarmbeine die vollkommenste Aehnlichkeit hatte. In einiger Entfernung von diesem, und gegen das Ende der Excrescenz lagen zwei andre kleine, vielleicht zu künftigen Knochen bestimmte Knorpel. Diese Bildung wäre vielleicht als das erste Rudiment des vordern Doppeltwerdens anzusehen.

B. *Vom ungewöhnlichen oder zeugungsähnlichen Mehrfachwerden.*

Das ungewöhnliche oder zeugungsähnliche Doppeltwerden, wo der zweite, unvollkommne Körper im Innern des grössern, vollkommnern enthalten ist, scheint sich durchaus nur durch die Stelle, welche dieser einnimmt, von der eben betrachteten Art zu unterscheiden, ist aber gerade deswegen auffallender, weil es ein Verhältnifs darbietet, das mit dem, bei der

1) Mém. de l'ac. des sc. 1746. hist. p. 60.

Schwangerschaft, besonders der Extrauterinalschwangerschaft Statt findenden, übereinkommt. Dennoch leiten die so eben betrachteten Fälle sehr ungezwungen von dieser Art des Doppeltwerdens zu der gewöhnlicheren, wo beide Körper völlig als einer erscheinen.

Ausser früheren, wenig genau beschriebenen Fällen dieser Art sind neuerlich mehrere sehr sorgfältig untersucht und beschrieben worden, die eine umständlichere Darstellung verdienen.

Ein Fall dieser Art wurde von Dupuytren,[1]) ein zweiter von Young,[2]) ein dritter von Fattori,[3]) drei von Prochaska,[4]) ein siebenter von Hiygmore[5]) beobachtet.

Der Dupuytrensche Fall ist folgender:

Amadeus Bissieu beklagte sich von seiner ersten Jugend an über Schmerz in der linken Seite, die sehr früh eine ansehnliche Geschwulst bildete. Alle diese Zufälle dauerten, ohne seine Gesundheit merklich zu afficiren, bis in sein dreizehntes Jahr, wo er plötzlich einen Fieberanfall bekam. Von nun an wurde die Geschwulst sehr groſs und schmerzhaft, und nach

---

1) Bulletin de l'école de médecine. An. XIII.

2) Medico-chirurgical. transact. publ. by the med. and chirurg. soc. of London. vol. I. London 1809. p. 234. Case of a foetus found in the abdomen of a boy.

3) Brera giornale di medicina pratica. Vol. I. S. Salzb. med.-chir Zeitung. 1814. Bd. 1. S. 396.

4) Einige Nachrichten über die mit einem zweiten Fötus schwanger gebornen Kinder, oder über den Fötus in Fötu, mit physiolog. Bemerkungen begleitet, von Prochaska. In den med. Jahrb. des österr. Staates. 1814. Bd. 2. St. 4. S. 67 ff.

5) London madical repository Vol. II. 1814. p. 173.

ſten Anfalle ſtellte ſich eine Art von Lungenſucht ein, bald nachher ging ein Pack Haare ab, und ſechs Wochen nachher ſtarb der Kranke.

Bei Oeffnung des Körpers fand man einen Sack, am Queergrimmdarm befeſtigt, und in denſelben geöffnet, der einige Bündel Haare, und eine organiſirte Maſſe enthielt, welche in mehrern Rückſichten Aehnlichkeit mit einem menſchlichen Fötus hatte. Die Communication des Sackes mit dem Grimmdarm war neu, und die Anzeigen der urſprünglichen Trennung beider Hohlen von einander zeigten ſich unverkennbar.

Die in dem Sacke enthaltne Maſſe kam in mehrern Punkten mit einem Fötus überein, hatte aber zugleich viel Eigenthümlichkeiten, die zum Theil Fehler der erſten Bildung, zum Theil allmählig, und durch ihre Lage im Meſocolon herbeigeführt zu ſeyn ſchienen.

Man entdeckte in ihm einige Spuren von Sinnorganen, ein Gehirn, ein Rückenmark und groſse Nerven, Muskeln, die in eine Art faſriger Maſſe verwandelt waren, ein aus dem Kopfe, dem Rückgrathe, dem Becken und Spuren von Extremitäten zuſammengeſetztes Skelett, endlich eine ſehr kurze Nabelſchnur, die auſserhalb dem Grimmdarme ſich in das Meſocolon einſenkte, und deren einfache Arterien alsdann ſich ſowohl an dem Fötal- als mütterlichen Ende veräſtelten.

Aus dieſer Exiſtenz eigner Organe ſchloſſen die Herrn Dupuytren, Cuvier, Leroy, Baudelocque und Iadelot, daſs dieſe Maſſe ein eignes, onöſes Individuum ſeyn müſſe.

Bissieu war weder weiblichen Geschlechts, noch ein Zwitter, also konnte jene Masse nicht einer fremden oder eignen Befruchtung zugeschrieben werden: die Zufälle, welche aufs genaueste mit ihrem Daseyn verknüpft waren, beweisen überdies, dass sie sich schon seit seiner Geburt in seinem Körper befand. Die Grösse der Zähne, die Degeneration der Muskeln, die Verhärtung des Gehirns, die Vernichtung der Haut an vielen Stellen, der Beinfrass mehrerer Knochen, die Anchylose mehrerer anderer, die Verknöchrung des Balges beweisen gleichfalls den langen Aufenthalt der Masse im Körper des Knaben.

Im Youngschen Falle bekam ein anfangs gesunder Knabe bald nach seiner Geburt häufig Erbrechen, und am obern Theile des Unterleibes etwas linkerseits von der Herzgrube eine starke Erhabenheit, die beständig wuchs, während das Kind in demselben Maasse so mager wurde, dass es im siebenten Monate nach der Geburt ein blosses Gerippe schien. Um diese Zeit hatte die Geschwulst des Unterleibes drei Fuss im Umfange. Nach heftigen Zeichen von Schmerzen schwoll plötzlich der ganze Unterleib gleichmässig an und wurde weich, überragte die Darmbeine weit. Hierauf erfolgte eine Ruhe von mehrern Tagen, während welcher eine ungeheure Menge Harn abging, und der Unterleib sich verkleinerte, so dass also ein Balg in demselben gerissen zu seyn schien. Jetzt hörte auch das Erbrechen auf, und es stellte sich ein kaum zu stillender Hunger ein. In kurzer Zeit aber füllte sich der Balg wieder beträchtlich, und der Unterleib schwoll wieder zu einem Umfange von achtzehn Zollen an, vergrösserte sich auch täglich noch mehr, und deutlich durch Anhäufung einer in einem Balge enthaltnen Flüſſigkeit.

Beim Erbrechen ſahe man jedesmal, auch ſchon von der Zeit, wo ſich der Balg entleert zu haben ſchien, daſs, ehe das Erbrechen erfolgte, ſich eine Taſche in der Herzgrube anfüllte, und durch die Rippenknorpel gegen die Geſchwulſt angedrückt wurde.

Nach dem Tode, der neun Monate nach der Geburt erfolgte, hatte der Unterleib zwei und zwanzig Zoll im Umfange, und war vorzüglich durch eine ſphäriſche, wie es ſchien, von Flüſſigkeit ſtrotzende Geſchwulſt angefüllt. Auf der rechten Seite dieſer Geſchwulſt lag die Leber, die viel kleiner als gewöhnlich war, queer über ſie weg gingen der Queer- und auffliegende Grimmdarm. Die Geſchwulſt ſelbſt lag offenbar zwiſchen den Blättern des Queergrimmdarmgekröſes, und das Netz war über ſie weg geſpannt; ihr unterer Theil ruhte auf dem Dünndarmgekröſe. Nirgends hatte ſie eine Narbe. Der Balg, welcher ſie bildete, war da, wo ihn das Netz bedeckte, dünn, unter dem Queergrimmdarm aber dick und ganz undurchſichtig.

Die über den Balg ausgeſpannte Bauchſpeicheldrüſe war bis auf neun Zoll verlängert.

Aus dem angeſtochenen Balge floſſen beinahe fünf Pfund einer limpiden Flüſſigkeit und ſehr wenig Blut aus, und nach Erweiterung der Oeffnung fand man im Balge — einen menſchlichen Fötus.

Dieſer war an ſeiner Oberfläche mit einer Lage von talgähnlicher Materie bedeckt, die völlig mit dem Ueberzuge auf der Haut neugeborner Kinder übereinkam.

Die Haut ſelbſt war ſehr geſund und roth, der Körper und die dicken Extremitäten feſt und ſtark, und die Lage des Ganzen kam mit der Lage des Fötus in der Gebärmutter beinahe vollkommen überein. Die Wirbelſäule war ſehr gekrümmt, die obern Extremitäten lagen ſehr dicht am Stamm, die, verhältniſsmäſsig zu ihrer Stärke, ſehr kurzen untern waren nach oben gezogen. Statt des Kopfes fand ſich eine dunkelrothe, weiche Fleiſchmaſſe, die bei einer nähern Unterſuchung ein der Gefäſshaut ähnliches Gewebe hatte, und voll Blutgefäſse war, nirgends aber eine Spur von Gehirn und Nerven zeigte. Durch dieſe Subſtanz verlief ein ſchlanker, weiſser, zwei und einen halben Zoll langer Strang, der bis zum Balge reichte, und offenbar ein Streifen der harten Hirnhaut war, die mit ihrem übrigen Theile die vordere Fläche der gefäſshautähnlichen Maſſe bedeckte.

Der Hauptzuſammenhang zwiſchen dem Fötus und dem Körper fand indeſs an der Stelle des Nabels Statt, an den ſich die Spitze eines Fleiſchkegels heftete, deſſen Baſis durch den untern Theil des Balges gebildet wurde und unmittelbar an der Stelle ſaſs, wo ſich der dünne Darm an den Sack heftete. Der Durchmeſſer dieſes Fleiſchkegels, der roth und weich war, betrug an ſeiner Baſis beinahe zwei Zoll, am Nabel einen halben, ſeine Länge nicht völlig anderthalb Zoll.

Als er durchſchnitten wurde, floſs an der Baſis eine Menge ſchwarzer, zäher, dem Kindspech vollkommen ähnlicher Maſſe aus, die in mehrern Darmwindungen enthalten geweſen war, wovon man eine beim Durchſchneiden verletzt hatte. Offenbar bildete dieser Kegel eine bedeutende Verbindung zwischen dem Fötus und dem Kinde.

Die nähere Beschaffenheit des Fötus selbst war folgende.

An der Basis der einer Gefäßshaut ähnlichen Substanz saßen zwei sehr lange, hellbraune Locken, und unter diesen an der Brusthöhle zwei Erhabenheiten, von denen die rechte flach und größer, bloß häutig war, die linke, gestielte, Rudimente von Knochen enthielt, aber auch mit Haut bedeckt war. Das Gesäß und die Afterrinne waren vollständig, aber keine Afteröffnung vorhanden. Ruthe und Eichel waren normal, allein die Harnröhrenöffnung nur eine Linie tief. Der Hodensack war gespalten, aber nicht lefzenähnlich. Unter der Ruthe fand sich eine platte rothe Fläche, und am obern Theile derselben die Oeffnung eines Kanals von der Länge einer Linie, wahrscheinlich die Fortsetzung der Harnröhre, indem er der Stelle gegenüber anfing, wo diese in der Ruthe aufhörte.

In der rechten untern Extremität fand sich ein sehr kurzer Ober- und Unterschenkel. Der Fuß war normal, allein mit zu viel Zehen versehen, indem sich, an der Stelle der vierten und fünften Zehe, vier sehr kleine, nur aus einem Gliede bestehende Zehen fanden. Auf diese folgten zwei größere normale Zehen, und die große, wieder in zwei kleinere gespaltene Zehe. Im Ganzen fanden sich daher hier acht Zehen, die alle mit Nägeln versehen waren.

Die linke untere Extremität war unvollkommner, indem von den fünf Zehen, welche sie trug, die drei kleinen äußern dicht an einander standen, und sich zwischen ihnen und der daumenähnlich vorſpringenden groſsen Zehe eine kleine, einen Nagel tragende Hervorragung befand.

An der obern Extremität war der Arm und Ellenbogen nach vorn, der Vorderarm und die Hand nach hinten gebogen. Es fanden ſich hier nur drei Finger, von denen der mittlere allein lang und mit einem Nagel verſehen war. Auf der linken Seite nahm man nur zwei grade und breite Finger von gleicher Länge wahr.

Auf dem Rücken befand ſich, von den Schultern an bis zum Heiligbeine, eine, oben breite unten ſpitze, dunkelrothe Fläche, neben welcher die Haut plötzlich aufhörte, und am Rande derſelben eine Menge feiner Haare. Der Wirbelkanal, die Fortſätze der Wirbel, deren Körper allein entwickelt waren, das Rückenmark fehlten durchaus, und das letztere wurde durch jene Subſtanz, die ſehr gefäſsreich und rauh war, dargeſtellt. In ihrer Mitte verlief, in der Richtung der Wirbelſäule, eine Nath, von der zu beiden Seiten Queerfäden abgingen, die in geſchlängelter Richtung verlieſen und durch Zwiſchenfäden zuſammenhingen.

Die ganze kleine Höhle des Unterleibes war mit einer Art von häutiger Taſche angefüllt, von welcher aus ein Darm durch den Nabel ging. Es fand ſich weder Zwerchfell noch Herz, noch Milz, noch Leber, noch Harn-, noch Geſchlechtsorgane.

Im obern Theile der Bruſthöhle lag, dicht an der Wirbelſäule eine gefäſsreiche blutrothe Subſtanz, vielleicht die Lungen. Am vollſtändigſten und faſt ganz allein war der Darmkanal entwickelt, ein ſehr merkwürdiger Umſtand, wegen der Analogie deſſelben mit der Haut und

geburten und der Entwicklung der Organe in der Thierreihe. Er fing mit der schon oben erwähnten Tasche im Becken an. Diese verkleinerte sich gegen den After allmählig und endigte sich blind. Hinter dem obern Theile des Schambeins war sie in queerer Richtung gefaltet, und ragte hier beträchtlich in den Sack hinein. Ueber dieser partiellen Scheidewand erweiterte sich die Höhle des Sackes, womit der Darm seinen Anfang nahm, wieder. Von hier an entstand ein schief gewundner, drei Biegungen machender Darm, der sich gegen den Nabel verengte. An dieser Stelle zog er sich zu einer kleinen, aus einer dichten Substanz gebildeten Röhre zusammen, die in eine dreiseitige Pyramide, deren obern Spitze frei war, auslief. Die Pyramide selbst war fest, fleischig und ihre enge Höhle communicirte mit dem letzten, engen Stücke des Darmkanals. An der einen Seite der Pyramide hing eine andere, kleinere und engere Darmwindung an, die sich gleichfalls durch eine Mündung, welche nur eine enge Sonde zuliess, in dieselbe öffnete. Von hier an ging der Darm hinter dem weitsten Stücke des Darmkanals weg, und endigte sich an der breiten Fläche des Unterleibes mittelst eines kleinen Ganges durch eine enge Oeffnung. Offenbar war dies der Nabelblasengang und hier die obenerwähnte Basis abgeschnitten.

Am obern Ende des Stammes fand sich eine unregelmäſsige knöcherne Substanz als Schädelgrundfläche. Die Wirbel waren verknöchert, allein es fanden sich nur wenig und sehr kurze Rippen. Das Becken war normal, allein Scham- und Sitzbeine fast bloss knorplig. Die

Körper der gröfsern cylindrifchen Knochen waren verknöchert, die Gelenke normal.

Die Muskeln waren nur wenig entwickelt. An der vordern und hintern Fläche des Körpers fehlten fie ganz, und an ihrer Stelle fand fich blofs Haut, Fett und Bauchfell. Eben fo enthielten die Extremitäten beinahe blofs Fett, und nur am Hüftgelenke bemerkte man einige Muskeln.

Im Nabel fand fich ein deutliches Nervengeflecht für den Darmkanal: aufserdem fehlten die Nerven durchaus.

Die Anordnung des Gefäfsfyftems war fehr merkwürdig.

Es fanden fich zwei gröfsere Gefäfsftämme. Der eine, der fich an beiden Enden verzweigte, fchickte von der Mitte der Grundfläche des Exomphalus viele Gefäfse ab, trat dann in die Lungen, und theilte fich hier in mehrere Aefte für die Organe des Körpers.

Neben diefem, auf der rechten Seite, lag der zweite grofse Stamm, fo weit beide in dem lungenähnlichen Körper verborgen waren, trennte fich aber von ihm an der Nabelöffnung, und verlief auf der innern Fläche des Sackes bis zu den obern Gekrösgefäfsen des enthaltenden Kindes, in deren Nähe er fich endigte. Diefes Gefäfs war fo fehr mit geronnenem Blute angefüllt, dafs das Queckfilber nicht durchdrang, die Art feiner Endigung alfo leider nicht wahrgenommen werden konnte.

Der Balg vertrat offenbar die Stelle des Eies. Er bildete mit feinem mittlern und untern Theile die Grundfläche des Exomphalus, und war inwendig mit einer feröfen Fläche bekleidet, welche am Nabel fo fchnell, als gewöhnlich die

Nabelſcheide, aufhörte. An einigen Stellen der innern Fläche des Balges befanden ſich Schuppen, die mit einer abgefallenen Oberhaut Aehnlichkeit hatten.

In der Nähe des Exomphalus erhielt der Balg einen ſtarken Aſt von der linken Grimmdarmarterie, die ſich an der Grundfläche deſſelben, aber ohne von einer Vene begleitet zu ſeyn, vertheilte.

Die Aeſte, welche durch die Verzweigung des einen an beiden Enden vertheilten Gefäſses entſtanden, communicirten in der Subſtanz des, aus mehrern Lagen gebildeten Balges mit Aeſten, die von den Gefäſsen des enthaltenden Kindes ſtammten. Das zweite Gefäſs endigte ſich zwar in der Nähe der Gefäſse des enthaltenden Kindes plötzlich, communicirte aber dennoch wahrſcheinlich mit dem erſten. Nach Youngs Meinung ging das Blut durch das zweite vom Fötus zum Balge, die Circulation im Fötus geſchahe dagegen durch das an beiden Enden veräſtelte Gefäſs; nur iſt es nicht leicht auszumachen, ob dieſes ſein Blut vom groſsen venöſen Gefäſse des Fötus oder von Zweigen der linken Grimmdarmarterie erhielt.

Den in mancher Hinſicht vielleicht merkwürdigſten Fall dieſer Art habe ich vor einigen Jahren bei meiner Anweſenheit in Pavia bei Herrn Fattori, Profeſſor der Anatomie data durchaus analoge Structur hatte. Von diesen Stellen gingen Gefäfsgänge zu in den Beuteln enthaltnen Körpern, die offenbar Rudimente von kleinen Fötus waren. Beide waren nur ihrem untern Theile nach entwickelt, zeigten aber hier den normalen wenigstens sehr ähnliche Bedingungen, Ober- und Unterschenkelknochen und Zehen. Ausserdem befand sich, was besonders merkwürdig war, in dem untern Beutel ein Stück Darm, der auf der innern Wand desselben aufsafs.

Die von vier vortrefflichen Kupfern begleitete Beschreibung dieses interessanten Falles, nebst einer vollständigen Aufzählung ähnlicher, sowohl an Menschen als Thieren beobachteter, ist jetzt unstreitig schon erschienen.

Prochaska beschreibt mehrere kürzlich beobachtete Fälle dieser Art. Der Unterleib eines, einige Monate hindurch gesunden Mädchens wurde plötzlich stark aufgetrieben, und das Kind starb im achten Monate, nachdem es beständig, ausser andern, von mechanischem Druck herrührenden Zufällen, an starkem Durst und Hunger gelitten hatte. Bei der Section fand sich unter und hinter dem Magen ein ungefähr drei Pfund schwerer, an mehrern Stellen mit den benachbarten Theilen verwachsener Sack, der, ausser mehrern, an seiner innern Fläche befindlichen Hervorragungen, und mit Feuchtigkeit angefüllten Bälgen, ungefähr eilf Unzen wässerige Flüssigkeit und einen sehr unvollkommen entwickelten Fötus enthielt. Die Art der Verbindung des Sackes mit den benachbarten Theilen und dem Fötus wird nicht angegeben.

Der Fötus bestand aus drei Lappen, einem

rechten, einem linken und einem untern, die oben durch einen mittlern Theil zuſammenhingen. Unten ragte ein aus zwei ſehr verkrüppelten zuſammengewachſener Fuſs mit zehn Zehen hervor, aus welchem ſich bis in den mittleren Theil des untern Lappens eine, theils knorplige, theils knöcherne Subſtanz erſtreckte, und ſich an die Rudimente eines Beckens heftete.

Dieſe Theile ſtellten alſo die untern Gliedmaaſsen dar.

Auf der Mitte des untern Lappens ſaſs eine Haarlocke auf. Der rechte und linke beſtanden theils aus den ſehr unvollkommnen beiden obern Gliedmaaſsen, theils, namentlich der linke, in ſeiner obern Gegend mit einer knöchernen, mit Haaren bedeckten Subſtanz, einem ſehr unförmlichen Kopfrudimente, ohne Spur einer Höhle oder des Gehirns.

Das mittlere, alle drei Theile verbindende Stück konnte als ein Rudiment der Bruſt- und Bauchhöhle angeſehen werden. Es beſtand aus einer, ſtark verknöcherten und ſehr gekrümmten Wirbelſäule ohne Höhle, und war mit mehrern Bälgen von verſchiedner Gröſse beſetzt. An ſeinem rechten obern Theile hing von ſeiner vordern Fläche ein 3½ Zoll langes, auſsen blind geendigtes, nach innen ſich in den untern Lappen verlierendes Darmſtück. Auſserdem fanden ſich keine Eingeweide.

Der Gegenſtand der zweiten Beobachtung iſt ein Knabe. Er wurde mit einer Geſchwulſt in der einen Leiſtengegend geboren, die bis in das dritte Jahr unverändert blieb, dann aber ſich ſehr bedeutend zu vergröſsern anfing. Nach einem Jahre brach ſie auf, und erſchien zu-

nächſt

nächſt aus einer geſpannten Blaſe gebildet, die, geöffnet, eine übelriechende Flüſſigkeit ergoſs. Es kamen darauf nach einander zum Vorſchein und wurden abgeſchnitten: 1) ein fleiſchiger Körper; 2) ein fuſsähnlicher Auswuchs; 3) ein oberkieferähnlicher Körper mit vier Zähnen; 4) ein zweiter knöcherner Theil, worauf der Knabe völlig genas.

In einem dritten Falle war der untere Theil des Körpers aus einem groſsen Sacke gebildet, der die untern Gliedmaaſsen verbarg, und hinter der Scham- und Afteroffnung lag. Er war mit einem, den Eihäuten und der Nachgeburt ähnlichen Balge bekleidet, der, auſser einer beträchtlichen Menge von Flüſſigkeit, an ſeinem Boden viele Waſſerbälge und Bruchſtücke oberer und unterer Gliedmaaſsen, auſserdem an ſeinen Wänden drei Geſchwülſte von unbeſtimmter Geſtalt enthielt.

Endlich fand kürzlich Highmore bei einem jungen Menſchen von 16 Jahren einen unvollkommnen Fötus. Er war bis zum funfzehnten Jahre geſund, plötzlich aber ſchwoll ſein Unterleib nach einer harten Arbeit an und wurde ſchmerzhaft. Nach dem Tode fand man am Zwölffingerdarm einen Balg, der eine Subſtanz von 4—5 Pfund enthielt. Eben dieſe war ein ſehr unvollkommner weiblicher Fötus, dem der Kopf und eine untere Extremität fehlte, von deſſen obern Theile aber ſehr lange Haare herabhingen. Er hing mit dem Zwölffingerdarm durch eine 2—3 Zoll lange Nabelſchnur an einer verdickten, dem Mutterkuchen ähnlichen Stelle zuſammen.

Vielleicht gehört hierher auch ein älterer

von Lentin [1]) erzählter Fall, wo bei einem Mädchen, welches von Kindheit auf einen aufgetriebenen Unterleib hatte und beständig kränkelte, aus einem im funfzehnten Jahre unter dem Nabel entstandenen Geschwür ausser einer Menge Jauche zuerst drei Zähne von der Grösse der Zähne eines 6—8 Jahr alten Kindes, eine sechs Zoll lange, fleischige Substanz, nach einigen Wochen eine Handvoll Haare, darauf mehrere Zähne, im Ganzen 16, Knochenstücke, Haut und Haare drangen, worauf das Geschwür heilte.

Mehrere ähnliche Fälle findet man bei Haller; [2]) indessen gehören wohl diese, so wie die beiden letztern von Prochaska und der von Lentin angeführte nicht mit Bestimmtheit zu der Bildung eines eignen Fötus, wenn sie gleich wegen des Uebergangs, den sie von dieser zu der regelwidrigen Entwicklung von einzelnen Theilen an mehrern Stellen des Körpers, namentlich in den Ovarien, machen, höchst wichtig sind.

Kaum zu bemerken glaube ich aber, dass Herr Hufeland und Schwabe nach Haller einen ganz heterogenen Fall des gewöhnlichen Doppeltwerdens mit dem gegenwärtigen Gegenstande vermengt haben, indem sie ein Beispiel der Art des Doppeltwerdens, wo unter dem Brustbein sich ein kleinerer accessorischer Körper am grössern findet, als einen merkwürdigen Beitrag zum Bissieuschen Falle ansehen. [3])

---

1) Obss. med. fasc. I. in Hufelands Journal Bd. 20. H. 2. S. 170. ff.

2) De monstris. Opp. min. T. 3. p. 77.

3) Hufelands Journal. Bd. 20. H. 2. S. 165.

Wie bilden sich diese regelwidrigen Productionen?

Es sind nur zwei Erklärungsarten möglich. Entweder sie entstehen durch einen Zeugungsact der Aeltern, wie der Körper, in welchem sie sich finden, oder dieser bringt sie hervor.

Die letztere Meinung wird von mehrern gar nicht erwähnt, von andern geradezu verworfen.

Herr Hufeland spricht das Anathem über sie aus, [1] indem er urtheilt: „Es sey schlech-„terdings unmöglich, dass ein Fötus sich in dem „männlichen Körper, also ohne das dazu be-„stimmte Organ erzeugen könne. Wäre dies „möglich, so seyen die ersten Grundgesetze der „Natur aufgelöst, und es sey eben so gut mög-„lich, dass die Erde aus ihrer Bahn weichen „und das Universum zusammen stürzen könne.“

Nach Herrn Prochaska müssen diese Bildungen gleichfalls durchaus und nothwendig Producte der gewöhnlichen Zeugung seyn, weil 1) die Kinder, in welchen sie gefunden wurden, zu unreif sind, und 2) ein Geschlecht nicht hinreicht. [2])

Man nimmt daher allgemein an, dass sie durch einen gewöhnlichen Zeugungsact entstehen.

Ausser den Schriftstellern, welche besonders über diesen Gegenstand handeln, ist dieser Meinung auch Lawrence. [3])

Hier sind indessen wieder in mehrerer Hinsicht abweichende Erklärungsweisen möglich, so-

1) Journal. Bd. 20. H. 3. S. 173. 174.

2) A. a. O. S. 93.

3) Med.-ch. transact. London 1814. Vol. V. p. 215.

wohl in Bezug auf die Zeit, in welcher beide Fötus entstanden, als in Bezug auf die Art, wie sie in das Verhältniss kamen, worin sie sich befinden.

Es ist nämlich 1) möglich, dass der enthaltene Fötus später, oder dass er 2) zugleich mit dem ihn enthaltenden entsteht.

Prochaska, der die erste Meinung, welcher zufolge der zweite Fötus durch Superfitation entstünde, berührt, [1] verwirft sie, weil die Art schwer zu erweisen seyn möchte, auf welche der später entstehende Keim in den alten dränge. [2]

Insgemein sieht man daher beide Fötus als Product eines und desselben Zeugungsactes an. [3] Hier aber fragt sich wieder, wie beide Fötus mit einander in die Beziehung kamen, worin sie gefunden werden? Eine Frage, die auf den alten Streit über die Entstehung von Missgeburten überhaupt und von Doppeltmissgeburten insbesondere zurückkommt, den ich schon im ersten Bande hinlänglich beleuchtet zu haben glaube. [4]

Herr Dupuytern erklärt sich nicht, welcher von beiden Erklärungsweisen er den Vorzug gebe. Herr Hufeland drückt sich gleichfalls sehr unbestimmt aus, wenn er sagt: „zwei Zwillinge müssten dergestalt verwachsen gewesen seyn, dass der eine in seiner Entwicklung gehemmt würde, abstarb und von den Bauch-

---

1) Prochaska. S. 94.

2) A. a. O. S. 100. 101.

3) Dupuytren a. a. O. Hufeland Journal. Bd. 19. H. 3. S. 174. Osann in einer Anm. zu dem Youngschen Falle. Uebers. S. 316. Prochaska a. a. O.

4) S. 10. ff. und S. 67.

bedeckungen des andern umschlossen wurde, wo er nun als ein abgestorbner Fötus viele Jahre herumgetragen werden konnte." [1])

Bestimmter spricht Herrn Osann seine Meinung dahin aus, daſs zwei anfangs getrennte, aber nahe an einander liegende Embryonen, von denen der eine schwächer als der andre genährt wurde, mit den nach auſsen liegenden Eingeweiden verwuchsen, und der schwächer genährte mit diesen in den Unterleib gezogen wurde. Er glaubt sogar hieraus erklären zu können, weshalb der Bissieu'sche und Young-sche Fötus im Queergrimmdarmgekröse lagen. Dies war nach ihm nur durch die Annahme möglich, daſs beide am Bauchfell mit einander verwachsen waren, indem sich diese Lage ohne die von ihm aufgestellte Hypothese nicht erklären lassen könne. [2])

Lawrence und Prochaska dagegen sehen diese Abweichung als einen ursprünglichen Bildungsfehler an.

Herr Prochaska nimmt an, daſs von zwei zugleich gebildeten Keimen ursprünglich einer in den andern gedrungen sey. [3]) Die einzige, hierbei Statt findende Schwierigkeit scheint ihm das Zurückbleiben des einen Fötus hinter dem andern zu seyn, welche er durch die Annahme, daſs sie in dem Mangel an Oxygen gegründet sey, völlig hinweggeräumt zu haben glaubt.

Sollte nun wirklich die in der Hauptsache allgemeine Meinung, daſs die beiden Organis-

---

1) A. a. O. Bd. 19.
2) A. a. O. S. 316.
3) A. a. O. S. 95. ff.

men durchaus Producte desselben gewöhnlichen Zeugungsactes seyen, so unbezweifelt richtig seyn, als die Vertheidiger derselben zu glauben scheinen?

Die einzigen Gründe für sie sind die, welche gegen die entgegengesetzte angeführt werden, und diese scheinen in der That nicht von der Art, daſs deshalb diese Meinung aufgegeben werden müſste.

Der beste Grund ist unstreitig Herrn Prochaska's erster, die zu groſse Jugend des enthaltenden Körpers. Allein wir finden wenigstens ähnliche Erscheinungen in dem zu frühen Ausbruche der Pubertät und überhaupt in dem Vorauseilen der Entwicklung, [1]) und die Fähigkeit eines Fötus, einen sehr unvollkommnen durch eigne Zeugungskraft hervorzubringen, wäre nur ein, wenn gleich weit höherer Grad dieser Abweichung von Normal als der, welcher sich durch Production von Mestruationsblut bald nach der Geburt oder von reifem Saamen im dritten Jahre ausspricht. Ganz besonders verdient hier noch bemerkt zu werden, daſs gerade bei Knaben vorzugsweise weit häufiger als bei Mädchen das Vorauseilen der Pubertätserscheinungen erscheint, gerade, wie die männlichen Geschlechtstheile auf einer höhern Bildungsstufe stehen, als die weiblichen. 1)

Dazu kommt überdies noch die Bemerkung, daſs die bildende Thätigkeit in der frühesten Periode am höchsten gesteigert ist, und daher, so wie sie gewöhnlich nur auf Bildung des Körpers des Individuums gerichtet ist, wohl bisweilen sich regelwidrig auf Bildung von Af-

---

1) S. oben S. 2 und ff.

terorganisation, und selbst neuen Individuen, gerade in dieser Periode richten könnte.

Wenn Herr Prochaska als zweiten Grund die Unzulänglichkeit eines einzigen Geschlechts anführt, so hat er zwar die Regel bei den höhern Thieren für sich, allein schon diese bietet erstens Ausnahmen dar, sofern die Fälle nicht selten sind, wo sich sehr zusammengesetzte Theile, welche sich von dem im Fötus enthaltnen Fötus nur durch gröſsere Einfachheit und durch den Umstand unterscheiden, daſs sie nicht zu einem, der Species ähnlichen Körper zusammengetreten waren, unter Umständen bilden, welche eben so wenig die Vermuthung wahrscheinlich machen, daſs sie mit dem Körper, worin sie gefunden werden, zugleich, oder durch einen von ihm mit einem andern bewirkten gewöhnlichen Zeugungsact entstanden seyen. [1])

Diese Theile nun, namentlich Haare und Zähne, läſst Herr Prochaska selbst ohne Zusammentritt der Zeugungsstoffe zweier Individuen verschiedner Geschlechts, bloſs aus einer krankhaften Mischung der festen und flüſsigen Theile, wie Eingeweidewürmer und andere Afterorganisationen entstehen. [2]) Auch Herr Hufeland erklärt diese für bloſse Producte der degenerirten Naturplastik. [3])

Wer sieht aber nicht, daſs auch zwischen der Bildung von einer oft ungeheuren Menge von Haaren, Fett, Knochen und Zähnen, die

1) S. unten den Abschnitt von den regelwidrigen neuen Bildungen, vorzüglich von Haaren, Knochen und Zähnen.

2) A. a. O. S. 102.

3) A. a. O. Bd. 19. S. 173.

nicht ſelten vereinigt ſind, und die ſich immer in demſelben Orts- und Productionsverhältniſs gegen einander befinden als im normalen Zuſtande, und der Bildung eines, überdies ſo äuſserſt unvollkommnen Fötus, wieder nur ein gradweiſer Unterſchied Statt findet, wenn auch der Sprung von dieſer zu jener wie vom Jupiter zur Pallas iſt?

Zweitens verſchwindet alle Kraft dieſes Einwandes völlig, wenn man an die zahlloſe Menge von Organismen denkt, die ſich ohne getrennte Geſchlechter, ſelbſt ohne eigne Zeugungsorgane auf mannichfache Weiſe fortpflanzen.

Damit iſt auch Herrn Hufelands Einwurf gegen dieſe Annahme, daſs ſie unſtatthaft ſey, weil ſich der Fötus in keinem männlichen Körper, ohne das dazu beſtimmte Organ habe erzeugen können, verwandt und auf dieſelbe Weiſe zu beſeitigen.

Denn, können ſich geſchlechtsloſe Organismen allein fortpflanzen, ſo kann auch bisweilen in einem männlichen Organismus aus einer Claſſe, in welcher gewohnlich nur im weiblichen Körper ſich ein neuer Organismus bildet, die Fähigkeit erwachen, einen ſehr unvollkommnen neuen hervorzubringen, dies um ſo mehr, da ſich einzelne ſehr zuſammengeſetzte Theile nicht bloſs im weiblichen, ſondern auch im männlichen Körper bilden. [1]) Ueberdies waren mehrere Fälle, namentlich der von Fattori und zwei von Prochaska weiblich.

Es fände alſo nach dieſer Annahme durchaus nicht, wie Herr Hufeland ſagt, Auflöſung

1) S. unten a. a. O.

des ersten Grundgesetzes der Natur, sondern nur Aeusserung einer, allen Organismen einwohnenden Kraft in einer Gattung oder Classe nach dem Typus einer andern, wenn gleich durch eine weite Kluft von ihr getrennten, Statt, eine Erscheinung, deren Möglichkeit man wohl nicht bezweifeln wird, wenn man nie vergisst, dass mehr oder weniger alles, was in einem Organismus sich als abnorme Erscheinung darbietet, in einem andern Regel und jene nur Wiederholung von dieser ist!

Die Gründe gegen diese Meinung wären also nicht sehr schwer zu entkräften, indem sich alle nur auf den Grad der Abweichung vom Normal stützen.

Wo ich nicht sehr irre, so bieten die Phänomene der Reproduction einen wichtigen Grund für dieselbe dar.

In der That scheint es, um so mehr, da die Fortpflanzungsfähigkeit mehrerer Organismen ohne Geschlecht und die Analogie mit der Bildung einer Menge von Afterorganisationen hier sehr zu Hülfe kommt, nicht schwerer, dass bisweilen ohne Zeugung ein neuer Organismus entsteht, als dass sich, selbst beim Menschen, an der Stelle des nekrotischen Knochens ein neuer, sogar mit Zähnen, erzeugt, dass eine dritte Zahnreihe, sogar im hohen Alter, erscheint, dass bei niedrigen Thieren ganze, höchst zusammengesetzte Theile sich wieder bilden, wenn sie zerstört oder weggenommen wurden, ganz vorzüglich, da auch die Energie der Wiedererzeugungskraft mit der Jugend des Organismus im directen Verhältniss steht.

Hierzu kommt noch, dass selbst die Art, wie die Phänomene der Reproductionskraft sich zum Theil äussern, für diese Ansicht zu sprechen scheint, indem auch die neuerzeugte Krebsschere z. B. anfangs in einem Balge enthalten ist, den sie später durchbricht.

Ueberdies ist es nicht so ganz unwahrscheinlich, dass auch beim gewöhnlichen Mehrfachwerden ein ursprünglich einfacher Organismus sich wirklich zeugend verhält, wo dann in diesen Fällen die Zeugungsweise nur zusammengesetzter, der bei höhern Organismen vorkommenden ähnlicher wäre. 1)

Noch ist also die allgemeine Meinung über diesen Gegenstand nichts weniger als fest begründet. Sie hat zwar ihre Allgemeinheit für sich, aber auch nur diese, und in den meisten Fällen kann man unbedenklich annehmen, dass dieser Umstand gerade sie verdächtig macht, weil er sich nur auf die grössere Leichtigkeit des Verstehens gründet. Indessen bin ich hier, wie in allen schwierigen und, aus in der Natur des Gegenstandes liegenden Gründen schwer auszumittelnden Gegenständen sehr weit entfernt, die entgegengesetzte Ansicht geradehin zu verwerfen. Nur das bemerke ich, dass wohl unstreitig, wenn der enthaltene Embryo ein Product einer gewöhnlichen Zeugung war, er ursprünglich an der Stelle gebildet wurde, wo man ihn fand und schwerlich zwei anfangs getrennte Körper sich später vereinigten.

Die Stelle, wo sich der enthaltne Fötus fand, spricht, meiner Ansicht nach, entscheidend für diese Meinung. Herr Osann glaubt zwar das Gegentheil, indem die von ihm ange-

1) Bd. 1. S. 40.

nommene Verwachsung des kleinern Fötus mit den freiliegenden Unterleibseingeweiden die Lage im Mesocolon erkläre; allein bei näherer Betrachtung wird er selbst die Unzulässigkeit dieser Annahme zugeben. Eine Verwachsung dieser Art würde zwar die Lage im Unterleibe, keinesweges aber im Mesocolon erläutern. Hierzu kommt noch überdies der Umstand, dass der enthaltne Fötus sich immer in einem Ei befand.

Die Entstehung sey übrigens, welche sie wolle, so ist wohl als Erklärungsgrund des Zurückbleibens des enthaltnen Fötus keineswegs der Oxygenmangel in der Gebärmutter zu brauchen, da diese Erscheinung sich an die allgemeine reiht, dass bei Doppeltmissgeburten der eine Körper gewöhnlich mehr oder weniger kleiner als der andre ist, und selbst kleine überflüssige Theile häufig unvollkommner als die normalen sind.

Erstes Buch.

Erste Abtheilung.

Drittes Hauptstück.

Von der dritten Classe der Missbildungen.

Die dritte Classe der Missbildungen begreift den grössten Theil der qualitativen, und kann füglich in zwei Unterabtheilungen zerfällt werden, von welchen die eine diejenigen, deren Wesen eine Abweichung von der Form ist, die zweite dagegen die Abweichungen der Lage vom Normal begreift. Doch ist häufig Abweichung der Lage zugleich mit Abweichung der Form vom Normal verbunden.

Erste Unterabtheilung.

Abweichende Gestalt.

Erster Abschnitt.

Vom Gefässsystem. [1])

Die abweichenden Bildungen des Gefässsystems sind vorzüglich wegen der Thierähnlich-

1) Zagorsky in Mém. de Pet. 1803—6. Zwei Abhandlungen. G. Anz. 1811, p. 1343 und 1529. Ryan Diss. inaug. de

keit, welche die meisten unter ihnen darbieten, sehr merkwürdig, indem sich fast keine etwas bedeutende Abnormität findet, die nicht bei irgend einem Thiere regelmäſsige Bildung wäre.

A. Gefäſse.

Man kann die Abweichungen des Gefäſssystems vorzüglich auf zwei Hauptarten zurückführen. Der Charakter der einen ist regelwidrige Trennung gewöhnlich vereinigter, der letztern Verschmelzung gewöhnlich getrennter Stämme. Doch setzen sich beide Bildungen häufig zusammen, und auſserdem weicht zugleich die Vertheilung der Gefäſse noch durch Verrückung eines Astes an eine andre, als die gewöhnliche Stelle, vom Normal ab.

I. Vereinzelung.

1. Pulsader.

Im dem Abschnitte von den Abweichungen des Gefäſssystems, welche in die erste Classe gehören, habe ich die regelwidrige Trennung des Aortenstammes angeführt, welche in der Anwesenheit eines eignen, von der Lungenarterie verschiednen, aus dem rechten Ventrikel enspringenden offen gebliebenen rechten Stamme begründet ist; hier betrachte ich diejenigen Zerfällungen desselben, welche keine Vereinigung zwischen dem rechten und linken Ventrikel hervorbringen, weil die Aorta dabei nur aus dem linken entsteht.

Bei mehrern Säugthieren bildet die Aorta keinen Bogen, sondern spaltet sich sogleich nach

---

quarundam arteriarum in corpore humano distributione. Edinb, 1810.

ihrem Austritte aus dem Ventrikel in den auf- und absteigenden Stamm. Genau so fand sie Klinz [1]) beim Menschen gebildet. Die aufsteigende Aorta ging vier Zoll hoch, ungetheilt, gerade in die Höhe und spaltete sich dann in den ungenannten Stamm, die linke Carotis und die linke Schlüsselpulsader. Merkwürdig ist dabei, daſs auch das Herz, wie bei den meisten Thieren, senkrecht stand.

Wahrscheinlich gehört hierher auch ein von Haller [2]) angeführter Fall, wo bei einem Kinde die Aorta, ohne einen Bogen zu bilden, sich sogleich nach ihrem Austritt aus dem Herzen spaltete.

Noch näher an jenen reptilienartigen, zweigewurzelten Ursprung der Aorta aber schlieſsen sich die regelwidrigen Bildungen an, deren Wesen eine Spaltung des schon vom Herzen entstandnen Stammes mit nachher Statt findender Vereinigung ist. Diese bilden eine sehr interessante Reihe von dem höchsten Grade der Abnormität bis zur normalen Bildung.

Sobald sich bei den Wirbelthieren zwei von einander getrennte, aber neben einander liegende Ventrikel gebildet haben, entsteht die Aorta nur an einer Stelle aus dem linken, wenn sie gleich bei mehrern sich sogleich nach ihrem Austritt spaltet. Auch als abweichende Bildung findet sich, so viel mir bekannt ist, kein vollkommen getheilter Ursprung derselben beim Menschen.

Doch unterscheidet sich eine von Malacarne [3]) beschriebne Bildung der Aorta fast in

1) Abh. d. Josephsacad. Bd. 1. Taf. 6.

2) Elem. phys. v. II. p. 162. a. d. J. des Sav. 1668. No. 3.

3) Osservazioni in chirurgia. Torino 1784. t. II. p. 119. ff.

nichts von einer völligen Spaltung. Sie war zwar in ihrem Urſprunge einfach, zeigte aber ſchon hier durch ihre Geſtalt, Gröſse und Klappenzahl Neigung zur Trennung. Die Grundfläche war oval, von einer Seite zur andern 22, von vorn nach hinten 16 Linien breit und mit fünf Klappen verſehen. Nach Abgabe der Kranzarterien theilte ſie ſich, drei Linien über der Herzgrundfläche, in zwei, deren jede 18 Linien hielt und die ſich, nachdem ſie vier Zoll hoch, von einander abgeſondert, emporgeſtiegen waren, zum Durchmeſſer von 14 Linien verengt, mit einander zur abſteigenden Aorta verbanden. Aus einem jeden entſprang erſt die Schlüſſelpulsader, dann die äuſsere, zuletzt die innere Carotis ſeiner Seite. Die abſteigende Aorta entſprang an der Vereinigungsſtelle eigentlich aus dem rechten, um das Doppelte weitern Stamme. Beide waren zwar zuſammen weiter, als die einfache Aorta zu ſeyn pflegt, die aus ihnen entſpringenden Aeſte aber zogen ſich bald zum gewöhnlichen Caliber zuſammen.

Auf eine wenigſtens ſehr ähnliche Weiſe ſind auch bei mehrern Schildkröten die beiden Aorten an ihrem Urſprunge aus dem Herzen ein Stamm, der ſich erſt nachher theilt. Doch wird bei ihnen, wie bei allen Reptilien, nur der eine von beiden Stämmen aufſteigende, der andre bloſs abſteigende Aorta; bei den Vögeln dagegen ſind die beiden aufſteigenden Aorten ſogleich von ihrem Urſprunge an von einander und der abſteigenden Aorta getrennte, eigne Stämme. Indeſs iſt in ſofern die Anordnung reptilienähnlicher, als ſich die anfgeſtiegenen Aorten zur abſteigenden vereinigten.

An diese Bildung schliesst sich eine von Hommel [1]) beschriebne und abgebildete an.

Die Aorta stieg, über zwei Zoll hoch, ungetheilt in die Höhe, spaltete sich aber dann in einen vordern, engern und einen hintern, weitern Ast, zwischen denen sich die Speise- und Luftröhre hindurch begeben, und die sich, nachdem sie einen Zoll weit getrennt von einander verlaufen waren, zur absteigenden Aorta vereinigten. Die aus dem Aortenbogen kommenden Gefäfse haben sich zwischen diese beiden Hälften der Aorta getheilt, so dass die linke Carotis und Subclavia aus der hintern, die rechten gleichnamigen, wie sie, getrennt, aus der vordern entspringen.

Hier ist die Analogie mit derjenigen Reptilienbildung, welche die Frösche darbieten, noch unverkennbarer, indem auch hier die Aorta eine Strecke lang einfach ist. Wie bei allen Reptilien aber schlägt sich die eine Aorta um den rechten, die andre um den linken Luftröhrenast nach hinten. Vogelartig ist die Bildung insofern, als die Kopf- und Schlüsselpulsader der einen Seite von der einen, die der andern von der andern Hälfte der aufsteigenden Aorta entsprang.

Diese Bildung geht auf zwei Wegen in die normale über. Die Aorta schlägt sich nämlich entweder nicht über den linken, sondern über den rechten Bronchus an die Wirbelsäule, oder die rechte Schlüsselpulsader entspringt tiefer als die übrigen, und geht queer von der linken Seite zu ihrer Extremität.

Die

---

1) Comm. nor. a. 1737. p. 162.

Die erstere Bildung habe ich zweimal, Cailliot[1]) eben so oft beobachtet, und höchst merkwürdig ist es, dass in allen diesen vier Fällen zugleich das Herz durch Perforation der Scheidewand beider Kammern auf einer sehr unvollkommnen Bildungsstufe gehemmt erschien. In den beiden von mir beobachteten war der ungenannte Stamm zerfallen, doch folgten die Aeste wie gewöhnlich auf einander, so dass zuerst die rechte Schlüsselpulsader, dann die beiden Carotiden, darauf die linke Subclavia abgingen. In den Cailliotschen Fällen war dagegen zwar der ungenannte Stamm auf der rechten Seite zerfallen, hatte sich aber auf der linken gebildet. Auch Klinkosch[2]) beobachtete dieselbe Lage der Aorta mit Zerfallen des ungenannten Stammes. Zuerst entstand die linke, dann die rechte Carotis, darauf die rechte Schlüsselpulsader aus dem Bogen der Aorta. Vier Linien unterhalb dem Ursprunge der letztern vereinigte sich der arteriöse Gang mit der Aorta, so, dass beide die Luft- und Speiseröhre ringförmig umgaben und erst aus der Mitte desselben entstand die linke Schlüsselpulsader, die sich schief nach vorn zu ihrer Extremität begab.

Die zweite Bildungsabweichung, wodurch jene Spaltung der Aorta in den normalen Zustand überzugehen scheint, die Verrückung der rechten Schlüsselpulsader von der rechten auf die linke Seite, hat selbst verschiedne Grade,

1) Bullet. de l'éc. de méd. de Paris 1807. p. 21 — 28.

2) Programma de anatome foetus capite monst. Prag. 1766. pag. 13. 14.

die vorzüglich durch die gröſsere oder geringere Entfernung des Gefäſses von ſeiner gewöhnlichen Stelle bedingt werden, ungeachtet ſich, auch unabhängig davon, ihr Verlauf mehr oder weniger vom Normal entfernen kann.

Am gewöhnlichſten iſt die rechte Schlüſſelpulsader bis unter die linke herabgerückt. Fälle dieſer Art führen Ludwig,[1] Fabricius,[2] Pohl,[3] Murray,[4] Schleitz,[5] Caſſelbohm,[6] Löſeke,[7] Sandifort,[8] Mieg,[9] Bayford,[10] Hulme,[11] Monro,[12] Steidele,[13] mein Groſsvater,[14] Neubauer,[15] Hommel,[16] Walter,[17] Hünauld,[18] Autenrieth,[19] Koberwein,[20] Fleiſchmann[21] an.

Ich ſelbſt habe ſie dreimal, in einem Falle,

---

1) Obſ. angiol. Lipſ. 1764. ausg. in Weiz. n. Ausz. Bd. 3. S. 42.
2) Act. n. c. t. X. obſ. 36.
3) Obſ. angiol. Lipſ. 1773. p. VII.
4) Schwed. Abh. Th. 30. S. 92.
5) Ebend. S. 98.
6) Bohmer de 4. et 5. ram. ex arcu aort. in Hall. diſſ. t. VII. p. 449.
7) Obſ. an. Berol. 1754. p. 26.
8) Theſ. an. T. CVII. f. 1. und 2.
9) Obſ. an. bot. med. I.
10) Mem. of the Lond. soc. vol. 2. p. 271.
11) Ebendaſ.
12) De dysphagia. Edinb. 1797. u. Outl. of anat. vol. 2. p. 43.
13) Chir. Bemerk..
14) Ep. ad Hall. vol. III. p. 132. 141.
15) Deſcr. art. innom. Opp. p. 304.
16) Comm. nor. a. 1737. p. 162.
17) N. m. de Berlin. t. III. 1785. tab. 3. f. 2.
18) Mém. de l'ac. des sc. 1735. hiſt. p. 28. n. 7.

den ich ſchon oben anführte, in dem einen Körper einer Doppeltmiſsgeburt, in den beiden andern, bei übrigens regelmäſsiger Bildung gefunden, und mehrere der angeführten Beobachter ſahen den Fall einigemal. So habe ich auch auſser denen, welche mein Groſsvater anführt, noch einige andere von meinem Vater gefundene, vor mir.

Die Stelle der Aorta, an welcher die hinter die linke Schlüſſelpulsader gekommene rechte entſpringt, iſt nicht immer dieſelbe. In ſeltnen Fällen befand ſie ſich ziemlich tief unter der linken.

Murray ſahe ſie, dem vierten Rückenwirbel gegenüber, einen Zoll tiefer, als die linke entſpringen.

In einem ganz analogen Falle, wo ſich die Aorta nicht auf die linke, ſondern die rechte Seite der Wirbelſäule bog, ſahe Fiorati [1]) die linke Schlüſſelpulsader zehn Linien tief unter der rechten entſpringen und auf demſelben Wege, den bei dieſer Miſsbildung, wenn ſie nicht mit dieſer Seitenumkehrung der Aorta verbunden iſt, die rechte zu nehmen pflegt, zu der linken Extremität gehen.

Schleitz ſahe ſie etwas höher, zwiſchen dem zweiten und dritten Wirbel, aus der Aorta entſtehen.

Am gewöhnlichſten entſpringt ſie aber dicht unter der linken Schlüſſelpulsader, oder wenigſtens nur einige Linien tiefer als ſie, immer aber aus dem hintern Umfange der Aorta.

So ſinde ich es in allen Fällen, die ich vor

1) Saggi ſcientifichi di Padova. T. I. p. 69—70.

mir habe und den meisten Beschreibungen und Abbildungen andrer Beobachter.

Weniger häufig, aber dem Normal näher, ist der Grad dieser Bildung, bei welchem die rechte Schlüsselpulsader nicht so beträchtlich von ihrem normalen Ursprunge entfernt ist.

Die Beobachtungen über diesen Grad der Bildungsabweichung sind in der That nur einzeln, doch wieder gradweise verschieden.

So sahe sie Walter [1]) zwischen der linken Carotis und Schlüsselpulsader entstehen.

Huber [2]) dagegen fand die Stelle ihres Ursprungs zwischen der rechten und linken Carotis, in der Mitte des Aortenbogens.

Eben so variirt auch der Verlauf der auf diese Weise regelwidrig entsprungnen Schlüsselpulsader.

Am gewöhnlichsten geht sie zwischen der Wirbelsäule und der Speiseröhre zu der rechten Extremität. So fand ich es in zweien der angeführten Fälle, und beinahe alle Beobachter, namentlich mein Grossvater, mein Vater, Pohl, Murray, Schleitz, Cassebohm, Autenrieth bestätigen dasselbe. Die grösste Abweichung von ihrem gewöhnlichen Verlaufe kommt also hierin mit der grösten Entfernung von ihrem normalen Ursprunge überein.

Dem normalen näher ist der Weg zwischen der Luft- und Speiseröhre, welchen diese Arterie bisweilen nimmt. Dies fand in dem dritten der von mir beobachteten Fälle und auch in dem von Bayford beschriebnen Statt, un-

1) A. a. O. tab. 3.
2) Act. helv. T. VIII. p. 74.

normalen in dem Hünauldschen und dem einen Walterschen [1]) Falle, wo sie sogar vor die Luftröhre gerückt war, und zwischen dieser und dem gemeinschaftlichen Stamme der Carotiden wegging.

Dabei ist zugleich die Anordnung des ganzen Aortenbogens gewöhnlich auf eine mehr oder weniger merkliche Weise abweichend.

Im Murrayschen Falle bildete die Aorta keinen wahren Bogen, sondern einen stumpfen Winkel, die rechte Carotis lag, wie gewöhnlich der ungenannte Stamm, schief von der Luftröhre, die linke etwas von derselben entfernt, und nur die linke Subclavia nahm ihre gewöhnliche Stelle ein.

Neubauer fand die übrigen aus dem Bogen der Aorta kommenden Stämme etwas nach der linken Seite und nach hinten gewandt, die linke Carotis gerade, die rechte schief emporsteigend, so dass sie erst eine gerade Richtung annahm, als sie an ihre Seite der Luftröhre gelangt war.

In den meisten Fällen scheint die Vertheilung dieser Arterien nicht vom Normal abzuweichen, bei dem sehr tiefen Ursprunge derselben aber, den Murray beobachtete, entsprang die Wirbelarterie nicht aus ihr, sondern aus der rechten Carotis. Aus ihr entsprangen dagegen die beiden obern Zwischenrippenarterien der linken Seite.

Mit dem Abweichen des ganzen Bogens der

---

1) A. a. O. S. 61.

und Hünauld mit dieser Stellveränderung der Subclavie zugleich beobachteten. Offenbar ist hier der Carotis derselbe Charakter imprimirt, als der Subclavia und ausserdem ist die Vereinigung beider Carotiden zu einem Stamme auch in sofern interessant, als sie beim Elephanten normale Bildung ist. [1])

In einem von Tode [2]) beobachteten Falle war diese Tendenz der rechten Carotis sogar noch deutlicher, indem sie ganz verschwunden war, und durch Aeste, die aus der linken entstanden, ersetzt wurde.

Autenrieth [3]) hat zuerst die Bemerkung gemacht, dass der von Hommel beschriebne Fall und diese Bildungsabweichung nur dem Grade nach verschieden zu seyn scheinen, indem man sich die hinter der Speiseröhre weggegangene Schlüsselpulsader nur mit der, vor der Luftröhre weggehenden Aorta vereinigt zu denken brauche, um die eine Form in die andere verwandelt zu sehen.

Im dem Hommelschen Falle spaltete sich der ganze Stamm der Aorta in eine vordere und hintere Hälfte, in den gewöhnlichen spricht sich derselbe Typus nur durch den Verlauf der rechten Subclavia hinter der Speiseröhre aus, und denkt man sich hier diese mit der Aorta an der gewöhnlichen Stelle ihres Ursprungs ver-

---

1) Cuvier vergl. Anat. Bd. 4.

2) M. chir. Abb. Bd. 16. S. 707.

3) A. a. O. in Reils Archiv Bd. 7. S. 151.

ſchmolzen, ſo hat man einen ähnlichen Ring, nur mit dem Unterſchiede, daſs dort aus dem vordern Umfange nur die Carotis und Subclavia einer Seite, hier beide Carotiden und die linke Subclavia entſteht. Dieſe Analogie beider Miſsbildungen wird durch die Beobachtung von Klinköſch noch wahrſcheinlicher gemacht, indem der tiefe Urſprung der rechten Subclavia, die hinter beide Carotiden rückte, mit dem Verlauf des Bogens der Aorta hinter der Speiſeröhre verbunden war.

Bei dieſer Miſsbildung ſcheint die rechte Schlüſſelpulsader mehr ein Product der rechten, als der linken Aorta zu ſeyn. Es ſcheint, als entwickele ſich jene hier nicht ſo energiſch als gewöhnlich, als werde die Bildung der rechten Subclavia anfangs verſäumt, dann durch den rechten Stamm der Aorta nachgeholt. Daher vielleicht die nicht ſeltne Vereinigung der Carotidenverſchmelzung mit derſelben, welche ein Product des, auch durch die Miſsbildung nicht geſtörten Bildens nach dem Typus der rechten Seite zu ſeyn ſcheint.

Von dieſer Seite betrachtet, würden die Fälle, wo ſich die Aorta bloſs über den rechten Luftröhrenaſt nach der Wirbelſäule ſchlug, für gröſsere Abweichungen vom Normalzuſtande zu halten ſeyn, als der tiefere Urſprung der rechten Schlüſſelpulsader. Bei den Säugthieren haben die beiden Wurzeln der Aorta, die rechte und linke, eine groſse Tendenz, ſich mit einander zu vereinigen, und beide ziehen ſich daher ſo beträchtlich an, daſs ſie ſich zuſammen von der Luftröhre weg begeben, und ſich früh mit einander verbinden. Bei den übrigen Thieren, beſonders bei den Reptilien und bei geringerer

Energie der bildenden Kraft auch beim Menschen, ist dieses Sterben weit geringer; die eine Wurzel der Aorta schlägt sich daher über den rechten, die andre über den linken Luftröhrenast nach hinten, und so entsteht, so lange sich die rechte, oder der arteriöse Gang noch offen erhält, ein Ring um die Speise- und Luftröhre, dessen hinterer Umfang durch die wahre Aorta, so wie sein vorderer durch die Lungenarterie gebildet wird. Dies ist der höchste Grad von mangelhafter Bildung. Bei einem geringern weicht nur die eine Hälfte der Aorta von der Lungenarterie ab, die andere bleibt ihr auf die gewöhnliche Weise genähert: dann entsteht die Hommelsche Bildung. Hier hat vielleicht die rechte Aorta, oder die Lungenarterie, eben so viel Antheil an der Bildung des vordern Bogens als die linke.

Endlich hat zwar die linke Aorta in Hinsicht auf ihre Lage das gewöhnliche Verhältniss zur rechten; allein die niedere Bildung ist noch durch den Antheil angedeutet, den auch die rechte Aorta an der Bildung der Gefäſse der obern Körperhälfte nimmt; dann entspringt die rechte Schlüsselpulsader aus ihr. Am gewöhnlichsten ist es die rechte. In Sandiforts, Böhmers, Hommels, Neubauers Fällen sieht man sehr deutlich die rechte Schlüsselpulsader gerade an der Insertionsstelle des arteriösen Ganges entspringen. Fiorati fand dieses Gefäss ungewöhnlich fest mit der Lungenarterie verbunden. Bei gänzlicher Trennung der aufsteigenden Aorta von der absteigenden sahen Bianchi [1]) die rechte und Wal-

---

1) Storia del mostro di due corpi. 1740.

ter [1]) beide Schlüſſelpulsadern nicht aus jener, ſondern aus dieſer entſtehen. Der Urſprung und der Weg, welchen die rechte Subclavia nimmt, iſt offenbar eine Andeutung der Eidechſenbildung, wo auch aus jeder Aorta, dicht vor ihrer Vereinigung, eine Schlüſſelpulsader entſteht und beide Aorten durch Schlingen verbunden ſind, welche die Carotiden erzeugen. [2]) Nur eine Andeutung, denn, um dieſelbe Bildung vollſtändig zu machen, müſste der arteriöſe Gang offen, und die rechte Subclavia nicht bloſs an der regelwidrigen, ſondern zugleich auch an der gewöhnlichen Stelle mit der Aorta verbunden ſeyn. Der Hommelſche Fall würde dieſe Bildung ganz darſtellen, wenn die Trennung der Aorten bis zum Herzen herab Statt fände.

Bisweilen aber iſt auch die linke Schlüſſelpulsader ein Product der rechten Aorta. So entſprang ſie in dem einen der von mir angeführten Fälle nicht aus der Aorta, ſondern aus dem arteriöſen Gange; eben ſo in dem von Klinkoſch beſchriebnen, ging aber ohne Umweg zu ihrer Extremität. Allein in beiden Fällen ſchlug ſich die ganze Aorta rechterſeits über die Luftröhre zur Wirbelſäule, und in beiden war auch die rechte Schlüſſelpulsader hinter die Carotiden gerückt, ſo daſs dieſe Bildung vielleicht eine noch unvollkommnere iſt.

Dieſe Varietät des Urſprungs der rechten Schlüſſelpulsader iſt beſonders wegen ihres Einfluſſes auf die Geſundheit ſehr merkwürdig, wäh-

---

1) Obſerv. anat. Berol. 1775. pag. X. XI.

2) Cuvier vergl. An. Bd. 4. S. 129.

rend die übrigen Abweichungen keine Veränderung in den Functionen hervorbringen.

In den von Bayford und Hulme beobachteten Fällen war während des ganzen Lebens das Schlingen bedeutend erschwert gewesen. In der Kindheit waren die Symptome weniger heftig, vielleicht, seiner Meinung nach, weil die Luftröhre biegsamer war, nach eingetretener Mannbarkeit dagegen, besonders bei Statt findender Plethora, schwerer, wegen zunehmender Rigidität der Luftröhre. Die Beschaffenheit der entfernten Ursache unterscheidet diese Art des erschwerten Schlingens, welche Bayford, weil sie durch ein Naturspiel veranlasst wird, Dysphagia lusoria, Plouc-quet[1]) Dyscatabrosis angiologica nennt, unterscheidet sich nach Bayford und Autenrieth von den übrigen Arten dadurch, dass sie 1) das ganze Leben hindurch Statt findet; 2) durch Plethora und Pubertät vorzüglich beim Weibe vermehrt, durch Enthaltsamkeit und Ausleerungen vermindert wird; 3) das Hinderniss des Schlingens sich immer hoch oben in der Brusthöhle befindet; 4) die Speisen, auch wenn das Schlingen sehr beschwerlich ist, nie zurückkehren; 5) beim Schlingen zwar kein Schmerz, aber fürchterliche Angst, Herzklopfen und Erstickungszufälle eintreten.

Vielleicht läst sich diesen Zeichen noch ein sechstes, die Affection des Pulses des rechten Armes, sowohl während des Schlingens als ausser demselben, zusetzen. Autenrieth sahe bei einem Mädchen, bei dem er diese Art der Dysphagie vermuthete, den Puls am rechten

1) Pfleiderer de dysph. lusoria. 1806. Tübing. Reils Arch. B. 7.

Arme, beim Schlingen jedesmal kleiner werden; ungeachtet er außerdem regelmäßig war. Bayford untersuchte ihn nicht, und auch ich bin nicht im Stande, darüber Auskunft zu geben, indem ich, ungeachtet die eine Person, wo ich diese Bildung fand, im hiesigen Clinicum behandelt worden war, keine Belehrung darüber erhalten konnte. Doch wird wahrscheinlich auch überhaupt der Puls am rechten Arme schwächer seyn, da Autenrieth [1]) bei seiner Kranken den rechten Arm nicht stärker als den linken, und den Vorderarm sogar schwächer, Murray [2]) aber den ganzen rechten Arm kleiner und seine Muskeln schwächer, als auf der linken Seite fand. [3])

Weniger vom Normal abweichend ist die Spaltung der aus dem Aortenbogen entspringenden Stämme, wo alle an ihrer normalen Stelle bleiben, die rechte Schlüsselpulsader also zuerst entsteht. Diese beobachteten Winslow, [4]) Ballay, [5]) Heister, [6]) Petsche, [7]) Nevin [8]) und ich in zwei Fällen.

---

1) A. a. O. S. 181.

2) A. a. O. S. 97.

3) Indessen hat neuerlich Fleischmann (Abh. der phys. med. Societät zu Erlangen. Bd. 2. und Leichenöffn. 1815. S. 213. ff.) mehrere Gründe aufgestellt, welche wenigstens beweisen, daß jene Erscheinungen keine nothwendigen Folgen dieses abnormen Verlaufes der rechten Schlüsselpulsader sind, wenn sich aus ihnen auch nicht ergiebt, daß sie nicht bei überhaupt krankhaft erhöhter Sensibilität und schwachem Wirkungsvermögen sehr wohl Veranlassung davon werden könne.

4) Expos. anat. t. 3. p. 5. und 6.

5) Rec. périod. 1758. Uebers. Bd. 8. S. 334.

6) Comp. an. p. 123. not. 64.

7) A. a. O. S. 775.

8) Edinb. med. comm. Dec. II. Vol. IX.

Eine Annäherung an diese Bildung ist, die sehr geringe Höhe des ungenannten Stammes, den man bisweilen nur einige Linien lang findet.

Morgagni[1]) sahe selbst die Bildung der linken Carotis auf eine ähnliche Weise vom Normal abweichen, indem sie sich schon anderthalb Zoll über ihrem Ursprunge in ihre beiden Aeste theilte.

Auch auf andere Weise aber kann sich die Zahl der Arterienstämme, die aus dem Aortenbogen entspringen, vermehren.

Am gewöhnlichsten wird diese Mehrzahl derselben dadurch veranlasst, dass die Wirbelarterie aus der Aorta entspringt. Schon Haller[2]) bemerkte, dass diese Art der Vervielfältigung die häufigste sey. Merkwürdig ist es, dass gewöhnlich gerade die linke, nur äusserst selten, vielleicht nie, die rechte Wirbelarterie unmittelbar aus der Aorta entspringt.

Haller, Petsche,[3]) Cassebohm und Böhmer,[4]) Trell,[5]) Löseke,[6]) Henkel,[7]) Winslow,[8]) Morel,[9]) Plancus,[10]) Farre,[11]) Niemeyer[12]) fanden alle die linke, nie die rechte.

---

1) De c. et s. ep. 29. a. 20.
2) El. ph. t. II. p. 161.
3) A a. O. No. 44. und 45.
4) A. a. O. p 452. und Obss. rar. l. p. XI.
5) Comm. noric. 1737. p. 185.
6) A. a. O. S. 26.
7) Henkel zweite Samml. S. 11.
8) Expos t. 3. p. 6. no. 21.
9) J de medec 1757. Dec. in der deutschen Uebers. Bd. 7. S. 469
10) De monstris.
11) Pathol. researches. London 1814. p. 40.
12) De foetu puell. abn. Hal. 1814. p. 7.

In achtzehn Fällen dieser Art, die ich gesehen habe, entsprang in keinem die rechte, immer die linke Wirbelarterie unmittelbar aus der Aorta. Auch Huber [1]) sahe die linke Wirbelarterie siebenmal unmittelbar aus dem Bogen der Aorta kommen.

Eben so constant scheint der Ort des Ursprungs der Wirbelarterie in diesen Fällen zu seyn. Neubauer [2]) bemerkt schon, daſs die linke Wirbelarterie zwischen der Carotis und Schlüsselpulsader entstand. Dasselbe fand in allen von Huber beobachteten Fällen Statt. Auch Löseke, Böhmer, Petsche, Treu, Haller sagen ausdrücklich dasselbe. Unter den vielen Fällen, die ich sahe, fand ich nur in einem einzigen die linke Wirbelarterie mehr nach auſsen liegend, als die Schlüsselpulsader. Merkwürdig war in demselben Subject die zugleich Statt findende Theilung der vordern Kranzarterie, so daſs drei, von denen aber zwei über derselben Klappe entstanden, gegenwärtig waren, und die Trennung des rechten Schilddrüsenlappens in zwei, von denen der kleinere völlig von der ganzen Masse der Drüse abgesondert war, aber einen starken Zweig der untern Schilddrüsenarterie erhielt. Winslow scheint dieselbe Beobachtung gemacht zu haben, indem er anmerkt, daſs die drei ersten Stämme die gewöhnlichen, der vierte die linke Wirbelarterie war.

Wahrscheinlich hängen beide Umstände mit der normalen Beschaffenheit der Theile zusammen, indem auch bei dieser die linke Wirbelarterie dem Bogen der Aorta näher ist, als

1) A. a. O. S. 73.
2) A. a. O. S. 287.

die rechte, und von dem innern Umfange der Schlüſſelpulsader entſpringt. Auch ſieht man leicht, daſs das Herabrücken der linken Wirbelarterie zum Aortenbogen nur eine weitere Ausbildung des charakteriſtiſchen Zerfallens der auf der rechten Seite zu einem ungenannten Stamme vereinigten Kopf- und Schlüſſelpulsader iſt. Ich habe ſogar bei zwei zehnwöchentlichen Embryonen dieſe Arterie völlig von der Schlüſſelpulsader getrennt, unmittelbar aus dem Bogen der Aorta kommen geſehen, ſo daſs vielleicht urſprünglich immer dieſes Verhältniſs Statt findet und erſt ſpäter, wenn theils die Extremitäten ſtärker wachſen, theils die Breite des Körpers ſich mindert, die beiden Stämme in einen zuſammenflieſsen, woraus ſich die Häufigkeit dieſer Abweichung vielleicht erklären lieſse.

Merkwürdig iſt, daſs Henkel [1]) und Huber [2]) in zwei verſchiednen Fällen zwei Wirbelarterien fanden, von denen die eine an der gewöhnlichen Stelle, die andre aus dem Aortenbogen entſprang. Im Huberſchen Falle war die normale kleiner, vereinigte ſich aber mit der andern in der Gegend des fünften Halswirbels und trat in die Oeffnung ſeines Queerfortſatzes. Im Henkelſchen Falle trat die eine in den Fortſatz des ſiebenten, die andre in den Fortſatz des achten Halswirbels. Ich finde in einem ähnlichen Falle auf der rechten Seite zwar nur den ungenannten Stamm, allein die Vetebralarterie iſt in zwei, die beide von der Schlüſſelpulsader kommen, zerfallen von denen die eine in die Oeffnung des Queerfortſa-

1) A. a. O.

2) A. a. O. S. 73.

tzes des vorletzten, die andere in die vom dritten Halswirbel tritt, wo ſich beide bald vereinigen.

Höchſt merkwürdig ſcheint es mir, daſs ich jetzt in kurzer Zeit ſchon dreimal dieſen unmittelbaren Urſprung der linken Wirbelarterie mit analoger Theilung der linken Nierenarterie in zwei Stämme beobachtete.

Auch andere Arterien, die gewöhnlich aus untergeordneten Stämmen kommen, treten bisweilen unmittelbar aus dem Bogen der Aorta. Beſonders iſt in dieſer Hinſicht eine untere Schilddrüſenarterie (Thyreoidea ima) wegen ihres Einfluſſes auf die Bronchotomie merkwürdig.

Neubauer [1]) ſahe ſie einmal, Huber [2]) ſechsmal unmittelbar aus dem Bogen der Aorta entſtehen. Im Neubauerſchen Falle entſprang ſie zwiſchen dem ungenannten Stamme und der linken Carotis, alſo gerade an der Stelle, wo ſich auf der linken Seite die Wirbelarterie fortbegiebt. Zugleich fehlte hier die untere Schilddrüſenarterie an der gewöhnlichen Stelle.

Nicolai [3]) dagegen ſahe die untere Schilddrüſenarterie zwiſchen der linken Carotis und Schlüſſelpulsader unmittelbar aus dem Bogen der Aorta entſpringen.

Auch in den Fällen, wo dieſe Arterie aus der Carotis oder dem ungenannten Stamm entſpringt, findet ſich wenigſtens eine Annäherung an dieſe Bildung. Huber [4]) ſahe ſie einmal aus der linken, dreimal aus der rechten ge-

---

1) A. a. O. S. 298.
2) A. a. O. S. 83.
3) De direct. vaſ. in Hall. coll. diſſ. vol. II. p. 497.
4) A. a. O. S. 84.

meinschaftlichen Carotis entstehen. Auch Neubauer sahe den letzten Ursprung einmal. In den andern Fällen sahe er sie unmittelbar aus dem ungenannten Stamme kommen, in einem derselben zugleich die gewöhnliche untere Schilddrüsenarterie zu klein. [1])

Merkwürdig ist es, dass, so wie die Wirbelarterie auf der linken, so diese Arterie häufiger auf der rechten Seite aus dem Bogen der Aorta zu kommen scheint.

Eine Annäherung an diese Bildung ist der Ursprung der untern sowohl als der obern Schilddrüsenarterie aus der gemeinschaftlichen Carotis, den ich, so wie den Ursprung einer überzähligen untern Schilddrüsenarterie aus derselben Stelle, dem ungenannten Stamm und dem Aortenbogen zwischen dem ungenannten Stamme und der linken Carotis, einigemal vor mir habe.

Ist diese unterste gewöhnlich mitten auf der Luftröhre aufsteigende Schilddrüsenarterie vielleicht eine Wiederholung der mittlern Kreuzbeinarterie? Näher hängt ihr häufiges Vorkommen gewiss mit der normalen Anwesenheit einer mittlern Halsvene zusammen.

Diese unterste Schilddrüsenpulsader verbreitet sich nicht immer an die Schilddrüsenhälfte der Seite, auf welcher sie entsteht, sondern geht bisweilen vor der Luftröhre weg nach dem Schilddrüsenlappen der entgegengesetzten. So verhielt es sich in einem kürzlich von mir beobachteten Falle, wo die rechte untere Schilddrüsenpulsader an der gewöhnlichen Stelle, die linke zwischen dem ungenannten Stamme und der

1) Ebendas.

der linken Kopfpulsader entſprang und zum linken Lappen der Schilddrüſe ging. Eine merkwürdige Annäherung an die von Burns [1]) geſehene Abweichung, wo beide untere Schilddrüſenpulsadern aus einem gemeinſchaftlichen, auf der rechten Seite befindlichen Stamme entſprangen.

Wichtig ſind dieſe verſchiednen Abweichungen der untern Schilddrüſenpulsader, auſser der praktiſchen Beziehung auf die Bronchotomie, vorzüglich wegen der Thierähnlichkeit, ſofern ſie deutlich verſchiedne Stufen einer Reihe ſind, welche ſich mit dem gänzlichen Verſchwinden der untern Schilddrüſenpulsader als eignes Gefäſs und der Verſchmelzung derſelben mit der obern endigt, einer Bildung, welche bei den meiſten Säugthieren als normal vorkommt.

Bisweilen vervielfacht ſich die Zahl der Stämme des Aortenbogens noch mehr. So fand Caſſebohm [2]) in einem Falle auf der rechten Seite die innere Bruſtarterie, auf der linken die Wirbelarterie unmittelbar aus dem Aortenbogen entſpringend. Dieſelbe Abweichung habe ich vor mir. Petſche [3]) ſahe die gewöhnlichen groſsen Stämme in vier getheilt, und auſserdem eine linke Wirbelarterie.

Auch die übrigen Stämme der Aorta vervielfachen ſich zuweilen.

Beſonders häufig gilt dies für die Arterien der Nieren, ſo daſs man beinahe häufiger die

1) Herzkrank. Lemgo 1813. S. 331.

2) Haller coll. diſſ. vol. II. p. 452.

3) Petſche in Haller coll. diſſ. vol. VI. no. 44.

findet.

Einige Beobachter ſind geneigt, die Mehrzahl der Nierenarterien als einen Beweis einer ſtärkern, andre einer ſchwächern Wirkung der bildenden Thätigkeit anzuſehen: jene glauben ſie häuſiger auf der rechten, dieſe häuſiger auf der linken Seite zu finden. Inſofern als Theilung, Zerfallen in mehrere kleine Centra der Charakter jeder niedern Bildung, die linke Seite ſchwächer als die rechte iſt, auch in der obern Körperhälfte, wie die Verſchiedenheit des Urſprungs der groſsen Gefäſse beider Seiten aus dem Aortenbogen beweiſt, im normalen Zuſtande ſchon ein ſolcher Unterſchied beider Seiten Statt findet, hat unſtreitig die letztere Meinung um ſo mehr für ſich, als die Gröſse der mehrfachen Nierenarterien beweiſt, daſs ſich keine neuen angebildet haben, ſondern das gewöhnlich einfache Gefäſs bloſs zerfallen iſt.

Doch hindern mich meine Beobachtungen bis jetzt zu glauben, daſs beide Seiten des Körpers in Hinſicht auf gröſsere oder geringere Häuſigkeit des Zerfallens der Nierenarterien eine conſtante Verſchiedenheit darbieten. Wenigſtens haben mir die in dieſer Hinſicht im Verlauf einiger Winter angeſtellten Unterſuchungen folgende Reſultate gegeben.

Bei einem Weibe fand ich zwei linke Nierenarterien, wovon die eine, obere, äuſserſt klein war, und unmittelbar über der groſsen aus der Aorta entſprang; allein auch auf der rechten Seite war die Arterie ſchon lange vor ihrem Eintritte in die Niere vielfach verzweigt. Merkwürdig iſt, daſs bei dieſem Subjecte beide, besonders aber die rechte, außerordentlich lang waren.

Bei einem andern fanden sich auf jeder Seite drei Nierenarterien.

Bei einem dritten waren die Nierenarterien nur auf der rechten Seite doppelt.

Bei einem vierten fanden sich gleichfalls auf beiden Seiten drei.

Ein Mann hatte auf jeder Seite zwei Nierenarterien. Nur auf der rechten Seite fand sich auch eine doppelte Nierenvene, auf der linken war die Nierenvene einen Zoll weit von der Hohlvene in drei Aeste getheilt, von denen die beiden untern wieder durch eine weite Anastomose zusammenhingen.

Bei einem Weibe fand sich auf der rechten Seite nur eine, auf der linken eine kleine zweite Nierenarterie.

Bei einem Mädchen erhielt die rechte Niere vier, die linke nur zwei Arterien.

Bei einem Weibe hatte dagegen die linke Niere drei, die rechte nur eine.

Bei einem Manne, einem Weibe und zwei Knaben hatten beide Nieren zwei Arterien.

Bei zwei andern war nur die rechte doppelt.

Bei einem Manne finden sich auf der rechten Seite vier, auf der linken nur eine Nierenarterie.

Bei einem Weibe entspringen auf der rechten Seite zwei, auf der linken nur eine.

Eben so bei einem Knaben auf der ersten drei, auf der letzten nur eine.

Auch bei einem Weibe entspringen auf der rechten Seite vier, von denen die obere beinahe wieder in zwei getheilt war, auf der linken nur eine.

In einem Mädchen fanden ſich drei rechte und nur zwei linke.

Merkwürdig iſt es, daſs, ganz gegen die gewohnte Regel, die Nierenvenen, auch wenn ſich die Arterien ſehr beträchtlich ſpalten, dennoch nur ſelten vermehrt erſcheinen.

So fand ſich unter den angeführten Fällen nur dreimal auch die Zahl der Nierenvenen gröſser, allein bei keinem der Fälle, wo ſich vier Nierenarterien fanden. Den einen habe ich ſchon angeführt, in einem andern, wo die Nierenarterie auf der rechten Seite doppelt war, hatte die kleine acceſſoriſche Nierenarterie eine ähnliche Nierenvene zur Begleiterin. Doch ſchien dieſe eigentlich bloſs die rechte Saamenvene zu ſeyn, indem dieſe ſich ſo weit als dieſe Vene bei ihrem Urſprunge aus der Hohlvene, aus ihr fortſetzte, ſo daſs der zur Niere gehende Theil eigentlich nur ein Aſt und bloſs durch die Anweſenheit der kleinen Nierenarterie aus der Saamenvene hervorgezogen ſchien. Die Saamenarterie entſprang unmittelbar aus der Aorta. In einem andern Falle war die Nierenarterie auf beiden Seiten dreifach; allein nur auf der rechten Seite die Nierenvene doppelt, auf der linken völlig normal. Doch habe ich zweimal die Nierenvene auf der rechten Seite mit Einfachheit der Arterie doppelt geſehen.

Dagegen iſt nicht ſelten gröſsere oder geringere Spaltung des Nierenbeckens und längliche Geſtalt der Nieren damit verbunden. In mehrern Fällen, beſonders da, wo die untere Nierenarterie, vorzüglich wenn ſie groſs iſt, und zwiſchen ihr und der obern ſich keine andere, oder nur eine sehr unbedeutende findet, sie sehr tief entspringt, ist die Niere nicht bloss sehr schmal und länglich, sondern sogar in der Mitte beträchtlich eingeschnürt und ihr äusserer Rand nicht convex, sondern concav. Dies ist desto auffallender, und hängt offenbar mit der Mehrfachheit der Nierenarterie zusammen, da in demselben Subjecte die andere mit einfachen Gefässen versehene Niere die gewöhnliche Form hat.

Die Spaltung des Nierenbeckens ist bald mehr bald weniger ansehnlich. In einem Falle, wo sich zwei Nierenarterien finden, deren eine unter der Gekrösarterie entspringt, ist es bloss dem untern Ende des Ausschnitts gegenüber in zwei Aeste gespalten, deren unterer grösserer sogleich in die Niere dringt, deren oberer längs dem Ausschnitte emporsteigt und sich am obern Ende desselben in die Niere begiebt. In einem Falle, wo sich vier Nierenarterien finden, ist der Harnleiter sogar bis zur Mitte seiner Länge gespalten. In einem andern Falle ist mit Duplicität der Nierenvene der Harnleiter eben so weit doppelt, und in einem vierten spaltet sich mit tiefer Spaltung der Nierenarterie auch das Nierenbecken schon früh in seine drei Aeste.

Die Anordnung der vervielfachten Nierenarterie ist äusserst vielen Verschiedenheiten unterworfen.

Bisweilen findet sich eine, die fast die gewöhnliche Grösse hat, während die eine oder mehrere accessorischen nur sehr klein sind; bisweilen haben alle ungefähr denselben Durchmesser. Dies scheint der gewöhnlichere Fall zu seyn, ungeachtet auch hier meistens eine, welche sich in der gewöhnlichen Stelle befindet, durch eine etwas gröſsere Weite an den normalen Zuſtand erinnert. Bald ſtehen die verſchiednen Stämme dicht neben einander, ſo daſs ſie ſich kaum getrennt zu haben ſcheinen, bald ſind ſie weit aus einander gerückt, und dringen an den beiden Enden der Nieren in die Subſtanz dieſer Organe. Das letztere ſcheint mir die häufigere Bildung zu ſeyn. Nur in ſehr wenig Fällen liegen die beiden Nierenarterien ſehr dicht an einander. In mehrern ſind ſie einen halben bis ganzen Zoll von einander entfernt. In den meiſten entſpringt, es mögen ſich zwei oder mehrere finden, die untere noch unterhalb der untern Gekrösarterie, und in drei Fällen iſt ſie ſogar bis zur Hüftpulsader herabgerückt, aus der ſie einen halben Zoll tief unter der Spaltung der untern Hohlvene entſteht. Sind ſie auf beiden Seiten mehrfach, ſo iſt ihre Anordnung bisweilen ſymmetriſch, bisweilen auch gar nicht, weder, wie ſich ſchon aus dem vorigen ergiebt, in Hinſicht auf Zahl noch auf verhältniſsmäſsige Gröſse und Stellung.

So ſehe ich in dem einen Falle, wo ſich auf beiden Seiten drei Arterien finden, rechterſeits eine groſse, die mit einer kleinern beinahe verbunden iſt. Tief unten, noch unterhalb der untern Gekrösarterie entſpringt eine dritte, kleinſte, die gerade zur Niere geht. Auf der linken Seite entſpringt die groſse der groſsen rechten gerade gegenüber, allein die kleinen ſind weit aus einander gerückt, indem nur die obere der dritten, kleinſten rechten, gerade gegenüber, die untere einen Zoll tiefer als ſie, aus der Aorta kommt.

In einem andern liegen die beiden oberen rechten nicht weit von einander; die unterſte, welche faſt ſo groſs als die oberſte gröſste iſt, entſpringt noch unter der untern Gekrösarterie. Auf der linken Seite dagegen entſpringt die oberſte noch über der obern Gekrösarterie, geht gerade zur Niere, und tritt an die vordere Fläche, nicht aber in den Ausſchnitt; die mittlere der oberſten rechten gegenüber; die unterſte nur einen halben Zoll tiefer als ſie.

In einem andern Falle dagegen entſpringen die beiden Nierenarterien jeder Seite anderthalb Zoll weit von einander: die obern ſind einander, ſo wie die untern, auf beiden Seiten völlig gleich, die letztern etwas kleiner als die erſtern. Die linken liegen beide genau in demſelben Verhältniſſe, etwas tiefer als die rechten.

Eben ſo ſind in einem andern Falle die beiden Nierenarterien auf beiden Seiten einen halben Zoll von einander entfernt, liegen einander aber gegenüber.

In zwei Fällen ſchlug ſich die untere, acceſſoriſche, kleinere Nierenarterie vor der Hohlvene weg zur Niere. In einem Falle, wo ſich vier Nierenarterien fanden, gingen die beiden unteren vor der Hohlvene zur Niere.

Auch kam in mehrern, doch nicht in den meiſten Fällen, ſelbſt die rechte Saamenarterie aus der acceſſoriſchen untern Nierenarterie, ſo daſs jene als die Veranlaſſung des Entſtehens dieſer letztern angeſehen werden konnte.

Die Mehrzahl der Nierenarterie iſt beſonders wegen der Analogie mit der normalen Bildung der Vögel und noch mehr der Fiſche, merkwürdig.

Auch die Arterien des Darmkanals und seiner Anhänge sind einer ähnlichen Theilung unterworfen.

So habe ich die Coeliaca nicht selten in zwei oder drei Aeste gespalten gefunden.

Besonders findet man häufig den Ursprung der Leberarterie getheilt. Bei einem Weibe fand ich sie von drei verschiednen Stellen kommend. Die eine, die gröſste, kam vom Stamme der obern Gekrösarterie, und vertheilte sich an die rechte Seite der Leber, indem sie in den zwischen der Gallenblase, dem Spigelschen und dem geschwänzten Lappen befindlichen Theil der Pforte trat; eine zweite, kleinere, entsprang von der Coeliaca, und ging in den mittlern Theil der Pforte; eine dritte, noch etwas kleinere, entstand von der linken Magenkranzarterie und begab sich in die Grube des venösen Ganges.

Sehr häufig sahe ich überhaupt die rechte Leberarterie aus der obern Gekrösarterie entspringen; doch hat diese Bildung vielleicht eine entgegengesetzte Bedeutung, indem sie eine Annäherung an die Verschmelzung der obern Gekrösarterie mit der Coeliaca seyn kann. Wenigstens fand ich bei einem Weibe, wo die ganze Leberarterie aus der Gekrösarterie entsprang, auch die linke Carotis mit dem ungenannten Stamme verbunden.

In einem Knaben war die Coeliaca in zwei Stämme getheilt, einen etwas gröſsern, obern, mehr linkerseits gelegenen, aus dem die Milz- und Magenarterien kamen, und einen rechten, etwas kleinern, aus welchem die Leber- und linke Magennetzarterie entsprang. In einem andern Falle sahe ich bei einem Manne alle drei

Arterien völlig getheilt, jede eine Linie weit von der andern aus der Aorta entſpringen.

In einem Falle ſahe ich bei einer Frau die linke Magenkranzarterie unmittelbar über der Coeliaca aus der Aorta kommen.

Auch Morgagni [1]) ſahe einmal die Coeliaca in zwei, in einem andern Falle in drei Stämme zerfallen. [2])

Velſe [3]) fand die obere Gekrösarterie in zwei, dicht neben einander entſpringende Stämme zerfallen.

Auch dieſe Bildungen ſind vorzüglich wegen der Thierähnlichkeit merkwürdig, indem unter den Reptilien bei dem Krokodil die Coeliaca ſchon ſehr weit von der obern Gekrösarterie abgerückt iſt, bei den übrigen Eidechſen aber die Leberarterie ein, von der Gekröspulsader getrennter Stamm iſt, und bei den Schlangen die Leberarterie und die Arterie des Magens ſchon getrennt aus der Aorta treten, ſtatt zweier Gekrösarterien aber ſich drei gebildet haben. [4])

Hieher gehört wahrſcheinlich auch der gänzliche Mangel der groſsen Anaſtomoſe zwiſchen der obern und untern Gekrösarterie, den Vicq d'Azyr [5]) einmal beobachtete. Der aufſteigende Aſt der untern und der mittlere Grimmdarmaſt der obern krümmten ſich gegen ihren Urſprung zurück und anaſtomoſirten nur durch kleine Zweige mit einander. Dieſe Bil-

---

1) De c. et ſ. Ep. LXX. a. 9.
2) Ebdſ. ep. LIII. a. 37.
3) De mutuo int. ingr. rec. in Halleri coll. diſſ. t. VII. p. 155.
4) Cuvier vergl. Anat. Bd. 4. S. 131.
5) Mém. de l'ac. des sc. 1776. p. 220.

dung ist gleichfalls Thierähnlichkeit, indem beim Stachelschweine und den Wiederkäuern jene Verbindung fehlt, und die untere Gekrösarterie auf den Mastdarm eingeschränkt ist. [1])

Auch an den Gliedmaassen kommt diese Abweichung nicht selten vor. Vorzüglich gilt dies für die obern.

Die Armpulsader theilt sich gewöhnlich etwas tiefer als das Ellenbogengelenk, wo die Sehne des Speichenbeugers zwischen die Muskeln des Vorderarms tritt, in zwei Stämme, die Speichenpulsadern (a. radialis) und die Ellenbogenpulsader (a. ulnaris s. cubitalis). Selten geschieht diese Theilung merklich tiefer, nicht ungewöhnlich aber mehr oder weniger bedeutend höher als gewöhnlich. Unter dieser Bedingung liegt die Theilungsstelle häufiger beträchtlich, als nur wenig höher wie gewöhnlich, am häufigsten in der Gegend der Mitte des Oberarms, doch bisweilen auch nur um einen Zoll höher als gewöhnlich, bisweilen am Ende der Achselgrube. Von den beiden Stämmen, in welche sich die Armpulsader theilt, ist die Speichenpulsader die kleinere, aber in Hinsicht auf die Richtung die Fortsetzung des Stammes. Sie verläuft, oberflächlicher als die Ellenbogenpulsader, bis an das untere Ende des Vorderarms, ohne einen bedeutenden Ast abzugeben; die Ellenbogenpulsader dagegen spaltet sich bald in zwei Aeste, die eigentliche Ellenbogenpulsader und die Zwischenknochenpulsader. (O. interossea). Nach dem allgemeinen Gesetze, dass die der regelmässigen Bildung nächsten Abwei-

1) Cuvier a. a. O. S. 102' 103.

chungen der Form die häufigsten sind, ist daher, wenn sich die Armpulsader ungewöhnlich hoch spaltet, gewöhnlich doch der kleinere, oberflächlichere Stamm die Speichenpulsader, und der tiefere spaltet sich an der gewöhnlichen Stelle in die Ellenbogenpulsader und die Zwischenknochenpulsader. Weit seltner ist die Ellenbogenpulsader der kleinere Stamm, so daſs sich die Fortsetzung des Stammes in die Speichenpulsader und Zwischenknochenpulsader theilt; unstreitig, weil diese Abweichung gröſser, und die höhere Spaltung zugleich mit seitlicher Umkehrung verbunden ist. Am allerseltensten ist das gröſsere Gefäſs der gemeinschaftliche Stamm der Ellenbogen- und Speichenpulsader, das kleinere die Zwischenknochenpulsader, vermuthlich, weil diese Anordnung die geringste Aehnlichkeit mit der normalen hat. Den Uebergang von der normalen Form zur ersten Abweichung macht die etwas wenig höhere Spaltung der Armpulsader; zur zweiten giebt es einen doppelten Weg, 1) den Ursprung der Zwischenknochenpulsader aus der Speichenpulsader, ohne höhere Spaltung der Armpulsader; 2) die ungewöhnliche Gröſse und den unmittelbaren Ursprung des Ellenbogennebenastes der tiefen Armpulsader aus dem Stamme der Armpulsader, wo dann in der That ein Theil der Ellenbogenpulsader hoch oben aus der Armpulsader entspringt. Bei der ungewöhnlich hohen Spaltung der Armpulsader ist es indessen merkwürdig, daſs doch meistentheils an der gewöhnlichen Theilungsstelle eine neue, der normalen ähnliche Spaltung Statt findet. Der kleinere Stamm verläuft immer oberflächlicher als der Hauptstamm, doch immer unter der Aponeurose des Armes und Vorderarmes. Daſs diese hohe Theilung keinesweges so selten ist, als Camper [1]) glaubt, beweisen die Beobachtungen von Bidloo, [2]) Ludwig, [3]) Monro, [4]) Sömmerring, [5]) Penchienati, [6]) Barclay [7]) und meine eignen. Eben so wenig ist die Meinung richtig, daſs diese Abweichung selten oder nie an einem Arme allein vorkomme, denn unter acht Fällen, fand ich sie sechsmal an beiden Armen zugleich, nur zweimal an einem allein, in beiden Fällen dem linken.

Weit seltner weichen die Pulsadern der untern Gliedmaaſsen auf diese Art vom Normal ab. Ich selbst sahe diese Anordnung nur einmal, und in einem sehr unbedeutendem Grade auf der linken Seite.

Doch fand Portal [8]) einigemal die Schenkelpulsader, und, was merkwürdig ist, mit der Armpulsader zugleich, sehr hoch getheilt und Zagorsky [9]) sahe einen ansehnlichen Ast längs der innern Schenkelblutader herabsteigen, der sich in die innere Knöchelpulsader einsenkte.

---

1) Demonstr. anat. pathol. L. I. p. 15.
2) Wolf observ. med. chir. p. 64.
3) De variant. art. brach. ramis. Lips. 1767.
4) Outl. of anatomy. Vol. III. p. 301.
5) Gefäſsl. S. 215.
6) Sur les anévrismes des artéres du bras. In Mém. de Turin. 1784. 85.
7) Description of the human arteries. Edinb. 1812.
8) Treu comm. nor. 1737. p. 187. Bichat über Leben und Tod.
8) Anat. méd. III. p. 239.
9) Mém. de Petersbourg 1803—6. Gött. Anz. 1811. S. 1343.

2. *Blutadern.*

Da es der Charakter der Venen ist, mehrere Stämme als die Arterien zu bilden, so wäre zu vermuthen, dass sich bei ihnen häufiger als bei den Arterien die Zahl derselben vermehren sollte; doch scheint dies kaum der Fall zu seyn. Wenigstens habe ich selbst noch nie eine Abweichung der Hohlvenen vom Normal gefunden, ungeachtet ich mehrmahls die grossen Stämme der Aorta getheilt sahe, und so oft man auch die Zahl der Nierenarterien vermehrt findet, so selten erhebt sich die Zahl der Venen dieses Organs über das Gewöhnliche, so dass ich nur sehr selten zugleich mehrfache Nierenarterien und Venen und nur zweimal eine doppelte Nierenvene mit einfacher Nierenarterie gefunden habe.

Doch finden sich einige Fälle dieser Art beobachtet. So habe ich selbst zwei Fälle vor mir, wo die linke Schlüsselvene sich nicht mit der rechten vereinigt, sondern am untern Umfange der Herzgrundfläche, in der kreisförmigen Furche in die rechte Vorkammer geht.

Einen ähnlichen Fall haben auch Theune [1]) und Niemeyer [2]) beschrieben und der erstere abgebildet.

Auch Murray [3]) führt einen merkwürdigen Fall dieser Art an. Die gewöhnliche obere Hohlader war viel kleiner als sonst, um zwei Drittel kleiner als die untere, nahm bloss die rechte Drosselvene und die unpaarige Vene auf. Auch das rechte Herzohr war kleiner und weniger

---

1) Theune de confl. trium cavarum. Halae 1763.

2) De foetu puell. diff. Hal. 1814.

3) Neue Schwed. Abh. Bd. 2. p. 286.

muskulös, die Muskelfasern der Hohlvene aber stärker als gewöhnlich. An der untern und linken Fläche der geöffneten rechten Vorkammer befand sich, dicht unter der ehemahligen, viel höher als gewöhnlich gelegnen eirunden Oeffnung eine sehr grosse Oeffnung, die zu einer eignen linken obern Hohlader führte, welche aus der linken Drossel- und Schlüsselvene bestand, und links um den Aortenbogen auf die vorher angegebene Weise zur rechten Herzkammer ging. Merkwürdig ist, dass die grosse Kranzvene des Herzens ganz fehlte, die mittlere sich in die linke Hohlader, die allein von der untern Fläche des Herzens kommende Vene sich an der gewöhnlichen Stelle der Thebesischen Oeffnung etwas unter der linken obern Hohlvene in das rechte Herzohr öffnete.

Diese Bildung ist merkwürdig, weil sie mehrern Säugthieren und den Vögeln im Allgemeinen zukommt.

An der untern Hohlader findet sich dieselbe Bildung dadurch angedeutet, dass sie in ihrem ganzen Verlauf im Unterleibe mehr oder weniger vollkommen getheilt ist. So habe ich mehrmals von der Vereinigungsstelle beider Hüftblutadern einen mehr oder weniger weiten Verbindungsgang entstehen gesehen, der an der linken Seite der untern Hohlvene verlief, und sich in einigen Fällen in die Nierenvene, in einem wieder in die untere Hohlvene selbst, kurz vor ihrem Durchgange durch das Zwerchfell, senkte.

Auch Morgagni [1]) fand einmal einen solchen zweiten, an der linken Seite der untern

---

1) De c. et f. Ep. XLVII. §. 30.

Hohlvene verlaufenden Stamm, der sich von der Vereinigungsstelle beider Hüftblutadern in die Nierenvene begab.

Noch stärker fand Wilde [1]) diese Trennung ausgesprochen. Der gemeinschaftliche Stamm der untern Hohlvene war nur anderthalb Zoll lang. Die Darmpulsadern beider Seiten waren zwar durch einen queeren Gang auf dem fünften Lendenwirbel mit einander vereinigt, übrigens aber bis dicht zur Leber getrennt. Eine jede nahm die Nieren- und Lendenvenen ihrer Seite auf. Sehr merkwürdig ist, dass in demselben Körper der linke Leberlappen viel grösser als gewöhnlich und der pankreatische Gang doppelt war.

Aber auch bei den Fischen sind die beiden Aeste der untern Hohlvene bis zum Herzen getrennt.

Damit kommt auch die Morgagnische [2]) Beobachtung überein, der bei einer Frau die Leberblutadern nicht unter, sondern über dem Zwerchfelle in die Hohlvene geöffnet fand.

Noch stärker ist die von Rothe [3]) beobachtete Abweichung, wo ein eignes Gefäss von der Dicke eines Daumen und der Länge eines Zolles vom rechten Leberlappen, aus dem es mit drei Aesten entsprang, zur rechten Kammer ging, in die es sich durch eine, mit drei Klappen versehene Mündung öffnete.

Hierher gehört auch die Anwesenheit einer zweiten unpaarigen Vene. Einen kleinen Verbindungsgang zwischen der untern linken He-

1) Comm. Petrop. T. XII. p. 312.

2) De c. et s. Ep. LX. §. 6.

3) Abb. d. Josephsacad. Bd. 1. S. 265.

miazyga, der grofsen rechten unpaarigen Vene, und der linken Schlüffelvene, habe ich beinahe immer bemerkt. Diefer vergröfsert fich bisweilen fo, dafs er als der fortgefetzte Stamm der Hemiazyga erfcheint, um fo mehr, da in diefem Falle häufig das gewöhnliche obere Ende diefer Vene, an welchem fie fich mit der Azygos verbindet, fich fo fehr verkleinert, dafs es nur als ein anaftomofirender Gang zwifchen beiden Gefäfsen erfcheint. In einem Falle, wo die linke unpaarige Vene völlig diefelbe Gröfse mit der linken hatte, fanden fogar die gewöhnlichen Queervanaftomofen zwifchen ihr und der rechten, wahren Azygos gar nicht Statt, ungeachtet ich den Fall fehr genau unterfuchte. In einem Falle diefer Art, wo der von der Hemiazyga zur Schlüffelvene verlaufende Gang fo weit als fie felbft war, fand ich die Infertion der Azygos über einen Zoll weiter als gewöhnlich nach oben gerückt, unftreitig ein merkwürdiger Umftand, indem fich ihre Infertion dadurch der Infertionsweife der linken annäherte.

Fälle von einer doppelten Azygos befchreiben Lancifi, [1]) Guallani, [2]) Mascagni [3]) und Wrisberg. [4])

Auch Wilde [5]) befchreibt eine Annäherung an diefe Bildung; doch fenkte fich hier die linke Azygos in die rechte dicht vor dem Eintritt derfelben in die obere Hohlader, nachdem

---

1) De vena fine pari in Morg. adv. anat. V. pag. 80.

2) Mem. prés. T. III. p. 512.

3) Ichnogr. fyft. vaf. lymph. Tab. 19.

4) Obferv. anat. de vena azyga duplici rec. in Sylloge diff. p. 127.

5) Comm. Petrop. vol. XII. p. 318.

dem sie sich vorher durch mehrere Queeräste mit ihr verbunden hatte.

Bei den Lungenvenen finden sich gleichfalls bisweilen, indessen, wie es scheint, seltner, als bei den Körpervenen, die Aeste nicht vereinigt, so dass fünf, 1) selbst sechs 2) vorkommen. Im letztern Falle finden sich bisweilen auf beiden Seiten drei, bisweilen auf einer vier, die immer über einander liegen.

II. *Verschmelzung.*

1. *Pulsadern.*

Die entgegengesetzte Bildung ist die Vereinigung mehrerer, gewöhnlich getrennter Arterienstämme zu einem einzigen.

Am Aortenbogen ist diese Bildung, wie es mir scheint, die häufigere. Doch gilt dies nur für die Verschmelzung der linken Carotis mit dem gemeinschaftlichen ungenannten Stamme, nicht für die Verschmelzung jener Arterie mit der Schlüsselpulsader ihrer Seite, unstreitig ein merkwürdiger Umstand, weil, den Seehund, den Maulwurf und Igel, vielleicht auch den Bären und mehrere Affenarten auf der einen, den Delphin und den Saju (S. Apella) auf der andern Seite ausgenommen, jene Bildung bei allen Säugthieren, wo die Aorta einen Bogen bildet, vorkommt. Auch bei

1) Meckel mém. de Berlin 1750, welchen Fall ich noch vor mir habe. Portal mém. de Paris 1771. H. 74. Fand ich auch selbst einigemal.

2) Sandifort. o. p. a. III. 41. IV. 97. Fand ich gleichfalls selbst einigemal.

der normalen Bildung ist übrigens auch im Menschen schon eine Annäherung dazu vorhanden; indem gewöhnlich die linke Carotis näher am ungenannten Stamme als an der linken Schlüsselpulsader steht.

Zuerst die erste Art von Verschmelzung.

Die Grade dieser Verschmelzung sind verschieden. Im geringsten rückt die Carotis so nahe an den ungenannten Stamm, dass, ungeachtet sie im gröſsten Theile ihres Umfangs äusserlich von einander getrennt sind, sie einander doch im innern Theile desselben berühren und in einander flieſsen. In einem höhern Grade rücken beide noch näher zusammen und bilden einen völlig gemeinschaftlichen Stamm, der aber noch durch seine ovale Form, besonders an der Stelle seiner Verbindung mit der Aorta, deutlich die Art seiner Entstehung zu erkennen giebt.

Endlich verschwindet auch diese Spur der Verschmelzung; der Stamm wird rund und die linke Carotis entspringt, mehr oder weniger hoch über dem Aortenbogen, als ein eigner Ast aus dem gemeinschaftlichen ungenannten Stamme, die vollständigste Thierähnlichkeit.

Fälle dieser Art beschreiben Malacarne,[1]) Walter,[2]) Petsche,[3]) Neubauer.[4]) Huber[5]) sahe sie zweimal und den Zusammenfluss der linken Carotis mit dem ungenannten Stamme an der Basis nicht selten. Auch

---

1) Osserv. in chirurg. T. II. p. 128. tab. 1. Fig. 3.
2) A. a. O. tab. III. fig. 1.
3) A. a. O. S. 775.
4) A. a. O. pag. 302. tab. VII. fig. 1.
5) Act. helv. Vol. VIII. p. 71.

ich habe diese Bildung wenigstens zwölfmal gesehen, so dass die linke Carotis einen halben bis ganzen Zoll hoch über dem Aortenbogen und dem gemeinschaftlichen Stamme ihren Ursprung nahm.

Nächst dem Ursprunge der linken Wirbelpulsader und der untern Schilddrüsenpulsader aus dem Aortenbogen, ist diese Abweichung bestimmt die häufigste, und ich weiss daher nicht, wie Walter sie selten nennen kann.

Endlich ist der höchste Grad der Vereinfachung der, wo auch die linke Schlüsselpulsader in den gemeinschaftlichen Stamm überfliesst; eine Bildung, welche die Aorta der Wiederkäuer darstellen würde, wenn nicht bei dieser der Bogen fehlte, und daher die Aorta schon bei ihrem Ursprunge aus dem Herzen in zwei Hälften zerfallen erschiene. Einen einzigen Fall dieser Art habe ich bei einem sehr langen, engbrüstigen Manne gesehen. Die gemeinschaftliche Basis aller Arterien war indess elliptisch, wiewohl alle an ihrem innern Umfange vereinigt waren. Sehr merkwürdig war die gleichzeitig Statt findende Verschmelzung der Coeliaca mit der obern Gekrösarterie. Interessant ist, dass, wie ich schon vorher bemerkte, in einem andern Falle, wo sich die Verschmelzung nur auf die linke Carotis mit dem ungenannten Stamme erstreckte, auch nur die Leberarterie zur Gekrösarterie gezogen war.

Eine Annäherung an diese Bildung ist vielleicht die von Walter [1]) abgebildete, wo die linke Carotis mit dem ungenannten Stamme

1) A. a. O. Tab. III. Fig. 3.

verwachſen, die linke Wirbelarterie aber von der linken Schlüſſelpulsader losgeriſſen, zwiſchen beiden aus dem Aortenbogen entſpringt.

Ganz dieſelbe Bildung fand auch ich vor kurzem in mehrern Leichen.

Die zweite Verſchmelzungsweiſe, die ſymmetriſche Vereinfachung der beiden, aus dem Aortenbogen entſpringenden Stämme, ſahen nur Biumi [1]) und Malacarne. [2])

Dieſe Bildung kommt unter den Säugthieren, ſo viel mir bekannt iſt, nur dem Saju und dem Delphin, auſserdem aber allen Vögeln und den meiſten Reptilien zu.

Aus der abſteigenden Aorta treten häufig mehrere Intercoſtalartrien, beſonders die obern und die untern mit einem einfachen Stamme.

Der Verſchmelzung der obern Gekrösarterie mit der Eingeweidearterie habe ich ſchon ſo eben gedacht. Dieſelbe Bildung habe ich noch in einem andern Körper beobachtet; doch weiſs ich nicht, ob auch dort die Stämme des Aortenbogens einfach waren. Auch Morgagni [3]) ſahe ſie einmal. Sie iſt beſonders inſofern intereſſant, als auch ſie bei den Schildkröten normal iſt. [4])

Weit ſeltener iſt der von Fleiſchmann [5]) beobachtete Mangel der untern Gekröspulsader, die dann unſtreitig durch die obere erſetzt wurde.

---

1) Obſ. anat. Mediol. 1765. rec. in Sandif. Theſ. diſſ. T. III. p. 341.

2) Oſſ. in chirurgia. t. 2. p. 128.

3) De c. et ſ. ep. 29. a. 20.

4) Cuvier a. a. O. S. 124. 125.

5) Leichenöffnungen. 1815. No. 81.

2. *Blutadern.*

Bei den Venen ist die Vereinfachung sehr selten, weil sie ganz ihrem Charakter entgegen ist; ich kenne daher auch nur Beispiele vom Einfachwerden der Lungenvenen, die eigentlich keine Venen sind.

Ich selbst sahe die Venen der linken Lunge bei einem Weibe zu einem über einen Zoll langen Stamme vereinigt.

Löseke [1]) fand auf eben dieser Seite dasselbe. Eben so Sandifort. [2])

Auch Portal [3]) sahe bisweilen die Lungenvenen vereinigt, so dass sich nur zwei Stämme fanden. Eine Anordnung, die ich gleichfalls einigemal sahe.

III. Anderweitige Abweichungen.

Die bisher betrachteten abweichenden Bildungen des Gefässsystems hatten gewöhnlich keinen Einfluss auf die Functionen; doch giebt es andere, die, wegen der dadurch bewirkten Abänderung des Kreislaufes, nothwendig denselben haben.

Es ist merkwürdig, dass sich in Hinsicht auf die Oxydation des Blutes die zwei Extreme finden, indem bei der einen Bildung das Körperblut beinahe gar nicht in die Lunge gelangt, bei der andern dagegen sogar ein Theil des Aortenblutes wieder zur Lunge geführt wird.

Die erstere Bildung wird durch einen von Baillie [4]) beschriebnen und abgebildeten Fall

1) A. a. O. S. 26.
2) Obs. a. p. III. 18.
3) Mém. de l'ac. des sc. 1771. hist. p. 74.
4) Abh. z. Gebr. f. pr. Aerzte. B. XX. S. 332. Series of engrav. Fasc. I. t. 6.

dargestellt. Er sahe bei einem Kinde die Aorta aus der rechten Herzkammer, die Lungenarterie aus der linken kommen. Zwischen beiden vermittelte der arteriöse, nur eine Linie weite Kanal eine unbedeutende Verbindung. Nothwendig hatte im Körper beinahe immer ein bloss venöses Blut gekreist, indem die Aorta nur eine sehr unbedeutende Menge eines oxydirten Blutes durch den arteriösen Gang erhalten hatte. Zu den Lungen dagegen war immer nur grösstentheils das Blut, welches durch die Lungenvenen in den linken Vorhof geführt worden war, gelangt, die geringe Menge schwarzes Blut ausgenommen, welche durch das eirunde Loch in die linke Vorkammer gedrungen war. Merkwürdig ist es, dass das Kind dennoch zwei Monate alt wurde. Das Herz war übrigens normal, das eirunde Loch etwas kleiner als gewöhnlich beim neugebornen Kinde.

Die Haut des Kindes war im Leben blau, seine Temperatur niedriger als gewöhnlich, das Athmen dagegen normal.

Zwei ganz gleiche Fälle, beide an Knaben, wovon der eine zehn Wochen, der andere fünf Monate alt wurde, sahen Langstaff und Farre. [1])

Im entgegengesetzten Falle entspringt aus der Aorta eine überzählige Lungenarterie, ungeachtet die Herzkammern, so wie die Körper- und Lungenarterien übrigens vollkommen von einander getrennt sind.

Huber [2]) sahe aus der Aorta eines zweijährigen Kindes in der Gegend des sechsten Rü-

1) Farre path. rescent. Lond. 1814. S. 28. Meckels Archiv f. d. Physiol. 1815. B. 1. H. 2.

2) Act. helv. T. VIII. p. 85.

ckenwirbels einen sehr starken Ast aus der Aorta kommen, der erst an die Speiseröhre und Bronchialdrüsen Zweige gab, sich aber vorzüglich in den untern Lappen der rechten Lunge begab.

Einen sehr analogen Fall sahe Maugars [1]) bei einem siebenjährigen, wohlgebildeten Kinde. Aus der vier Linien weiten Unterleibsaorta entsprang neben und etwas über der Coeliaca rechterseits eine zwei Linien weite Arterie, die zwischen der Speiseröhre und dem Zwerchfelle aufstieg, zwei Linien über ihrem Ursprunge die Zwerchfellsarterien abgab, und sich fast unmittelbar über dem Zwerchfelle in zwei Aeste von anderthalb Linien Durchmesser theilte, welche zu dem untern Theile einer jeden Lunge gingen. Der linke war weiter und kürzer und verbreitete sich weiter als der rechte. Sie waren von keinen Venen und Nerven begleitet. Zugleich war die normale linke Lungenarterie nur halb so weit als die rechte. Die Lungenvenen communicirten auch mit den überzähligen Lungenarterien. Die Bronchialarterien waren normal; eben so die Lungen, allein sehr groſs. Die Leber, Milz, und Bauchspeicheldrüse waren klein, der Darmkanal hart und eng. Zugleich waren die Nieren sehr groſs und in deutliche Lappen getheilt. Interessant wäre es, den Einfluſs dieser Anordnung auf die Beschaffenheit des Blutes zu kennen; doch verhielt sich Blut, das aus der Carotis eines Hundes genommen und 24 Stunden in einer mit Oxygen gefüllten Glocke gelassen wurde, gerade wie dasselbe in derselben

1) Corvisart j. de médec. an. X. Pluviose.

Zeit bloſs der atmoſphäriſchen Luft ausgeſetzt geweſene Blut.

Dieſe Bildung iſt deſto merkwürdiger, da nach Cuvier [1]) auch bei den Schlangen aus der abſteigenden Aorta, auſser der eignen Lungenarterie, Aeſte an die Lunge gehen. Sie iſt alſo reptilienähnlich und unterſcheidet ſich von der niedern Reptilienbildung nur durch die gleichzeitige völlige Scheidung der beiden Herzhälften.

In dieſen Abſchnitt gehören auch die falſchen und wahren Knoten des Nabelſtranges, von denen die erſten bloſse Verwickelungen, die letztern wahre Verknüpfungen deſſelben ſind.

Ich habe von beiden Bildungen Fälle vor mir, wo die Gefäſse an der Stelle der Verſchlingung nicht verengt ſind; Saxtorph [2]) dagegen fand, ungeachtet die Injectionsmaſſe ungehindert durchdrang, doch die Gefäſse hier platt, zuſammengedrückt, enger als gewöhnlich. In einem Falle, wo eine Verſchlingung die andere umgab, drang die Maſſe mit Schwierigkeit ein. [3])

Bisweilen wird der Nabelſtrang auch durch äuſsere Bedingungen eingeſchnürt. So ſahe Regis [4]) eine Verſchlingung in demſelben durch ein häutiges Band gebildet, das zwei Queerfinger von ſeiner Inſertion aus der Placenta entſtand. Es wand ſich, ſo dick als ein Bind-

1) Vorl. über vergl. Anat. Bd. 4. S. 131.

2) Geſammelte Schriften von Scheel. Bd. 1. S. 187.

3) Ebendaſ. S. 189.

4) Sur une conformation extraod. du cordon ombilical, qui a cauſé la mort du foetus. in Roux j. de medec. t. 12. p. 135.

faden, um den Nabelſtrang, war durch ein feſtes Zellgewebe mit ihm verbunden, ſchnürte ihn ſtellenweiſe ein und vertheilte ſich nachher ſtrahlenförmig in der Gegend des eilften und zwölften Bruſtwirbels auf dem Rücken des Kindes. Auch der Nabelſtrang ging bis zu dieſer Stelle, kehrte aber von da an längs dem Körper des Kindes zurück, und inſerirte ſich an der gewöhnlichen Stelle in den Unterleib.

Ich habe zwei ähnliche Fälle vor mir. In dem einen heftet ſich bei einem ungefähr dreimonatlichen Embryo der Nabelſtrang an das rechte Schulterblatt, dringt hier in die Haut und geht einen halben Zoll lang nach unten fort. Hierauf tritt er wieder aus der Haut hervor und geht bis zum rechten Unterſchenkel, der, wie die ganze untere Extremität, ſtark nach oben gebogen iſt. An ihn und an die innere Seite des Oberſchenkels iſt der Nabelſtrang gleichſam bis zu ſeiner Inſertion in den Unterleib ſehr eng geheftet. Inwiefern durch dieſe Anordnung vielleicht die Entwicklung gehemmt werde, läſst ſich nicht beſtimmen; doch bemerke ich, daſs ſowohl die Hände als Füſse ſehr unvollkommen entwickelt ſind, indem ſich von den Fingern und Zehen keine Spuren finden.

Die beiden Unterſchenkel ſind über einander geſchlagen und hier verwachſen.

In dem andern Falle geht, bei einem ungefähr ſechsmonatlichen Fötus, von dem, durch das ſehr groſse Hinterhauptsloch anliegenden hintern Theile des Gehirns ein ungefähr 6 Zoll langer, ſtarker Faden, eine Fortſetzung der harten Hirnhaut, ab, und heftet ſich an den Nabelſtrang, ungefähr einen halben Zoll weit von der Inſertion deſſelben in die Placenta. Das

B. *Klappen.*

Die Klappen können sich durch regelwidrige Anwesenheit und Zahl vom Normal entfernen, wenn gleich nicht immer durch diese Abweichungen die Functionen gestört werden.

a) Ein Beispiel der regelwidrigen Anwesenheit einer Klappe giebt das Vorkommen derselben vor einer Lungenvenenöffnung ab, welches Kelch [1]) beobachtete, und das besonders wegen der dadurch bewirkten Verähnlichung der rechten und linken Herzhälfte wichtig ist.

b) Die Zahl der Klappen kann sowohl das gewöhnliche Maaſs übertreffen, als dasselbe nicht erreichen. Vorzüglich bieten in dieser Hinsicht die Klappen der Lungenpulsader und Aorta Abweichungen dar, indessen finden sich, so viel mir wenigstens bekannt ist, nie mehr als vier und nie weniger als zwei. Unter ersterer Bedingung sind die Klappen, besonders eine oder zwei, ungewöhnlich klein und selten alle gleich groſs, unter der letztern sind sie einander mehr gleich und beide gröſser als gewöhnlich. Die Vermehrung der Zahl scheint häufiger zu seyn als die Verminderung.

---

1) Beitr. zur path. Anat. Berl. 1813. S. 81.

Ich habe fünf Fälle von vier Lungenarterienklappen, und zwei, wo sich nur zwei finden, vor mir. In der Aorta dagegen habe ich nur einmal zwei Klappen, nie die vermehrte Zahl gefunden. Auch ist die Menge der von den Schriftstellern angeführten Fälle von regelwidriger Zahl der Lungenarterienklappen weit grösser, als derer, wo die Aortenklappen vom Normal abweichen.

So führen z. B. Morgagni,[1]) Petsche,[2]) Penada,[3]) Huber,[4]) Fälle von vier, Sandifort,[5]) Walter,[6]) Petsche,[7]) Huber,[8]) Cailliot,[9]) Wheelright[10]) von zwei Lungenarterienklappen an.

Dagegen findet sich die einzige mir bekannte Beobachtung von vier Aortenklappen bei Kelch,[11]) von zweien kenne ich nur die meinige.

Diese Abweichungen und die Differenz zwischen der Lungenarterie und Aorta in Hinsicht auf Häufigkeit des Vorkommens sind in mehr als einer Hinsicht merkwürdig.

Sie sind nämlich 1) Thierähnlichkeiten. Die Mollusken, Knochenfische und

---

1) De c. et f. Ep. 34. a. 15.
2) Syll. obs. an. rec. in Hall. coll. diss. Vol. VI. p. 774.
3) Saggio terzo d' osserv. med. anat. Padova. 1803. no. III. p. 45.
4) Sömmerrings Gefässl. S. 33.
5) Obs. an. pathol. Lib. I. p. 31. Lib. III. p. 19.
6) Obs. an. Berol. 1775. p. 9.
7) A. a. O. S. 775.
8) A. a. O.
9) Bull. de l' école de méd. 1809.
10. Farre path. research. Lond. 1814. p. 25.
11) A. a. O. S. 81.

Reptilien haben nur zwei Klappen, bei mehrern Fischen dagegen, z. B. dem Sterlet, (Acipenser sturio) finden sich in einer Reihe vier und mehrere Klappen [1]) und bei den meisten Knorpelfischen mehrere Reihen von drei Klappen über einander.

In dieser Hinsicht ist es besonders merkwürdig, dass die Verminderung der Klappenzahl am häufigsten mit reptilienartiger Anordnung des Herzens vorkommt. So verhält es sich in Walters, Cailliots, Wheelrights, Sandiforts und meinen Beobachtungen.

2) Das häufigere Vorkommen dieser Verschiedenheiten in der Lungenarterie ist besonders in sofern merkwürdig, als es mit dem Charakter derselben zusammenhängen mag, sofern sie zu dem System des schwarzen Blutes gehört, auch in diesem aber die Klappen gewöhnlich in gedoppelter Anzahl vorhanden sind, und nicht selten variiren.

3) Scheint die Verschliessung der Arterienmündung durch zwei oder vier Klappen weniger vollständig, als durch die gewöhnliche Zahl zu geschehen.

Zweiter Abschnitt.

Vom Respirationssystem.

einige ſeltne Fälle. In dem Kehlkopf eines Erwachſenen, den ich noch vor mir habe, fand ich die Stimmritze mehr als doppelt ſo weit als gewöhnlich, und überdies von dem hintern Theile des Umfangs der Luftröhre einen aus Schleimhaut und fibröſer Subſtanz gebildeten Fortſatz von fünf Linien Länge und zwei Linien Breite in die Höhe ſteigen, der ſich aber wieder in die Kehlkopfshaut am obern Rande des Ringknorpels inſerirte. Den Einfluſs dieſer Abweichung auf die Stimme konnte ich nicht erfahren.

Auf eine höchſt intereſſante Weiſe ſahe Sandifort [1]) die Luftröhre zweimal nicht in zwei, ſondern in drei Aeſte getheilt. Dieſe Bildung aber kommt den Wiederkäuern und Schweinen im Normalzuſtande beſtändig zu, und es iſt ſehr merkwürdig, daſs Sandifort in beiden Fällen, gerade wie bei dieſen, die beiden Aeſte auf der rechten Seite fand, und der eine auf dieſelbe Weiſe in den obern, der andere in den untern Theil der Lunge ging.

Dritter Abſchnitt.

Vom Verdauungsſyſtem.

Die meiſten Bildungsabweichungen des Verdauungsſyſtems habe ich auf ein regelwidriges Verweilen auf einer frühern Bildungsſtufe zurückzuführen verſucht: doch finden ſich einige, welche ſich nicht als ſolche anſehen laſſen.

Beſonders gehören hierher einige abweichende Formen der Zähne.

Dieſe weichen beſonders durch die Geſtalt ihrer Wurzeln vom Normal ab.

---

1) Exerc. acad. lib. II. c. 7. pag. 65.

Bisweilen ſtehen dieſe an den Zähnen mit mehrfacher Wurzel mit ihren Spitzen dicht neben einander, an der Baſis ſind ſie weit von einander entfernt. Häufig iſt dabei zugleich die eine Wurzel oder mehrere beträchtlich gekrümmt. Im entgegengeſetzten Falle ſind die Spitzen der Würzeln ſehr weit von einander entfernt, indem dieſe ſtark von einander divergiren.

Bisweilen ſind auch mehrere Wurzeln hackenförmig, nach derſelben oder verſchiednen Richtungen gebogen.

Bisweilen ſind mehrere Zähne ganz oder zum Theil mit einander verwachſen. Beim geringſten Grade der Miſsbildung erſtreckt ſich die Verwachſung nur auf einen kleinen Theil der Wurzeln.

Laveran [1]) ſahe zwei an ihren Wurzeln verbundne Milchſchneidezähne.

In einem andern Falle ſahe er alle Wurzeln eines Backzahns unter einander und mit einer der Wurzeln des benachbarten verwachſen.

Aus den vereinigten Wurzeln eines Backzahns ſchien in einem andern Falle ein Weisheitszahn hervorzuwachſen.

Im entgegengeſetzten Falle ſind nur die Kronen verwachſen, die Wurzeln getrennt.

Hirſch [2]) ſahe ein Frauenzimmer, das nur drei untere Schneidezähne hatte, von denen aber der mittlere eine groſse Schaufel bildete und durch Verwachſung der beiden innern entſtanden zu ſeyn ſchien. Er durchſchnitt die ganze

Krone und fand, daſs der Zahn eine völlig doppelte Wurzel hatte.

Möglich iſt es, daſs ſich die Verwachſung auch durch den ganzen Zahn, alſo die Krone und Wurzel erſtreckt; doch habe ich hiervon keine Beiſpiele, wohl aber von Verſchmelzung noch mehrerer Zahnkronen.

Die beiden Schneidezähne und den Hundszahn habe ich bei einem Lebenden völlig zu einer Maſſe verwachſen geſehen, ohne daſs eine Spur von einer Trennung angedeutet war. Bei mehrern Thieren finden ſich aber im Normalzuſtande mehrere Zähne unter einander verſchmolzen, die bei verwandten Arten ſich als eigne, für ſich beſtehende Organe entwickeln. Dies glaube ich für einige Känguruh's deutlich erwieſen zu haben. [1])

Auch Euſtachi [2]) ſahe drei bis vier Backzähne unter einander verwachſen, doch entſtand hier die Verwachſung im Alter, wahrſcheinlich wohl durch Weinſtein. Auch Genga [3]) ſahe mehrere Zähne unter einander verbunden, ſo daſs ſich nur drei im Oberkiefer fanden.

In wiefern die ältern Beiſpiele von gänzlicher Vereinigung aller Zähne, als urſprüngliche Bildung, Glauben verdienen, mag ich nicht entſcheiden.

Nach der von den Backzähnen ſelbſt hergenommenen Analogie zu ſchlieſsen, ſind wahrſcheinlich immer bei Verwachſung zweier oder mehrerer Zahnkronen dennoch die Wurzeln getrennt.

---

1) Cuvier. Vorleſ. über vergl. Anat. Bd. III. S. 185. ff.

2) De dentibus. cap. 29. pag. 94.

3) Bei Haller elem. phys. t. VI. p. 29.

Der Apparat der Gallensecretion bietet vorzüglich durch die Abweichungen der Form der Gallenwege und der Milz vom Normalzustande merkwürdige Bedingungen dar.

I. *Gallenwege.*

Die Abweichungen der Gallenwege beziehen sich auf die Insertion der Gallengänge in den Darmkanal und die Form und Lage der Gallenblase.

a. *Gallengänge.*

Fast alle Abweichungen der Gallengänge sind Thierähnlichkeiten. Man kann sie in zwei Abtheilungen zerfällen. Entweder senkt sich der Gallengang nur an einer ungewöhnlichen Stelle in den Darmkanal, oder es findet sich eine doppelte Insertion.

Von der erstern Art hat Lieutaud [1]) mehrere Fälle aus Bonet, Cabrol, Zacutus, Möbius und einen eignen zusammengestellt. Der Gallengang öffnete sich hier immer in den Magen. Die Stelle, an welcher diese Insertion geschieht, ist nicht immer dieselbe. In dem von Zacutus beobachteten Falle öffnete sich der Gallengang in den Grund des Magens, in dem Cabrol'schen neben dem Pförtner. In einem von Laennec [2]) inserirte sich der, einen halben Zoll weite Gallengang eines anderthalbjährigen Kindes dicht neben der Speiseröhre in den Magen.

Nicht

---

1) Hist. anat. med. L. I. p. 13. 14.

2) Bulletin de la soc. de méd. an. XIII. XIV. p. 53.

Nicht immer öffnet ſich der Blaſengang, ſondern bisweilen die Höhle der Gallenblaſe ſelbſt unmittelbar in den Magen. In einem von Beauſſier [1]) beobachteten Falle fand eine Communication dieſer Art etwas oberhalb des Pförtners Statt. Der Gallengang fand ſich zwar, war ſogar länger und weiter als ſonſt, allein in einer beträchtlichen Strecke verſchloſſen.

Den Uebergang von dieſer Bildungsabweichung zu der zweiten macht ein von Baillie [2]) beſchriebner Fall, wo ſich auſser dem gewöhnlichen Gallengange ein eigner kurzer Kanal zwiſchen der Gallenblaſe und dem Pförtnerende des Magens fand.

Finden ſich mehrere Gallengänge, ſo öffnet ſich indeſſen der überzählige bisweilen ſogar an noch regelwidrigern Stellen in den Darmkanal.

Der Grad dieſer Bildungsabweichung variirt auf eine nicht unintereſſante Weiſe. Der geringſte und am häufigſten vorkommende Grad iſt die Spaltung des Gallenganges vor ſeiner Inſertion in den Zwölffingerdarm.

Fälle dieſer Art ſahen Falloppia, [3]) Vater, [4]) Blaſius, [5]) Paaw, [6]) Dillenius. [7])

Die Spaltung geſchieht gewöhnlich in geringer Entfernung von dem Zwölffingerdarme.

---

1) Roux j. de méd. T. 32. p. 162.

2) Morbid anatomy. p. 160.

3) Obſerv. anat. in opp. ann. Francof. MDC. p. 415.

4) De novo bilis diverticulo rec. in Halleri diſſ. anat. T. III p. 271.

5) Obſerv. anat. p. 127.

6) Obſerv. anat. p. 29.

9) Eph. n. c. Cent. 4. 5. obſ. 40.

war der eine bedeutend kleiner als der andre, der sich mit den Bauchspeicheldrüsengange verband. In dem von Paaw angemerkten Falle wich die Bildung dadurch noch bedeutender vom Normal ab, daſs sich der eine Gang in den Leerdarm, der andere in den Grimmdarm öffnete.

Eine seltne, der Beaussierschen ähnliche Abweichung dieser Art habe ich vor mir. Ausser dem Gallengange nämlich öffnet sich, vier Zoll weiter vom Magen entfernt, der Grund der ausserordentlich kleinen Gallenblase mit einer andern, ½ Zoll im Durchmesser haltenden Mündung unmittelbar in den Zwölffingerdarm.

Am meisten vom Normal abweichend ist die Anwesenheit eines zweiten, von dem gewöhnlichen ganz getrennten Gallenganges, der in einem von Bartholin [1]) beobachteten Falle, wo der normale durch einen Stein verstopft war, zum Leerdarm führte.

Eine andre, nicht weniger merkwürdige Verschiedenheit sahe Vetter. [2]) Der Lebergang öffnete sich, wie gewöhnlich, in den Gallenblasenhals, allein aus der Seite der Gallenblase entstanden zwei eigne Gänge, welche die Galle unmittelbar in den Zwölffingerdarm führten. Die Gallenblase war ausserordentlich klein.

Die höchste Abweichung vom Normalzustande ist die von Lémery [3]) beschriebne, wo die Gallenblase ganz fehlte, der Zwölffinger-

---

1) Hist. anat. rar. Cent. II. hist. 54.

2) Aphorismen a. d. pathologischen Anatomie. S. 237.

3) Mém. de l'ac. des sc. 1701. hist. p. 69.

darm noch von der Leber umgeben war und die Galle durch mehrere kleine Gänge erhielt.

Endlich gehören hierher auch die, bisweilen von zuverläſſigen Anatomen geſehenen Leber-Blaſengänge (ductus hepatico-cyſtici). Daſs ſich in den Grund und den Körper der Gallenblaſe immer Leber-Blaſengänge einſenken ſollen, wie mehrere ältere und neuerlich noch Pitſchel [1]) beſchrieben und abgebildet haben, verdient nach den gegentheiligen Zeugniſſen der bewährteſten Anatomen und meinen eignen Unterſuchungen ſo wenig Glauben, daſs vielmehr diese Bildung, wenn ſie ja zuweilen vorkommen ſollte, unter die allerſeltenſten Abweichungen gehört. [2]) Dagegen iſt die Anweſenheit eines oder mehrerer eigner Lebergänge, die ſich in den Gallenblaſenhals, oder dicht unter demſelben in den Blaſengang inſeriren und gewöhnlich mit dem normalen Lebergange anaſtomoſiren, eine, wenn gleich ſeltne, doch weniger ungewöhnliche, von Weſtphal, [3]) Meyer [4]) und mir ſelbſt geſehene Bildung. In dem Weſtphal'ſchen Falle fanden ſich mehrere, in den von Meyer und mir gefundenen einer. In dem letztern entſprang der Lebergang, wie gewöhnlich, mit einer rechten und linken Hauptwurzel und aus dem Gange, zu deſſen Bil-

1) Anat. und chir. Anmerkungen. Dresden 1784. S. 31. ff. Taf. 1.

2) Neuerlich ſahe auch Marjolin mehrere Lebergänge ſich unmittelbar in die Gallenblaſe öffnen, beſchreibt aber die nähern Bedingungen nicht genauer (S. Bull. de la ſoc. de l'éc. de méd. an. 13. 14. p. 219.)

3) Exiſtentia duct. hepatico-cyſtic. in homine. Gryphiae 1742.

4) Löwel de ductibus hepatico-cyſticis praeſertim in homine, ſubjunctis rarioribus obſervationibus. Traj. ad Viadr. 1783.

dung ſie zuſammentraten, bog ſich der Gallengang um; allein auſserdem fand ſich ein anſehnlicher Gang von drei Linien Weite und mehr als eines Zolles Länge, der, aus dem rechten Lebergange entſpringend, ſich dicht unter dem Halſe der Gallenblaſe in den Blaſengang ſenkte.

Ein Blick auf die Thierreihe beweiſt, wie mannichfache Thierähnlichkeiten die beſchriebnen Bildungsabweichungen enthalten.

Die Communication der Gallenblaſe mit dem Magen entſpricht offenbar der Bildung der kopfloſen und auch einiger bauch- und flügelfüſsigen Mollusken, wo der Magen in der Subſtanz der Leber ausgehöhlt iſt. Auch kann man mit dieſer den Lémery'ſchen Fall vergleichen, zumal da dort auch die Gallenblaſe fehlte. Die Spaltung des Gallenganges und die Anweſenheit eines zweiten Leberganges iſt offenbar Annäherung an die Bildung der meiſten Vögel und Reptilien, unter den Säugthieren auch der Fiſchotter, wo der Leber- und Gallenblaſengang völlig von einander getrennt ſind. Auch die ſeltnere, von Vetter beſchriebne Bildung iſt dieſer analog, ſofern die Galle durch einen, von dem Eintrittswege verſchiedenen Kanal aus der Gallenblaſe gelangte, und der eine Gallenblaſengang den Lebergang der Vögel anzudeuten ſcheint. Auſserdem erinnert dieſe Multiplicität der Gallenwege im Allgemeinen auch an die wirbelloſen Thiere, wo die Galle gewöhnlich durch mehrere Oeffnungen in den Darmkanal tritt. Die Fälle, wo ſich der eine Gallengang viel weiter als gewöhnlich vom Magen in den Darmkanal ſenkt, haben offenbar Aehnlichkeit mit der Bildung mehrerer

Insecten, wo sich die Gallengefäſse in demselben Thiere an verschiednen Stellen in den Darmkanal senken. Die Insertion von eignen Gängen in die Gallenblase oder den Gallenblasenhals allein entspricht der Bildung der meisten Fische und mehrerer Säugthiere, namentlich mehrerer Wiederkäuer, Nager und Raubthiere.

b. Gallenblase.

Die Lage der Gallenblase weicht insofern bisweilen vom Normal ab, als sie nicht so nahe als gewöhnlich an die Leber geheftet ist, sondern nur durch eine, bisweilen ziemlich lange Verdopplung des Bauchfelles mit ihr verbunden ist, eine Aehnlichkeit mit mehrern Vögeln und Fischen.

Die letztern Bedingungen haben wohl kaum einen bedeutenden Einfluſs auf die Verdauung; dagegen bemerken Dillenius und Vetter, daſs die Personen, an welchen sie die von ihnen beschriebne abweichende Bildung fanden, an einem kaum zu stillenden Heiſshunger litten.

II. Milz.

Auch die Milz variirt, und selbst häufiger als beinahe irgend ein Organ, in ihrer Form auf eine mehr oder weniger bedeutende Weise. Entweder besteht die Abweichung vom Normal bloſs in einer Abänderung des gewöhnlichen Verhältnisses ihrer Dimensionen, oder das Wesen derselben ist mehr oder weniger vollkommne Trennung des einfachen Organs in mehrere.

Nicht ganz selten ist die Milz in mehrere, gröſsere oder kleinere, ganz von einander getrennte, nur durch die gemeinſchaftliche Milzarterie zuſammenhängende Körper zerfallen, die völlig denſelben Bau als die gröſsere Milz haben, überall von der eigenthümlichen und der Peritoneralmilzhaut bekleidet ſind, und den Namen der Nebenmilzen (Lienculi, Lienes acceſſorii) führen. Das Verhältniſs derſelben zur gröſsern Milz iſt nicht immer daſſelbe. Am gewöhnlichſten ſind ſie nur klein, die eigentliche Milz dagegen hat ihre gewöhnliche Gröſse. Bisweilen aber ſind ſie beträchtlich groſs. So fand ich einmal eine Nebenmilz, die ich noch vor mir habe, vom Durchmeſſer eines Zolles. Morgagni [1]) und Harder [2]) fanden eine Nebenmilz von der Gröſse eines anſehnlichen Taubeneies. In einem von Albin beobachteten Falle hatte ſie die Gröſse einer welſchen Nuſs. [3]) In einem, den Sampſon beſchreibt, war ſie ſo groſs als ein Ei. [4]) Blaſius fand ſie ſo groſs als einen Apfel; [5]) doch war hier die Hauptmilz auch bedeutend vergröſsert.

Die Zahl der Nebenmilzen vervielfacht ſich bisweilen noch mehr. So habe ich ſelbſt einigemal zwei gefunden. Auch Cheſelden, [6]) Albin, Stark, führen Fälle davon an.

Ich beſitze einen Fall, wo ſich an der concaven Fläche der Milz eines Kindes drei kleinere von der Gröſse einer Bohne finden.

---

1) De c. et ſ. morb. Ep. LXVII. 11.
2) Apiar. obſ. 45.
3) Ann. ac. lib. VII. c. XIV. p. 86.
4) Eph. n. c. dec. I. a. III. obſ. 172.
5) Obſerv. med. obſ. 12. pag. 56.
6) Anat. of the hum. body. S. 167.

Cheſelden ſahe gleichfalls einmal drei Nebenmilzen; Sömmerring ſogar vier. [1])

Baillie[2]) fand die Milz gleichfalls in fünf zerfallen, von denen drei die Gröſse eines Hühnereies hatten, die beiden übrigen aber kleiner waren.

Abernethy[3]) fand ſie ſogar in ſieben Lappen getheilt, von denen jeder einen eignen Aſt erhielt. Otto ſahe ſogar drei und zwanzig Nebenmilzen, und auſserdem die Milz durch eine Menge von Einſchnitten ungleich. [4])

Dieſe Theilung der Milz in mehrere einzelne Lappen iſt ſehr intereſſant, weil ſie an die Cetaceenbildung erinnert, wo, wie aus Tyſon Beſchreibung des Braunfiſches[5]) erhellt, die Milz bei einigen Arten bis aus zwölf einzelnen Lappen beſteht.

Die Gröſse der Nebenmilzen ſcheint mit ihrer Zahl im Verhältniſs zu ſtehen, indem ſie ſich in den Fällen, wo ſich mehr als eine findet, nie oder wenigſtens nur ſehr ſelten etwas bedeutend finden, im entgegengeſetzten Falle aber, wie ſich aus dem Vorigen ergiebt, bisweilen eine beträchtliche Gröſse haben.

Merkwürdig iſt es, daſs die Nebenmilzen, wie ich wenigſtens in zwanzig Fällen bemerkte, die ich theils bei eignen Leichenunterſuchungen fand, theils aufbewahrt vor mir ſehe, immer eine rundliche Geſtalt haben, wodurch die Cetaceenähnlichkeit dieſer Bildung noch ver-

---

1) Bei Baillie. S. 157.

2) Phil. tr. vol. 78. p. 356.

3) Ebdſ. S. 793. S. 62.

4) Path. Anat. S. 304.

5) Anatomy of the porpeſs. p. 19.

mehrt wird. Diese Constanz der rundlichen Form der Nebenmilzen bemerkte auch Rosenmüller.[1])

Die grosse Veränderlichkeit des Umfangs der Milz macht es schwer zu entscheiden, ob diese Form blosse Theilung oder wahres Mehrfachwerden sey; indess bin ich vom ersteren überzeugt, da ich gewöhnlich, wie auch Cheselden bemerkt, die verschiednen Milzen zusammengenommen nicht grösser als eine einzige fand und die vielen Milzen des Tümmlers und Braunfisches zusammengenommen nicht so gross als eine gewöhnliche Säugthiermilz sind.[2])

Die rundliche Form der Nebenmilzen erinnert an dieselbe Bedingung, welche bisweilen die normale Milz allein darbietet.

Diese habe ich mehrmals, durchaus ohne krankhafte Veränderung ihres Baues gefunden und Rhodius,[3]) Stalpert van der Wiel,[4]) Buddeus.[5]) machten dieselbe Beobachtung.

Bartholin[6]) fand etwas ähnliches, indem er sie nicht länglich, sondern scheibenförmig sahe.

Eine Andeutung der Theilung der Milz in mehrere einzelne Körper sind übrigens gewissermassen die Einschnitte, die man nicht selten in ihren Rändern in grösserer oder geringerer Menge findet. Einmal sahe ich durch zwei gegen einander gerichtete tiefe Einschnitte einen Lappen, von der Grösse eines Zolles gebildet,

---

1) Neues Journal der Erfind. St. 2.
2) Cuvier Handbuch der vergl. Anat. Bd. 3. S. 622.
3) Mantissa anat. obs. 27. p. 18.
4) Cent. I. obs. 37. p. 148.
5) Blumenb. med. Bibl. Bd. 3. S. 692.
6) Hist. an. cent. I. no. 32.

der nur durch einen Isthmus von der Dicke einer Linie mit der übrigen Masse zusammenhing, und Morgagni fand die Milz in ihrem obern Theile so weit gespalten, dass sie gewissermassen in zwei Hälften zerfiel. [1])

III. Bauchspeicheldrüse.

Bei der Bauchspeicheldrüse ist die Nichtvereinigung des Ganges des kleinen Lappens oder des Kopfes mit dem der grössern vielleicht in einer frühern Periode normale Bildung, indem ich sie bei mehrern jungen Embryonen beobachtet habe, und verdient deshalb und wegen der Analogie, die sie mit der Bildung der Bauchspeicheldrüse in mehrern, besonders niedrigen Thieren hat, hier betrachtet zu werden. Bei mehrern Vögeln finden sich zwei, selbst drei abgesonderte Bauchspeicheldrüsengänge, und noch mehr zerfallt dieses Organ bei den Fischen, wo sich bisweilen mehr als sechzig, die Bauchspeicheldrüse darstellende Pförtneranhänge finden. [2]) Allein auch bei mehrern Säugthieren finden sich zwei pankreatische Gänge. [3]) Gerade diese Bildung erscheint beim Menschen bisweilen als abweichende und vielleicht, wie gesagt, als ein Stehenbleiben auf einer Durchgangsstufe wieder.

So fanden Blasius, [4]) Sylvius, [5]) Petsche, [6]) Böhmer, [7]) Targioni [8]) zwei ge-

1) De c. et f. Ep. XVI. obs. 34.
2) Cuvier vergl. Anat. Bd. 3. S. 477.
3) Ebendas. S. 606. ff.
4) Obss. med. p. 57.
5) Act. Hafn. t. II. obs. 14.
6) Sylloge obss. §. 81.
7) Fasc. I. obss. an. p. XIII.
8) Prima raccolta etc. p. 139.

trennte Bauchspeicheldrüsengänge. Gewöhnlich öffnet sich der nicht mit dem Gallengange verbundene näher am Pförtner in den Zwölffingerdarm. So fanden es Petsche, Targioni, Sylvius, doch sahe Böhmer das Gegentheil.

Die verhältnissmässige Grösse beider Kanäle ist verschieden. Sylvius, Böhmer, Petsche fanden den vom Gallengange getrennten kleiner, Targioni weit grösser als den andern. Die Entfernung beider Gänge ist nicht immer dieselbe. Blasius bildet sie dicht neben einander ab, Targioni sahe ihre Oeffnungen einen Zoll weit von einander entfernt.

Vierter Abschnitt.

Vom Harnsystem.

Die hierher gehörigen Abweichungen des Harnsystems sprechen sich vorzüglich durch Zerfallen desselben aus. Dies erstreckt sich bisweilen auf das Ganze, bisweilen nur auf einzelne Theile desselben. Einen merkwürdigen Fall der ersten Art, wo sich fünf Nieren, eben so viel Harnblasen, die unter einander zusammenhingen, und sechs Harnleiter in einem einfachen Körper fanden, sahe Molinelli.[1]) Blasius[2]) fand nur die linke Niere in zwei Hälften zerfallen, ein Zustand, der durch in der Mitte stark eingeschnürte Nieren, die Huber[3]) und ich sahen, zur normalen Bildung übergeht.

Eine regelwidrige Bildung andrer Art ist die seltene Abweichung, welche Caldani[4])

1) Diss. a. path. Ven. 1675. t. 3. c. 7. p. 305.
2) Obs. m. c. 16. p. 58.
3) M. c. n. c. t. 1. p. 550.
4) Mem. d. soc. ital. t. 12. p. 2. p. 7. tab. 2. f. 2.

beobachtete, indem er eine Nierenwarze ganz von den übrigen abgewandt, dicht unter dem gewölbten Rande in einen geſchloſſnen Balg geöffnet fand.

Nicht ganz ſelten ſind die Harnleiter in einem Theile oder ihrer ganzen Länge getheilt, indem ſich die Aeſte des Nierenbeckens entweder gar nicht erreichen, alſo getrennt in die Harnblaſe treten, oder doch in einer gröſsern oder geringern Entfernung von der Niere erſt verbinden. Von allen verſchiednen Graden habe ich Fälle vor mir. Merkwürdig iſt es, daſs der eine der beiden Harnleiter, welche durch dieſe Bildungsabweichung entſtehen, bisweilen von dem Ausführungsgange der Hoden ſo beträchtlich angezogen erſcheint, daſs er ſich viel tiefer als gewöhnlich, in der Nähe des Schnepfenkopfes öffnete. [1])

Auſser der Molinelliſchen Beobachtung iſt mir übrigens kein Fall bekannt, in dem ſich die Harnleiter noch mehrfacher geſpalten hätten. Merkwürdig iſt es aber, daſs alle meine Beobachtungen, ſo wie mehrere andere, [2]) in dem Umſtande übereinkommen, daſs der untere Harnleiter weiter iſt, und eine gröſsere Menge von Nierenwarzen umfaſst. Deutet dies vielleicht eine Verwandtſchaft dieſer Miſsbildung mit der Nierenverwachſung, die auch im untern Theile Statt findet und wo man ſo häufig auch die Harnleiter geſpalten findet, an? Gewöhnlich, doch nicht immer iſt die Duplicität der Harnleiter in einer Nichtvereinigung der

---

1) Walter Krankh. der Nieren. Taf. 4. f. 3. Laney bull. de la ſoc. phil. t. 1. n. 113.

2) So z. B. Morgagni de c. et ſ. VII. 17. Sandifort v. a. p. l. 2. c. 7. p. 130. t. 8. f. 3. Walter a. a. O. taf. 4. u. 5.

Beckenäſte begründet, indem Weitbrecht[1]) und Huber[2]) es dabei einfach fanden.

Die analogen Bildungen der Harnblaſe wurden ſchon im erſten Bande betrachtet.

Fünfter Abſchnitt.

Vom Generationsſyſtem.

Hieher gehörige Bildungsabweichungen des Generationsſyſtems ſind die, von der ſchiefen Stellung unterſchiedne Schiefheit und die Einſchnürung der Gebärmutter. Wahrſcheinlich iſt die von Thilow beſchriebne[3]) dreifache Gebärmutter nichts als eine an mehrern Stellen eingeſchnürte.

Sechster Abſchnitt.

Vom Nervenſyſtem.

Die Bildung des Nervenſyſtems iſt ſo conſtant, daſs Abweichungen deſſelben nur äuſserſt ſelten vorkommen.

Eine ſehr merkwürdige iſt indeſs die von Columbus[4]) beobachtete, wo bei einem Manne, der nie zu ſchmecken im Stande geweſen war, ſich der Zungenaſt des fünften Paares nicht zur Zunge, ſondern zum Hinterhaupte begab. Dieſe Bildung iſt auch beſonders inſofern intereſſant, als ſie einige Aehnlichkeit mit dem Zurücklaufen des Longitudinalaſtes vom herumſchweifenden Nerven bei den Fiſchen hat.

1) C. pet. t. 4. S. 263.
2) A. a. O. S. 550. Fall 1.
3) Voigts Mag. B. 3. St. 1. S. 175.
4) De re anat. Lib. XV.

Wegen der Seltenheit verdient hier auch eine von Sömmerring [1]) beobachtete und abgebildete kleine Markproduction, die sich von der Kreuzungsstelle der Sehnerven nach vorn erstreckte, eine Stelle.

Unter den Sinnorganen weicht vorzüglich das Auge durch die Gestalt der Pupille nicht ganz selten vom Normal ab. Am gewöhnlichsten hat diese statt einer runden Gestalt eine eiförmige, senkrechte. Fälle dieser Art beobachteten Hagström, [2]) Bloch, [3]) Tode, [4]) Conradi, [5]) Kühn, [6]) Beer. [7])

Immer ist das breitere Ende nach oben gerichtet, die Iris hier vollständig, dagegen in ihrem untern Umfange sehr unvollkommen, so dass die längliche Pupille oben an der gewöhnlichen Stelle anfängt, unten ganz oder wenigstens fast ganz bis zur Verbindung der Hornhaut mit der harten Haut herabreicht.

In den von Hagström, Bloch und Conradi angeführten Fällen war die Missbildung erblich und mehrern Gliedern der Familie eigen. Meistentheils ist die Pupille beider Augen auf dieselbe Weise missgestältet; doch sahe Kühn nur die rechte auf diese Weise abweichend, die linke völlig normal.

Der Einfluss dieser Missbildungen auf die

---

1) Nöthig de decuss. nerv. optt. Mog. 1786. rec. in Ludwig. scr. nevr. min. T. 1. p. 127. seqq.

2) Schwed. Abh. Bd. 36. S. 151.

Function des Sehens ist nicht immer derselbe. In den von Tode, Conradi und Beer beschriebenen Fällen war diese durchaus nicht gestört: in dem von Bloch angeführten wurde die Pupille durch das Licht nur wenig verändert, der Mann war kurzsichtig, sahe aber in der Nähe gut. Hier war die regelwidrige Bildung der Pupille zugleich mit Mangel des Pigments verbunden.

Auch in dem von Kühn beschriebnen Falle wurde die längliche Pupille wenig durch den Eindruck des Lichtes verändert, doch sahe das Mädchen mit diesem Auge vollkommen gut.

Diese senkrechte Stellung und längliche Gestalt der Pupille kömmt bekanntlich den Fleischfressern als normale Bildung zu. Merkwürdig ist es daher, dass in dem Beerschen Falle ausserdem auch die Augenliederspalte und die ganzen Umgebungen des Auges etwas Katzenartiges hatten.

Bei einem sehr hohen, seltner vorkommenden Grade von Bildungsabweichung sind die innern Theile des Auges so durch einander geworfen und verzerrt, dass angeblich diese Anordnung weder zu beschreiben noch abzubilden ist. [1]) Indessen müsste doch die anatomische Untersuchung Aufschluss geben.

Siebenter Abschnitt.

Vom Muskelsystem.

Die meisten Bildungsabweichungen der Muskeln lassen sich auf Mangel und Mehrfachwerden zurückführen; doch giebt es auch qua-

1) Beer a. a. O.

litative, die ſich durch Zerfallen eines Muskels in mehrere eigne ausſprechen. So fand ich einmal in einer männlichen Leiche den viereckigen Vorwärtswender aus zwei vollkommen getrennten, einander kreuzenden Schichten gebildet, die zuſammen kaum ſo groſs als der gewöhnlich einfache Muskel waren. Haufiger beobachtete ich ein gänzliches Zerfallen des kurzen Zehenſtreckers in zwei oder vier völlig getrennte Muskeln, eine wegen der genauen Uebereinkunft mit der normalen Vogelbildung höchſt merkwürdige Erſcheinung, die auch von Brugnone und Albin mehrmals geſehen wurde.

Achter Abſchnitt.

Vom Knochenſyſtem.

Die meiſten wichtigen Abweichungen des Knochenſyſtems laſſen ſich gleichfalls entweder als Producte einer zu geringen oder zu ſtarken Aeuſserung der bildenden Kraft anſehen, und ſind deshalb ſchon an mehrern Stellen des erſten und zweiten Bandes betrachtet worden. Die übrigen werde ich im Handbuche der Anatomie abhandeln.

Zweite Unterabtheilung.

Von der abweichenden Lage.

Die Lehre von der abweichenden Lage zerfällt am bequemſten in zwei Abſchnitte. Der eine begreift die regelwidrigen Lagen und Stellungen des ganzen Körpers, der zweite dieſelben Bedingungen einzelner Organe. Zu den erſten gehören nur Zuſtände des Fötus; die, wel-

können.

Erster Abschnitt.

Von der regelwidrigen Lage des ganzen Körpers.

I. Von der Entwickelung des Fötus außerhalb der Gebärmutter, oder der Extrauterinalschwangerschaft.

Die beträchtlichste Abweichung vom Normal in Beziehung auf Lage ist die Entstehung eines neuen Organismus an einer ganz regelwidrigen Stelle. Die Benennung „Extrauterinalschwangerschaft" drückt das Allgemeine dieses regelwidrigen Zustandes aus; doch giebt es außer der Gebärmutter mehrere Stellen, an welchen sich der Embryo entwickeln kann und welche zur Bildung eben so vieler Arten der Extrauterinalschwangerschaft Veranlassung geben. Sowohl die Eigenthümlichkeiten der Extrauterinalschwangerschaft im Allgemeinen, als einer jeden Art derselben, werde ich daher auf den folgenden Seiten betrachten.

A. Allgemeine Bedingungen.

Die Eintheilung der Extrauterinalschwangerschaft in wahre und falsche beruht auf

der

der Verschiedenheit der Periode, in welcher der Fötus an die Stelle ausserhalb der Gebärmutter, wo er gefunden wird, gelangt. Richtiger wären unstreitig die Benennungen ursprüngliche und später entstandene, indem die Beziehung, welche zwischen der Mutter und einem reifen abgestorbnen Fötus, der durch einen Gebärmutterriss in die Unterleibshöhle gelangt ist, nicht Schwangerschaft heissen kann. In der That aber halten mehrere Schriftsteller, z. B. Clarke,[1] Turnbull,[2] Sims[3] mehrere dem Anscheine nach wahre Extrauterinalschwangerschaften bloss für Folgen überstandner Gebärmutterrisse, und nach Clarke ist es möglich, dass sich, wenn die Trompete zerreisst, das austretende Ei mittelst des extravasirten Blutes, das zugleich die Heilung des Trompetenrisses bewirkt, in der Bauchhöhle befestigen kann; eine Vermuthung, die durch die gewöhnliche Tödtlichkeit des Einrisses der schwangern Trompete und durch die Schwierigkeit der Erklärung, wie ein schon etwas weit entwickeltes Ei sich mit den benachbarten Organen in eine vollständige Ernährungsbeziehung setzen könne, um so unwahrscheinlicher wird, da die Grasmeyerschen und Haighton'schen Versuche hinlänglich beweisen, dass schon die ursprüngliche Entwickelung des Embryo in der Bauchhöhle vielen Schwierigkeiten unterworfen ist. Nur eine solche Extrauterinal-

1) Trans. f. the impr. of m. and ch. knowl. vol. 2. p. 14. 15.

2) Mem. of the Lond. med. soc. vol. 3. p. 176.

3) Med. facts v. 8. p. 162.

dem Fötus darbietet.

Als allgemeinste Bemerkung verdient vorher angeführt zu werden, dass die linke Seite die ist, auf welcher Extrauterinalschwangerschaften am häufigsten vorkommen. Dies Resultat ergiebt sich aus einer Vergleichung der von verschiednen Beobachtern aufgezeichneten einzelnen Fälle, und wird durch die Angabe von Heim bestätigt, der in acht Fällen von Trompetenschwangerschaft diese immer nur auf der linken Seite beobachtete. [1])

a. Veränderungen der weiblichen Genitalien.

Sowohl der Theil der weiblichen Genitalien, oder überhaupt die Theile, welche das Ei enthalten, als die Gebärmutter verändern sich während der Extrauterinalschwangerschaft, die erstern einigermaassen auf dieselbe Weise als diese bei der normalen Schwangerschaft, die letztere ganz nach demselben Typus.

Eine grosse Anzahl von Beobachtern, na-

---

1) Erfahrungen und Bemerkungen über Schwangerschaften ausserhalb der Gebärmutter. Berlin 1813. S. 6.

mentlich Jouy,[1]) Maurice,[2]) Saviard,[3]) Fern,[4]) Düverney,[5]) Mercière,[6]) Santorini[7]) bemerkten schon, dass die Gebärmutter sich ansehnlich vergrösserte, allein Hunter[8]) war der erste, der mit Bestimmtheit festsetzte, dass jedesmal bei Extrauterinal-schwangerschaften, ausser der Massenzunahme der Gebärmutter auch die hinfällige Haut sich bildete. Dies Gesetz wurde nach ihm von Böhmer,[9]) meinem Vater,[10]) Romieux,[11]) Clarke,[12]) Heim[13]) bestätigt. Clarke fügte noch die Bemerkung hinzu, dass auch die gewöhnliche Gallerte in dem Muttermunde abgesondert werde. Es ist daher unbegreiflich, dass noch kürzlich Gambini,[14]) gerade wie Mercière, die hinfällige Haut für eine Mola oder, wie Düverney, für die Nachgeburt eines zweiten Fötus halten konnte.

Doch dauert diese Entwicklung der Gebärmutter gewöhnlich nicht länger, als die normale Zeit der Schwangerschaft hindurch, und

---

1) Dionis anat. de l'homme. p. 318.
2) Ph. tr. no. 150.
3) Ebendas. no. 222.
4) Ebendas. no. 261.
5) Oeuvres anat. t. 2. p. 356. 59. 61. 62. 64. in 5 Fällen.
6) Riolan anthr. l. 2. c. 35. p. 181.
7) Obs. anat. pag. ult.
8) Med. comm. of Edinb. vol. 4. p. 429.
9) Obs. an. rar. fasc. I. p. 27. fasc. 2. p. 14. in 2 Fällen.
10) Weinknecht de conc. extrauterina. Hal. 1791.
11) Sedillot j. de m. t. 27. p. 302.
12) Transact. of a soc. for the impr. vol. 1. p. 219.
13) A. a. O.
14) Atti di Siena 1800. vol. 8. p. 231—37.

nach dem Ende derselben kehrt die Gebärmutter wieder in den völlig ungeschwängerten Zustand zurück, auch wenn der Extrauterinalfötus zurück bleibt. So fand Ramsay [1] drei Monat nach dem wahren Ende der Extrauterinalschwangerschaft, Turnbull [2] sechs Monate nachher schon die Gebärmutter nicht grösser, als im ungeschwängerten Zustande, und es ist daher nicht zu verwundern, wenn sie Boucquet [3] drei, Lospichler [4] sechs, Bianchi [5] vierzehn, Fothergill sechzehn, [6] Walter [7] zwei und zwanzig Jahre nachher, ungeachtet die Extrauterinalfotus noch vorhanden waren, durchaus ohne Zeichen von Schwängerung fanden.

Doch unterhält vielleicht bisweilen die Anwesenheit des Extrauterinalfötus, der noch in einer gewissen Ernährungsbeziehung mit der Mutter stehen mag, dies Organ etwas länger in dem Schwangerschaftszustande. Wenigstens fand es Clarke [7] bei einer Frau, die mehrere Monate nach dem wahren Ablauf der Schwangerschaft starb, doppelt so gross und dick als gewöhnlich.

Nicht bloss die bildende Thätigkeit der Gebärmutter aber wird auf eine, der im normalen Schwangerschaftszustande völlig analoge Weise

---

1) Med. repos. d. 2. hexade. vol. 1. Newyork 1804. p. 221—28.
2) M. of the Lond. m. soc. v. 3. p. 200.
3) Sedillot j. d. m. v. 13. p. 66.
4) A. n. c. t. 4. p. 92.
5) De nat. et vit. gen. p. 170.
6) M. of the Lond. m. soc. vol. 6. p. 107—117.
7) Transact. of a soc. etc. vol. 2. p. 1—17.

abgeändert, sondern auch die ganze Stimmung ihrer Lebensthätigkeit, so dass am regelmässigen Ende der Schwangerschaft Wehen eintreten, die gewöhnlich drei bis vier Tage, bisweilen aber auch selbst zwei Monate [1]) lang anhalten und während derer sich der Muttermund, wie bei der normalen Geburt, mehrere Finger weit ausdehnt. [2])

Diese Wehen wiederholen sich sogar, wenn die Extrauterinalschwangerschaft lange dauert, mehrmals. So in einem von Schmidt [3]) beobachteten Falle binnen drei Jahren nach dem wahren Ende achtmal in mehrwöchentlichen Zwischenräumen; in dem Lospichlerschen Falle während der sechsjährigen Schwangerschaft alljährlich um die Zeit, wo sie zum erstenmale eingetreten waren.

Weniger constant sind die Erscheinungen der Milchsecretion und der Menstruation. Bisweilen verhalten sich beide wie bei der regelmässigen Schwangerschaft; [4]) bisweilen erscheint, auch wenn die Schwangerschaft nur die gewöhnliche Zeit dauert, keine Milch; [5]) bisweilen erscheint auch nach dem wahren Ende die Menstruation nicht wieder, [6]) selbst wenn

---

1) Camerarius bei Orth. de foetu 26 ann. Heidelb. 1720. Bayle Misc. n. c. dec. 2. a. 8. obs. 134.

2) Turnbull a. a. O. S. 187. Galli Comm. Bon. t. 2. p. 3. p. 251.

3) Beob. d. Josephsak. Wien 1801. Bd. 1. S. 84—97.

4) Krohn foet. extra uter. hist. London. 1791. Orth. a. a. O. p. 8.

5) Turnbull a. a. O.

6) Fothergill a. a. O.

der Extrauterinalfötus dreifsig Jahr lang zurückbleibt und in dieser ganzen Zeit dauert dagegen die Milchsecretion fort. [1])

Dafs aber auch die Theile, mit welchen das Ei in eine regelwidrige Verbindung tritt, sich auf eine ähnliche Art als die Gebärmutter in der Gebärmutterschwangerschaft verändern, beweisen die Beobachtungen von Courtial,[2]) der bei einer Abdominalschwangerschaft die Magenwände, an welchen die Nachgeburt auffafs, verdickt und die Gefäfse erweitert fand; ferner die von Bussière, Düverney, Gambini, Büttner, [3]) Littre, [4]) welche bei Trompetenschwangerschaften die Trompete beträchtlich verdickt „der Gebärmutter ähnlich“,[5]) und „völlig musculös“ [6]) fanden. Auch ich finde in dem von Weinknecht beschriebnen Falle die Häute der Trompete überall zwei Linien dick und deutlich faserig.

Böhmer fand das Ovarium bei einer Conception in demselben aufsen fibrös, nach innen sehr gefäfsreich, sehr dick, besonders in der Gegend der Placenteninsertion, die innere Fläche überall mit einer feinen, zottigen Haut bedeckt, die äufsere Haut desselben in zwei Blätter trennbar, so dafs also Faserung und Bildung einer Decidua Statt gefunden zu haben schien.

Bei Abdominalconceptionen scheint sich,

---

1) Morand m. de l'ac. des sc. 1748. p. 157.
2) Obs. anat. rec. in Mangeti th. anat. L. II. p. 2. C. 3. p. 142.
3) Anat. Wahrn. S. 206.
4) M. de l'ac. des sc. 1702. p. 280.
5) Düverney a. a. O. S. 354. 356.
6) Phil. tr. a. 1694. Manget th. an. L. 2. p. 2. c. 3. p. 143.

nach Düverney's [1]) und Ramsay's Beobachtungen, sogar ein eignes Organ zu bilden, welches die Stelle der Gebärmutter vertritt. Beide fanden den Fötus in einem eignen, von den Eihäuten verschiednen Sacke, an dem die Placenta fest anhing. Im Ramsay'schen Falle ist es besonders merkwürdig, dass die innere Fläche dieses Sackes völlig die Farbe der innern Gebärmutterfläche hatte.

b. Erscheinungen am Eie und dem Fötus.

1. Eihäute.

In den gewöhnlichen Fällen finden sich sowohl das Chorion als das Amnion und in spätern Perioden die Nachgeburt. Diese ist nur gewöhnlich bei Abdominalschwangerschaften grösser, viel dünner und ihre Gefäfse sind viel kleiner als gewöhnlich, [2]) beides wahrscheinlich, weil die Theile, an welchen das Ei wurzelt, die Veränderung, welche zur Ernährung des Embryo erfordert wird, nicht vollständig erlitten haben, der Raum nicht, wie in der Gebärmutter, beschränkt ist und die Decidua fehlt.

Damit fällt auch die Bildung der Placenta aus mehreren Lappen zusammen, welche Jouy und Romieux bei Abdominalconceptionen beobachteten.

Kelly, Saviard und Jouy fanden sie auch so eng verwachsen, dass die Trennung beinahe unmöglich war.

Fast unglaublich, oder wenigstens auf andere Weise zu erklären ist wohl ein von Patu-

---

1) A. a. O. S. 359.

2) Krohn a. a. O. Galli a. a. O. S. 251. Kelly in med. obs. and inq. vol. 3. p. 52. Gualandri in Kühn und Weigels ital. Bibl. Bd. 2. St. 1.

terleibe, die Placenta in der durchaus unverletzten Gebärmutter, und mittelst des, durch die Trompete tretenden Nabelstranges mit dem Fötus in Verbindung fand.

Dauert die Schwangerschaft indessen lange, so verschwindet oft jede Spur von einer Nachgeburt, und der Embryo erscheint entweder nackt, mit den umgebenden Theilen gar nicht oder nur schwach verbunden. Dies beweisen die Beobachtungen von Bianchi, Boucquet, Denman,[2] Walter und Turnbull.

2. *Fötus.*

Der Fötus scheint, wenn er sich auch nicht an der normalen Stelle bildet, doch nicht in seiner Entwickelung gehemmt zu werden. Zwar bewahrt Herr Osiander einen ungefähr dreimonatlichen schädellosen Fötus aus einer Trompete auf, Müller [3]) fand an derselben Stelle einen after- und geschlechtslosen von demselben Alter; in einem von Myddleton [4]) beschriebenen Falle waren Ober- und Unterkiefer und die Rippen eines sechsmonatlichen Trompetenfötus verwachsen; allein in allen übrigen Fällen fand

1) Ep. ph. med. etc. Viennae 1765. rec. in Sandif. thes. diss. Vol. 3. p. 325.

2) Practice of midwifry. London. 1801. tab. XIII.

3) Act. n. c. vol. 5. obs. 42.

4) Phil. tr. no. 475. p. 340.

keine Mifsbildung Statt und die Entwickelung ging bis zum Tode regelmäfsig von Statten.

Diefer erfolgt nicht immer zu derfelben Zeit. Abdominalfötus erlangen gewöhnlich die völlige Reife, während Trompeten- und Ovarienfötus, wegen der nur bis auf einen gewiffen Grad fteigerungsfähigen Ausdehnung der enthaltenden Organe, durch Zerreifsung derfelben und darauf folgende Verblutung gewöhnlich fchon in den erften Monaten der Schwangerfchaft mit der Mutter fterben.

Nach Ablauf der wahren Schwangerfchaft können fie auf dreifache Art verändert werden. Sie fahren nämlich entweder noch länger vollkommen zu leben fort und vergröfsern fich vielleicht noch etwas, oder ihr Leben wird immer fchwächer, und fie, oder wenigftens die Eihäute, werden in eine knöcherne oder fteinerne Maffe umgewandelt, oder endlich fie fterben ganz ab und gehen in Fäulnifs über.

Die erfte Bedingung ift die feltenfte; doch wird die Möglichkeit derfelben durch die Beobachtung von Patuna, der den Fötus von der Gröfse eines zweimonatlichen Kindes fand, die von Bayle, wo die Zähne eines fechs und zwanzig Jahr lang getragenen Extrauterinalfötus fo grofs als beim Erwachfenen waren, und auf eine noch merkwürdigere Weife durch den von Schmidt[1]) befchriebenen Fall beftätigt, wo bei einer Frau, deren Schwangerfchaft fich drei Jahr über die gewöhnliche Zeit verlängert hatte, und nach deren Tode, wegen deutlich gefühlter Bewegungen des Kindes, fogleich der Bauchfchnitt gemacht wurde, ein lebendes Kind

---

1) A. a. O.

gefunden wurde, welches man zwei Stunden lang im Leben erhielt.

Unter der zweiten Bedingung verschmilzt der Fötus gewöhnlich mit den verknöcherten und verdickten Eihäuten, alle Glieder und Gelenke desselben werden unbeweglich; allein gewöhnlich sind, auch wenn die Schwangerschaft lange über den gewöhnlichen Termin hinaus verlängert ist, dennoch selbst die weichen Theile normal. Bianchi fand selbst nach 14 Iahren den ganzen Körper durchaus unverändert, Pillement [1]), bei einem dreifsigjährigen, Albosius [2]) bei einem acht und zwanzigjährigen, Bayle bei einem sechs und zwanzigjährigen, Camerarius bei einem sechs und vierzigjährigen Extrauterinalfötus alle Eingeweide des Kopfes, der Brust und des Unterleibes unverändert.

Doch fand Lacroy [3]) schon vier Monate nach dem wahren Ende der Schwangerschaft die Eingeweide und die Haut, nur die Muskeln nicht, in eine wallrathähnliche Masse verwandelt.

Unter diesen Bedingungen, wo der Fötus den Namen Osteopädion, Lithopädion erhält, kann er, ohne Nachtheil der Mutter, sehr lange Jahre getragen werden. Dies beweisen schon die eben angeführten Fälle, deren Zahl man leicht durch mehrere vergrössern kann. So fand Grivel einen verhärteten, mit den Eingeweiden verschmolzenen Fötus in dem Unter-

---

1) Straufs resol. cas. Mussip. Francos. 1663. p. 2 und 3.

2) Portent. lithopaed. exstat cum Rousseti Foetus vivi ex matre caesurâ. Basil. 1591.

3) Bull. de la soc. philom. I. p. 35.

leibe einer Frau von 83 Jahren [1]), Caldwell bei einer 60jährigen Frau einen gleichfalls verknöcherten Fötus, den ſie nach ihrer Rechnung 34 Jahre getragen haben muſste. [2]) Noch länger, nämlich 52 Jahre, wurde ein Extrauterinalfötus in dem von Cheſton ſehr genau beſchriebenen, und durch ſchöne Abbildungen erläuterten Falle getragen. [3]) In einem von Nebel [4]) beſchriebenen Falle blieb der Extrauterinalfötus ſogar 56 Jahr ohne Nachtheil der Mutter. [5])

Gewöhnlich hält man ihn dann für völlig todt, allein wahrſcheinlich mit Unrecht, indem er theils die angegebenen Veränderungen auf eine active Weiſe erleiden muſs, theils, wäre er wirklich todt, in Fäulniſs übergehen würde. Er lebt, aber wahrſcheinlich nur das niedrigſte Leben, das Leben des Eies und Saamenkornes, das ſich nur durch Nichtverderbniſs unter Umſtänden, welche dieſelbe begünſtigen, offenbart. Auch beweiſt die, wenn auch unbedeutende Öffnung der Nabelgefäſse, welche mehrere der angeführten Schriftſteller aus-

---

1) Edinb. med. and ſurg. journal. vol. II. No. VII. p. 19.
2) Ebend. No. VII. S. 22.
3) Medic. chirurg. transact. London 1814. vol. V. p. 104 ff.
4) Act. acad. theod. palat. Tom. II. pag. 403 ff.
5) Einen Fall, wo der Fötus 9 Jahr getragen wurde, hat Bromfield (ph. tr. No. 460.) einen funfzehnjahrigen Mascagni (Mém. di Verona. T. XV.) einen ſechzehnjahrigen, Myddleton (Ebend. No. 484.) und Burchard (Eph. n. c. Dec. I. a. 3. o 12.) einen 22jahrigen, Walter (Mém. de Berlin 1777.) einen 26jahrigen, Bayle (Misc. n. d. II. a. 8. o. 134.) einen 31jahrigen, Morand (M. de Paris 1748. p. 155.) einen 32jahrigen, Denman (A. a. O.), einen einige dreiſsig Jahr alten.

drücklich erwähnen, dafs er noch immer mit der Mutter in der früheren Erhaltungsbeziehung steht.

Stirbt er ab, so werden entweder die verderbenden Theile aufgesogen, und nur die Knochen bleiben unschädlich zurück, — der seltnere Fall; oder der faulende Fötus veranlafst Entzündung und Geschwüre, die sich entweder durch die Wände des Unterleibes unmittelbar nach aufsen, oder in den Darmkanal, oder, in, wegen der geringern Ausdehnung der Organe seltnen Fällen, in die Scheide, oder in die Harnblase öffnen und durch welche er entweder ganz oder einzeln hervorgezogen wird, wenn er nicht schon früher durch den Bauchschnitt weggenommen wurde.

Einen sehr merkwürdigen Fall dieser Art erzählt Josephi. [1]) Eine sieben und vierzigjährige Frau wurde zum zweitenmal schwanger, menstruirte während der ersten Hälfte der Schwangerschaft, wiewohl unregelmäfsig, bekam in der Mitte derselben eine fürchterliche Kolik, hatte seit dieser Zeit beständig heftige Schmerzen in der Gegend des rechten Bauchrings und häufig wehenartige Empfindungen. Gegen das Ende der Schwangerschaft hatte sie vier Tage lang heftige Wehen, die aber, so wie einige Zeit nachher die Milch aus den Brüsten, verschwanden. Immer aber behielt sie eine harte, lästige Geschwulst in der Gegend des rechten Bauchrings, und hatte häufig das Gefühl eines Druckes auf die Harnblase. Neun Jahre nach dem muthmafslichen Ende der Schwan-

1) Ueber die Schwangersch. aufserhalb der Gebärm. Rostock 1803. S. 182 ff.

gerſchaft bekam ſie plötzlich Wehen, die einen Tag anhielten, darauf ein Wechſelfieber, das drei Monat lang dauerte und eine fürchterlich ſchmerzhafte Iſchurie, wobei ſie meiſtens nur Eiter und oft ganze Stücken einer dicken Gallerte ausharnte. Nach drei Jahren ging ein Stein von der Gröſse einer Feldbohne ab, dem nach einigen Tagen mehrere normale, incruſtirte Knochen eines Fötus folgten. Ungefähr fünf Jahr nach dem Anfange der Iſchurie wurde die Blaſe durch einen Schnitt über dem Schambeine geöffnet. Sie enthielt mehrere gröſsere und kleinere Steine, deren Zahl ſich auf 20 belief und wovon jeder der beiden groſsten ein Loth wog, und 112 Kochenſtücken, die von Fleiſch ganz entblöſst waren. Die Knochen waren zum Theil feſt mit der Blaſe verwachſen, und konnten nur mühſam von ihr getrennt werden. Die ganze innere Oberfläche dieſes Organs war rauh, dick, mürbe und ſchwammig. Nach dem Tode, der drei Tage nach der Operation erfolgte, fand man die Gebärmutter durchaus ohne Narbe, allein den rechten Eierſtock und die Trompete derſelben Seite faſt ganz zerſtört. Am Grunde der Harnblaſe befand ſich linkerſeits eine, in ihrem ganzen innern Umfange callöſe und vernarbte Oeffnung, auf ihrer rechten Seite aber ein, drei Zoll im Durchmeſſer haltender, mit ihr zuſammenhängender Beutel, der einen Theil der dünnen Gedärme enthielt und eine Oeffnung, die zwei und einen halben Zoll im Durchmeſſer hatte, in die Bauchhöhle führte, offenbar der Weg, durch welchen die Theile des Kindes in die Harnblaſe gedrungen waren.

So selten und merkwürdig dieser Fall auch ist, so finden sich doch einige ähnliche Beobachtungen verzeichnet.

Ebersbach [1]) fand bei einer Frau, die während einer fünfjährigen Ehe keine Kinder gehabt und an Bauchwassersucht, Harnverhaltung und Spannung über den Schambeinen gelitten hatte, in der sehr ausgedehnten Harnblase einen dreimonatlichen, in den Häuten enthaltenen, und mittelst der gefäßsreichen Nachgeburt an ihrem Grunde befestigten Embryo. Dieser Fall ist sogar noch merkwürdiger, indem es scheint, als habe sich das Ei wieder in der Harnblase angebildet.

Glücklicher und mehr mit dem Ioseph i'schen überein kommend ist ein von Morlanne [2]) beobachteter Fall. Eine Frau bekam im vierten Monate ihrer Schwangerschaft eine heftige Kolik, die mehrere Monate lang anhielt. Auf einmal gingen durch den Stuhl mehrere Fleischlappen, Därme, Haut, verfaulte Eingeweide, aber keine Knochen ab. Dadurch besserte sich ihr Zustand etwas, nur hatte sie bisweilen Schmerz und Stechen in der Blase und Dysurie. Nach sechs Wochen wurde das Schienbein eines Fötus aus der Blase gezogen, und binnen zwei Monaten ungefähr die Hälfte der Knochen heraus befördert, die zum Theil mit phosphorsaurem Kalk bedeckt waren. Mehrere Monate nachher wurden durch den Steinschnitt zwei Steine und fünf nicht verkalkte Knochenstücke des Schädels herausgenommen, wodurch die Kranke völlig hergestellt wurde.

---

1) Eph. n. c. cent. V. obs. 20.

2) Sedillot j. d. méd. t. XIII, p. 70 ff.

Uebrigens beweifen eine Menge von Beifpielen, dafs die Anwefenheit eines Extrauterinalfötus kein Hindernifs für mehrfache fpätere Schwangerfchaften abgiebt.

Diefe können entweder in der Gebärmutter oder gleichfalls aufserhalb derfelben Statt finden. Fälle der erftern Art haben Myddleton [1]), Camerarius [2]), Titfingh [3]), Teichmeyer [4]).

Fälle der letztern Moreau [5]), Primirofe [6]).

Bisweilen werden auch wohl zwei Extrauterinalfötus zugleich empfangen und ohne bedeutenden Nachtheil mehrere Jahre getragen. So verhielt es fich in einem von Lospichler [7]) befchriebenen Falle; indem, ungeachtet der eine Fötus weit kleiner als der andere war, doch beide fich in demfelben Balge befanden, mithin der eine wohl nur früher abgeftorben war. Einen ähnlichen Fall hat Bell [8]). In einem andern enthielt jedes Ovarium einen Fötus. [9])

Als Veranlaffungen der Extrauterinalfchwangerfchaft hat man theils beobachtet, theils angenommen, mechanifche Hinderniffe auf dem Wege von dem Eierftocke zur Gebärmutter, die fich auf eine Verfchliefsung, oder auf eine mangelhafte Bildung des Abdominal-

---

1) Ph. tr. no. 484. p. 619.
2) A. a. O.
3) Diana etc. bei Iofephi a. a. O. S. 126.
4) Med. for. p. 64.
5) Hufeland n. Ann. d. fr. Arzeneiw. Bd. I. S. 455.
6) De morb. mul. l. IV. c. 7.
7) A. n. c. T. IV. p. 89.
8) Duncan med. comm. vol. II. p. 72.
9) Newyork med. repof. Hexad. 3. vol. I—III. Newy. 1810. 11.

endes oder des Uterinalendes der Trompeten u. s. w. zurückführen lassen. Auch kann regelwidrige Thätigkeit dieser Organe wohl als eine der vorzüglichsten angesehen werden. So kann eine zu sehr erhöhte Bildungsthätigkeit des Ovariums, der Trompete eben so gut Veranlassung zum Verweilen des Eies in denselben werden, als Atonie der Trompete eine Ovarien- oder Abdominalschwangerschaft veranlasst. Dies wird durch eine Beobachtung von Jägerschmid [1]), der einen Fötus nebst einer Knochen- und Zahnmasse im Eierstock fand, und durch die eben angeführten Fälle mehrfacher Extrauterinalschwangerschaften wahrscheinlich. Bisweilen kann auch die Anwesenheit zu vieler Eifeuchtigkeit dazu Veranlassung geben, indem man in einem Falle bei einer Frau, die zehn Jahre nach einer Zwillingsgeburt starb und in dieser ganzen Zeit nie menstruirt gewesen war, in der rechten Trompete die Knochen eines Fötus fand. [2])

B. Specielle Bedingungen.

Die gewöhnlichsten Arten der Extrauterinalschwangerschaft sind die Eierstocksschwangerschaft, die Abdominalschwangerschaft und die Trompetenschwangerschaft, deren Eigenthümlichkeiten ich schon auf den vorigen Seiten erwähnt habe.

Hier bemerke ich nur noch, dass die Abdominalschwangerschaft bisweilen mit der Uterinalschwangerschaft zusammengesetzt ist. Ausser

1) N. a. n. c. t. 2. p. 82—87.

2) Geoffroy m. de l'ac. des sc. 1722 hist. p. 28.

3) Med. obss. and inq. vol. 3. No. 33. pag. 341. ff.

ſser dem Patuna'ſchen beweiſt dies ein andeerer, den Hay [1]) beobachtete. Er fand bei einer Frau, die während ihrer ganzen Schwangerſchaft über heftige Leibſchmerzen geklagt, gegen das Ende derſelben zweimal Wehen gehabt hatte, wobei aber der Muttermund härter und länger gefunden wurde, als bei regelmäſsigen Schwangerſchaften, nach dem Tode, der einen Monat nach dem wahren Ende der Schwangerſchaft erfolgte, einen groſsen Sack, der faſt die ganze Unterleibshöhle anfüllte. Unter dieſem befand ſich ein zweiter, mehr kügelförmiger, der die linke Weichengegend, den untern Theil der Unterbauchgegend und die Schaamgegend einnahm, und mit den Därmen verwachſen war, die ein brandiges Anſehen hatten. Die äuſsere Fläche dieſes Sackes war glatt, ſeine Breite betrug nicht völlig zwei Linien. Er enthielt einen mäſsig groſsen, aber ausgetragenen Fötus. Der Nabelſtrang hing an mehreren Stellen an der innern Fläche des groſsen Sackes, reichte aber durch eine weite, auf der rechten Seite des untern Sackes befindliche, Oeffnung in dieſen. Dieſer wurde nun für die Gebärmutter erkannt und enthielt eine dicke Nachgeburt, die ſehr feſt an drei Viertheilen ſeiner innern Oberfläche anhing und in deren Mitte, welche ungefähr der Mitte des Gebärmuttergrundes entſprach, ſich der Nabelſtrang befeſtigte. Die Nachgeburt war nicht, wie gewöhnlich, breit und dünn, ſondern bildete einen Kugelabſchnitt, weil die Gebärmutter ſich nicht ausgedehnt hatte. Sie füllte den gröſsten

1) Med. obſerv. and inq. vol. 3. n. 33. p. 341. ff.

Theil der Communicationsöffnung zwischen der Gebärmutter und dem ersten Sacke aus, so dass nur ein enger Durchgang in ihrem untern Theile übrig blieb. Die Weite der Gebärmutter variirte von $\frac{1}{2}$ bis $\frac{3}{4}$ Zoll und einige ihrer Venen waren so weit als eine Fingerspitze.

Die Eierstöcke konnten nicht gefunden werden, die linke Trompete war klein, an der Stelle der rechten befand sich die Oeffnung des grossen Sackes. Wahrscheinlich war dieser die Trompete, also diese Schwangerschaft eine Trompeten-Gebärmutterschwangerschaft, statt dass sie im Patuna'schen Falle eine Abdominal-Gebärmutterschwangerschaft war. Doch brauche ich nicht zu bemerken, dass in allen Fällen dieser Art die Trompete nothwendig insofern Antheil nimmt, als der Nabelstrang durch ihre Höhle von dem Fötus zu der in der Gebärmutter befindlichen Placenta gelangen muss.

Ausser den angegebenen Stellen aber findet sich bisweilen das Ei auf eine, fast unglaubliche Weise, an andern.

Statt dass sich dasselbe bei Abdominalschwangerschaften gewöhnlich zwischen den Windungen des Darmkanals befindet, fand es Schmidt [1]) einmal in der Substanz der Gebärmutter. Eine Frau, die viermal glücklich geboren hatte, erlitt am Ende des vierten Monats der fünften Schwangerschaft einen Blutfluss und Umschlag. In der sechsten Schwangerschaft starb sie plötzlich mit Zeichen einer innern Blutung. Man fand die Bauchhöhle voll Blut, und am Grunde der Gebärmutter, vorn, gegen die rechte Trompete eine besondere, einen Sack

1) Beob. der Josephsakad. Bd. 1. S. 65—79.

darſtellende, Vertiefung, welche das Ei enthielt. Dieſe Vertiefung war von dem, die Gebärmutter bekleidenden, Bauchfelle und der Subſtanz der Gebärmutter gebildet, ſtand aber mit der Hohle dieſes Organs in keiner Verbindung. Die Mündung der rechten Trompete gegen die Gebärmutter, war durchaus verſchloſſen. Der Embryo war ſechs Wochen alt. Das ſtumpfe Ende des Eies befand ſich in der Gebärmutterſubſtanz. Hier waren die Häute dicker und bildeten die Nachgeburt, nach auſsen aber dünner und daher hier zerriſſen. Die linke Trompete war am Ovarium angewachſen.

Dieſe Lage des Eies iſt in der That faſt ganz unerklärlich, da man nicht begreift, wie das Ei zwiſchen das Bauchfell und die Gebärmutterſubſtanz gelangte und die genaueſte anatomiſche Unterſuchung, für welche der Name des berühmten Beobachters bürgt, keine Gemeinſchaft zwiſchen der Vertiefung, worin es ſich befand, und der Höhle der Gebärmutter und keine Spur eines ehemaligen Durchgangs darthat. Da ſich die Trompete gegen die Gebärmutter blind endigte, ſo iſt faſt die einzige mögliche Erklärungsweiſe die, daſs ſie ſich an der angegebenen Stelle endigte, oder daſs der ganze Fall vielleicht nur eine Trompetenſchwangerſchaft war, wobei die Trompete durch das Ei nach der Gebärmutter hin ausgedehnt wurde.

Eine ſehr ungewöhnliche Stelle, wo ſich das Ei, wenn es, gegen die Regel, ſich nicht in der Gebärmutter ausbildet, entwickelt, iſt auch die Scheide. Die einzige hierüber vorhandene,

*) Journal de médec. Tome 51.

wenigstens mir bekannte, Beobachtung ist von Noël [1]) verzeichnet. Er fand bei einer Frau, die schon drei Tage lang Wehen hatte, das Kind, mit dem Rücken vorliegend, so tief im Becken, dass es durch den äussern Eingang der Mutterscheide gesehen wurde. Es wurde durch die Wendung, aber todt, geboren. Die eingebrachte Hand fühlte weder Gebärmutter noch Muttermund. Als die Frau am andern Tage starb, fand sich bei der Untersuchung, dass die Gebärmutter und Trompete scirrhös, der Muttermund völlig verschlossen war. Die Scheide war in ihrem obern und untern Theile in einen Sack ausgedehnt, und aus ungleich dicken, mit vielen, angeschwollenen Gefässen versehenen Wänden gebildet.

Diese regelwidrige Lage des Eies unterscheidet sich von allen bisher beobachteten dadurch, dass es ursprünglich an seinen normalen Bestimmungsort gelangt, aber, ohne Einriss, aus demselben getreten war und sich an dem einzigen Orte, zu dem es auf diese Weise gelangen konnte, weiter gebildet hatte. Man sieht leicht, dass dieser Fall, wegen der damit verknüpften Schwierigkeiten, unter die seltensten gehören muss.

II. Von der regelwidrigen Lage des Eies und des Fötus innerhalb der Gebärmutter.

Innerhalb der Gebärmutter können sowohl das Ei und der Fötus allein, als beide zugleich durch ihre Lage sich vom Normal entfernen. Das Ei peccirt in dieser Hinsicht nur durch Entstehung des Mutterkuchens an einer regelwidrigen Stelle. Am gewöhnlichsten entwickelt sich dieser am Grunde und der hintern

Fläche der Gebärmutter, doch nicht ganz selten auch an allen übrigen Gegenden derselben, von denen die im Umfange des innern Muttermundes (Placenta praevia s. oblata) theils der Lage, theils der Seltenheit, theils der Gefährlichkeit wegen, als die regelwidrigste anzusehen ist. Einen merkwürdigen Fall dieser Art, wo die Schwangere an dem, durch diese Anordnung veranlassten Blutflusse im siebenten Monate der Schwangerschaft starb, habe ich vollständig vor mir. Diese Abweichung ist selten, kommt höchstens ungefähr in 250 Fällen einmal vor. [1])

Die regelwidrigen Lagen des Fötus übergehe ich, da sie ohne grosses Interesse und nur in Bezug auf das dabei zu beobachtende technische Verfahren merkwürdig sind, folglich den Hauptgegenstand der eigentlichen Geburtshülfe ausmachen. Nur einiges über die relative Häufigkeit der regelwidrigen Lage des Fötus. Im Allgemeinen kann man annehmen, dass ungefähr unter 28 — 30 Geburten in einer der Fötus regelwidrig liegt. Die regelwidrigen Stellungen selbst aber variiren in dieser Beziehung sehr beträchtlich. Am häufigsten liegt der Fötus so, dass das untere Ende des Körpers vorliegt, weit seltner mehr oder weniger quer; denn das Verhältniss der ersten Abweichung, oder der Steiss- und Fussgeburten ist zu den normalen ungefähr wie 1 : 35; das der Arm- oder Nabelschnurvorlage, welche meistens in der Querlage des Fötus begründet sind, wie 1 : 287. Diese verschiedenen Abweichungen selbst aber

1) Merriman a synopsis of the various kinds of difficult parturition. London. Callow. 1813. angez. in London Medical etc. repository. vol. 1. p. 154.

bieten wieder in Hinsicht auf Häufigkeit Verschiedenheiten dar. Am gewöhnlichsten wird da, wo das untere Ende des Kopers vorliegt, der Steiſs zuerst geboren. Das Verhältniſs dieser Lage zur normalen, ist ungefähr wie 1 : 60, der Fuſsgeburten wie 1 : 85. Armgeburten, eine Folge der Querlage, sind weit seltner, ungefähr wie 1 : 290; Vorliegen der Nabelschnur noch weit seltner. Unter einer Zahl von 19,805 Fällen, wird sie nur einmal angegeben; doch ist dieses Verhältniſs viel zu gering, und man kann sie ungefähr wie 1 : 450 setzen. [1])

Zweiter Abschnitt.

Von der regelwidrigen Lage einzelner Organe.

Die Abweichungen einzelner Organe von der normalen Lage lassen sich auf so viele Arten zurückführen, als es Hauptgegenden im Körper giebt, also auf Vertauschung der rechten und linken Seite, der obern und untern Gegend, und der vordern und hintern Fläche. Die Vertauschungen der zweiten Art werde ich nur zu einem kleinen Theile hier, ihrem gröſsten Theile nach in der Lehre von den erworbenen Formabweichungen betrachten. Die der dritten Art sind in geringer Zahl vorhanden; interessant aber sind die der erstern Art, welche als unschädliche Bildungsabweichungen am häufigsten vorkommen, vorzüglich wegen der allmählichen Gradation vom normalen Zustande zum höchsten Grade der Abnormität, welche sie darbieten.

---

1) S. hierüber Bland in phil. Transact. vol. 71., die Berechnungen über dieses Verhältniſs im Hôtel de maternité zu Paris und Merriman a. a. O., die ungefähr dieselben Resultate geben.

I. Seitliche Umkehrung.

Annäherung an die seitliche Umkehrung ist die Aufhebung der Asymmetrie zwischen den paaren Organen des vegetativen Lebens. So habe ich zweimal mit übrigens vollkommener Integrität, auch bei der genauesten Untersuchung, die rechte Lunge, wie die linke, nur aus zwei Lappen gebildet gefunden. Dahin gehören auch die Beobachtungen von Lieutaud [1]) und Sabatier [2]), die das Mittelfell nur an das Brustbein geheftet fanden, womit auch mehrere, von mir selbst gemachte, übereinkommen.

Die seitliche Umkehrung spricht sich im niedrigsten Grade dadurch aus, daſs in einem einzelnen Organ, dessen beide Seiten einander nicht vollkommen gleichen, die rechte Seite nach dem Typus der linken gebildet ist, und umgekehrt. Fälle dieser Art sind indessen höchst selten; doch sahe ich kürzlich in Erlangen bei Herrn Fleischmann einen sehr merkwürdigen. Im Magen einer weiblichen Leiche nämlich fehlte durchaus jede Spur einer Pförtnerklappe, während sich in der Cardia eine sehr ansehnliche fand, die ganz die Gestalt der gewöhnlichen Pförtnerklappe hatte.

Hierher könnte man auch die von Morgagni und Tacconi beobachtete Vertauschung der beiden Herzhälften rechnen, wo der linke Ventrikel so dünn als gewöhnlich der rechte war, und umgekehrt dieser durch die Dicke seiner Wände den erstern darstellte, wenn nicht diese Abweichung wahrscheinlich blos me-

1) Essais anat. t. 1. p. 216.

2) Tr. d'anat. ed. 1775. t. 2. p. 115.

chanisch durch die Verschliessung der Lungenarterie veranlasst worden wäre.

Andre ähnliche Abweichungen führen allmählich von diesem niedrigsten Grade zu der totalen Inversion aller Organe des vegetativen Lebens.

So fanden Lieutaud und Sabatier [1]) gleichfalls die linke Brusthöhle bisweilen gröser, indem das Mittelfell eine ganz entgegengesetzte Richtung und Anheftung hatte.

Cailliot [2]) fand, bei übrigens normaler Lage aller Brusttheile, zweimal den ungenannten Stamm auf der linken Seite, die rechte Subclavia und Carotis dagegen getrennt.

Zu dieser Inversion der grossen, aus dem Aortenbogen entspringenden Gefäſse führt wahrscheinlich die Vereinigung der linken Carotis mit der linken Schlüsselpulsader zu einem ungenannten Stamme, ohne Zerfallen des gewöhnlichen rechten, (s. oben S. 132.) das Zerfallen des ungenannten rechten Stammes in zwei Gefäſse (s. oben S. 107.) und die Anordnung der Aorta, wo sie sich über den rechten, nicht den linken Luftröhrenast zur Wirbelsäule schlägt (s. oben S. 97.), um so mehr, da in den von dieser Abweichung beobachteten Fällen zugleich die Gefäſse des Aortenbogens als vier getrennte Stämme erscheinen. Bei dieser Inversion bieten auſserdem die Gefäſse bisweilen dieselben Abweichungen dar, welche ohne dieselbe nicht selten vorkommen. So entstand in einem von Zagorsky [1]) beschriebenen Falle nicht blos die linke Kopfpulsader aus einem

---

1) A. a. O.

2) Bullet. de la soc. de méd. de Paris 1807.

Stamme mit der linken Schlüſſelpulsader, ſondern auch die rechte. Hierher gehört auch der ſogleich zu beſchreibende Fiorati'ſche Fall.

Die obere Hohlvene liegt bisweilen ungewöhnlich weit nach links. [2]) Eine Andeutung hiervon iſt wahrſcheinlich die Nichtvereinigung beider Schlüſſelvenen. (S. oben S. 125.)

Eben ſo ſenkt ſich die ungepaarte Vene bisweilen ganz in die linke Schlüſſelblutader, [3]) wovon die (ſ. oben S. 128.) beſchriebene ungewöhnlich ſtarke Entwickelung der linken ungepaarten Vene eine Andeutung iſt.

In einem von meinem Grosvater [4]) beſchriebenen Falle, den ich noch vor mir habe, ſenkt ſich der groſse Milchbruſtgang nicht in den Winkel der linken, ſondern der rechten Subclavia und Halsvene.

Möllenbröck, [5]) Torrez, [6]) Guy Patin, [7]) Ferrein [8]) fanden nur das Herz mit der Spitze nach der rechten Seite gewandt. Im Ferreinſchen Falle ſtieg doch auch die Aorte auf der rechten Seite herab.

Fiorati [9]) ſahe nur die Aorta bis zum erſten Rückenwirbel auf der rechten Seite herabſteigen. Zugleich variirte bei dieſer Abweichung der Urſprung der groſsen Gefäſe auf eine

1) N. m. de Petersb. 1813—6. Gött. Ung. S. 1345.
2) Morgagni de C. et S. Ep. 56 a. 18.
3) Wrisberg de v. az. dupl. in Sylloge comment. Gött. 1800.
4) De vaſ. lymph. gland. conglob. Berol. 1757. p. 19.
5) E. n. c. dec. 1. a. 2. obſ. 76.
6) Mém. prés. T. 1. p. 136.
7) Boerhaave path. Betr. des Herzens in Abh. f. pr. A. Bd. 9. S. 501.
8) Eſchenbach obſ. a. chir. p. 1.
9) Saggi ſc. di Padua T. 1. pag. 69—76.

merkwürdige Weise, indem erst die linke, dann die rechte Carotis, dann die rechte Schlüsselpulsader und tief aus der absteigenden Aorta die linke entsprang. Der höchste Grad der Umkehrung des Herzens und der grossen Gefässe, ist der Ursprung der Aorta aus der rechten, der Lungenvene aus der linken Kammer. (S. oben S. 133.)

Sandifort [1]) und Ludwig [2]) sahen den Blinddarm auf der linken Seite, wo er sich auch beim Wallross im normalen Zustande findet. [3]) Auch beim Embryo liegt der Blinddarm anfangs mehr auf der linken als rechten Seite.

Morgagni [4]) fand auf eine ähnliche Weise die untere Hohlvene, im grössten Theile ihrer Länge, auf der linken Seite der Aorta verlaufend, wovon die Spaltung derselben (s. oben S. 126.) in zwei Hälften eine Andeutung ist.

Hieher gehört auch die tiefere Lage der linken Niere, wovon indess schon im Allgemeinen im ersten Bande die Rede war.

Heuermann [5]) fand alle Organe des Unterleibes völlig umgewandt, während die der Brust durchaus die normale Lage hatten.

Dagegen sahe Abernethy [6]) mit beinahe vollkommener Inversion aller Brustorgane die Leber, welche die gewöhnliche Grösse hatte, völlig in der Mitte des Unterleibes liegen, und

1) Obs. an. fasc. 1.
2) Obs. de situ praetern. visc. inf. ventris Lips. 1759. p. XIII.
3) Cuvier vergl. An. Bd. 3. S. 508.
4) De c. et s. Ep. LVI. a. 31.
5) P. Bem. Bd. 1. S. 18.
6) Ph. tr. 1793. p. 59.

ſich gleich weit in beide Hypochondrien erſtrecken. Dabei inſerirte ſich zugleich die Pfortader unmittelbar in die untere Hohlvene und die Lebervenen bildeten einen abgeſonderten Stamm, der durch die linke Hälfte des Zwerchfells in die Bruſthöhle drang.

An dieſen Fall ſchlieſst ſich unmittelbar die häufiger beobachtete totale Inverſion aller Organe der Bruſt- und Bauchhöhle an. Einen ſolchen habe ich ſelbſt vor mir und ähnliche Beobachtungen wurden von Méry,[1] Bertrand,[2] Baillie,[3] Sue,[4] Hofmann,[5] Mohrenheim,[6] Gauteron,[7] Bichat,[8] einem Ungenannten,[9] Larrey,[10] verzeichnet. Man kann hier nur ſagen, daſs durchaus alle Organe, die auf der rechten Seite zu liegen pflegen, dabei auf die linke gekommen ſind, und umgekehrt, daſs ſie aber zugleich nicht blos verrückt, ſondern auch nach einem entgegengeſetzten Typus gebildet ſind. So liegt der ungenannte Stamm auf der linken, der Grund des Magens auf der rechten Seite, der groſse Leberlappen mit der Gallenblaſe nach links und auſsen, der kleine nach rechts und innen, die linke Niere tiefer als die rechte, der Blinddarm

---

1) M. de l'ac. des ſc. 1743. p. 519. ff.
2) Cattieri o. m. XVII.
3) Phil. tr. v. 78. p. 350.
4) Mém. pr. T. I. p. 292.
5) Cardianaſtr. Lipſ. 1671.
6) Beitr. Bd. 2. S. 305.
7) M. de Montpellier T. I. Hiſt. p. 110. a. VIII.
8) Ueb. Leben und Tod. S. 24.
9) Hufel. Journ. Bd. 22. S. 110. ff.
10) Mém. de chirurgie milit. Paris 1812. u. Gött. Anz. 1812. p. 969. 970.

auf der linken Seite, der Zwölffingerdarm macht seine Krümmungen ganz nach dem entgegengesetzten Typus.

Merkwürdig ist es, dass bei diesen Inversionen mehrere Bildungsabweichungen gefunden wurden, deren Wesen eine zu geringe Energie der bildenden Kraft ist. Heuermann fand die Milz in zwei, Baillie in fünf, Abernethy in sieben Lappen zerfallen, Torrez Hirnhöhlenwassersucht im höchsten Grade, Sue totale Nierenverschmelzung, Baillie ein Darmdivertikel, der Ungenannte den dünnen vom dicken Darm völlig getrennt.

Auf die Functionen, selbst den vorzugsweisen Gebrauch der einen Hand, scheint indess diese Abweichung durchaus von keinem Einfluss zu seyn, indem der Mann, bei dem mein Grossvater die totale Inversion fand, immer mit der rechten gearbeitet hatte, und auch Baillie bemerkt, dass die rechte Hand mehr als die linke gebraucht worden zu seyn schien.

Diese seitliche Umkehrung ist nicht blos als Bildungsabweichung an und für sich, und wegen der allmählichen Gradation vom Normal zum höchsten Grade der Abnormität, sondern auch als Thierähnlichkeit merkwürdig, sofern die Planorben [1]) regelmässig die Organe auf der rechten Seite haben, welche bei andern Gasteropoden auf der linken liegen, und umgekehrt.

II. Umkehrung von oben nach unten.

Die Umkehrung von oben nach unten spricht sich vorzüglich durch Vorkommen

---

1) Cuvier Ann. du mus. d'hist. nat. T. VII. p. 194.

der Unterleibsorgane in der Brusthöhle, und umgekehrt, dieser in jener aus. Jene ist weit häufiger als diese, oft nicht ursprünglicher Bildungsfehler und wird daher am besten im Abschnitte von den Brüchen betrachtet werden. Von dieser hat Deschamps [1]) einen sehr merkwürdigen Fall, zu welchem die oben [2]) von Ramel erzählte Beobachtung vom normalen Zustande aus führt. Er sahe bei einem Manne von mittlern Jahren, der beständig an Kolikschmerzen gelitten hatte, das völlig normale, vom Herzbeutel eingeschlossene Herz an der Stelle der linken Niere und von ihm aus die Gefäfse durch eine Oeffnung in die Brusthöhle tretend, wo sich keine Spur eines Herzens fand.

Mit diesem Falle kommt eine andere Beobachtung an einer Ratte überein. [3])

Hierher gehören auch die regelwidrigen Umkehrungen der Zähne.

Einen in mehrerer Rücksicht interessanten Fall dieser Art beobachtete Albin. [4]) Er fand bei einem Erwachsenen den bleibenden Hundszahn auf beiden Seiten im Nasenfortsatze des Oberkiefers, gerade an der Stelle, wo beim Kinde die bleibenden Hundszähne liegen. Außerdem fanden sich an der normalen Stelle die beiden Hundszähne, aber ungewöhnlich kurz und klein. Die bleibenden waren mit der Krone nach oben gewandt, vorn ausgeschweift, hinten gewölbt, nirgends vorgebrochen, schienen

1) J. d. méd. 1778. May. p. 423.
2) Bd. 1. S. 417.
3) Boerh. path. Betr. des H. in Abh. f. pr. A. Bd. 9. S. 491.
4) An. acad. L. I. c. XIII. p. 54. tab. IV. Fig. I.

aber doch die Zahnhöhle zerstört zu haben, indem das vordere Blatt derselben fehlte.

In einem ähnlichen Falle, den ich vor mir habe, befindet sich im rechten Oberkiefer, an der Basis seines Nasenfortsatzes ein ungewöhnlich breiter, vorderer Backzahn, der, nach der Breite seiner Krone zu urtheilen, aus den zwei vordern Backzähnen zusammengeflochten seyn muss. Er ist mit der Krone nach oben gewandt und steht ganz gerade, mit der Kronfläche etwas höher als der untere Rand der vordern Nasenöffnung. Ausser der fast doppelten Breite, zeigt sich keine Spur einer Zusammensetzung aus mehreren Zähnen. Der Zahn hat aber auch insofern eine vom Normal abweichende Stellung, als von seinen beiden Spitzen sich nicht die eine vorn, die andere hinten, sondern die eine nach aussen, die andere nach innen befindet. Seine Wurzel steigt nach innen, vom ersten bleibenden Backzahn herab und bildet einen Vorsprung des Zahnhöhlenrands gegen den Gaumen. Die Zahnhöhlen für die beiden Schneidezähne und den Hundszahn sind vollkommen regelmäsig, die Zähne aber fehlen. Unter dem verkehrt stehenden, einzelnen vordern Backzahn befindet sich eine Lücke, und neben dieser sogleich der erste hintere Backzahn, so dass also der zweite vordere Backzahn als eigner Zahn völlig fehlt.

Im linken Oberkiefer finden sich die Zahnhöhlen der Schneidezähne, der erste vordere Backzahn und die Zahnhöhle des zweiten, so wie die, aber fast ganz zerstörte Zahnhöhle der hintern Backzähne. Der Hundszahn und seine Höhle fehlt völlig, indem dicht über der Höhle des äussern Schneidezahnes der erste vordere

Backzahn steht. Dagegen liegt der Hundszahn sehr schief von aussen nach innen und unten gerichtet, aber mit der Wurzel nach oben, der Krone nach unten gerichtet, im Körper des Oberkiefers und zum Theil im Nasenfortsatze desselben. Seine Krone steigt hinter der Zahnhöhle des ersten und zweiten Schneidezahns herab.

Haben die Zähne eine verkehrte Richtung, so dringen sie bisweilen auch nach einer, der normalen entgegengesetzten, Richtung vor. Foucon[1]) sah bei einem Mädchen einen Abscess am Kinn entstehen, der unter dem Kinn geöffnet wurde und ein Jahr lang eine Fistel verursachte, bis zuletzt ein verkehrter Schneidezahn erschien. Dieser wurde ausgezogen und die Fistel verschwand.

Auch in einem von Dubois[2]) beobachteten Falle veranlasste ein an einer abnormen Stelle gebildeter oberer Hundszahn ähnliche Zufälle.

III. Umkehrung von vorn nach hinten.

Die dritte Art der Inversion, die von vorn nach hinten Statt findet, ist selten. Als einzelne Andeutungen derselben kann man manche Anordnungen des Gefässsystems ansehen.

Hierher gehört z. B. die Abweichung der Nierengefässe vom Normal, wo dieselbe auf ungewöhnliche Weise sich vor oder hinter der Aorta und Hohlvene zu der Niere ihrer Seite begeben.

Sowohl bei den Venen als Arterien kommt diese Abweichung nicht selten vor. Des

1) I. de médec. par Sedillot T. 32. p. 73.

2) Bulletin du journal de médecine an XIII. p. 107.

normalen Ortsverhältnisses der grossen und der Nierengefässe wegen, kann sie nothwendig nur die linke Nierenvene und die rechte Nierenpulsader treffen. Die linke Nierenvene geht dann hinter der Aorta, die rechte Nierenpulsader vor der untern Hohlvene zu ihrer Niere.

Gewöhnlich kommt dieser regelwidrige Verlauf mit Zerfallen der Nierengefässe in mehrere Stämme vor und trifft nur einen Theil derselben. Am häufigsten kommt die Abweichung nur auf einer Seite, bisweilen aber doch auch, wie ich selbst sahe, auf beiden zugleich, also bei der rechten Arterie und der linken Vene vor.

Merkwürdig ist, dass hierbei gewöhnlich eine Annäherung an die normale Bildung dadurch bewirkt wird, dass die vordere und hintere Nierenvene sich durch eine sehr weite Anastomose mit einander verbinden und eine Insel um die Aorta bilden.

Von den Extremitäten bieten die obern nicht ganz selten ein Beispiel dieser Anordnung in den Fällen dar, wo die Armpulsader sich so theilt, dass nicht die Ellenbogenpulsader, sondern die Speichenpulsader die Zwischenknochenpulsader abgiebt, eine Abweichung, die man mit Recht hier zu betrachten hat, weil, bei der am vollkommensten ruhigen Stellung des Arms, die Speichenpulsader nach vorn, die Ellenbogenpulsader nach hinten liegt.

Auch an andern Stellen kommen dergleichen Umkehrungen der Gefässe von vorn nach hinten vor. So liegt bisweilen die untere Schild-

drü-

drüſenpulsader nicht hinter, ſondern vor der gemeinſchaftlichen Kopfpulsader, eine merkwürdige Abweichung, weil ſie der Anfang der Reihe von Bildungsabweichungen der untern Schilddrüſenpulsader iſt, deren höchſter Grad als gänzliches Verſchwinden und Verſchmelzen derſelben mit der gleichnamigen der entgegengeſetzten oder der obern Schilddrüſenpulsader ihrer Seite erſcheint.

Im Nervenſyſtem bietet die Rückwärtswendung des Zungenaſtes vom fünften Nervenpaare ein Beiſpiel dieſer Abweichung dar (S. oben S. 156).

Auch bei den Zähnen findet ſich dieſe Inverſion durch Rückwärtswenden derſelben angedeutet. Hieher gehören die Fälle, wo ein Backzahn im Kronfortſatze, [1]) Schneidezähne oder Hundszähne im Gaumen [2])

den. Einen Fall dieſer Art habe ich ſelbſt vor mir. Der obere rechte Hundszahn liegt gröſstentheils im Gaumenfortſatze des Oberkiefers, hinter den Schneidezahnhöhlen und der Stelle, welche er eigentlich einzunehmen hätte und die hier ganz eingeſunken iſt. Er ſteigt nicht gerade in die Höhe, ſondern hat eine ſehr ſchiefe Richtung und reicht mit ſeiner Krone gerade bis zum Boden des Gaumens und dem innern Rande des Gaumenfortſatzes. Die Schneidezähne ſind ausgefallen und ihre Höhle, beſonders die Höhle des innern, merklich klein,

1) Sandifort obſ. an. pathol. Lib. III. S. 138.

2) Sandifort ebendaſ. S. 137 u. 139. Albin de ſceleto. p. 477. Hirſch von den Zahnen bei Tode med. Journ. Bd. 2. H. 4. S. 21. Rusca in Opp. ſcelti di Milano T. XIX. p. 73—83.

niedrig und die hintere Wand der letztern in ihrer untern Hälfte zerstört. Auf die eingesunkene Stelle, welche den normalen Sitz des Hundszahns bezeichnet, folgt ein einfacher kleiner Backzahn, hinter diesem die fast ganz obliterirten Hohlen der hintern Backzähne.

Der ganze Körper erscheint bisweilen nach diesem Typus gebildet. Diese Abweichung desselben spricht sich durch die Wendung der obern und untern Hälfte desselben nach entgegengesetzten Seiten aus. Die Verschiedenheit der Richtung nimmt im Becken ihren Anfang. Die Streckfläche der untern Extremität ist hier nach hinten, die Beugefläche nach vorn gewandt. Zugleich sind dabei die beiden Extremitäten so ganz um ihre Axe gedreht, daſs die sonst äuſsern Flächen jetzt nach innen und einander entgegen gewandt sind, also die rechte ganz die Gestalt der linken hat und umgekehrt.

Fälle dieser Bildungsabweichung haben Mery, [1]) Gastellier, [2]) Mülot [3]).

Gewöhnlich sind dabei die Theile, wo die Verdrehung anhebt, also die im Becken enthaltenen, mehr oder weniger unvollkommen gebildet.

Diese Verdrehung ist vorzüglich insofern merkwürdig, als sie der Anfang einer Reihe von Miſsbildungen ist, deren unterste Stufen durch sehr oberflächliche Verwachsung der auf diese Weise regelwidrig liegenden untern Extremitäten gebildet werden, und die sich mit gänzlicher Verschmelzung der untern Extremitäten

---

1) Mém. de Paris 1706. Hist. p. 54.
2) Roux j. de méd. 1773. T. 39. p. 27—42.
2) Bull. de la soc. phil. T. 3. p. 176.

zu einer einzigen, in der Mittellinie liegenden, sehr unvollkommen entwickelten, endigt, eine Missbildung, die durchaus nicht mit dem blossen Mangel einer Extremität (S. Bd. 1. S. 743.) zu verwechseln ist, indem theils die einfache unvollkommene Extremität immer genau in der Mittellinie liegt, theils der beständige Charakter dieser Abweichung Drehung derselben um ihre Axe ist.

Diese Bildungsabweichung habe ich in einem Abschnitte der zweiten Unterabtheilung der ersten Classe (S. Bd. 1. S. 759.) angedeutet, und werde sie bald, in Verbindung mit den übrigen, deren Wesen regelwidriges Einfachwerden ist, (S. Bd. 1. S. 48.) in einer eignen Abhandlung untersuchen, indem ich von beiden eine ansehnliche Menge vor mir habe, wodurch ich in den Stand gesetzt werde, sie sowohl nach ihren wesentlichen Bedingungen, als zufälligen Unterschieden vollständig zu schildern.

Erstes Buch.

Erste Abtheilung.

Drittes Hauptstück.

Von der vierten Classe der Missbildungen oder den Zwitterbildungen. [1])

Das Wesen der Zwitterbildungen (Fabrica androgyna, Hermophrodisia), welche

[1]) Schriften über diesen Gegenstand sind besonders: Bauhinus de hermaphroditis. Francof. 1629. 8. Haller num dentur hermaphroditi in comm. soc. Gott. T. 1. Parsons inquiry into the nature of hermaphrodites. London 1741. Arnaud sur les hermaphr. In mém. de chirurg. T. I. Lond. 1768. Home über Zwitter a. d. phil. transact. 1799. in Roose's Beitr. z. öff. Arzneik. N. 2. Osiander. Ueber die Geschlechtsverwechslungen neugeborner Kinder. In Denkw. f. die Geburtsh. II. 2. Götting. 1795. S. 462. ff. Ackermann inf. androg. historia. Jenae 1805. Schubert vom Unterschiede der beiden Geschlechter in seinen Ahndungen einer allg. Gesch. des Lebens. Leipzig 1806. Th. 1. S. 135. ff. Der Hermaphroditismus von Schneider in Kopps Jahrbüchern der Staatsarzneik. Jahrg. 2. 1809. S. 139. ff. Meckel über Zwitterbildungen in Reils Archiv. Bd. XI. H. 3. Burdach anat. Unters. bezogen auf Naturwissensch. u. Heilkunst. H. 1. 1814. II. Die Metamorphose der Geschlechter, oder Entwickelung der Bildungsstufen, durch welche beide Geschlechter in einander übergehen.

ich aus ſchon oben [1]) angeführten Gründen zu einer eignen Claſſe zuſammenſtelle, ungeachtet nicht alle genau dieſelben Bedingungen darbieten, iſt Vereinigung der Merkmale beider Geſchlechter in demſelben Geſchöpf. Dieſe äuſsert ſich vorzüglich auf doppelte Weiſe. Entweder ſind bloſs einige Theile des Körpers nach dem Typus des einen, andre nach dem des andern Geſchlechtes gebildet, die Zahl aber iſt die gewöhnliche; oder die Zahl der Geſchlechtstheile iſt vervielfacht, einige aber ſind männlich, andere weiblich. Nach dieſer Verſchiedenheit kann man die Zwitterbildungen in zwei Ordnungen zerfällen.

Erſte Ordnung.

Zwitterbildungen ohne vermehrte Zahl der Theile.

Dieſe erſte Ordnung iſt weit häufiger als die letztere. Die, dem äuſsern Anſehen nach, niedrigſte Stufe derſelben iſt ein Widerſpruch zwiſchen der Bildung der Geſchlechtstheile und der des ganzen Körpers, ſofern auch in dieſer die Geſchlechtsverſchiedenheit ausgeprägt iſt: ich ſage mit Bedacht, dem äuſsern Anſehen nach, indem unſtreitig, dem Weſen und der unregelmäſsigen Vollziehung der Geſchlechtsverrichtungen nach, bei dieſer Art der Bildungsabweichung oft eine weit gröſsere Verſchmelzung beider Geſchlechter in einem Körper Statt findet, als in mehrern Fällen, wo die Geſtalt der Geſchlechtstheile weit mehr von der Regel abweicht.

---

1) Pathol. Anat. Bd. 1. p. 78. ff.

Die Urſache dieſer Art der Zwitterbildungen überhaupt und ihrer gröſsern Häufigkeit insbeſondere iſt, was die erſte Bedingung betrifft, die anfänglich vollkommene Einheit beider Geſchlechter, das Hervorgehen beider aus einer und derſelben urſprünglichen Geſtalt, welches ſich auch nach vollendeter Entwickelung der Geſchlechtsverſchiedenheit durch die genaue Uebereinkunft, welche die männlichen und weiblichen Geſchlechtstheile darbieten, ausſpricht; in Bezug auf die zweite, der Umſtand, daſs dieſe Bildungen Hemmungen der Geſchlechtstheile auf einer frühern Entwickelungsſtufe ſind, die zweite dagegen einem Theile ihres Weſens nach in die Claſſe des Mehrfachwerdens gehört, welche, aus gleichfalls angeführten Gründen [1]) überhaupt weniger zahlreich als jene iſt.

Beide Geſchlechter bieten Reihen dar, durch welche ſie ſich, indem ſie ſich von der regelmäſsigen Bildung ihres Geſchlechtes entfernen, einander nähern. Indem man dieſen Umſtand überſehen und nur auf die Beſchaffenheit der Bildungsabweichung, z. B. auf Gröſse und Kleinheit, Spaltung oder Verſchlieſsung, Rückſicht genommen hat, iſt man in neuern Zeiten in einen, dem frühern ganz entgegengeſetzten Fehler verfallen. Statt daſs man früher nämlich die zweite Ordnung der Zwitterbildungen für äuſserſt häufig und viel vollkommner hielt, als ſie wirklich iſt, läugnete man die Annäherung an ſie durch die erſte ſpäter ganz weg, und erklärte alle, mit Verunſtaltungen der Geſchlechtstheile, welche zu Geſchlechtsverwechſelungen

1) Ebendaſ. S. 67. ff. und de monſtr. dupl. §. 28.

Veranlassung geben können, gebornen Geschöpfe entweder für männliche oder für weibliche. [1]) Allein, theils sind die, in einem übrigens in Hinsicht auf die Geschlechtsverrichtungen regelmässig entwickelten Körper vorkommenden Bildungsabweichungen der Geschlechtstheile immer von der Art, dass sie eine Annäherung an den entgegengesetzten Geschlechtscharakter aussprechen, theils ist überdies sehr häufig auch der übrige Körper hier nach dem einen, dort nach dem andern Typus gebildet und die Triebe sind unbestimmt. Die Merkmale, welche man zu Ausmittelung des Geschlechtes in streitigen Fällen angegeben hat, sind daher zwar für viele, aber nicht alle gültig, indem bei ihrer Aufstellung unrichtig vorausgesetzt wird, dass sich, ausser dem auffallend in die Form des andern Geschlechtes hinüberspielenden Organ, der ganze Körper immer nach dem Typus eines Geschlechtes entwickelt habe. Man kann immer nur sagen, dass in einem gegebenen Falle das eine Geschlecht vor dem andern vorherrsche, nicht aber, dass nicht ein mehr oder weniger deutliches Streben zur Vereinigung beider in demselben Geschöpfe Statt finde. [2])

---

1) Voigtel (path. Anat. 3. S. 366.) erklärt alle Zwitter entweder für missgebildete Manner oder Weiber. Eben so Portal (Anat. méd. T. V. p. 474.) und beinahe auch Haller (a. a. O.), Osiander fast alle für Männer, Parsons und Hill für Weiber.

2) Noch jetzt veranlasst daher ein zwitterhaftes Geschöpf (M. D. Derrier) getheilte Meinungen. S. Martens Beschr. einer sonderbaren Missstaltung der Geschlechtstheile. Leipzig mit 2. Kpft. Ich habe die Person selbst gesehen und bin weit entfernt zu glauben, dass die Entscheidung über das Geschlecht derselben so leicht sey, als die Verfechter der verschiedenen Meinungen glauben.

Im Allgemeinen ſind dieſe abweichenden Bildungen angeboren, doch erfolgen auch ſpäter bisweilen Umwandlungen, die an die Fabel des Tireſias erinnern. Allgemeines Geſetz iſt vorzüglich, daſs das weibliche Geſchlecht, ſo wie es das erſte iſt, in ſeltnen Fällen ſpät noch zum Theil in das männliche überzugehen ſtrebt. Hierher gehören die Fälle von Verluſt der Menſtruation mit hervorbrechendem Barte, vielleicht das Vordringen der Ovarien, ſelbſt die Verſchlieſsung der Scheide, welche nicht immer in einer Hemmung auf einer frühen Bildungsſtufe begründet iſt, ungeachtet ſie auf der andern Seite, auch ohne daſs man eine ſolche Tendenz zur Zwitterbildung als die Veranlaſſung dazu anſehen könnte, zufällig in Folge äuſserer Urſachen entſteht. Bei den Vögeln iſt beſonders dieſe Erſcheinung in einem ſehr ausgedehnten Umfange nicht ſelten. Aehnliche Erſcheinungen beim männlichen Geſchlecht kommen dagegen wohl nie vor, vermuthlich weil ſie in einem Zurückſinken begründet wären, da jene ein ſpätes Nachholen einer zur geſetzten Zeit verſäumten Bildung ſeyn mögen.

I. *Weibliche Zwitterbildung. (Gynandria.)*

Da die Urgeſtalt der Geſchlechtstheile in der Thierreihe und beim Embryo die weibliche iſt, ſo iſt es am zweckmäſsigſten, zuerſt die Reihe von Bildungsabweichungen zu betrachten, durch deren Stufen die weibliche Bildung in die männliche übergeht.

A. Die dem äuſsern Anſehen nach niedrigſten bilden die Mannweiber, Mannjungfern (Viragines), deren Hauptmerkmale folgende ſind[1]):

I. In Beziehung auf die Bildung der Geſchlechtstheile.

1) Kleine, platte, weit entfernte Brüſte;

2) etwas gröſserer Kitzler, kleine harte Gebärmutter, anſehnliche Muskelfaſern, aber wenige Gefäſse in den runden Mutterbändern, kleine Trompeten und Eierſtöcke, die vielleicht nie Bläschen enthalten.

II. In Beziehung auf den Totalhabitus.

1) Langer, ſchmächtiger Körperbau, langer Hals und Glieder;

2) harte, ſtraffe Haut, meiſtens ſchwarzes Haar und Augen, kurzes, dunkles Haar, ſtärkerer Bart als gewöhnlich.

III. In Beziehung auf die Thätigkeit

1) der Geſchlechtstheile. Selten iſt dieſe normal. Die Menſtruation fehlt ganz, oder iſt unordentlich und ſparſam. Eben ſo ſind ſie meiſtentheils unfruchtbar, haben auch Abneigung gegen Beiſchlaf und keinen weiblichen Geſchlechtstrieb. Wegen der genauen Verbindung zwiſchen Geſchlechtstheilen und Stimme, gehört hierher auch die Bemerkung, daſs ſie meiſtens eine männliche, ſtarke Stimme haben.

2) Richtung des Geiſtes und allgemeines Befinden. Gewöhnlich haſſen ſie alle weiblichen Geſchäfte und Unterhaltungen, lieben dagegen und betreiben mit Glück männliche, den Geiſt anſtrengende Beſchäftigungen.

---

1) Wrisberg Comment. de ſingulari genital. deformitate. In Comm. ſylloge §. 19. p. 541. 42.

Sie ſind ſchwächlich, leiden an Unterleibsbeſchwerden, haben Neigung zur Blennorhöe, werden ſelten alt und ſterben meiſtens ſchwindſüchtig.

B. Regelwidrige Bildung der weiblichen Geſchlechtstheile, welche eine Annäherung an die männliche Geſtalt derſelben ſind, Enge oder Verſchlieſsung der Scheide, Vorliegen der Eierſtöcke, Gröſse und, im höhern Grade der Abweichung, ruthenähnlicher Bau des Kitzlers.

1) Der Enge oder Verſchlieſsung der Scheide habe ich, in Hinſicht auf die verſchiedenen Bedingungen, welche ſie darbietet, ſchon oben [1]) erwähnt. Offenbar ſind dieſe Zuſtände Annäherungen an die männliche Bildung, ſofern die Scheide nur die ſehr erweiterte und nach innen liegende, nicht hervorgetretene Ruthe iſt, wenn gleich nicht immer damit auch anderweitiger zwitterhafter Zuſtand verbunden iſt; doch hatte ein Mädchen von 25 Jahren, deren Scheidenöffnung, bei übrigens vollkommen regelmäſsiger weiblicher Bildung des ganzen Körpers und der äuſsern, und, wie es nach der Operation ſchien, auch der innern Geſchlechtstheile, kaum einen Federkiel einlieſs, an der Stelle der Brüſte nur männliche Bruſtwarzen, keinen Geſchlechtstrieb und keine Menſtruation. [2])

2) Auch das Vorliegen der Muttertrompeten und Eierſtöcke gehört hieher, indem dies

1) Bd. 1. S. 662 — 668.

2) Renauldin in Mém. de la ſoc. méd. d'émulat. II. Ann. p. 474 — 76.

offenbar eine Nachahmung der normalen Verhältnisse der Hoden ist. Fälle dieser Art sind aber selten, höchst wahrscheinlich, 1) weil man Theile in dem Maasse seltner missgebildet findet, als sie wichtiger sind; 2) weil diese Abweichung der Eierstöcke in keiner Periode des Lebens normal ist. Indessen findet man Beispiele von dieser Bildungsabweichung bei Pott[1], Veyrat[2], Camper[3], Chevalier[4], Fleischmann[5].

3) Am häufigsten scheint regelwidrige Grösse des Kitzlers zu seyn, wovon Home[6], de Graaf[7], Gallay[8], Arnaud[9], Clarke[10], Columbus[11], Diemerbroek[12] Fälle anführen. Diese Abweichung vom Normal hat verschiedne Stufen: auf der höchsten erreicht der Kitzler die Grösse der männlichen Ruthe.

4) Weit seltner als durch blosse Vermehrung der Masse nähert sich dieses Organ der Bildung der männlichen Ruthe durch seine Anordnung, wenn sich die Harnröhre,

---

1) Chir. works. Vol. 3. p. 329.
2) Mém. de chirurgie T. 2. p. 3.
3) Ueber die Brüche. Preisabh. des Monnikf. Legats. Th. 1. S. 43.
4) Med. ch. transact. Vol. IV. S. 329.
5) Leichenöffnungen 1815. S. 180. ff.
6) Microtechne p. 424.
7) De mulier. organ. p. 299.
8) Arnaud hermaphr. p. 309.
9) Ebendas. p. 374.
10) Bei Home a. a. O. S. 212.
11) De re anat. l. 15.
12) Anat. l. 1. c. 264.

ſtatt an ſeiner Baſis aufzuhören, durch ſeine ganze Länge fortſetzt, indem ſich ſeine beiden Seitenhälften, ſtatt getrennt zu ſeyn, durch ihre untern Ränder vereinigen. Eine ſehr ſeltne Bildung. Das einzige, mir bekannte Beiſpiel, wo eine einigermaaſsen vollſtändige anatomiſche Unterſuchung angeſtellt wurde, iſt von Gallay [1]). Bei einer verheiratheten Frau waren die äuſsern Schaamtheile, mit Ausnahme der Ruthe, normal: an der Stelle des Kitzlers aber befand ſich eine 3½ Zoll lange und einen Zoll dicke, völlig männliche Ruthe, an deren Spitze, und nur an dieſer Stelle, ſich die, in ihrer ganzen Länge verlaufende Harnröhre öffnete, durch welche eine Sonde in die Harnblaſe gelangte. Von den Hoden fand ſich keine Spur, wohl aber die Scheide, die Gebärmutter, welche ſcirrhös war, die Trompeten und die Eierſtöcke. Die Menſtruation war regelmäſsig geweſen, Stimme und Bart dagegen männiſch; auch hatte ſie nie Kinder gehabt.

Man würde noch weit mehr geneigt ſeyn, dieſe letztern Fälle für ſolche zu halten, wo die männliche Bildung überwiegt, wenn nicht bei mehrern Thieren der Kitzler im normalen Zuſtande gerade ſo gebildet wäre, indem bei mehrern ſich die Harnröhre bis zur Grundfläche des Kitzlers, der am Rande der äuſsern Schaam liegt, ja bei den Maki's und Lori's ſich bis auf den Rücken deſſelben verlängert, und ſich dicht hinter ſeiner Spitze endigt [2]).

1) Arnaud a. a. O. S. 309. ff.

2) Cuvier vergl. Anat. Ueberſ. Bd. 4. S. 522.

Gewöhnlich ſetzen ſich mehrere oder alle der angegebenen Bedingungen zuſammen, wo dann die Annäherung an die männliche Bildung ſich in demſelben Verhältniſs vergröſsert. So fand Columbus anſehnliche Gröſse des Kitzlers mit enger Scheide [1]); Diemerbroek vollkommen weibliche Bildung der Genitalien, regelmäſsige Menſtruation, ſtarken Bart, behaarte Schenkel, Kleinheit der Brüſte, vorliegende Ovarien und anſehnlichen Kitzler [2]); Arnaud Vorliegen der Eierſtöcke in den groſsen Schaamlippen, Verſchlieſsung der Scheide durch eine dünne Membran, groſsen aber nicht durchbohrten Kitzler, ſtarke Stimme, enge Bruſt, groſse Hände, mit regelmäſsigem Drange zur Menſtruation und wirklich, nach Durchbohrung der Scheideklappe vollkommnem Eintritt derſelben, weitem Becken, langen runden obern Extremitäten und kleinen Füſsen vereinigt [3]). An einem und demſelben Individuum, welches von Mertrud für einen wahren Zwitter, von Morand, Arnaud, Delius für einen Mann, von Krüger, Sabourin und Güyot, Ferrein, le Cat, Caldani für ein Weib gehalten wurde, war das Becken weit, der linke Schenkel weiblich, der rechte männlich, der Bruſtkaſten platt, mit kleinen Brüſten verſehen, die Stimme weiblich, der Kitzler groſs, undurchbohrt, ſtark nach unten gekrümmt, eine enge ſcheidenartige Oeffnung, keine Hoden,

1) De re anat. l. 15.

2) Anat. l. 1. c. 26.

3) Arnaud a. a. O. S. 265.

zwar ein Bart, aber dieser beständig dünn und fein vorhanden [1]).

Aehnliche Fälle führen Clauder [2]), Caldani [3]), Hendy [4]), Chevreuil [5]), Julien [6]) an.

Offenbar läßt es sich bei den angegebnen Graden der Zusammensetzung nicht mit Gewißheit angeben, ob ein Individuum mehr männlich oder mehr weiblich ist. Nur die bestimmte Gewißheit, daß ein durch ein solches vollzogner Beischlaf entweder Schwängerung eines andern, oder Selbstschwangerwerden zur Folge gehabt, oder eine genaue anatomische Untersuchung können hierüber Gewißheit verschaffen. Allein höchstwahrscheinlich sind bei so sehr verwickelten Zusammensetzungen auch die wesentlichen, gerade den Antheil am Zeugungsact bestimmenden Theile des Geschlechtsapparates unbestimmt, oder auf der einen Seite verschieden, als auf der andern entwickelt.

Dies wird sich am Besten aus der Betrachtung der Entwicklung des Zwitterzustandes im männlichen Geschlechte ergeben.

---

1) Die bekannte Drouart. Mertrud in Mercure de France 1750. Morand in Mém. de Paris 1750. Arnaud a. a. O. 298. Delius Fränk. Samml. Bd. 8. S. 398. Krüger, Sabourin u. Güyot M. de Paris 1756. Ferrein. Ebendas. 1767. Le Cat bei Arnaud a. a. O. S. 60. Caldani in M. della soc. ital. T. 7. p. 131—152.

2) Eph. n. c. dec. II. a. 3. c. 75.

3) Mem. della società italiana. T. 7.

4) Medical repository. No. 45. p. 1807.

5) Journal de médecine. T. 51.

6) Bei Arnaud S. 290.

II. Männliche Zwitterbildung.

Die erste Stufe bilden die den Mannweibern entgegenstehenden Weibmänner (Mares effeminati) [1].

Ihre Charaktere sind:

I. In Beziehung auf die Gestalt der Geschlechtstheile.
   1) Kleinheit derselben.

II. In Beziehung auf die Constitution des ganzen Körpers.
   1) Kleinheit, Schwäche, Zartheit, Glätte der Haut, Bartlosigkeit, Breite der Hüften, Enge der Brust, Kleinheit der Glieder, bisweilen Neigung zum Fettwerden, Anhäufung von Fett in der Schaam- und Leistengegend.

III. In Hinsicht auf die Functionen und Gemüthseigenschaften.
   1) Geringe Neigung zum Beischlaf.
   2) Abneigung von männlichen, ernsten Geschäften, Neigung zu weiblichen Tändeleien.
   3) Feine Stimme.
   4) Kränklichkeit, besonders Unterleibsbeschwerden und das Bedürfniss von Hämorrhoiden, welche zu Erhaltung ihrer Gesundheit auf ähnliche Weise nöthig scheinen, als die regelmäßsige Menstruation für die weibliche.

dem Typus des weiblichen Geschlechtes gegeben.

Am wenigsten vom Normal entfernt ist vielleicht die zu starke Entwicklung der Brüste in einem übrigens männlichen Körper, vorzüglich wenn sie zugleich in ihrer Function mit den weiblichen übereinkommen, indem sie Milch absondern. Beim niedrigsten Grade ist hier nur die eine Brust nach dem weiblichen Typus entwickelt [1]).

Kleinheit und Imperforation der Ruthe, Spaltung des Hodensackes, Kleinheit und Verweilen der Hoden im Unterleibe sind die übrigen Bildungsfehler der männlichen Geschlechtstheile, welche, vorzüglich wenn mehrere zusammen vorhanden sind und allgemeiner weiblicher Totalhabitus sich mit ihnen vergesellschaftet, eine Annäherung an das weibliche Geschlecht im männlichen Körper andeuten.

So fanden Home[2]) und Renauldin[3]) in mehrern Individuen starke Entwicklung der Brüste, Bartlosigkeit, Feinheit der Haut, rundliche Form der Muskeln, Kürze der Hände, Kleinheit der Ruthe und Hoden, also mehrere der weniger vom Normal abweichenden Bedingungen vereinigt.

Die Imperforation der Ruthe hat verschiedne Grade. Der niedrigste ist die Hypospadie, wobei sich die Harnröhre nicht am vordern Ende der Ruthe, sondern hinter demselben, an der untern Fläche, öffnet.

Von

1) Ansiaux in Corvisart. j. de méd. XIV. p. 262.

2) S. Bd. 1. S. 696.

3) Mém. de la soc. médic. d' émul. T. 1. p. 241.

Von hier aus rückt sie bei mehr regelwidriger Bildung weiter nach hinten, so daſs sie sich endlich unter dem Schaambogen, also an der Stelle, wo sich beim weiblichen Geschlecht die Harnröhre öffnet, befindet.

Bisweilen ist indessen die normale Bildung durch eine mehr oder weniger tiefe, blinde Vertiefung an der regelmäſsigen Stelle angedeutet, bisweilen verläuft sogar die Harnröhre durch die ganze Ruthe, öffnet sich aber auſser der normalen Stelle zugleich an der regelwidrigen.

Gewöhnlich ist mit der nach hinten gerückten Oeffnung der Ruthe mehr oder weniger vollkommne Spaltung derselben vorhanden. Am häufigsten erstreckt sich die Spaltung nur auf die Harnröhre, deren obere Wand allein vorhanden scheint, indem sie sich unten nicht verschlossen hat. Man erkennt dies an der Feuchtigkeit, Weichheit, röthlichen Farbe der untern Fläche der Ruthe. Diese Anordnung führt zu dem höhern Grade der gänzlichen Spaltung der Ruthe, wovon Sixtus ein merkwürdiges, vielleicht einziges Beispiel sehr gut beschrieben und abgebildet hat [1]).

Die Imperforation der männlichen Ruthe hat desto mehr Aehnlichkeit mit der Kitzlerbildung, wenn zugleich die Ruthe kleiner als gewöhnlich und durch ein straffes Bändchen nach hinten gezogen ist. Doch sind beide Bedingungen nicht nothwendig vereinigt, so wie auch auf der andern Seite Kleinheit der Ruthe mit übrigens normaler Structur derselben verge-

1) De diffissione genitalium, singulari penis bifidi observatione illustrata. Wirceb. 1813.

ſellſchaftet iſt. Eben ſo ſchlieſst dieſe Bildung der Ruthe weder die Bereitung eines vollkommen fruchtbaren Saamens, noch die Möglichkeit einer vollkommen fruchtbaren Begattung aus; erſteres, indem damit nicht nothwendig, ſogar keinesweges gewöhnlich, unvollkommne Entwicklung der Hoden verbunden iſt, mithin ſogar da, wo die Structur der Ruthe das Eindringen des Saamens auf die gewöhnliche Weiſe unmöglich macht, daſſelbe durch Injection des ergoſſenen Saamens erſetzt werden kann [1]; letzteres, indem die hintere Wand der Scheide, an welche ſich die Ruthe bei der Begattung anlegt, die Harnröhre vervollſtändigt.

An die Spaltung der Harnröhre und die Oeffnung derſelben im Mittelfleiſch ſchlieſst ſich die Spaltung des Hodenſackes, wodurch Aehnlichkeit mit der weiblichen Form inſofern geſetzt wird, als der geſpaltene Hodenſack mit den Schaamlefzen Aehnlichkeit hat, auch, wie ſie, an der innern Fläche feucht und ſchleimig iſt. Selten oder nie kommt wohl dieſe Bildung mit regelmäſsiger Structur und Gröſse der Ruthe vor. Sie iſt nur ein höherer Grad der Spaltung derſelben, eine Annäherung zur Scheidenbildung.

Dieſe ſpricht ſich noch ſtärker durch Bildung einer engern oder weitern, kürzern oder längern blinden Vertiefung aus, welche von dem geſpaltnen Hodenſacke aus zwiſchen der Blaſe und dem Maſtdarm in die Höhle des Beckens dringt, und durch ihre Lage, ſo wie die

---

1) Hunter bei Home. a. a. O. auch abgedruckt in Edinb. med. and ſurg. journal. Bd. 4. S. 34.

Feuchtigkeit, Glätte, Gefäſsreichthum und Dünne der ſie bekleidenden Haut ihre Bedeutung hinlänglich bewährt. In den Boden dieſer Vertiefung öffnen ſich oft die Vorſteherdrüſe und die Ausſpritzungsgänge der Hoden.

Dem weiblichen Typus noch ähnlicher wird die Bildung auf dieſem Wege dann, wenn ſich zu einer ſolchen ſcheidenartigen Vertiefung noch eine ähnliche Umwandlung der Vorſteherdrüſe in einen der Gebärmutter ähnlichen, mit einer weiten Höhle und verhältniſsmäſsig dünnen Wänden verſehenen Körper geſellt, eine von Ackermann [1]), Malacarne [2]), Giraud [3]) beſchriebene Stufe der Zwitterbildung, mit welcher zugleich im Ackermannſchen Falle gröſsere Weite des Beckens verbunden war. Höchſt wahrſcheinlich würde man, wenn eine gröſsere Anzahl von Fällen dieſer Art dem anatomiſchen Meſſer ſorgfältig unterworfen würden, ihre Zahl ſehr vermehrt finden.

Das Verweilen der Hoden auf frühern Bildungsſtufen habe ich nach ſeinen weſentlichſten Bedingungen und den Hauptverſchiedenheiten, welche es darbietet, ſchon an einem andern Orte betrachtet [4]). Zwar kommt es oft allein vor, allein auch ſo ergiebt ſich aus der Natur der Sache, daſs dieſe Bildungsabweichung Annäherung an den weiblichen Geſchlechtstypus iſt. Noch mehr wird die Richtigkeit dieſer Anſicht durch die häufige Vergeſellſchaftung des Zurückbleibens dieſer Organe

1) A. a. O.
2) In mem. ital. Vol. IX. 1802.
3) Sedillot recueil périodique. Vol. II.
4) Bd. 1. S. 685. ff.

im Unterleibe, oder ihrer Kleinheit mit einem oder mehrern der übrigen ſchon betrachteten abweichenden Zuſtände beurkundet.

Die von Home und Renauldin beobachteten Fälle habe ich ſchon angeführt. Eben ſo fanden Sonſis, Boerhaave, Heuermann, Valisneri, Tabarrani, Arnaud, Malacarne, Boudou, Itard de Riez, Riedlin, Tode, Schäffler, Grashuis, Cheſelden, Caluri, Stark, Bo, Walter, Samſon, Pinel dieſe Zuſammenſetzung in geringern oder höhern Graden, ſo, daſs entweder die Hoden, bei zugleich vorhandnen anderweitigen zwitterartigen Bildungen bisweilen gar nicht, bisweilen ſehr ſpät, in andern Fällen nur auf einer Seite herabſteigen, oder ſehr klein bleiben oder die Verbindungsröhre zwiſchen der Scheidenhaut und der Höhle des Bauchfells ſich offen erhielt, oder ein Hode ganz fehlte.

Unter dieſen Bedingungen findet ſich nicht ſelten auch im ganzen Habitus eine Miſchung von Männlichkeit und Weiblichkeit. Der Körper iſt z. B. zwar meiſtens männlich gebaut, aber der Bart und der Kehlkopf ſind nicht vollkommen entwickelt [1]).

Noch höher entwickelt ſich die Zwitterbildung, wenn ſich von den paaren Theilen des Geſchlechtsſyſtems die der einen Seite nach dem männlichen, die der andern nach dem weiblichen Typus entwickeln. Dieſe Bildung iſt beim menſchlichen Geſchlecht, höchſt wahrſcheinlich aus den oben für andre [2]) angeführ-

1) Ein gut beſchriebner Fall bei Moſti in Brera giorn. di med. pratt. Faſc. IX. 1813. p. 362.

2) S. 198.

ten Gründen, selten; allein das unbezweifelte, nicht ganz seltene Vorkommen derselben bei Fischen, wo sich auf der einen Seite ein Eierstock, auf der andern ein Hode findet, hindert mich, die Fälle dieser Art für unwahr zu halten. Verdier[1]) und Süe[2]) haben, soviel mir bekannt ist, die einzigen Beobachtungen dieser Art. In beiden lagen die Hoden und Ovarien im Unterleibe, im ersten Falle auf der rechten, im zweiten auf der linken Seite der Hode, das Ovarium auf der entgegengesetzten. In beiden fand sich zwischen der Blase und dem Mastdarm eine Gebärmutter, die auf der Seite, auf welcher sich der Hode befand, einen Saamengang nebst der Saamenblase, auf der entgegengesetzten eine Trompete aufnahm, im ersten Fall auf jeder Seite, im letzten nur auf der rechten, mit einem runden Bande versehen war.

Die Unrichtigkeit der Behauptung, dass auf diese Art missgebildete Individuen, weil sie Monstrositäten [3]) seyen, keine Lebensfähigkeit besitzen, brauchte kaum durch die Bemerkung, dass das von Süe untersuchte 14 Jahr alt wurde, dargethan zu werden, da die völlige Unzulänglichkeit des angegebenen Grundes von selbst einleuchtet.

Diese Bildungsstufe führt zu der zweiten Ordnung der Zwitterbildungen, der mit Vermehrung der Zahl der einander entsprechenden Organe verbundenen, indem die Theile, von deren Beschaffenheit die Art des Beitrages zum Zeugungsgeschäft abhängt, hier dergestalt einen entgegengesetzten Geschlechtscharakter

1) Bei Arnaud a. a. O. S. 293.
2) Ebendas. S. 323.
3) Walthers Physiologie Bd. 2. S. 380.

angenommen hatten, dafs offenbar, falls wir völlig regelmäfsige, ihrem Charakter gemäfse Entwicklung jeder Hälfte annehmen dürfen, weder Selbstbefruchtung noch abwechfelnd männlicher und weiblicher, vollkommen fruchtbarer Beitrag zum Zeugungsgefchäft unmöglich war; dies um so mehr, da diefe Bildung völlig mit der übereinkommt, welche die meiften bauchfüfsigen Molluсken darbieten, wo auch nur ein Begattungsglied, nur ein Eierftock, nur ein Hode gebildet ift.

Zweite Ordnung.

Zwitterbildungen mit vermehrter Zahl der Theile.

Bei den Zwitterbildungen mit vermehrter Zahl der Theile find ein oder mehrere Theile des Gefchlechtsfyftems doppelt; allein die überzähligen haben den Charakter des andern Gefchlechtes. Unftreitig haben die Alten zu fehr ohne Kritik die gleichzeitige Anwefenheit vollkommen doppelter, völlig regelmäfsig in Hinficht auf Form und Thätigkeit entwickelter Gefchlechtstheile, männlicher und weiblicher, in demfelben übrigens einfachen Körper angenommen und ihr gleichzeitiges Zufammenfeyn nach Willkühr verfchiedentlich erfonnen; allein, fchon der Umftand, dafs, ohne Mehrzahl, die Charaktere der beiden Gefchlechter fich nicht felten und auf fo verfchiedne Weife in demfelben Körper vereinigen, läfst vermuthen, dafs die von vielen ausgefprochne Behauptung „ein folches Mehrfachwerden komme nie vor," nicht ganz richtig ift. Für die Möglichkeit deffelben fpricht auch 1) das durch gute Beobachtungen erwiesene, wenn gleich selten vorkommende regelwidrige Mehrfachwerden der Zeugungstheile in einem einfachen Körper, ohne Verschiedenheit des Geschlechtscharakters, beim Menschen [1]; 2) die im völlig regelmäſsigen Zustande bei mehrern Thieren Statt findende Mehrzahl von Theilen des Geschlechtssystems, die im Allgemeinen einfach oder höchstens doppelt sind, die doppelten Ruthen der Crustaceen, mehrerer Reptilien, der Ansatz zu dieser Bildung bei den Beutelthieren, die vier- und mehrfachen Hoden der Salamander, mehrerer Würmer.

Als Hauptgrund gegen die Möglichkeit dieser Bildung hat man die Schwierigkeit aufgestellt, welche die gleichzeitige Anwesenheit männlicher und weiblicher Geschlechtstheile in demselben Becken habe [2]; allein, theils lieſse sich dasselbe gegen das Mehrfachwerden dieser Theile ohne gleichzeitiges Auftreten entgegengesetzter Geschlechtscharaktere einwenden; theils brauchte das Becken nur etwas weiter zu seyn, theils nehmen die einfachen Geschlechtstheile mancher männlicher Thiere, bei denen sie in einem hohen Grade entwickelt sind, gewiſs einen gröſsern Raum ein, als männliche und weibliche beim Menschen zugleich.

Dies nur, um zu beweisen, daſs die Vereinigung zweier vollkommen einander entgegengesetzten Geschlechtsapparate in demselben Körper nicht unmöglich sey.

---

1) S. oben S. 198. De dupl. monstr. §. 28.

2) Haller a. a. O.

Eben so wenig wird diese Unmöglichkeit durch die Behauptung erwiesen, daſs diese Bildung sich beim Menschen und den höhern Thieren in sich selbst widerspreche [1]), indem durchaus kein Grund vorhanden ist, weshalb nicht hier das bisweilen als Abweichung vom Normal erscheinen kann, was bei so vielen niedrigern Thieren Regel ist, und man irrt sich daher durchaus, wenn man aus jenen Gründen die Nichtexistenz wahrer Zwitter bewiesen zu haben glaubt.

Die Stufen und die Arten dieser Zwitterbildungen sind sehr verschieden. Die mir bekannten geben ungefähr folgende Reihe.

In einem Falle war, mit weiblichem Totalhabitus, ansehnlicher Gröſse des Kitzlers, die Gebärmutter regelmäſsig, die an der gewöhnlichen Stelle befindlichen Eierstöcke zu groſs, also in dieser Hinsicht hodenartig, und von ihnen entsprangen vier Gänge, deren eines Paar die Gebärmutter, das andre die Ruthe durchbohrte [2]).

In einem höhern Grade dieser Zwitterbildung war, mit männlichem Totalhabitus und normaler Ruthe, Anwesenheit aller männlicher Geschlechtstheile, Lage der Hoden im Unterleibe und eine Gebärmutter zugegen. Das zwitterartige Mehrfachwerden sprach sich nicht bloſs durch die Anbildung dieses Organs, welches sich zwischen der Vorsteherdrüse und Harnblase in die Harnröhre öffnete, sondern auch durch die Anordnung der Hoden und ihrer Ausführungsgänge aus. Diese kamen nämlich durch

---

1) Schneider a. a. O. S. 160. ff.

2) Columbus de re anat. L. XV.

ihren Bau und sofern sie mit normalen Nebenhoden versehen waren, mit normalen Hoden, dagegen durch ihre Lage und Kleinheit mit Ovarien überein. Ausserdem ging von einem jeden Nebenhoden eine Trompete und ein Saamengang ab. Die $3\frac{1}{2}$ Zoll lange Trompete senkte sich in das obere Ende der Gebärmutter. Die mehr als doppelt so langen Saamengänge waren vier Zoll weit an die Gebärmutter geheftet, öffneten sich regelmäfsig in die, aber nur zehn Linien langen Saamenblasen und senkten sich in die Vorsteherdrüse.

Hier also in den innersten Theilen unbestimmter Charakter durch Vereinigung der Merkmale beider Geschlechter, und Duplicität durch die Vermehrung der Zahl ihrer Ausführungsgänge, so wie durch gleichzeitige Anwesenheit der Vorsteherdrüse und Gebärmutter [1]).

Etwas verschieden ist ein von Maret beschriebner Fall [2]). Die obere Hälfte war durchaus nach dem weiblichen, die untere nach dem männlichen Typus gebildet, die 4 Zoll lange, gespaltene Ruthe bedeckte eine Spalte zwischen zwei Schaamlefzen oder hodensackähnlichen Hautfalten, von denen die linke beständig, die rechte nur bisweilen, einen weichen, hodenähnlichen Körper enthielt. Von der Eichel aus liefen zwei nymphenartige Hervorragungen nach hinten, zwischen denen sich die Harnröhre öffnete. Hinter dieser führte eine enge, mit einer Art von Scheideklappe bedeckte Oeffnung zu einer blinden, einen Zoll tiefen, aber um die Hälfte engern Höhle, welche zwi-

1) Petit mém. de Paris 1720. p. 38.
2) M. de Dijon. T. II. p. 157. ff.

schen der Blase und dem Mastdarm verlief, in deren unterm Theile sich der Schnepfenkopf befand, und in welche sich die Saamengänge und Saamenblasen öffneten, von denen der der linken Seite zu einem normalen Hoden führte, während der rechte Saamengang sich im Fett verlor. Der leicht bewegliche Körper auf der rechten Seite lag auf dem linken Darmbeinmuskel in einer eignen Tasche, aus welcher sich ein offner Fortsatz in die rechte Schaamlippe begab. Von ihm entstand ein Gang, der mit seiner offnen Mündung ein normales, gleichfalls auf der rechten Seite liegendes Ovarium umfaßte, mit ihm durch ein Band vereinigt war und eine Höhle enthielt, durch welche Luft in jenen Fortsatz getrieben werden konnte.

Hier also gleichfalls Anbildung der Gebärmutter, auf der einen Seite Ovarium, auf der andern Hode, auf jener aber zugleich Rudiment des Saamenganges.

Noch vollkommner entwickelt war das zwitterhafte Mehrfachwerden in einem vierten Falle, wo sich an der Wurzel der normalen Ruthe eine kleine weibliche Schaamöffnung, ausser dem normalen Hodensacke die grossen und kleinen Lefzen fanden. Die Schaamöffnung führte zu einer Scheide, welche durch die Schaamfuge zu einem warzenähnlichen Körper, vielleicht einem Rudiment der Gebärmutter, führte, an welcher sich Theile befanden, welche mit Trompeten und Eierstöcken Aehnlichkeit hatten. Die Hoden und ihre Ausführungsgänge waren völlig normal [1]).

---

1) Schrell in Schenks med. chir. pract. Archiv. Bd. 1. Wien 1804.

Der vollkommenſte mir bekannte Fall von Vereinigung beider Geſchlechtstheile iſt der eines 21 Jahr alten Geſchöpfes, mit ſtarkem Körper, geringem Bart, etwas weiblichen Brüſten, deſſen vollkommen doppelte und ganz normale Geſchlechtstheile ſo neben einander lagen, daſs beide nur durch eine unbedeutende Furche getrennt waren, die weiblichen die rechte, die männlichen die linke Seite einnahmen [1]).

Einen höhern Grad als dieſen kenne ich beim Menſchen nicht, ungeachtet weit bedeutendere Zuſammenſetzungen bei Thieren vorkommen, die ich an einem andern Orte zuſammengeſtellt habe [2]). Uebrigens iſt, des zwitterhaften Mehrfachwerdens ungeachtet, dennoch dem Weſen und den Functionen nach die Zwitterbildung hier nicht nothwendig vollkommner, als da, wo, ohne Vermehrung der Zahl der Theile ſich nur die eine Hälfte nach dem männlichen, die andre nach dem weiblichen Typus entwickelt. Daſs übrigens auch für dieſe Ordnung der von Walther aufgeſtellte Satz nicht gilt, beweiſt die Vernunft eben ſo ſehr als die Erfahrung, da faſt alle Zwitter dieſer Art Erwachſene waren, und wahrſcheinlich nicht an dieſer Miſsbildung ſtarben.

Zufällig ſetzt ſich die zwitterartige Bildung der Geſchlechtstheile bisweilen mit regelwidriger Vereinigung des Maſtdarms und des Geſchlechts- oder Harnſyſtems zuſammen, wovon Mentzel [3]),

1) Garçon et fille hermaphrodites. Paris 1777.

2) Reils Archiv a. a. O. S. 328. ff.

3) Eph. n. c. V. I. a. 8. obſ. 8.

Burghart[1]), Wrisberg[2]) Beiſpiele anführen, und woraus dieſer und Herr Burdach eigne Ordnungen von Zwitterbildungen gemacht haben. Eine Zuſammenſetzung, die theils wegen der Thierähnlichkeit, ſofern ſowohl in der Säugthierclaſſe bei den Faulthieren als bei den Vögeln und Reptilien Undurchbortheit der Ruthe mit Kloakbildung vereinigt iſt, theils wegen der dadurch geſetzten Beſtätigung der oben geäuſserten Vermuthung merkwürdig iſt, daſs in frühern Perioden ein ſolcher Zuſammenfluſs der Oeffnungen jener Syſteme zur regelmäſsigen Bildung gehöre[3]).

Noch zählt man andre Bildungsabweichungen zu den Zwitterbildungen, welche Wrisberg in einer eignen Claſſe, der vierten, unter dem Namen von monſtröſen Hermaphroditen in mehrere, ſehr von einander verſchiedne Ordnungen gebracht hat. Die erſte begreift die ganz unentſchiednen Bildungen, wo gar kein Geſchlechtscharakter vorherrſcht; die zweite die Männer mit undurchbohrter Ruthe; die dritte die ſo eben bemerkte Verbindung des Maſtdarms mit den Geſchlechtstheilen; die vierte die Harnblaſenſpalte.

Allein es ſcheint weder zweckmäſsig, eine eigne Claſſe von monſtröſen Zwittern zu machen, da es alle ſind, noch die angeführten Ordnungen feſtzuſtellen.

Die erſte ſtellt nur den höchſten Grad unſerer erſten Ordnung der Zwitterbildungen dar, wo ſo viele Merkmale beider Geſchlechter verei-

---

1) Sat. med. ſileſ. I. o. 10.

2) A. a. O.

3) Bd. 1. Von der Kloakbildung.

nigt ſind, daſs die Entſcheidung äuſserſt ſchwer, vielleicht unmöglich wird. Die zweite iſt eine Stufe der zwitterhaften Bildung der männlichen Geſchlechtstheile, die dritte eine zufällige Zuſammenſetzung, ein höherer Grad von Miſsbildung, vielleicht ein Stehenbleiben auf der früheſten Bildungsſtufe der betreffenden Theile; die vierte gehört gar nicht hieher, wenn ſie gleich auch von Oſiander[1]) und Burdach[2]) hieher gezählt wird, auch die Geſchlechtstheile dabei unvollkommen entwickelt ſind, und ich habe daher dieſe Bildungsabweichung und die analoge der Spaltung der Harnröhre an ihrer obern Fläche ſchon oben als Stufen einer andern Reihe von Bildungsabweichungen abgehandelt[3]).

Noch weniger gehört hieher der Vorfall der Gebärmutter, ungeachtet er nicht bloſs in frühern Zeiten ſondern auch noch neuerlich für Zwitterzuſtand angeſehen worden iſt, indem man die vorliegende Gebärmutter für die Ruthe hielt[4]).

---

1) A. a. O.
2) A. a. O.
3) Bd. 1., Von der Kloakbildung.
4) Saviard, obſ. de chir. Home a. a. O.

Erstes Buch.

Zweite Abtheilung.

Von den erworbenen Formfehlern [1].

Erstes Hauptstück.

Erste Classe.

Fehler der Masse und des Umfangs.

Die einzelnen Organe sowohl als der ganze Körper können sich in Hinsicht auf Masse und Umfang sowohl durch Uebersteigen des regelmäfsigen Grades als auch durch Herabsinken unter denselben vom Normal entfernen.

Ich betrachte hier nur die Gröfseabweichungen der einzelnen Organe.

---

1) Es ist schon im ersten Bande bemerkt, dafs auch die erworbenen Formfehler bisweilen ursprünglich vorkommen, und dafs nur deshalb die Formfehler in diese beiden Hauptabtheilungen zerfällt worden sind, weil gewisse Abweichungen häufiger als ursprüngliche, andre häufiger als später und zufällig entstehende vorkommen.

Erstes Hauptstück.

Regelwidrige Vergröſserung.

Hauptmomente bei Betrachtung der regelwidrigen Vergröſserung der Organe ſind:

1) Der Zuſtand des vergröſserten Organs. Dieſer bietet eine doppelte Verſchiedenheit dar, ſowohl in Beziehung auf die Maſſe, als das Gewebe des Organs. In erſterer iſt das Organ entweder wirklich vergröſsert oder bloſs ausgedehnt, zwei ſo verſchiedne Zuſtände, daſs unter letzterer Bedingung ſogar die Subſtanz deſſelben bedeutend vermindert ſeyn kann, die unter der erſtern ſich immer vermehrt hat. Vorzüglich kommt die Ausdehnung an den hohlen Organen vor und wird hier ſogar zum Theil mit denſelben Namen, als die Maſſenzunahme derſelben, belegt.

In Beziehung auf das Gewebe des vergröſserten Organs iſt zu bemerken, daſs daſſelbe bald normal iſt, bald völlig abweicht, und oft in der That das alte Organ durch ein an ſeiner Stelle entſtandnes verdrängt iſt. Wo auch dies nicht der Fall iſt, iſt doch ſehr häufig die Cohäſion, Farbe, Miſchung bedeutend vermindert.

2) Die entfernten Urſachen der Vergröſserung ſind ſehr verſchieden, wenn gleich die nächſte immer ein regeres Bilden in dem ſich vergröſsernden Organ iſt.

Oft laſſen ſich dieſelben gar nicht entdecken, wo dann die regelwidrige Gröſse oft, aber bei weitem nicht immer, angeboren iſt.

Eine häufige Veranlaſſung iſt das Vicariiren eines Organs für das andre, wenn die normale oder vorher regelwidrig erhöhte Thätigkeit des letztern plötzlich oder allmählig aufhört. So vergröſsert ſich die eine Niere, wenn die andre zerſtört iſt oder weggenommen wird, die Brüſte ſchwellen bei unterdrückter Menſtruation oft ungeheuer an u. ſ. w.

Verwandt mit dieſer Art der Entſtehung iſt die Vergröſserung eines Organs durch Uebertragung eines allgemeiner Leidens auf daſſelbe, ſo z. B. der Milz nach dem Wechſelfieber, der Zunge in mehrern exanthematiſchen Krankheiten.

Auch ohne dieſe Veranlaſſung wird die Vergröſserung eines Organs durch an daſſelbe angewandte Reizung hervorgebracht.

Bei den hohlen Organen iſt oft ein Hinderniſs, welches ſich der Entleerung der in ihnen enthaltnen Flüſſigkeit entgegenſetzt, Urſache der Vergröſserung, nicht bloſs der Ausdehnung, nach dem allgemeinen Geſetze, daſs ſich alle Muskeln im geraden Verhältniſſe mit ihrer Thätigkeit vergröſsern.

3) Der Grad der Häufigkeit. Bei weitem nicht alle Organe vergröſsern ſich gleich oft, theils, weil nicht alle gleich häufig der Einwirkung der verſchiednen Gelegenheitsurſachen ausgeſetzt ſind, theils, weil überhaupt die Neigung derſelben, vermöge ihres Baues und ihrer Thätigkeit nicht gleich groſs iſt.

Vergleicht man die verſchiednen allgemeinen und beſondern Syſteme, und durch ſie gebildeten Apparate unter einander, ſo findet man zuerſt, daſs das Schleim- oder Zellgewebe, die Grundlage aller übrigen, eine beſondere Neigung zur Vergröſserung hat. Man kann als Beweiſe hiervon vorzüglich die Polypen

pen und die regelwidrige Vermehrung des Fettes anführen; indessen werde ich beide regelwidrige Erscheinungen nicht hier, sondern unter den regelwidrig entstehenden neuen Bildungen betrachten, weil die Polypen doch ein abgeändertes Zellgewebe, eine Bildung eigner Art sind und die regelwidrige Anhäufung des Fettes so nahe mit der Erscheinung desselben an ganz regelwidrigen Stellen und der Umwandlung der Organe in dasselbe verwandt ist, dass die abgesonderte Betrachtung dieser verschiedenen Zustände zweckwidrig wäre.

Das Gefässsystem ist vielleicht das System, in welchem regelwidrige Vergrösserung und noch mehr Ausdehnung am häufigsten vorkommt. Unter den verschiednen Theilen desselben aber ist vorzüglich das Herz dazu geneigt, theils, wie schon bemerkt, als Muskel überhaupt, theils, weil gerade zu seiner erhöhten Muskelthätigkeit und darauf folgenden stärkern Ernährung sich besonders häufige Veranlassungen finden.

Die willkührlichen Muskeln vergrössern sich nur selten krankhaft bedeutend, unter den unwillkührlichen dagegen manche, die, wie das Herz, vorzugsweise zu häufigen und starken Zusammenziehungen gereizt werden. Hieher gehört auch hauptsächlich die Muskelhaut der Harnblase.

Im Nervensystem kommen Vergrösserungen nicht häufig vor, indessen habe ich von der allgemeinen beträchtlichen Grösse des ganzen Nervensystems einen merkwürdigen Fall angeführt[1]). Einzelne Theile des Gehirns, so wie mehrere Anhänge desselben, manche Sinnorgane, namentlich das Auge, bieten indessen Beispiele von dieser Veränderung dar.

Sehr häufig dagegen vergrößsern sich die Knochen und unstreitig gehören sie zu den Systemen, deren Vergrößserungen die gewöhnlichsten sind und unter den verschiedensten Formen erscheinen.

Weit seltner Knorpel und faserige Organe. Auch bei den serosen kommt Vergrößserung nur mit Umwandlung ihrer Substanz, besonders Verdickung derselben, in Folge von Entzündung vor. Diese aber ist in der That nicht selten, und vielleicht sehr wohl hieher zu rechnen, da die Vergrößserung der Organe überhaupt durch einen Procefs wirklich wird, der wesentlich sich kaum von der Entzündung zu unterscheiden scheint.

Die Vergrößserung des Hautsystems ist, besonders in manchen Theilen des äusseren, nicht ungewöhnlich. Vorzüglich gehören hieher die Haare. Im innern Hautsystem erscheint diese Neigung vorzüglich durch Bildung von Auswüchsen, Polypen, entwickelt sich auch in Folge von Entzündung nichts weniger als selten.

Vorzugsweise aber ist das Drüsensystem zu Vergrößserungen geneigt. Wenn man die Milz hieher rechnen darf, so steht sie vielleicht unter allen Organen in dieser Hinsicht oben an. An sie schliessen sich in folgender Ordnung die Saugaderdrüsen, die Schilddrüse, die

1) Bd. 1. S. 391.

Leber, die Ovarien, die Vorſteherdrüſe, die Hoden, die Brüſte, die Nieren.

Unter allen dieſen aber ſind gewöhnlich nur die Milz und Vorſteherdrüſe rein vergröſsert, die übrigen zugleich qualitativ mehr oder weniger ſo bedeutend verändert, daſs ihre Vergröſserung weniger hieher als in die Lehre von der Entzündung und den regelwidrigen neuen Bildungen gehört, durch welche ſie veranlaſst wird. Unſtreitig iſt dieſes beſonders häufige Vorkommen der Vergröſserung gerade der Drüſen in der Verwandtſchaft des Proceſſes, durch welchen ſie wirklich wird, mit der normalen Thätigkeit dieſer Organe begründet, deren Weſen auch ein fortwährendes Bilden iſt.

Eben ſo vergröſsern ſich nicht alle Organe gleich häufig unter denſelben Bedingungen. Einige z. B. häufiger durch Uebertragung von Thätigkeiten andrer, wie namentlich beſonders die drüſigen; andre durch ungewöhnliche Kraftäuſserungen, wie die Muskeln.

Die Verſchiedenheit der Lebensperiode beſtimmet gleichfalls den Grad der gröſsern oder geringern Häufigkeit von Vergröſserungen der verſchiednen Organe; dies wieder auf mehrfache Weiſe, namentlich

1) ſofern in den verſchiednen Lebensperioden das eine oder das andre Organ vorzugsweiſe energiſch wirkt, vor den übrigen vorherrſcht. So ſchwillt die Leber beſonders im ſpätern Alter an; die Eierſtöcke vergröſsern ſich erſt nach erlangter Pubertät u. ſ. w.

2) ſofern in den verſchiednen Lebensperioden die entferntern Urſachen, welche die Vergröſserung der Organe veranlaſſen, ſich vor-

zugsweiſe entwickeln. Daher z. B. das Erſcheinen der, gewöhnlich in Verknöcherung der Klappen der linken Herzhälfte begründeten Vergröſserung des Herzens in ſpätern Perioden.

Auch die Geſchlechtsverſchiedenheit ſcheint von Einfluſs zu ſeyn, beides wieder auf dieſelbe Weiſe in doppelter Hinſicht und auſserdem vielleicht auch noch insofern als im
bildende Thätigkeit höher geſteigert iſt als beim Manne. Doch finden ſich hier unſtreitig zwiſchen den verſchiednen Organen bedeutende Verſchiedenheiten. So iſt z. B. Vergröſserung des Herzens und Erweiterung der Pulsadern dem männlichen Geſchlechte weit eigner als dem weiblichen.

Erſter Abſchnitt.

Vom Gefäſsſyſtem.

Die intereſſanteſten Erweiterungen ſind die des Gefäſsſyſtems, ſchon darum, weil ſie nicht, wie die meiſten der übrigen hohlen Organe, gewöhnlich bloſs mechaniſchen Urſprungs ſind. Die Erweiterungen des Herzens und des arteriellen Syſtems führen den Namen des Aneurysma, die des venöſen den des Varix, die Ausdehnungen der Lymphgefäſse können am beſten Cirſus genannt werden.

1. *Erweiterung des Herzens.*

Das Aneurysma des Herzens bietet vorzüglich zwei Hauptverſchiedenheiten dar, je nachdem die Wände dieſes Organs entweder bloſs ausgedehnt und zugleich dünner oder wenigſtens nicht dicker als im Normalzuſtande ſind, oder je nachdem die Maſſe deſſelben reell zugenommen hat. Darauf hat Corviſart [1]) mit Recht die Eintheilung in das active und paſſive Aneurysma gegründet. Auſserdem iſt auch bisweilen bloſs die Subſtanz des Herzens vermehrt, ohne Erweiterung der Höhlen, ein dritter Zuſtand. In einem ſolchen Falle ſahe Burns das Herz mehrere Pfund ſchwer, ohne Erweiterung ſeiner Höhlen [2]).

Ferner kann die Erweiterung des Herzens total oder partiell ſeyn, dies in doppelter Hinſicht. Entweder nämlich erweitert ſich nur eine oder einige der verſchiednen Abtheilungen des Herzens, dieſe aber vollſtändig, oder es erweitert ſich nur ein Theil einer dieſer Abtheilungen, wird zu einer Art von Sack ausgedehnt. Der erſtern Art ſteht die allgemeine Ausdehnung aller Abtheilungen, der letztern die totale Ausdehnung einer einzelnen Abtheilung entgegen.

Sowohl das active als das paſſive Aneurysma, beſonders aber das erſtere, iſt ſelten allgemein. Von dem activen allgemeinen führt Vetter [3]) zwei Fälle an, wo aber bloſs die Wände um das doppelte verdickt, der äuſsere Umfang alſo vergröſsert war, ohne Erweiterung der Höhle. Er hält dagegen eine gleichzeitige Erweiterung beider Herzkammern für unmöglich und nicht in der Erfahrung begründet; auch Corviſart [4]) belegt den Satz, daſs das active Aneurysma des Herzens nur ſehr

---

1) Sur les maladies du coeur. Paris 1806. p. 56. ff.

2) Herzkr. 1813. S. 45.

3) Aph. a. d. p. Anat. S. 99.

4) A. a. O. S. 61. ff.

selten allgemein seyn könne, mit vortrefflichen Gründen, führt aber selbst einen Fall an, wo bei einem Manne drei Monate nach einer heftigen Anstrengung das Herz überall fast gleichmässig vergrössert, verdickt und acht Zoll lang gefunden wurde. Aehnliche Fälle des allgemeinen activen Aneurysma führt auch schon Morgagni[1]) an. Neuere haben unter andern Testa[2]), Burns[3]), Henry[4]).

Häufiger ist indessen das passive Aneurysma allgemein; kann aber auch, wenn es nicht eigenmächtig entsteht, sich kaum anders als im Gefolge eines, in der Aortenmündung befindlichen mechanischen Hindernisses entwickeln, wie mehrere, von Corvisart[5]) angeführte Fälle beweisen. Fälle von allgemeinem passivem Aneurysma bei alten Personen hat auch Morgagni[6]). Nach Dundas[7]) ist die allgemeine Vergrösserung und Erschlaffung des Herzens eine häufige, aber oft übersehene Krankheit desselben[8]).

Bisweilen setzt sich auch das active Aneurysma der einen Herzhälfte mit dem passiven der andern zusammen. Im allgemeinen ist gewiss, das ursprüngliche Leiden treffe nun die rechte oder die linke Hälfte allein,

---

1) De c. et f. XVIII. a. 28. 30.

2) Delle malattie del cuore. Bologna 1811. Vol. 2 pag. 361 ff.

3) A. a. O. S. 53.

4) Edinb. med and s. journ. vol. VII. p. 151.

5) Ebendas. S. 87. ff.

6) A. a. O. XVIII. 14. LIII. 9.

7) Med. chir. tr. London Vol. 1. 1809. p. 37.

8) Diese und mehrere andere Fälle beweisen also hinlänglich, dass Vetters Satz, (Aphr. a. d. path. Anat. S. 99.) die Erweiterung treffe nie beide Herzhälften zugleich, völlig unrichtig ist.

wegen der Verschiedenheit beider auch im normalen Zustande, das Aneurysma der letztern activ, das der erstern passiv. Eine für diese Meinung sprechende Beobachtung findet man bei Morgagni [1]).

Auch wenn nur eine Herzhälfte erweitert ist, findet man daher das Aneurysma auf der linken Seite gewöhnlich activ, auf der rechten passiv. Dafür sprechen theils mehrere eigne Fälle, die ich vor mir habe, wo in einem mit ungeheurer Vergröfserung und Verdickung der Wände der linken Herzkammer, die rechte sogar beinahe ganz geschwunden ist, theils mehrere Beobachtungen von Lancisi [2]), de la Faye [3]), Renauldin [4]).

Bisweilen sind auch die Wände der linken Herzkammer, ohne Erweiterung der Höhle, blofs sehr ansehnlich, bis zur Dicke eines Zolles, verdickt [5]).

Sehr selten aber ist der linke Ventrikel allein, wie in einem von Corvisart [6]) beobachteten Falle, passiv erweitert.

Dagegen ist der rechte, der sich überhaupt seltner erweitert, gewöhnlich passiv ausgedehnt [7]), sehr selten wenigstens findet man ihn, wie Corvisart [8]), mit Normalität des linken,

---

1) A. a. O. XL. 23.
2) De repent. mort. p. 137.
3) M. de Paris 1735. hist. p. 29. n. 8.
4) Corvisart j. d. M. t. 11. p. 257.
5) Legallois in Bullet. de l'éc. de médec. a. 13. et 14. p. 69.
6) A. a. O. S. 99. ff.
7) Falle dieser Art haben z. B. Fleuri bull. de l'éc. de méd. 1807. p. 124. Valsalva bei Morgagni a. a. O. XVIII. 6. Corvisart. S. 99. ff.
8) S. 76.

nicht bloſs erweitert, ſondern zugleich ſeine Wände auſserordentlich verdickt.

Sehr ſelten ſind auch die Vorhöfe activ erweitert, unſtreitig auch wegen der normalen Dünne und geringen Musculoſität ihrer Wände; doch führt Corviſart[1]) zwei Fälle an, wo ſie allein zugleich auf dieſe Weiſe vom Normal abwichen.

Unter allen Theilen des Herzens aber iſt der rechte Vorhof dem paſſiven Aneurysma am häufigſten, der linken dagegen am ſeltenſten, ſelbſt ſeltner als die linke Kammer unterworfen. Die Vergröſserung des Herzens iſt bisweilen ungeheuer. Morgagni[2]), Burns[3]), Lanciſi[4]) fanden es ſo groſs, ja gröſser als ein Ochſenherz.

Die zweite Art der partiellen Ausdehnung iſt die bloſse Erweiterung und Verdünnung eines Theiles einer Herzhohle. Dieſe iſt ſehr ſelten, doch beobachteten Bailli[5]) und Walter[6]), Fälle dieſer Art, wo die Spitze der linken Kammer in eine Taſche, die eine kleine Orange aufnehmen konnte, und weit dünnere Wände als das übrige Herz hatte, ausgedehnt war.

Er und nach ihm Vetter, belegen nur dieſe partielle Erweiterung mit dem Namen des Herzaneurysma, während die meiſten übrigen Schriftſteller dieſe Benennung auch der totalen Ausdehnung und Vergröſserung geben.

---

1) S. 107. ff.

2) Ep. an. m. XVII. 21. XVIII. 28. XXVII. 12. LIII. 9.

3) A. a. O. S. 53.

4) De rep. morb. in Opp. omn. Genev. 1718. p. 137.

5) Morbid anat. p. 17.

6) Mém. de Berlin 1785.

Die Veranlassungen zur Erweiterung des Herzens sind häufig mechanische Hindernisse, die sich dem Austritte des Blutes entgegenstellen, vorzüglich Verknöcherungen des Aortenanfangs oder der arteriellen und venösen Klappen des Herzens; daher unstreitig die grosse Häufigkeit der Ausdehnung der linken Kammer, ungeachtet nicht immer gerade die Abtheilung des Herzens, welche sich unmittelbar hinter dem mechanischen Hinderniss befindet, am meisten oder auch nur überhaupt erweitert ist. Doch vergrössert sich das Herz auch eigenmächtig, wie die von der Verdickung der Wände desselben abhängige Erweiterung seiner Höhle, und auch wenn die Höhle zugleich erweitert war, doch ohne Anwesenheit eines mechanischen Hindernisses geschehende [1]), selbst bei der Geburt schon vorhandne ungeheure Grösse desselben beweist [2]).

Im Verlauf der Krankheit geht wahrscheinlich nicht selten das active Aneurysma, wenigstens auf der linken Seite, durch Erschöpfung in das passive über, und endlich erfolgt nicht selten Zerreissung, die daher auch am häufigsten im linken Ventrikel beobachtet wird.

2. *Erweiterung der Arterien* [3]).

Die Benennung „Aneurysma der Arterien", oder Pulsadergeschwulst begreift

1) Legallois a. a. O. Burns.

2) Caldani Bd. 1. S. 233. Marrigues Ebendas. S. 126.

3) Hauptwerke über diesen Gegenstand sind: Th. Lauth scriptorum latinorum de aneurysmatibus collectio, welche folgende Schriften enthalt: F. M. Lancisius de aneurysmatibus. J. Weltinus de aneurysmate vero pe-

noch verschiednere Zustände dieser Organe als die des Herzaneurysma, nicht allein Vergrösserungen ihrer Höhle, sondern auch Continuitats-

---

pectoris externo. 1750. Matani de aneurysmaticis praecordiorum morbis; Francof. 1766. G Guattani de externis aneurysmatibus. Romae 1772. J. Verbrugge de aneurysmate S. B. 1773. A. Murray resp. Arvidsson in aneurysmata femoris animadversiones 1781. C. J. Trew aneurysmatis spurii post venae basilicae sectionem orti historia et curatio. Norimb. C. Asman de aneurysmate 1773. — Ferner Nicholls on aneurysms in general in phil. transact. No. 402. p. 440. — P. Dod aneurysm of the aorta. Ebendas No. 402. p. 436. — A. Monro cases of aneurysms with remarks in Edinb. essays and observations. Vol. 3. Edinb. 1771. No. 12. — W. Hunter the history of an Aneurysm of the Aorta, with some remarks on Aneurysms in general in London med. obs. and inquiries. Lond. 1776. Vol. 1. No. 26 — Palletta über die Schlagadergeschwulst, a. d. Giorn. di Venezia in Kühn's und Weigels ital. med. chir. Bibl. Bd. 4. — A. Scarpa in hist. de la soc. de médec. de Paris und Sull' aneurysma; Pavia 1804. übers. v. Harles. 1808. — Penchienati recherches anatomico-pathologiques sur les anévrysmes in Mém. de Turin. 1784-85. p. 131-191. — E. Home account of Mr. Hunter's method of performing the operation for the cure of the popliteal aneurysm. In Transact. of a soc. for the improv. of med. and ch. Levïol. Vol. 1. u. 2. London 1793. u. 1800. — Maunoir mémoires physiologiques et pratiques sur l'aneurysme et la ligature des artères. à Genève. 1802. — Corvisart essai sur les maladies organiques du coeur. à Paris 1806. — Freer's observations on aneurysm and some diseases of the arterial system. Birmingham 1807. — Burns von einigen der haufigsten und wichtigsten Herzkrankheiten a. d. Engl. v. Nasse. Lemgo 1813. — J. Hodgson treatise on the diseases of the arteries and veins, comprising the Pathology and treatment of aneurysms and wounded arteries. London 1814. — G. A. Spangenberg Erfahrungen über die Pulsadergeschwülste. In Horns Archiv f. d. med. Erfahrung. 1815. S. 209-80.

trennungen ihrer Wände und Ergieſsung des Blutes in das benachbarte Zellgewebe. Der erſte Zuſtand iſt das wahre oder ächte Aneurysma (A. verum, genuinum), der letztere das falſche, unächte (A. ſpurium). Wegen der Zuſammenſetzung der Arterienwände aus mehrern Schichten konnen ſich beide vergeſellſchaften, indem entweder die Continuität der äuſsern Häute getrennt wird, die innern ſich ausdehnen, oder umgekehrt, wodurch in beiden Fällen das gemiſchte Aneurysma (A. mixtum) von Hunter[1]) entſteht, eine Benennung, die Monro in einem andern Sinne gebraucht, indem er ſie auf die Zerreiſſung aller Wände einer urſprünglich ausgedehnt geweſenen Arterie anwendet[2]), während er das Hunterſche gemiſchte Aneurysma zu dem falſchen zählt. Das falſche wird wieder in das ausgebreitete oder urſprüngliche (A. diffuſum ſ. primitivum), und das begränzte, oder nachfolgende (A. circumſcriptum ſ. conſecutivum) getheilt; ein Unterſchied, der in der verſchiednen Beſchaffenheit der Arterienwunde be-

diese, vorzüglich wenn ſie etwas beträchtlich iſt, nicht geſchloſſen, ſo dringt das Blut augenblicklich aus der verletzten Arterie hervor und breitet ſich unter der Haut über das ganze verletzte Glied aus. Wurde dagegen die Arterienwunde durch Anwendung äuſserer Hülfsmittel verſchloſſen oder vernarbte ſie, wegen ihrer Kleinheit, von ſelbſt, ſo entſteht dennoch nicht ſelten einige Zeit nach der Verletzung, wenn aus irgend einer Urſache

1) Med. obſ. and inq. Vol. I. p. 338.

2) Eſſays and obſ. of Edinb. V. 3. p. 255.

die Narbe entweder aufgerissen oder ausgedehnt wird, eine Geschwulst, die nicht durch die Arterienhäute gebildet wird, aber doch umgränzt ist, weil sich durch die Gerinnung der ersten bei der Verwundung ausgeflossenen Blutstropfen und die dadurch veranlasste adhäsive Entzündung des Zellgewebes in der Nähe der Wunde ein Damm gebildet hatte, der dem, durch einen neuen Riss austretenden Blute Schranken setzt, und, wenn die vernarbte Stelle nur ausgedehnt wird, diese denselben Erfolg hervorbringt.

Doch wird bisweilen auch dieser Widerstand überwunden und, wenn der Balg, der sich im Umfange der Wunde um das ausgetretene Blut befand, zerreisst, geht das begränzte Aneurysma in das ausgebreitete über, indem sich das Blut über das ganze Glied ausbreitet, den Fall vielleicht ausgenommen, wo der Riss sehr klein war, das Blut wieder durch Anwendung mechanischer Hülfe begränzt wurde. Hier bildet sich im Umfange des ersten Balges auf dieselbe Weise als zum erstenmal, bei der Verletzung der Arterie, ein neuer, und dieser Process kann sich mehrmals wiederholen. Doch glaube ich, dass in den meisten Fällen dieser Art die verschiedenen Bälge und Lagen, welche einander umgeben, auf eine andre Art entstanden, der äussere zuerst entstand und die innern nur durch die Scheidung des stagnirenden Blutes in seine Bestandtheile hervorgebracht wurden. Wenigstens ist es sehr unwahrscheinlich, dass da, wo die verschiedenen Lagen einander concentrisch umgeben, jene erste Entstehungsart Statt fand, indem die Verwachsung des Zellgewebes, wodurch der erste Balg gebildet wird, das von Neuem austretende Blut hindern muſs, ſich in ſeinem Umfange von auſsen anzulegen.

Noch auf eine zweite Art aber können ſich das ausgebreitete und begränzte Aneurysma zuſammenſetzen, wenn urſprünglich das Blut ſich in einem groſsen Umfange ausbreitet, ſpäter aber aus irgend einer Urſache in der Nähe der Wunde, zuerſt durch Gerinnung deſſelben, dann durch adhäſive Entzündung ein Balg gebildet wird, der das zuerſt ergoſſene Blut von dem ſpäter durch die offengebliebene Arterienwunde hervortretenden abſondert und das letztere aufnimmt. So fand Murray [1]) bei einem Manne, wo ſich unmittelbar nach einer Verletzung der Armarterie durch einen Aderlaſs das Blut über den ganzen Arm verbreitet hatte, drei Wochen nachher auſser einer Menge geronnenen Blutes in der Nähe der Arterie einen aus mehreren Lamellen gebildeten Sack, der in der Mitte flüſſiges Blut enthielt.

Bei dem Aneurysma, das durch die Verletzung der Arterienhäute entſteht, ſind dieſe ober- und unterhalb der Verwundung nicht ausgedehnt, den Fall ausgenommen, wo, wie Acrell [2]) einmal bemerkte, vor der Verletzung die Häute der Arterie krank waren, was aber eine bloſs zufällige Zuſammenſetzung iſt.

Die meiſten Schriftſteller ſind der Meinung, daſs das wahre Aneurysma, oder die reine Ausdehnung aller Arterienwände, ohne Zerreiſsung, ſehr häufig iſt, und beinahe in allen den Fällen Statt findet, wo nicht durch eine mechaniſche Veranlaſſung die Continuität derſel-

1) Obſſ. in aneur. fem. in Lauth coll. an. p. 505.
2) Ebendaſ. S. 504.

ben getrennt wurde; doch ſetzten ſchon Sennert,[1]) Fabriz von Hilden[2]), Barbette [3]), Diemerbroeck[4]), Gouey[5]) und neuerlich beſonders Palletta[6]) und Scarpa[7]), nach ihnen auch beſonders Burns.[8]) das Weſen des wahren Aneurysma in eine Zerreiſsung der innern, namentlich der fibröſen Haut der Arterie, den Austritt des Blutes durch den Riſs und Ausdehnung der daſſelbe umgebenden eigenthümlichen Zellſcheide.

Die vorzüglichſten Gründe für dieſe Meinung, die ſowohl aus der normalen Structur der Arterien, als aus der Unterſuchung normaler und aneurysmatiſcher Arterien entlehnt werden, ſind ſolgende. Die innerſte und die fibröſe Haut der Arterien ſind brüchig und leicht zerreiſsbar, die äuſsere dagegen ſehr ausdehnbar, Luft und Flüſſigkeiten daher, die in die Arterie getrieben werden, zerreiſsen jene, ſammeln ſich unter dieſer an und dehnen ſie aus. Daſſelbe bewirkt das Blut, welches durch einen Riſs in den innern Häuten hervortritt und die äuſsern in einen Sack ausdehnt, der in dem Maſse wächſt, als ſich der Riſs in der Arterie vergröſsert. In der That aber findet man bei allen gröſsern Aneurysmen einen mehr oder weniger anſehnlichen Riſs in den innern Wänden. Das Aneu-

1) Opp. omn. t. 3. l. V. p. 1. c. 43.
2) Opp. o. cent. 3. o 44.
3) Opp. m. et chir. p. 2. c. 16.
4) Opp. o. l. b. c. 1.
5) Vérit. chir. p. 231.
6) Kühn und Weigel ital. Bibl. Bd. 4.
7) Ueber die Pulsadergeſchw. aus dem Ital. von Harles, Zürich 1808.
8) Ueber die wichtigſten Herzkrank. 1813. S. 233. ff.

rysma nimmt daher auch nie den ganzen Umfang der Arterie ein, und die Geschwulst, die es bildet, sitzt mit einem engern Stiele auf, statt dass bei Ausdehnung aller Häute der ganze Umfang des Gefässes vergrössert seyn würde. Der Stelle der Geschwulst und des Risses gegenüber, findet man daher auch immer die Wände der Arterie in vollkommner Integrität und alle Häute unterscheidbar, die Geschwulst selbst dagegen nur durch die Zellhaut gebildet. Diese ist man desto eher für eins mit allen Häuten der Arterie anzusehen geneigt, als sie verdickt und in dem ganzen Umfange des Risses fest mit der fibrösen und innern Haut verwachsen ist; bei näherer Untersuchung abar findet man sie immer, vorzüglich bei neuentstandnen Aneurysmen, von diesen durchaus trennbar und nur mit der übrigen Zellhaut verbunden. Ueberdies ist auch die innere Haut der Arterie beim Aneurysma gewöhnlich auf eine Art degenerirt, welche nicht bedeutende Ausdehnung, sondern die Zerreissung derselben begünstigt, indem sie verdickt, verhärtet und verknöchert ist, und diese Degeneration derselben daher eigentlich das Wesen der Krankheit. [1])

Mit diesen Thatsachen stimmen mehrere, sowohl kleine als ansehnliche Aneurysmen in der Aorta und kleinern Arterien, die ich zu untersuchen hatte, so vollkommen überein, dass ich durch ihre einzelne Beschreibung nur eine Wiederholung des gesagten liefern würde. [2]) Dasselbe wird auch durch eine Menge anderer,

1) Hierüber besonders zuerst vortrefflich Hunter in Transact. of a soc. for the impr. of m. and s. Knowledge Vol. 1.

2) S. Szwenski de aneurysmatis structura. Halae 1814. mit 2 Kupfertafeln.

von Scarpe angeführter Fälle und durch andere Beobachtungen [1]) erwiesen und die Beobachtungen, wo Arterien sich in einer grossen Strecke in ihrem ganzen Umfange ausgedehnt fanden, sind theils weit seltner, theils offenbar oft nicht genau.

Der regelwidrige Zustand der Pulsadern, welcher die Entstehung des Aneurysma vorzugsweise begünstigt, kommt gewöhnlich an mehr als einer Stelle vor. Daher sind Aneurysmen, die nicht durch eine zufällige Verletzung entstehen, häufig nicht einzeln, sondern kommen an verschiednen Theilen desselben Arteriensystems entweder zugleich oder nach einander vor, wovon Monro [2]), Baillie [3]), Cooper [4]), merkwürdige Fälle anführen. Ein, auch in praktischer Hinsicht wichtiger Umstand, da er auch unter übrigens günstigen Umständen die Prognose bei einem äussern Aneurysma doch zweitelhaft stellt, und, wenn nach gemachter Operation desselben doch der Tod erfolgt, die genaue Untersuchung des Arteriensystems anräth.

Wenn es aber keinem Zweifel unterworfen ist, dass dies die gewöhnlichste Bedingung des sogenannten wahren Aneurysma ist, so ist es doch, nach allen Fällen, die ich vor mir habe und nach einer Menge gut beschriebener zu urtheilen, gewiss, dass gewöhnlich dem Einrisse der innern Häute Ausdehnung und Verdünnung der

1) S. z. B. Laennec in Corvisart j. de m. t. 12. p. 159. Recamier ebendas. t. 11. p. 29. ff.

2) A. a. O. S. 178. ff.

3) Transactions of a soc. for the impr. of med. Knowl. Vol. 1. p. 121.

4) Med. ch. Transact. Vol. IV. p. 427.

derselben vorausgeht, so dass also in der That das für ein wahres gehaltne Aneurysma anfänglich wirklich ein wahres, später ein gemischtes ist, und eben so wenig läst es sich auf der andern Seite läugnen, dass die Arterien wirklich das Vermögen haben, sich bis auf einen gewissen Grad auszudehnen.

So findet man bei alten Personen, vorzüglich weiblichen Geschlechtes, den Aortenbogen, an dem sich Aneurysmen gerade am häufigsten bilden, oft um das Doppelte ausgedehnt, ohne Degeneration oder Einriss. Ich habe selbst einen, fast um das Doppelte überall gleichmässig erweiterten Aortenstamm, ohne alle Degeneration oder Einriss vor mir. Ungeheure Ausdehnungen des Aorten- und Lungenarterienanfangs bei Taucherthieren, sind eine gewöhnliche Erscheinung. Bei vollkommner oder unvollkommner Unterbrechung der Circulation durch den Stamm erweitern sich die Nebenäste in kurzer Zeit ungeheuer, so dass selbst nach Zerstörung der Höhle der grössten Gefässstämme der Kreislauf regelmässig besteht. Dies gilt nicht bloss für die untergeordneten Stämme, z. B. die Schenkelpulsader [1]), die Armpulsader [2]), die Beckenpulsader [3]), sondern selbst die äussere Hüftpulsader [4]), die ge-

1) Beschr. und Abb. der unter dieser Bedingung erweiterten Nebengefässe am Schenkel f. bei Deschamp in mém. pr. à l' inst nat. T. I. p. 251.

2) Beschr. und Abb. der unter dieser Bedingung erweiterten Nebengefässe am Arm in White cases in surgery. London 1770. p. 139. Tab. VII.

3) Stevens in med. ch. transact. Vol. V. n.

4) Abernesthy in Edinb. med. journal. Vol. III. n. XI. p. 46. Cooper med. ch. transact. Vol. IV. no. 24.

meinſchaftliche Kopfpulsader[1]), ja die Aorte[2]).

Dieſelbe Erſcheinung aber bieten kleinere Arterien, auch ohne Anweſenheit eines ſolchen mechaniſchen Hinderniſſes, welches ſich der Circulation des Blutes durch den Hauptſtamm entgegengeſetzt, dar.

J. Bell[3]) iſt, ſo viel ich weiſs, der erſte, der auf dieſe Krankheit aufmerkſam gemacht und ſie unter dem Namen des Aneurysma per anaſtomoſin beſchrieben hat. Später hat ſie auch Gräffe[4]) zum Gegenſtand einer eignen Unterſuchung gemacht und mit dem Namen der Angiektaſie, der Telangiektaſie oder der Erweiterung der Gefäſsendigungen belegt. Bell hat ſowohl das Verdienſt einer allgemeinen Darſtellung, als der Aufzählung mehrerer eigner Beobachtungen. Auch Richerand[5]) handelt dieſen Gegenſtand gut ab, und erläutert ihn durch mehrere Fälle.

Nicht die Endigungen der Arterien allein, ſondern auch die Venen ſind bei dieſer Krankheit an irgend einer Stelle des Körpers gleichmäſsig ausgedehnt und bilden eine rothe Geſchwulſt, welche mit der Subſtanz der Gebärmutter, des Mutterkuchens, den Zellkörpern der männlichen Ruthe, dem Kamme des

1) Cooper caſe of aneurysm of the carotid artery in med. ch. tr. Vol. I. no. 1. u. 17. Travers in med. ch. tr. Vol. II. no. I.

2) Cooper in med. ch. transact. Vol. II. p. 260.

3) Surgery Vol. II. disc. XI. p. 456. On the aneurysma from Anaſtomoſis.

4) De ratione et cura angiectaſeos labiorum cet. Lipſiae 1807.

5) Noſogr. chirurg.

Hahnes Aehnlichkeit hat, indem auch die Zellen des Zellgewebes beträchtlich erweitert sind. Zwischen diesen und den erweiterten Venen bilden sich mit Blut angefüllte Säcke, die spitzer als der übrige Theil der Geschwulst hervorragen, dünner sind, von Zeit zu Zeit platzen und, mit grossem Verlust der Kräfte des Kranken, Blut ergiessen. Die Gefässe sind nicht bloss erweitert, sondern scheinen auch an Zahl zuzunehmen. Die Geschwulst entsteht aus zufälligen Ursachen, bisweilen durch einen kleinen Schlag auf die ganz gesunde Haut. Bisweilen ist indess wenigstens die Disposition zu ihrer Entstehung schon vor der Geburt da, indem sie sich bei Kindern aus einem angebornen, aber nicht über die Haut erhabnen, schwärzlichen Flecke entwickelt. Auch bei Erwachsenen entsteht sie bisweilen aus einem kleinen, pustelähnlichen Flecke.

Ihr Wachsthum ist langsam, allein nicht zu mässigen, und wird durch Druck mehr befördert als vermindert. Bei jeder Anstrengung, bei Erhöhung der Temperatur, beschleunigtem Umtriebe des Blutes, durch Wein, Befriedigung des Geschlechtstriebes, zur Zeit der Menstruation, schwillt sie an, und jeder Paroxysmus bringt eine daurende Vergrösserung der Arterien und der Geschwulst überhaupt hervor.

Anfänglich bemerkt man an ihr bloss ein leises Zittern, später eine beständige Pulsation.

Sie entwickelt sich in allen Organen, am häufigsten aber an den L i p p e n, in der H a u t des S c h ä d e l s, der W a n g e n, der A u g e n l i e d e r.

In der Leber habe ich mehrmals ansehnliche Geschwülste dieser Art entdeckt, die von der übrigen gesunden Substanz des Organs stark abgegränzt waren.

Unstreitig gehören hieher auch die klopfenden Milzen der Schriftsteller. Auch kommt sie im Gehirn vor.

Im weiblichen Geschlechte erfolgt oft ein periodischer Blutfluss aus der degenerirten Stelle der Haut, der die Stelle der Menstruation vertritt.

Diese Krankheit wird unheilbar, wenn ein theilweiser Einschnitt in die Geschwulst gemacht wird, wodurch diese vergrössert und so gereizt wird, dass sie ihre Wurzeln bis unter die nahen Theile erstreckt, wenn sie einen grossen Theil der Haut oder ein lebensnothwendiges Organ einnimmt.

Die obigen Sätze werden durch einige einzelne Fälle die beste Bestätigung erhalten.

Ein Mensch von 18 Jahren bekam an der Stirn eine kleine, mit der übrigen Haut gleichfarbige Warze, die allmählig wuchs und, als sie die Grösse eines Sperlingseies erreicht hatte, zu pulsiren anfing, zuletzt nach sieben Jahren so gross als ein Hühnerei wurde.

Die Stirn- und vordere Schlafarterie traten in die Geschwulst, welche äusserlich eine Erweiterung der erstern zu seyn schien, deren Pulsation aber durch Unterbindung beider Gefässe nicht abgeändert wurde. Aus der geöffneten Geschwulst drang von allen Seiten Blut, und zugleich entdeckte man in ihr eine grosse Arterie, die fruchtlos unterbunden wurde. Die Geschwulst wurde in ihrer ganzen Länge durchschnitten, heilte langsam, pulsirte schon vor der Heilung von Neuem und war um die Zeit der völligen Heilung schon wieder grösser als vorher. Ein Jahr später waren jene beiden Arterien beträchtlich erweitert und geschlängelt. Drückte man auf die Geschwulst, so verschwand sie sehr langsam, als ginge das Blut aus den Arterien in die Venen und füllte sich wieder, wenngleich beide genannte Arterien zusammengedrückt wurden. Auch bei der zweiten Operation änderte die Unterbindung der Schlafarterie die Beschaffenheit der Geschwulst nicht. Diese wurde nun ganz herausgeschält, wo sie als eine zellige Masse oder ein in Blut getauchter Schwamm erschien. Bei der Operation war die Blutung heftig, stand aber augenblicklich nach Wegnahme dieser Substanz. Das Pericranium war völlig rein. Jetzt wurde auch die Stirnarterie unterbunden, die Wunde in zehn Tagen geheilt, und nach zwei Jahren war noch kein Rückfall erfolgt [1]).

In einem andern Falle hatte ein neugebornes Kind am rechten Schlafbein einen nicht pulsirenden Fleck von der Grösse eines Groschens. Nach einem Jahr fing dieser in der Mitte hervorzuragen und leicht und stark zu bluten an. Als das Kind fünf Jahr alt war, nahm die Geschwulst zwei Zoll der rechten Schläfe ein. Sie wurde durchschnitten, und aus acht Arterien ergoss sich fürchterlich viel Blut. Ungeachtet der Anwendung von Aetzmitteln wuchs die Geschwulst von Neuem, so dass sie im zehnten Jahre vier Zoll im Durchmesser hatte und die gewöhnlichen Erscheinungen darbot [2]).

---

1) Bell a. a. O. S. 461. ff.

2) Bell a. a. O. S. 468. ff.

Auch an den Extremitäten ist diese Krankheit keine ganz seltne Erscheinung. Harkness [1]) beobachtete einen Fall dieser Art. Ein Mädchen hatte auf dem Vorderarmstrecker eine Geschwulst, deren Länge neun Zoll betrug, mit dem Hodensack Aehnlichkeit und dicke, fleischige Wände hatte. Sie schien mehrere Säcke zu enthalten, hing schlaff herab, war oft, und endlich immer an derselben Stelle aufgebrochen. Ihren Ursprung hatte sie als ein kleiner purpurfarbner Fleck genommen, war anfangs langsam, endlich schneller gewachsen. Fünf Monate nach ihrem ersten Entstehen hatte sie die Grösse eines Hühnereies, und brach zuerst auf. Mehrmals ergoss sie, immer zur Zeit der Menstruation, einige Pfunde Blut. Dennoch wurde sie fast ohne alle Blutung ausgeschnitten, und ihre Substanz erschien bei der Untersuchung, Nachgeburt- oder Gebärmutterähnlich.

Auch Lamorier [2]) hat einen wahrscheinlich hieher gehörigen Fall verzeichnet. Ein Spanier hatte von der Geburt an am rechten Arm eine Blutgeschwulst, die sich von der Achsel bis zu den Fingern erstreckte. Das ganze Glied war schwarzblau, hatte nicht die Hälfte seines natürlichen Umfangs, war ohne Pulsation, weich, wie eine mit Luft angefüllte Kälbermilz anzufühlen, schmerzlos und aller Bewegungen fähig. Auf einen, mittelst einer Nadel gemachten Einstich von der Tiefe einer halben Linie, sprang das Blut zwei Fuss weit, eine bis zwei Minuten

---

1) Bell a. a. O. S. 468 ff.

2) Mém. de la soc. de Montpellier. t. 1. p. 245.

lang heraus. Wurde der Arm in die Höhe gehoben, so bildete sich sogleich eine ansehnliche Geschwulst auf der Schulter und dem grossen Brustmuskel und der Arm verdünnte sich beträchtlich. Nach dem Tode fand man die Armmuskel in Filamente, die mit sehr geräumigen, durch weite Poren communicirenden Blasen vermischt waren, und mit der Substanz des Mutterkuchens die gröſste Aehnlichkeit hatten, verwandelt. Die Knochen waren nur halb so stark als gewöhnlich, ungleich und rauh. Dennoch war der Mensch siebzig Jahre alt geworden.

Auch Scarpa[1]) beobachtete diese Krankheit einmal an einem funfzigjährigen starken Manne. Die Geschwulst hatte die Gröſse eines Kalbskopfes, nahm die linke Achselhöhle ein und erstreckte sich nach der linken Brust über das Schlüsselbein hinauf. Hie und da war sie von erweiterten Venen durchzogen, in der Mitte bleifarbig, sehr schmerzhaft, aber ohne Pulsation. In Zeit von fünf Monaten hatte sie die angegebne Gröſse erreicht. Durch einen Einstich in die Mitte derselben flossen drei Unzen eines schwärzlichen, mit etwas zähem Serum gemischten Blutes heraus. Einige Wochen nachher wurden die Integumente an der eingestochnen bleifarbigen Stelle brandig, und nachdem sie geborsten waren, kam eine Substanz hervor, die Aehnlichkeit mit einem in Blut eingetauchten Schwamm hatte und beständig ein schwärzliches, mit klebrigem Serum gemischtes Blut ergoſs. Der Kranke starb bald an Entkräftung.

1) Beob. über die Pulsadergeschw. S. 76.

Das schwammige ausgeschnittne Stück war specifisch leichter als Wasser, hatte die gröste Aehnlichkeit mit dem Mutterkuchen und schien nichts als das mit Blut getränkte Zellgewebe der Achselhöhle zu seyn. Wasser, das in die Schlüsselarterie und Vene gespritzt wurde, sickerte durch eine Menge kleiner Oeffnungen in den Gefäsen, die angefressen zu seyn schienen, heraus.

Wahrscheinlich fand doch auch hier eine Erweiterung der kleinsten Gefäse Statt, wiewohl es möglich ist, dass die beiden letzten Fälle etwas von den übrigen verschieden sind, indem in beiden keine Pulsation Statt fand.

Schon oben habe ich bemerkt, dass auch die innern Organe bisweilen von dieser Krankheit befallen werden.

Bell [1]) sahe bei einem Frauenzimmer eine Geschwulst dieser Art, welche die Gröse eines Hühnereies hatte, zwischen der Scheide und dem Mastdarm, welche mit der Zeit pulsirte, durch die Menstruation afficirt wurde und den Abgang des Kothes erschwerte. Fünf Jahre nach ihrer Entstehung verheirathete sich die Person und wurde schwanger. Interessant ist es, dass während dieses Zustandes die Geschwulst, die vorher sehr langsam gewachsen war, durch ansehnliche Zunahme ihres Umfangs ihre Theilnahme an der allgemein erhöhten Thätigkeit dieser Gegend darthat. Bei der Geburt wurde sie anfangs vor dem Kindskopf hergetrieben, trat aber doch zurück und hinderte das Austreten des Kindes nicht.

1) A. a. O. S. 471. ff.

Unstreitig war auch eine von Monro[1]) beschriebene krankhafte Production von dieser Beschaffenheit. Er fand bei einem vierund vierzigjährigen Manne, der seit zehn Monaten auf der rechten Seite an einem heftigen Kopfschmerz gelitten hatte, den vordern Theil des Gehirns purpurfarben, hart, fest am Augenhöhlentheil des Stirnbeines anhängend. Die Mark- und Rindensubstanz waren an dieser Stelle kaum von einander zu unterscheiden, und das Gehirn in eine Substanz degenerirt, die aus vielen und grofsen mit Blut angefüllten Gefäfsen bestand und mit einer entzündeten Lunge Aehnlichkeit hatte.

Auch ein von Blane[2]) beobachteter Fall verdient wahrscheinlich hier eine Stelle. Er fand bei einer vier und sechzigjährigen Frau, deren Anverwandte zum Theil apoplektisch gestorben waren, die plötzlich schwindlich wurde, darauf heftige Schmerzen am Vorderkopfe bekommen hatte, zuletzt wahnsinnig gestorben war, im Sichelfortsatze ein Knochenstück, die Substanz der Hirnschenkel braun und weich, beide Karotiden neben dem Türkensattel in Säcke, die über einen halben Zoll im Durchmesser hatten, und mit geronnenem Blut angefüllt waren, ausgedehnt. Der rechte communicirte mit der Arterie, der linke dagegen durchaus nicht. Wahrscheinlich waren also auch hier auf der linken Seite blofs kleine Gefäfse erweitert.

Bisweilen erstreckt sich die Erweiterung der Arterien in demselben Subjekt auf die gröfsern sowohl als kleinern Arterien.

1) On the brain, the eyes and the ear. Edinb. 1797. p. 45.
2) Transact. for the impr. of med. and ch. Knowledge. T. II. p. 193.

Tartra [1]) beſchreibt einen ſehr intereſſanten Fall dieſer Art. Ein zwölfjähriges Mädchen litt ſeit dem Eintritt der Menſtruation an einer Ausdehnung aller Arterien der Bedeckungen des Kopfes in der linken Scheitelgegend und einem Theile des äuſsern Ohres. Die Schlaf- und Hinterhauptsarterie wurde unterbunden, allein fruchtlos, und das Kind ſtarb einen Monat nach der Operation. Bei der Leichenöffnung fanden ſich alle Zweige der genannten Arterie beträchtlich erweitert und die ihr entſprechenden Venen in demſelben Zuſtande, mit geronnenem Blute und faſrigen Concrementen angefüllt.

Die übrigen Arterien des Körpers waren, mit Ausnahme der linken hintern Schienbeinarterie, die aneurysmatiſch, höckrig und mit analogen Concrementen angefüllt war, normal weit, nur ihre Wände, beſonders die fibröſe Haut derſelben, ſehr dünn.

Ich habe ſelbſt an einem ungeheuren Aneurysma der Unterleibsaorte, das indeſſen auch mit einer ſchmalern Baſis auffaſs, überall mehr oder weniger deutlich die fibröſe Haut und an vielen Stellen Brüche der innern durch dieſelbe gefunden, eine Beobachtung, die mit dem Reſultate der Unterſuchungen von Bouchet und Gillaigneau [2]) übereinkommt.

Auch Monro [3]) fand in mehrern Fällen an verſchiednen Theilen deſſelben Gefäſsſyſtems die Arterie in ihrem ganzen Umfange ausgedehnt, und deutlich die Geſchwulſt durch alle Häute gebildet.

---

1) Harles n. Journ. der auserl. med. chir. Lit. Bd. 7. St. 1.

2) Bull. de l'éc. de med. an. 14. p. 227.

3) A. a. O. Caſe. IX.

Dessenungeachtet ist es keinem Zweifel unterworfen, dass in der bei weitem überwiegenden Mehrzahl der Fälle das wahre Aneurysma die von Scarpa angegebne Beschaffenheit hat.

Der Ausgang des Aneurysma ist, wenn es sich selbst überlassen wird, in der Regel immer tödtlich. Zwar sammeln sich Lagen von Faserstoff in der Höhle desselben, sie verbinden sich sogar oft sehr fest mit der innern Wand; allein endlich zerreisst auch die letzte Hülle und der Tod erfolgt durch den Blutverlust, nachdem vorher alle umliegende Theile, selbst die Knochen, durch die von dem Drucke vermehrte Einsaugung zerstört worden sind.

In seltnen Fällen nimmt indessen die Pulsadergeschwulst einen glücklichern Ausgang, indem sich die Arterie von selbst verschliesst, und so derselbe Erfolg hervorgebracht wird, den die Kunst durch äussern Druck oder Unterbindung bezweckt. Doch gilt diess natürlich nicht für den Stamm der Aorta, ausser diesem aber in der That für die grössten und wichtigsten Arterienstämme.

Zum Beweise mögen folgende Fälle dienen.

Fleury [1]) behandelte einen acht und dreissigjährigen Mann an einem Wechselfieber, das vier Monate lang anhielt. Der Kranke bemerkte plötzlich an beiden Schenkelarterien eine Pulsadergeschwulst, die sich allmälig vergrösserte. Die linke besonders war dreimal grösser als die rechte und verursachte heftige Schmerzen. Auf einmal hörte diese zu pulsiren auf, der Kranke bekam mehrere Ohnmachten,

1) Sédillot j. d. m. t. 28. p. 162.

das Glied war ohne Leben. Den Morgen darauf war es wieder warm und blieb einige Tage lang schmerzhaft. Die Geschwulst verkleinerte sich von dieser Zeit an beträchtlich, es blieb zuletzt nur noch ein Knoten an ihrer Stelle zurück, der aber durchaus nicht pulsirte.

Auf der andern Seite wurde die Huntersche Operation vorgenommen.

Auch Wilson [1]) beobachtete einen ähnlichen Fall, aber an der Kniekehlarterie.

Bei einem zwei und dreissigjährigen Mann entstand plötzlich eine Geschwulst des rechten Schenkels. Am Ende von zwei Monaten verging die Geschwulst und es blieb nur ein kleiner unscheinbarer Knollen in der Kniekehle übrig, der pulsirte und viel Schmerzen verursachte. Nachdem er fünf Monate lang beständig gewachsen war, quetschte der Mann bei einem Falle das Knie beträchtlich. Drei Tage nachher entstanden hoch oben, in der linken Schenkelarterie, zwei verschiedene Geschwülste, deren jede einen halben Zoll im Durchmesser hatte und heftig pulsirte. Sie wuchsen sehr schnell, das Glied war sehr betäubt, die Haut des auf der rechten Seite befindlichen Kniekehlaneurysma stark entzündet, geschwollen und schmerzhaft. Drei Monate nach dem Falle fing Blut aus diesem hervorzudringen an. Neun Tage darauf platzte die Haut und es flossen vier Pfund Blut aus. Vierzehn Tage lang traten grosse Klumpen Blut hervor. In dieser Zeit bekam das Knie seine normale Gestalt wieder und es drang Eiter heraus. Zugleich verminderte sich auch das un-

1) Transactions for the impr. of the m. and. ch. knowl. t. II. p. 268. Aneurysm cured by a natural process.

tere linke Aneurysma, das obere wuchs dagegen sehr schnell an. Vier Monate nachher war das Kniekehlaneurysma vollkommen geheilt, und an der Stelle einer vier Zoll langen und sehr tiefen Oeffnung befand sich eine, kaum eine Linie breite, Narbe. In Zeit von einem halben Jahre hatten sich auch die beiden Schenkelaneurysmen der linken Seite beträchtlich verkleinert."

Auch Guattani beobachtete einige ähnliche Fälle.

Bei einem Manne, dessen Schenkel wegen eines ungeheuren Aneurysma der Kniekehlarterie abgenommen werden sollte, öffnete sich die Geschwulst von selbst, ergoss Blut, vernarbte sich aber in kurzer Zeit. Bald nachher öffnete sie sich wieder an zwei Stellen, es floss auf dieselbe Weise Blut aus. Diese Oeffnungen verschlossen und öffneten sich von selbst, ergossen Blut und heilten zuletzt, bis jede Spur von Geschwulst verschwand.

In einem andern Falle wurde eine Kniekehlgeschwulst für einen Abscess gehalten, angestochen, aber durch Eiterung geheilt. Lange nachher starb der Mensch, und man fand die Kniekehlarterie völlig verschlossen, die Gelenkarterie beträchtlich vergrössert.

In einem dritten Falle heilte das Aneurysma der Kniekehlarterie, wie in dem von Fleury erzählten Falle, ohne aufzubrechen, so dass Guattani zwanzig Jahre nachdem er den Kranken zuerst sahe, keine Narbe entdeckte.[1])

1) De poplitis aneur. hist. III. IV. V. bei Lauth. p. 125. 126. S. auch einen Fall bei Baillie in transact. for the impr. of med. knowl. I. p. 120., wo noch zwei andere von Ford angeführt sind.

In den meisten Fällen dieser Art scheint sich die Pulsader zu öffnen, zu entzünden und in Eiterung zu gerathen; in andern dagegen, z. B. denen von Fleury und Baillie, die Verschliessung bloss durch Gerinnung von Blut und Verwachsung desselben mit den Gefässwänden bewirkt zu werden.

3. *Erweiterung der Venen.*

Die Venen sind, und in einem noch höhern Grade als die Arterien, der Erweiterung fähig. Dieser Zustand dieser Gefässe wird mit dem Namen Varix, Krampfader, belegt.

Die entfernten Ursachen, welche zu seiner Entstehung Veranlassung geben, sind zwar dieselben, als die, welche das Aneurysma veranlassen, nur scheint er seltner als bei den Arterien in einer ursprünglichen Krankheit ihrer Häute begründet zu seyn, sondern vorzüglich durch mechanische Hindernisse hervorgebracht zu werden. Die Krampfadern der Schwangern, die sich oft in einer dichten Reihe im Laufe der Hautvenen des Schenkels, und am Unterleibe finden, liefern hiervon den besten Beweis. So erweitern sich gewöhnlich auch lange und enge Venen, in denen das Blut gegen die Richtung der Schwere aufzusteigen genöthigt ist, während des Lebens ungeheuer, und es ist daher nichts seltnes, bei alten Weibern die Saamenvenen zehnmahl weiter als die correspondirenden Arterien zu finden.

Krankhaft erweitern sich die Venen des Mastdarms bei den Hämorrhoiden, wo sie als oft sehr grosse Säcke in die Höhle des Mastdarms oder um die Oeffnung des Afters hervorragen.

Auch die Venen andrer Organe findet man bei mit diesem Zustande in Verbindung stehenden Krankheiten gewöhnlich erweitert; so beim Blutbrechen die Venen des Magens und der Milz u. s. w.

So wie sich die Nebenarterien erweitern, wenn sich der Hauptstamm verschliesst, so bieten die Venen dieselbe Erscheinung dar.

Cline[1]) fand die untere Hohlvene oberhalb ihrer Theilung verschlossen. Die epigastrischen Venen waren so beträchtlich erweitert als der kleine Finger, zugleich die oberflächlichen Venen des Bauches, die Lendenvenen und die in der Bauchhöhle befindlichen Venen etwas ausgedehnt. Eben so war auch die innere Brustvene beträchtlich vergrösert. Das Blut der untern Extremitäten war daher durch die Lendenvenen u. s. w. in den oberhalb der Verschliessung befindlichen Theil der untern Hohlvene, durch die Bauchdeckenvene dagegen mittelst der innern Brustvene in die obere Hohlvene gelangt.

Auch wenn sich die gleichnamige grosse Vene der einen Seite verengt, erweitert sich die andere, wenn sie druch Anastomosen zusammenhängen. Morgagni[2]) fand die untere Hohlvene verschlossen, die rechte Hüftvene beträchtlich verengt, die linke dagegen bedeutend erweitert. Die fernern Wege des Blutes sind leider nicht angegeben.

Mit Erweiterung der rechten Herzhälfte ist häufig auch die Hohlvene erweitert; jedoch,

1) Scarpa über die Pulsadergeschw. S. 15.
2) De c. F. H. ep. 56. a. 10.

wie mehrere der weiter unten angeführten Beispiele beweisen, nicht immer.

Auch ohne Anwesenheit eines beständigen mechanischen Hindernisses für den Kreislauf tritt diese Erweiterung bisweilen ein. So fand man bei einer Frau, die lange und viel von asthmatischen Anfällen gelitten hatte, die Lungen, so wie alle übrigen Organe gesund, allein die rechte Vorkammer nebst beiden Hohlvenen, vorzüglich aber der untern, so ausgedehnt, dass sie nebst ihren grossen Aesten einigemal so weit als gewöhnlich war [1]). Traf die Ausdehnung hier vorzugsweise die untere Hohlvene wegen der Richtung des Blutes in derselben, oder hat diese Erscheinung einen tiefern Grund, und läſst sie sich mit der constanten Erweiterung der hintern Hohlvene in den Taucherthieren vergleichen?

Seltner als die Körpervenen sind die Lungenvenen erweitert; allein auch sie sind nicht frei von dieser Veränderung ihres Durchmessers. Auch fand Morgagni [2]) bei einem Manne wenigstens den Sinus der Lungenvenen ungeheuer ausgedehnt.

Mascagni [3]) sahe diese Ausdehnung durch eine äussere Gewalt veranlaſst. Ein Mann wurde von einem Pferde auf die Brust geschlagen. Während zwei Jahren hatte er bisweilen einen geringen Husten. Endlich starb er plötzlich beim Strumpfanziehen. In der linken Brusthöhle fand man sieben Unzen geronnenes Blut,

1) Hufelands Journal Bd. 5. S. 320.
2) De c. et f. ep. 64 a. 7.
3) Mem. della soc. Ital. vol. XII. p. 4.

Blut, das aus einer auf der linken Lunge verlaufenden und zur Dicke eines kleinen Fingers ausgedehnten zerrissenen Vene geflossen war.

Erweiterungen der Venen sind, wie die Erweiterungen der Arterien und des Herzens, eine Vorbereitung zur Zerreissung derselben, wenn sie gleich hier, wegen des Baues der Venen, vielleicht länger und in einem höhern Grade Statt finden als dort, ehe dieser Erfolg eintritt.

Doch scheint die Zerreissung, wenn eine heftige mechanische Gewalt auf die Vene einwirkte, nicht selten entweder unmittelbar oder wenigstens ohne dass eine bedeutende Ausdehnung voranging, zu erfolgen. Diese Bemerkung ist besonders insofern wichtig, als Scarpa die von der Vergleichung zwischen den Venen- und Arteriengeschwülsten zu Gunsten des wahren Aneurysma hergenommenen Gründe wegen der Verschiedenheit des Baues dieser Organe für unstatthaft erklärt [1]).

Else hat einige interessante Beobachtungen über diesen Gegenstand verzeichnet [2]). Ein Mann fiel mit der innern Fläche des rechten Arms heftig gegen einen Anker, und bekam sogleich eine beträchtliche Geschwulst, die sich aber bald durch Anwendung äusserer Mittel zum Umfange eines Taubeneyes verkleinerte. Zwei Jahre lang wuchs sie nicht, schwoll aber nach einem Fieber zur Grösse eines Mannskopfes an, und erstreckte sich von der Achselhöhle

---

1) A. a. O. S. 51.

2) Of tumors formed by rupt. veins sometimes mistaken for aneurysms in d. med. obss. and inq. Vol. III. p. 169.

bis zum Ellenbogengelenk. Bei der anatomischen Untersuchung, die vier Jahr nach dem ersten Entstehen der Geschwulst angestellt wurde, fand man das Herz und die grossen Gefässe völlig normal. Die Geschwulst war voll geronnenen Blutes. Die Achselarterie ging, in jeder Rücksicht völlig unverletzt, mitten hindurch; aus der Achselvene dagegen und dem Aste der basilischen Vene, der dicht neben der Armpulsader verläuft, drang die Sonde in die Blutmasse. Die Achselvene war dicht vor ihrem Eintritte in die Geschwulst beträchtlich erweitert, und, so wie jene Venen, zerrissen.

Ein junger Mann hatte eine Geschwulst in der Kniekehle, welche unmittelbar nach dem Aufheben einer schweren Last entstanden war. Nach vorgenommner Amputation des Unterschenkels fand man die Injectionsmasse durch die Arterien dringend ohne in die Geschwulst zu treten, eine der grösten innern Venen aber in dieselbe geöffnet, indem sie dicht über einem, mit ungleichen Rändern versehenen Klappenpaare zerrissen war.

Vielleicht sind sogar viele Geschwülste, die man für falsche Pulsadergeschwülste hält, dieser Art.

Eine Zusammensetzung aus einer Continuitätstrennung und Erweiterung der Arterien und Venen ist endlich das Aneurysma varicosum oder venosum, oder Varix aneurysmaticus[1]). Sein Wesen ist eine regelwidrige Communication einer Arterie mit einer Vene, die

---

1) S. Hunter med. obs. and inq. Vol. I. p. 340. Vol. 2. p. 390. Cleghorn Ebendas. Vol. III. p. 13. White Vol. IV. No. 34. Armiger Vol. IV. n. 35. Brambilla Abh. d. Iosephsakad. Bd. 1. S. 92.

gewöhnlich durch den Aderlaſs bewirkt wird, indem beide Wände der Vene und die äuſsere der Arterie durchgeſchlagen werden, darauf, durch Anwendung eines ſtarken, eine Entzündung veranlaſſenden Druckes, äuſserlich eine genaue Vereinigung zwiſchen der Arterie und Vene, ein Kanal, gebildet wird, der zwar das Austreten des Blutes aus der erſtern in das benachbarte Zellgewebe verhindert, aber, weil die einander entſprechenden Wunden der Arterie und Vene nicht geheilt ſind, den Uebergang deſſelben aus der erſtern in die letztere beſtändig unterhält. Anfänglich bildet ſich hier nur an der Stelle der Verletzung und der Communication ſelbſt eine Geſchwulſt, allmählich aber dehnt ſich dieſe ſowohl ab- als aufwärts erſt über die zunächſt afficirte Vene, dann auch über die mit ihr durch Anaſtomoſen verbundnen aus, ſo daſs bei Verletzungen der Armarterie ſich die varicöſe Erweiterung bisweilen bis zur Hand und dem Schlüſſelbein erſtreckt. Zuweilen iſt auch die Arterie oberhalb der Communication mehr oder weniger erweitert, immer unterhalb derſelben verengt. Dieſe regelwidrige Vereinigung kann zwar an allen Stellen vorkommen, iſt aber doch vorzüglich, wegen der Häufigkeit der Veranlaſſung, am Arme und namentlich in der Gegend des Ellenbogengelenkes, am gewöhnlichſten. Indeſſen ſahe Larrey zwei Fälle, wo ein varicöſes Aneurysma durch gleichzeitige Verletzung der Schlüſſelpuls- und Blutader gebildet wurde[1]).

---

1) Bullet. de la fac. de méd. de Paris 1812. 1 — 3.

4. *Erweiterungen der Lymphgefäfse.*

Die lymphatifchen Gefäfse find bedeutender Erweiterungen fähig. Es finden hier ungefähr diefelben Bedingungen Statt, welche die Erweiterungen der Blutgefäfse darbieten, indem fie fich bisweilen idiopathifch, bisweilen im Gefolge einer mechanifch wirkenden Urfache ereignen.

So fand Baillie [1]) den Milchbruftgang einmal beinahe fo weit als die Schlüffelbeinvene, ungeachtet fich durchaus kein mechanifches Hinderniſs beim Eintritt deffelben in die Schlüffelbeinvenen fand.

Auch Sömmerring [2]) fah den linken Saugaderftamm einmahl eben fo beträchtlich erweitert.

Die Hydatiden oder Wafferblafen fcheinen in einigen Fällen Erweiterungen lymphatifcher Gefäfse zu feyn, die fich an beiden Enden verfchliefsen, und deren Gränzen ein Klappenpaar ausmacht. Dieſs wird aus den Beobachtungen wahrfcheinlich, wo man die Höhle fehr anfehnlicher, mit Waffer angefüllter Blafen mit der Höhle eines Lymphgefäfses in ununterbrochner Verbindung antraf.

So fand man bei einer Frau in den Windungen des Gehirns vier Wafferblafen, von denen die gröfsern zerriffen waren, die kleinern aber mit den Lymphgefäfsen der Gefäfshaut zufammenhingen. Auch im Adergeflechte fanden fich einige kleinere Blafen, deren Feuchtigkeit durch ein erweitertes, mit blofsem Auge zu fe-

1) Ueber den krankh. Bau. S. 58.

2) Ebendaf. S. 57. Anm. 123.

hendes Lymphgefäſs auslief, und die ſich ausdehnten, als dieſes aufgeblaſen wurde[1]).

Zweiter Abſchnitt.

Nervenſyſtem.

Wahre Vergröſserung des Nervenſyſtems iſt, wie ſchon bemerkt, ſelten. Die Ausdehnung iſt wenigſtens in einzelnen Theilen, z. B. dem Gehirn durch Waſſerſucht, weit häufiger. Verwandt mit dieſem Zuſtande iſt auch die anſehnliche Gröſse des Gehirns bei rachitiſchen Kindern, indem wenigſtens häufig dabei zugleich ſeine Subſtanz weicher, feuchter und ſeine Höhlen ausgedehnter ſind. Vom chroniſchen Waſſerkopf aber iſt ſchon oben[2]) gehandelt worden, und den acuten werde ich in der Lehre von den Entzündungen berückſichtigen. Die Anſchwellungen der Nerven gehören, da ſie von der Subſtanz derſelben verſchieden ſind, zu den neuen Bildungen.

a. Gehirn.

Unter den einzelnen Theilen des Gehirns vergröſsert ſich vorzugsweiſe die Zirbeldrüſe. Hievon habe ich ein merkwürdiges Beiſpiel vor mir, wo ſie bei einem, am acuten Waſſerkopfe geſtorbnen Knaben ſich in eine rundliche, neun Linien im Durchmeſſer haltende, etwas harte, höckerige Geſchwulſt umgewandelt hatte.

Dieſem Falle ähnlich iſt ein von Blane beobachteter, wo bei einem früher geſunden

1) Hufeland's Journal. Bd. 5. S. 815.

2) Bd. 1. Abſchnitt 5. S. 260—301.

Manne im drei und dreifsigsten Jahre sich Kopfbeschwerden einstellten, die sich allmählich, vielleicht in Folge einer nachher erhaltnen Kopfwunde, bedeutend vermehrten, bis endlich der Tod nach in der letzten Zeit eingetretenem Wechsel vor Rasen und Stumpfheit, drei Jahre nach dem Anfange der Zufälle erfolgte. Als die einzige bedeutende Structurveränderung im Gehirn wurde eine harte, feste, an der Stelle der Zirbeldrüse liegende Geschwulst, die ungefähr ½ Zoll im Durchmesser hielt, gefunden [1]).

Dafs sich die Zirbel- und Schleimdrüse bisweilen beim chronischen Wasserkopfe bedeutend vergröfsern, habe ich schon oben bemerkt [2]).

Die letztere fand Baillie zweimal gröfser und zugleich beträchtlich fester als gewöhnlich [3]).

b. Auge [4]).

Der Umfang des Auges kann sich an einer Stelle oder in seinem ganzen Umfange vermeh-

1) Blane in transact. of a society etc. Vol. II. p. 16. Einen ahnlichen Fall s. bei Lieutaud Hist. en. med. L. III. p. 2. O. 176.

2) Pathol. Anat. Bd. 1. S. 273.

3) Abh. f. pr. Aerzte Bd. 20. S. 473.

4) De staphylomate diss. inaug. auct. J. M. Barth. (Günz). Lips. 1748. — Richter de staphylomate in obs. chirurg. fasc. II. cap. VII. — Scarpa sulle malattie degli occhii. Pavia 1803. Uebers. in das Franz. von Léveillé. Paris 1807. T. II. chap. XVII. p. 181-211. — Beer's Ansicht der staphylomatosen Metamorphosen des Auges. Wien 1805 — Spangenberg über die Entstehung der Form des Hornhautstaphyloms. In Horn's neuem Archiv für medic. Erfahrung. Bd. 9. H. 1. S. 45-63. — Wardrop essay on the morbid anatomy of the eye. Vol. I. Edinb. 1808. p. 99 ff. — Lyall on staphyloma pellucidum conicum. in Edinb. med. and surg. journal. Vol. VII. p. 6-14.

ren. Der letzte Zustand ist die Augenwassersucht, (Hydrophthalmus) der erste das Staphylom.

Die Ansichten der Augenärzte vom Wesen des Staphyloms sind durchaus nicht dieselben.

Einige halten es für bloſse Ausdehnung, oder für Verdickung der leidenden Häute, andre nehmen in einigen Fällen den einen, in andern den andern Zustand an.

Der Sitz des Staphyloms ist vorzugsweise die durchsichtige Hornhaut. Nur sehr selten kommt es in der weiſsen vor, doch sah Scarpa zwei Fälle dieser Art [1]).

In beiden befand sich das Staphylom am hintern Theile des Umfangs derselben, und bildete nach auſsen, neben dem Eintritte des Sehnerven, einen ansehnlichen rundlichen Ursprung. Die weiſse Haut war an dieser Stelle auſserordentlich dünn, eben so die Aderhaut, diese überdieſs entfärbt und weniger gefäſsreich als gewöhnlich, die Netzhaut fehlte hier völlig, die Glasfeuchtigkeit war aufgelöst. In dem einen Falle hatte einige Jahre vor dem Tode Blindheit in Folge einer heftigen Augenentzündung Statt gefunden.

Die Stelle, an welcher sich diese Veränderungen befanden, wie die Art derselben, machen es mir höchst wahrscheinlich, daſs die Veranlassung dazu eine krankhafte weitere Ausbildung der im normalen Zustande hier befindlichen Anordnung der Netzhaut ist.

Richter sahe es einmal im vordern Umfange der weiſsen Haut, wo es nach einem Schla-

---

1) A. a. O. S. 190. ff. Tf. 2. fig. 9. u. 10.

ge auf das Auge entstanden war. [1]) Es hatte eine braune Farbe und war unstreitig gleichfalls eine Verdünnung dieser Haut.

Die Erweiterung der weissen Haut ist übrigens sehr selten, und wenn vom Staphylom die Rede ist, so wird darunter im Allgemeinen nur ein Leiden der Hornhaut verstanden.

Das Hornhautstaphylom nimmt entweder die ganze oder nur einen Theil der Hornhaut ein (Staphyloma totale vel partiale).

Es erscheint als eine unregelmässig kugelförmige Anschwellung der Hornhaut, welche zwischen den Augenliedern hervorragt, glatt oder ungleich, und meistentheils undurchsichtig, weisslich, perlfarben ist.

Die Meinung, dass dieser Zustand eine blosse Ausdehnung und Verdünnung der Hornhaut sey, hat vorzüglich Richter bekämpft, und das Staphylom für eine Verdickung der Hornhaut erklärt, indem er durch einen Einschnitt in dieselbe die Geschwulst sich wenig oder gar nicht vermindern, die Hornhaut dabei immer 1 — 2 Linien dick, die vordere Augenkammer sehr klein, ja bisweilen, wegen Verwachsung der Iris mit der Hornhaut, völlig verschlossen sah. Zugleich sind die Gefässe der Hornhaut sehr erweitert, oft mit Auswüchsen von der Grösse eines Nadelknopfes, welche weggeschnitten sich wieder erzeugen, besetzt, im Anfange der Entstehung des Staphyloms ist die Hornhaut aufgelockert, weich, weiss, nicht bloss nach aussen, sondern so nach innen angeschwollen, dass

---

1) A. a. O. S. 107.

ſie die Blendung berührt. Das Staphylom entſteht während und durch heftige Entzündung des Auges. Schwächende Urſachen, ſelbſt mechaniſche Zerſtörung eines Theiles der Subſtanz der Hornhaut, wodurch der Widerſtand derſelben gegen die Feuchtigkeiten des Auges vermindert wird, bringen dagegen das Staphylom nicht hervor.

Dieſe, ſehr vieles Wahre enthaltende Lehre Richters beſchränkt Scarpa dahin, daſs allerdings beim erſten Entſtehen, vorzüglich im jugendlichen Alter, das Staphylom in einer Verdickung der Hornhaut beſtehe, daſs dieſe aber ſpäter, und wenn es einige Jahre geſtanden hat, in der That wenigſtens nicht dicker, meiſtens dünner, als im normalen Zuſtande ſey, und leicht eine Höhle bilde, welche die Linſe und ſelbſt einen Theil der Glasfeuchtigkeit, wegen der anſehnlichen Vermehrung und Verdünnung der letztern, enthält. Dieſe Verſchiedenheit hängt von der normalen Verſchiedenheit der Hornhaut in den verſchiedenen Lebensperioden ab, indem die Hornhaut des Kindes äuſserſt dick, ſaftig und weich iſt. Nur die Verdickung des die Hornhaut bekleidenden Theiles der Bindehant kann eine Veranlaſſung zur Täuſchung abgeben.

Nach Beer iſt das Staphylom keine reine, einfache Krankheit der Hornhaut, ſondern zugleich eine Verwachſung der Blendung mit derſelben, und dieſe Verwachſung beider Membranen Bedingung zur Entſtehung des Hornhautſtaphyloms: eine Behauptung, welche er theils auf die Unterſuchung von 15 ſtaphylomatöſen Augen nach dem Tode, und von 102 dergleichen im Leben, theils auf den Gang der Entwicklung des Staphyloms gründet. Immer nemlich geht der Entstehung des Staphyloms nicht nur Entzündung der Hornhaut und der Iris, sondern auch Eiterung der erstern, welche sie entweder in ihrer ganzen Dicke oder wenigstens in einem Theile derselben zerstört, voran. Diese Entzündung und der entzündliche Zustand beider Membranen aber enthalten die zur Bildung der Verwachsung beider erforderlichen Momente.

Indessen ist es einleuchtend, dass, wenn gleich Verwachsung der Blendung und der Hornhaut sehr häufig, vielleicht immer, beim Hornhautstaphylom vorhanden sind, dennoch keinesweges diese regelwidrige Vereinigung beider Membranen Bedingung desselben zu seyn braucht, indem natürlich die Hornhaut für sich anschwellen, oder ausgedehnt werden kann.

Spangenberg sieht, ausser der Erweichung und Auflockerung der harten Hornhaut, die Zerstörung des sie bekleidenden Theiles der Bindehaut als die nothwendige Bedingung zur Entstehung des Staphyloms an. Unmittelbar nach dieser Zerstörung nimmt die Bildung des Staphyloms ihren Anfang, indem durch den Reiz der Thränen und des Schleims der Meibomschen Drüsen die schon vorher aufgelockerte Hornhaut noch stärker gereizt wird. Die Hornhaut schwillt nun nach innen an und verwächst gelegentlich mit der Blendung. Hierauf verliert sie ihre weiche, schwammige Beschaffenheit, wird kugelartig und fängt nun an sich nach aussen stark zu entwickeln. Diese Entwicklung nach aussen ist blosse Ausdehnung, Verdünnung derselben, welche in der krankhaften Anhäufung und Verdünnung der Augenfeuchtigkeiten begründet ist. Diese vermehrte Anhäufung der Feuchtigkeiten soll in der krankhaft verminderten Resorbtionsfähigkeit der Hornhaut begründet seyn.

Im Wesentlichen kommt diese Ansicht mit der Scarpaischen überein. Der Zusatz, dass die Zerstörung der Bindehaut nothwendige Bedingung zur Bildung des Hornhautstaphyloms sey, ist indessen nicht völlig in der Erfahrung begründet.

Die Hornhaut ist also beim Staphylom anfänglich verdickt und erweicht, in spätern Perioden verdünnt, und diese Verdünnung und das damit vereinigte Vordringen derselben nimmt fortwährend zu, indem es die Ansammlung der Feuchtigkeit begünstigt, und wieder durch dieselbe vermehrt wird.

Diess ist die gewöhnliche Entstehungsweise und Anordnung des Hornhautstaphyloms.

Eine andre Art desselben ist das durchsichtige Staphylom.[1] Hier scheint die Hornhaut in ihrem Gewebe und ihrer Mischung völlig unverändert, daher durchsichtig, nur der äussern Form nach abweichend. Die Krankheit entsteht sehr langsam, die Hornhaut ist nicht dicker, sondern wahrscheinlich dünner als im Normalzustande. Es finden sich vorzüglich zwei Verschiedenheiten. Entweder vergrössert sich die Hornhaut, behält aber ihre kugelförmige Gestalt, das sphärische durchsichtige Staphylom, oder sie wird kegelförmig, das kegelförmige durchsichtige Staphylom. Ungeachtet dabei nicht, wie bei dem undurchsichtigen Sta-

---

1) Scarpa. Wardrop. Lyall.

phylom, das Gesicht ganz verloren geht, so ist es doch, der Gestalt der Hornhaut wegen, sehr kurz, bisweilen verdunkelt sich endlich die Spitze des Kegels mehr oder weniger. Die Veranlassung dazu scheint Erschlaffung der Hornhaut, vielleicht auch regelwidrig starke Secretion, oder schwache Aufsaugung der wässerigen Feuchtigkeit zu seyn, indem Ausleerung derselben die Vorragung etwas verminderte.[1] Gewöhnlich sind beide Augen, doch oft nicht in gleichem Grade, angegriffen. Bisweilen tritt sie mit der Mannbarkeit,[2] bisweilen weit später[3] ein, und befällt mehrere Glieder derselben Familie. In einem von Beer, und einem von Lyall beschriebenen Falle war sie auf beiden Augen Fehler der Urbildung.[4]

Dritter Abschnitt.

Knochensystem.

Die Vergrösserung der Knochen ist eine sehr gewöhnliche Krankheit. Die merkwürdigsten Momente, welche sie darbietet, sind folgende.

1. Das Verhältniss der Massezunahme zu der Textur ist nicht immer dasselbe. Diese bleibt entweder völlig normal, oder der vergrösserte Knochen ist ungewöhnlich fest, hart, elfenbeinartig, oder auf entgegengesetzte Weise sehr aufgelockert, schwammig. Unter den beiden ersten Bedin-

---

1) Lyall in einem Falle. S. 9.

2) Phipps bey Lyall S. 12.

3) Scarpa a. a. O.

4) Das Auge. Wien 1813. S. 61.

gungen nennt man die Knochenvergröſserung gutartig, unter der letztern bösartig, weil jene höchstens durch Druck schadet, diese dagegen sehr schmerzhaft und zu Eiterbildung geneigt ist, deshalb auch die benachbarten weichen Theile ansteckt. Zu den bösartigen Knochenanschwellungen gehört der Winddorn (Spina ventosa) die Paedarthrocace und die Knochenspeckgeschwulst (Osteosteatoma.)

Das Wesen der beiden erstern ist Auflockerung und Anschwellung der Knochensubstanz. Beim Winddorn entsteht diese Umwandlung unter heftigen Schmerzen, die Knochensubstanz schieſst in Gestalt oft sehr langer und spitzer Zacken an, die entweder härter oder weicher als die normale sind. Gewöhnlich entwickelt sich der Winddorn an den gröſsern Röhrenknochen und nimmt den ganzen Umfang derselben ein.

Die Pädarthrocace entsteht ohne Schmerzen vorzugsweise an den Hand- und Fuſsknochen skrophulöser und rachitischer Kinder, veranlaſst aber auch späterhin Geschwüre. Sie nimmt gleichfalls den ganzen Umfang des Knochens ein, und befällt meistentheils mehrere zugleich und nach einander. Der Knochen ist nicht, wie beim Winddorn, in ein blätteriges Gewebe umgewandelt, wenn er gleich rauh und schwammig ist. Immer ist er lockerer als im normalen Zustande.

Mit Unrecht aber hält man beide Zustände für wesentlich verschieden, [1]) da sie nur dem Grade nach von einander abweichen, Folgen der

---

1) Voigtel. path. Anat. Bd. 1. S. 143.

Knochenentzündung und Abänderungen des Knochengeschwüres sind.

Die Knochenspeckgeschwulst ist eine noch bedeutender von dem normalen Knochen abweichende Vergrösserung desselben, und wesentlich ein Gemenge aus Gallert, knorpliger, faseriger, knöcherner und mark- oder fettartiger Substanz.

Sie ist offenbar das Product einer unvollkommnern Knochenbildung als die, wo die ganze Geschwulst in ihrer ganzen Masse den Character des Knochens angenommen hat. Ein Theil derselben hat hier, bei dem schnellen Wachsthum, die ursprüngliche, gallertähnliche Beschaffenheit der ersten Knochenrudimente behalten, während andre die Natur des Organs, von welchem sie sprossen, annahmen. Wahrscheinlich entspricht das Osteosteatom daher den Vergrösserungen der Organe, wobei diese nicht vollkommen ihre normale Structur beibehalten, vorzüglich den Vergrösserungen der Leber, wobei sich eiweissähnliche Knoten, seröse Bälge u. s. w. in ihr entwickeln. Auch kommt es wahrscheinlich mit den eiweissähnlichen, bisweilen sehr grossen Massen überein, die sich nicht selten in der Brust- und Bauchhöhle unter dem Namen von Steatomen im Gekröse, an der äussern Fläche des Brust- und Bauchfelles bilden, sich aber selten oder nie verknöchern, weil sie nicht von einem Knochen stammen und nicht mit der Beinhaut zusammenhängen. Die Knochenbildung ist hier auch unstreitig deshalb unvollkommen, weil alle Gewebe, die zur Bildung des Knochens eingehen, auch das Markorgan, sich vergrössern.

Die Beinhaut wird, so wie sie das Ernährungsorgan der Knochen im normalen Zustande ist, von mehrern Schriftstellern als der alleinige Sitz des Osteosteatoms angesehen. Doch zweifle ich, ob ganz mit Recht, indem ich einige Fälle vor mir habe, wo offenbar aus der Substanz des Knochens selbst die Geschwulst hervordringt, mit ihm unzertrennlich, mit der Beinhaut nicht mehr als der übrige Knochen verwachsen ist. In der That findet sich bisweilen ein festerer Zusammenhang zwischen der Beinhaut und dem Osteosteatom, als zwischen diesem und den übrigen Knochen, allein diess scheint nur zu beweisen, dass das Product der erhöhten Thätigkeit der Beinhaut, die neue Knochensubstanz, sich nicht innig mit dem normalen Knochen zu einem verschmolzen hatte, mehr locker auf der äussern Fläche derselben abgesetzt worden war. Genauer Zusammenhang mit der Beinhaut findet überhaupt bei jeder neuen Knochenbildung Statt und wenn diese nur einigermassen unregelmässig von Statten geht, z. B. an hydrocephalischen Schädeln, findet man sehr häufig den Knochen mit einer oder mehreren dünnen Schichten einer mehr lockeren Knochenmasse bedeckt, die gewissermassen nur auf die normale aufgetragen scheint. Nie habe ich auch an der äussern Fläche oder in der Substanz der Beinhaut Knochenmasse abgesetzt, sondern immer die Beinhaut das Osteosteatom von aussen bedeckend gefunden.

Sie scheint daher nur insofern mit dem Osteosteatom in Beziehung zu stehen, als sie Nutritionsorgan der Knochen überhaupt ist.

Einige ſehr merkwürdige Fälle, die ich vor mir habe, und die ich ſelbſt entweder nach Operationen oder bei Leichenöffnungen fand, werden zur Erläuterung des Geſagten dienen, und zugleich eine Darſtellung der Charaktere des Oſteoſteatoms liefern.

Bei einem zwölfjährigen Knaben fand ſich ſeit ſeiner Geburt an der innern Seite des rechten Mittelfingers eine Geſchwulſt, die, als ſie abgenommen wurde, in allen Dimenſionen zwei Zoll maſs. Sie hatte eine rundliche Geſtalt und eine glatte Oberfläche. Beim Durchſuchen fand ich ſie aus einer gallertähnlichen Subſtanz gebildet, die hin und wieder, vorzüglich gegen den Umfang, mehrere, aus einer lockern Diplöe beſtehende und genau mit ihr zuſammenhängende Knochenkerne enthielt. In ihrem ganzen Umfange war ſie durchaus mit einer bald mehr, bald weniger dicken Knochenplatte bekleidet. Die gallertähnliche Maſſe war viel weicher als die Gelenkknorpel, und entſprang deutlich aus der Diplöe des vordern Drittheils der Diaphyſe der erſten Phalange des Zeigefingers, die ganze Geſchwulſt aber nahm die ganze Länge der Diaphyſe der erſten Phalange ein. Ihre knöcherne Rinde, die vorn am dickſten war, ging deutlich in die Rindenſubſtanz des Knochens über, von dem vorn nur der äuſsere Umfang der harten Subſtanz, nach hinten aber, auſser dieſer, auch ein, von vorn nach hinten allmählich dicker werdender Theil der Diplöe übrig war. Die Geſchwulſt nahm durchaus bloſs die Diaphyſe ein, aus deren Mitte ſie entſprang: die vordere Epiphyſe war völlig normal, die hintere zwar etwas plattgedrückt, allein in ihrem ganzen Umfange

mit

mit Knorpel und Beinhaut überzogen. Die Beinhaut der Diaphyse dagegen setzte sich ununterbrochen über den ganzen Umfang der Geschwulst weg.

In diesem Falle ist es wohl aus dem ununterbrochenen Uebergang der Geschwulst in die Dyplöe der Phalange, der über ihren ganzen Umfang weggehenden Rindensubstanz des Knochens, die sich in dem Maaſse verdünnte, als sie sich von der Basis der Geschwulst entfernte, dem völlig normalen Zustande der Apophysen sehr deutlich, daſs das Wesen der Krankheit bloſs luxuriirende Vegetation des Knochens war. Auch hatte der Knabe nie Schmerzen gehabt, und der Knochen war nirgends cariös, so wie sich auch in der Geschwulst keine Spur einer Veränderung fand, die einen ähnlichen Zustand angedeutet hätte. Wahrscheinlich würde sie sich im reiferen Alter völlig verknöchert haben. Sehr interessant ist es, daſs die meiste und festeste Knochensubstanz sich gegen den Umfang des Knochens befand, indem dadurch der normale Zustand deutlich einigermaſsen dargestellt wurde.

Diesem ist ein anderes Osteosteatom sehr ähnlich, welches den Rücken der Hand einer dreiſsigjährigen Frau einnahm, nur ist es bei weitem gröſser, indem es in jeder Richtung einen halben Fuſs im Durchmesser hat. Auſserdem hat es keine ganz glatte Oberfläche, sondern an mehrern Stellen ungleiche, weiſsliche, hervorragende Knollen. Es hat nicht überall genau dieselbe Beschaffenheit. Im gröſsten Theile seines Umfangs enthielt es zwischen netzförmig verschlungenen, sehnenartigen, groſsen unvollkommnen Scheidewänden, die an mehreren Stellen mit regelmäſsiger, lockerer Knochenmaſſe beſetzt waren, eine faſt ganz flüſſige, rothe, gallertähnliche Maſſe. An andern dagegen, beſonders gegen den Umfang hin, fanden ſich breite Knochenſtücke, deren Breite mehrere Zolle, ſo wie ihre Dicke mehrere Linien betrug, und die eine unregelmäſsige, ungleiche, ſehr poröſe Oberfläche haben. Auſserdem beſtanden mehrere, zum Theil anſehnliche Knollen, die gleichfalls am äuſsern Umfange auffaſsen, wo die gallertähnliche Maſſe weit härter, genau wie im vorigen Falle zugleich weiſslicher, und die Knochenkerne in gröſserer Menge vorhanden waren. Auch hier häufte ſich dieſe im Umfange zu vollſtändigen Platten an.

Die Geſchwulſt ſchien aus dem Metacarpalknochen des dritten, vierten und fünften Fingers entſprungen zu ſeyn. Der Metacarpalknochen des dritten Fingers fand ſich zwar ſeiner ganzen Länge nach, allein die ganze innere Seite ſeiner Rindenſubſtanz war zerſtört und die Geſchwulſt hing mit ſeiner Diplöe zuſammen. Von dem Metacarpalknochen des vierten Fingers findet ſich nur die kleine hintere Hälfte, die auf dieſelbe Weiſe in die Geſchwulſt übergeht. Der Metacarpalknochen des fünften Fingers fehlt ganz, und auch von der erſten Phalange der beiden letzten Finger findet ſich nur ein kleiner Theil. Die ganze Geſchwulſt aber iſt mit Beinhaut bekleidet, die unmittelbar von allen genannten Knochen auf ihre äuſsere Fläche übergeht.

Einen etwas verſchiedenen, aber in mehrern Hinſichten ſehr merkwürdigen Fall dieſer Art fand ich im Körper eines neunzehnjährigen jungen Menſchen, der ſeit ſechs Jahren eine ungeheure, die rechte Hüftgegend und die obere Hälfte des rechten Schenkels einnehmende Geſchwulſt hatte. Von der ganzen innern und äuſsern Fläche des rechten Hüftbeins, Schaam- und Sitzbeins, ſproſste eine an einander hängende Geſchwulſt aus, welche, in regelmäſsige, runde Wülſte erhoben, das Becken ſo ſehr einnahm, daſs nur auf der linken Seite deſſelben ein enger Raum von der Breite eines Zolles übrig blieb, in welchen der Maſtdarm und die Harnblaſe zuſammengepreſst waren. Durch dieſe verſchiedene Geſchwulſt gingen die Nerven der untern Extremität auf die gewöhnliche Weiſe. Sie ſelbſt trat unter der Schaambeinfuge durch das eirunde Loch und durch den Sitzbeinausschnitt aus dem Becken und verbreitete ſich im Umfange des Oberſchenkelbeins, das ſie ganz umgab, auf dem Schenkel. Alle Muskeln waren hier durch den Druck zerſtört, oder ihre Faſern auf eine analoge Weiſe verwandelt. Die Knochen, aus deren Diplöe dieſer Maſſe hervorwuchs, waren äuſserſt aufgelockert, zum Theil, namentlich das Schaambein, ganz ihrer Rindenſubſtanz beraubt, und dieſe, auch wo ſie nicht fehlte, durch groſse Oeffnungen, durch welche die Diplöe hervorgedrungen war, überall ungleich. Die Geſchwulſt beſtand gröſstentheils aus einer Menge gelblicher, bröcklicher, dicht an an einander gedrängter, aber nicht zuſammenhängender, dünner, ſehr zerbrechlicher Knochenfaſern, die auf der Fläche des Knochens, den ſie bedeckten, ſenkrecht ſtanden, durch die bemerkte Oeffnung deutlich in ſein Inneres drangen, und mit der Diplöe zuſammenhingen, sich aber leicht von der Fläche des Knochens, auf dem sie sassen, trennen liessen, ungeachtet sich überall die Beinhaut über ihnen befand. Im äussern Umfange der Geschwulst fanden sich eine mehr lockere und weissliche, mehr bröckliche, nicht so deutlich aus Fasern gebildete Masse. Der Oberschenkelknochen war zwar von seiner Beinhaut bedeckt, stand auch in keiner unmittelbaren Verbindung mit der Geschwulst, doch war auch er durchaus aufgelockert, leicht, sein Kopf schwammig und eingesunken.

Eine ganz analoge Geschwulst fand sich auch am Schädel. Fast der ganze linke Stirntheil des Stirnbeins war an seiner innern und äussern Fläche mit einer Schicht von senkrechten, äusserst feinen, dicht an einander gedrängten Fasern bedeckt, die vom Umfange gegen die Mitte an Länge allmählig zunahmen, und hier ungefähr vier Linien Höhe hatten. An ihrer Basis waren sie knöchern, im grössten, übrigen Theile ihrer Länge aber weicher. Der Knochen hatte in dieser ganzen Gegend zwar seine normale Farbe, war aber überall weich, selbst einige Linien weit im ganzen Umfange dieser Geschwulst, wo sich noch keine Spuren von Auswüchsen fanden, zum Beweise, dass auch hier schon der Auflockerungsprocess anfing, welcher die luxuriirende Vegetation einleitete. Das Ganze war an der äussern Fläche von der Beinhaut, an der innern von der harten Hirnhaut locker bedeckt, ohne dass diese alienirt oder fester mit dieser Stelle als mit den gesunden Knochen verbunden gewesen wären. Die Farbe dieser Auswüchse war bräunlicher als die Farbe des darunter befindlichen Knochens.

Die äufsere und innere Schicht ftanden in keiner Verbindung mit einander, wenigftens war der Knochen zwifchen beiden nicht zerftört. Die innere war an mehreren Stellen aufserordentlich weich. Auch die Stirnhöhle diefer Seite fand fich durch eine völlig analoge Gefchwulft durchaus angefüllt. An einigen Stellen der linken Lunge fanden fich lockere knöcherne rauhe Maffen von der Gröfse einer Hafelnufs.

In diefem Falle ging eben fo deutlich als in den vorigen die Entwicklung der Knochenfpeckgefchwulft von dem Knochen aus, nur bildeten fich mehr an einander hängende Lagen an der Bafis, die aber dennoch in Rückficht auf Feftigkeit und Normalität des Gewebes nicht fo genau als in den vorigen Fällen mit dem gewöhnlichen Knochen überein kommen. Noch deutlicher als dort fchien fich der phosphorfaure Kalk von der Gallert getrennt zu haben, beide abgefondert von einander abgelagert zu feyn. Die grofse Brüchigkeit, der ftrahlige Bau, der Mangel an Verbindung der Knochenfafern unter einander im Gegenfatz zu der weichen, faft flüffigen Befchaffenheit des äufsern Theiles der gröfsern Gefchwulft und des einen Theiles der an der innern Seite des Schädels gebildeten machte diefe Vermuthung fehr wahrfcheinlich.

Mit diefem Falle hat ein von Chefton Browne[1]) befchriebener und durch vortreffliche Kupfer erläuterter grofse Aehnlichkeit und eine Abbildung von Home[2]) ftellt genau die Anordnung der Gefchwulft am Schädel dar.

1) Philos. Transact. vol. LXX. a. 1780. p. 323.

2) Transactions for the improv. of medic. and furg. knowledge. Vol. III. Lond. 1812. Tab. 2.

2. Das Verhältniſs zwiſchen der Knochenanſchwellung und dem Knochen, an welchem ſie ſich befindet, iſt nicht immer daſſelbe. Entweder iſt der Knochen in ſeinem ganzen Umfange, (Knochenwucherung, Hyperoſtoſis, perioſtoſis,) oder nur an einem Theile deſſelben angeſchwollen. Eine kleine Anſchwellung letzterer Art iſt der Knoten, (nodus) eine gröſsere der Knochenauswuchs (Exoſtoſis). Beide kommen entweder an mehreren Stellen, oder nur an einzelnen Stellen vor.

Die Hyperoſtoſe iſt häufiger als die Exoſtoſe, erſtreckt ſich aber gewöhnlich nur auf einzelne Knochen. Doch finden ſich einzelne merkwürdige Beiſpiele von allgemeiner Hyperoſtoſe.

Ein ſieben und zwanzigjähriger Mann, ein ſtarker Eſſer, litt drey Monate lang an einem heftigen Jucken in den Händen. Nachdem es verſchwunden war, wurden alle Knochen dicker und in demſelben Maſse nahmen die fleiſchigen Theile ab. Folgende Angaben mögen die ungeheure Vergröſserung der Knochen beweiſen.

Der Umfang der Bruſthöhle, dicht unter den Armen, betrug 4 Fuſs 1 Zoll, unten am Bruſtbein 4 Fuſs 6 Zoll, in den Hüften 2 Fuſs 11 Zoll. Beim Sitzen berührte das Bruſtbein die Schenkel.

Alle Rippen und das Bruſtbein waren zwey Zoll dick und ſchienen bloſs einen Knochen zu bilden. Der letzte Knochen war beynahe zwey Fuſs lang. Die Breite des Stirnbeins von einer Seite zur andern betrug 6 Zoll 3 Linien, ſeine Höhe von dem Anfange der Haare bis zu dem obern Augenhöhlenrande 4 Zoll. Der Unterkieſer war 2 Zoll hoch und ſeine Breite von einem Kronfortſatz zum andern betrug 11 Zoll, weshalb er den Oberkiefer um 1 Zoll überragte und das Kauen unmöglich war. Die Mittelhand hatte 8 Zoll im Umfange, die Finger waren ſo dick, daſs einem jeden ein Glied zu fehlen ſchien. Merkwürdig iſt es, daſs bey dieſer auſserordentlichen Vergröſserung aller Knochen nur die Zähne ihre gewöhnliche Gröſse behalten hatten. Durch dieſe Veränderung der Knochen waren übrigens alle Functionen bedeutend geſtört. Von der Lendengegend an bis zur Haut des Unterſchenkels, waren die unteren Extremitäten ganz atrophiſch, daher das Gehen unmöglich. Beyde Extremitäten waren ganz kalt. Das Geſicht und Gedächtniſs war faſt ganz verſchwunden. Der Menſch ſchlief faſt beſtändig, ſeine Reſpiration war äuſserſt ſchwer, und in der Magengegend empfand er einen beſtändigen Druck. Als jene Beobachtung angeſtellt wurde, hatte das Uebel vier Jahr gedauert [1]).

Saucerotte [2]) bemerkt noch, daſs die Achillesſehne bey dieſem Menſchen, ungeachtet die Muskeln verkleinert waren, zweymahl dicker als gewöhnlich war, daſs er vorher eine vollkommene Geſundheit genoſs, namentlich nie rheumatiſchen Schmerzen unterworfen war, aber von dem Eintritte der Krankheit an Schläfrigkeit litt, und einen weiſsen dicken Harn lieſs. Sein Gewicht hatte während derſelben um ein Drittheil zugenommen.

---

1) Noël in Roux. j. d. médec. 1779. Mars. p. 225. ff.

2) Mém. de l'inſtitut. nat. Sc. phyſ. T. II. p. 114. ff.

Bisweilen schränkt sich die Massenvermehrung der Knochen nur auf Ansatz von Knochensubstanz in ihrer Höhle ein.

So fand Pitet[1]) bey einem erwachsenen Manne fast die ganze Höhle aller Knochen obliterirt, und durch ein festes Gewebe erfüllt. Bisweilen schränkt sich die Vermehrung der Masse bloss auf den Kopf ein.

Ribelt[2]) beschreibt den Schädel eines fünf und vierzigjährigen Menschen, der, statt der gewöhnlichen $1\frac{1}{2}$ — 2 Pfund, $8\frac{1}{4}$ Pfund wog. Vom zwölften Jahr an hatten sich Exostosen an demselben zu bilden angefangen. Alle Knochen waren ungleich, mit mehrern Verlängerungen und Fortsätzen versehen als gewöhnlich, hauptsächlich aber waren die Kiefern vergrössert und ungleich. Der Unterkiefer allein wog drey Pfund und drey Unzen. Fast die ganze Augenhöhle war durch Knochenmasse ausgefüllt. Alle Knochen des Schädels waren sehr compact, und, die ungeheure Dicke desselben ausgenommen, bot weder der Kopf, noch der übrige Körper etwas Abweichendes dar, nur fehlten die Gesichtsmuskeln vollig.

Auch Jadelot[3]) hat einen ähnlichen Schädel beschrieben. Er wurde in der Mitte des vorigen Jahrhunderts funfzehn Fuss tief unter der Erde, nicht weit von Rheims, gefunden, und wird jetzt von Jussieu aufbewahrt. Sein Gewicht betrug acht Pfund, also über sechsmahl mehr als das eines gewöhnlichen Schä-

1) Bullet de la soc. de médec. an. XIII. et XIV. p. 224.

2) Mém. présent. T. II. p. 336. ff.

3) Anatomische Beschreibung eines sehr ungewöhnlichen Menschenkopfes. A. d. Franz. von Heun. Jena 1805.

dels, ſeine Länge von der Stirn bis zum Hinterhauptshöcker acht Zoll, die Breite von einem Schlafbein zum andern ſieben Zoll ſechs Linien, ſeine gröſste Höhe fünf Zoll ſieben Linien, ſtatt daſs nach Ausmeſſungen an 50 erwachſenen Köpfen, der erſte Durchmeſſer gewöhnlich 6, der zweyte $4\frac{1}{2}$, der dritte $3\frac{1}{2}$ Zoll miſst. Dagegen iſt die Schädelgrundfläche ungewöhnlich klein, ihre Länge um $\frac{1}{7}$ geringer als beym Erwachſenen, ihre Breite nur wenig beträchtlicher als gewöhnlich, daher alle an ihr befindlichen Hervorragungen ſehr nahe an einander gedrängt. Die Dicke der Hirnſchalknochen variirt von neun Linien bis $1\frac{1}{2}$ Zoll. Die Diplöe iſt weit dichter als die äuſsere und innere Knochenplatte. Die Höhle des Schädels iſt nicht vergröſsert. Das Hinterhauptsbein ſteigt vom Hinterhauptsloche nicht nach oben, ſondern erſt beträchtlich tief nach unten herab. Die Jochbeine ſind verkürzt und ſehr verdickt. Die meiſten Oeffnungen an der Schädelgrundfläche und dem Geſicht ſind entweder ſehr verengt oder ganz obliterirt. Das letztere gilt für die Augenhöhlſpalten, den Naſengang, den vorderen Theil der Naſenhöhle, alle Oeffnungen der Schädelbaſis, nur das Hinterhauptloch und das geriſſene Loch ausgenommen, die aber beyde auch ſehr verkleinert ſind. Auch hier iſt der Unterkiefer beſonders vergröſsert und verdickt. Die Näthe ſind faſt ganz obliterirt, ungeachtet die Beſchaffenheit der Zähne, die auch nicht vergröſsert ſind, auf Jugend des Subjekts deutet.

Sehr merkwürdig iſt auch die chemiſche Beſchaffenheit der Knochen dieſes Schädels, indem der Gehalt derſelben an phosphorſaurem Kalk äuſserſt gering war.

Die Fälle von allgemeiner Vergröſserung und Verdickung der Knochen ſcheinen unwiderleglich die Unrichtigkeit der, von einigen vorgetragnen, Meinung darzuthun, daſs die Verdickung der Schädelknochen, welche häufig im Alter und bei Blödſinnigen erfolgt, eine Folge des Zurückſinkens des Gehirns ſey. Man begreift in der That nicht, warum nicht eben ſo wohl die Knochen des Schädels idiopathiſch, ſowohl nach auſsen als nach innen wuchern, dadurch das Gehirn zuſammendrücken und die Function deſſelben unterdrücken können, als dieſes idiopathiſch ſich verkleinern, und auf eine höchſt mechaniſche Weiſe der Knochen gewiſſermaſsen an ſeine Stelle rücken ſoll. Wenn ich aber auch dieſer Meinung bin, ſo möchte ich dennoch kaum einigen an das Wunderbare gränzenden Beobachtungen von Fahner [1]) Glauben beimeſſen, welche, wenn ſie nicht zu unwahrſcheinlich wären, die Irrigkeit jener Meinung am vollſtändigſten widerlegen würden.

Weniger ſelten verdicken ſich die Knochen des Schädels, ohne daſs die des Geſichtes eine ähnliche Veränderung erlitten. Ich habe ſelbſt einige Schädel vor mir, wo das Schädel- und Stirnbein, beſonders aber das letztere, durchaus ohne anderweitige regelwidrige Beſchaffenheit, fünf bis ſechs Linien Dicke erlangt haben. Fälle von eben ſo anſehnlicher und noch anſehnlicherer Dicke der Schädelknochen bildet Sandifort [2]) ab. Gewöhnlich iſt entweder der Knochen

1) Beitr. zur ger. Arzneik. S. 275. u. S. 282.

2) Muſ. anat. T. II. tab. 13.

dabei lockerer, leichter, oder härter als gewöhnlich, im letztern Falle die Diplöe verschwunden, so daſs er ein elfenbeinartiges Ansehen hat, und schwerer als gewöhnlich ist. Nicht selten ist die Verdickung der Knochen eine Folge von Entzündung derselben. Die lockere Beschaffenheit bezeichnet das Stadium der Thätigkeit desselben, die solide, elfenbeinartige dagegen deutet den Zustand der Genesung an, wo, nachdem der Knochen sich während der Entzündung vergröſsert hatte, wahre Massezunahme erfolgt, weil er, seines trägen Lebens wegen nicht, wie andre Organe, nachdem die Entzündung verloren gegangen ist, entschwillt. Nicht selten vergröſsern sich die Gelenkenden der Knochen, besonders die Köpfe des Oberschenkels bedeutend, wovon ich mehrere Beispiele vor mir habe.

Die Exostosen sind meistens örtlich, indem sie gröſstentheils Folge mechanischer Verletzungen sind.

3. Die äuſsere Gestalt der Knochenanschwellungen ist nicht immer völlig dieselbe. Die gutartigen sind meistens rundlich, wenn auch nicht ganz glatt, die bösartigen rauh, höckerig.

4. In Hinsicht auf den Theil des Knochens, an welchem sich die Knochenanschwellungen bilden, unterscheiden sie sich vorzüglich insofern von einander, als einige, und wohl die meisten, eine stärkere Entwickelung des Knochengewebes selbst sind, andre dagegen sich in seinem Umfange, zwischen ihm und der Beinhaut bilden, so daſs sie nur mehr oder weniger locker auf dem Umfange desselben aufsitzen. Doch ist auch unter diesen Bedingungen der

Knochen an der entſprechenden Stelle gefäſsreicher als gewöhnlich. [1])

5. Auch kommen Knochenanſchwellungen nicht überall gleich häufig vor. Am häufigſten entwickeln ſie ſich an den Gränzen von durch Bandknorpel verbundnen Knochen, daher an der vordern Fläche der Wirbelſäule, vor der hintern und Hüftbeinverbindung. Vorzüglich ſind dieſe Stellen der Sitz von Exoſtoſen, die auch an manchen platten Knochen, namentlich denen des Schädels gern vorkommen. Hyperoſtoſen dagegen entwickeln ſich beſonders an den Röhrenknochen, hauptſächlich dem Schienbein und den cylindriſchen Hand- und Fuſsknochen.

6. Die Knochenanſchwellungen weichen auch in Hinſicht auf die Schnelligkeit ihres Wachsthums und die Gröſse, welche ſie erreichen, von einander bedeutend ab. Die mit völlig normaler Structur, wachſen gewöhnlich langſam, und erreichen keinen ſehr beträchtlichen Umfang; dagegen vergröſsern ſich die bösartigen oft ſchnell und äuſserſt beträchtlich.

7. Die Veranlaſſungen zur Entſtehung von Knochenanſchwellungen, deren Weſen immer eine erhöhte Bildungsthätigkeit der Knochen iſt, ſind entweder dynamiſch oder mechaniſch. Zu den erſtern gehören vorzüglich Krankheitsgifte mehrerer Art, namentlich das ſyphilitiſche; zu den letztern Verletzungen, beſonders nicht geheilte Brüche des Knochens,

1) S. z. B. Hountet ſur les exoſtoſes des os cylindriques in Mém. de chirurgie de Paris T. III. p. 130. & Tab 4. 5. Home in Transact. of a ſociety etc. London 1812. T. III. p. 154. Tab. 2.

wo die Exoſtoſen die Folge des fortwährenden Bedürfniſſes der Knochenproduction zum Behuf der Heilung ſind.

Vierter Abſchnitt.

Muskelſyſtem.

Das Muskelſyſtem vergröſsert ſich in Folge von ungewöhnlich ſtarken Anſtrengungen, daher die Verdickung der Herzwände in Folge mechaniſcher Hinderniſſe für den Austritt des Blutes aus ſeiner Höhle. Auf dieſelbe Art verdickt ſich daher auch die Muskelhaut der Harnblaſe, des Darmkanals u. ſ. w., wenn ſich Hinderniſſe dem Fortgange und Austritte des Harnes, des Kothes, entgegenſtellen.

Fünfter Abſchnitt.

Haut.

Die Haut kann ſich auf mehrfache Weiſe durch Formveränderungen, deren Charakter regelwidriges Wachsthum iſt, vom Normal entfernen, indem ſie ſich im Ganzen oder in den einzelnen Theilen, woraus ſie beſteht, vergröſsert und verdickt. Nicht immer läſst ſich indeſſen mit Gewiſsheit beſtimmen, ob wirklich bloſse Subſtanzzunahme der Haut, oder Entwickelung neuer Bildungen Statt finde, da nicht alle Fälle von bedeutender Verdickung der Haut anatomiſch unterſucht wurden.

In der Elephantiaſis [1]) verdickt ſich die Haut beträchtlich, vorzüglich an den un-

1) Hiſtory of an extraordinary enlargement of the right lower extremity, with a deſcription of ſome morbid chan-

tern Gliedmaſsen, welche dadurch ihre normale Geſtalt verlieren, und ein Anſehen bekommen, welches der Krankheit ihren Namen verſchafft hat. Mit dieſer Krankheit verwandt, wahrſcheinlich eins, iſt die oft gleichzeitig mit ihr vorkommende ungeheure Anſchwellung der äuſsern Schaamlippen und des Hodenſackes, [1]) bei welcher die Hoden ihre normale Structur behalten. Beide Krankheiten kommen vorzüglich den ſüdlichen Ländern der alten Welt zu, und beſtehen hauptſächlich in einer anſehnlichen Verdickung des Leders und der Fetthaut. Der Hodenſack wiegt unter dieſen Bedingungen bisweilen über funfzig Pfund und die Haut des ganzen übrigen Körpers wird mehr oder weniger zu ihrer Bildung verwendet, ſo daſs ſie auf den darunter befindlichen Theilen aufliegt. Sollte nicht mit dieſer regelwidrigen Vergröſserung des Hodenſackes die ſogenannte Hottentonninenſchürze, welche Peron und Barrnone neuerlich als ſpecifiſches Merkmal der Buſchmänninnen angeben, um ſo mehr verwandt ſeyn, da Larrey (a. a. O. S. 127) eine ſolche Anſchwellung der äuſsern Schaamlefze, von der Gröſse eines Kinderkopfes an einer Aegyptierinn beſchreibt und abbildet.

In einem Falle von Elephantiaſis war die Fetthaut am Schienbein $1\frac{1}{2}$, die Lederhaut einen Viertelszoll dick. Zugleich

---

ges in the papillae of the cutis. By Th. Chevalier. in med. chir. tr. Vol. II. p. 63. ff. mit Abbild.

1) The caſe of Paunchoo an inhabitant of the village of Gundaſſee etc. by Corse in transact. of a ſoc. for the impr. of med. and chir. knowl. Vol. II. No. XX. mit einer Abb. Larrey ſur le ſarcocèle in M. de chirurg. milit. Paris 1812. Vol. 2. p. 110. ff.

ſind bei dieſer die Hautwarzen bedeutend verlängert und überhaupt vergröſsert, ſtärker entwickelt, mit deutlichen Zotten beſetzt, mit bloſsen Augen ſichtbar. Auch die Oberhaut iſt hier zugleich gewöhnlich verdickt und hornartig. Aehnlich iſt auch die Krankheit von Barbadoes, die gleichfalls eine Verdickung der Haut iſt, aber ſich von der Elephantiaſis durch Mangel an Vergröſserung der Fühlwärzchen und der Oberhaut unterſcheidet. Hieher gehören auch bedeutende Vergröſserungen der Haut an einzelnen Stellen, welche wahrſcheinlich in ungewöhnlicher Entwicklung einzelner Theile derſelben, z. B. der Talgdrüſen, begründet ſind. Dieſe kommen vorzüglich an der Naſe vor, deren Haut ſich bisweilen dadurch in vielfach gelappte, feſte elaſtiſche Geſchwülſte vom Gewicht mehrerer Pfunde entwickelt, welche das ganze Geſicht bedecken. [1])

Vorzüglich kommen in den Oberhauttheilen mehr oder weniger beträchtliche Vergröſserungen vor. Hieher gehört

1. die nicht ſeltne ungewöhnliche Länge der Haare an regelwidrigen Stellen, im Geſichte, dem Rücken, und dem ganzen Körper. Meiſtens ſind dieſe Abweichungen Fehler der Urbildung: indeſſen entwickeln ſie ſich nicht ſelten erſt ſpäter und unter merkwürdigen Bedingungen, z. B. bei ungewöhnlicher Fettheit, oder zu früh eintretender Pubertät, während der Schwangerſchaft, oder

1) S. Einige Fälle von Fournier im Dict. des ſ. c. médic. T. III. Paris p. 208. 209. Hey a caſe of tumour in the noſe in Obſ. in ſurgery. London 1814. Cap. 26. Tab. 15.

nach, besonders zu ungewöhnlicher Zeit, und plötzlich erfolgendem Aufhören der Menstruation beim weiblichen Geschlecht. Gewöhnlich veranlassen sie keine Nachtheile, die Fälle ausgenommen, wo dadurch sehr empfindliche Stellen regelwidrig gereizt werden. So fand Albin [1]) die Ursache einer heftigen Augenentzündung in beträchtlicher Vergrösserung eines Haares der Thränenkarunkel.

2. Vergrösserung der Nägel, die indessen meistentheils nur normales, nicht durch Abschneiden derselben beschränktes Wachsthum derselben ist, wo sie klauenartig werden. Doch verdicken und schwellen sie beim Weichselzopf häufig an.

3. Verdickung der Oberhaut durch Druck, welche als Schwiele (Callus) und Hühnerauge (Clavus) erscheint.

4. Die Warzen scheinen vorzüglich regelwidrige Vergrösserung des, die äussere Fläche der Lederhaut bekleidenden Gefäss- und Nervengewebes zu seyn.

Sechster Abschnitt.

Verdauungssystem.

I. Darmkanal.

Der Darmkanal ist nicht selten mehr oder weniger erweitert. Hier ist entweder der ganze Umfang, oder nur ein Theil desselben vergrössert. Der Magen sehr gefrässiger Personen ist sowohl dickhäutiger, besonders stärker mus-

1) Annot. acad. L. III. c. 8.

muskulös als beträchtlich weiter als gewöhnlich [1]); doch bisweilen bloſs das erstere [2]). Der Magen und die Eingeweide dieser Menschen sind bisweilen entzündet und erweitert. [3]) Auch wird der Magen durch mechanische Hindernisse für den Austritt der Speisen nicht selten ungeheuer ausgedehnt. Dieſs sind gewöhnlich Scirrhositäten in der Pförtnergegend, welche diese Mündung bisweilen fast ganz verschlieſsen. Ein merkwürdiges Beispiel dieser Art sahe Marini, [4]) wo bei einem alten Trinker der Magen, welcher die dünnen Därme ganz verbarg, so groſs war, daſs die Entfernung vom Pförtner zur Cardia 23 Zoll, seine gröſste Breite 12 Zoll betrug. Doch findet man, wie ich häufig gesehen habe, den Magen wegen des mit mechanischen Hindernissen vergesellschafteten Erbrechens häufig unter dieser Bedigung selbst kleiner als im normalen Zustande.

Sehr vergröſsert ist der Magen auch bei der sogenannten Wassersucht desselben, wo sich seine Wände in demselben Maaſse verdünnen. Auf eine ähnliche Weise fand auch Frank [5]) bei einem neugebornen Kinde den Darmkanal aus zwanzig getrennten Blasen gebildet, die zusammen wenigstens 8 Pfund Wasser ent-

1) Vogel de polyphago et lithoph. Ilefeld. nuper mort. Götting. 1771. p. 26. Fournier bey Roux j. de m. 1774. p. 504. Bonneken in Fränk. Samml. Bd. 6. S. 396.

2) Frenzel de polyph. Witteberg. 1757.

3) Percy bey Fournier im Dict. des sc. méd. T. IX. p. 201.

4) M. de Turin vol. 4. p. 369.

5) Del. opusc. V. 6. p. 204. de partu diff. ob. hydr. intest.

hielten. Mechanische Hindernisse, Kothanhäufung aus Atonie, Entwicklung von Gasarten u. s. w. bringen gleichfalls oft ungeheure Ausdehnungen des ganzen Darmkanals oder einzelner Theile desselben hervor. Fälle dieser Art sah ich theils selbst einigemal, wo der dünne Darm einen Durchmesser von drei, der dicke von mehr als vier Zollen erreicht hatte; theils führen Battini,[1]) St. André,[2]) Dümas,[3]) Baillie,[4]) Wells,[5]) Ruysch,[6]) sehr merkwürdige Beobachtungen dieser Art an, aus welchen sich ergiebt, daſs der Darmkanal eines sehr hohen Grades von Ausdehnung fähig ist.

In dem von Battini beobachteten Falle hatte der Grimmdarm einen Durchmesser von 5, im Baillie'schen von 6 Zoll. In dem, welchen St. André beschreibt, war der dünne Darm viermal, der dicke achtmal weiter als gewöhnlich, und Dümas sahe den Zwölffingerdarm so weit als den Magen. Unter diesen Umständen erscheint bisweilen zugleich die Länge des aus-ausgedehnten Theiles des Darmkanals beträchtlicher als gewöhnlich.

---

1) Di una sing. tardanza agli sgravi intestinali. Atti di Siena T. 8. p. 237. ff.

2) Phil. tr. n. 351.

3) Sur les transformations des organes. In Sedillot rec. pér. T. 23.

4) An account of the case of a man who had no evacuation from the bowels for nearly six teen weaks before his death. In Transactions of a society for the impr. of med. chir. and knowl. Vol. II. No. XIV.

5) Transactions of a soc. for the impr. of med. and chir. knowledge. Vol. III. 1812. No. 14.

6) Obs. anat. chir. cent. obs. 92.

In dem Falle z. B., den Battini beschreibt, soll der Mastdarm beträchtlich, bis auf vier Fuss verlängert gewesen seyn, indem der Grimmdarm ausserdem deutlich vorhanden war, und die Länge von ungefähr 4½ Fuss hatte.

Ohne Erweiterung ist der Grimmdarm nicht ganz selten regelwidrig zu lang, wo dann entweder der Quergrimmdarm beträchtliche Beugungen nach unten, oder der absteigende Grimmdarm ähnliche nach der rechten Seite bildet. Ersteres ist die gewöhnlichere Bedingung, beide Zustände aber sind angeboren.

Die Erweiterung erstreckt sich nicht immer über den ganzen Darmkanal, im Gegentheil findet man nicht selten beträchtlich zusammengezogene Stellen mit sehr erweiterten abwechseln, und auch da, wo diess nicht der Fall ist, doch oft einen grossen Theil des Darmkanals normal, während der übrige beträchtlich ausgedehnt ist.

So waren in dem Battini'schen Falle, wo sehr häufig mehrwöchentliche Stuhlverhaltungen Statt gefunden hatten, und der dicke Darm durch eine 26 Pfund schwere Kothmasse angefüllt war, der dünne Darm und der Magen weit enger als gewöhnlich. In dem von Wells beobachteten Falle war nur der Blinddarm und der Quergrimmdarm zu einem Durchmesser von 4½ Zoll ausgedehnt, der absteigende nur 1 Zoll weit, der dünne Darm beträchtlich verengt.

Dagegen war in den von Baillie und St. André beschriebnen Fällen der ganze Darmkanal beträchtlich erweitert. Die Ursache dieser Verschiedenheiten ist nicht immer dieselbe. Indessen kann man unstreitig annehmen, daſs in den meiſten Fällen, wo der oberhalb der Erweiterung befindliche Theil des Darmkanals verengt war, dieſs von dem Beſtreben ſeiner Muskelhaut, den weiter unten befindlichen Widerſtand zu überwinden, herrührt. Erweiterung des ganzen Darmkanals rührt von Länge der Zeit, während welcher die erweiternden Urſachen wirkten, oder von Heftigkeit derſelben her. So hatte im Baillie'ſchen Falle die Verſtopfung 15 Wochen gedauert, im Andréſchen Falle rührte die Anſchwellung von übermäſsigem Genuſſe von neugegohrnem Bier und Wein her.

Die gewöhnlichſte Veranlaſſung zu beträchtlichen und weit ausgedehnten Erweiterungen des Darmkanals ſind mechaniſche Hinderniſſe. So fand ſich z. B. im Baillie'ſchen Falle an der S förmigen Krümmung eine beträchtliche, mit einem Geſchwür der innern Haut verbundene, Verengerung.

Weit ſeltner wird ein Theil des Darmkanals partiell, nur in einem Abſchnitte ſeines Umfangs erweitert. Hier erſtreckt ſich die Ausdehnung entweder auf alle Häute, oder nur auf die innere und die Gefäſshaut, welche in dieſem Falle einen Bruch durch die Muskelhaut bildet, der aber von der ausdehnbaren Peritonealhaut bekleidet bleibt. Im erſtern Falle iſt die Veranlaſſung gewöhnlich, wie ich ſchon oben bemerkte, ein unmittelbar auf die Stelle wirkender mechaniſcher Druck.

Dieſs beweiſen folgende intereſſante Fälle. Ludlow[1]) fand bey einem ſechzigjährigen

1) Med. obſſ. and inq. vol. 3. No. 10. p. 85. ff. Einen ähnlichen Fall ſ. auch bei Marx in Gott. Anz. 1783, S. 2034.

Manne, fünf Jahre, nachdem er einen Kirschkern drey Tage lang im Schlundkopfe behalten, ihn aber dann bey einem heftigen Anfall von Husten ausgeworfen hatte, einen ansehnlichen fleischigen Beutel, der zwischen der Speiseröhre und der Wirbelsäule herabstieg. Das untere Ende oder der Grund desselben reichte etwas in die Brusthöhle herab, hing aber ganz frey, und erschien bey der anatomischen Untersuchung aus allen Häuten der hintern Wand des Schlundkopfes gebildet. Seine Höhe und Weite betrug über einen Zoll, die Speiseröhre war viel enger und dünner, und der Uebergang aus dem Schlundkopfe in die Speiseröhre runzlich und zusammengezogen.

Unstreitig war dieser Beutel ein Produkt des Kirschkerns, der, weil der Verstorbne während des Aufenthaltes desselben im Schlundkopfe wie gewöhnlich afs, eine Vertiefung gebildet hatte, welche, auch nachdem der Kirschkern ausgeworfen worden war, durch die allmählig eintretenden Speisen zu jener beträchtlichen Gröfse anwuchs. Da der Beutel zwischen der Speiseröhre und der Wirbelsäule lag, so drängte die erstere nach vorn, nahm ihre Stelle ein, und hinderte also den Eintritt der Speisen. Der Kranke war daher auch während der letzten vier Jahre seines Lebens nicht im Stande gewesen, mehr als wenige Löffel Speisen zu essen, die sogleich unverändert zurückkehrten, und mufste während dieser ganzen Zeit durch ernährende Clystiere erhalten werden.

In einem andern Falle sahe Baillie [1]) am Magen einen Beutel, der sechs kleine Geld-

1) Morbid anatomy. p. 92.

ſtücke enthielt. Die Häute waren an dieſer Stelle dünner, aber weder entzündet noch vereitert, was deſto merkwürdiger iſt, da die Geldſtücke ſchon beträchtlich lange im Magen geweſen waren.

Auch an andern Stellen des Darmkanals kommen Verlängerungen dieſer Art vor. Schon im erſten Bande habe ich die Divertikel des Krummdarms nach allen Bedingungen, welche ſie darbieten, betrachtet, indem ich ſie als eine Hemmung der Entwicklung des Darmkanals anſehe. Mit dieſen ſind die an andern Stellen vorkommenden Anhänge, gleich viel ob ſie aus allen Häuten oder aus der Peritonealhaut und der innern beſtehen, nicht zu verwechſeln, wenn gleich noch neuerlichſt ein Verſuch gemacht worden iſt, die ſo ſehr unwahrſcheinliche Meinung zu begründen, und alle Anhänge am Darmkanal, die aus allen Häuten deſſelben beſtehen, aus derſelben Quelle, einer übermäſsig wirkenden bildenden Kraft herzuleiten. 1) In dieſem Verſuche ſind, um meine Meinung über die Entſtehungsweiſe der Divertikel am Krummdarm zu widerlegen, die Gründe, welche ich an mehreren Orten für dieſelbe aufgeſtellt habe, theils ſo aus einander geriſſen, theils die wichtigſten ganz weggelaſſen, und auſserdem die Antworten auf frühere Einwürfe, welche ich in meiner Vorrede zu Wolff über die Bildung des Darmkanals gab, ſo durchaus nicht berückſichtigt, daſs ich mich dadurch unmöglich veranlaſst finden kann, meiner Meinung zu entſagen.

Die Brüche der innern Haut durch die Muskelhaut, oder die unächten Divertikel,

1) Fleiſchmann Leichenöffnungen 1815.

können an allen Theilen des Darmkanals vorkommen, sind gewöhnlich an ihrer Basis enger als in ihrem übrigen Umfange, und haben eine rundliche Gestalt. Sie unterscheiden sich von dem Divertikel, dessen Entstehung in einer nicht vollkommnen Obliteration des Nabelblasenganges begründet ist, und überhaupt allen, welche zu den ursprünglichen Bildungsfehlern gehören, ausserdem auch dadurch, dass nicht selten, ja, nach meinen Erfahrungen wenigstens, fast immer, mehrere zugleich vorkommen.

Einen Bruch dieser Art beobachtete Pfeffinger[1]) am Magen. Er fand ihn bey einem Weibe, die während ihrer Schwangerschaft mehrmahls Abtreibungsmittel genommen, und sowohl unmittelbar darauf als überhaupt ihr ganzes übriges Leben hindurch an heftigem Erbrechen, Magenschmerzen und Verdauungsbeschwerden gelitten hatte. Dieser Bruch war so ansehnlich, dass er sieben Bohnen enthielt, welche die Verstorbene zwey Monat vor ihrem Tode gegessen hatte.

Giebt es vielleicht gewisse Gegenden des Darmkanals, wo diese Divertikel vorzugsweise vorkommen? Nach Herrn Fleischmann kommen sie besonders am Zwölffingerdarm häufig vor, und namentlich, seiner Meinung nach, vermuthlich wegen des auch im normalen Zustande hier Statt findenden Auseinanderweichens der Muskelfasern, das durch die Einsenkung des Gallen-, und Bauchspeicheldrüsenganges bewirkt wird, ausserdem aber vielleicht auch wegen starker und häufiger Ausdehnung

1) Fritze de concept. tubaria rec. in Schlegel sylloge diss. obst. T. I. p. 363. ff.

durch Speisen, Getränke und Luft im Darme oder im Magen. [1])

Ich habe sie gleichfalls einigemal auch an diesen Stellen gefunden, indessen ist es mir nicht unwahrscheinlich, dass sie bisweilen künstlich durch Wegnahme der Muskelhaut und Aufblasen gebildet worden. Ausserdem habe ich sie mehrmals am Krumm- und Leerdarme und am Mastdarme gefunden. Die erstern sind gewöhnlich grösser und in geringerer Menge vorhanden. Ein Mastdarm, den ich vor mir habe, ist mit kleinen erbsengrossen Divertikeln dieser Art wie besäet. Bisweilen ist sogar das Divertikel nur durch die Peritonealhaut gebildet, eine Aehnlichkeit mit dem wahren Aneurysma nach Scarpa's Ansicht. So fand Morgagni [2]) am Zwölffingerdarm eines apoplektisch Gestorbnen zwey Zoll weit vom Pförtner, eine, bloss durch diese Haut gebildete Höhle, welche eine Fingerspitze zuliess, ohne dass man weder an dieser Stelle, noch an einer andern im Darmkanale eine Spur von Entzündung oder Erosion wahrnehmen konnte.

Die Zunge ist eines von den Organen, die sich sehr häufig ansehnlich vergrössern. Bisweilen ist diese Abweichung vom Normal Fehler der Urbildung, entsteht aber nicht selten erst nach der Geburt, und, wie es scheint, besonders durch Uebertragung allgemeiner Krankheit auf ein einzelnes Organ. Merkwürdig ist es, dass diese Krankheit der Zunge vorzüglich dem weiblichen Geschlechte zukommt.

---

1) Leichenoffn. S. 8.

2) Ep. 34. a. 17.

Siebold[1]) beschreibt die Zunge eines zehnjährigen Mädchens, die von der Geburt an zu groſs war, vom Zahnrande an 4½ Zoll lang, 3 Zoll breit, acht Linien dick hervorragte, oben und unten mit Rissen, und mit auſserordentlich groſsen Geschmackswärzchen versehen war. Die untern Schneidezähne waren schaufelförmig umgelegt. Bey der anatomischen Untersuchung des nach der Operation gestorbenen Mädchens fand man den Ober- und Unterkiefer nach auſsen, oben und unten umgelegt.

Auch Klein[2]) beschreibt drey ähnliche Fälle. Bey einem zweyjährigen Kinde hing die Zunge einen Zoll weit, bey einem dreyjährigen noch weiter, bey einem neunjährigen 2½ Zoll weit hervor. Zugleich war sie im letztern Falle sehr dick, und viel breiter als bey Erwachsenen, der vorliegende Theil härter als der im Munde befindliche. Sie konnte zwar zurückgezogen werden, war aber dann sehr beschwerlich. Zwey Jahre nach der Operation hatte sich der anfangs nach unten gedrängte Unterkiefer und die Zähne etwas in die Höhe gebogen und die Sprache war vollkommen deutlich geworden.

Auch Spöring[3]) beschreibt einen ähnlichen Fall, wo die Miſsbildung angeboren war. Die Zunge des zehnjährigen Mädchens hing, zwey Zoll dick und vier Zoll lang, aus dem Munde hervor und bedeckte das ganze Kinn. Die Wirkungen auf den Unterkiefer und die Zähne waren dieselben als im vorigen Falle.

1) Chiron Bd. 1. S. 651.

2) Ebendal. S. 665. ff.

3) Abh. d. Schwed. Akad. Bd. 3. S. 1.

Der vorhängende Theil wurde zwar weggenommen und die vorher ganz unmöglich gewesenen Functionen des Sprechens und Kauens völlig hergestellt, allein der Unterkiefer bog sich nicht in die Höhe.

Als Belege zu den obigen Aeusserungen über die Entstehung der Vergrösserung der Zunge durch Uebertragung allgemeiner Krankheiten mögen folgende Fälle dienen.

Trioen [1]) sah bey einem funfzehnjährigen Mädchen nach einem Fieber, das mehrere Wochen gedauert hatte, die Zunge allmählig so ungeheuer anschwellen, dass sie vier Zoll weit aus dem Munde hervorhing. Als Sandifort [2]) dieselbe Person im vier und funfzigsten Jahre ihres Alters untersuchte, war der vorragende Theil drey Zoll breit, vier und einen halben Zoll lang, die Oberfläche sehr ungleich, die Unterlippe drey Zoll lang, wie in zwey Hälften getheilt, die Breite des Unterkiefers sehr verringert, alle seine Zähne, ungeachtet sie vorher gegenwärtig gewesen waren, bis auf einen ausgefallen. In einem andern Falle [3]) fing bey einem scrophulösen Kinde, das noch nicht völlig ein Jahr alt war, die Zunge plötzlich zu schwellen an, und wuchs so schnell und beträchtlich, dass es durchaus nicht sprechen lernen konnte. Im fünften Jahre reichte sie weit unter das Kinn herab und drey Zoll lang aus dem Munde hervor. Ihre obere Fläche war runzlich und mit wenig Längeneinschnitten versehen, die Schneidezähne waren

1) Obs. med. chir. p. 142.

2) Obs. anat. path. lib. IV. cap. IX. p. 101.

3) Clanny im Edinb. med. journal Vol. I. 1805. p. 317.

ausgefallen, die Backzähne krank und zum Ausfallen geneigt.

In mehreren der vorigen Fälle, namentlich dem Kleinschen, Spöringschen, Clannyschen, war das Sprechen und Kauen ganz oder fast ganz unmöglich. Merkwürdig ist es daher, daſs in dem von Trioen und Sandifort erzählten, trotz der ungeheuern Vergröſserung der Zunge dennoch beyde Functionen vollständig verrichtet wurden. Diese Verschiedenheit ist nicht darin begründet, daſs die Zungengeschwulst erst spät im Leben eintrat, indem Maurant[1]) einen Fall erzählt, wo ein Knabe, dessen Zunge schon bey der Geburt vier Zoll lang und zwey Zoll dick aus dem Munde hervorhing, dennoch vollkommen kauen, schlingen, sprechen, sogar singen lernte, ohne daſs die Zunge verkürzt worden war.

Sehr merkwürdig ist es übrigens, daſs die Operation des Schnittes nicht immer zur Zurückführung dieses Organs auf seine normale Gröſse unumgänglich erforderlich zu seyn scheint. In dem Clanny'schen Falle wurde die Zunge in den Mund zurückgebracht und daselbst mit einem Schnupftuche zurückgehalten, das unter dem Kinn weggeführt und auf dem Scheitel zusammengeknüpft wurde, so daſs die Kinnladen in unmittelbarer Berührung waren. Schon in der fünften Woche war dadurch die Zunge zurückgebracht, und das Kind im Stande einige Worte zu sprechen. Die Heilung wurde durch dieses Mittel vollständig bewirkt.

1) I. de médec. t. 15. p. 156.

2. Nebenorgane.

a. Milz.

Fast kein Organ ist der Vergrösserung, ohne wahrnehmbare Veränderung seiner Structur, so sehr unterworfen, als die Milz, vermuthlich wegen ihrer lockern, weichen Textur.

Die Grösse derselben ist bisweilen enorm. Unter mehrern sehr ansehnlich vergrösserten Milzen, welche ich vor mir habe, sind besonders zwei sehr beträchtlich, von denen die eine 4, die andere 9½ Pfund wiegt. Doch giebt es noch weit beträchtlichere, wenn man sich gleich nicht immer völlig auf die Richtigkeit der Angabe verlassen kann.

Morgagni[1]) z. B. fand bey einer acht und zwanzigjährigen Frau, die nach einem langwierigen Fieber einen Fieberkuchen behalten hatte, die Milz so vergrössert, dass sie die ganze linke Hälfte des Unterleibes einnahm. Ihre Blut- und Lymphgefässe waren beträchtlich erweitert, vergrössert, allein ihre Structur normal. Ihr Gewicht betrug 8½ Pfund.

Elliot[2]) fand bey einem Manne von sechs und zwanzig Jahren, der nach einer Wassersucht, die einige Jahre gedauert hatte, starb, die Milz so ausserordentlich vergrössert, dass sie sich vom Zwerchfell bis zur Höhle des Darmbeins erstreckte und in der Breite fast die ganze linke Seite der Bauchhöhle einnahm. Alle Eingeweide waren auf die rechte hinüber gedrängt,

---

1) De c. et sed. morb. ep. 36. a. 17.

2) Duncan med. com. dec. I. Vol. 7. p. 495. Unstreitig derselbe Fall bey Burrows transact. of the Irish academy. Vol. IV. p. 183.

und der Magen ſtand ſenkrecht. Das Gewebe, die Geſtalt und Farbe der Milz war normal. Ihre Länge betrug 14½, ihre Breite 8½, ihre Dicke 4½ Zoll. Sie wog 11 Pfund 13 Unzen. Im Unterleibe fand ſich kein, oder nur ſehr wenig Waſſer.

Fälle von noch weit beträchtlicherer Gröſse der Milz, wo ſie 15, 23, 33 Pfund wog, hat Morgagni[1]) zuſammengeſtellt. Beinahe immer iſt die Subſtanz der vergröſserten Milz völlig normal, doch nicht ſelten härter als gewöhnlich, die Gefäſse ſind erweitert, keinesweges verſtopft. Faſt in allen Fällen vergröſsert ſie ſich durch Uebertragung einer allgemeinen Krankheit, beſonders des Wechſelfiebers. Selten hat ſie andre als mechaniſche Nachtheile.

b. Leber.

Die Vergröſserung der Leber iſt, wenn gleich weniger häufig als die der Milz, doch nichts weniger als ſelten. Sie kommt vorzüglich bei Waſſerſuchten, in Folge des zu reichlichen Genuſſes geiſtiger Getränke vor. Auch ſind groſse Lebern in ſumpfigen Gegenden endemiſch, und eben ſo iſt Vergröſserung derſelben eine faſt regelmäſsige Begleiterinn ſehr geſtörter Reſpiration. Unter der zweiten und dritten Bedingung ſcheint ſie in der zu reichlichen Aufnahme von Hydrogen, unter der letzten im Eintritt vicariirender Thätigkeit der Leber für die Lungen begründet zu ſeyn, um ſo mehr, da unter ähnlichen Bedingungen auch ohne Vergröſserung der Leber die Gallenſecretion ver-

---

1) De c. et ſed. morb. Ep. 36. Art. 18.

mehrt wird, und auch im normalen Zustande die Grösse des Gallenapparates mit Entwicklung des Respirationsorgans im entgegengesetzten Verhältniss steht. Wo Vergrösserung der Leber mit Wassersucht vergesellschaftet ist, scheint sie meistentheils diese mechanisch durch Druck auf die Lymphgefässe zu veranlassen, wenn gleich auch häufig ein dynamischer Zusammenhang zwischen beiden Krankheiten Statt findet, oder beide in einer gemeinschaftlichen Ursache begründet sind.

Meistens ist die vergrösserte Leber nicht, wie die Milz, normal, sondern mehr oder weniger bedeutend in ihrer Textur alienirt, hart, sehr mannichfach gefärbt. Oft ist ihre Vergrösserung nur in Entwicklung ganz fremder Gewebe in ihrer Substanz begründet. Am gewöhnlichsten ist, wenn die Leber beträchtlich vergrössert ist, auch die Milz angeschwollen, selten normal, noch seltner verkleinert, so dass also die regelwidrigen Zustände beider Organe aus denselben Quellen zu fliessen scheinen. Dass die Vergrösserung eines dieser beiden Organe die des andern, nach der Meinung mancher Aerzte, mechanisch bewirke, indem eben durch seine Vergrösserung der Eintritt des Blutes gehindert würde, ist mir nicht wahrscheinlich, da ein solches Hinderniss nicht erwiesen, sogar, wegen Erweiterung der Gefässe, unwahrscheinlich ist. Verkleinerung der Milz mit Vergrösserung der Leber entsteht wahrscheinlich dynamisch, indem durch die letztere der Wachsthum der erstern gehindert wird, so wie Vergrösserung einzelner Organe Abmagerung des übrigen Körpers veranlasst.

Nach einer ansehnlichen Menge von Fällen zu schliessen, kann sie sich bis auf das Siebenfache ihres Gewichts vergrössern, indem sie in einigen Fällen 27 bis 28 Pfund wog. [1])

c. *Gallenblase.*

Die Gallenblase dehnt sich oft ungeheuer aus. Die Veranlassung zu diesem Zustande ist gewöhnlich eine Verschliessung des Gallen- oder Blasenganges, die entweder in der Verwachsung seiner Höhle, oder einer Verstopfung derselben durch äussern Druck, oder einen darin befindlichen Stein begründet seyn kann. Die letztere Bedingung ist unter allen die häufigste. Die Stelle, an welcher sich das Hinderniss befindet, hat auf die Beschaffenheit der in der Gallenblase enthaltenen, und dieselbe ausdehnenden Flüssigkeit einen bedeutenden und merkwürdigen Einfluss. Befindet es sich im Gallengange, so wird dadurch der Eintritt der Galle in die Blase nicht verhindert, und diese daher durch diese Flüssigkeit ausgedehnt gefunden; im entgegengesetzten Falle aber, oder wenn das Hinderniss sich im Blasengange befindet, erlaubt es der Galle den Eintritt nicht, und statt dieser erscheint die Gallenblase von einer weisslichen, mehr oder weniger hellen, schleimähnlichen Flüssigkeit ausgedehnt, die offenbar ein Produkt der innern Haut der Gallenblase und die Substanz ist, welche der Lebergalle während ihres Verweilens in der Gallenblase beygemischt wird. Diesen Zustand belegt man mit dem Namen der Gallenblasenwassersucht (Hydrops vesiculae felleae). Ich

---

1) Eggerd in M. nat. cur. dec. II. a. VI. obs. 203. Gooch. med. and chir. observ. p. 118.

habe drei Fälle dieser Art vor mir, wo sich die Gallenblase bis zum Umfange einer Männerfaust ausgedehnt hat. Aehnliche Fälle haben Brugmanns [1]), Walter [2]), Gauteron [3]), Yonge [4]).

Doch findet man nicht selten auch bey Anwesenheit von Gallensteinen in der Gallenblase dennoch dieses Organ beträchtlich von Galle ausgedehnt, weil keiner davon eine Stelle einnahm, welche den Eintritt der Galle beständig verhinderte.

Hieher gehören auch die Brüche der Gallenblasenhäute, welche mit denen der Harnblase und den falschen Divertikeln des Darmkanals übereinkommen. Man findet sie am häufigsten im Grunde, und gewöhnlich Gallensteine enthaltend, die nur aus verdickter Galle gebildet scheinen. Diese Theile der Gallenblasenhäute sind dann oft, wenn sich die Communicationsöffnung geschlossen hat, ganz von der grossen Gallenblasenhöhle getrennt. Auch die Gallengänge sind nicht selten ungeheuer ausgedehnt. Fast immer ist die Veranlassung von dieser Veränderung ein Gallenstein.

d. *Bauchspeicheldrüse.*

Die Bauchspeicheldrüse vergrössert sich selten und auch dann wohl nie ohne Structurveränderung. Von ausserordentlicher Streckung ihres Ausführungsganges durch eine Geschwulst, die sich im Gekrose des Quergrimmdarms

1) Bernard, quaest. arg. L. B. 1796.
2) Mus. anat. n. 699. 700.
3) Hist. de l'ac. de Montpelier T. 2. p. 156.
4) Ph. tr. nr. 333. p. 426.

darms entwickelt hatte, führt Young ein merkwürdiges Beyſpiel an. [1])

Siebenter Abſchnitt.

Reſpirationsorgane.

Von Vergröſserung der Reſpirationsorgane ſind mir keine Fälle bekannt. Indeſſen habe ich an der Luftröhre eine Bildung vor mir, die vielleicht hieher gehört. An dem hintern Umfange derſelben befindet ſich an der Stelle, wo der fünfte und ſechſte Knorpelring aufhören, eine rundliche, häutige Ausdehnung von ungefähr ½ Zoll im Durchmeſſer, die mit einem dünnen und kurzen Stiele aufſitzt. Das Präparat iſt als Bruch der innern Haut der Luftröhre bezeichnet, wovon indeſſen, weil weder der Sack, noch die Luftröhre geöffnet war, keine Gewiſsheit vorhanden ſeyn konnte. Indem ich, um dieſe zu erhalten, beide öffne, finde ich allerdings eine feine Oeffnung, welche von der Luftröhre zu dem Sacke führt, Continuität der Häute und Aehnlichkeit der Structur der Haut des Sackes mit der der innern Luftröhrenhaut; allein es iſt deſshalb nicht erwieſen, daſs hier wirklich Ausdehnung der Schleimhaut und Bruch derſelben durch die Muskelhaut Statt fand, indem der Balg ſich eben ſo gut allmählig in die Höhle der Luftröhre ziehen, und dadurch Continuität der Häute entſtehen konnte, um ſo mehr, da ſich bisweilen ſchleimige Bälge bilden, in deren Nähe ſich ein kleiner, völlig geſchloſſener findet, die Haut des Balges ziemlich

1) Med. chir. transact. Vol. 1. Tab. 1.

dick ist, und die Schleimhaut der Luftröhre zu genau befestigt ist, um, ohne mechanische Veranlassung, wenn nicht regelwidrige Vergrösserung die Veranlassung gewesen seyn sollte, auf diese Art vorzudringen.

Schilddrüse.

Ein in der Nähe der Respirationsorgane befindlicher Theil, die Schilddrüse, vergrössert sich nicht selten, und in einem oft ungeheuren Masse, und bildet dann den Kropf, (Struma) [1]). In mehrern gebirgigen Gegenden, vorzüglich Thälern mit eingeschlossner, feuchter Luft, ist diese Krankheit endemisch. Hier, und auch wo sie sporeadisch vorkommt, ist sie dem weiblichen Geschlechte eigner als dem männlichen. Es findet hiebei entweder reine Vergrösserung mit entsprechender stärkerer Entwickelung der Läppchen, woraus sie besteht, und welche meistentheils eine grössere Ungleichheit der Oberfläche erzeugen, und reichlichere Absonderung der in ihr enthaltenen Flüssigkeit, oder, mit oder ohne diese, Entwicklung neuer Bildungen verschiedner Art, vorzüglich seröser oder andrer Bälge und fibröser Körper, die sich häufig verknöchern, Statt. Der endemische Kropf und der Cretinismus sind keinesweges nothwendig verbunden. Die Ursache sowohl des sporeadischen, als, und diess noch mehr, des endemischen, liegen noch vollig im Dunkeln. Feuchte Luft und schlechte Nahrungsmittel scheinen zwar einen bedeutenden Antheil daran zu haben, allein der Zusammenhang zwischen diesen Poten-

1) Fodéré, sur le goitre et le crétinage. Turin. 1792. — J. Gautieri Tyrolensium, Carynthiorum, Styriorumque struma observata, descripta. Vindobonae 1794.

zen und der Vergrößerung gerade der Schilddrüse ist äusserst schwer auszumitteln.

Ueber die vielleicht bei Respirationsbeschwerden eintretende Vergrößerung der Thymus habe ich schon im ersten Bande gehandelt.

Achter Abschnitt.

Harnsystem.

a. Nieren.

Die Nieren vergrößern sich nicht selten, bisweilen ungeheuer.

Ein Knabe von vier und einem halben Jahre litt funfzehn Monate an heftigen Schmerzen im Unterleibe: in den letzten neun Monaten entstand im untern Theile des rechten Hüftbeines eine starke Geschwulst, die zuletzt den ganzen Unterleib einnahm, so dass der Umfang desselben über dem Nabel drey und dreissig Zoll betrug. Nach dem Tode des Knaben fand Pearson [1]) die rechte Hälfte des Unterleibes durch die rechte Niere eingenommen. Doch war hier nicht bloss die Masse des Organs vermehrt, sondern zugleich seine Structur verändert, indem sie an einigen Stellen dicht und fest, an andern locker, aus Zellen und Höhlen voll einer schleimigen oder käsigen Flüssigkeit gebildet war. Sie wog 16 Pfund 10 Unzen, und ihr Harnleiter war ganz zerstört.

Noch weit grösser fand Webster [2]) bey einer funfzigjährigen Frau, deren Unterleib sich allmählig ausgedehnt hatte, die linke Niere,

1) Med. obs. and inq. vol. VI. p. 236.

2) Ebendas. p. 245.

indem ſie 45½ Pfund wog. Die Secretion des Harns war immer völlig normal geweſen.

b. Harnleiter.

Die **Harnleiter** ſind nicht ſelten, vorzüglich in Folge derſelben mechaniſchen Hinderniſſe, welche die Blaſe ausdehnen, gemeinſchaftlich mit dieſer, auſserdem aber auch bisweilen für ſich allein mehr oder weniger bedeutend erweitert.

Die Ausdehnung iſt bisweilen ſehr beträchtlich, ſo daſs man bei langen Steinbeſchwerden einen oder beide Harnleiter ſo weit als den Grimmdarm fand.[1]) Eine ungeheure Erweiterung des Harnleiters durch einen Stein, der ſich an ſeinem untern Ende fand, bildet **Ruyſch** ab.[2])

Häufiger iſt nur das Nierenbecken vorzugsweiſe erweitert, wo dann beim höchſten Grade der Ausdehnung die Niere nur in einen häutigen Balg verwandelt iſt.

c. Harnblaſe.

Die Harnblaſe wird, wie der Darmkanal, nicht immer gleichmäſsig und in allen ihren Häuten ausgedehnt. Im Gegentheil ſind Brüche ihrer innern Haut, wodurch Anhänge (Appendices, diverticula) derſelben entſtehen, durch die Muskelhaut keine ungewöhnliche Erſcheinung.[3]) Sie entſtehen in Folge derſelben

1) Riedlin eph. n. c. D. III. A. 9. obſ. 148. De Haen rat. med. p. V. c. 5.

2) Obſ. an. chir. cent. o. 94. fig. 75.

3) S. **Broke** de appendicibus veſicae urinariae. Argent. 1754. — **Houſtet** mém. de chir. T. I. — **Parſons** deſcription of the human urinary bladder. Tab. 7. f. 2. — **Lobſtein** de calculis veſicae urinariae cyſticis. Argent. 1774.

mechanischen Hindernisse, welche eine allgemeine Erweiterung der Harnblase veranlassen, vielleicht vorzugsweise da, wo besondere Schlaffheit der Muskelhaut vorhanden ist, und ausserdem, wo sich diese finden, bei Anwesenheit von Steinen.

Diese Brüche der innern Haut der Harnblase sind im allgemeinen rundlich und communiciren mit der Höhle der Blase durch eine mehr oder weniger enge Oeffnung. Sie bieten in Hinsicht auf Zahl und Grösse bedeutende Verschiedenheiten dar.

Ich habe einen sehr merkwürdigen Fall vor mir, wo, in Folge einer regelwidrigen Klappe im Halse der Harnblase, allmählig die Blase erst bedeutend erweitert, dann auf der linken Seite ein Bruch der innern durch die Muskelhaut entstanden war, der die übrige Blase an Grösse bedeutend übertrifft. Zugleich waren die Harnleiter sehr erweitert, und die Substanz der Nieren fast ganz verschwunden.

In einem andern Falle ist, ohne Erweiterung der Harnblase, und ohne sichtbares mechanisches Hinderniss, die innere Haut an acht Stellen in mehrere Höcker aufgetrieben.

Die Bildung dieser Anhänge ist zwar wohl in den meisten Fällen spätern Ursprungs, und geschieht auf die angegebene Weise mechanisch; doch beweist ein von Sandifort beschriebner Fall, dass sie auch als ursprünglicher Bildungsfehler erscheinen und ohne mechanische Veranlassung entstehen können. [1])

Eine gewöhnlichere Erscheinung ist die allgemeine Ausdehnung und Verdickung der Harn-

1) Obs. a. path. L. III. p. 15. 29.

blase. Hindernisse, welche sich dem Abflusse des Harnes wiedersetzen, und Atonie der Harnblase bringen gewöhnlich Erweiterung derselben hervor. Auf eine entgegengesetzte Weise verändert sich die Harnblase bey der Gegenwart eines fremden Körpers, den sie herauszudrängen strebt, namentlich eines Steines. Durch diesen wird ihre Capacität gewöhnlich nicht vergrössert, ihre Häute dagegen, besonders die Muskelhaut, verdicken sich gewöhnlich ausserordentlich. Diese Verschiedenheit ist unstreitig in der Verschiedenheit der Lage der Hindernisse begründet. Das vor der Harnblase befindliche verhütet den Austritt des Harns, während der innerhalb derselben liegende Körper. die Blase zu beständigen Zusammenziehungen reizt, wodurch sowohl häufige Excretionen bewirket, als die Wände durch die unablässigen Anstrengungen beträchtlich verdickt werden, wie jeder Muskel, der sich häufiger als gewöhnlich zusammenzieht.

Doch wird die Harnblase auch in den Fällen, wo sie durch ein vor ihrer Mündung befindliches Hinderniss ausgedehnt wird, nicht immer in ihren Häuten verdünnt. Im Gegentheil scheint, bis auf einen gewissen Grad wenigstens, die Dicke ihrer Wände, wenn auch nicht völlig verhältnissmässig zu dem Grade ihrer Ausdehnung, zuzunehmen.

So finde ich die Häute der Harnblase eines alten Mannes, der nach einer mehrjährigen Dysurie aus Atonie starb, völlig so dick, sogar dicker, als im normalen Zustande, ungeachtet die Harnblase acht Zoll lang und fast überall fünf Zoll weit ist. Ihre Muskelhaut ist so stark und dunkel als in einer gesunden Blase.

Auch van Döveren [1]) hat einige ähnliche Beobachtungen verzeichnet.

Es scheint daher, als fände auch hier dasselbe Gesetz Statt, nach welchem die Gebärmutter, bey regelmäſsiger Erweiterung, während der Schwangerschaft sich nicht bloſs ausdehnt, sondern in der That verdickt. Auch läſst sich auſserdem die oft ungeheure Ausdehnung der Harnblase ohne Zerreiſsung kaum wohl erklären.

Neunter Abschnitt.

Zeugungssystem.

Wenn sich die Gebärmutter vergröſsert, ist selten ihre Textur unverändert. Gewöhnlich ist sie scirrhös, oder mit fibrösen Geschwülsten besetzt, die blos locker in ihr übrigens normales Gewebe eingesenkt sind. Einen Fall von ungeheurer Vergröſserung der Gebärmutter sahe R. de Graaf. [2]) Sie füllte fast den ganzen Unterleib an, und wog, nach der Anwesenden Meinung, wenigstens vierzig Pfund. Die vordre Wand hatte nur die Dicke eines Zolles, die der hintern- und Seitenwände betrug wenigstens sechs. Die Substanz war bedeutend degenerirt, indem sie theils scirrhös war, theis aus runden, mit einer eiweiſsähnlichen Flüſsigkeit angefüllten Bälgen bestand. Die Krankheit hatte 25 Jahr gedauert und war nach einer Frühgeburt entstanden.

Interessant ist die Bemerkung von Lobstein, [3]) daſs in einer Gebärmutter, die durch

1) Spec. obs. acad. caput 6. p. 88.
2) Opp. omn. Amstel. 1705. p. 189 — 191.
3) Sur l'organisation de la matrice. Paris 1803. p. 8. not. 15.

eine sehr grosse Fettgeschwulst zu dem Umfange, den dieses Organ im siebenten oder achten Monate der Schwangerschaft zu haben pflegt, ausgedehnt war, der Gang und die Richtung der Fasern so deutlich als in der Schwangerschaft wahrgenommen wurde.

Für die Vorsteherdrüse gelten dieselben Bemerkungen. Ihre Vergrösserung ist, so viel mir bekannt ist, nie ohne Verhärtung und Scirrhosität. In einem Falle dieser Art, den ich vor mir habe, ist ihr Volum um das Sechsfache vermehrt. Ausserdem bewahre ich mehrere andre auf, wo diese Vergrösserung nicht ganz so bedeutend ist. Oft, jedoch bei weitem nicht immer, hat die Vergrösserung ihren Sitz in dem mittlern Theile der Vorsteherdrüse, welche von hinten in die Harnröhre ragt, worauf neuerlich besonders Home [1]), früher aber auch schon Lieutaud [2]) und Morgagni [3]) aufmerksam gemacht haben. Dass, wie Home behauptet, nur Vergrösserung dieses Theiles, nicht aber der Seitenhälften der Vorsteherdrüse Verengung hervorbringen könne, ist völlig ungegründet. Die Harnblase ist dabei entweder stark ausgedehnt, oder wenigstens ihre Muskelhaut sehr verdickt.

Der ursprünglichen Vergrösserung des Kitzlers habe ich schon in dem Capitel von den Zwitterbildungen erwähnt. In einem Falle von Vergrösserung, die bei einer syphilitischen Person erst während des Lebens entstand, stellt er einen Körper von drei Zollen Länge dar, der

---

1) Phil. tr. 1806. p. 1. Account of a small lobe of the prostate gland. Ebendas. on the diseases of the prostate gland. London. 1811.

2) Lieutaud précis de la médecine. p. 379.

3) Ep. an. med. XLII. LX.

mit einer, über einen Zoll breiten Basis aufsass, und sich in der Hälfte seiner Länge in zwei, immer breiter werdende, in rundliche, grössere und kleinere Knollen angeschwollene Aeste theilt. Das Ganze besteht aus einer homogenen, gelblich braunen, soliden Substanz von der Consistenz eines sehr weichen Knorpels, enthält kleine Gefässe in seinem Innern, und ist mit einem härtern, dunklern, ungleichen, nicht zu trennenden Ueberzuge bekleidet.

Eine ähnliche Vergrösserung stellt auch eine Eichel dar, die ich vor mir habe. Sie ist einen halben Fuss lang und breit, um die Hälfte weniger dick. Ihre Substanz ist dieselbe, wie im vorigen Falle, nur enthält sie mehrere seröse, mit einer hellern oder trübern Flüssigkeit gefüllte Bälge.

Auch die Hoden und Ovarien vergrössern sich bisweilen enorm, allein wohl nie ohne Substanzveränderung, weshalb bei der Lehre von den neuen Bildungen, die ihre Vergrösserung gewöhnlich bewirken, die Rede von diesem regelwidrigen Zustande derselben am besten seyn wird.

Die Brüste vergrössern sich dagegen, wie es scheint, häufiger ohne Texturveränderung. Besonders scheint diese Bedingung mit Fehlern der Menstruation vergesellschaftet zu seyn. Merkwürdige Fälle dieser Art beobachteten Hey,[1]) Durston,[2]) Jördens [3]).

---

1) Surgical works. No. XVI.

2) Phil. tr. No. 52. p. 1047.

3) Hufelands J. Bd. 13. St. 1. S. 82. No. 2.

Zweites Hauptstück.

Von Schwinden.

Die regelwidrige Kleinheit, selbst der Mangel von Organen können eben so wohl ursprünglich als erworben seyn, und es ist häufig nicht möglich, mit Bestimmtheit das Wesen eines vorkommenden Falles auszumitteln. Während die ursprünglichen Abweichungen dieser Art immer in einer Schwäche der bildenden Thätigkeit begründet sind, können die erworbnen mehreren Ursachen ihre Entstehung verdanken, die entweder mechanisch, oder dynamisch wirken, immer aber Schwäche der Ernährung setzen.

Auch hier sind, wie bei der regelwidrigen Vergrösserung, 1) das Wesen des Schwindens; 2) die Veranlassung; 3) der Grad der Häufigkeit zu untersuchen.

1) Das Schwinden bietet sowohl quantitative als qualitative Verschiedenheiten dar. In ersterer Beziehung verkleinern sich Theile bloss, oder sie verschwinden ganz. Das erstere ist weit häufiger als das letztere, indessen wird auch dieses bisweilen beobachtet. Hieher gehören die gänzliche Zerstörung von Theilen, auf welche Geschwülste, besonders starke und anhaltend sich bewegende, wie Aneurysmen, einwirken, das Verschwinden der Hoden bei syphilitischen, der aus ihrer Ernährungsbeziehung gesetzten Krystallinse u. s. w. Selbst das gänzliche Verschwinden von Theilen bietet wieder insofern gradweise Verschiedenheiten dar, als sie entweder auf immer verschwinden, oder an die Stelle der verloren gegangenen neue treten, was bei den Oberhauttheilen, und den Knochen, wenigstens oft, der Fall ist.

Qualitative Verſchiedenheiten finden inſofern Statt, als entweder die verſchwindenden Organe bloſs kleiner oder zugleich in ihrem Gewebe verändert werden. Häufig ſind ſie zugleich beträchtlich feſter und härter.

Auch unterſcheidet ſich das Kleinwerden und Verſchwinden von dem Abſterben und darauf folgenden Abtreten der Theile von dem ganzen Organismus.

Wohl muſs man auch wahren Mangel vom ſcheinbaren unterſcheiden. Der letzte iſt in der Verſchmelzung von Theilen begründet, die im normalen Zuſtande von einander getrennt ſind, und gewöhnlich eine Folge der Entzündung. Dahin gehört z. B. vorzüglich der Mangel des Herzbeutels, und ſelbſt groſser Organe, wie z. B. der Milz, ſelbſt der Leber.

2) Veranlaſſungen zum Schwinden ſind: a) mechaniſche oder dynamiſche. Mechaniſche ſind vorzüglich Druck, hauptſächlich mit Stoſs verbundner, oder auch nur allmählig zunehmender, wodurch die Thätigkeit der einſaugenden Gefäſse erhöhet wird. So werden ganze Organe durch Anhäufung von Flüſſigkeit, Entſtehung regelwidriger Bildungen in ihrem Innern, oder in ihrem Umfange, z. B. die Niere durch den angehäuften Harn, die Leber durch in ihrem Innern entwickelte Hydatiden, in dünne häutige Bälge umgewandelt.

b) Trennung eines Theiles von benachbarten, mit welchen er in Ernährungsbeziehung ſteht, z. B. Herausnahme der Kryſtallinſe aus ihrer Kapſel, Unterbindung der Pulsadern eines Theiles.

c) Mangel an Ausdehnung. So ſchwindet ein unterbundenes Gefäſs von der Unterbindungsſtelle bis zu dem Urſprunge des erſten anaſtomoſirenden Aſtes.

d) Dynamiſche Urſachen ſind vorzüglich allgemeine Schwäche der Ernährung, welche Abmagerung zur Folge hat, allgemeine Krankheiten, hieher gehört z. B. Zerſtörung der Knochen beim Scorbut; Concentration der bildenden Thätigkeit auf andre Theile; Unthätigkeit des ſchwindenden Theiles.

3) Nicht alle Theile ſchwinden gleich häufig. Betrachtet man hier auch das Abſterben und darauf folgende Abtreten von Theilen, ſo trifft dieſer regelwidrige Zuſtand vorzüglich ſolche Theile häufig, die gewiſſermaſsen paraſitiſch und fötusartig auf dem Organismus nur wurzeln, die Oberhaut und die ihr entſproſſenden Nägel und Haare, die nicht nur bei faſt allen Hautkrankheiten, ſondern auch unter andern Bedingungen, vorzüglich bei allgemeiner Schwäche und Erſchöpfung, ſie trete allmählig oder plötzlich ein, abſterben und ausgeſtoſsen werden, was als weitere Entwickelung des beſtändig vor ſich gehenden Abſterbens und Abtretens derſelben an ihrem äuſsern Umfange beſonders intereſſant iſt. Bisweilen erfolgt aber dieſes gänzliche Abſterben auch ohne eine wahrnehmbare Veranlaſſung. So beſchreibt Wells einen Fall, wo einem immer geſund geweſenen Mann von 36 Jahren binnen 6 Wochen alle Haare am ganzen Körper allmählig ausfielen und nie wieder wuchſen, ohne daſs ſeine Geſundheit auf irgend eine Weiſe gelitten hätte [1]). Tritt dieſes Abſterben plötzlich ein, ſo

1) Transactions of a ſoc. for the improv. of med. and chir. knowl. Vol. II. p. 264—267. no. 21.

werden in kürzerer oder längerer Zeit die verloren gegangenen Theile wieder erzeugt. Die Schnelligkeit und Vollständigkeit der Wiedererzeugung hängt von dem Grade der Schwächung der Lebensthätigkeit durch die Ursache ab, welche das Absterben veranlaſste. Bisweilen erfolgt sie erst, wenn die Thätigkeit der Haut oder die Lebensthätigkeit überhaupt ungewöhnlich erhöhet wird. So erschienen in dem von Wells erzählten Falle, zwei Jahr nach dem das Haar am ganzen Körper ausgefallen war, sehr feine Barthaare wieder, als ein Geschwür an der Hand entstanden war, fielen aber aus, als dasselbe zuheilte.

Auf ähnliche Weise blieb ein Mann, der alle Haare in einer gefährlichen Krankheit verloren hatte, fünf Jahre lang völlig unbehaart, bis sie in der Reconvalescenz einer am Ende dieses Zeitraums eingetretenen zweiten, gleichfalls sehr heftigen Krankheit wieder erschienen [1]). Wie die Haare, erzeugen sich auch die verloren gegangenen Nägel wieder, selbst wenn das Nagelglied des Fingers zugleich verloren war.

Auſserdem werden besonders neugebildete Theile, Narben, bei allgemeinem Leiden häufig zerstört.

Diesen Theilen zunächst in Hinsicht auf Häufigkeit des Schwindens stehen unstreitig einige Eingeweide, namentlich die Leber und die Milz, die dann zugleich gewöhnlich härter und fester als im normalen Zustande sind, sich aber dagegen, eben so wenig als die Drü-

1) Poissonnier de Perrieres in Mém. de la soc. de médécine. 1776. hist. p. 288.

sen überhaupt, bei allgemeinem Schwinden und Abmagern des Körpers bedeutend verkleinern. Unter letzterer Bedingung vermindert sich vorzüglich das Fett, wovon man bei hohem Grade von Abmagerung oft keine Spur findet, und die Muskeln, die zugleich schlaff, weich, farblos werden und ihren faserigen Bau mehr oder weniger verlieren. Diese Veränderungen erleiden sie auch durch lange Ruhe und Unthätigkeit.

Auf das Nervensystem haben allgemeine Ursachen der verminderten Ernährung gleichfalls wenig oder gar keinen Einfluss; doch schwindet es selbst bisweilen, wenigstens theilweise, ursprünglich. Namentlich soll das Rückenmark bei der Rückenschwindsucht (Tabes dorsalis) diese Veränderung erleiden, indessen verdienen nicht alle Angaben dieser Art Glauben, da sich aus manchen sehr deutlich ergiebt, dass man da Rückenmark gesucht hatte, wo es sich auch im normalen Zustande nicht findet. Dagegen schwinden Nerven, welche ihre Functionen verlieren.

Vorzüglich verändert sich auf diese Weise der Sehnerv sehr häufig. [1]) Ungeachtet er nicht nothwendig schnell nach verloren gegangenem Sehvermögen materiell umgewandelt wird, wie z. B. Morgagni bei einem lange epileptisch und einige Monate vor seinem Tode

---

1) Sömmering resp. Nöthig de decussatione nervorum opticorum. Mogunt. 1786. — Ackermann de nervorum opticorum inter se nexu. in Blumenb. med. Bibl. Bd. 3. 1788. — Michaelis über die Durchkreuzung der Sehnerven. Halle 1790. — Wenzel locus unionis nervorum in Op. de penitiori cerebri structura. Francof. 1812. n. XI. p. 109. ff.

auch amaurotisch gewesenen Manne durchaus weder im Auge noch im Sehnerven Veränderungen entdecken konnte, [1]) so scheinen doch diese Veränderungen allmählig unter allen Bedingungen einzutreten. Nur ist es nicht unwahrscheinlich, dass sie da, wo der Verlust des Sehvermögens ursprünglich im Nerven und dem ihm entsprechenden Hirntheile seinen Sitz hat, von innen nach aussen, von dem Hirn nach dem Auge zu, da, wo ursprünglich das Auge erkrankt, von diesem nach dem Gehirn zu, sich entwickeln. So fand Wenzel [2]) bei einem, zwei Jahr epileptisch, sechs Monate amaurotisch gewesenen Manne die Sehnerven an der Vereinigungsstelle völlig normal, hinter derselben aber den linken weit kleiner als den rechten, beide Sehhügel grauer als gewöhnlich. Dagegen findet man immer, noch Zerstörungen des Auges in frühern Perioden, nur den vor der Kreuzungsstelle liegenden Theil des Sehnerven, späterhin erst den ganzen, zuletzt auch, und auch diess nicht immer, erst den Sehhügel umgewandelt.

Die wichtigsten, hier zu erörternden Momente sind 1) die Beschaffenheit der Veränderung der Nerven überhaupt, 2) das Verhältniss des vor der Kreuzungsstelle befindlichen Nerven zu dem hinter demselben liegenden Theile und den Hirntheilen, mit welchen er in Verbindung steht.

In ersterer Beziehung findet man, dass der Nerv zuerst dünner, platter und kürzer

1) De c. et sed. morb. Ep. an. med. IX. a. 20.

2) De penit. cer. struct. p. 115.

wird, allein in seiner Farbe noch keine Veränderungen erleidet. Erst nachdem diese Veränderungen der Dimensionen eine Zeitlang bestanden haben, wird auch die Textur und Farbe krankhaft umgewandelt, der Nerv wird grau, etwas durchsichtig, hornartig, schlaff. Erstrekt sich das Schwinden bis zum Sehhügel, so wird dieser zuerst niedriger, platter, später, und diess bei weitem nicht immer, kürzer, bisweilen auch bloss grauer. Indessen sind diese Veränderungen der Sehhügel nicht nothwendig. Ich habe sie bei einem vierzigjährigen, seit 20 Jahren völlig blinden Weibe mit in ihrer ganzen Länge beträchtlich geschwundenen Sehnerven beider Augen ganz normal gefunden. Gall's Aussage, dass er immer den vordern Vierhügel des geschwundnen Sehnerven, kleiner gefunden habe, sah ich in mehreren Fällen eben so wenig bestätigt, wo die Zerstörung des Auges eine hinreichend lange Zeit gedauert hat.

Den zweiten Punkt betreffend, so findet man bisweilen den Nerven und den Sehhügel derselben Seite allein geschwunden; häufiger aber trifft diese Veränderung den hinter der Vereinigungsstelle befindlichen Theil des entgegengesetzten Sehnerven und den entgegengesetzten Sehhügel allein, oder, am gewöhnlichsten, beide zugleich, so dass der hintere Theil der Sehnerven und die Sehhügel auf beiden Seiten einander gleich sind, wenn gleich vor denselben der Nerv des gesunden Auges nicht bloss normal, sondern oft sogar dicker als gewöhnlich ist. Auf dieselbe Weise ist auch ein Sehhügel oft grösser als im

nor-

normalen Zuſtande, wenn der entgegengeſetzte geſchwunden iſt, ſo daſs alſo ſich die Sehkraft des einen Auges in dem Maaſse zu vermehren ſcheint, als ſie ſich in dem andern mindert.

Das Gefäſsſyſtem wird eben ſo wenig als das Nervenſyſtem bedeutend bei allgemeiner Abmagerung afficirt. Nur das Herz macht als Muskel hiervon eine Ausnahme und iſt bei allgemeinem Mangel an Ernährung gewöhnlich ſehr dünnwandig, klein, blaſs und ſchlaff.

Dagegen verſchwinden Theile deſſelben, welche kein Blut erhalten, allmählig vollkommen, nachdem ſie ſich vorher durch Verwachſung ihrer innern Fläche in einen ſoliden Strang verwandelt haben.

Eine Annäherung an dieſen Zuſtand iſt die Enge der Gefäſse, deren ich ſchon oben (Bd. 1. S. 472.) unter den urſprünglichen Bildungsfehlern erwähnt habe. Urſprünglich iſt ſie aber, eben ſo wenig als eine gänzliche Verſchlieſsung, nothwendig. Auſser den mechaniſchen Veranlaſſungen zur letztern iſt beſonders die in Folge von Entzündung eintretende Ausſchwitzung die entfernte Urſache der Verengung und gänzlichen Verſchlieſsung, wovon daher in der Lehre von Entzündung der Gefäſse die Rede ſeyn wird.

In einem ſehr merkwürdigen, kürzlich bekannt gewordenen Falle iſt es ſehr ſchwer zu beſtimmen, ob die Verſchlieſsung urſprünglich oder erworben, und auf welche Weiſe ſie unter der letztern Bedingung entſtanden war. Bei einem vierzehnjährigen Knaben, der fünf Monatelang an Reſpirationsbeſchwerden und Herzklopfen gelitten hatte, wurde die Aorta unterhalb des Urſprungs der linken Schlüſſelpulsader plötzlich beträchtlich verengt und unter dem arteriöſen Gange in der Länge einer Linie ganz verſchloſſen gefunden, ohne daſs die Häute im geringſten verdickt oder überhaupt krankhaft verändert geweſen wären. Erweiterte Gefäſse hatten den Kreislauf unterhalten, die Aorta aber war oberhalb der zugeſammengezogenen Stelle beträchtlich ausgedehnt, die Wände der linken Kammer von der Dicke eines Zolles. [1])

Hieher gehören auch die Fälle von Verengungen und Verſchlieſsungen andrer Gänge, welche unſtreitig meiſtentheils Folgen von Entzündung oder andern krankhaften Texturveränderungen der Wände ſind, und die im Darmkanal, der Harnröhre, der Scheide und den Gallenwegen [2]) nicht ſelten vorkommen. Die Folgen davon ſind natürlich da, wo der verſchloſſene und verengte Kanal der Weg für eine beſtändig auszuführende Flüſſigkeit iſt, beſchwerlicher Abgang, gänzliches Zurückbleiben derſelben, bedeutende Erweiterung und Verdickung ihrer hinter der verſchloſſenen Stelle liegenden Behälter, endlich Einriſs der letztern.

Knochen, Knorpel und faſerige Organe leiden bei allgemeiner Abmagerung wenig; indeſſen ſchwinden und verſchwinden ſie in Gefolge dynamiſcher, und mechaniſcher Urſachen. So werden die Knochen bei mehrern allgemeinen Krankheiten, namentlich Scorbut, Syphilis, Knochenerweichung, lockerer,

---

1) Graham in med. chir. transact. Vol. V. Lond. 1814. p. 287. ff.

2) Baillie morbid. anat. 2. edit. p. 240. Clarke in Edinb. med. and ſurg. journ. Vol. IV. p. 277. ff.

dünner, und stellenweise ganz, ohne dass jedesmal der Verschwärungsprocess eingetreten, also Entzündung die entfernte Ursache gewesen wäre, zerstört. Knorpel verschwinden bei gewissen Affectionen der Gelenke, überhaupt bei Gelenkkrankheiten häufig, und werden im günstigsten Falle gewöhnlich durch Knochensubstanz ersetzt, welche, seltne Fälle ausgenommen, Verschmelzung ursprünglich getrennter Knochen zur Folge hat.

Die mechanische Veranlassung zum Schwinden dieser Organe ist Druck, vorzüglich mit Stoss verbundner, wo sie endlich selbst durch viel weichere Substanzen, selbst Flüssigkeiten, ganz zerstört werden, ohne eine anderweitige Veränderung in ihrer Textur, als bisweilen einige Auflockerung, zu erleiden. Beym Aneurysma, dem Hirnschwamm, den mit ihm verwandten sogenannten Pacchionischen Drüsen, dem Wasserkopf, findet man daher die benachbarten Knochen dünn, selbst ganz durchbohrt, die Ränder der Oeffnungen oder Vertiefungen aber glatt. Der mehr elastische und zugleich schwächer lebende Knorpel wird unter diesen Bedingungen weniger als der Knochen durch den Druck verändert.

Zweite Classe.

Configurationsveränderungen.

Den Veränderungen des Volums und der Masse, oder den quantitativen Gestaltveränderungen der Organe stehen die qualitativen oder Configurationsveränderungen zunächst. Je nachdem sie an weichen oder harten Theilen vorkommen, ist ihre Form verschieden. Bei den weicheren, und namentlich den hohlen Theilen erscheinen sie vorzüglich als Umkehrungen, bei den härteren als Verkrümmungen.

Erste Abtheilung.

Von der Umkehrung.

Alle aus biegsamen Wänden gebildeten Höhlen haben das Vermögen sich dergestalt umzuschlagen, daſs ihre innere Fläche nach auſsen gewandt wird, und umgekehrt. Diese Veränderung erstreckt sich entweder auf alle Schichten, woraus diese Wände gebildet sind, oder nur auf die innere. Die erstere findet häufiger Statt als die letztere, welche vielleicht meistentheils in einer abnormen Verlängerung der innern Haut begründet ist. Dieser regelwidrige Zustand hat nach zufälligen Verschiedenheiten, welche er darbietet, den Namen Umkehrung (inversio) Vorfall (prolapsus) und Einschiebung (invaginatio, intussusceptio) erhalten. Der Name Umkehrung ist der allgemeinste und bezeichnet das Wesen desselben am besten. Vorfall tritt dann ein, wenn die Umkehrung den Theil eines hohlen Organs betrifft, welcher dicht am Ausgange desselben liegt, oder wenn der umgekehrte Theil, ungeachtet er weit von dieser Stelle entfernt ist, sich allmählig herabsenkt und die Inversion sich dadurch vergröſsert. Nur der Umstand des Austretens und des Sichtbar- oder Fühlbarwerdens des invertirten Organs bestimmt das Wesen des Vorfalls. Man belegt indeſs mit diesem Namen in der That auch das bloſse Herabsteigen eines Organs ohne Umkehrung z. B. der Gebärmutter; allein streng genommen sollte man entweder nur für diesen oder für jenen Zustand diesen Namen bewahren. Die Benennung: Einschiebung oder Intussusception, oder Invagination schränkt man bloss auf die Inversion eines Stückes Darm ein, indem das invertirte Stück von dem äussern, nicht invertirten aufgenommen, wie von einer Scheide umgeben wird. Offenbar unterscheidet sich der Vorfall des Mastdarms und Afters nur dadurch von der Intussusception, dass hier der invertirte Darm von einem nicht invertirten Stück umgeben wird, statt dass er dort frey liegt. Dieser Zustand kommt im Darmkanal, dem Harnsystem und den weiblichen Geschlechtstheilen vor.

Erster Abschnitt.

Vom Darmkanal. [1])

a. Einschiebung.

Der Darmkanal ist dieser Abweichung am häufigsten unterworfen, wahrscheinlich seiner Muskulosität, der wurmförmigen, immer in ihm Statt findenden Bewegung, seiner ansehnlichen Länge, seiner cylindrischen Form und des geringen Verhältnisses zwischen seiner Dicke und Länge wegen.

---

1) Die wichtigsten, mir bekannten Aufsätze, welche diesen Gegenstand, theils allgemein, theils durch einzelne wichtige Fälle erläutern, sind: Monro remarks on procidentia ani, intussusception, inflammation and volvulus of the intestines. In Edinb. med. and phys. essays. Vol. II. No. 27. — Bouchet Mém. prés. à l'ac. des sc. Vol. VIII. — Hevin Recherches histor. sur la gastrotomie dans le cas de Volvulus. Mém. de l'ac. de chir. Vol. IV. — Rahn de passionis iliacae pathologia. Halae 1791. — Hunter on intussusception in med. trans-

Ich habe schon so eben bemerkt, daſs man die Umkehrung eines Darmstückes mit dem speciellen Namen der Intussusception belegt. Dieser Zustand unterscheidet sich von den Umkehrungen andrer hohler Organe dadurch, daſs innerhalb des umgekehrten Stückes noch ein inneres, nicht umgekehrtes liegt, daſs also bey einer jeden Intussusception sich drey Stücke des Darms über einander befinden. Das äuſsere oder das enthaltende geht mit dem übrigen Darm ununterbrochen fort. An der Stelle, wo die Intussusception anfängt, ist der Darm umgebogen und steigt umgekehrt, so daſs seine villöse Haut der villösen Haut des enthaltenden Stückes zugewandt ist, und mit demselben mehr oder weniger in Berührung ist, herab. Dieſs ist das mittlere Stück. Das untere Ende desselben macht das Ende der Intussusception. Innerhalb dieses mittlern Stückes befindet sich die Fortsetzung des obern Theiles des Darmkanals, das mit diesem eben so ununterbrochen und unverändert fortgeht, als das äuſserste der drey Stücke ein Continuum mit dem unteren Theile des Darmkanals bildet. Dieses innere Stück geht an dem unteren Ende der Intussusception in das mittlere invertirte Stück über, gerade wie dieses an dem

---

act. of a soc. for the impr. of med. and chir. knowledge. Vol. I. — Blizard a case of intussusception med. chir. transact. Vol. I. 1809. No. XIV. — Langstaff case of introsusception with remarks on the complaint. Edinb. med. journ. V. 5. No. II. — Howship some obs. on Intussusception. Ebendas. V. 8. No. I. — Caldani sopra una singolare dejezione d'intestino in den Mem. di Verona. T. XVI. p. 82. ff.

oberen Ende der Intusſusception in das äuſsere enthaltende übergeht.

Das innere und mittlere Stück ſind einander mit ihren äuſseren, von der Peritonealhaut bekleideten Flachen gerade ſo entgegen gewandt, als das mittlere und äuſsere mit ihrer innern einander entgegen ſchauen.

Denkt man ſich daher die verſchiednen Theile, welche die Intusſusception bilden, in ihre normale Lage gebracht, ſo kommt der tiefſte Theil des invertirten Stückes um die ganze Länge dieſes Stückes höher zu liegen, als der, welcher, ſo lange die Intusſusception beſteht, der höchſte iſt, und der ſich an der Stelle befindet, wo das invertirte Stück in das enthaltende übergeht. Der höchſte iſt natürlich der oberſte Theil des innerſten, nicht invertirten Stückes.

Bey der Inverſion andrer Organe findet ſich innerhalb des enthaltenden Stückes nur das invertirte. Dieſer Unterſchied beruht auf der Verſchiedenheit der Form des Darmkanals von der Form aller übrigen Organe, die einer Inverſion fähig ſind. Dieſe bilden nähmlich geſchloſſene, im Verhältniſs zu ihrer Länge kurze und weite Höhlen, wovon beym Darmkanal gerade das Gegentheil Statt findet. Invertirt ſich ein, mit einem blinden Grunde verſehenes Organ, ſo iſt die tiefſte Stelle des die Inverſion bildenden Theiles eigentlich die höchſte Stelle des Organs; nicht ſo beym Darmkanal, wo innerhalb des invertirten Stückes noch ein drittes, nicht invertirtes, enthalten iſt.

Es iſt ſchwer, ſich ein deutliches Bild von der Entſtehungsweiſe der Intusſusception zu entwerfen. Wahrſcheinlich aber invertirt ſich der

Darmkanal zuerst an einer Stelle, und zwar an der, welche im Zustande der Intussusception die untere ist. Diese, oder die, wo das invertirte Stück in das innere, nicht invertirte übergeht, und die, wo es sich in das äussere, enthaltende überbegiebt, sind ursprünglich eins, werden aber in dem Maasse, als sich ein grösserer Theil invertirt, von einander entfernt. Die Inversion des Darmkanals hat dann nothwendig das Nachrücken eines nicht invertirten innern Stückes zur Folge.

Nach Hunter[1]) ist nur das äussere, enthaltende Stück thätig, und treibt das invertirte Stück vorwärts, wie einen jeden andern fremden Körper; dieses Stück selbst ist dagegen ganz unthätig; allein dieses Stück ist eben so wohl mit Muskelfasern versehen, als das äussere, und man begreift auf diese Weise nicht, wie sich allmählig das invertirte Stück vergrössern kann. Daher ist es mir auch nicht wahrscheinlich, dass sich die Intussusception, wie Hunter[2]) will, bilde, indem ein loses Stück Darmkanal sich zusammenzieht, und ein darunter befindliches erweitert, so dass das Hineingleiten ohne Thätigkeit des Darms entstehe.

Bisweilen entsteht die Inversion bloss mechanisch, indem durch einen schweren, an der innern Fläche des Darmkanals befindlichen Körper diese herabgezogen wird. Diess geschah in einem von meinem Vater beobachteten Falle, den ich vor mir habe, durch eine Fettgeschwulst.[3])

---

1) A. a. O. p. 105.

2) Ebendas. p 104.

3) Rahn a. a. O. Tab. I.

Das invertirte Stück ist immer beträchtlich länger als es auf den ersten Anblick scheint, indem es durch seine Befestigung am Mesenterium in einen engen Raum zusammengedrängt wird. Daher erscheint es gerunzelt, und bisweilen sind die Runzeln zu einer Masse verwachsen. Das innerste dagegen ist gewöhnlich sehr gespannt, stark ausgedehnt, zugleich verengt, indem es von dem invertirten Stücke herabgezogen, und von ihm und dem äußsern enthaltenden gedrückt wird. Bey weitem in den gewöhnlichsten Fällen ist das obere in das untere Stück eingeschoben.

Am gewöhnlichsten kommen Einschiebungen am dünnen Darm vor, offenbar vorzüglich wegen der leichten Beweglichkeit desselben, welche in der Breite seines Gekröses begründet ist. Ansehnliche und tödtliche Invagination ereignen sich vorzüglich am Ende des dünnen Darmes, der, in einer größsern oder geringern Strecke, invertirt oder nicht invertirt, durch die Grimmdarmklappe in den Grimmdarm tritt, indem ihre Entstehung durch die größsere Weite des Grimmdarms begünstigt wird. Wahrscheinlich werden sie gerade durch den letzten Umstand immer bedeutender und endlich tödtlich, indem die Grimmdarmklappe den Rücktritt verwehrt. Sie sind dann nicht selten so beträchtlich, daſs sich die Grimmdarmklappe durch den After hervorbegiebt, oder wenigstens bis zu demselben reicht. Ich selbst habe Fälle Fälle dieser Art vor mir, und ähnliche sahen Monro,[1]) Lettsom,[2]) Blizard.[3])

1) Edinb. med. and ph. ess. Vol. 2. p. 393.
2) Phil. tr. v. 76. p. 305.
3) M. chir. tr. London. 1809. v. 1. p. 169.

In manchen Fällen, wo sich ein beträchtlicher Theil des Grimmdarms invertirt, ist vielleicht ungewöhnliche Länge und Lockerheit des Grimmdarmgekröses, vorzüglich des aufsteigenden, Veranlassung davon. Wenigstens findet diese bisweilen Statt, und ist dann wahrscheinlich ein Stehenbleiben auf einer frühern Bildungsstufe, indem in frühern Perioden diese Länge des Grimmdarmgekröses normaler Zustand ist.

Bisweilen ist die Intussusception dadurch complicirt, dass entweder der dritte, innerste Theil sich wieder umschlägt und für einen zweyten invertirten Theil enthaltender wird, oder dass in den enthaltenden Theil ausser dem invertirten noch andre Därme so treten, dass sie sich zwischen den invertirten und den darin enthaltnen mittlern Theil legen.

Einen aus beiden Arten zusammengesetzten Fall beobachtete Baud.[1] Ein Mensch von vier und zwanzig Jahren bekam eine heftige Kolik und ein Gefässfieber, wozu sich ein Vorfall des Darms durch den After gesellte, der zurückgeschoben, aber nicht völlig an seine Stelle gebracht wurde. Bey der Untersuchung nach dem Tode fand man einen Theil des grossen Netzes braun, und auf der linken Seite liegend, in der rechten Hälfte des Unterleibes bloss den sehr entzündeten dünnen Darm. Auf der linken Seite bildeten der Grimmdarm und der Mastdarm eine feste, starke, gerunzelte, wurstähnliche Säule, die funfzehn Zoll Länge und zehn Zoll im Umfang hatte, und sich von oben

1) Sedillot j. de médec. t. 24.

und links nach der rechten Seite, vom Nabel bis zum Becken erstreckte.

Der Magen war normal, allein ein Drittheil des Zwolffingerdarmes, die Bauchspeicheldrüse, und das Quergrimmdarmgekröse nebst dem rechten Theile des grossen Netzes waren in den absteigenden Grimmdarm geschoben. Dieses und der Mastdarm enthielten ausserdem den Quer- und aufsteigenden Grimmdarm und das Ende des Krummdarms, so dass im Ganzen nur ein funfzehn Fuss langes Stück nicht invaginirt war. Der Mast- und absteigende Grimmdarm bildeten den äussern, enthaltenden Theil, der quere und aufsteigende den invertirten mittlern, der Krummdarm den innern. Dieser hing fest am aufsteigenden Grimmdarm an, der nebst dem queren frey in den absteigenden ragte. Am untern Ende des enthaltenden Theiles befand sich eine, durch den After gebildete Verengerung, durch welche der umgekehrte Blinddarm trat, neben welchem sich die Grimmdarmklappe und die Oeffnung des Krummdarms befand.

Brera [1]) erzählt dagegen einen Fall von einer ausserordentlich zusammengesetzten Intussusception der erstern Art.

Ein starker Säufer bekam häufig widerkehrende Leibschmerzen, zu denen sich Verstopfung und Fieber gesellte. Die Kolik schien krampfhaft und der heftigste Schmerz hatte seinen Sitz oben und in der rechten Seite des Unterleibes. In einigen Monaten nahm der Schmerz seinen Sitz in der Mitte des Quergrimmdarms und die erste Stelle wurde frey. Den

1) Annotaz. med. pratiche, Vol. II. p. 129.

Tag darauf entſtand ein heftiger Schmerz im abſteigenden Grimmdarm und am folgenden fühlte man in der linken Darmgegend eine bewegliche Geſchwulſt. Nach einigen Tagen ſtarb der Kranke.

Bey der Unterſuchung fand man den ungeheuer groſsen Magen durch einen vom Maſtdarm gebildeten Beutel perpendikulär herab gezogen. Der Maſtdarm enthielt, wie die Oeffnung auswies, einen Theil des abſteigenden Grimmdarms. Dieſer war alſo invertirt. Er ſelbſt enthielt den Quergrimmdarm und einen Theil des Netzes. In dieſen war, als zweyter invertirter Theil der aufſteigende Grimmdarm und der Blinddarm geſchoben. In dieſen befand ſich, als dritter invertirter Theil, der eng zuſammengewickelte Krummdarm, der zuletzt wieder den Leerdarm und einen Theil des Zwölffingerdarms einſchloſs. Der ganze Darmkanal bildete alſo ſieben in einander eingeſchobene Lagen, einen kleinen Theil des Zwölffingerdarms ausgenommen, waren alle ſeine Theile enthaltend oder enthalten, und die Speiſen gingen vom Magen gerade zum After.

Die Zottenhaut des dicken Darms war brandig, die äuſsere Haut der dünnen Därme hing am Grimmdarm an.

Ich habe gleichfalls eine ſehr zuſammengeſetzte Einſchiebung am Krummdarm eines fünfjährigen Kindes vor mir, welches in drei Tagen unter den gewöhnlichen Zufällen ſtarb.

Die ganze krankhafte Stelle des Darmkanals iſt äuſserlich, dem Anſchein nach, einen Zoll lang. Das innerſte, normal verlaufende, ſehr gedrückte Darmſtück iſt nicht völlig drey

Zoll lang, und reicht vom oberen Ende bis nicht vollkommen zum untern herab. Hier ſchlägt ſich der Darm ungefähr einen halben Zoll weit um, und wendet ſich dann wieder in normaler Richtung 1½ Zoll weit nach unten. Hier ſchlägt er ſich abermals gegen ſich ſelbſt um, und ſteigt invertirt bis zum obern Ende herauf. Hier nimmt er, abermals umgeſchlagen, ſeine normale Richtung wieder an, ſteigt bis zur Mitte der ganzen afficirten Stelle, wendet ſich hier von neuem ungefähr ½ Zoll weit nach auſsen, und ſchlägt ſich dann wieder ſo um, daſs er ſeine normale Richtung erhält. Dieſes Stück geht in den unterhalb der Invagination befindlichen Theil des Darmkanals fort. Es finden ſich alſo hier drey Intusſusceptionen, welche ſo in einander dringen, daſs an zwey Stellen ungefähr einen Zoll über ſeinem untern Ende und in der Mitte, der Darm fünffach in ſich ſelbſt geſchoben iſt. In der oberen und unteren Hälfte iſt die Intusſusception einfach und es liegen daher nur drey Darmſtücke über einander.

Einen, dem zuletzt beſchriebenen ähnlichen Fall beſchreibt auch Burns.[1]) Die obere Hälfte des Grimmdarms war doppelt in die untere bis zur S förmigen Krümmung invertirt.

Dieſe Fälle beweiſen hinlänglich, daſs der Satz, welchen Voigtel[2]) aufſtellt: „In den Fällen, wo zwey Einſchiebungen Statt fänden, ſey die Richtung derſelben verſchieden, indem bey der einen der Darm nach unten, bey der andern nach oben eingetreten ſey" zu allgemein aufgeſtellt iſt. Er leitet dieſs, nach Brüning[3])

1) Monro morbid anat. of the gullet. Edinb. 1811. p. 354.

2) Pathol. Anat. Bd. 2. S. 569.

3) De ileo Act. nat. cur. V. p. 263.

von der Ausdehnung des enthaltenden Theiles her, wodurch die oben und unten zusammengezogene Stelle in denselben zu treten genöthigt werde, allein ich habe mehrere Fälle beobachtet, wo dicht hinter einander sich Intussusceptionen befanden, die beyde dieselbe Richtung hatten, und glaube daher, dass die entgegengesetzte Bedingung unter die seltnern Fälle gerechnet werden muss.

Doch findet sie in der That bisweilen Statt. Ein besonders merkwürdiger Fall ist der von Spry [1]) erzählte. Bey einem sechsmonatlichen Kinde, das nach einwöchentlichem Erbrechen und Blutausleerung, aber ohne Zeichen von Schmerz, gestorben war, hatte sich ein Stück des Krummdarms und der ganze Quer- und aufsteigende Grimmdarm in den untern Theil des absteigenden Grimmdarms geschoben, wo sie eine feste bläuliche Masse bildeten. Ein Theil der S förmigen Krümmung hatte sich einen Zoll weit über diesen invertirten Theil zurückgebogen, und sie eingeschnürt. Die Länge des Darms, welcher die obere Einschiebung bildete, betrug 16, die der unteren 2 Zoll.

Uebrigens ist es nicht selten, mehrere nicht in einander eindringende und mehr oder weniger von einander entfernte Intussusceptionen in demselben Körper zu finden, von denen dann einige nach unten, die andern nach oben gerichtet seyn können. Diess habe ich selbst einigemal beobachtet. In einem Falle fanden

---

1) Med. and phys. journal Vol. II. no. 7. p. 131. in Friese Annalen der n. britt. Arzneyk. Breslau 1801. Bd. 1. H. 1.

sich drey, ungefähr einen Fuss weit von einander entfernt, die obersten nach unten, die dritte nach oben gekehrt.

So fand Brüning [1]) bey einem zehnjährigen Mädchen vier, einige nach oben, andre nach unten gerichtet.

Blasius [2]) sah, weit von einander entfernt, bey einem vierzehnjährigen Knaben zwey, deren Richtung gleichfalls entgegengesetzt war. Schon vorher habe ich indess bemerkt, dass sich weit seltner das untere Darmstück in das obere, als dieses in das untere einschiebt. Doch fand Meier [3]) bey einem Manne, der durch einen Schlag auf den Kopf getödtet worden war, an zwey Stellen des dünnen Darms das untere zwey Querfinger weit in das obere geschoben.

Hunter [4]) sahe auch bey einem Knaben, der an einer Arsenikvergiftung gestorben war, den unteren Theil des Krummdarms zwey Zoll weit in den obern geschoben.

Gewöhnlich verschwindet wohl die Intussusception, besonders, wenn sie nicht beträchtlich ist, und bei Kindern vorkommt, von selbst, höchst wahrscheinlich, indem sich die Thätigkeit der Muskelhaut des enthaltenden Darmstückes verstärkt, wodurch dasselbe verkürzt und verengt wird, und in demselben Masse die des enthaltenen nachlässt, wovon die Auflösung und Streckung der Falte, mithin der Austritt des invaginirten Stückes die Folge ist.

---

1) A. a. O. S. 263.

2) Obs. med. p. II. obs. 3. pag. 37. tab. V. fig. 2.

3) Baldinger neues Magaz. Bd. 3. S. 385.

4) A. a. O. S. 116.

Ist dagegen die Invagination beträchtlich, befindet sie sich überdiess am untern Ende des Krummdarms, welches durch die Grimmdarmklappe in den Grimmdarm getreten ist, oder schnürt sich der enthaltende Theil überhaupt fortwährend stark zusammen, so erfolgt der Rücktritt nicht. Sehr bald wird er durch den weitern Verlauf der Krankheit völlig unmöglich, indem, in Folge des Reizes, welcher durch das enge Aneinanderliegen der ineinander geschobenen Darmstücke und den Druck derselben auf einander bewirkt wird, sehr bald Entzündung und zunächst Verwachsung zwischen den beiden enthaltenen Darmstücken, dem mittlern und dem innern, und eben so auch am obern Ende der Intussusception zwischen diesen und dem enthaltenden entsteht. Hiedurch wird das invaginirte Stück des Darmkanals völlig unbeweglich.

Wegen der Einschnürung der enthaltenen Darmstücke, die vorzüglich an dem obern Ende der Invagination Statt findet, entsteht immer Verstopfung und sehr bald Erbrechen. Zugleich entzündet sich die eingeschnürte Stelle, wird brandig, und gewöhnlich erfolgt in kurzer Zeit der Tod. Bisweilen indessen ist der Verlauf günstiger. Entweder erfolgen nämlich diese Veränderungen nicht so schnell, dass nicht dennoch unter speciellen Bedingungen die Theile in ihre normale Lage gebracht werden könnten, der seltnere, aber glücklichere Ausgang, wovon Lacoste ein Beispiel anführt.[1]). Bei einem Mann drang plötzlich ein be-

1) Sédillot journ. gén. de médec. 1812. Iuillet — Septembre. Bey Brera g. di med. pratt. fasc. 8. p. 289.

beträchtliches Stück des invertirten Darmes, das, eilf Zoll Länge, acht Zoll im Umfange erreichte, aus dem After. Es war nicht der invertirte Mastdarm, indem man in diesen einziehen konnte, ohne eine blinde Höhle zu entdecken, muſste mithin wenigstens der Grimmdarm seyn; dennoch wurde es am zweiten Tage nach dem Austritte vollkommen, und für immer zurückgebracht. Zwey ähnliche Fälle sahe auch Acetti.[1])

Oder das Leben des Kranken wird auf Unkosten eines Stückes Darm gerettet.

Nicht ganz selten nämlich giebt die Intussusception Veranlassung zur Abstoſsung des intussuscipirten Stückes, indem die Entzündung in Brand übergeht, der die Absonderung desselben von dem übrigen Darmkanal zur Folge hat. Sehr merkwürdig ist es, daſs dieser Zufall nicht selten eine nicht unbeträchtliche Zeit lang überlebt wird, unstreitig, indem die Entzündung zugleich Vereinigung des obern Endes des enthaltenden Theiles mit dem oberhalb der Intussusception befindlichen Stücke des Darmkanals zur Folge hatte. Ueberhaupt ist er, wenigstens bey einigermaſsen beträchtlicher Gröſse des invertirten Theiles, das einzige Rettungsmittel, indem auſserdem, wie mehrere der angeführten Fälle beweisen, der Weg durch das innerste Stück des Darmkanals so eng ist, daſs der Durchgang der Speisen fast unmöglich wird. Auch findet vor dem Abgange des abgesonderten Stückes gewöhnlich Verstopfung Statt, die sogleich nachher verschwindet.

---

1) Brera giorn. di med. pratt. fasc. XI. 1813. p. 236.

Dieſs beweiſen folgende merkwürdige Fälle.

Ein zwölfjähriger Knabe litt an Kolikſchmerzen, deren Entſtehung er auf Schläge, welche er auf den Leib bekommen hatte, ſchob. Nach Verlauf eines Jahres ging eine ſchwärzliche membranöſe Subſtanz durch den Stuhlgang ab, die ſich durch Aufblaſen zu einer Röhre von dreyzehn Zollen anſchwellen lieſs, und, weil das Meſenterium daran befeſtigt war, für das ganze Rohr des Darms gehalten werden muſste. Auſserdem gingen noch einige kleinere Stücken ab. Der Knabe ſtarb ſechs Wochen nachher. Bey der Unterſuchung fand man alle Gedärme unter einander verwachſen. Der Krummdarm war vier Zoll weit, an der Grimmdarmklappe plötzlich beträchtlich verengt, verdickt und verhärtet, beſonders auf einer Seite, wo die Wand ſo weit in die Höhle ragte, daſs der Weg für die Speiſen beträchtlich verengt wurde. In dieſer Strecke war auch das Gekröſe hart und dick. Das Ganze hatte ein narbenähnliches Anſehen. Auſserdem war der Darmkanal normal. [1])

Eine Frau, die ſiebzehn Tage lang am Ileus gelitten hatte, leerte ein achtzehn Zoll langes Stück des Krummdarms aus. Nach der Ausleerung fühlte ſie ſich ſehr ſchwach, verlor aber ſogleich die Schmerzen, die vorher fürchterlich waren, und ſtarb erſt zwanzig Tage nachher. Nach dem Tode fand man mehrere Theile des Darmkanals ſchwarz und brandig; doch lieſsen ſie ſich aufblaſen. Wenige Zoll vom Grimmdarm war der Krummdarm in der Länge von ſechs Zollen feſt verwachſen, und ſo ſtark

1) Monro a. a. O. pag. 395. ff.

verengt, daſs nur der kleine Finger durchging. Der abgegangene Theil ſchien intusſuſcipirt geweſen, der Darmkanal gertrennt worden und die getrennten Enden durch adhäſive Entzündung vereinigt zu ſeyn. [1])

Wahrſcheinlich gehört hieher auch ein von Baillie beobachteter Fall. Einer funfzigjährigen Frau, die häufig während ihres Lebens verſtopft geweſen war, gieng in einer tödtlichen Krankheit, nachdem ſie häufig blutige Stühle gehabt hatte, drey Wochen vor dem Tode eine darmähnliche Subſtanz mit dem Stuhlgang ab. Zehn Tage vorher und bis zum Tode hatte ſie nur Oeffnung, wenn ſie gerade ſtand. Das ausgeſtoſsene Stück war wirklich ein Theil des Grimmdarms, an dem man die innere und Muskelhaut, ſo wie an einigen Stellen die Peritonealhaut und die Netzanhänge erkannte. [2])

In Hunters Sammlung befindet ſich ſogar ein ſechs Zoll langes Stück Darm, woran man gleichfalls alle Theile erkennt, deſſen innere Membran mit geronnener Lymphe bedeckt iſt, und deſſen ehemaliger Beſitzer ſeinen Verluſt zwey Jahr lang überlebte. [3])

Bey einem ſiebzehnjährigen Mädchen fiel, vier Wochen nach dem Anfange eines Fiebers, das erſt mit Verſtopfung, dann mit Durchfall verbunden war, der Blinddarm und Wurmfortſatz, nachdem der ganze quere und aufſteigende Grimmdarm, nebſt einem dreyzehn Zoll

1) Dougall in Duncan med. comm. D. I. V. IX. p. 278.

2) Transact. for the improvem. of med. etc. Vol. II. p. 144. ff.

3) Ebendaſ. p. 149.

langen Stücke des Krummdarms, ſchon eine Woche lang ſo weit intusſuscipirt geweſen war, daſs die genannten Theile aus dem After hervorhingen, ab; dennoch ſtarb das Mädchen erſt vier Wochen nachher.

Aehnliche Fälle ſahen Guerin,[1] Caldani,[2] Bowman,[3] Bouchet,[4] Hevin,[5] Fauchon.[6] In einem der von Hevin angeführten Fälle ging ein 23 Zoll langes Stück des dicken, in einem andern ein 28 Zoll langes des dünnen Darms mit vollkommener Herſtellung ab.

Nicht immer geht der ganze enthaltene Theil des Darms ab, ſondern bisweilen trennt ſich nur der kleinere, untere Theil deſſelben, wie z. B. in dem Hunterſchen Falle. Etwas ähnliches fand in dem von Bouchet unterſuchten Falle Statt. Hiedurch ſcheint bisweilen ein hinlänglich weiter Weg zum Durchgange der Excremente gebildet zu werden.

Uebrigens iſt es nicht immer gewiſs, ob in den Fällen, wo Theile des Darmkanals abgeſondert und hervorgetrieben werden, jedesmahl Intusſusception Statt fand. Im Abſchnitte von den Brüchen werde ich Gelegenheit haben,

---

1) In Roux j. de méd. T. 22. p. 552.

2) A. a. O.

3) Caſe of Intusſusceptio which terminated favourably, by the ſeparation and discharge of the coecum with a portion of the colon and meſocolon. In Edinb. med. journ. Vol. IX. p. 492.

4) A. a. O.

5) A. a. O.

6) Obſerv. ſur l'expulſion ſpontanée du coecum avec ſix pouces de colon et autant de l'ileon fotmant un volvulus. In Mém. de chirurgie. T. IV. p. 221. ff.

mehrere Fälle anzuführen, wo ſich ohne dieſelbe ein anſehnliches vorliegendes Darmſtück abſonderte, und dennoch die Continuität des Darmkanals nicht verletzt wurde. Daſſelbe aber kann auch eintreten, wenn durch eine vorangegangene Entzündung der Darmkanal an mehreren Stellen mit den Unterleibswänden zuſammengeheſtet wurde. Hier iſt es möglich, daſs entlegene Stellen mit einander vereinigt werden, das zwiſchen ihnen befindliche Stück abſtirbt und abgeſondert wird, ohne vorher intusſuscipirt und invertirt geweſen zu ſeyn.

Etwas Aehnliches fand vielleicht in folgendem ſehr merkwürdigen Falle Statt. Ein Mann wurde in der Trunkenheit überfahren, ohne aber äuſserlich verletzt zu werden. Er bekam heftige Leibſchmerzen und Anſchwellung des Unterleibes. Am achtzehnten Tage ging ihm, nachdem er einige Tage vorher lange daurende Anfälle von gänzlicher Kraftloſigkeit gehabt hatte, ein vierzehn Zoll langes Stück Krummdarm ab, woran ein Theil des Meſenteriums hing, worauf ſogleich ein reichlicherer Stuhl, als er ſeit dem Zufalle gehabt hatte, erfolgte. Nach einigen Wochen bildete ſich unter dem Nabel ein Absceſs, nach deſſen Aufbruch Koth und Winde durch die Oeffnung abgingen. Nach und nach bildeten ſich noch vier andre, tiefer gelegene. Man heilte alle dieſe Oeffnungen zu, und es gingen ſowohl durch ſie, als durch den After, Koth und Winde ab. Dennoch war der Mann ſechs Jahre nach Abgange des Darmſtücks vollkommen geſund. [1])

---

1) Bower hiſt. of the caſe of a man who discharged by the anus a portion of the inteſtine. In Duncan med. annals 1802. Luſtr. II. Vol. 2. p. 345.

Da sich hier mehrere äussere Oeffnungen fanden, in deren Umfange der Darmkanal offenbar mit der Unterleibswand zusammenhing, so ist es möglich, dass das zwischen ihnen befindliche Stück Darm abgestossen und die Lücke zwischen dem oberen und unteren Theile des Darmkanals zum Theil durch gerinnbare Lymphe, das Mesenterium und die Unterleibswände ausgefüllt worden war.

Am häufigsten kommt dieser regelwidrige Zustand des Darmkanals, theils wegen höher gesteigerter Sensibilität, theils wegen häufiger erregender Ursachen, vorzüglich Anwesenheit von Würmern, bei Kindern vor, ist aber weniger nachtheilig, sofern er wegen geringerer Irritabilität eben so leicht verschwindet. Häufig findet man daher bei Kindern, selten bei Erwachsenen, mehrere, unschädliche, in den letzten Lebenszeiten entstandene, kleine Invaginationen. Ausser hoher Erregbarkeit sind drastische Purgiermittel, Hartleibigkeit, die gewöhnlichsten Veranlassungen dazu.

b. Vorfall des Afters.

Das Wesen des Aftervorfalls ist nicht immer völlig dasselbe, indem bald bloss die innere Haut, bald alle Häute des untersten Theiles des Mastdarms vorfallen. Schon Schacher [1]) klagte über Mangel an anatomischen Untersuchungen über die Beschaffenheit der vorgefallenen Theile, und bis jetzt hat, so viel ich weiss, noch niemand als Monteggia [2]) genaue Beobachtungen hierüber geliefert.

---

1) Friederici de morbis a situ intestinorum praeternaturali in Haller coll. diss. chir. T. III. p. 15.

2) Fasciculi pathologici. Turici 1793. p. 91. ff.

Er fand bey einer weiblichen Leiche ausserhalb des Afters eine rothe, weiche, schwammige, unregelmässig ringförmige Geschwulst, die wegen ihrer Dünne und Weiche bloss durch die innere Haut des Mastdarms gebildet zu seyn schien. In der That erschien auch am Mastdarm, von der Beckenhöhle aus betrachtet, nichts verändert, und wenn er in die Höhe gezogen wurde, trat die Geschwulst nicht zurück. Zurückgebracht passte sie nicht in den Mastdarm, sondern bildete immer eine Geschwulst in demselben, die seine Höhle, wie ein fremder Körper, verengte. Nach Herausnahme des Mastdarms erschien die innere Haut hier deutlich erschlafft, über die Afteröffnung hinaus verlängert, und die Muskelhaut, nachdem diese Stelle der inneren Haut weggenommen war, nur in einer kleinen Strecke entblösst. Auch in einem von Cowper [1]) beschriebenen und abgebildeten Falle fand wahrscheinlich bloss eine Anschwellung und ein Vordringen der innern Haut Statt. Ein Mann hatte nähmlich lange Hämorrhoidalknoten und Aftervorfall. Die Theile entzündeten sich, wurden brandig und fielen ab, worauf der Mann nicht nur genas, sondern auch auf immer von Hämorrhoiden und Aftervorfall geheilt blieb. Eben so gehört hieher wahrscheinlich eine Beobachtung von Whately [2]), der bey einem dreissigjährigen Manne ein vorgefallenes Stück des Mastdarms von der Grösse eines Hühnereyes, das jeder äusseren Bewegung folgte, abschnitt, und wo sich vierzehn Tage nachher ein neuer Vorfall bildete, der wieder abgeschnitten wurde.

1) Anat. of the human body.

2) Sims med. facts. Vol. 8. p. 165.

Diese Beobachtungen beweisen daher, daſs bisweilen der Aftervorfall bloſs in einer Vergröſserung und Umkehrung der innersten Haut des Afters begründet ist.

In einem andern Falle dagegen, wo ein achtjähriger Knabe während heftiger Steinschmerzen immer einen ansehnlichen Vorfall des Afters bekam, wurde der Vorfall zwar gröſstentheils durch die innere, angeschwollene Haut, zum Theil aber auch durch die übrigen gebildet.

Immer ist auch der Schlieſser des Afters erschlafft, die Afteröffnung daher beträchtlich erweitert. Bey einem wassersüchtigen Weibe fand Monteggia den After so weit, daſs er eine geballte Hand einbringen konnte. Gewöhnlich hat der vorgefallene Theil eine cylindrische Gestalt, doch fand er ihn einmahl rundlich und von der Gröſse eines Kindskopfes. Auch hier war der After beträchtlich erweitert.

Zweiter Abschnitt.

Weibliche Geschlechtstheile. [1])

Sowohl die Scheide als die Gebärmutter, besonders aber die erstere, sind nicht selten der Inversion unterworfen. Sie hat in beiden verschiedne Grade. Bei totaler Inversion der Scheide befindet sich dieser Kanal um seine ganze Länge auſserhalb der Schaamtheile, und an ihrem untern Ende der äuſsere Muttermund, der dann gewöhnlich durch keinen Vorsprung, sondern blos durch eine Oeffnung angedeutet ist. Bei anfangender Scheideninversion ragen die hintere und vordere

1) Sabatier sur les déplacemens de la matrice et du vagin. In Mém. de chirurgie. T. III. p. 361 — 394.

Wand der Scheide, mehr oder weniger umgebogen, und mit einander in Berührung, nur mehr oder weniger hervor, und der äuſsere Muttermund liegt in demſelben Maaſse tiefer als gewöhnlich. Von dieſen verſchiednen Gradationen habe ich mehrere Fälle vor mir.

Ueber die verſchiednen Grade der Inverſion der Gebärmutter hat beſonders Saxtorph [1]) mehrere Beobachtungen geſammelt, welche beſonders die Irrigkeit der Collombſchen [2]) Meinung, als ſey die ſogenannte Inverſion der Gebärmutter nur ein Losreiſſen und Vorfallen der innern Membran derſelben, hinlänglich darthun. Sie findet übrigens, wegen der Dicke der Wände und Kleinheit der Höhle der Gebärmutter im ungeſchwängerten und normalen Zuſtande, nur dann Statt, wenn dieſes Organ in der Schwangerſchaft, durch den Fötus, oder krankhaft durch Polypen [3]) zurückgehaltenes Menſtruationsblut [4]) ausgedehnt wurde.

Auch unter der erſten Bedingung giebt nur unvorſichtiges Anziehen der Nachgeburt, vielleicht auch ſtehendes Gebären bei zu weitem Becken dazu Anlaſs, wo ſie dann gewöhnlich ſogleich nach der Geburt, ſeltner ſpäter, geſchieht, oder wenigſtens entdeckt wird.

---

1) Von verſch. Arten d. umg. Gebärm. Ausz. a. d. Abh. d. Kön. med. Soc. zu Coppenh. Halle 1795. S. 499. ff.

2) Oeuv. méd. chir. Lyon. 1798. S. 246.

3) Denmans collection of engravings tending to illuſtrate the generation and parturition of animals and of the human ſpecies. Lond. 1787. T. 13. — Gaulard in Mém. de l'ac. des ſc. 1732. Hiſt. no. 6. p. 42. ff. — Sanden de prolapſu uteri inverſi etc. Regiom. 1727.

4) Sabatier Mém. de l'ac. de chirurgie. T. III. S. 379.

Dritter Abschnitt.

Harnsystem.

Nur sehr selten treten Inversionen im Harnsystem ein, wenn man von der nicht ungewöhnlichen ursprünglichen Missbildung der Harnblase absieht, die diesen Namen führt. Welche Gewalt wird auch erfordert, um diese aus dem Becken hervorzudrängen! Die Beschaffenheit des darauf folgenden Kanals macht es übrigens wohl unmöglich, dass dieser Umstand anders als beim weiblichen Geschlechte eintritt. Ich habe selbst einen höchst merkwürdigen Fall dieser Art vor mir, dessen schon mein Grossvater erwähnt hat [1]). Unter den kleinen Schaamlippen ragte an der Stelle der Harnröhrenmündung die umgekehrte Harnblase als ein dreieckiger Körper in die Scheide herab. Sie hatte sich durch die Harnröhre umgekehrt, und war in einen harten schwärzlichen Körper verwandelt. Ein Theil der Harnleiter war sogar mit hervorgetreten, die Harnleiter selbst beträchlich erweitert.

Einen Fall dieser Art beschreibt auch de Haen [2]). Nach einem Falle waren allmählich die invertirte Harnblase, Scheide und Mastdarm hervorgetreten.

In einem von Vetter [3]) beobachteten Falle war die Umstülpung der Harnblase auf einen, bei der Niederkunft erfolgten, Einriss dieses Organs und der Scheide erfolgt.

Auch die Harnröhre invertirt sich bisweilen, allein auch fast immer nur beim weibli-

---

1) Ep. ad Haller. T. II. p. 256.

2) Rat. med. T. I. C. VII. p. 89. ff. sqq.

3) Starks Archiv. Bd. 5. S. 609.

chen Geschlecht. Ohne anatomische Untersuchung wird man dieses Uebel auch schwer von einem Polypen oder einer Verlängerung der innern Haut unterscheiden können.

Bamberger [1]) sahe indessen doch eine Umkehrung der innern Harnröhrenhaut bei einem Manne.

Zweite Abtheilung.

Von der Verbiegung.

Die Verbiegung oder Krümmung (Curvatura) trifft ursprünglich im Allgemeinen nur die Knochen, sofern sie entweder eine Folge von Krankheiten derselben, oder der sie verbindenden Theile ist, oder wenigstens durch die entfernten Ursachen die Gestalt der Knochen allein dauernd verändert wird. Natürlich wird aber auch die Gestalt der mit ihnen verbundnen Theile auf ähnliche Weise umgewandelt.

Krümmungen kommen vorzüglich an einzelnen Knochen oder Sammlungen von Knochen vor, welche Lasten zu tragen haben, also gedrückt werden, also vorzugsweise am Stamme und den untern Gliedmaßen.

I. Rückgratskrümmung. [2])

Das Rückgrat ist entweder regelwidrig nach hinten (Cyphosis s. gibberositas), nach

---

1) De intussusceptione membranae urethrae internae ex prolapsu ejusdem observatio singularis. Wirceb. 1795.

2) Ludwig tractatio de distorta spina dorsi. In ejusd. adversariis med. pract. Vol. II. p. 327 — 372. p. 538 — 621. — Bonn descriptio ossium morbosor. Amstel. 1783. p. 1 — 13. — Sandifort thesaurus acad. Lugd. Batav.

vorn (Lordosis), oder nach der Seite (Scoliosis) gewölbt oder gekrümmt.

Die nächste Ursache der Krümmung, der Zustand der Theile, ist nicht immer dieselbe und eben so wenig kommen die so eben angegebenen verschiedenen Arten der Krümmung überhaupt und an allen Stellen des Rückgrates gleich häufig vor.

Die nächste Ursache ist entweder eine bloss mechanische Entstellung oder eine Degeneration der Wirbel. Die erstere wird am gewöhnlichsten durch mechanische entfernte Ursachen erzeugt. Hieher gehört zuerst allgemeine Schwäche, wodurch die Muskeln verhindert werden, der Schwere des Körpers entgegen zu wirken; dann alle diejenigen Stellungen des Körpers, wodurch daurend der Stamm regelwidrig nach einer Richtung gedrückt wird. Die Degeneration der Wirbel entsteht vorzüglich in Folge allgemeiner miasmatischer Krankheiten, vorzüglich der Skropheln und der Rachitis. Im Allgemeinen kann man hier annehmen, dass zuerst die Zwischenwirbelbänder, später erst die Wirbel angegriffen werden, indem man oft nur die erstern mehr oder weniger zerstört, erweicht, entzündet, vereitert, fast immer mehr vom normalen Zustande abweichend findet, als die Knochen, und nicht selten dieses Leiden zugleich mit Affection der Knorpel von beweglichen Gelenken, z. B. dem Kniegelenk

p. 167 — 190. — Vicq d' Azyr remarques sur la bosse ou gibbosité in dessen Oeuvres. T. V. p. 360 — 362. — Van Gesscher Bemerkungen über die Entstellungen des Rückgrates. Uebers. Gottingen 1794.

vorkommt [1]). Bisweilen ſind zwar dieſe ſtärker oder allein angegriffen, allein im Allgemeinen iſt dann das Leiden der Wirbelſäule nicht urſprünglich, ſondern nur eine Folge des Leidens benachbarter Organe, z. B. Vereiterung des Pſoas etc. [2])

Die Desorganiſation der Wirbel und Zwiſchenwirbelbänder entſteht übrigens auch in Folge mechaniſcher Urſachen, wenn ſie mit Heftigkeit einwirken.

Wo langſam wirkende mechaniſche Urſachen die Krümmung hervorbringen, ſind die Knochen an der ausgehöhlten Seite bloſs niedriger, durch den Druck zerſtört, unter den letztern Bedingungen dagegen ſie und die Zwiſchenwirbelbänder entzündet, vereitert und dadurch zerſtört. Zugleich verbreitet ſich die Krankheit auf die umliegenden Theile, und es bilden ſich mehr oder weniger groſse Eiterſäcke, deren Wände durch die benchbarten Organe gebildet werden, die ſich zwiſchen ihnen verbreiten, und ſich entweder in eine Höhle des Körpers, oder ein darin enthaltnes Organ öffnen, oder bis zur äuſsern Oberfläche des Körpers erſtrecken.

Immer, die entfernte Urſache ſey, welcher Art ſie wolle, ſind die Wirbel und Zwiſchenknorpel auf der ausgehöhlten Fläche des Bogens, welchen die Krümmung bildet, mehr oder weniger geſchwunden, die erſtern, ſo wie die Rippen, gewöhnlich

1) Palletta adverſar. chirurg. prim. — Brodie on the diſeases of joints in medico. chir. transact. Vol. IV, p. 258.

2) Brodie a. a. O. S. 265.

hier mehr oder weniger unter einander verwachsen. Diese Verwachsung und die darin begründete unheilbare Krümmung ist sogar in den Fällen, wo die Degeneration und dadurch veranlaßte Zerstörung der Knochen und Bänder die nächste Ursache der Krümmung ist, im Allgemeinen das einzige Mittel zur Heilung, wenn von selbst oder durch Ableitung auf andere Organe der Zerstörungsprocess gehemmt ist; indem die dadurch verloren gegangene Substanz wenigstens nicht vollständig wieder ersetzt wird. Doch beweist wohl die grosse Reproductionsfähigkeit der Knochen, dass man wohl nicht ganz mit Recht die Krümmung unter dieser Bedingung **immer** als nothwendig ansieht [1]).

Im Allgemeinen ist die Krümmung desto beträchtlicher, je geringer die Zahl der leidenden Wirbel ist: doch finden sich von diesem Gesetz nicht seltne Ausnahmen, und die stärksten Krümmungen sind, wie sich im Voraus erwarten läßt, die, bei welchen eine bedeutende Anzahl von Wirbeln an der Beugungsseite ganz zerstört und mit einander verwachsen sind. Ich habe einige Fälle vor mir, wo an der Krümmungsstelle, wegen der fast gänzlichen Zerstörung der Körper von 7 — 8 Wirbeln, der obere und untere Theil der Wirbelsäule unter einem rechten Winkel in einander übergehen.

Am gewöhnlichsten entsteht die Krümmung erst nach der Geburt, indessen läugnet man irrig im Allgemeinen, dass sie angeboren

1) Burroughs on the cure of curved spine. In Edinb. med. and surg. journal. Vol. VIII. p. 419.

sey. [1]) Ich habe einige Fälle von angeborner Skoliose und Lordose vor mir, und Fleischmann beschreibt mehrere Fälle angeborner Krümmungen der Wirbelsäule nach allen Richtungen. [2])

Natürlich verändern auch die mit der Wirbelsäule und den Rippen verbundnen Theile bei Krümmung derselben gleichmäſsig ihre Gestalt. Dieſs gilt sowohl für die an sie und die Rippen befestigten Muskeln, als die längs ihnen vorlaufenden Gefäſse und die in der Brust- und Unterleibshöhle enthaltnen Organe. [3]) Nothwendig werden die Functionen derselben nach Maaſsgabe des Grades der Krümmung mehr oder weniger, sowohl unmittelbar als mittelbar, wegen des Druckes, den die Nerven bei ihrem Durchgange durch die verengten Zwischenwirbellöcher erleiden, gestört. Aus dem letztern Grunde wird auch die Muskelthätigkeit aller Organe, deren Nerven an der Krümmungsstelle austreten, mehr oder weniger, bis zu vollkommener Lähmung, gemindert. Dies ist in desto höherem Grade der Fall, wenn zugleich ursprünglich oder consecutiv das Rückenmark selbst erkrankt.

Die Seitwärtskrümmung [4]) ist bei weitem die häufigste. Am gewöhnlichsten kommt sie an den Lenden und Rückenwirbeln vor, unstreitig wegen der von oben nach unten zunehmenden Last.

---

1) Clossius Knochenkrankheiten. S. 219.

2) De vitiis congenitis circa thoracem et abdomen pag. 8 u. 9.

3) Ludwig de causis praeternaturalis visc. situs. Lips. 1759.

4) Henr. a Roy comm. de scoliosi. L. B. 1774. — In Waiz's neuen Ausz. aus Diss. für Wundärzte. Bd. 15.

Die Lenden- und unteren Rückenwirbel krümmen ſich bei weitem häufiger auf die linke, die obern Rückenwirbel auf die rechte Seite, ſowohl allein als bei doppelter Seitwärtskrümmung, wo die obere und untere nach entgegengeſetzten Seiten Statt findet. Dieſe iſt häufiger als jene, die obere wohl immer die ſpäter entſtehende, und eine nothwendige Folge des Strebens, den oberen Theil des Körpers im Gleichgewicht zu erhalten, wodurch die Verunſtaltung in Hinſicht auf die Richtung einigermaaſsen vermindert, der Stamm verhältniſsmäſsig zu den Gliedmaſsen nur breiter und kürzer wird. Iſt die Krümmung nur etwas beträchtlich, ſo ſind zugleich die Wirbel ſo um ihre Axe gedreht, daſs die vordere Fläche nach der einen, die hintere etwas nach der entgegengeſetzten Seite gewandt iſt, höchſt wahrſcheinlich in Folge der Bemühungen des Kranken, indem hierdurch der Druck auf die Bruſt- nnd Unterleibseingeweide und beſonders auf die Nerven an den Stellen, wo ſie durch die Zwiſchenwirbellöcher aus dem Kanal der Wirbelſäule treten, vermindert wird.

Wegen dieſer Verdrehung der Wirbelſäule iſt gewöhnlich die Scolioſe mit Kyphoſe verbunden.

Die Verwachſung findet zwar meiſtentheils auf der ausgehöhlten, bisweilen aber auch auf der gewölbten Seite der Wirbel Statt.

Faſt nie findet bei der Seitwärtskrümmung urſprünglich Degeneration der Wirbel- und Zwiſchenwirbelbänder Statt, indem ſie meiſtens in Folge langſam wirkender mechaniſcher Veranlaſſungen entſteht.

Die

Die Rippen ſind an der ausgehöhlten Seite der Krümmung gerader, weil ſie einen längern Weg zur Erreichung des Bruſtbeines zurücklegen müſſen, dünner, liegen näher an einander, und ſind mehr oder weniger mit einander verwachſen. An dem gewölbten Umfange ſind ſie dagegen in ihrem hintern Theile zu ſtark gebogen, zu weit von einander entfernt, und breiter als im normalen Zuſtande.

Das Bruſtbein iſt meiſtens ſchief und nach der Seite der Aushöhlung der Krümmung hingezogen.

Die Kyphoſe [1]) iſt, nächſt der Skolioſe, am häufigſten. Sie kommt vorzüglich in den Rückenwirbeln vor, wo ſie eine weitere Entwickelung der hier auch im normalen Zuſtande Statt findenden Wölbung iſt, und durch das Gewicht der oberen Gliedmaſsen und des Bruſtkaſtens verurſacht wird. Doch findet man ſie auch in den unteren, und ich habe ſelbſt einige Beiſpiele vor mir, wo ſie in den vier oberen Lendenwirbeln ihren Sitz hat, deren Körper dadurch faſt ganz zerſtört ſind. Selten kommt ſie am Halſe vor, doch habe ich einen Fall vor mir, wo der vierte bis ſechſte Halswirbel ſtark nach vorn und der linken Seite gewandt und hier mit einander verwachſen ſind.

Bei der Kyphoſe ſind faſt immer die Theile der Wirbelſäule urſprünglich in ihrer Textur verändert, und ſie bildet vorzugsweiſe die nach Pott benannte Krümmung. [2]) Doch gilt dieſs

1) Coopmans de cyphoſi. L. B. 1776.

2) Remarks on that kind of palſy of the lower limbs, which is frequently found to accompany a curvature of

hauptſächlich nur für die in frühern Lebensperioden entſtehende Krümmung, indem die im höhern Alter wegen verminderter Muskelkraft ſehr häufig entſtehende, wegen ihrer Verbreitung über die ganze Wirbelſäule, ſogar nur ſehr geringes Schwinden der Wirbelkörper durch Druck zur Folge hat. Unter letzterer Bedingung ſind gewöhnlich alle Bänder der Wirbel mehr oder weniger verknochert.

Die Lordoſe iſt, weil ſie der auch im normalen Zuſtande durch die Schwere beſtimmten Vorwärtsrichtung des Körpers gerade entgegengeſetzt iſt, unter allen die ſeltenſte, und, wegen der auch im normalen Zuſtande Statt findenden Vorwärtsrichtung und der Anordnung der Gelenk- und Dornfortſätze faſt nur den unteren Rückenwirbeln und den Lendenwirbeln eigen. Nur bei einem ſehr gewaltſam auf die Wirbelſäule einwirkenden Drucke wird auch die Richtung der übrigen Gegenden derſelben auf dieſe Weiſe verändert.

So habe ich zwey ſchädelloſe und durch Wirbelſpalte entſtellte Fötus vor mir, wo der ganze Hals- und Rückentheil der in ihrer ganzen Länge geſpaltenen Wirbelſäule ſo ſtark nach vorn gedrückt iſt, daſs die obere und untere Hälfte derſelben unter einem ſpitzen Winkel in einander übergehen, und der Kopf unmittelbar auf dem Lendentheile aufzuſitzen ſcheint.

---

the ſpine, in Potts chir. works. London 1779. Vol. III. p. 349. ff. — Armſtrong caſe of dieased cervical vertebrae terminating by Anchyloſis. With obſerv. on the treatment of caries of the ſpine. In Edinb. med. and ſurg. journal. Vol. IX. p. 385. ff.

Aufser der Wirbelfäule ift auch der Kopf, aber feltner, einer veränderten Richtung unterworfen. Am gewöhnlichften ift er fchief nach einer Seite gewandt, ein Zuftand, der von der oben (Bd. 1. S. 283.) berührten Schiefheit desfelben unterfchieden werden mufs. Am häufigften find vorangegangene Veränderungen der Kopf- und der Halsmuskeln und der Haut des Halfes, feltner vorangegangene Degenerationen der Halswirbel die Veranlaffung dazu. Die weit feltner entftehende Vorwärtsbeugung des Kopfes dagegen ift, wenn fie beträchtlich ift, eine Folge von Abnormitäten feiner Verbindungen mit den beiden erften Halswirbeln, welche meiftentheils nach Zerftörung ihres vordern Theiles, vorzüglich des Zahnes des zweiten, durch Caries, entfteht, und, wegen des dadurch bewirkten Druckes auf den Anfang des Rückenmarkes, gewöhnlich fehr bald tödtlich.

2. *Krümmung der Gliedmaafsen.*

Diefe ift faft nur den unteren, vorzüglich dem Unterfchenkel, eigen, und meiftens eine Folge von Erweichung der Knochen, wo diefe dem Drucke der Laft, welche fie tragen, und zugleich der Wirkung der an fie befeftigten Muskeln nachgeben.

Dritte Claffe.

Continuitätstrennungen.

Die Continuitätstrennungen entftehen durch fo viele verfchiedne Veranlaffungen, dafs es am zweckmäfsigften ift, derer, welche eine im Organismus vorhandene entfernte Ursache zum Grunde haben, bei Gelegenheit der regelwidrigen Zustände, welche dazu Veranlassung geben; zu erwähnen. Dahin gehören besonders die Zerreissungen hohler Organe. Continuitätstrennungen äusserer Theile entstehen gewöhnlich nur durch mechanisch wirkende Schädlichkeiten, dahin gehören die Wunden. Dasselbe gilt auch für die Brüche der Knochen, deren verschiedne Arten in allen Handbüchern der Chirurgie hinlänglich weitläufig auseinandergesetzt sind; und auf die ich bei der Lehre von den neuen Bildungen zurückkommen werde.

Hohle Organe zerreissen gewöhnlich im Gefolge heftiger Anstrengungen, um ein mechanisches Hinderniss, welches sich dem Austritte eines in ihnen enthaltenen Körpers widersetzt, zu überwinden. Daher die Zerreissung der linken Herzkammer, bei Verknöcherung der Aortenklappen u. s. w., die deshalb hier häufiger als auf der rechten Seite vorkommt, der schwangern Gebärmutter. Diese Zerreissungen erfolgen unstreitig, indem sich der eine Theil des Organs stärker als der andre zusammenzieht, wo dann der geschwächtere nachgiebt. Bisweilen treten auch ohne mechanisches Hinderniss Zerreissungen dieser und andrer Organe ein, wenn sie entweder wegen Statt findender Atonie so ungeheuer ausgedehnt werden, dass endlich die Wände an einer Stelle zu dünn werden, oder wenn heftige Anstrengungen eines sich contrahirenden Organs ein mit ihm in Verbindung stehendes zu stark expandiren. In die letztere Classe gehören die Zerreissungen der Speiseröhre bei starkem Erbrechen, auch die Zerreissungen der rechten Herzhälfte oder der Hohlvene bei starken Anstrengungen, in die der ersten, die Zerreissungen der ungeheuer ausgedehnten Harnblase sowohl, als des passiv ausgedehnten Herzens.

Auch vorangegangne Geschwüre und Brand sind häufig die Veranlassungen zum Zerreissen aller Organe, besonders aber der hohlen, so wie sie oft die nähere Ursache derjenigen Continuitätstrennungen sind, welche Organe betreffen, die anfänglich aus Atonie von einer verderbenden Substanz, wie die Harnblase durch den Harn, die schwangere Gebärmutter durch den todten Fötus ausgedehnt wurden.

Besonders treffen aus demselben Grunde, auf Einwirkung mechanischer Schädlichkeiten irgend einer Art, Zerreissungen solche Organe, die auch im normalen Zustande mürbe, so wie Brüche die, welche mehr spröde sind. Daher Zerreissungen der Lungen [1]), ihrer Luftzellen [2]), der Leber [3]), der Milz [4]), Brüche der Knochen, ohne Verletzung andrer Organe. Die Trennung ist unter allen Umstän-

1) Case of rupture of the lungs in parturition by W. Balfour. Ed. med. journ. Vol. VII. No. 26.

2) Rupture of the air-vessels. In Edinb. m. journ. Vol. VIII. No. 28. p. 489.

3) Blane account of a case in which death was brought on by a haemorrhage from the liver. in transact. of a soc. for the impr. Vol. II. No. II. p. 18. ff. — Chisholm cases of ruptured spleen and liver by external injury, with remarks thereon in Edinb. med. journal. Vol. VII. No. 27. I.

4) Scheid observationes quatuor lienum disruptorum. rec. in Halleri Coll. Disp. pract. Vol. 4. p. 5. seqq. — Saxtroph gesammelte Schriften. Bd. 1. 297.

den entweder vollſtändig, oder unvollſtändig, wo ſich häufig die letztere in die erſtere verwandelt.[1])

Vierte Claſſe.

Ortsveränderungen der Organe.

Die vierte Claſſe der zufällig entſtehenden Formabweichungen begreift die regelwidrige Lage derſelben. Hieher gehören vorzüglich die Brüche, die Vorfälle uud die Abweichungen von der regelmäſsigen Richtung.

Erſter Abſchnitt.

Brüche.[2])

Mit dem Namen Bruch (Hernia) belegt man verſchiedne von dem Normal abweichen-

---

1) S. z. B. Chevalier caſe of laceration of the internal coat of the ſtomach and duodenum by vomiting. in med. ch. tr. vol. V. No. VII. Gewöhnlich bricht ein Knochen ganz, bisweilen doch auch, bei geringer Gewalt, nur zum Theil u. ſ. w.

2) J. G. Günz obſervationum anatomico-chirurgicarum de herniis libellus. Lipſiae 1744. — G. Vogel Abhandlung aller Arten der Brüche. Leipzig 1746. — P. Pott Treatiſe on ruptures. London. 1756. — J. T. Klinkoſch programma, quo diviſionem herniarum novamque herniae ventralis ſpeciem proponit. Pragae 1764. rec. in Sandiforti coll. diſſ. T. II. p. 383. — Arnaud mém. de chirurgie à Londres 1768. Tom. II. — A. G. Richter Abhandlung von den Brüchen. 2 Bde. Leipzig 1778 u. 1779. — Monteggia quaedam de herniis in fasc. path. anat. 1793. — Eilf Beobachtungen über Brüche v. J. u. K. Wenzel. In Loders Journal f. Chirurgie. Bd. 3. St. 2. 1800. S. 217 — 258. — A. Scarpa memorie anatomico-chirurgiche ſull' ernie. Faſcicoli V. Pavia 1809. Ueberſ. von Seiler. Halle 1813. — W. Lawrence a treatiſe on ruptures. 2d. Edit. London 1810. — A. Monro the morbid anatomy of the human gullet, ſtomach and inteſtines. Edinburgh 1811. of Hernia p. 363 — 542.

de Lagen der in den Höhlen des Körpers mehr oder weniger frey liegenden Organe, deren allgemeinster Charakter der Durchgang aller oder eines Theiles derselben durch eine entweder ganz regelwidrige oder wenigstens regelwidrig erweiterte Oeffnung ist, wodurch das durchgetretene Organ von den übrigen mehr oder weniger vollständig abgeschieden wird, ungeachtet alle von den allgemeinen Bedeckungen bekleidet sind. Eine andre Definition als diese kann wenigstens nicht gegeben werden, so lange man auch diejenigen Veränderungen der Lage, welche die Unterleibsorgane dadurch annehmen, dass sie durch eine regelwidrige Oeffnung im Gekröse u. s. w. treten, zu den Brüchen rechnet, wie fast alle Schriftsteller über diesen Gegenstand thun. Man sieht leicht, dass die gewöhnliche Definition, derzufolge „ein Bruch ein Austreten eines Eingeweides aus seiner natürlichen Höhle in einen widernatürlichen Sack oder Beutel sey,“ [1]) unmöglich auch die letztere Veränderung der Lage der Unterleibseingeweide begreifen kann, ungeachtet Richter auch diese ausdrücklich darunter begreift. [2])

Cooper [3]) hat daher die Strangulation der Eingeweide in abnormen Oeffnungen oder Verschnürungen des Gekröses u. s. w. aus der Classe der Brüche gewiesen, weil dabey die Eingeweide nicht aus der Unterleibshöhle treten; doch scheint es nach der eben gegebenen De-

---

1) Richter Chirurgie Bd. 5. Cap. 7. S. 173. §. 211.

2) Ebendas. S. 179. §. 221.

3) Anat. und chir. Behandl. der Leisten- und angebornen Brüche. A. d. Engl. von Krütge. 1809.

finition erlaubt, sie ferner unter sie zu zählen, um so mehr, da auch die Coopersche Definition, der zufolge „der Bruch ein Vortritt eines Eingeweides aus seiner eigentlichen Höhle ist,“ theils zu allgemein, theils nicht ganz richtig ist: zu allgemein, indem, wie Langenbeck schon richtig bemerkt hat, dadurch die Vorfälle nicht von den Brüchen ausgeschlossen werden; nicht ganz richtig, indem das Organ in der That so lange in seiner Höhle bleibt, als die Membran, welche dasselbe bildet, nicht zerrissen ist und also in der That diese Höhle nur an einer Stelle regelwidrig verlängert wird.

Gegen die aufgestellte Definition lassen sich nur die seltnen, vielleicht nicht einmahl existirenden Fälle anführen, wo die Eingeweide durch keine Oeffnung traten, sondern bloss in einem Beutel lagen, der durch die Ausdehnung aller an dieser Stelle befindlichen Bedeckungen, sowohl der Haut als der Muskeln, und der serösen Membran der respectiven Höhle entstand; allein auch hier hat die Verlängerung der Höhle gegen diese hin eine Oeffnung.

Nach den verschiednen Höhlen theilt man die Brüche in Hirnbrüche, Lungenbrüche und Unterleibsbrüche ein; doch beschäftige ich mich hier bloss mit den beyden letztern, da ich die erstern als ursprüngliche Bildungsabweichungen schon im Abschnitte von der mangelhaften Entwicklung des Gehirns und des Schädels [1]) abgehandelt habe. So habe ich auch von denjenigen Unterleibsbrüchen, die, weil sie in der ursprünglichen La-

1) Bd. 1. S. 301 — 313.

ge des Hoden begründet ſind, den Namen der angebornen Brüche führen, gleichfalls im Abſchnitt von der mangelhaften Entwickelung der männlichen Geſchlechtstheile [1]) geredet. Auch die regelwidrige Lage der Bruſteingeweide, welche in einem Erſcheinen derſelben in einer andern als der normalen Höhle begründet iſt, habe ich, ſofern ſie urſprünglicher Bildungsfehler ſeyn kann, ſchon oben betrachtet, [2]), weil ſich dieſe Miſsbildung leicht an verwandte anknüpfen lieſs, und ſo am leichteſten eine vollſtändige Ueberſicht möglich gemacht wurde; hier werde ich daher nur von dieſer abweichenden Lage der Unterleibsorgane zu handeln Gelegenheit haben.

A. Allgemeine Betrachtung der Brüche.

Man theilt die Brüche im Allgemeinen in äuſsere und innere, und begreift unter der erſteren Benennung diejenigen Veränderungen in der Lage der Eingeweide, wodurch dieſe gegen die äuſsere Oberfläche des Körpers getrieben werden, unter der zweiten die, bey welchen dieſe Bedingung fehlt. Beide unterſcheiden ſich ſo ſehr von einander, daſs man ſie nicht wohl gemeinſchaftlich betrachten kann.

Ich werde daher zuerſt die äuſseren Brüche im Allgemeinen, darauf die beſonderen Arten derſelben, dann die inneren Brüche betrachten.

I. Aeuſsere Brüche im Allgemeinen.

Die äuſseren Brüche ſind eine ſehr häufige Krankheit, indem man mit Sicherheit unter 30 Menſchen wenigſtens einen als damit be-

1) Bd. 1. S. 695. ff.

2) Bd. 1. S. 417. Bd. 2. S. 189.

haftet ansehen kann. Die allgemeinsten Momente, welche sie darbieten, sind 1) die Beschaffenheit der Hüllen; 2) die Beziehung zwischen diesen und den enthaltenen Theilen; 3) die Beschaffenheit der letztern.

1. *Bruchsack.*

Im Allgemeinen sind die einen äußern Bruch bildenden Organe in derselben allgemeinen serösen Haut befindlich, welche die Höhle, worin jene im Normalzustande enthalten sind, bekleidet. Diese Verlängerung der serösen Haut führt den Namen des Bruchsackes. Doch findet er sich nicht immer. So fehlt er bisweilen bei durch sehr gewaltsame äußsere Einwirkungen entstehenden Brüchen.

So fand Plaignaud[1]) bei einem neunjährigen Knaben, der vom vierten Stocke auf das Pflaster fiel, und sogleich todt blieb, in der Nabelgegend eine braune ovale Geschwulst, deren gröſster Durchmesser drey Zoll betrug und die auf angebrachten Druck verschwand und wiederkam. Sie wurde durch einen Theil des Darmkanals gebildet, der dicht unter der Haut lag, indem das Bauchfell und alle drey Bauchmuskeln in der Breite von drey Zollen quer zerrissen waren. Allein hier war zugleich das rechte Stirnbein, das linke Felsenbein und das Hinterhauptsbein zerbrochen, und die Höhle des Schädels mit Blut angefüllt.

Auch wenn sich ursprünglich ein Bruchsack fand, zerreiſst er bisweilen später zufällig. So fand Rémond[2]) bey einem Manne, wo sich ein alter Leistenbruch eingeklemmt hatte, den

1) Desault j. de chir., Vol. 1. p. 377.

2) Corvisart j. de médéc. t. 15. p. 266.

Bruchſack durch die Bemühungen des Kranken, ihn zurückzubringen, zerriſſen, und durch den Riſs das Endtheil des Krummdarms zwiſchen der Haut und der Aponeuroſe der Bauchmuskeln bis zum Nabel gedrungen. Dieſer Theil war entzündet und zum Theil brandig. Eben ſo giebt auch bisweilen die beträchtliche Ausdehnung zur Zerreiſsung des Bruchſackes Anlaſs. So fand Heuermann [1]) bey einem ſechzigjährigen Manne, der lange mit einem groſsen Hodenſackbruche behaftet war, den Bruchſack zerriſſen.

In wiefern unter andern als den angegebenen Bedingungen der Bruchſack zerreiſse, und ſogar früh zerreiſse [2]), mag ich nicht beſtimmen; ich habe bis jetzt bey allen groſsen und kleinen Brüchen, die ich zu unterſuchen Gelegenheit hatte, einen ſehr deutlichen Bruchſack gefunden. Eben ſo wenig glaube ich an die Abſorption des Bruchſackes, die nach Cooper [3]) zuweilen vollſtändig, zuweilen nur bis zur Mündung deſſelben geſchieht.

Auch die ſpätere Zerſtörung deſſelben durch ein Geſchwür, welche le Cat [4]) annahm, wodurch die im Bruchſacke enthaltenen Theile mit dem Hoden in Berührung kommen, beruht unſtreitig, in den meiſten Fällen wenigſtens, auf einem Irrthume, indem Brüche dieſer Art angeborne waren.

Die nicht in einer ſeröſen Haut enthaltnen Organe ſind natürlich, wenn ſie ihre Stelle ſo

1) Chirurg. Operat. Bd. 1. S. 490.

2) Langenbeck chir. Bibl. Bd. 1. S. 97.

3) A. a. O. S. 2.

4) Philoſ. transact. Vol. 47.

verändern, daſs dadurch ein Bruch entſteht, in keinen Bruchſack eingeſchloſſen, daher liegt die Harnblaſe immer frey.

Der Bruchſack erleidet nach den Schriftſtellern nicht ſelten beträchliche Veränderungen, die ſich vorzüglich auf die Dicke ſeiner Wände beziehen. Er ſoll bey alten Brüchen hart, dick, lederartig werden,[1]) aus mehrern Blättern beſtehen, die bald dicht an einander geheftet, bald loſe auf einander liegen[2]); allein ich habe bey groſsen und alten Brüchen den Bruchſack ſelbſt faſt immer nur von der gewöhnlichen Dicke des Bauchfelles und die blättrige Structur durch die Verdichtung des ihn bedeckenden Zellgewebes veranlaſst gefunden, und ſtimme daher der Cooperſchen[3]) Meinung über dieſen Punkt vollkommen bey, daſs die, welche den Bruchſack in mehrere Blätter getrennt zu haben glauben, den eigentlichen Bruchſack nicht gehörig von den ihn bedeckenden Theilen unterſchieden. So fand auch Schmucker[4]) den Bruchſack eines zwölf Jahr alten Leiſtenbruches vollkommen durchſichtig und dünn. In einem andern Falle[5]) ſah er den Bruchſack ſehr dünn, ungeachtet der Bruch zwanzig Jahr lang getragen worden war. Ja der eigentliche Bruchſack, d. h. die Fortſetzung des Bauchfelles, iſt ſogar auch bey alten Brüchen und bey beträchtlicher Verdickung der ihn bedeckenden Schichten von Zellgewebe,

1) Baillie Anat. des krankh. B. S. 95.

2) Richter a. a. O. §. 362. §. 365.

3) A. a. O. S. 2.

4) Chir. Wahrn. Bd. 3. Beob. 14.

5) Ebendaſ. Bd. 2. S. 297. Anmerk.

gewöhnlich nur locker mit diesem verbunden, indem ich ihn bey vielen Brüchen dieser Art leicht aus demselben schälen konnte. Das Zellgewebe aber bildet in der That bisweilen sehr beträchtlich dicke Lagen, welche das Ansehen eigner Membranen haben. So sahe de Haen [1]) über zwanzig Schichten, die getrennt werden mussten, ehe man zum wahren Bruchsacke gelangte. Callisen [2]) operirte einen alten eingeklemmten Schenkelbruch, wo der eigentliche Bruchsack erst nach Wegnahme von zwölf bis sechzehn Lagen verdichteten Zellgewebes zum Vorschein kam. Ich selbst habe unter ähnlichen Bedingungen den Bruchsack scheinbar oft mehrere Linien dick und beträchlich hart gefunden.

Doch ist es möglich, dass der Bruchsack selbst sich bisweilen verdickt und verhärtet. So beschreibt Sömmering [3]) zwey Bruchsäcke, von denen der eine einen halben Zoll dick und fast knorplig, der andere so dick und fest ist, dass man ihn für einen Theil des Netzes halten könnte. Aus beyden Gründen entsteht nicht selten eine Verengung seiner Höhle, die nicht immer den ganzen Bruchsack, sondern bald seinen Hals, bald seinen Körper betrifft.

Gaulmin de Latronçai [4]) fand in dem Halse des Bruchsackes fünf Falten, deren jede eine Einschnürung veranlasste. Arnaud [5]) fand die innere, zwey Zoll hinter dem Bauch-

1) Rat. medend. Vol. 2. p. 55.

2) Act. soc. Hafn. Vol. I. p. 364. ff.

3) Bey Baillie a. a. O. S. 95. not. 200.

4) J. de médec. T. 35. Richter von den Brüchen. S. 101.

5) Traité des hernies. T. 2. p. 22.

ringe befindliche Oeffnung des Bruchſackes verengt und ſo verhärtet, daſs das Durchſchneiden derſelben ein lautes Geräuſch verurſachte.

Bisweilen iſt der Bruchſack an einer Stelle ſo beträchtlich eingeſchnürt, daſs er dadurch in eine obere und eine untere Hälfte getheilt wird. So fand Jüville [1]) bey einem Kinde einen Leiſtenbruch, der Darme und Netz, aber durch eine tiefe Rinne ordentlich von einander abgeſondert, enthielt. Das Netz lag unten im Hodenſacke, der Darm auf dem Bauchringe. Dieſer trat leicht zurück, jenes nur mit Mühe. Doch iſt es möglich, daſs dieſer Fall zu den doppelten Brüchen an derſelben Stelle gehört, indem beide Geſchwülſte nicht mit einander in Gemeinſchaft zu bringen waren. Nicht ſelten verändert ſich auch der Bruchſack auf eine andre, für die in ihm enthaltnen Theile höchſt gefährliche Art, indem ſich von einem Theile ſeines Umfangs zum andern ſtarke Stränge bilden, wodurch Oeffnungen entſtehen, durch welche im Bruchſack enthaltne Theile treten, und häufig gedrückt werden können, wovon ich mehrere merkwürdige Beyſpiele aufbewahre.

Es iſt ſogar möglich, daſs ein Theil des Netzes dadurch abgeſchnürt werden kann, wie man einen vorgefallenen Darmanhang ohne Nachtheil für den Kranken vom Rohr des Darms abgeſondert fand.

Auch degenerirt das den Bruchſack umgebende Zellgewebe. So ſahe Vering [2]) den Körper des Bruchſacks nach auſsen und innen in eine fauſtgroſse ſteatomatöſe

---

1) Tr. des bandages herniaires. p. 198. ff.

2) Beobachtungen der Joſephsakademie. Bd. 1. S. 99.

Masse verwandelt, die sich bis zum Halse desselben erstreckte, und seine Höhle beträchtlich verengte, so dass sich der Darm zwischen einer Art von Presse befand. Monro [1]) fand zweimal kleine Geschwülste, die an der innern Seite des Bruchsackes in seine Höhle wuchsen. Hier gelingt die Reposition nicht, das Bruchband verursacht Einklemmung, und auch nach Hebung der letztern bleibt dennoch die Geschwulst zurück.

Diese Veränderungen stehen mit der Grösse des Bruchsackes in keinem nothwendigen Verhältniss. Die Dicke und Härte sind bisweilen bei sehr kleinen Schenkelbrüchen sehr beträchtlich. [2]) Bei grossen Brüchen wird dagegen, vorzüglich bei Nabelbrüchen, der Bruchsack oft sehr dünn.

Selten oder nie kann der Bruchsack sowohl durch die Taxis als die Operation in den Unterleib zurückgeschoben werden, sondern er bleibt, mit den benachbarten Theilen verwachsen, zurück. Bey mehreren Personen, die in ihrem Leben Bruchbänder getragen hatten, fand ich den leeren Bruchsack zwar zusammengefallen, aber vorliegend. Dieselbe Bemerkung macht auch Pott. [3]) Die Wirkung des Bruchbandes ist daher Verschliessung der Oeffnung des Bruchsackes, wodurch das Herausfallen der Theile verhindert wird. Man findet dann den Bruchsack hart, zusammengeschrumpft, in einen Balg verwandelt, der nicht selten Wasser enthält.

---

1) Monro morb. anat. p. 382. ff.

2) Ebendas. S. 381.

3) On ruptures. in chir. works Vol. 2. p. 25.

Arnaud [1]) fand bey einer Frau von 65 Jahren, die seit 43 Jahren einen Bruch der linken Schaamlefze gehabt hatte, der so beträchtlich war, daſs der Umfang der dadurch veranlaſsten Geschwulst drey Zoll im Umfange betrug, und die ein Jahr nach der Reposition desselben starb, den Bauchring, der vorher zwey Zoll im Durchmesser hatte, beträchtlich vermindert. Er konnte nicht genau untersucht werden, weil ein Theil der Haut und des Bauchfelles, der sich zwischen dem äuſsern und innern Rande seiner Schenkel befand, mit ihm verwachsen waren, und nun eine knorpelharte Masse bildeten.

Nach Arnaud [2]) werden die in den Unterleib zurückgebrachten Theile auch durch die zwischen ihm und den übrigen Organen entstehenden Verwachsungen daselbst zurückgehalten. In dem so eben angeführten Falle fand er das Netz, welches den Bruch gebildet hatte, und eine feste und harte Masse darstellte, durch seine hintere Wand genau mit dem dünnen Darm verwachsen.

Doch scheinen mir diese Verwachsungen schon zu der Zeit, wo der den Bruch bildende Theil vorliegt, entstanden zu seyn: wenigstens fand ich einigemahl bei alten Netzbrüchen das Netz an einigen Stellen mit dem dünnen Darm und dem die vordere Wand des Unterleibes bekleidenden Bauchfelle eng verwachsen.

Auch scheint es mir, als müſste diese Veranlassung leichter in jener Periode entstehen, wo das Netz wie ein fester Strang, der eine ste-

te

---

1) Mém. de chirurgie T. 2. p. 499. ff.

2) Ebendas. p. 499.

te Lage hat, vor den Unterleibseingeweiden ausgespannt ist, als später, wo es wegen seiner freiern Lage nicht mehr denselben fortwährenden Druck auf die hinter ihm liegenden Eingeweide ausüben kann.

2. Beziehung zwischen dem Bruchsacke und den in ihm enthaltenen Theilen.

Das Verhältniss zwischen den ausgetretenen Organen und dem Bruchsacke, in Hinsicht auf ihre Verbindung unter einander, ist nicht immer dasselbe. Zum Theil beruht die in dieser Hinsicht Statt findende Verschiedenheit auf der Veranlassung, welche den Bruch bewirkte, zum Theil auf zufälligen, später eintretenden Umständen.

Bildet sich der Bruch plötzlich auf eine heftig wirkende mechanische Veranlassung, so liegt der vorgefallene Theil frey im Bruchsacke; im entgegengesetzten Falle dagegen, wo sich der Bruch ohne äussere wahrnehmbare Ursache allmählig entwickelt, wird der Darm nicht sowohl in den Bruchsack geworfen, als er mit der Verlängerung des Bauchfelles, an welche er geheftet ist, herabsteigt. Man findet dann den vorliegenden Theil längs der Wand des Bruchsackes angeheftet, wie man ihn bey normaler Lage im Unterleibe an den respectiven Theil der Bauchhöhle befestigt sieht. Es lässt sich beinahe im Voraus erwarten, dass bey später entstehenden Brüchen diese Bedingung nur beym Leistenbruche Statt finde, und dass hier das auf diese Art an den Bruchsack geheftete Stück Darm auf der rechten Seite der aufsteigende

Grimm- und Blinddarm, auf der linken der absteigende Grimmdarm seyn wird.

In der That waren auch in den wenigen Beobachtungen, die ich über diesen Gegenstand finde, immer die genannten Organe vorgetreten.

So fand Monteggia [1]) bey einem Manne, dessen Bruch er nur zum Theil mit den Fingern zurückbringen konnte, nach Eröffnung des Bruchsackes einen Theil des linken Grimmdarms durch einen Fortsatz der äussern Haut desselben deutlich mit dem Bruchsacke vereinigt.

In einem andern Falle sah er einen Leistenbruch auf der rechten Seite durch den Wurmfortsatz gebildet, der den ganzen Bruchsack einnahm und in seiner ganzen Länge durch das Gekröse an denselben geheftet war.

In einem dritten Falle [2]) fand er in demselben Körper zwey Leistenbrüche. Der rechte enthielt einen Theil des Netzes und des Quergrimmdarms, der, weil er nirgends verwachsen war, leicht zurückgebracht wurde; der linke dagegen den linken Grimmdarm, der durch ein Band zurückgehalten wurde, das sich unter der Gestalt eines kleinen Gekröses von dem Bruchsacke wegbog und in die äussere Haut des Grimmdarms überging.

Auch Hunter [3]) fand den Blinddarm und die S förmige Krümmung des Grimmdarms mit allen ihren Befestigungen im Bruchsacke.

Sehr leicht springt die Vergleichung dieses regelwidrigen Phänomens mit dem normalen,

---

1) Fascic. pathol. Tig. 1793. p. 80.

2) Ebendas. S. 78.

3) Observ. on certain parts of anim. oecon. 1792. p. 11.

dem Vortreten des Hoden, in die Augen, der, nebst dem Saamenstrange, genau auf dieselbe Weise mit dem Theile des Bauchfelles, woran er befestigt ist, herabrückt. Das Herabtreten des Grimmdarms ist nur eine Wiederholung dieses Prozesses, und deshalb ist es merkwürdig, dass es nur bey Leistenbrüchen Statt zu finden scheint.

Liegt der Grimm- oder Blinddarm allein im Bruchsacke, so entstand der Bruch wahrscheinlich immer auf die angegebene Art, indem seine enge Verbindung mit den Theilen, auf denen er liegt, ein gewaltsames Hervorpressen unwahrscheinlich macht; findet man ihn aber zugleich mit einem besonders beträchtlichen Theile des Krummdarms, so ist es möglich, dass dieser zuerst hervorgedrängt und der Blinddarm allmählig nachgezogen wurde. Ist nur der dünne Darm vorgefallen, so bemerkt man wahrscheinlich nie eine Verbindung jener Art zwischen ihm und dem Bruchsacke. Auch bey sehr grossen, durch einen ansehnlichen Theil des dünnen Darms gebildeten, Brüchen habe ich zwar die Wurzel des Mesenteriums bisweilen beträchtlich herab und seitwärts, allein nie von den Lendenwirbeln weggezogen gefunden.

Diese Verbindung der im Bruchsacke enthaltenen Theile muss aber sehr wohl von der später entstehenden unterschieden werden, welche sich zwischen einem vorgefallenen Organ irgend einer Art bilden kann, während jene nur auf gewisse Organe beschränkt ist. Sie ist eine Folge der Ergiessung von Faserstoff zwischen dem Bruchsacke und dem Theile, welche häufig eine leichte Excoriation der einander nahe berührenden Wände des Darms und des Bruchsackes, und eine gewöhnliche Begleiterinn der die Strangulation begleitenden Entzündung des erstern ist. Wenigstens habe ich bey allen Leichen von Bruchkranken dieser Art mehr oder weniger lockere Verwachsungen gefunden. Diese erstrecken sich bisweilen über den ganzen Umfang des vorgefallenen Theiles, bisweilen nur auf einzelne Stellen, und finden auch im ersteren Falle, ohne Verdacht von Einklemmung, besonders bei etwas ansehnlichen Brüchen, Statt. Auch der vorgefallene Theil selbst wird durch diese Verwachsung oft in eine Masse verwandelt, die schwer zu entwirren ist, namentlich das Netz.

Bisweilen erstreckt sich die Verwachsung nur auf das im Eingange des Bruchsackes befindliche Stück des vorgefallenen Theiles, ein nicht ungünstiger Umstand, indem dadurch jener verschlossen und das weitere Vorfallen anderer Theile verhütet wird.

So fand Littre[1]) den Sack eines, durch einen Theil des Netzes und des dünnen Darms gebildeten Bruches gegen den Unterleib völlig geschlossen. Der Eingang hatte sich beträchtlich verengt, und seine Wände an einander gelegt. Ueberdiess diente ihm ein Stück des Netzes, das fast an seinen ganzen äussern Umfang geheftet war, als eine Art von Deckel.

3. *Beschaffenheit der den Bruch bildenden Unterleibseingeweide an und für sich.*

Die vorzüglichsten Momente, welche die den Bruch bildenden Unterleibseingeweide

1) Mém. de l'ac. des sc. 1703. hist. p. 45. No. 3.

darbieten, ſind 1) die Verſchiedenheit der Häufigkeit; 2) die Zahl derſelben; 3) die Veränderungen, welche ſie im Bruche erleiden.

Diejenigen Theile treten am häufigſten hervor, welche vermöge ihrer Geſtalt, Lage und Verbindung am wenigſten genau befeſtigt ſind. Daher findet man am häufigſten Theile, welche im Bauchfelle enthalten ſind, und unter dieſen das Netz (Epiplocele) [1] und den dünnen Darm (Enterocele) am gewöhnlichſten vorliegend. Dieſen zunächſt ſteht in Hinſicht auf Häufigkeit der dicke Darm, vorzüglich der quere Theil deſſelben. Hierauf folgt der Magen, (Gaſtrocele) [2] die Harnblaſe, (Cyſticele) [3] dann die innern weiblichen Geſchlechtstheile, dann die Leber und Milz, zuletzt die Nieren.

Die Gröſse und Zahl der vorgefallenen Theile bietet gleichfalls ſehr bedeutende Verſchiedenheiten dar.

Bey ſeinem Entſtehen iſt jeder Bruch im Allgemeinen klein, vergröſsert ſich aber allmählig, beſonders in den Fällen, wo er durch eine regelwidrige Entwicklung der Unterleibsorgane nach auſsen, verbunden mit Schlaffheit der äuſsern Bedeckungen, entſteht, oft auſserordent-

---

1) Arnaud recherches ſur les hernies de l'épiploon. In deſſen mém. de chirurgie. Tom. II.

2) Pipelet nouvelles obſervations ſur la hernie de la veſſie et de l'eſtomac. Mém. de chirurg. T. IV. p. 181 — 201.

3) Verdier recherches ſur la hernie de la veſſie. In Mém. de chirurgie. T. I. p. 1 — 59. — G. Sandifort de Hernia veſicae vaginali. In Obſerv. anat. pathol. T. I. Cap. III. p. 55.

lich, wovon Arnaud [1]), Ranby [2]), Cooper [3]), sehr merkwürdige Fälle anführen.

Gewöhnlich wird der Bruch durch den ganzen Umfang des Darms gebildet; in nicht ganz seltnen Fallen aber tritt auch nur ein Theil desselben hervor. Diese Brüche führen von ihrem geringen Umfange den Namen der kleinen, nach dem Anatomen, der zuerst vorzüglich auf sie aufmerksam machte, aber heissen sie die Littre'schen Brüche. In den ersten Fällen dieser Art [4]), welche Littre beobachtete, war der Bruch durch das Divertikel des Krummdarms gebildet, wovon ich schon oben [5]) geredet habe: von diesen kann in anatomischer Rücksicht hier nicht die Rede seyn, da in der That das Divertikel ursprünglich den ganzen Umfang des Darms bildet, und nicht, wie Littre glaubt, durch Zerrung eines nur zum Theil ausgetretnen Darmstückes entsteht. Es giebt aber in der That andre Betrachtungen, welche darthun, dass bisweilen nur ein Theil des Umfangs des Darmes den Bruch bildet; ja anfänglich sind unstreitig die meisten Darmbrüche von dieser Beschaffenheit. Daher sagt auch Cooper [6]): „der kleine Leistenbruch ist weit häufiger als man glaubt, indem ich ihn oft bei Leichen an Personen gefunden habe, die nie ein Bruchband getragen hatten, und wo kein Bruch vermuthet worden war."

---

1) Mém. de chirurgie t. 2. p. 481.

2) Ueber die Leistenbrüche. Kap. 3.

3) Philos. transact. No. 421. p. 221.

4) Mém. de l'ac. des sc. 1700. p. 384.

5) Bd. 1. S. 553 — 597.

6) Von den Brüchen. S. 39.

Ich vermuthe beynahe, daſs in den meiſten Fällen die Zuſammenſetzung eines Netzbruches mit einem Darmbruche der Grund iſt, weſshalb ſich der kleine Bruch nicht in einen gewöhnlichen verwandelt.

So fand Littre [1]) einen Bruch in der weiſsen Linie, der ſeit zwey Jahren entſtanden war, durch das Netz und einen Theil des Grimmdarms gebildet. Das Netz bildete eine Art von zweytem Bruchſacke für den Grimmdarm innerhalb der Verlängerung des Bauchfelles. Der vorliegende Theil des Grimmdarms war nicht in ſeinem ganzen Umfange vorgetreten, ſondern ein vier Linien weites Stück deſſelben befand ſich noch auſserhalb deſſelben.

Ein Knabe ſtarb an einem eingeklemmten Leiſtenbruche von der Gröſse einer Wallnuſs, nachdem man vergebens die Repoſition verſucht hatte. Gibſon [2]) fand einen kleinen Theil des Umfanges des Krummdarms und des Netzes im Bruchſacke, und eingeklemmt.

Gewöhnlich bilden dieſe Brüche eine, wiewohl kleine Geſchwulſt, bisweilen findet auch, wie es in der That ſowohl in dem von Littre als von Gibſon beſchriebenen Falle beobachtet wurde, nicht wie, bei gewöhnlichen Brüchen, Verſtopfung Statt; allein nicht ſelten bemerkt man auch das Gegentheil.

So fand Teſta [3]) bey einem acht und vierzigjährigen Manne, der oft an Kolik und

1) Mém. de l'ac. des ſc. 1714. p. 269. Sur une hernie rare.

2) Med. obſſ. and inq. vol. IV. p. 181.

3) De re medica et chirurgica epiſtolae VII. Ferrariae 1781. Cap. VI. p. 240.

Erbrechen litt, endlich in einem sehr heftigen Anfalle davon, der sieben Tage lang dauerte, und während dessen er zwar nie Kothbrechen hatte, aber doch immer verstopft war, in der rechten Leiste einen Theil des Krummdarms genau mit dem Bauchringe verwachsen, auch einen Theil seines Umfangs vorgetreten, aber keine Geschwulst bildend, die Höhle des Krummdarms hier fast ganz verschlossen, und seine Wände fast ganz zerstört.

Ein andrer Kranker starb, nachdem er acht und zwanzig Tage beständiges Kothbrechen und niemahls Stuhlgang gehabt hatte. Auch hier fand sich nur ein kleiner Theil des Umfangs des Krummdarms im Bauchringe und alle Gedärme waren erweitert. [1])

Der merkwürdigste Umstand ist, dass in beyden Fällen auch nie Schmerz in der Weichengegend Statt gefunden hatte. Bekanntlich wird das Gegentheil als beständiges Symptom kleiner eingeklemmter Leistenbrüche angegeben. So sagt Cooper [2]) ausdrücklich, Einklemmung dieses Bruches veranlasse beym Anfühlen sehr heftige Schmerzen, und Richter bemerkt dasselbe im Allgemeinen von kleinen, auch nicht eingeklemmten Brüchen. [3])

Unter allen Theilen des Darmkanals bildet unstreitig der Magen seines Umfangs wegen am gewöhnlichsten einen Bruch dieser Art. Dieser führt den Namen des Magenbruches, [4])

---

1) Ebendas. p. 241.

2) A. a. O. S. 39.

3) A. a. O. S. 499.

4) S. oben. S. 373.

eine Benennung, die man, aber unſchicklich genug,[1] auf alle Brüche in der Magengegend, auch wenn ſie nicht den Magen enthalten, ausgedehnt hat. Wahrſcheinlich ſind alle eigentliche Magenbrüche Brüche dieſer Art. Dieſe erſcheinen entweder in der weiſsen Linie zwiſchen dem Schwerdtknorpel und dem Nabel, oder zur Seite derſelben; doch findet man bisweilen, aber ſelten, den Magen auch durch eine unter dem Nabel befindliche Spalte vorgetreten. So fand Monteggia[2]) bey einer Frau einen ſechs Zoll breiten wahren Magenbruch unter dem Nabel. Auſser der Tiefe der Stelle, an welcher er ſich befand, war zugleich der Umſtand merkwürdig, daſs die innere Hälfte der Faſern der geraden Bauchmuskeln, die man auf beyde Seiten des Bruches gedrängt fand, durchaus zerſchnitten war, ſo daſs die obern Faſern von den untern weit abſtanden.

In den gewöhnlichſten Fällen iſt der Bruch ſowohl unvermiſcht und einfach als einzeln. Die erſtere Bedingung bezieht ſich auf die Beſchaffenheit des Bruchſackes und der in ihm enthaltnen Theile, die letzteren auf die Zahl der Stellen, an welchen Theile vorgedrungen ſind; doch findet auch ſehr häufig das Gegentheil Statt.

Am gewöhnlichſten beobachtet man inſofern Zuſammenſetzung des Bruches, als ein Theil des Netzes und des Darmkanals vorgefallen ſind, alſo in Bezug auf die Beſchaffenheit der vorgefallnen Theile; am ſeltenſten in

---

1) Richter Anfangsgr. der Wundarzneyk. Th. 5. S. 490.

2) Faſc. path. p. 85.

Hinſicht auf die Beſchaffenheit des Bruchſackes, eine Zuſammenſetzung, die ſelten bey einem andern als dem Leiſtenbruche eintritt, und hier meiſtens in dem Offenbleiben des Scheidekanals bis zum Bauchringe, und dem Eintritte eines mit einem eignen Bruchſacke verſehenen Unterleibseingeweides in daſſelbe begründet iſt.

Hey[1]) hat, ſo viel ich weiſs, zuerſt auf dieſe Zuſammenſetzung aufmerkſam gemacht. Bey einem ſiebzehnmonatlichen, an einem eingeklemmten Bruche geſtorbenen Knaben fand er den Blinddarm einen Leiſtenbruch bildend. Bey Durchſchneidung des Hodenſackes gelangte man auf die Scheidenhaut des Hoden, die ſich bis zum Bauchringe offen fortſetzte, aber nicht unmittelbar, wie es beym angebornen Bruche der Fall iſt, den vorgefallnen Theil des Darms, ſondern zunächſt einen eignen Bruchſack umgab, mit dem ſie durch lockeres Zellgewebe zuſammenhing. Dieſer war, wie immer, eine Fortſetzung der Bauchhaut, und enthielt bloſs den Blinddarm. Hier fanden ſich alſo zwey Bruchſäcke, von denen der innere ein gewöhnlicher, der äuſsere die offengebliebene Scheidenhaut war, und dieſer Bruch iſt daher eine Zuſammenſetzung des gewöhnlichen und des angebornen Bruches, den man mit Hey den kindlichen Bruch (Hernia infantilis) im Gegenſatz des angebornen und des gewöhnlichen oder männlichen (Hernia virilis) nennen könnte, indem er ſich von beyden durch leicht aufzufindende Charaktere unterſcheidet.

---

1) Practical obſervations in ſurgery. London 1814. p. 226. ff.

Doch tritt diese Complication nicht bloss in der Kindheit ein, wie ein von Thomson Forster beschriebner Fall beweist [1])

Ein Mann von ein und dreissig Jahren bekam bey einem Anfall von Husten heftige Schmerzen in der rechten Weichengegend, und eine Geschwulst unter dem Bauchringe, die sich sechs und dreissig Stunden nachher drey Zoll weit in den Hodensack herab erstreckte. Es fanden sich alle Zufälle eines eingeklemmten Bruches, der aber nicht operirt wurde, und am folgenden Tage den Tod des Kranken zur Folge hatte.

Bey der Section fand man die Scheidenhaut des Hoden bis zum Bauchringe offen, und in ihrer Höhle einen eigenen Bruchsack, der von dem Bauchringe gegen den Hoden herabreichte, und ein brandiges Stück des dünnen Darms enthielt.

Merkwürdig ist es vielleicht, dass in beiden Fällen Einklemmung Statt fand, was unstreitig mit der Tendenz der Scheidenhaut, sich zu schliessen, zusammenhängt.

Ich erinnere mich, vor mehrern Jahren zu Paris eine etwas ähnliche Zusammensetzung gesehen zu haben. Bey einem grossen Leistenbruche war die Scheidenhaut den Hoden bis zum Bauchringe offen, hier aber verschlossen, umgab den Bruchsack nicht, sondern lag hinter demselben. Dieser Umstand scheint mir zu beweisen, dass in den angeführten Fällen nicht, wie Cooper und Hey glauben, die Scheidenhaut im Bauchringe verschlossen war, und diese Stelle nur durch den neuen Bruch ausgedehnt

---

1) Cooper über Brüche S. 48. Taf. XI. Fig. 1. u. 2.

und umgeſtülpt wurde, ſondern daſs ſie ſich immer offen erhalten hatte.

Nicht ſelten finden ſich an derſelben Perſon mehrere Brüche. Die Zuſammenſetzung variirt inſofern, als bisweilen, wiewohl ſeltner, an derſelben Stelle mehrere, nicht in demſelben Bruchſacke enthaltene Organe vorliegen, in den meiſten Fällen aber an verſchiednen Stellen ſich Brüche finden.

Die Zuſammenſetzung der erſtern Art findet vorzüglich häufig bey Harnblaſenbrüchen, hauptſächlich wenn ſie durch den Bauchring geſchehen, Statt, indem entweder allmählig der Bruchſack des Darmbruches den Theil des Bauchfelles, der die hintere Wand der Blaſe bekleidet, und dieſes Organ ſelbſt hervorzieht, oder die Blaſe zuerſt vortritt und auf dieſelbe Weiſe den hinter dem Bauchringe befindlichen Theil des Bauchfelles herabzieht.

Seltner finden ſich neben einander mehrere, durch im Bauchfell enthaltne Eingeweide gebildete Brüche.

Wilmer [1]) fand einmahl auf derſelben Seite zwei Leiſtenbrüche, wovon der eine ein gewöhnlicher, der andre ein angeborner war.

Auch Cooper [2]) beſitzt von demſelben Menſchen zwey Bruchſäcke in jeder Weiche und einen dritten auf der linken Seite, der ſich im Entſtehen befindet. Burns fand auf der rechten Seite zwey Schenkelbrüche, auf der linken einen Schenkelbruch und einen Leiſtenbruch. [3])

1) Obſerv. on herniae. Lond. 1778. in Richters chir. Bibl. Bd. 10. S. 186.

2) Ueber Brüche. S. 3.

3) Monro morbid anat. of the gullet. p. 374.

Ich fand kürzlich in einer weiblichen Leiche auf jeder Seite einen Schenkelbruch und einen Bruch durch das eirunde Loch.

Weston [1]) fand sogar sechs Bruchsäcke bey einem Manne, der an Ischurie, die durch Verengung der Harnröhre veranlaſst wurde, litt. Zwei davon lagen auf jeder Seite zwischen der Epigastrica und der Nabelarterie und der dritte zwischen dieser und dem Schaambeine. Jene waren also äuſsere, diese innere Leistenbrüche.

Monro [2]) fand sogar bey einer Frau, die an den Folgen der Operation starb, auf derselben Seite vier Bruchsäcke. Zwey lagen auf einander, und in dem gröſsern, der bloſs mit blutigem Wasser angefüllt war, befanden sich noch zwey kleinere Säcke. Man muſste nicht nur den gröſsern, sondern auch die kleinen Säcke öffnen, um die Gedärme bloſs zu legen. Ein Knabe, der von Kindheit an einen Nabelbruch gehabt hatte, bekam im vierten Jahr auf einen Schlag einen Leistenbruch auf der linken Seite, im zwölften ohne Veranlassung dieser Art einen Leistenbruch auf der entgegengesetzten. [3])

In einem andern Falle sah Cooper [4]) dicht neben einander, nur in einer Entfernung von drey Linien, zwey Leistenbruchsäcke, von denen der innere länger, aber weit enger als der äuſsere, und durch das Bruchband an der Mündung so verengt war, daſs er keine Eingeweide mehr aufnehmen konnte.

1) Ebendas. Taf. X.

2) On the crural hernia. Langenbecks chir. Bibl. Bd. 1. S. 848.

3) Monro morbid anat. of the gullet etc. p. 374.

4) Ebendas. Taf. 5. Fig. 7.

Cooper bemerkt [1], daſs in dieſem Falle ſelten beide Bruchſäcke Eingeweide enthalten, und ſich ein Bruch gewöhnlich erſt nach der Heilung des andern bilde; allein in dem von Weſton beobachteten Falle waren wenigſtens alle Bruchſäcke zugleich offen, und eine Beobachtung von Maſſalin [2] beweiſt, daſs ſie auch zugleich vorgefallene Theile enthalten. Ein Mann hatte ſeit ſeiner Kindheit einen Leiſtenbruch, gegen den er Anfangs Bruchbänder trug, und der ſich nach Weglaſſung derſelben vergröſserte. In ſeinem fünf und funfzigſten Jahre geſellte ſich eine zweyte Geſchwulſt dazu, und acht Jahre nachher klemmten ſich beide ein. Bey der Operation fanden ſich zwey Bruchſäcke von gleicher Gröſse, von denen der eine hinter dem andern lag. Der vordere enthielt einen groſsen Theil des Netzes, nebſt einem anſehnlichen Theile des Krummdarms, der hintere nur ein Stück Netz.

Auf derſelben Seite, aber an entfernteren Stellen, bilden ſich gleichfalls bisweilen mehrere Brüche.

So fand Ludwig [3] bey einer Frau, die ſeit ſechs Tagen an Zufällen der Einklemmung litt, einen Leiſten- und Schenkelbruch auf derſelben Seite. Auf den erſten Anblick ſchien ſich nur ein Bruch zu finden, der etwas vom Schenkel- und Leiſtenbruch hatte, allein nach dem Tode, der auf die Operation folgte,

1) Ebendaſ. S. 3.

2) Von einem doppelten Bruchſacke. In Richters. chir. Bibl. Bd. 7. S. 591. ff.

3) Adverſaria med. pract. Vol. I. de hernia inguinali cum crurali complicata. p. 348. ff.

ſand man auſser dem durch den Bauchring vorgetretenen Theile des Netzes und des Krummdarms, noch einen kleinen Theil des letztern unter dem Poupartiſchen Bande vorgedrungen und brandig.

Nicht ſelten entſteht beſonders derſelbe Bruch auf beiden Seiten des Körpers in derſelben Perſon, wie mehrere der oben angeführten Fälle beweiſen.

Beſonders gilt dieſs für den Leiſtenbruch. Wahrſcheinlich iſt in dieſem Falle häufig entweder der eine, bisweilen auch beide Brüche angeboren, da offenbar die Veranlaſſung dazu im Allgemeinen Schwäche dieſer Gegend iſt, deren höchſter Grad ſich durch unvollkommene Verſchlieſsung des Scheidenkanals ausſpricht.

Wenigſtens fanden Hunter und Sharp [1]) bey einem Manne, der auf beyden Seiten einen vollkommnen Hodenſackbruch hatte, auf der rechten Seite einen angebornen, anf der linken einen gewöhnlichen Bruch.

Nicht immer ſind indeſs die beiden Leiſtenbrüche völlig von derſelben Beſchaffenheit. So fand Cooper [2]) auf der rechten Seite deſſelben Subjects einen innern, auf der linken einen äuſsern Leiſtenbruch. Ich ſelbſt fand einmal auf der rechten Seite einen äuſsern, auf der linken einen äuſsern und einen innern Leiſtenbruch.

1) W. Hunter medical commentaries part. I. London 1762. pag 71.

2) A. a. O. Taf. 7.

Die Leiſtenbrüche compliciren ſich bisweilen zufällig noch mehr, indem auf einer Seite noch die Blaſe vortritt.

Jüville[1]) fand bey einer Frau zwey Leiſtenbrüche, die ſich von den Bauchringen bis zwey Zoll weit unterhalb der Schaamöffnung erſtreckten, ſieben Zoll Länge, und einen eben ſo groſsen Umfang hatten, und von denen der rechte, auſser einem Theile des Darmkanals, überdieſs noch einen Theil der Blaſe enthielt.

In ſeltneren Fällen bilden ſich Brüche an verſchiednen entfernten Stellen des Unterleibes zu gleicher Zeit, gewöhnlich wohl auf gewaltſam wirkende Urſachen.

Jüville[2]) fand bey einer jungen Frau einen Nabelbruch, einen Schenkelbruch, und ganz in der Nähe der groſsen Schaamlippe, einen Mittelfleiſchbruch auf der rechten Seite, von denen dieſe die Gröſse einer kleinen Olive hatten, jener ſo groſs als eine kleine Nuſs war. Sie alle waren zugleich nach ihrer letzten, ſehr beſchwerlichen Niederkunft entſtanden.

Cooper[3]) fand bey einer Frau zwey Leiſtenbrüche und einen Nabelbruch. Der letztere wurde durch einen vereiterten Theil des Netzes gebildet, der linke Leiſtenbruch durch ein entzündetes Darmſtück, der rechte Bruchſack war leer, und von einer angeſchwollenen und entzündeten Lymphdrüſe bedeckt.

Die im Bruchſacke enthaltnen Theile erleiden mehrere Veränderungen. Der vorliegende

1) Traité des bandages hern. à Paris 1786. p. 218.

2) Ebendaſ. pag. 204. ff.

3) A. a. O. S. 23.

gende Theil des Darmkanals wird gewöhnlich verdickt, und hat eine röthere Farbe als der auſserhalb desſelben befindliche Darm. Diese Veränderung findet gewöhnlich auch ohne Einklemmung Statt, und ich glaube daher kaum, daſs ſie als eine Folge von Entzündung und Ergieſsung von Faserſtoff zwiſchen die Häute des vorgefallenen Darms auzuſehen ſey, [1]) um ſo mehr, da alle Arten von Gefäſsen des vorliegenden Darmtheiles ſich beträchtlich erweitern. [2]) Sollte ſich nicht die Muskelhaut des Darmkanals in dem Maaſse verdicken, als ſie genöthigt wird, ſich zum Austreiben der in ſeiner Höhle enthaltnen Subſtanzen ſtärker anzuſtrengen, da offenbar die Enge des Raumes, in welchen ein oft anſehnlicher Theil des Darms zuſammengedrängt iſt, ein bedeutendes Hinderniſs wird? Vielleicht hat auch der gehinderte Rückfluſs des Blutes und der Lymphe einigen Antheil an dieſer Erſcheinung. In mehreren Fällen, ſowohl von groſsen, ſehr anſehnlichen, als kleinen Brüchen, fand ich die Dicke der Wände des vorgefallnen Darmes um das Dreifache vermehrt.

Nicht ſelten wird auch der vorliegende Theil des Darms beträchtlich verengt, indem er ſich zugleich verdickt.

So fand Acrel [3]) bei einem Manne, der neun Wochen nach der glücklichen Operation eines eingeklemmten Leiſtenbruches, wegen

1) Monro on crural hernia.

2) Monro anat. of the gullet. p. 384.

3) Chirurg. Geſchichte 1772. p. 165.

mehrerer Diätfehler ſtarb, den vorgefallen geweſenen Theil des Darms in ſeinen Häuten ſo dick als Juchtenleder, und ſeinen Durchmeſſer ſo eng, daſs er kaum eine Gänſefeder zulieſs. Dieſer Theil und das gleichfalls vorgefallen geweſene ſehr harte Netz waren überdieſs zu einer Maſſe verklebt.

Auch dieſs iſt eine gewöhnliche Erſcheinung, beſonders bei groſsen und alten Brüchen.

Ich ſah einmahl bei einem waſſerſüchtigen Manne, der auf jeder Seite einen leeren Bruchſack in der Leiſtengegend hatte, an ſieben Stellen des dünnen Darmes Knäuel, welche durch Verwachſung deſſelben gebildet wurden, und der Gröſse der beiden Bruchſäcke entſprachen. Man ſieht zugleich daraus, daſs nicht immer derſelbe Theil des Darmkanals, nachdem er reponirt worden iſt, wieder vorfällt.

Bildet das Netz einen Bruch, ſo iſt es gewöhnlich in einem gröſsern oder kleinern Theile ſeiner Länge auch auſserhalb des Bruchſackes in eine Art von Strang zuſammengerollt. Dieſs habe ich einigemahl zu beobachten Gelegenheit gehabt.

Arnaud [1]) fand bei einem zwei und ſiebzigjährigen, auf der linken Seite mit einem Hodenſackbruche behafteten Manne das Netz vier Zoll tief in den Hodenſack hinabgeſtiegen und ſowohl mit dem Bauchfelle oberhalb des Bauchringes, als mit dem Bruchſacke an einer Stelle verwachſen. Von dem untern Ende des Bruchſackes an bis zwey Finger breit vom Magengrunde war es in einen Strick, der drey Zoll im Um-

1) Mém. de chirurgie. T. II. p. 411.

fange hatte, verwandelt, und mit einer dünnen Membran bedeckt, die wohl aber nichts als das Netz selbst war. Von dem obern Ende dieses Stranges bis zum Magen bildete das Netz ein Dreyeck, das sich an den Magen heftete. An dieser Stelle waren seine Platten noch mit einander verwachsen.

Mehrmahls habe ich das im Bruchsack liegende Netz zu einem Klumpen, der durchaus nicht zu entwirren war, zusammengerollt gefunden.

Bisweilen erstreckt sich diese Veränderung nur auf den im Bruchsackhalse befindlichen Theil des Netzes, während der im Bruchsackkörper liegende völlig normal, locker und entwickelt bleibt. Der im Halse befindliche Theil ist dagegen in einen harten glatten Körper verwandelt, der durchaus keine Aehnlichkeit mit dem Netz hat. Oft ist bloss aus diesem Grunde die Reposition des Netzes, ungeachtet keine Verwachsung Statt findet, unmöglich. [1])

Der im Bruchsack liegende Theil des Netzes vergrössert sich bisweilen mit der Zeit ungeheuer. Düphenix [2]) fand es bei einem Manne, wo es seit zwanzig Jahren einen Hodensackbruch gebildet hatte, so ungeheuer, dass der bei der Operation abgeschnittene Theil ausgebreitet zehn Zoll Länge und zwölf Zoll Breite hatte, sein Umfang fünf Fuss, und sein Gewicht beinahe vier Pfund Medicinalgewicht betrug. Vesal und Bauhin fanden es sogar fünf Pfund schwer im Hodensacke.

1) Pott chir. works. Vol. 2. p. 38.
2) Arnaud mém. de chir. T. II. p. 633.

Dieſer Umſtand iſt in der That deſto merkwürdiger, da er auch bei magern Perſonen eintritt. So fand Arnaud [1]) bey einer magern Frau einen Netzbruch von vier Pfunden.

Begünſtigt die Ruhe, in welcher ſich dieſer Theil unter dieſen Umſtänden befindet, die Fetterzeugung in demſelben, oder tritt er hervor, weil er übermäſsig anwuchs? Beyde Gründe ſind wenigſtens wahrſcheinlicher als der gehinderte Rückfluſs des Blutes.

Wird der vorgefallne Theil brandig, ſo zerreiſst er zuletzt, und die im Darmkanal enthaltenen Subſtanzen dringen hervor, und unter die Haut. Wird dieſe geöffnet, ſo erfolgt ein freyer Ausfluſs derſelben aus der geöffneten Stelle des Darms. Eben ſo ſtirbt auch bisweilen das ganze vorgefallne Stück, und ſondert ſich von ſelbſt ab, oder muſs bey der Operation weggenommen werden.

In beyden Fällen gehen die vom Magen kommenden, im Darmkanal enthaltnen Subſtanzen entweder ganz oder zum Theil durch die regelwidrig gebildete Oeffnung ab. Im letztern Falle, wo ein Theil der Excremente durch den After abgeht, wird dieſe Oeffnung mit dem Namen der Kothfiſtel, im erſtern mit dem des künſtlichen oder widernatürlichen Afters belegt. [2])

Die gewöhnlichſte Erſcheinung, welche die Oeffnung des Darms an einer regelwidrigen Stelle begleitet, iſt die Umkehrung deſſelben, die ſich bisweilen nur allmählig, bisweilen

---

1) A. a. O. S. 414.

2) Sabatier mém. ſur les anus contre nature. In Mém. de chirurgie. T. V. p. 592. ff.

plötzlich entwickelt, aber beständig zunimmt, und oft eine ansehnliche Grösse erreicht.

Ein Knabe von neun Monaten bekam einen Abscess in der untern Gegend des linken Hypochondriums, dieser brach auf, und von dieser Zeit an ging der Koth nicht mehr durch den After, sondern aus dieser Oeffnung ab. Allmählig bildete sich hier eine Geschwulst, welche die Grösse einer Faust erreichte, weich, roth, mit Drüsen von der Grösse eines Hirsekorns besetzt, mit dem gewöhnlichen Darmschleim bekleidet war, und an deren Grundfläche die im Darmkanal enthaltenen Substanzen ausflossen. Sie war hier mit einer Hautnarbe umgeben.

Plötzlich entstand die Inversion in einem andern von Sabatier beobachteten Falle. Ein Mann hatte in der Jugend einen Leistenbruch, der operirt wurde. Als er erwachsen war, entstand ein neuer, der brandig wurde und einen künstlichen After zurück liess. Ein Jahr nachher drang plötzlich, als er nach dem Genuss gekochter Kastanien umher ging, aus der Oeffnung eine rothe Geschwulst hervor, die in wenig Augenblicken die Grösse einer Faust erreichte. Die Excremente drangen beständig an der Grundfläche der Geschwulst hervor, die sich wie im vorigen Falle verhielt.

Gewöhnlich invertirt sich nur ein Stück des Darms, namentlich das untere, indem die im Darmkanal enthaltenen Substanzen nicht aus der Geschwulst, welche das invertirte Stück bildet, sondern an ihrer Basis ausfliessen, wahrscheinlich, zum Theil wenigstens, weil der obere Theil des Darms durch die enthaltenen Substanzen ausgedehnt erhalten wird, der untere dagegen zusammensinkt., und sich leichter gegen sich selbst umschlagen kann.

Wenigstens bildete sich in einem von Sabatier [1]) beobachteten Falle, wo während zweyer Monate nach Entstehung der Oeffnung im Darmkanal die Excremente zum Theil durch den After und erst nach dieser Periode bloss durch den künstlichen After abgingen, auch erst in demselben Maasse die Inversion des untern Darmendes.

Auch in einem von Monteggia [2]) beobachteten Falle invertirte sich nur das untere Stück Darm.

Dasselbe sah auch Targioni [3]) bey einem Manne, der von einem Ochsen in der Leistengegend gestossen wurde, zwar äusserlich nicht verletzt wurde, allein einen Schenkelbruch bekam. Dieser klemmte sich ein, wurde geöffnet, und hinterliess einen künstlichen After. Aus der Wunde hing ein acht Querfinger langes, drittehalb breites, invertirtes Stück Darm hervor. Nach dem Tode fand man den Krummdarm zwey Spannen weit vom Grimmdarm geöffnet, und den Endtheil desselben auf die angegebene Weise vorgefallen. Der ganze dünne Darm war entzündet.

Nicht selten aber invertirt sich auch das obere und untere Stück zugleich. Ein fünfjähriger Leistenbruch klemmte sich ein. Bey der Operation fand man den ganzen Bruch brandig und schon zerrissen; doch wurde der

1) A. a. O. S. 604.

2) Fasc. pathol. p. 89.

3) De hepatis et viscerum affect. in Memorie sopra la fisica etc. in Lucca 1744. tom. 2. p. 338. mit Abbild.

Kranke mit einem künstlichen After geheilt. Aus der Wunde drang zuerst nur ein invertirtes Darmstück, der Anfang des zum After führenden, hervor, dem aber in wenig Wochen ein zweytes, das Ende des Magendarms, folgte, von denen das erste sich innen und unten, das letzte oben und aussen befand. [1])

Ein Nabelbruch klemmte sich ein, wurde brandig, und hinterliess einen künstlichen After. Ein Stück Grimmdarm, das 2½ Fuss lang und in seinem mittlern Theile so wenig verändert war, dass es aufgeblasen und getrocknet werden konnte, wurde zugleich weggenommen. Die Wunde vernarbte in zwey Monaten, allein aus ihr drangen zwey Stücken Darm, deren jedes eine ansehnliche Dicke und eine Länge von 3 bis 4 Zollen hatte. [2])

Ein merkwürdiges Beyspiel dieser Art beschrieb auch Albin. [3]) Ein Soldat wurde im linken Hypochondrium so verwundet, dass der Grimmdarm verletzt wurde. Die Wunde vernarbte sich, allein als er feste Dinge zu essen anfing, trat erst ein, dann auch ein zweytes Stück Darm hervor, die, wenn sie vollständig hervorgedrungen waren, ein einziges, in der Mitte hervorgedrungenes darstellten. Wenn er auf der rechten Seite lag, traten beide, besonders das obere, leicht zurück, indem sie zugleich aus dem invertirten Zustande in den normalen zurückkehrten. Vorzüglich geschah diess leicht, wenn er den Finger in die Mündung des Darms brachte, darin bewegte und ihn dadurch

1) Mém. de l'ac. de chir. T. IV. p. 618. ff.

2) Ebendas.

3) Annot. acad. lib. II. Cap. VIII.

erweiterte, wodurch das obere, nie aber das untere Stück ganz vollſtändig zurückgebracht wurde.

Auch Le Cat hat einen merkwürdigen Fall dieſer Art beobachtet, der vorzüglich intereſſant iſt, weil die Theile nach dem Tode unterſucht wurden. Nach einem brandigen Leiſtenbruche, der mit Bildung eines künſtlichen Afters geheilt wurde, invertirte ſich erſt der Aftertheil, dann der Magentheil des Darms. Zwölf Jahr nachher ſtarb die Frau. Der Magentheil hatte ſich nicht verändert, der Aftertheil dagegen war beträchtlich verengt, warf ſich von innen nach auſsen um, und bog ſich von ſeiner Mündung an zu der im Unterleibe befindlichen Oeffnung zurück, mit welcher er eng verwachſen war. [1])

Die Inverſion des zum Magen gehörigen Darmſtückes vertritt übrigens gewiſſermaaſsen die Stelle eines Schlieſsmuskels, indem dadurch der Darm verengt, und der beſtändige Ausfluſs verhindert wird. Bisweilen wird aber auch das invertirte und vorgefallene Darmſtück mit tödtlichem Erfolge für den Kranken eingeklemmt. Puy beobachtete zwey Fälle dieſer Art. [2])

Gewöhnlich behält das vorgefallene Darmſtück keinen hohen Grad von Empfindlichkeit. In dem von Albin beobachteten Falle war der Darm anfangs ſo wenig gegen Kälte empfindlich geweſen, daſs er ohne Nachtheil mit eiskaltem Waſſer abgewaſchen werden konnte; doch war ſie ſpäter unerträglich geworden. Bey ſtarker Hitze und anhaltender Bewegung in der-

---

1) Phil. transact.

2) Mém. de l'ac. de chir. T. IV. p. 622.

ſelben bedeckte er ſich mit einer ſchwärzlichen, übelriechenden Haut, die aber leicht abgezogen werden konnte.

Sabatier fand das invertirte Stück unempfindlich. [1]) Gewöhnlich behält es eine hohe Röthe, doch fand es Hebréard [2]) bey einer 24 Jahr alten Inverſion in eine, den allgemeinen Bedeckungen ähnliche Subſtanz verwandelt, eine wegen der Verwandtſchaft der Schleimhäute mit der Haut ſehr merkwürdige Erſcheinung.

Die Stelle des Darmkanals, an welcher ſich der künſtliche After befindet, und die Gröſse des durch den Brand verloren gegangenen Darmſtückes beſtimmen gewöhnlich den Einfluſs dieſer Krankheit auf das Wohlbefinden und das Leben. Je näher der künſtliche After ſich dem normalen befindet, deſto weniger nachtheilig iſt die Verkürzung des Darmkanals, und umgekehrt.

Ein vierzigjähriges Mädchen, bey der ein eingeklemmter Schenkelbruch für einen Abſceſs gehalten und geöffnet wurde, ſtarb in kurzer Zeit an Erſchöpfung. [3])

Ein Mann behielt nach einem brandigen Nabelbruche einen künſtlichen After, durch welchen feſte Speiſen nach einer halben Stunde, flüſſige nach zehn Minuten abgingen. Der Kranke magerte ſchnell ab, und ſtarb drey Wochen nach der Operation. Bey der Section fand man weder Ergieſsung in die Bauchhöhle, nach Ent-

1) A. a. O. S. 602.

2) S. unten. S. 396.

3) Hoin von Brüchen. In le Blanc Inbegr. der Operat. Th. 2. S. 285. Note.

zündung in den Därmen, den Leerdarm aber mit seinem untern Ende in den Sack des Bruches geöffnet. [1])

Ein dreyssigjähriger Mann verlor durch Einklemmung ein drey Ellen langes, brandig gewordnes Stück des dünnen Darmes. Er wurde zwar hergestellt, behielt einen künstlichen After, starb aber dennoch in kurzer Zeit. [2])

Doch beweisen eine Menge von Thatsachen, dass im entgegengesetzten Falle die Gesundheit durch die Verkürzung des Aufenthaltes der Substanzen im Darmkanal durchaus nicht gefährdet wird, indem das Leben und die Kräfte dabey völlig im gewöhnlichen Zustande erhalten werden.

Cooper sah mehrmals in Fällen, wo sich der Grimmdarm in den künstlichen After öffnete, die Personen nicht allein gesund, sondern zuweilen sogar fett werden. [3])

Indess ist der Kranke immer der Gefahr der Verengerung des künstlichen Afters ausgesetzt, indem jede künstliche Oeffnung sich zu schliessen strebt. Nicht selten ist der Erfolg tödtlich.

Ein Mann von 21 Jahren, der an einem Leistenbruche litt, verlor einen Theil desselben durch den Brand, behielt einen künstlichen After, und wurde in zwey Monaten geheilt. Bald nachher fiel ein Theil des untern Darmstückes vor, wurde aber wieder mit glücklichem Erfolge abgebunden. Nach wenig Mo-

---

1) Cooper über Brüche. Langenbecks chir. Bibl. Bd. 1. S. 135.

2) Monteggia fasc. path. p. 88. not. 2.

3) A. a. O. S. 135.

naten wurde er verſtopft, und der Koth ging mühſam und in geringer Menge durch den künſtlichen After ab. Bey der Leichenöffnung fand man zwey deutlich von einander getrennte Oeffnungen in der Leiſtengegend, deren eine dem Krummdarm, die andere dem Grimmdarm entſprach. Das Ende des Krummdarms war in der Länge eines Zolles ſo verengt, daſs es ſelbſt flüſſige Excremente nur mit Mühe durchlieſs. Daher war der ganze dünne Darm ungeheuer angeſchwollen, entzündet und brandig. Der dicke Darm war ſehr verengt zuſammengefallen und leer.[1])

Ein ſieben und vierzigjähriger Mann wurde von einem eingeklemmten Leiſtenbruche durch Bildung eines künſtlichen Afters geheilt. Anfangs wurde der Koth zugleich durch den normalen After, bald bloſs durch den künſtlichen excernirt. Während fünf und zwanzig Jahren litt er nur bisweilen an heftigen Verſtopfungen, und ſtarb endlich an einem ſolchen Anfalle. Robillard fand den Krummdarm, welcher eine Geſchwulſt im Hodenſacke gebildet hatte, gangränös, mehrere Oeffnungen darin, und den Hodenſack mit Darmkoth angefüllt. Der künſtliche After befand ſich im Krummdarm anderthalb Zoll weit über dem Blinddarm. Der Krummdarm war hier verengt, gefaltet und die innere Haut des obern Endes umgekehrt, der Grimmdarm bis zum After auf die Hälfte zuſammengezogen.[2])

Der zwiſchen dem künſtlichen und dem normalen After befindliche Theil des Darmka-

---

1) Monteggia faſc. pathol. p. 89. ff.

2) Bulletin de la ſoc. philom. Vol. I. p. 23.

nals fährt beständig abzusondern fort, so dass der Kranke mehr oder weniger häufig Stuhlgänge durch den After hat, und schliesst sich nie. Die Substanzen, welche dadurch abgehen, sind bisweilen trocken, hart, weisslich, fettähnlich [1]) bisweilen flüssig und schleimig. [2]) Im letztern Falle erfolgen die Excretionen häufiger als im erstern, namentlich in dem angeführten und dem von Albin beschriebenen täglich. Im erstern Falle geschieht diess bisweilen nur aller zwey bis drey Monate, wie in einem andern von Sabatier [3]) beobachteten Falle. Doch war auch in einem von Desault beschriebenen Falle, wo alle Excremente durch den künstlichen After abgingen, der aller drey bis vier Monate erfolgende Ausfluss aus dem After schleimig. [4])

Hébréard [5]) untersuchte einen Mann, der seit 24 Jahren nach einem eingeklemmten Leistenbruche einen künstlichen After mit Inversion des Darmkanals gehabt hatte. Aus dem normalen After kam bloss ein zäher, eyweissähnlicher Schleim. Der dünne Darm war etwas weiter als gewöhnlich, der dicke hatte in seinem ganzen Verlauf nur die Weite eines Harnleiters. Nur zwey Zoll weit vom After fand sich eine weisse, harte, glatte, fast ganz aus concentrischen Lagen geronnenen Eyweisses gebildete Concretion, wodurch eine Erweiterung bewirkt wurde.

---

1) Sabatier a. a. O. S. 603.
2) Ebendas. S. 604.
3) A. a. O. S. 619.
4) Journal de chir. t. I. Obs. d'un anus contre nature p. 186. ff.
5) Bulletin de la soc. de l'école de médec. an XIII. et XIV. p. 189.

Le Cat fand den Aftertheil des Darms, zwölf Jahr nach der Entſtehung des künſtlichen Afters, zwar verengt, aber nicht verſchloſſen.

Iſt es möglich, den künſtlichen After wieder zu verſchlieſsen, den invertirten Darm zurückzubringen, und den normalen Weg wieder herzuſtellen? Le Cat [1]) machte einen Verſuch dieſer Art, der aber miſslang, weil ſich die Kranke ſeinen Bemühungen entzog. Sabatier verwirft ihn völlig, indem theils die Inverſion des Darms, theils die Verengerung des unteren Theiles ihn unausführbar mache. Doch beweiſen einige intereſſante Fälle die Möglichkeit eines glücklichen Erfolges. Daſs ſich die im brandigen Darm entſtehende Oeffnung wieder ſchlieſst, und der Koth ſeinen Weg durch den Maſtdarm nimmt, thun mehrere von Pipelet [2]), Petit [3]), Acrel [4]), Pott [5]), einem Ungenannten [6]), Kellie [7]), Burns [8]) gemachte Beobachtungen dar.

Wenn ſich bloſs eine Kothfiſtel findet, iſt die völlige Herſtellung, oder vielmehr die Offenerhaltung des natürlichen Weges weit leichter, als beym künſtlichen After. Hiervon finden ſich beſonders mehrere Fälle verzeichnet.

---

1) Phil. tr. no. 460. pag. 716. ff.

2) Mém. de l' acad. roy. de chirurgie. T. III. p. 178. ff.

3) Traité des maladies chirurgic. T. II. p. 317. ff.

4) Chirurgiſche Geſchichte. S. 178. n. 10.

5) Chir. works. T. III. p. 321.

6) Edinb. med. and. ſ. journ. Vol. 2. p. 313.

7) Ebendaſ. p. 310. ff.

8) Monro morb. anat. p. 398. ff. — Mehrere andere Fälle ſ. bey Richter von den Brüchen 1778. Th. I. S. 361.

Ein Mädchen von drey und siebzig Jahren hatte seit zwanzig Jahren einen Bruch, der sich, als sie das bisher gebrauchte Bruchband wegliess, einklemmte. Am zehnten Tage wurde bey der Operation ein acht Zoll langes Stück des Krummdarms brandig und offen gefunden, weggenommen, und der Krummdarm an die Oeffnung gezogen. Bis zum dreyssigsten Tage ging der Koth bloss durch die Wunde, von dieser Zeit bis zum drey und funfzigsten zugleich durch den After, erst von nun an bloss durch diesen.

Während acht Jahren war sie völlig gesund, nur bekam sie bey Ueberladung Schmerz in den Hypochondrien und Erbrechen, wobey sich zugleich die Wunde öffnete, und die Flüssigkeiten austraten. Endlich starb sie an einer Entzündung, die auf eine Ueberladung folgte, wobey sich der Darm nicht öffnete. Diesen fand man bey der Section mit dem Bauchfell fest verwachsen. [1])

Selbst wenn der künstliche After schon sehr lange der einzige Weg für die Excremente gewesen ist, stellt sich indessen bisweilen der alte von selbst her.

Ein Neger von fünf und vierzig Jahren bekam plötzlich einen eingeklemmten Bruch. Der Darmkanal war so sehr durch Brand zerstört, dass bey der Operation ein künstlicher After gebildet werden musste. In wenig Wochen war der Kranke hergestellt. Nach einem Jahre bekam er plötzlich heftige Schmerzen im Unterleibe und Verstopfung des künstlichen Afters, in-

---

1) Marchal sur un anus artificiel. in Mém. de la soc. de médec. T. IV. p. 321 ff.

dem eine Verwachsung entstanden war, die keine Sonde zuliess. Man gab vergeblich Klystiere, versuchte die Excremente durch den künstlichen After fortzuschaffen. Der Schmerz und die Schwäche erreichten den höchsten Grad: zugleich trat Erbrechen und Schluchzen ein, als auf einmahl normaler Stuhlgang durch den After erfolgte. Der Kranke war in wenig Tagen hergestellt und der künstliche After schloss sich völlig. Als die Beobachtung verzeichnet wurde, hatte er drey Jahre völlig gesund gelebt. [1])

Am merkwürdigsten ist eine von Desault [2]) vollendete Heilung des künstlichen Afters.

Ein Matrose bekam in der rechten Leistengegend eine penetrirende Bauchwunde, wodurch der Hode bloss gelegt und der Darm zerrissen wurde. Ein Stück des Darms hing heraus, und der Koth floss beständig ab. Vier Jahre nach der Verwundung war das vorgefallene Stück neun Zoll lang, trat mit einer etwas verengten Grundfläche nicht weit über dem Bauchringe durch eine Hautfalte aus, reichte bis zur Mitte des Schenkels, wendete sich nach hinten und endigte sich mit einer sehr verengten Spitze, aus der beständig Koth drang, der in der ganzen Zeit nicht aus dem After gekommen war. An der äussern Seite der röthen und runzlichen Geschwulst kam aus derselben Oeffnung eine andere kleine, ihr ganz analoge, die bloss ein wenig wässerige Flüssigkeit ergoss.

---

1) Lee in Mem. of the med. society. Vol. 6. p. 70 — 74.

2) J. de chirurgie T. I. p. 186. Obs. d'un anus contre nature.

Die sehr geschwollene Masse wurde durch eine Binde in vier Tagen auf ihr gewöhnliches Volum zurück geführt, nun die invertirten Darmstücke zurückgeschoben, und darauf ein grosser Tampon, um das Austreten des Kothes zu verhüten, eingebracht. Der Kranke bekam sogleich Kollern, empfand starke Hitze im After, es gingen Winde durch denselben, und bald nachher ein halbes Pfund Feuchtigkeiten, wie bey Indigestionen, ab. In der folgenden Nacht erfolgten acht ähnliche Stuhlgänge, deren jedem ein Anfall von Kolik und Drücken und Brennen im Mastdarm voranging. In den drey folgenden Tagen verlor sich das Brennen im Mastdarm und die Häufigkeit der Stuhlgänge nahm in demselben Maasse ab, als die Excremente consistenter wurden. Aller Koth ging von nun an bloss durch den Mastdarm ab, und es blieb nur eine kleine fistulöse Oeffnung übrig, aus der eine wässerige Flüssigkeit drang.

Selbst als ein Jahr nachher die Wunde durch heftige Anstrengung des Kranken wieder aufgerissen, und der Darm von neuem sechs Zoll weit hervorgedrungen war, wurde er durch dieselben Handgriffe völlig wieder hergestellt.

Es giebt besonders gewisse Bedingungen, unter welchen sich überhaupt die Oeffnung im Darmkanal leicht verschliesst, und die enthaltenen Substanzen ihren völlig normalen Weg nehmen, sowohl kürzere als längere Zeit nach erfolgtem Aufbruche, welche alle darin überein kommen, dass die Continuität des Darms nicht in seinem ganzen Umfange unterbrochen war. Sie sind vorzüglich folgende:

1) Der

1) Der vorgefallene Theil ist ein Darmanhang, mithin braucht das Rohr des Darmkanals selbst gar nicht vorzuliegen, wird also auch nicht verengt.

2) Der vorgefallene Theil ist der Wurmfortsatz oder der Blinddarm, im Wesentlichen ganz dieselbe Bedingung.

Weniger günstig ist die dritte, das Vorliegen eines Theiles des Umfangs des Darmkanals, oder ein sogenannter kleiner Bruch. Hier ist immer nothwendig die Höhle etwas verengt, wenn gleich wegen der nicht völlig verletzten Continuität des Darmes die Heilung leichter, schneller und gefahrloser als in den Fällen ist, wo eine ganze Schlinge des Darmes vorlag und abstarb. Indessen tritt die dritte Bedingung am häufigsten ein. Nicht selten bildet sich, ohne dass ein Bruch geahndet wurde, eine Kothfistel, die sich bald von selbst verschliesst, wo dann unstreitig ein kleiner eingeklemmter Bruch vorhanden war.

Dass aber keineswegs nur unter einer von diesen drey Bedingungen, sondern auch da, wo eine ganze Darmschlinge verloren ging, dennoch die Continuität völlig wieder hergestellt werde, beweisen nicht nur die angeführten Fälle von Marchal und Lee, sondern mehrere andere, namentlich z. B. die von Pipelet.

Ueber die Art, wie die Continuität zwischen dem obern und untern Darmstück so hergestellt wird, dass die Excremente wieder den gewöhnlichen Weg nehmen, hat besonders Scarpa [1]) sehr schöne Beobachtungen geliefert, wodurch die gewöhnliche Ansicht berich-

1) Mem. sull' ernie. Milano 1809. Mem. IV. Sull' ernia gan-

tigt wird. Dieſer zu Folge wenden ſich die Oeffnungen der beyden Darmſtücke, welche mit der äuſsern Wunde verwachſen ſind, indem dieſe ſich zuſammenzieht, einander allmählich entgegen, und verwachſen endlich ſo mit einander, daſs die im Darmkanal enthaltenen Subſtanzen unmittelbar aus dem oberen Darmſtück in das untere übergehen.

Allein dieſer Anſicht widerſpricht ſchon der Umſtand, daſs, wenn ein ſtrangulirtes Darmſtück abgegangen oder weggenommen worden iſt, die Oeffnungen des dadurch reſultirenden obern und untern Stückes beſtändig in derſelben Richtung liegen, und überdieſs die obere durch die Subſtanzen nach unten und auſsen gedrängt und erweitert wird, während die untere ſich zuſammen und nach oben und innen zieht. Mehreren Beobachtungen zu Folge iſt der Heilungsproceſs vielmehr dieſer. Der Hals des Bruchſackes umfaſst die Mündungen der beiden Darmſtücke, die während der vorangegangenen Entzündung mit ihm verwachſen ſind, und durch ihn werden die Excremente zur äuſsern Wunde geleitet und gehindert, in die Unterleibshöhle zu gelangen. Die beiden Darmſtücke ziehen ſich ungeachtet ihrer Verwachſung mit dem Bruchſacke allmählich nach innen, ja dieſer ſelbſt tritt zugleich immer mehr oder weniger zurück. In dem Maaſse, als dieſes Zurückweichen Statt findet, verwandelt ſich der Hals des Bruchſackes in einen trichterförmigen Gang, und zugleich nimmt jetzt die Communication zwiſchen dem obern und un-

---

grenata e ſui mezzi che natura impiega per riſtabilire la continuità del tubo inteſtinale. p. 48 — 52.

tern Darmstücke ihren Anfang. Doch treten die Contenta nicht unmittelbar aus dem obern in das untere Darmstück, sondern nur mittelbar, durch die Zwischenhöhle, welche durch den Hals des Bruchsackes gebildet und durch die ergossene Lymphe geschlossen ist. Anfangs gelangen sie daher, theils wegen der Enge dieser Zwischenhöhle, theils wegen der ansehnlichen Weite der äussern Wunde, theils wegen der Spitzheit des Winkels, unter welchem sich das obere und untere Darmstück verbinden, und durch welche ein Vorsprung in die Verbindungshöhle gebildet wird, nur sehr schwer und in geringer Menge aus dem obern in das untere Darmstück; allmählich aber erweitert sich die Zwischenhöhle, die äussere Oeffnung des Trichters verengt sich, der Winkel vergrössert sich, und so verschwindet der künstliche After in dem Maasse, als der normale Weg wieder hergestellt wird. Mehrere interessante Leichenöffnungen dienen als Belege der Richtigkeit dieser Ansicht.

In den gewöhnlichen Fällen sondert sich das eingeklemmte und abgestorbene Darmstück nach aussen ab, weit seltner fällt es in die Höhle des Darmkanals, und geht durch den After ab. Travers erzählt einen höchst interessanten Fall, wo höchst wahrscheinlich durch diesen Hergang der Kranke, der unter allen Zeichen eines brandigen Bruches schon mit dem Tode rang, gerettet wurde, [1]) und bestimmt verhielt es sich so in einem von Mullot [2]) be-

1) Inquiry into the process of nature in repairing injuries of the intestines. London 1812. p. 348. ff.

2) Bullet. de la soc. philom. V. I. p. 6.

obachteten. Eine fünf und funfzigjährige Frau hatte seit vielen Jahren einen Nabelbruch, der sich endlich einklemmte. Am achten Tage der Einklemmung entstanden in der Gegend des Nabels drey Brandschorfe, diese fielen nach einigen Tagen ab, und die Vernarbung schien regelmäſsig vor sich zu gehen. Der Stuhlgang war beständig regelmäſsig. Drey Wochen nach dem Anfange der Einklemmung ging ein, sechzehn Zoll langes, Stück Darm durch den After ab, woran ein ganz regelmäſsiges Stück des Gekröses hing. Bis zum sechzigsten Tage besserte sich die Kranke beständig, starb aber endlich am fünf und sechzigsten, vier und vierzig Tage nach Abgang des Stückes Darm. Die beyden getrennten Darmenden waren vollkommen mit einander vereinigt, links neben dem Nabel angewachsen, aber nirgends verengt. In einer weiten Entfernung von dieser Stelle war der Darmkanal brandig.

Ein dem von Travers erzählten sehr ähnlicher Fall wurde auch von Cayol beobachtet. [1])

Wegen der, besonders anfänglich Statt findenden Enge des Darms an der Stelle, wo sich ehemals der künstliche After befand, wird indessen doch bisweilen unter dieser Bedingung der Tod später herbeigeführt, indem diese selbst zur Zerreiſsung eines Theiles der Verwachsung mit den Unterleibswänden und Kothaustritt in die Unterleibshöhle Veranlassung giebt.

So verhielt es sich in dem von Burns beobachteten Falle. Die Oeffnung schloſs sich bin-

1) Bullet. de la faculté de médec. 1811. in Brera giorn. di med. pratt. 1812. fasc. II. p. 267.

nen wenig Monaten, allein einige Jahre nachher ſtarb die Kranke unter den Zeichen von Darmentzündung. Die Gedärme waren verwachſen, im Becken Eiter und Koth. Die ehemalige Bruchſtelle befand ſich in der Mitte der Länge des Krummdarms unter dem linken Schenkelbogen. Ungefähr ⅘ des Darms hatte vorgelegen, war daher zerſtört, und der unmittelbare Uebergang aus dem ſehr weiten oberen in das untere Stück war daher ſehr eng, nicht weiter als eine Gänſefeder. Dicht an dieſer Stelle war das obere Darmſtück zerriſſen.

Indeſſen iſt es keinem Zweifel unterworfen, daſs dennoch beinahe überall ein Verſuch zur Herſtellung der Continuität des Darmkanals einen völlig glücklichen Erfolg haben wird, wenn vorher für die gehörige Erweiterung des untern Theiles deſſelben Sorge getragen, und nachher regelmäſsig Diät gehalten wurde. Nur die Störung des Herſtellungsproceſſes durch Trennung der Verwachſung des Darmes von den Bauchwänden iſt die Urſache des künſtlichen Afters, nicht die Beſchaffenheit der Verletzung. Wo ſich Theile finden, welche das fehlende Stück des Darmumfangs erſetzen können, alſo namentlich beim brandigen Bruche der Bruchſack, kann der künſtliche After geheilt werden. Nur, wo dies nicht der Fall iſt, alſo bei D a r m w u n d e n, iſt die Heilung meiſtentheils unmöglich.

Sätze, die deſto wichtiger ſind, da ein künſtlicher After, der nach einem brandigen Bruche in einer einigermaſsen hohen Gegend des dünnen Darmes übrig bleibt, gewöhnlich in kurzer Zeit wegen der zu beträchtlichen Verminderung der einſaugenden Oberfläche den Tod herbeiführt, und immer eine der unangenehmſten Krankheiten iſt, die ſich ungezwungen aus einer genauen Prüfung aller bekannten Fälle ergeben, und die kürzlich auch durch die trefflichen Unterſuchungen von Travers [1]) auffallend beſtätigt worden ſind.

II. Aeuſsere Brüche insbeſondere.

Die verſchiedenen Arten der äuſseren Brüche werden nach den Stellen, an welchen ſie ſich ereignen, bezeichnet. Sie ſind nach dem Grade der Häufigkeit ihres Vorkommens: 1) der Leiſtenbruch, 2) der Schenkelbruch, 3) der Nabelbruch, 4) der Bauchbruch, 5) der Bruch durch das eirunde Loch, 6) der Scheidenbruch, 7) der Rückenbruch, 8) der Mittelfleiſchbruch.

a. Leiſtenbruch. (Hernia inguinalis, bubonocele.) [2])

Der Leiſtenbruch (H. inguinalis) wird durch den Austritt eines Unterleibsorgans durch den Bauchring gebildet. Er iſt, weil an dieſer

---

1) Inquiry into the proceſs of nature in repairing injuries of the inteſtines. London 1812. Chapt VIII.

2) Monro remarks on inguinal hernia in men. In Edinburgh med. eſſays. Vol. V. No. 21. — Wrisberg Gedanken und Beobachtungen über die Brüche, beſonders über die Leiſtenbrüche. In Loders Journal f. die Chirurgie. Bd. 1. N. 2. S. 161 — 186. — P. Camper icones herniarum ed. a. S Th. Sömmerring. Francof 1801. — A. Cooper die Anatomie und chirurg. Behandlung der Leiſtenbrüche und der angebornen Brüche. A. d. Engl. von Krutge. Breslau 1809. — Heſſelbach anat. chirurg. Abhandlung über den Urſprung der Leiſtenbrüche. Würzburg 1806 — Heſſelbach Unterſ. über den Urſprung und das Fortſchreiten der Leiſten- und Schenkelbrüche. Würzburg 1815.

Stelle das Bauchfell am wenigſten beſchützt iſt, unter allen der häufigſte. Unter 3013 Brüchen, welche ich zuſammengeſtellt habe, fanden ſich 2613 Leiſtenbrüche, 267 Schenkelbrüche, nur 133 Nabelbrüche. Beym männlichen Geſchlecht iſt er wegen beträchtlicherer Gröſse des Bauchrings und wegen des auch im normalen Zuſtande immer durch denſelben gehenden Samenſtranges weit häufiger als beym weiblichen.

Der Leiſtenbruch verwandelt ſich in dem Hodenſackbruch (Hernia ſcrotalis, oſcheocele) oder den Bruch der äuſsern Schaamlippe, (Hernia labii externi) wenn er ſich aus der Leiſtengegend in die genannten Theile herab begiebt. Doch verdient bemerkt zu werden, daſs auch auf einem andern Wege Unterleibseingeweide hieher gelangen können. So ſah Cooper [1]) einen Bruch in der Schaamlippe, der unter dem Aſte des Sitzbeines längs der innern Seite der innern Schaamarterie vorgedrungen, und zur Seite der Scheide weiter herabgeſtiegen war.

Man kann den Leiſtenbruch in den innern und den äuſsern theilen. Beyde werden durch den Durchgang eines Unterleibsorgans durch den Bauchring gebildet, nur iſt die Stelle nicht durchaus dieſelbe. Der äuſsere Leiſtenbruch entſteht in der Gegend, wo ſich der Anfang des ehemaligen Scheidenfortſatzes für den Hoden befand, er ſey nun ganz obliterirt, oder zum Theil noch offen. Der Hals des Bruchſackes tritt, beſonders anfangs, ſchief von auſsen und oben nach innen

---

1) Ueber die Leiſtenbrüche a. d. Engl. S. 2.

und unten; indessen wird die Richtung mit zunehmendem Alter und Grösse des Bruches gerader. Sein Eingang in die Bauchhöhle bildet eine Querspalte, die nach aussen in den Winkel des Bauchfelles übergeht, unter dem sich dieses vom Darmbeinmuskel gegen die Bauchmuskeln aufschlägt. Die Bauchdeckenarterie (Epigastrica) steigt erst hinter, dann neben der innern Seite dieses Bruches empor. Er liegt auf und vor dem Samenstrange, und hat mit ihm dieselbe Richtung. Der Bruchsack liegt zwischen der Aponeurose des äussern schiefen Bruchmuskels nach vorn, und des innern, so wie des queren Bruchmuskels nach hinten, und ist in der gemeinschaftlichen Scheidenhaut des Hoden und Samenstranges und dem Hodenmuskel eingeschlossen, welche sich oft sehr beträchtlich verdicken, allein keinesweges als ein eigner, ungewöhnlicher Bruchsack angesehen werden müssen.

Beym innern Leistenbruche dagegen treten die Theile in eine, zwischen der Nabelarterie und einer Verdopplung des Bauchfelles, wodurch diese an die hintere Wand des Bauchfelles geheftet wird, dem horizontalen Aste des Schaambeines, dem äussern Rande des geraden Bauchmuskels, dem Samenstrange und der Bauchdeckenarterie befindliche Vertiefung, welche Hesselbach mit dem Namen der Leistengrube belegt. Diese befindet sich weit tiefer, mehr nach innen als die vorige, und unmittelbar hinter dem Bauchringe. Hesselbach [1]) beobachtete in der Leiche eines dreywöchentlichen Knaben einen solchen Leisten-

1) A. a. O. S. 23.

bruch in ſeinem Entſtehen. Die Leiſtengrube war beträchtlich vertieft und erweitert, die Aponeuroſe des äuſsern ſchiefen Bruchmuskels um den Bauchring ausgedehnt, das Bauchfell aber noch nicht durch ihn hervorgetreten.

Dieſer Bruch unterſcheidet ſich von dem **äuſsern Leiſtenbruche** durch gerade Richtung ſeines Halſes, indem er unmittelbar durch den Bauchring hervortritt, nicht hinter und über demſelben verläuft, gröſseren Umfang, runde Geſtalt, und Kürze des Halſes. Er wird bloſs vom Zellgewebe des Hodenſackes umgeben, und beſteht daher nicht, wie der äuſsere, aus zwey Blättern, ſondern bloſs aus der Peritonealhaut. Der Samenſtrang liegt nicht hinter, ſondern vor und nach auſsen von ihm. Der Hodenmuskel bedeckt ihn nicht. Der innere Leiſtenbruch iſt weit ſeltner als der äuſsere.

Zu beyden giebt es, wo ich nicht irre, eine beſondere Anlage. Dieſe iſt für den äuſsern in dem, wenn auch nur partiellen, Offenbleiben der oberhalb des Bauchringes befindlichen Oeffnung des Scheidenfortſatzes, für den innern in der beträchtlichen Höhe der Duplicatur des Bauchfelles, worin die Nabelarterie verläuft, begründet. Jene Bedingung iſt unſtreitig häufiger als dieſe, die ich unter einer groſsen Anzahl von Subjekten nur zweymahl ſo bedeutend gefunden habe, daſs dadurch die Entſtehung des innern Leiſtenbruches begünſtigt werden konnte, ungeachtet ſie in dem einen Falle nicht erfolgte; daher unſtreitig die gröſsere Häufigkeit der äuſsern, die vielleicht auch durch die anſehnlichere Gröſse und Tiefe des Raumes von der Nabelpulsader nach auſsen als nach innen, und durch die gröſsere Stärke, welche der innere Theil des Bauchrings, theils durch den hier verlaufenden Samenstrang, theils durch die Aponeurose des innern schiefen und des queren Bruchmuskels erhält, bedingt wird.

Diese Eintheilung der Leistenbrüche in den äussern und innern ist vorzüglich wegen der festen, daraus für die Einschneidung des Bruchsackes hervorgehenden Regeln von grosser Wichtigkeit, indem, wegen der Verletzung der Bauchdeckenarterie beym äussern, der Einschnitt am äussern, beym innern Leistenbruche dagegen am innern Winkel des Bauchringes gemacht werden muss. Indessen sind die angegebenen äussern Kriterien nur im Anfangsstadium gültig, denn auch der äussere Leistenbruch wird allmählich senkrecht, und drängt den Samenstrang ganz oder theilweise von seinem hintern Umfange weg.

Dass sie aber in der That in der Erfahrung begründet ist, beweisen mehrere einzelne Beobachtungen, die schon vor Hesselbachs Bemerkungen gemacht wurden, und, wenn gleich nicht so bestimmt, und durch die anatomische Untersuchung erwiesen, dennoch jenen Unterschied deutlich darthun.

So bemerkt Monteggia [1]), für mich durch die Feinheit und Präcision seiner anatomischen sowohl als chirurgischen Bemerkungen eine der höchsten Autoritäten, dass die Leistenbrüche gewöhnlich nicht vom Bauchringe umschrieben werden, sondern sich etwas nach oben gegen die Darmgegend erstrecken, und bey einem Brüchigen, der hustet, eine schräge Erhabenheit, die, einer Welle ähnlich,

1) Fasc. pathol. p. 82.

von der Darmgegend aus, gegen den Bauchring herabsteigt, allmählich dicker wird und in der Leistengegend die stärkste Geschwulst bildet. Er ist aus diesem Grunde ganz richtig der Meinung, dass in den meisten Fällen die Bauchdeckenarterie nach innen, neben dem Bruchsackhalse, verlaufe, und der Bruchschnitt dagegen auf der äussern Seite gemacht werden müsse.

Nur einmahl,[1]) sagt er, sah ich unter unzähligen Fällen einen kleinen Bruch, dessen Sack keinen schiefen, sondern einen geraden, nach oben gerichteten Eingang hatte, und an dessen äusserer Seite die Bauchdeckenarterie verlief. Offenbar Hesselbachs innerer Leistenbruch auf das genaueste charakterisirt.

Offenbar gehört hieher auch die ungewöhnliche Art des Leistenbruches, welche Russel[2]) erwähnt. Die Eingeweide dringen, sagt er, hier durch die Bauchbedeckungen der untern und äussern Oeffnung des Bauchrings gegenüber, kommen hier mit dem Samenstrange in Berührung und steigen gerade mit ihm in den Hodensack hinab. Gewöhnlich verläuft die Bauchdeckenarterie an der innern Seite des Leistenbruches, hier aber immer an der äussern.

Einen Beweis für die Seltenheit der innern Leistenbrüche giebt le Drans[3]) Versicherung, nur einmahl den Samenstrang vor dem Bruchsacke liegen gesehn zu haben.

Ich habe in demselben Körper, bey einem vierzigjährigen Manne, dessen Unterleib durch eine Menge Wasser ausgedehnt war, auf beyden Seiten diesen innern Leistenbruch beobachtet. Auf

1) Ebendas. p. 84.
2) Edinb. med. journal. Vol. I. p. 253.
3) Opérat. de chirurgie à Bruxelles 1745. p. 82.

der linken Seite hatte er die Gröfse einer Fauft, auf der rechten glich er einem Hühnerey. Die Oeffnung der Bruchfäcke, die ich völlig leer von Eingeweiden und blofs mit Waffer angefüllt fand, war faft fo grofs als der Körper, beyde ftanden ganz gerade und die Bauchdeckenarterie ftieg auf beyden Seiten aufsen neben dem Sacke in die Höhe. Auf beyden Seiten lag der Samenftrang an der äufsern Seite, auf der linken etwas mehr nach vorn als auf der rechten.

Wahrfcheinlich waren auch zwey von Cooper [1]) beobachtete Fälle innere Leiftenbrüche. In dem einen Falle fand er den Samengang auf der einen, die Samenblutgefäfse auf der andern Seite des Bruches, in dem andern fowohl den Samengang als die Samenblutgefäfse vor demfelben. Aufserdem hat übrigens auch Cooper [2]) eigends von den innern Leiftenbrüchen gehandelt, zehn Fälle davon, die er und andre englifche Wundärzte beobachteten, befchrieben, und völlig diefelben allgemeinen Charaktere für denfelben aufgeftellt, welche ich als von Heffelbach aufgezählt und durch meine eigne Beobachtung beftätigt angegeben habe.

Auch Scarpa [3]) charakterifirt diefen Bruch vortrefflich, und betrachtet ihn richtig, wie auch Monro, als eine Zufammenfetzung von Bauch- und Leiftenbruch, weil die Eingeweide die Aponeurofen des queren und

---

1) A. a. O. S. 8.

2) A. a. O. S. 41. Funfzehntes Kapitel. Von dem Bruche an der innern Seite der Oberbauchfchlagader.

3) A. a. O. Mem. I. §. 25. p. 11.

des innern schiefen Bauchmuskels durchbohren, nicht an derselben Stelle mit dem Samenstrange durch den letztern Muskel dringen, und doch mit dem Samenstrange durch den Bauchring treten.

Indessen ist es nicht zu läugnen, daſs auch beym äuſsern Leisten- und Hodensackbruche, wenn er alt und groſs ist, der Samenstrang, zum Theil wenigstens, seine Lage auf eine ähnliche Weise, als beym innern, verändern kann. Die verschiednen Gefäſse, woraus er besteht, werden durch den Druck so auseinander gedrängt, daſs sie auf beyde Seiten, ja selbst an die vordere Seite des Bruchsackes gelangen. [1])

Nicht immer ereignet sich der Bruch durch den Bauchring, sondern bisweilen unter oder über demselben, oder durch die Fasern des einen Schenkels.

So fand Petit [2]) einen kleinen Bruchsack von der Gröſse einer Olive, der in die Fasern des äuſsern Schenkels gedrungen war, nachdem er seinen Weg unter dem innern genommen hatte.

In einem andern Falle fand er einen Bruch über dem Bauchringe, zwischen diesem und der weiſsen Linie.

Diese Brüche machen die erste Unterabtheilung von Quentins [3]) Leistenbrüchen im Umfange des Bauchringes aus.

Ich habe gleichfalls einigemal kleine Bruchsäcke unter dem äuſsern Schenkel des äuſsern

---

1) Scarpa a. a. O. Mem. I. §. 24. p. 10. 11.

2) Malad. chirurg. T. 2. p. 246.

3) De divisionibus herniar. inguinal. Gott. 1795. p. 18.

schiefen Bauchmuskels gefunden. Doch sind diese eigentlich, streng genommen, Schenkelbrüche.

Bisweilen treten die Eingeweide auch weder durch den Bauchring, noch unter oder durch die Fasern desselben hervor, sondern der untere Theil des äußsern oder aller Bauchmuskeln wird ausgedehnt, und die Verlängerung des Bauchfelles von ihnen umgeben.

Einen Fall, wo die Aponeurosen aller Bauchmuskeln ausgedehnt waren, beobachtete Mery [1]). Er fand bey einem alten Manne, der auf der linken Seite einen ausserordentlich großsen, alle dünnen Gedärme und einen Theil der dicken enthaltenden, Leistenbruch hatte, nach Durchschneidung der Haut des Hodensackes, drey über einander liegende, den Bruchsack des Bauchfells umgebende Membranen, die leicht von einander getrennt wurden, und von denen die äußsere die Aponeurose des schiefen äußsern, die mittlere die des schiefen innern, die innerste endlich die des queren Bauchmuskels war.

Auch Le Cat [2]) hat einige Fälle dieser Art beobachtet; doch war hier bloß der äußsere schiefe Bauchmuskel ausgedehnt. Bey einem achtzehnjährigen Menschen fand er einen Scrotalbruch völlig von der Aponeurose dieses Muskels bedeckt. Inwendig und vorn befand sich an dem Sake der ausgedehnte, aber verschlossene Bauchring, durch welchen man das Bauchfell sah. Merkwürdig ist es, daß dieser Bruch ein Scheidenhautbruch war, indem der Darm mit dem im Grunde des Bruchsackes liegenden

---

1) Mém. de l'acad. des sc. 1701. p. 376. No. 5.

2) Philos. transact. Vol. 47. No. 51. p. 324. 325. No. 1. u. 2.

Hoden in unmittelbarer Berührung ſtand. Der Hode war alſo nicht durch den Bauchring getreten, ſondern hatte den äuſsern ſchiefen Bauchmuskel auf ſeinem Wege in den Hodenſack vor ſich hergedrängt.

In einem andern Falle, den er unterſuchte, war die Ausdehnung weniger vollſtändig, und erſtreckte ſich nur auf die äuſsere Seite der Aponeuroſe, während der Bauchring ſich an ſeiner gewöhnlichen Stelle befand.

Auch Richter [1]) fand bey einem alten Manne, der in mittleren Jahren fett, nachher mager geworden war, auf beyden Seiten der Leiſtengegend eine breite Geſchwulſt von der Gröſse einer Frauenbruſt, die offenbar nicht durch den Bauchring gedrungen war, indem man dieſen auf ihrer Mitte ſehr deutlich fühlte.

Petit [2]) fand mehrmals die Anlage zu dieſem Zuſtande, indem ein Theil der Unterleibseingeweide, der das Bauchfell unter dem queren und innern ſchiefen Bauchmuskel hervorgedrängt hatte, hinter der Aponeuroſe des äuſsern verweilte, weil er nicht durch den Bauchring treten konnte. Er bildete hier eine breite, platte Geſchwulſt, welche der Kranke nach Belieben zurückdrücken konnte.

In der That erſcheint dieſer Bruch, der ſich nur in der Gegend, nicht durch den Bauchring ereignete, immer in Geſtalt einer, mit breiter Grundfläche verſehenen Anſchwellung.

Weil er nicht durch das Austreten der Eingeweide durch den Bauchring entſteht, hat ihn

---

1) Von den Brüchen. Th. 1. S. 20.

2) Malad. chirurg. T. 2. p. 249.

Quentin[1]) als eine Unterart des im Umfange des Bauchrings entstehenden Leistenbruches (Hernia inguinalis circa foramina) betrachtet."

Unter diesen Bedingungen sind die Hüllen des Bruches oft zusammengesetzter als gewöhnlich, sofern zu den immer vorhandenen Schichten noch der untere Theil der breiten Bauchmuskeln tritt.

Die Zahl der Hüllen wird bisweilen auch noch auf andere Weise, gewissermaassen durch eine Zusammensetzung des gewöhnlichen äussern mit dem angebornen Leistenbruche vermehrt. Hier findet man zwey Bruchsäcke, von denen der äussere durch die Scheidenhaut des Hoden, der innere durch das vorgetretene Bauchfell gebildet wird. Als Bedingung zur Entstehung dieser Zusammensetzung wird Verschliessung des obern Endes der Verbindungsröhre, zwischen Scheidenhaut und Bauchfell, während sie in ihrem untern Theile offen bleibt, angesehen [2]); indessen ist es einleuchtend, dass auch ohne jene vorangegangene Verschliessung sehr wohl in die ganz offne Verbindungsröhre ein eigner Bruchsack treten kann.

Von dem gewöhnlichen angebornen Bruche [3]) unterscheidet sich dieser Bruch durch die Anwesenheit des zweiten Sackes, welcher die vorgedrungenen Unterleibstheile von dem Hoden absondert.

Hey

1) A. a. O. p. 18.

2) Hey practical observations in surgery. Ed. 3. London 1814. p. 229.

3) S. Bd. 1. S. 695. ff.

Hey [1]) und Forster [2]), vielleicht auch Chevalier [3]), (der indessen nicht angiebt, ob er einen Leistenbruch oder einen Schenkelbruch beschrieben) haben, die beiden erstern aus männlichen, der letztere aus weiblichen Körpern, Fälle von dieser Bruchart beschrieben.

Am häufigsten wird der Leistenbruch durch einen Theil des Krummdarms gebildet, ein Satz, der sowohl durch Bruchoperationen als durch Untersuchungen an Leichen hinlänglich erwiesen zu seyn scheint. Doch ist auch das Austreten des Grimmdarms keine seltne Erscheinung, und nächst dem Krummdarm findet man unstreitig den Blinddarm und Wurmfortsatz am häufigsten im Bruchsacke. Schon Pott [4]) hat die Bemerkung gemacht, dass diess gar nicht selten sey, und dass in den meisten Fällen, wo Einklemmung des Leistenbruches die Operation erforderte, der Blinddarm und Wurmfortsatz nebst einem Theile des Grimmdarms vorliegen, und Tritschler [5]) hat es sehr wahrscheinlich gemacht, dass das Verhältniss der Blinddarmbrüche zu den übrigen wie 1 : 14 ist.

Scarpa hat über diesen Bruch sehr schöne Beobachtungen mitgetheilt, [6]) die indessen

---

1) Hey a. a. O. S. 226 — 231.

2) Cooper a. a. O. S. 48.

3) Medico - chirurgical transactions. Vol. IV. p. 328. 329.

4) Chir. works. Vol. 2. p. 32.

5) Diss. sistens observationes in hernias praecipue intestini coeci. Tubing. 1806. S. 29.

6) A. a. O. Mem. II. §. 29 — 32.

nicht bloſs den Bruch des Blinddarms und aufſteigenden Grimmdarms, ſondern auch den des abſteigenden betreffen. Alle dieſe Brüche, und nur ſie, haben mit einander die Bedingung gemein, daſs die Bänder oder Verdopplungen des Bauchfelles, wodurch der Darmtheil, welcher ſie bildet, an den groſsen Sack des Bauchfelles geheftet wurde, ſich erhalten, indem dieſe mit den reſpectiven Darmſtücken durch den Bauchring hervortreten und gewiſſermaaſsen herabgleiten. Ja in der That werden nicht bloſs dieſe Bänder verlängert, ſondern ſelbſt der Theil der hintern Wand des Bauchfelles, an welchen durch ſie der austretende Darmtheil geheftet wird, herabgezogen, ſo daſs der Bruchſack, worin ſie innerhalb des Hodenſackes enthalten ſind, durch dieſelbe Wand des Bauchfelles gebildet iſt, welche im Normalzuſtande die rechte oder linke Lenden- und Hüftgegend bekleidete, an welche die vorgefallenen Eingeweide völlig auf die gewöhnliche Weiſe geheftet ſind. Man findet in Fällen dieſer Art natürlich nur den auch bey normaler Lage der Unterleibstheile freien Blinddarm, nicht aber die übrigen Theile des Grimmdarms beweglich. Scarpa nennt dieſe Art der Verbindung der vorliegenden Theile mit dem Bruchſacke die fleiſchige, naturgemäſse Verwachſung, die fleiſchige, im Gegenſatz der membranöſen bloſs oberflächlichen, die naturgemäſse, im Gegenſatz der fleiſchigen naturwidrigen, welche dem Weſen nach mit der membranöſen völlig übereinkommt, wie ſie, ein Product der adhäſiven Entzündung iſt, und nur durch gröſsere graduelle Intenſität ſich von ihr unterſcheidet.

Auch wenn der Wurmfortsatz allein vorliegt, findet man ihn daher mit dem Bruchsacke verwachsen. In dem von Sandifort beschriebenen Falle sieht man ihn deutlich in seiner ganzen Länge mit demselben verbunden, [1]) und Hesselbach bemerkt ausdrücklich, dass diese Verwachsung in zwey von ihm untersuchten Fällen Statt gefunden habe.

Indess ist nothwendig bey diesen Brüchen des Blinddarms und des Grimmdarms ein Theil desselben auf dieselbe Weise ausserhalb des Bruchsackes befindlich, als er bey normaler Lage der Theile im Unterleibe ausserhalb des Bauchfelles liegt. Gewöhnlich ist es der hintere und untere Theil seines Umfangs, allein bisweilen dreht sich beim Herabsinken der Darm so, dass sein nackter Theil nach vorn zu liegen kommt. Bemerkenswerthe Umstände, weil hier, besonders im letztern Falle, der Bruch keinen Bruchsack zu haben scheint.

Am gewöhnlichsten findet er sich unstreitig in angebornen Brüchen, und namentlich gilt diess für die Fälle, wo bloss der Wurmfortsatz im Bruchsacke liegt, indem dieser mit dem im Unterleibe liegenden Hoden durch eine Falte verbunden ist.

Sandifort, [2]) Sömmerring, [3]) Hesselbach, [4]) Schwenke [5]) fanden den Wurm-

1) De hernia congenita. L. B. 1781.

2) De hernia congenita. L. B. 1781.

3) Baillie vom krankh. Baue. S. 97. Not. 205. u. S. 123.

4) Ueber den Urspr. der Leistenbr. S. 19.

5) Ueber die Brüche in Abh. des von J. Monnikh. gest. Legats.

fortſatz allein auf dieſe Art den Bruch bildend. Im Sandifortſchen, Sömmeringſchen und Schwenkeſchen Falle war er an ſeinem Ende mit dem Hoden verwachſen.

Doch findet man bisweilen den Wurmfortſatz allein im Bruchſacke, ohne daſs er mit dem Hoden in unmittelbarer Berührung wäre. Einen Fall dieſer Art findet man in Monteggia's [1]) Beobachtungen, wo die Gegenwart eines Waſſerbruches auf derſelben Seite beweiſt, daſs dieſe Verbindung nicht Statt fand. Ich habe einen ganz ähnlichen vor mir.

Auch in einer von Valſalva [2]) verzeichneten Beobachtung, wo ſich auf der linken Seite ein Theil des Netzes, auf der rechten bloſs der Wurmfortſatz im Bruchſacke befand, wird dieſes Umſtandes wenigſtens nicht gedacht. Doch iſt es möglich, daſs in Fällen dieſer Art der Scheidenfortſatz immer gegen den Bauchring offen blieb, wenn er ſich gleich gegen den Hoden geſchloſſen hatte.

Bisweilen iſt der vorliegende Wurmfortſatz bedeutend groſs. Tritſchler [3]) beobachtete dieſe Erſcheinung zweymahl. In einem Falle fand er bey einem ſechzigjährigen Manne einen Leiſtenbruch der rechten Seite durch den vier Zoll langen Blinddarm, an dem ſich keine Spur eines Wurmfortſatzes fand, gebildet. Der vorgefallene Theil hing in ſeiner ganzen Länge mit der hintern Wand des Bruchſackes zuſammen. In einem andern Falle lag in dem rechten Leiſtenbruche einer ſechs und dreiſsigjährigen Frau

1) A. a. O. S. 80.

2) Morgagni de c. et ſed. morb. ep. 43. art. 2.

3) A. a. O. S. 31 — 33.

der nicht sehr grosse Blinddarm ohne Spur eines Wurmfortsatzes.

Auch Hunter fand in der Leiche eines vierzigjährigen Mannes, der von Jugend auf einen Leistenbruch auf der rechten Seite gehabt hatte, den Blinddarm von der Grösse eines Kindeskopfes, allein ohne Spur eines Wurmfortsatzes. Eben so sahe ihn Amyand so gross und dick, dass er kaum für den blossen Wurmfortsatz gehalten werden konnte.

Diese beträchtliche Vergrösserung des Wurmfortsatzes entsteht vielleicht erst später, und auf eine mechanische Weise, indem er durch die Schwierigkeiten, welche sich der Entleerung des in ihm abgesonderten Schleimes entgegensetzen, und durch den eindringenden Koth ausgedehnt wird. Wenigstens fand ihn Amyand damit angefüllt. Auch kann der Blinddarm sich aus demselben Grunde sehr beträchtlich ausdehnen und der Wurmfortsatz dadurch und durch den äussern Druck ganz oder zum Theil obliterirt werden: wenigstens habe ich diesen einigemahl, ohne Zutritt aus einer solchen mechanischwirkenden Ursache, bey normaler Lage des Blinddarms, in dem grössten Theile seiner Länge völlig zusammengeschrumpft und in ein Band verwandelt gefunden, so dass er auf den ersten Anblick ganz zu fehlen schien. Allein es ist mir wahrscheinlicher, dass in mehreren dieser Fälle sich das frühe Fötusverhältniss erhielt, wo sich noch kein Blinddarm findet und der Wurmfortsatz nicht bloss bedeutend lang, sondern auch so weit als der Grimmdarm erscheint, dessen wahres Ende er bildet.

In diesem Falle nimmt Tritschler an, dass die Ursache des Bruches in einem regelwidrigen

Streben des Wurmfortsatzes, selbst hervorzudringen, begründet sey; eine Ansicht, die unstreitig viel für sich hat, und sich theils mit dem schon oben [1]) erwähnten Phänomen des Vortretens des Grimmdarms, ohne entfernte Ursache und mit mehreren andern, z. B. dem Blofsliegen des Herzens, der Unterleibseingeweide in den Fällen, wo die Wände der Brust- und Bauchhöhle regelmäfsig gebildet waren, sehr wohl vereinigen läfst.

Bisweilen aber wird sowohl der Blinddarm und der Wurmfortsatz, als irgend ein Theil des Grimmdarms überhaupt, durch seine Verbindung, mit dem zuerst herabgetretnen Krummdarm herabgezogen. Vorzüglich tritt dieser Umstand dann leicht ein, wenn das hervorgetretene Stück des Krummdarms sich nahe am Ende des dünnen Darmes befindet.

In diesem Falle kann der Blinddarm und Wurmfortsatz sogar in einen auf der linken Seite befindlichen Bruchsack herabgezogen werden. So fand Hensing [2]) in einem Leistenbruche der linken Seite acht Ellen des dünnen Darms, den Wurmfortsatz nebst dem Blinddarme und ein Fuſs langes Stück des Grimmdarms.

Mery [3]) fand mit dem ganzen dünnen Darme auch den Blinddarm und den Anfang des Grimmdarms im linken Hodensacke. Dabey stand der Magen ganz gerade.

---

1) Bd. 1. S. 5.

2) De peritonaeo. §. 8.

3) Obs. sur les hernies. No. V. In den Mém. de l'ac. des sc. p. 376.

Aehnliche Beobachtungen finden ſich bei Mauchart, [1]) Camper [2]) und Böſe. [3]). Auf eine entgegengeſetzte Weiſe ſah Laſſus [4]) den abſteigenden Grimmdarm auf der rechten bilden.

Eben ſo hat man in einem ſehr groſsen Hodenſackbruche ſogar den Magen gefunden. Der Hodenſack war in der Gegend des Bauchrings, bis zum Grunde vierzehn und einen halben Zoll lang, und acht und einen halben bis neun Zoll breit. Sein Umfang betrug in der Mitte faſt zwey Fuſs. Der Bauchring war ſehr weit, und umgab den Hals des Bruchſacks ſo locker, daſs eine Querhaut zwiſchen beiden eingebracht werden konnte. Der Magen war ſehr vergröſsert und ſeine Lage durchaus regelwidrig, indem der groſse Bogen auf der rechten, der kleine auf der linken Seite lag. Der Grund lag im vordern Theile des linken Hypochondriums und dem obern Theile der linken Lendengegend, deren übriger Theil nebſt der linken Hüftgegend von einem Theile des Körpers des Magens eingenommen wurden. Der übrige Theil des Magens nahm das obere Drittheil des Bruchſackes ein, und der Pförtner befand ſich ungefähr in der Mitte deſſelben. Zugleich lagen der gröſste Theil des Darmkanals und die Harnblaſe im Bruchſacke. Die Leber war ſo weit herabgezogen, daſs ſie auf dem Becken lag. [5])

---

1) De hern. incarc. in Hall. disp. chir. T. III.

3) Anim. de hern. inguin. p. 5.

4) Méd. operat. t. I. p. 173.

5) Ohle Sectionsbericht eines am Ileo verſtorbnen Mannes von 63 Jahren, als Anhang zu Schroeer diſſ. de hernia ſcrotali. Lipſiae 1791. p. 25. ff.

Offenbar war hier der Magen allmählig durch den Quergrimmdarm herabgezogen worden.

Dem dünnen Darm zunächst aber tritt das Netz, entweder allein, oder in Verbindung mit ihm am häufigsten durch den Leistenring hervor. Vorzüglich findet es sich häufig in Leistenbrüchen der linken Seite, so dass Arnaud [1]) behauptet, unter zwanzig Leistennetzbrüchen befänden sich neunzehn auf dieser. Wahrscheinlich ist diess wohl dann vorzüglich häufig der Fall, wenn der Bruch ursprünglich ein Darmbruch war, dem sich, der grössern Nähe wegen, hier ein Netzbruch häufiger zugesellt als auf der rechten Seite.

Nicht ganz selten findet man auch die Harnblase einen Leistenbruch bildend. Unstreitig ist dieser dann immer ein innerer.

Curade [2]) fand bey einem alten Manne, der häufig an Harnverhaltung gelitten hatte, in der linken Weichengegend eine Geschwulst, die sich in der ganzen Länge des Hodensackes herab erstreckte. Unter einem häutigen, aber leeren Sacke, der bis drey Finger weit unter den Bauchring herabstieg, fand er einen Theil der Harnblase, der mit dem, im Becken liegenden Körper derselben durch eine enge, im Bauchringe befindliche Oeffnung zusammenhing. Die Blase war sehr gross und enthielt im Ganzen drey Pfund Harn. Der ausgetretne Theil war nur in seinem vordern Theile mit einer sackähnlichen Verlängerung des Bauchfelles bedeckt, in seinem übrigen Umfange mit

---

1) Mém. de chir. T. II.

2) Mém. de l'acad. de chir. T. II. p. 4.

dem Hodensacke verwachsen. Der Harnstrang und die linke Nabelpulsader reichten bis zum Grunde des Hodensackes herab, woraus sich ergab, dass der vorliegende Theil die Spitze der Blase war.

Die Blase dringt, nicht vom Bauchfelle bedeckt, frey hervor, zieht aber, indem ihr hinterer Theil nachfolgt, mittelst des ihn bedeckenden Bauchfelles, auch den hinter dem Bauchringe liegenden Theil dieser Membran nach, der nothwendig in Gestalt eines Sackes erscheinen muss.

Auch Mery,[1]) Verdier,[2]) Ruysch,[3]) de Haen,[4]) Camper,[5]) Arnaud[6]) beobachteten ähnliche Fälle.

Pott [7]) sah einen interessanten Fall eines Leistenblasenbruches. Ein sechsjähriger Knabe bekam, nachdem er einige Tage vorher anderthalb Stunden lang einen heftigen Schmerz über der Schaamgegend, mit vergeblichem Drang zum Harnlassen, gehabt hatte, in der linken Leiste eine schmerzlose Geschwulst von der Grösse einer Erbse, die sich binnen fünf Jahren so weit vergrösserte, dass sie den Boden des Hodensackes erreichte, worauf sie weit schneller als bisher zu wachsen anfing. Bey der Operation fand man einen Theil der

1) Mém. de Paris 1713.

2) Mém. de l'ac. de chirurgie. T. II. p. 4.

3) Adversl. anat. Obs. 9.

4) Rat. medendi. T. III. C. IV.

5) Demonstr. anat. path. L. II. c. VI.

6) Mém. de chirurgie. T. II. p. 480. ff.

7) Observations on ruptures in chirurgical works Vol. 3. p. 324. case 23.

Blase als einen festen, weissen, häutigen Balg, der sich gegen den Bauchring verengte, vorliegen. Er liess sich leicht von der Hodensackhaut und dem Samenstrange trennen, und verengte sich im Bauchringe zum Durchmesser eines Harnleiters. Hier, wo er einen Blasenstein enthielt, wurde er abgeschnitten, und vier Unzen Harn entleert. Der Harn floss noch vierzehn Tage lang aus der Wunde, von dieser Zeit an aber bloss aus der Harnröhre.

Häufig findet sich der Bruch der Harnblase mit dem Darm- oder Netzbruche zusammengesetzt.

Den Grund davon enthält unstreitig das allmählig erfolgende Heraustreten des hinter dem Bauchringe liegenden Theiles des Darmfells. Doch findet bisweilen auch ein entgegengesetzter Caussalnexus Statt, indem die Harnblase in dem Maasse, als sich der Darmbruch vergrösert, durch das ihre hintere Fläche bekleidende Darmfell herabgezogen werden kann.

Bey einer Zusammensetzung des Leistenblasenbruches mit dem angebornen Leistendarmbruche muss man diesen Caussalnexus wahrscheinlich annehmen.

So fand Arnaud [1]) bey einem vierzigjährigen Manne, wo nach Zurückbringung des vorgefallenen sehr grossen Darmstückes und Netzes die Geschwulst sich nur um die Hälfte verminderte, aber als Hydrocele operirt wurde, nach dem Tode, dass der geöffnete Sack die Harnblase war, welche sich in einem eignen

1) Mém. de chir. T. I. p. 79.

Sacke befand. Der Hode stand mit dem Darme und dem Netze in unmittelbarer. Berührung.

Diese Zusammensetzung im Allgemeinen beobachteten ausserdem auch Ruysch, [1]) Maurain, [2]) Süe, [3]) Verdier. [4]) Curade und Pott bemerkten, dass auch beym Leistenblasenbruche, wie gewöhnlich beym Leistenbruche, der Samenstrang hinter der Harnblase herabstieg.

Wie der Leistenbruch überhaupt, so ist auch der Leistenblasenbruch dem männlichen Geschlechte weit eigenthümlicher als dem weiblichen, wo er, wie die Blasenbrüche überhaupt, vorzüglich durch die Schwangerschaft begünstigt wird. Interessant ist ein von Simon und Levret beobachteter Fall, wo bey einer schwangern Frau auf beyden Seiten ein Leistenbruch von der Grösse eines Hühnereyes entstand, der sich nicht zurückdrücken liess, aber mit beständigem Drange zum Harnen verbunden war. Unstreitig waren beyde durch die Blase gebildet, die während der Schwangerschaft breiter, und nach beyden Seiten gewissermaassen in Anhänge ausgedehnt wird, die leicht, vorzüglich wenn sich die Gebärmutter stark nach vorn neigt und die Blase sich sehr mit Harn anfüllt, in den Bauchring treten können.

Auch bey einem Manne fand de la Porte auf beyden Seiten einen Leistenblasenbruch. [5])

---

1) A. a. O.

2) Mém. de l'acad. de chir. t. II. p. 19. ff.

3) Ebendas. S. 21.

4) Ebendas. S. 10.

5) Mém. de l'ac. de chir. t. II. p. 22.

Ein zufälliger Unterschied ist die Grösse des vorgefallnen Theiles der Harnblase. Diese differirt beträchtlich, unstreitig nach der Zeit, die seit der Entstehung des Bruches verfloss. Fast nie findet sich die ganze Harnblase im Hodensacke; doch beobachtete Ruysch [1]) diesen Fall bey einem Manne, der an einem eingeklemmten Darmbruche starb, welcher sich zu einem schon mehrere Jahre bestehenden Blasenbruche gesellt hatte.

Die vorher angeführten Beobachtungen beweisen, dass, wenn der ausser dem Unterleibe liegende Theil der Blase ein etwas bedeutendes Volum erreicht hat, sich immer zwischen ihm und dem Körper der Blase im Bauchringe eine eingeschmürte Stelle befindet.

Theils desshalb, theils wegen der abhängigen Lage des vorliegenden Theiles häuft sich der Harn an und es präcipitiren sich gewöhnlich steinige Concretionen.

So fand Arnaud [2]) in einem solchen Falle fünf Steine in der vorgetretenen Harnblase. Bey einem Manne, der seit drey Jahren, bey der geringsten Bemühung den Harn zu lassen, eine Anschwellung des Hodensackes bekam, und nur durch Druck auf denselben, besonders bey horizontaler Lage, harnen konnte, gingen Steine aus dem Hodensacke in die Harnblase und wurde mit dem Harne fortgeschafft. [3])

Beaumond [4]) fand bey einem Manne, der seit seiner Jugend einen Leistenblasenbruch hat-

1) Obs. anat. chir. obs. 98. p. 125.

2) Mem. de chir. t. 1. p. 79.

3) Petit. mém. de chir. Vol. II. p. 17.

4) Ebendas. p. 15.

te; in dem vorgefallnen Theile der Blase einen Stein von der Grösse eines Hühnereyes.

Auch Verdier [1]) fand in einem ähnlichen Falle vier Steine im vorgefallnen Theile der Harnblase.

Dahin gehören unstreitig auch die Fälle, wo sich Steine mittelst eines Abscesses einen Weg durch die Leistengegend bahnten. [2])

Weit seltner als die Blase sind die innern Geschlechtstheile in einem Leistenbruche enthalten; doch sah Pott [3]) beide, Veyrat [4]) und Camper [5]) ein Ovarium durch den Bauchring vorgefallen.

Auch die Trompete fand Voigt [6]) in einem brandigen Leistenbruche.

So sah auch Bessier [7]) das breite Mutterband und das Abdominalende der Trompete mit einem Darm im Leistenbruche.

Selbst die Gebärmutter sah man durch den Leistenring treten. Desault [8]) fand die ganze Gebärmutter in einem Bruchsacke eingeschlossen und einen Leistenbruch bildend.

Einen sehr merkwürdigen Fall eines Gebärmutterbruches, der mit Schwangerschaft zusammengesetzt war, beobachtete Sennert. [9])

---

1) Ebendas. S. 11.

2) Stalpart van der Wiel Cent. I. Obs. 90 u. 91.

3) Chir. works. Vol. 3. p. 329.

4) Mém. de l'ac. de chirurgie t. II. p. 3.

5) Ueber die Brüche. Preisabh. des von J. Monnikhof gestift. Legats. Th. 1. 1805. S. 43.

6) Hufelands Journal. Bd. 8. St. 3. S. 176.

7) Lavater de ἐντεροπεριστολῇ Basil. 1672. rec. in Halleri coll. diss. ch. t. III. No. 59. pag. 41.

8) Chopart et Desault malad. chirurg. t. 2. p. 207.

9) Opp. omn. tom. I. Lib. II. part. 1. Cap. X. p. 329.

Eine Frau bekam durch einen zurückſpringenden Faſsreifen in der linken Weichengegend einen heftigen Schlag. Bald nachher bildete ſich hier eine Geſchwulſt, die ſich allmählig vergröſserte, als die ſchwangere Gebärmutter erkannt wurde, und durch kein Mittel in den Unterleib zurückgebracht werden konnte. Die Frau wurde durch den Kaiſerſchnitt glücklich entbunden. Bey der Operation fand man auch hier das Bauchfell unverletzt.

b. Schenkelbruch. (*Hernia cruralis, femoralis, merocele.*) [1])

Beim Schenkelbruche begeben ſich die Eingeweide in der Gegend des Schenkelbogens oder des Poupartſchen Bandes, am gewöhnlichſten unter, ſelten über demſelben hervor. Gewöhnlich geſchieht dieſs in der innern und untern Hälfte der zwiſchen den Schenkelanziehern und dieſem Bande befindlichen Oeffnung, ſo daſs die Schenkelgefäſse an der äuſsern Seite des Bruches liegen, weil dieſe Stelle die abhängigſte und nur durch lockeres Zellgewebe verſchloſſen iſt, während der übrige Theil der Oeffnung durch die Schenkelgefäſse und Nerven verſtopft wird. Auch wenn der Körper des Bruchſackes dieſe bedeckt und ſelbſt nach auſsen überragt, liegt daher doch der Hals immer an der angegebnen Stelle. [2]) Wegen der Nähe des innern Winkels des Schenkelbogens am Leiſtenringe beim Manne kann ein etwas vergröſserter Schenkelbruch leicht für einen Leiſtenbruch gehalten werden.

---

1) A. Monro obſervations on crural hernia. Edinburgh. 1803.

2) Scarpa a. a. O. Mem. III. p. 38.

Der Schenkelbruch ist, ungeachtet die Oeffnung, durch welche er dringt, grösser ist, als der Bauchring, doch seltner als der Leistenbruch, theils, weil die Unterleibseingeweide weniger direct gegen die Stelle drücken, theils wahrscheinlich, weil sie nicht, wie die Nabel- und Leistengegend, ursprünglich offen ist, und nicht, wie dort, im normalen Zustande Organe ihren Weg durch sie nehmen.

Forbes sah auch unter mehrern hundert Leistenbrüchen keinen Schenkelbruch.

Der Körper des Schenkelbruches ist gewöhnlich nicht vollkommen rund, sondern vom Drucke der breiten Schenkelbinde etwas platt, so wie der Hals durch den Druck des Schenkelbogens etwas von vorn nach hinten verengt wird.

Selten erreicht der Schenkelbruch eine sehr bedeutende Grösse, indem die breite Binde des Schenkels sich genau an den Schenkelbogen heftet, wodurch das Austreten eines grossen Theils der Eingeweide verhindert wird; auch die Schenkelmuskeln ihm einen Widerstand entgegensetzen, der an andern Stellen nicht Statt findet; doch vergrössert er sich in einzelnen Fällen bedeutend.

So fand Werner [1]) bey einem Manne in einem alten eingeklemmten Schenkelbruche ausser einem Theile des Netzes ein drittehalb Fuss langes brandiges Stück des Krummdarms, Scarpa [2]) bey einem Weibe einen Schenkel-

---

1) Mauchart de enterepiplocele incarcerata. Tubingae 1748. in Hall. coll. diss. chir. t. III. p. 153.

2) A. a. O. S. 38.

bruch, der das erste Drittheil des Schenkels einnahm.

Die Hüllen des Schenkelbruches sind nie so dick als beym Leistenbruche; theils, weil die muskulössehnige Ausbreitung des Hodenmuskels fehlt, theils, weil das den Bruchsack umgebende Zellgewebe nie so fest und dicht ist, als das, welches den Samenstrang begleitet und den Leisten- und Hodenbruchsack umgiebt. [1])

Am gewöhnlichsten findet man ein Stück des Krummdarms im Schenkelbruche, seltner das Netz, doch fanden sich in dem so eben angeführten Falle von Scarpa beyde zugleich.

Levret [2]) sah einmahl bey einer vierzigjährigen Frau sogar die Bläse einen Schenkelbruch anf der rechten Seite bilden.

Der Samenstrang verläuft anfangs über dem Halse des Schenkelbruches, dann nach innen von demselben, wird aber hier durch den untern Schenkel des Bauchrings von ihm getrennt. Hier ist er daher vor Verletzungen bei der Bruchoperation gesichert, wird dagegen dort, wenn also der Schnitt nach oben geführt wird, sehr leicht durchschnitten.

Die Bauchdeckenarterie steigt anfangs aufserhalb, dann hinter dem Bruchsacke an der vordern Wand des Bauchfelles empor, würde also der Verletzung bei einem nach aufsen geführten Schnitte ausgesetzt seyn.

In nicht ganz seltnen Fällen entspringt die Hüftbeinlocharterie mit der Bauchdeckenarterie

1) Scarpa a. a. O. S. 40.

2) Mém. de chirurgie t. 2. p. 23. obs. 11. in Verdier recherches sur la hernie de la vessie.

terie aus einem gemeinschaftlichen Stamme, statt dass sie sich bey ganz regelmässiger Bildung nur durch starke Anastomosen mit ihr verbindet. Thomson, [1]) Wardrop und Barclay [2]) sahen diese Varietät bey einer Frau mit Anwesenheit eines Schenkelbruches. Die Hüftbeinlocharterie verlief auf der vordern und obern Fläche des Bruchsackes, und konnte daher leicht, sowohl durch die ersten Schnitte, als bey Spaltung des Schenkelbogens nach innen verletzt werden.

Tritschler [3]) hat aus dem Umstande, dass bey Schenkelbrüchen bisweilen die Hüftbeinlochsarterie vor dem Bruche verläuft, den Schluss gezogen, dass diese Brüche durch ein Aufsteigen der Unterleibseingeweide von unten nach oben und aussen veranlasst würden; allein diese Ansicht ist, zum Theil wenigstens, auf die unrichtige Vermuthung gegründet, dass die vorliegenden Gefässe bloss die vordern Aeste der Hüftbeinlochsarterie seyn, nicht ihr ganzer Stamm, und die angegebene Varietät sehr selten sey. Ich habe sie bey richtig angestellten Untersuchungen fast so häufig als den getheilten Ursprung der Bauchdecken- und Hüftbeinlochsarterie gefunden, und bemerke auch in den Präparaten, die ich vor mir habe, ziemlich dasselbe Verhältniss, ja Thomson fand sogar unter zehn in dieser Hinsicht von ihm untersuchten Präparaten diese Varietät sechsmahl, so dass

1) Monro on crural hernia bey Langenbeck. Bd. 1. S. 875.

2) Edinb. med. journal. 1805. T. II. p. 203.

3) A. a. O. S. 23.

Monro [1]) wahrscheinlich das Verhältniſs viel zu gering setzt, wenn er es wie 1:25 oder 30 annimmt. Indessen muſs man bemerken, daſs der Ursprung der Hüftbeinlochpulsader aus der Bauchdeckenpulsader keinesweges nothwendig den Verlauf der erstern vor dem Bruchsackhalse bedingt; vielmehr habe ich selbst sie in zwey Fällen dieser Anordnung auſserhalb und hinter demselben liegend gefunden, und Cooper sah sie in allen von ihm untersuchten Fällen genau an derselben Stelle. [2])

Der Schenkelbruch kommt übrigens beym weiblichen Geschlechte weit häufiger vor als beym männlichen.

Nach Mursinna [3]) waren unter 37 männlichen Brüchen 6 Schenkelbrüche, unter 9 weiblichen dagegen 2. Hey [4]) machte die Operation des eingeklemmten Schenkelbruches vierzehnmahl an weiblichen, nur zweymahl an männlichen Subjekten.

Dieſs beweist auch die Verschiedenheit des Verhältnisses zwischen den Leisten- und Schenkelbrüchen in beyden Geschlechtern noch deutlicher. Nach Monnikhof [5]) verhält sich beym männlichen Geschlechte die Zahl der Leistenbrüche zu der Zahl der Schenkelbrüche wie 436 : 42; beym weiblichen wie 360 : 121. oder dort ungefähr wie 35 : 1, hier wie 3 : 1; Nach anderen Berechnungen ist der Schenkelbruch beym weiblichen Geschlechte verhältniſs-

---

1) A. a. O. S. 874.

2) Bey Lawrence: A. a. O. S. 382.

3) Neue med. Beob. Berlin 1796.

4) Obs. in surgery. p. 150.

5) Ueber die Brüche. a. d. Holl. 1805.

mäſsig zum Leiſtenbruche ſogar noch häufiger, wie 207 : 484 oder ungefähr wie 1 : 2⅓, während es beym männlichen mit dem obigen übereinkommt, indem ſich auf 2129 männliche Leiſtenbrüche nur 60 Schenkelbrüche ſanden. [1])

Zugleich ergiebt ſich hieraus auch offenbar die Unrichtigkeit der Meinung, daſs bey dem letztern Geſchlechte der Schenkelbruch häufiger als der Leiſtenbruch vorkomme.

Der Grund des häufigern Vorkommens des Schenkelbruches beym weiblichen Geſchlechte iſt übrigens in der Structur ihres Beckens und des Schenkelbogens enthalten.

Die Oeffnung zwiſchen dem Schaambeinſtachel und der äuſsern Schenkelvene iſt nämlich beym weiblichen Geſchlechte viel beträchtlicher als beym männlichen, theils weil der Knochen flacher und länger iſt, theils weil eine, unter dem Fallopiſchen Bande hier aufſteigende Verdopplung der Schenkelbinde, die ſich mit der den innern Darmbeinmuskel bekleidenden Aponeuroſe vereinigt, beym weiblichen Geſchlechte weit ſchmaler als beym männlichen iſt. Dieſe Stelle aber iſt gerade die, an welcher der Schenkelbruch am häufigſten entſteht. Noch ein Geſchlechtsunterſchied des Schenkelbruches iſt in der Anweſenheit des Samenſtranges beym männlichen Geſchlechte begründet. Dieſer ſchlägt ſich nämlich jedesmal über den Hals des Bruchſackes weg, ſo daſs hier die Gefahr der Operation gröſser als beym Weibe iſt, wo bloſs die

1) Monro anat. of the gullet. p. 467.

Epigastrica verletzt werden kann; eine von Scarpa [1]) nach Arnaud urgirte Bemerkung, die ich gleichfalls an mehreren von mir untersuchten männlichen Schenkelbrüchen gemacht habe.

Unter dem weiblichen Geschlechte aber sind verheirathete Frauenzimmer dem Schenkelbruche weit häufiger unterworfen als ehelose. Arnaud fand unter zwanzig mit Schenkelbrüchen behafteten Frauenzimmern nur eine unverheirathete. Unstreitig eine Folge der Erschlaffung der Unterleibswände durch Schwangerschaften.

Dagegen ist der Schenkelbruch auch beym weiblichen Geschlechte in der Kindheit äusserst selten, unstreitig wegen des noch nicht entwickelten Geschlechtsunterschiedes des Beckens.

Bisweilen tritt der Unterleibstheil nicht unter, sondern über dem Schenkelbogen hervor. [2]) So fand es Callisen in dem schon oben [3]) genauer angegebenen Falle.

Diess ist die dritte Unterabtheilung von Quentins [4]) Leistenbrüchen in der Gegend der Oeffnungen (Herniae circa foramina).

c. *Nabelbruch.* [5])

Schon im vorigen Bande habe ich [6]) des Nabelbruches als einer Missbildung, deren We-

1) A. a. O. S. 40-42.

2) Chopart et Desault traité des mal. chir. t. 2. p. 205.

3) S. 365.

4) A. a. O. S. 18.

5) Oken über Entstehung und Heilung der Nabelbrüche. Landshut 1810. — S. Th. Sömmerring über die Ursachen, Erkenntniss und Behandlung der Nabelbrüche. 1811.

6) S. 117 — 139.

ſen ein Stehenbleiben auf einer früher normalen Bildungsſtufe iſt, gedacht. Doch gilt dieſs
bey weitem nicht für alle Nabelbrüche, indem
ſie häufig ſpät im Leben und bloſs durch äuſsere zufällige Veranlaſſungen entſtehen. Im Allgemeinen unterſcheiden ſich indeſſen die ſpäter
entſtehenden von den angebornen dadurch,
daſs die letzteren faſt immer durch den Nabelring ſelbſt, die erſteren im Umfange deſſelben
hervordringen. Dieſe führen den Namen der
falſchen, jene den der wahren Nabelbrüche. Man findet zwar auch ſpäter durch äuſsere Veranlaſſung entſtehende Nabelbrüche an
der erſten Stelle, allein es fragt ſich, ob in dieſen Fällen nicht dennoch der Bruch inſofern als
ein angeborner und in einer unvollendeten Bildung begründeter anzuſehen ſey, als vielleicht
in vielen Fällen dieſer Art der Nabelring nie gehörig verſchloſſen war: eine Vermuthung, deren Wahrſcheinlichkeit mir durch die Uebereinkunft mit Scarpa's Meinung [1]) vergröſsert
wird, der aber doch auch den Nabelbruch in
den angebornen und erworbnen theilt.
Uebrigens habe ich gleichfalls im erſten Bande
mehrere Fälle angeführt, wo die Unterleibsorgane mehr oder weniger vollkommen bloſs lagen, weil ſich die Unterleibswände an einer andern als der Nabelgegend nicht vollkommen
gebildet hatten.

Wie dem auch ſey, ſo iſt jene Verſchiedenheit der Stellen der verſchiedenen Beſchaffenheit
der Unterleibswände in den verſchiedenen
Lebensperioden begründet. Noch bey Kindern
entſteht der Nabelbruch am gewöhnlichſten

---

1) A. a. O. Mem. V. T. 1. p. 61.

durch den Nabelring, weil diese Stelle eine erst kürzlich gebildete Narbe ist, beym Erwachsenen dagegen ereignet er sich leichter im Umfange, weil jene Narbe alt und fester als die in der Nähe liegenden Theile ist, die leichter nachgeben oder von einander weichen. Doch glaube ich nicht, daſs das Verhältniſs zwischen den wahren und falschen Nabelbrüchen so sehr zum Nachtheil der erstern sey, als z. B. Petit angiebt, der unter hundert Nabelbrüchen nur zwey wahre annehmen zu können glaubt,[1]) indem immer der Nabelring eine ansehnliche Lücke zwischen den Sehnen der Bauchmuskeln ist.

Man findet häufig die Behauptung, daſs die Brüche durch den Nabelring keinen Bruchsack haben. Dionis[2]) läugnet durchaus die Möglichkeit der Ausdehnung des Bauchfells in der Gegend des Nabels. Auch nach Garengeot sind alle Nabelbrüche ohne Sack.[3]) Petit führt gleichfalls den Nabelbruch als ein Beyspiel eines Bruches ohne Bruchsack an.[4]) Selbst Richter sagt: Brüche die durch den Nabelring treten, haben selten einen Bruchsack;[5]) allein richtiger scheint mir Pott[6]) im Allgemeinen zu behaupten, daſs sich immer bey Nabelbrüchen die Eingeweide in einem, durch das vordringende Bauchfell enthaltnen Sacke befinden.

---

1) Tr. des Malad. chir. T. 2. p. 250.
2) Cours d' opérat. de Chir. p. 106.
3) Mém. de l'ac. de chir. T. I. p. 702.
4) Tr. des mal. chir. T. 2. p. 264.
5) Anf. d. Wundarzneyk. Bd. 5. S. 454.
6) Chir. works. T. 2. p. 165.

Wenigstens fand Mayer einen sehr deutlichen Bruchsack an dem wahren Nabelbruche einer 67 Jahr alten Frau, der erst während ihrer ersten Schwangerschaft entstanden, aber ein und vierzig Jahr lang getragen worden war, [1]) in dessen Umfange das Zellgewebe sich beträchtlich verdickt hatte. Die Narbe des Nabels befand sich in der Mitte der Geschwulst, welche die Grösse eines Hühnereyes hatte, anderthalb Zoll hoch und breit, und an ihrer Grundfläche, wie die anatomische Untersuchung auswies, deutlich von dem glatten, zur Weite eines halben Zolles ausgedehnten, Nabelringe umgeben war.

Auch Sandifort [2]) fand bey einer alten Frau einen ungeheuren Nabelbruch von einer Verlängerung des Bauchfelles bekleidet, die durch den Nabelring beinah bis zur Schaamgegend herabreichte.

Eben so fanden Heister, [3]) Laube, [4]) Hartmann, [5]) Hommel, [6]) Haller, [7]) Heuermann [8]) bey wahren Nabelbrüchen einen Bruchsack.

Auch ich finde bey drey ansehnlichen und alten, wahren Nabelbrüchen, von denen zwey

---

1) Joel diss. sistens descriptionem herniae umbilicalis verae. Francof. 1780. p. 18.

2) Obss. anat. pathol. lib. I. Cap. IV. p. 74. ff.

3) Med. chir. Wahrn. Th. 1. S. 784.

4) Act. n. c. T. I. obs. 51. p. 321.

5) Eph. n. c. dec. 2. a. 5. obs. 63.

6) Hensing de perit. rec. in Haller diss. anat. T. I. p. 357. not.

7) Opp. min. T. 3. p. 315.

8) Chir. Operat. Bd. 1. S. 596.

die Gröfse einer Fauft haben, der dritte ungefähr um die Hälfte kleiner ift, einen vollkommen deutlichen, durch das Bauchfell gebildeten Bruchfack.

In der That ift auch das Bauchfell unftreitig in der Gegend des Nabels eben fowohl einer Ausdehnung fähig, als an jeder andern Stelle des Umfangs der Bauchhöhle, indem es hier völlig diefelbe Textur hat, und keinen Antheil an der durch die Haut und Nabelgefäfse gebildete Narbe nimmt. Nur die Hautnarbe, der eigentliche Nabel dehnt fich fchwieriger aus als die übrige Haut, allein diefe Bedingung hat auf den Zuftand des Bauchfelles keinen Einflufs, fondern bewirkt blofs das Nichtverfchwinden diefer Narbe, die man daher, wo ich nicht irre, auch bey grofsen und wahren Nabelbrüchen immer mehr oder weniger deutlich an einer Stelle des Umfangs der Gefchwulft erkennt.

Befonders fah ich diefs fehr gut an dem einen der drey erwähnten Nabelbrüche, wo die äufseren Bedeckungen fich noch vorfinden. Der Nabel befindet fich hier als eine anfehnliche, wiewohl enge Vertiefung am untern Theile der Gefchwulft. Die äufsere, von den allgemeinen Bedeckungen ftammende Hülle des Bruches, wird alfo unftreitig nicht, oder nur zu einem kleinen Theile, von dem eigentlichen Nabel, fondern von dem in der Nähe deffelben befindlichen Theile der Haut gebildet. Nur bey Kindern erweitert fich auch der eigentliche Nabel, aus demfelben Grunde, aus welchem überhaupt bey ihnen die Brüche durch den Nabelring häufiger als bey Erwachfenen find.

Pott glaubt, ungeachtet er richtig annimmt, dafs bey kleinen und neuen Nabelbrüchen der Bruchſack immer ſehr deutlich ſey, durch den Vorfall mehrerer Theile und die lange Dauer werde endlich der Bruchſack dennoch zerriſſen; allein auch gegen dieſe Meinung ſprechen ſowohl meine, als Sandifort's, als Barbette's Beobachtungen. Der letztere fand ſelbſt bey Nabelbrüchen von der Gröſse eines Mannskopfes das Bauchfell nie zerriſſen, ſondern bloſs ausgedehnt.[1])

Endlich kann man wohl die Exiſtenz des Bruchſackes beim Nabelbruch als Regel anſehen, wenn man folgende Worte des groſsen Scarpa[2]) lieſt: „Der Nabelbruch hat beſtändig einen Bruchſack, er ſey neu und klein, oder alt und groſs. Wenn Einige geglaubt haben, daſs dieſer bey alten Nabelbrüchen fehle, oder andre der Meinung geweſen ſind, er ſey durch den Andrang der Eingeweide zerriſſen, ſo iſt der Irrthum bloſs im Mangel einer gehörigen Sorgfalt beym Unterſuchen vorzüglich der Stellen der Geſchwulſt begründet, an welchen die Eingeweide mit dem Bruchſacke verwachſen waren. Ich habe ihn immer auch in den gröſsten Nabelbrüchen, und ſelbſt an den Stellen gefunden, wo er mit den in ihm enthaltnen Theilen nur ein Ganzes auszumachen ſchien." —

Indeſs finden ſich in der That Beyſpiele von Nabelbrüchen ohne Bruchſack.

So fand Marſhall[3]) bey einem Nabelbruche die vorgefallnen Theile in unmittelbarer Berührung mit der Haut.

---

1) Opp. omn. von Manget Genev. 1668. T. 2. p. 74.

2) A. a. O. Mem. V. §. VII. p. 63. 64.

3) Cooper über Leiſtenbr. S. 3.

Heuermann [1]) fand die Pottsche Meinung in einem Falle bestätigt, indem er den Bruchsack zerrissen antraf.

Gewöhnlich ist der Nabelbruch rundlich; bisweilen doch auch, wie in einem Falle, den ich kürzlich fand, länglich und wurstförmig. Der Hals des Nabelbruchsackes ist immer kreisförmig, kurz, eng und genau mit dem Sehnenrande des Nabelringes verwachsen, der bey alten und grossen Nabelbrüchen sehr fest und dick, mithin schwer ausdehnbar ist.

Bisweilen hat der Nabelbruch mehrere Abtheilungen, welche durch die Enden der drey Nabelbänder gebildet werden. Einen Fall dieser Art bildet Scarpa ab. [2])

Der Nabelbruch findet sich am häufigsten bey Weibern, theils, weil der weibliche Unterleib überhaupt auch im normalen Zustande stärker prominirt als der männliche, theils, weil die Unterleibswände bey ihnen durch Schwangerschaften ausgedehnt werden.

Doch haben Laube und Heister [3]) Fälle von Nabelbrüchen bey Männern, von denen indessen der letztere wahrscheinlich Fehler der Urbildung war, indem man bey einem erwachsenen Manne durch die in der Nabelgegend äusserst dünnen Bedeckungen die Unterleibseingeweide sehen konnte.

Am gewöhnlichsten enthält er bey Erwachsenen einen Theil des unmittelbar hinter der vordern Unterleibswand liegenden Netzes, oder dieses ganz, und dann, wie alle Brüche, mei-

1) Chir. Operat. Bd. 1. S. 596.

2) A. a. O. §. IX. Tab. X. f. 5. d. e. f.

3) A. a. O.

ſtentheils an einer oder mehreren Stellen mit dem Bruchſacke oder wenigſtens ſeiner Grundfläche verwachſen, und zu einem rundlichen Klumpen zuſammengeballt.

Bisweilen wird aber auch ein Theil des Darmkanals in den Nabelbruch gezogen. So fand Sandifort in dem groſsen, von ihm unterſuchten Nabelbruche einen Theil des Krummdarms, den Blinddarm und den gröſsten Theil des Grimmdarms. Oben [1]) habe ich ſchon einen ähnlichen Fall von Ranby angeführt.

Bey jungen Kindern bildet, wegen der Kleinheit des Netzes, faſt nie dieſes, ſondern immer nur ein Theil des Darmkanals, den Nabelbruch. [2]) Liegen Netz und Darm zugleich vor, ſo iſt der letztere gewöhnlich im erſtern wie in einer Kapſel enthalten, die weiter nach vorn und auſsen liegt.

Merkwürdig iſt es, daſs Nabelbrüche von Kindern zur Zeit der Pubertät, wo die Geſchlechtstheile und die ganze Beckengegend ſich ſtärker entwickeln, bisweilen von ſelbſt verſchwinden. Häufig tritt dann aber ein Leiſtenbruch an die Stelle des Nabelbruches, ſo wie ſich beym Fötus auch im normalen Zuſtande in dem Maaſse der Bauchring zum Durchtritt des herausdringenden Hoden öffnet, als der Nabelring ſich hinter den zurücktretenden Unterleibseingeweiden zuſammenzieht.

Die an andern Stellen des Unterleibes vorkommenden Brüche ſind bey weitem ſeltner. Man kann ſie auf den Bauchbruch, den

1) S. 374.

2) Scarpa a. a. O. S. 64. S. auch Bd. 1. dieſes Werkes. S. 129.

Bruch durch das eirunde Loch, den Scheidenbruch, den Rückenbruch und den Mittelfleischbruch zurückführen.[1])

d. Bauchbruch.

Mit dem Namen des Bauchbruches werden alle die äussern Brüche belegt, die im Umfange des Unterleibes vorkommen, diejenigen Stellen ausgenommen, an welchen der Leisten- Schenkel- Nabel- und Rückenbruch sich bilden.

Am gewöhnlichsten erscheint dieser Bruch in oder zwischen den geraden Bauchmuskeln,[2]) wo er dann durch den Namen: „Bruch der weissen Linie" am besten charakterisirt wird. Befindet er sich oberhalb des Nabels, so wird er von einigen Schriftstellern mit dem Namen des Magenbruches belegt. Doch findet sich der Magen in der That nur zu der Zeit, wo er nicht von Speisen ausgedehnt ist, in diesem Bruche. Dieser entsteht weit häufiger über, als unter dem Nabel, weil dort die weisse Linie breiter und dünner als hier ist, so dass sie auch durch wiederhohlte Schwangerschaften in einen Zustand versetzt wird, der zum Bauchbruche vorbereitet. Am häufigsten

---

1) S. über diese seltnen Brüche im Allgemeinen vorzüglich: Garengeot sur plusieurs hernies singulières in Mém. de l'acad. de chirurgie. T. I. p. 699. ff. — Hoin Versuch über verschiedne Arten von Brüchen. In Le Blanc's Inbegriff aller chir. Operationen. Bd. 2. S. 129—290. — S. Th. Sömmerring über die Brüche am Bauche und Becken ausser der Nabel- und Leistengegend. Frankf. 1811.

2) Petit traité des operat. chirurg. t. 2. des hernies. p. 258. — Pott chir. works. On ruptures. p. 172.

enthält er bloſs das Netz. Iſt der unterhalb des Nabels befindliche Theil der weiſsen Linie ausgedehnt, ſo wird der Bruch meiſtentheils durch den dünnen Darm, bisweilen durch die ſchwangere Gebärmutter, faſt immer auch durch die Harnblaſe, wenn ſie angefüllt iſt, gebildet. Bisweilen dringt ſelbſt das vor dem Bauchfelle angeſammelte Fett durch die weiſse Linie hervor, und bildet Geſchwülſte, die mit dem Bauchbruche Aehnlichkeit haben.

Der Bauchbruch hat immer die Geſtalt eines abgeplatteten Ovals. Wie beim Nabelbruche ist der Hals im Verhältniſs zum ganzen Sacke eng.

Die Veranlaſſung zum Bauchbruche geben vorzüglich häufige Schwangerſchaften bey engem Becken, Schwangerſchaften mit Zwillingen u. ſ. w. In den gewöhnlichen Fällen iſt nur ein Theil der weiſsen Linie oder ihrer Nähe ausgedehnt, meiſtens eine oder mehrere Spalten in ihr vorhanden, bisweilen erſtreckt er ſich durch ihre ganze Länge, die Stelle des Nabels ausgenommen, wo ſich dann zwey, durch den Nabel getrennte, oder auch mehrere Brüche über einander befinden. Bisweilen dehnt ſich endlich auch der Nabel aus, und es entſteht ein, durch die ganze Länge der vordern Unterleibsfläche verlaufender Bruch, der faſt alle im Bauchfelle enthaltenen Organe in ſich begreift.

Bisweilen verwandelt ſich auch ein Nabelbruch in einen Bauchbruch, indem ſich die Ausdehnung vom Nabel aus, der in den meiſten Fällen dieſer Art wahrſcheinlich nicht regelmäſsig verſchloſſen war, über einen Theil des Unterleibes erſtreckt.

Eine Frau [1]) hatte in ihrer Kindheit eine Schwäche in den Fasern der weissen Linie. Bis zu ihrem fünften Jahre trug sie deshalb eine Schnürbrust, die vorn geschnürt wurde und die man ihr um diese Zeit abnahm, weil man sie vollkommen geheilt glaubte. Während ihrer Schwangerschaft bildete sich eine Geschwulst, die sich durch den obern Theil der weissen Linie vom Nabel an bis zu dem Schwerdtknorpel erstreckte, und, ausser einem grossen Theile des Darmkanals, die schwangere Gebärmutter enthielt.

Eine zu grosse Breite der weissen Linie und Entfernung der geraden Bauchmuskeln von einander, die man nicht selten bemerkt, macht zu der Entstehung des Bauchbruches geneigt.

Diess findet noch mehr Statt, wenn die Fasern nicht von einander entfernt, sondern nur an einer Stelle beträchtlich ausgedehnt sind: eine Erscheinung, welche bey Bauchbrüchen weniger selten als bey allen übrigen ist.

Verwundungen können natürlich zu einem Vortreten der Unterleibseingeweide im ganzen Umfange des Bauches Gelegenheit geben, veranlassen aber nur dann eigentlich einen Bauchbauch, wenn die Unterleibseingeweide nach Heilung der Wunde eine Geschwulst bilden. Hierzu wird aber wahrscheinlich immer eine beträchtliche Ausdehnung der Wunde erfordert. Daher veranlasst die Operation des Kaiserschnittes nicht selten einen Bauchbruch, vorzüglich, wenn sich die Wunde des Bauchfells nicht vernarbt.

---

1) Petit a. a. O. S. 269. ff.

Saviard sah bey einer Frau nach dem Kaiserschnitte einen sehr grossen Bauchbruch entstehen, der einen grossen Theil des Darmkanals enthielt, und den Tod der Frau veranlasste. [1])

Ausser den oben angeführten Theilen findet man bisweilen auch den Bauchbruch durch den Grimmdarm gebildet.

Eine zwey und funfzigjährige Frau litt seit langer Zeit an Verdauungsbeschwerden und Koliken. Nach ihrem Tode, der während eines heftigen Anfalles dieser Art erfolgte, fand man drey Querfinger unterhalb und linkerseits vom Nabel eine Geschwulst, welche durch einen Theil des Quergrimmdarms gebildet wurde. Dieser verengte sich in der Mitte seiner Länge so sehr, dass er nur halb so weit als der Krummdarm wurde. Er hatte keine Zellen, und seine Wände waren nur halb so dick als gewöhnlich. Dagegen war er beträchtlich verlängert, und stieg einen Fuss weit herab, um den Bauchbruch zu bilden. Auch der vorliegende Theil war beträchtlich verengt, und der Grimmdarm erlangte erst in der Nähe des Magens wieder seinen normalen Durchmesser. [2])

Am gewöhnlichsten findet man aus den angegebenen Gründen den Bauchbruch bei Weibern; doch fand Morgagni [3]) bei einem Manne ausser einem brandigen Leistenbruche einen, wiewohl leeren Bruchsack über der Mitte der Schaambeine.

---

1) Obs. de chirurgie. pag. 211.

2) De la Peyronie in Mém. de chirurgie. Vol. IV. pag. 198.

3) De s. et c. morb. cap. V. art. 19.

Außer der mittlern Gegend des Unterleibes findet man den Bauchbruch im ganzen Umfange des Unterleibes.

Eine ansehnliche Menge hieher gehöriger Fälle hat Sömmering vortrefflich zusammengestellt, und zugleich mehrere Beispiele von mehreren, in demselben Körper zugleich vorhandnen Bauchbrüchen gesammelt.[1]

e. Bruch durch das eirunde oder Hüftbeinloch.

Der Bruch durch das eirunde Loch (H. ovalis s. ovalaris.), dessen Möglichkeit mehrere Schriftsteller[2]) wegen der Verschliessung dieser Oeffnung durch die Hüftbeinlochmuskeln und die Hüftbeinlochmembran geläugnet haben, ereignet sich durch den in dem obern Theile dieser Oeffnung von außen und hinten nach innen und vorn verlaufenden Kanal im Laufe der Hüftbeinlochgefäße und Nerven, welche an seiner äußern Seite liegen.

Er ist sehr selten, so daß ihn Pott[3]) nie sah. Beobachtungen darüber finden sich von Le Maire,[4]) Cassebohm,[5]) Düverney,[6]) Garengeot,[7]) Heuermann,[8]) Hommel,

1) A. a. O. S. 28 — 35.

2) Z. B. Richerand nosographie chirurgicale. p. 455.

3) Chir. works. I. p. 171.

4) Günz de herniis p. 79.

5) Vogel über Brüche. S. 204. Günz a. a. O.

6) Garengeot sur plusieurs hernies singulières in M. de chirurg. T. 1. p. 714. wo noch mehrere andre Beobachtungen verzeichnet sind.

7) A. a. O.

8) Chir. Operat. Th. 1. S. 578.

mel,[1] Klinkofch,[2] Albin,[3] Camper,[4] Efchenbach,[5] Lentin,[6] Cloquet,[7] Lawrence[8]. Ich felbft fand ihn kürzlich bei einer weiblichen Leiche.

Der Bruch liegt in der Tiefe zwifchen dem Kammmuskel und den oberen Bäuchen des Schenkelanziehers.

Die Hüftbeinlochgefäfse verlaufen an feiner äufsern und hintern Seite, ftarke Aefte des Hüftbeinlochnerven vor ihm.

Selten erreicht er eine beträchtliche Gröfse; doch war er in dem von Garengeot beobachteten Falle fechs Zoll lang, und reichte bis zur Mitte des Schenkels herab.

Bei weitem am häufigften kommt er im weiblichen Gefchlechte vor, denn unter den 23 mir bekannten Fällen, von welchen allein Garengeot eilf anführt, finden fich nur fünf männliche, die von Garengeot, Camper, Klinkofch, Efchenbach in einem Falle, und Lentin.

Merkwürdig ift es, dafs er fich verhältnifsmäfsig äufserft häufig auf beiden Seiten findet. So verhielt es fich in den Fällen von Hommel,

---

1) Bei Garengeot S. 716. Vogel. a. a. O.

2) De nova hern. divifione. Not. 20.

3) Günz de herniis p. 96.

4) Demonftr. an. path. T. II. p. 17.

5) Obfervata anat. chirurg. med. rariora. Roft. 1769. XXXIII.

6) Beitr. zur ausüb. Arzneyw. Leipzig. 1804. S. 42.

7) Bullet. de la fac. de médec. 1812. No. IX. X.

8) On ruptures. p. 477.

Düverney, Camper, Lawrence und mir. Wahrscheinlich ist daher unvollkommne Bildung der Gegenden, durch welche er vortritt, die Veranlassung.

Am gewöhnlichsten wird er durch ein Stück des Darms, oder das Netz, oder beide zugleich, seltner, wie im Lentin'schen Falle, durch die Harnblase gebildet.

f. Scheidenbruch.

Der Scheidenbruch (Hernia vaginalis) wird am gewöhnlichsten durch die in der Nähe der Scheide liegenden Organe, die Harnblase und die Gebärmutter, gebildet. Die letztere Bedingung findet bey der Umbeugung der Gebärmutter Statt, indem der Grund derselben die hintere Wand der Scheide hervordrängt. Der erstere Zustand tritt zwar am häufigsten im Gefolge einer Umkehrung der Scheide, und eines Vorfalles oder Umkehrung der Gebärmutter ein, indem nothwendig, wie auch Leichenöffnungen hinlänglich bestätigt haben, die Blase dadurch herabgerissen wird, [1]) allein nicht selten ist auch der Scheidenblasenbruch die ursprüngliche, die Inversion der

---

1) So fand Düverney (Mém. de l'ac. de chir. T. II. p. 29.) bey einem äusserst ansehnlichen Vorfalle der Scheide die Blase in der Verdopplung, welche die Scheide durch die Inversion ihrer vordern Wand bildete. — Bass (obs. anat. ch. dec. III. obs. 2.) fand bey einer Inversion der Scheide und Vorfall der Gebärmutter, welche die Grösse eines Kindeskopfes hatten, die Blase grösstentheils herabgezogen. Nur der in der Nachbarschaft der Harnröhre befindliche Theil war zurückgeblieben, weshalb die Frau keine Harnbeschwerde gehabt hatte.

Scheide veranlassende Krankheit. Hier wird gewöhnlich die vordere Wand der Scheide nach hinten, auch, je nachdem die Blase mehr oder weniger mit Harn angefüllt ist, nach aussen gedrängt.

So fand Robert [1]) bey einer Gebärenden am Eingange der Scheide ihre vordere Wand von einer rundlichen Geschwulst eingenommen, welche die Grösse eines Kindeskopfes hatte. Durch den Druck auf dieselbe wurde der Harn ausgeleert, und die Geburt ging ohne Beschwerde vor sich. Einen ähnlichen Fall sah auch Aussendon. [2]) Die Harnblase ragte bis zu den äussern Schaamtheilen herab.

Hamilton [3]) sah bisweilen lange vor dem Eintritt wahrer Wehen einen häutigen Balg bis vor die äussern Schaamtheile dringen, der das Ansehn der Eihäute hatte, erkannte ihn aber für die Harnblase. Diese steigt bey schlaffen Weibern bisweilen so tief herab, doch unterscheidet man sie von den Eihäuten durch ihre Befestigung an der vordern Wand der Scheide und durch den hoch oben stehenden und nicht dilatirten Muttermund.

Man sieht aus diesen und andern Beobachtungen, [4]) dass die Blase gewöhnlich die vordere Wand der Scheide verdrängt. Voig-

1) Mém. de l'ac. de chir. T. II. p. 33.

2) Bull. de la soc. méd. d'émul. 1812. Bei Brera a. a. O. T. 9. S. 454.

3) Select cases in midwifry. Edinb. 1795. — Duncan annals of med. Vol. 1. p. 268.

4) Z. B. Henkel Samml. med. und chir. Anm. Th. 7. S. 5.

tel[1]) führt zwar eine Beobachtung von Chopart und Desault an, der zu Folge sie durch die hintere hervorgeragt haben soll; allein weder an der bemerkten Stelle, [2]) noch in dem ganzen Abschnitt von dem Blasenbruche findet sich eine Aeusserung, welche eine, den Ortsverhältnissen beyder Organe so ganz widersprechende Erscheinung bezeichnet und diese Erscheinung ist daher unstreitig wenigstens die seltnere. Indessen fanden Monro [3]) und Christian [4]) die Harnblase auch von der Seite und von hinten in die Scheide ragend. Dieser macht besonders auf diese Erscheinung bey Gebärenden aufmerksam, sofern sich der Harn hier anhäufen kann, ohne dass die Blase über den Schaambogen ragte.

Allein ausser der Gebärmutter und Harnblase bildet auch bisweilen ein Theil des Darmkanals den Scheidenbruch. In diesem Falle ist nicht sowohl die vordere oder hintere, als die Seitenwand der Scheide hervorgedrängt, weil die Blase, der Mastdarm, und die Gebärmutter den herabsinkenden Theil auf die Seite zu gleiten nöthigen.

Garengeot [5]) fand bey einer Frau, die fünfmahl, und immer sehr grosse Kinder geboren hatte, zwischen den Schaamlippen eine Geschwulst, die einen halben Zoll über dieselben hervorragte. Man konnte den Finger zwischen

1) Handb. der pathol. Anat. Bd. 3. S. 251.

2) Chopart et Desault mal. chir. T. II. p. 320.

3) Morbid anat. of the gullet. p. 531.

4) On a spec. of vaginal hernia occurring in labour. Edinb. med. journ. vol. IX. p. 281.

5) Mém. de chir. T. I. p. 707.

ihr und dem untern Rande der Scheide durchführen, und so zum Muttermunde, der sich an seiner gewöhnlichen Stelle befand, gelangen. Rückenlage und Druck machten die Geschwulst ganz verschwinden, wobey zugleich am obern Theile der Scheide rechterseits eine Art von Lücke entstand. Aufrechte Stellung, Gehen und Husten brachte sie wieder hervor.

Erschlaffung der Scheide durch Geburten, oder Anfüllung des Unterleibes durch die schwangere Gebärmutter, scheint die häufigste Veranlassung zur Entstehung des Scheidenbruches im Allgemeinen zu seyn. Unter dreyzehn Fällen, die Hoin [1]) theils selbst beobachtete, theils aus andern Schriftstellern sammelte, fand er nur zweymahl bey unverheiratheten Frauenzimmern Statt, in beynahe allen übrigen entstand er entweder bald nach der Geburt, oder bey Frauen, die viel Wochenbetten gehabt hatten.

Gewöhnlich findet man den Scheidendarmbruch durch den dünnen Darm, allein zuweilen auch durch den Grimmdarm gebildet.

Levret [2]) fand bey einer vierzigjährigen Jungfer die Scheide fast ganz durch die S förmige Krümmung des Grimmdarms eingenommen. Der Grund der Gebärmutter lag schief und seitwärts, so dass der linke Eierstock sich weit höher als der rechte befand, und der Muttermund eine sehr tiefe Lage hatte. Zugleich war die Gebärmutter retortenähnlich verdreht.

In einem andern Falle trat die Scheide zwischen den Schaamlefzen beträchtlich hervor.

1) Von verschiednen Arten von Brüchen in le Blancs Inbegriff d. chir. Oper. Th. 2. S. 211.

2) Obss. sur la cure radicale de plusieurs polypes etc. p. 161. ff.

In der Meinung einen Abscefs zu finden, wurde das Biftouri eingeftochen; allein fogleich fiel der Blinddarm und ein grofser Theil des Grimmdarms hervor. Die Operirte ftarb kurz nachher. [1])

g. Rückenbruch.

Die hintere Gegend des Stammes ift am felteften der Sitz von Brüchen; doch ereignen fie fich auch hier zuweilen, und werden mit dem Namen der Rückenbrüche (Hernia dorfalis) belegt. Schreger [2]) braucht auch den Namen Hüftbeinbruch (Hernia ischiadica) als fynonym mit Rückenbruch. Arnemann [3]) hat zwar den Rückenbruch vom Hüftbeinbruche unterfchieden, allein der Fall, den er als Rückenbruch anführt, ift einer von denen, die als Beyfpiele des Hüftbeinbruches von ihm felbft angeführt werden, [4]) fein Rückenbruch alfo blofs der Hüftbeinbruch.

Am beften fetzt man unftreitig den Rückenbruch als die Gattung auf die fo eben angegebene Weife feft, und theilt ihn in den Lendenbruch (Hernia lumbalis) und den Hüftbeinbruch (Hernia ischiadica.)

Der erftere ift feltner als der letztere; doch hat Monro [5]) einen Fall diefer Art verzeichnet. Bey einem Kinde von fechs Monaten lagen unmittelbar unter den falfchen Rippen

---

1) Günz de herniis, pag. 83. ff.

2) Horns Archiv f. med. Erf. Jahrg. 1810. Bd. 1. H. 1. S. 73.

3) Arnemanns Chirurgie. Th. 1. Abth. 2. S. 642.

4) Ebendaf. S. 683.

5) Monro on crural hernia. Edinb. 1803. in Langenbecks chir. Bibl. Bd. 1. S. 835.

zwey blofs von der Haut bedeckte Gefchwülfte, deren jede eine Niere enthielt, die aber durch einen ovalen Ring von anfehnlicher Gröfse leicht zurückgebracht werden konnte.

Auch Petit [1]) fah einen ähnlichen Fall. Eine Schwangere hatte eine Gefchwulft von der Gröfse eines Kindeskopfes zwifchen den falfchen Rippen und dem hintern Theile des linken Hüftbeinkammes. Gewöhnlich trat fie leicht bey horizontaler Lage zurück, klemmte fich aber zuletzt ein, und erregte die gewöhnlichen Zufälle eines eingeklemmten Bruches, Uebelkeiten, Erbrechen und Ohnmachten, und erfchien daher als ein Bruch durch die aponeurotifchen Fafern des queren Bauchmuskels, zwifchen dem viereckigen Lendenmuskel und dem hintern Rande des äufsern fchiefen Bauchmuskels.

Bey einem Manne entftand auf einen Schlag auf die Lendengegend dicht neben der Wirbelfäule fogleich eine fauftgrofse, leicht zurückzubringende Gefchwulft, unftreitig ein Lendenbruch. [2])

Vom Hüftbeinbruche, oder richtiger dem Bruche durch den Sitzbeinausfchnitt, (hernia ischiadica) finden fich bis jetzt nur fechs Fälle, von Papen, [3]) Verdier, [4]) Schreger [5]) und Monro [6]) verzeichnet.

Papen fand bey einer plötzlich apoplek-

1) Opérat. de chirurgie. T. 2. p. 257.

2) Monro anat. of the gullet. p. 375.

3) Epiftola ad Hallerum de ftupenda hernia dorfali. In Halleri collect. diff. chirurg. Tom. III. No. 73. p. 314.

4) Mém. de l'acad. de chir. T. II. p. 2. not. a.

5) Horns Archiv f. med. Erf. 1810. Bd. 1. St. 1. S. 73.

6) Morb. anat. of the gullet. p. 380.

tiſch geſtorbenen fünfzigjährigen Frau einen ungeheuren Sack, der vom Unterleibe bis zu den Waden herabhing. Seine Grundfläche befand ſich zur rechten Seite des Afters. Von da an bildete er, über den groſsen Geſäſsmuskel weg, längs der Rinne des Afters, eine elliptiſche Geſchwulſt bis zum Heiligbeine. Er enthielt den gröſsten Theil der dünnen Därme mit dem Gekröſe, einen Theil des Grimmdarms und des Netzes. Dieſe Theile waren zwiſchen der rechten Seite des Afters und Steiſsbeines, dem Hüftbeinloche und unter dem Heilig- und Sitzbeinbande, ausgetreten. Alle waren von einem Bruchſacke, einer Fortſetzung des Bauchfelles, umgeben, der beynahe die Dicke eines Zolles hatte und mit dem innern Geſäſsmuskel locker zuſammenhing. Zuerſt war der dünne Darm ausgetreten, auf den der Blinddarm und Wurmanhang folgte. Selbſt die S förmige Krümmung des Grimmdarms war aus ihrer Stelle gerückt, und der untere Theil deſſelben, nebſt dem gröſsten Theile des Maſtdarms, lagen in der Mündung des Bruchſackes. Der Magen lag ſenkrecht, in der Mitte der Unterleibshöhle, ſo daſs der Pförtner mit dem ſehr ausgedehnten Zwölffingerdarme im Becken an der Mündung des Bruchſackes lag. Auch die Gebärmutter war gegen daſſelbe geneigt und der linke Eierſtock befand ſich in der Nähe des Pförtners.

Bertrandi fand, wie Verdier angiebt, zweymahl auf der rechten Seite einen Theil des dünnen Darmes durch einen der Geſäſsausſchnitte gedrungen.

Schreger beobachtete zwey Fälle. In beyden war der Bruch angeboren. Der eine iſt intereſſant, weil ſich der vorgefallne Darm öffnete, in drey Tagen aber wieder schloss, und so vollständig zurückgebracht wurde, dass am achten Tage keine Geschwulst mehr sichtbar war. Auch im Monro'schen Falle war der ansehnliche Bruch angeboren.

Der zweyte Schregersche Fall unterscheidet sich von den übrigen dadurch, dass sich die Blase im Bruche befand. Ein einjähriger Knabe hatte seit der Geburt an der linken Seite des Kreuzbeins und am untern Theile desselben eine Geschwulst, die sich auf dem linken Hinterbacken und gegen das Mittelfleisch ausbreitete. Da sie schmerzlos, ohne Antheil an der Function des Darmkanals und der Harnorgane war, sich seit der Geburt nicht beträchtlich vergrössert hatte, auch zu allen Zeiten dasselbe Volum behielt, so wurde sie für eine Balggeschwulst gehalten und exstirpirt. Das Kind starb am Tage nach der Operation, bey welcher der Harn weit hervorgesprungen war. Man fand die Harnblase nicht rundlich, frey stehend an der Spitze nach oben gerichtet, sondern länglich, links nach hinten und dem Grunde des Beckens gezogen. Ihr rundliches, anderthalb Zoll weites Ende ragte in eine neben dem innern Rande des Mastdarms befindliche Vertiefung, und ging in einen engen Kanal über, der mit den Wänden der Vertiefung verwachsen war. Diese entsprach gerade der äussern Wunde und der abgeschnittne Sack war ein Theil der Harnblase gewesen. Diese war nämlich in zwey Säcke getheilt, die durch eine verengte Stelle unter einander zusammenhingen. Nur in den in der Beckenhöhle liegenden Sack öffneten sich die Harnleiter, der vorliegende Theil war die Spitze der Harnblase.

k. Mittelfleischbruch.

Der Mittelfleischbruch (Hernia perinaei) entsteht, indem ein Organ des Beckens oder des Unterleibes zwischen dem Mastdarme und der Harnblase bey Männern, der Scheide bey Weibern herab steigt, und entweder so tief herabdringt, dass es die äussere Haut in die Höhe hebt, oder oberhalb derselben stehen bleibt.

Chopart und Desault,[1]) haben seine Möglichkeit, insofern er durch den Darm gebildet werde, und besonders beym weiblichen Geschlechte bezweifelt, indem der herabsteigende Theil hier weit eher in die hintere Wand oder die Seiten der Scheide dringen, also einen Scheidenbruch veranlassen würde, da das Mittelfleisch kleiner, und der Widerstand, den es dem herabsteigenden Theile entgegensetzt, grösser sey; doch finden sich in der That Beobachtungen, welche die Existenz desselben sowohl beym männlichen als weiblichen Geschlecht beweisen.

Chardenon[2]) fand bey einem fünf und vierzigjährigen Manne die Gedärme mehr nach unten liegend als gewöhnlich, und konnte einen Theil des dünnen Darms nicht heraufziehn, so dass er Verwachsung oder Bruch durch das eirunde Loch vermuthete. Bey fernerer Untersuchung sah er ihn in der Mitte des Beckens gerade zwischen dem Mastdarme und der Blase herabsteigen. Als er ihn jetzt anzog, folgte er auf einmahl, und Chardenon fand einen vom Bauchfelle gebildeten Bruchsack von der Grösse

---

1) Traité des maladies chirurg. à Paris 1779. T. II. p. 311.

2) Hoin von verschiednen Arten von Brüchen in Le Blanc Inbegriff chir. Operat. Th. 2. S. 135. ff.

eines Taubeneies mit enger Mündung und schwieligem dicken Rande, der unmittelbar unter der Haut und nur an einer Stelle von den Quermuskeln des Mittelfleisches bedeckt lag. Die Gedärme waren zwar nicht ganz gesund, doch nicht so verändert, dass ihr Zustand als Veranlassung des Todes angesehen werden konnte.

In einem andern Falle sah Pipelet [1]) bey einem Manne, der seit sieben Jahren, wo er einen Fehltritt trat, und die Beine auseinanderspreitzte, den Harn nur bey auf das Mittelfleisch angebrachtem Drucke lassen konnte, im Mittelfleisch eine Geschwulst von der Grösse eines Eies. Sie liess sich durch den Druck leicht zurückbringen, worauf man unter der Nath, zwey Querfinger weit vom After, eine Erweiterung von der Grösse einer Nuss fühlte. Offenbar fand hier ein Mittelfleischbruch der Blase Statt, zu dem die Zerreissung oder Entfernung einiger Fasern des Afterhebers und des Queerdammmuskels Veranlassung gegeben hatte.

Beym weiblichen Geschlechte entsteht der Mittelfleischbruch, den die Blase bildet, vorzüglich in der Schwangerschaft, indem die volle Blase von der vollen Gebärmutter nach unten und aussen gedrängt wird.

Mery [2]) und Curade [3]) haben zwey Fälle dieser Art verzeichnet. Die Frauen befanden sich in beyden im sechsten Monate der Schwangerschaft.

---

1) Mém. de l'acad. de chir. T. IV. p. 182. ff.

2) Mém. de l'ac. des sc. 1713.

3) Mém. de l'ac. de chir. T. II. p. 25.

Im erstern Falle befand sich zwischen dem After und der Schaam, im letztern neben dem erstern eine schmerzlose weiche Geschwulst, die sich leicht zurückdrücken liefs, worauf einige Tropfen Harn ausflossen. Im letztern Falle verschwand sie mit der Niederkunft, und stellte sich erst in der folgenden Schwangerschaft wieder ein.

Smellie [1]) hat dagegen zwey Fälle von Mittelfleischdarmbrüchen verzeichnet, die zwar außer der Schwangerschaft entstanden, aber von ihm mit der Geburt complicirt beobachtet wurden.

Auch Cooper [2]) sah bey einer Frau einen Mittelfleischbruch, wo die hintere Wand der Mutterscheide wegen der vorgedrungenen Eingeweide stark protuberirte.

Schreger [3]) sah gleichfalls einen Mittelfleischdarmbruch, der mit einem Scheidedarmbruche verbunden war, außer der Schwangerschaft auf heftige Anstrengung entstehen.

Sehr richtig bemerkt er, dafs eine vorzügliche Bedingung zur Entstehung derselben in beyden Geschlechtern eine zu geringe Inclination des Beckens nach vorn ist, vorzüglich, wenn sie sich mit Weite desselben zusammensetzt, dafs die Seltenheit dieser Abweichung des Beckens von seiner Normalrichtung den Grund der Seltenheit dieses Bruches enthält,

1) Sammlung besond. Fälle in der Hebammenk. Bd. 2. S. 147. u. 148. vierte und fünfte Bemerkung.

2) Anat. and surg. treatment of inguin. and cong. hernia. in Langenbeck chir. Bibl. Bd. 1. S. 95.

3) Horns Archiv. J. 1810. Bd. 1. H. 1. S. 81. ff.

dafs die Vorwärtsneigung desselben die Entstehung desselben unmöglich macht, dafs er sich fast immer mit dem Scheidenbruche, aber in dem Grade mehr oder weniger zusammensetzt, als die Scheide straffer und das Becken stärker nach hinten geneigt und weiter ist.

III. Innere Brüche.

Unter der Benennung innerer Brüche begreift man diejenigen Ortsveränderungen der Organe, welche in einem Austreten derselben aus der Bauchhöhle in die Brusthöhle, oder in einer Scheidung eines Theiles derselben von dem übrigen durch irgend eine mechanische Bedingung begründet sind, ungeachtet die Gränzen der Unterleibshöhle dadurch nicht erweitert werden. Beide Zustände haben mit einander die Bedingung gemein, dafs dabey keine äufserliche Geschwulst Statt findet, indem sich die ihre ursprüngliche Ortsbeziehung verändernden Organe der Oberfläche des Körpers nicht mehr als in ihrer ursprünglichen Lage nähern; können also nur aus ihren Zufällen erkannt werden.

Der erste wird mit dem Namen des Zwerchfells- oder Brustbruches (Hernia diaphragmatis s. thoracis) belegt. Er ist entweder angeboren oder erworben. Eine beträchtliche Anzahl Fälle von Zwerchfellsbrüchen findet man von Sömmering zusammengestellt.[1])

Am gewöhnlichsten treten die Eingeweide durch den fleischigen Theil, häufiger auf der linken als auf der rechten Seite, wahrscheinlich der Leber wegen, in die Brusthöhle. Häufig,

1) A. a. O. S. 8 — 19.

doch nicht immer sind diese Brüche ohne Bruchsack. Vorzüglich gilt diess für die erworbenen. Alle stören im Allgemeinen mehr oder weniger das Athmen und die Verdauung, und werden theils dadurch, theils durch Einklemmung leicht tödtlich. Der erworbene Zwerchfellsbruch entsteht wahrscheinlich immer nur plötzlich und nach gewaltsam einwirkenden Schädlichkeiten.

Ein neun und dreyssigjähriger Zimmermann fiel mehrere Stockwerke eines Gerüstes herab. Nach sechs Monaten war er wieder im Stande seine gewöhnlichen Arbeiten vorzunehmen, hatte aber immer Respirationsbeschwerden, einen anhaltenden trocknen Husten, Schmerz in der linken Brusthöhle und beständige Uebelkeiten. Funfzehn Jahr nachher fiel er von neuem zwanzig Fuss hoch auf die linke Brust, brach die sieben untern Rippen, und starb drey Tage nachher.

Bey der Untersuchung ergab sich, dass der Magen und Quergrimmdarm die ganze linke Brusthöhle einnahmen, wohin sie durch eine alte, am äussern Viertheil der Sehne des Zwerchfelles befindliche, 2½ Zoll weite, runde, mit 2 bis 3 Linien dicken Rändern versehene Oeffnung gelangt waren. An den Rändern dieser Oeffnung hing das Netz von der Brust, und die Milz vom Unterleibe aus. Die grosse Krümmung des Magens war nach oben und gegen das Mittelfell gewandt, der Quergrimmdarm hing mit einer Seite am kleinen Bogen des Magens, mit der andern am Zwerchfelle. Mehr linkerseits und oben war das Zwerchfell durch einen neuen, drey Zoll langen Riss von den Rippen getrennt, durch welche ein neuer

Theil des Grimmdarms in die Brusthöhle gedrungen war. [1])

Einem Manne wurde durch einen über ihn weggehenden Wagen die ganze Brusthöhle fürchterlich zerbrochen. Außer mehrern Rippen- und Brustbeinbrüchen fand Monteggia [2]) die linke Brusthöhle vom Magen und einem großen Theil der Gedärme angefüllt, wohin sie durch einen weiten Riss im Bauchfelle, dem Zwerchmuskel und dem Brustfelle gelangt waren. Die enthaltnen Theile selbst waren unverletzt.

Bisweilen ist es zweifelhaft, ob die fehlerhafte Lage des Darmkanals angeboren oder erst durch eine gewaltsame äußsere Einwirkung veranlaßt ist, indem schon vor dem Eintritt der letztern Symptome Statt finden, welche sich auf eine regelwidrige Lage des Darmkanals zu beziehen scheinen.

Ein vierzigjähriger Mann, der von Jugend auf bisweilen Kopfschmerzen gehabt hatte, die ungefähr zwölf Stunden lang dauerten und dann durch Brechen erleichtert wurden, fiel von einer großen Höhe herab, brach zwey Rippen, wurde aber hergestellt. Von nun an erschienen die Kopfschmerzen häufiger, in der Magengegend bildete sich eine handbreite Hervorragung, die bey der geringsten Berührung schmerzte; Verstopfungen, denen der Kranke immer unterworfen gewesen war, nahmen gleichfalls zu, und es fanden sich nicht selten, besonders wenn er reichlich gegessen hatte, Schmerzen in der linken Schulter ein. Endlich starb

1) Derrecagaix hernie de l'estomac dans la poitrine. In Desault journal de chirurgie Vol. III. p. 6 — 12.

2) Fascic. pathol. p. 85.

er, nachdem er einige Tage lang nach einer Mahlzeit verstopft gewesen war, heftige Schmerzen und Erbrechen gehabt hatte.

Man fand den Magen und den Darmkanal entzündet, die Därme unter einander und am Anfange des Grimmdarms auch mit dem Darmfell verwachsen, den Blinddarm ungeheuer ausgedehnt, entzündet und zum Theil brandig. Ein Theil des Grimmdarms und ein kleines Stück der Leber und des Netzes war durch eine vor der Speiseröhre befindliche, drey Zoll weit von den Rippen entfernte Oeffnung in die Brusthöhle gedrungen. Die Leber war kleiner als gewöhnlich, und ihr in die Brust gedrungner Theil mürbe, eben so das in die Brusthöhle getretne Stück des Grimmdarms und des Netzes höchst entzündet, jener mit Flüssigkeit angefüllt, und daher unfähig zurückzutreten. Der unterhalb des Bruches befindliche Theil des Grimmdarms war eng, aber gesund, ohne Koth, die linke Lunge normal, aber um zwey Drittheil kleiner als gewöhnlich. Das Zwerchfell war an dieser Stelle durch eine alte Adhäsion an den Callus der Rippen geheftet. [1])

Clarke hält wegen der Kleinheit der linken Lunge, der schon vor dem Falle Statt findenden Verstopfung, der Schmerzen in der linken Schulter, der Kleinheit der Lunge, die Missbildung für angeboren; allein die Adhäsion der im Zwerchfell befindlichen Oeffnung an den Rippencallus macht es nur wahrscheinlicher, dass der Schade erst durch den Fall entstand. Die vorher Statt findenden Zufälle konnten bloss

1) Medical and chirurg. transact. Vol. II. p. 118 — 32.

bloſs in einer ſchlechten Verdauung begründet, und die Kleinheit der linken Lunge auch erſt durch den ſpäter erfolgten Eintritt der Lunge in die Bruſthöhle veranlaſst worden ſeyn, indem ſie beym Hydrothorax häufig in nicht ſehr langer Zeit beträchtlich ſchwindet.

In den gewöhnlichſten Fällen giebt ein Riſs des Zwerchfelles bey einer allgemeinen Erſchütterung des Körpers Veranlaſſung zum Zwerchfellsbruche, wahrſcheinlich, zum Theil wenigſtens, weil in demſelben Augenblicke aus Angſt und Schreck tief eingeathmet wird. Bisweilen aber iſt die entfernte Urſache auch eine Verletzung des Zwerchfelles durch eine unmittelbar auf daſſelbe wirkende mechaniſche Schädlichkeit.

Aus einer kleinen Wunde, die ein junger Menſch unter der linken Bruſt zwiſchen der letzten wahren und erſten falſchen Rippe bekommen hatte, drang ein Theil des Netzes hervor. Während eines dazu getretenen Fiebers mit Reſpirationsbeſchwerden fiel das eingeſchnürte Netz von ſelbſt ab, und bald heilte die Wunde. Nach zehn Tagen war der Kranke auf dem Wege der Beſserung, als plötzlich ein Rückfall erfolgte, ein Absceſs an der verwundeten Stelle entſtand, und aus der Bruſthöhle eine Menge Eiter floſs. Nach drey Monaten ſtarb der Kranke ſchwindſüchtig. Die linke Bruſthöhle war voll Eiter und der untere Theil der linken Lunge zerſtört. Oben und in der linken Seite des Zwerchfells befand ſich eine Oeffnung, durch welche das Netz, welches man mit der Wunde verwachſen fand, in die Bruſt gedrungen war. [1])

[1]) Monteggia faſc. pathol. p. 86.

Aus der Beschaffenheit der entfernten Ursache des erworbenen Zwerchfellsbruches erklärt sich der häufig bey demselben vorkommende Mangel des Bruchsackes, den namentlich Monteggia in den angeführten Fällen beobachtete. Doch findet dieser Mangel auch bisweilen bey angeborner regelwidriger Lage der Unterleibseingeweide in der Brust Statt.

So fand Petit[1]) bey einem vierzigjährigen Manne, der von seiner Geburt an von Zeit zu Zeit heftigen, mit Erstickungszufällen vergesellschafteten Magenbeschwerden, die sich mit einem sehr schmerzhaften Erbrechen endigten, unterworfen gewesen war, einen grossen Theil des Grimmdarms, des Magengrundes und des Netzes durch eine im fleischigen und sehnigen Theile des Zwerchfelles befindliche ansehnliche Spalte in die linke Brusthöhle getreten, wo sie völlig nackt lagen.

Dieser Mangel des Bruchsackes bey einer in einem Bildungsfehler begründeten Lage der Unterleibseingeweide in der Brust ist mir sehr merkwürdig, weil er an die gemeinschaftliche Bauch- und Brusthohle der Reptilien und Vögel erinnert.

Doch fand sich sowohl in mehreren Fällen von ursprünglich regelwidriger Lage der Unterleibseingeweide in der Brusthohle, als in einem andern, den Petit gleichfalls beobachtete und für einen Fehler der Urbildung hält, ein deutlicher, durch das Bauchfell gebildeter Bruchsack.[2])

---

1) Malad. chirurg. T. 2. p. 262.

2) A. a. O. S. 266.

Die inneren Brüche, bey welchen die Gestalt der Unterleibshöhle nicht verändert wird, indem kein Eingeweide in einer besondern Verlängerung derselben hervortritt, werden entweder durch ganz normale Organe, oder das Stehenbleiben einiger Organe auf einer früher normalen Bildungsstufe, oder durch ganz regelwidrige, entweder ursprüngliche oder später im Gefolge von Krankheiten entstehende Bedingungen veranlaſst.

1. Die erste Bedingung ist die seltenste. Hier tritt ein Unterleibstheil in einen andern hohlen, der ihm als Bruchsack dient. Einen Fall dieser Art sahe Cloquet. Das enthaltende Organ war die Harnblase, in deren Höhle durch ihre Muskelfasern hindurch ein durch ihre Peritonealhaut gebildeter Bruchsack gedrungen war, welcher eine Darmschlinge enthielt. [1])

2. Die Hemmungsbildungen, welche die zweyte Veranlassung abgeben, sind das partielle Offenbleiben der Scheidenhaut des Hoden und die Persistenz des Darmanhangs, wovon ich schon oben [2]) redete.

Einen merkwürdigen innern Bruch, der durch das partielle Offenbleiben der Scheidenhaut und das Zurückbleiben des Hoden veranlaſst wurde, beobachtete Fages. [3]) Ein sechs und zwanzigjähriger Mann bekam heftige Koliken, Verstopfung und einen fixen Schmerz in der rechten Hüftgegend, der sogleich eingetre-

30 *

1) Bull. de la fac. de méd. 1813. bei Brera G. di med. prat. f. XIV. 1814. p. 256.

2) Bd. 1. S. 695. ff.

3) Sedillot j. de médec. T. 7. p. 34 — 59.

ten war, nachdem er beym Bücken in derselben Gegend ein Krachen gefühlt hatte. Der Mann starb nach beständigem Erbrechen am neunten Tage. Er hatte nur auf der linken Seite einen Hoden, äußerlich aber eben so wenig Spuren eines Bruches, als eines zurückgehaltnen Hoden.

Bey der Oeffnung fand man eine Schlinge des Krummdarms, über der sich fünf Unzen Quecksilber befanden. Diese Schlinge lag in einem eignen Sacke des Bauchfelles, der sich mitten auf der vordern Fläche des Psoas, auf dem obern Theile und der rechten Seite des Mastdarms befand. An der untern Fläche dieses Sackes, der hier zerrissen war, lagen der nackte Hode und Nebenhode, als wären sie durch das eingetretne Stück Darm aus der Scheidenhaut getrieben worden. Nur der Nebenhode war in dem Sacke zurückgeblieben. Vermuthlich war der Darm beym Bücken in den Fortsatz des Bauchfelles getreten, in dem er eingeschnürt worden war.

Offenbar ein seltnes Beyspiel eines unvollkommnen, angebornen Bruches, das ich hier nur der Zusammenstellung mit den übrigen entfernten Ursachen wegen, die zu innern Brüchen Veranlassung geben können, anführe.

Schon oben habe ich [1]) einen Fall von einer tödtlichen Einschnürung angeführt, welche durch die Verwachsung der Nabelgekrösgefäße, die an dem Darmanhange herabhingen, mit dem Grimmdarme entstand; Moscati [2]) hat einen sehr ähnlichen beobachtet.

---

1) Bd. 1. S. 594.

2) Mém. de l'acad. de chirurgie. T. III. p. 468. pl. X. XXI.

Ein vollkommen gesunder Mensch wurde nach einem reichlichen Genusse von Hülsenfrüchten von allen Zufällen eines eingeklemmten Bruches befallen, nur den Umstand ausgenommen, dass der Stuhlgang nicht ganz verstopft wurde, und starb nach fünf Tagen. Man fand fast den ganzen Darmkanal entzündet, besonders den Krummdarm in einem Theile seiner Länge sehr schwarz und verdickt. Ungefähr drittehalb Fuss über seinem untern Ende theilte sich dieser Darm, wie Moscati sagt, in zwey Aeste, von denen der ansehnlichste die Fortsetzung des Darmkanals war, sich vierfach wand, und eine doppelte Schlinge bildete, welche sich in den Blinddarm fortsetzte. Der kleine Ast, dessen Länge ungefähr fünf Zoll betrug, hatte eine trichterförmige Gestalt, und lief in einen kleinen Strang aus, der sich um die erwähnten zwey Schlingen und ausserdem einen Theil des Gekröses wand und sie einschnürte. Der eingeschnürte Darm war an zwey Stellen geplatzt.

Dieser Fall unterscheidet sich von dem van Döverenschen nur durch die Nichtbefestigung des Stranges, in den sich die Nabelgekrösgefässe verwandelt hatten, an seinem freien Ende.

Mit diesem kommt dagegen ein von Monro [1]) beschriebener Fall, wo ein vom Darmkanal regelwidrig entstehender, nach unten durch ein Band befestigter blinder Fortsatz einen Theil des dünnen Darms einschnürte, vollkommen überein.

Eben so gehört hieher wahrscheinlich ein von Düvignaud und Louis [2]) untersuchter,

1) On crural hernia in Langenbeck's chir. Bibl. Bd. I. S. 839. Morbid. anat. of the gullet. pl. XX.

2) Mem. de l'acad. de chir. T. IV. p. 236. ff.

wo man bey einem an der Darmgicht gestorbnen Menschen ein zwey Fuss zwey Zoll langes Stück Darmkanal durch einen vier Zoll langen Strang, der vom Krummdarm als eine Art Fortsatz abging, und sich an das Mesenterium so heftete, dass sich zwischen seinen beyden Enden eine vierzig Zoll lange Strecke des dünnen Darms befand, eingeschnürt, und dadurch in Entzündung und Brand gerathen fand.

3. Die übrigen abweichenden Bildungen, welche einen Theil der Unterleibseingeweide von den übrigen absondern, sind entweder Fehler der Urbildung oder später entstandene. Beyde kommen darin überein, dass sie gewöhnlich mehr oder weniger grosse Oeffnungen bilden, durch welche ein Theil der Unterleibseingeweide tritt, allein ohne in einem besondern Sacke enthalten zu seyn. Doch findet man in seltnern Fällen in der That einen solchen Sack gebildet. Ein merkwürdiges Beyspiel der letzteren Art hat Neubauer [1]) beschrieben und abgebildet.

Bey einem zwey und zwanzigjährigen Mädchen war der ganze dünne Darm und ein Theil des Zwölffingerdarms von dem Grimmdarm und allen übrigen Unterleibseingeweiden getrennt in einem eignen Sacke enthalten. Nachdem man das sehr lange, bis zum Becken herabsteigende Netz aufgehoben hatte, fand man keine Spur derselben, sondern ausser dem Blind- und Grimmdarm bloss einen rundlichen Sack, der mit der schwangern Gebärmutter Aehnlichkeit hatte, zehn und einen halben Zoll lang, und in der Mitte beinahe zehn Zoll breit war.

1) De rarissimo peritonaei conceptaculo. In Opp. anat. collect. Francof. 1786. p. 331. ff.

Oben war er an die untere Fläche des Quergrimmdarmgekröses geheftet, auf der linken Seite durch mehrere Verdopplungen des Bauchfelles mit dem queren Bauchmuskel, dem viereckigen Lendenmuskel, dem runden Lendenmuskel und dem Darmbeinmuskel, unten durch ähnliche Bänder mit dem Eierstocke und dem ersten Heiligbeinwirbel, auf der rechten Seite bloss mit der rechten Hälfte der Lendenwirbelkörper verbunden, indem er vorzüglich nur die linke Hälfte des Unterleibes einnahm. Hinten und rechterseits befand sich in diesem Sacke eine drey Zoll lange, in der Mitte acht Linien weite Oeffnung, die zu seinem Innern führte, und deren unteres Ende durch das letzte Stück des Krummdarms verschlossen wurde. Der dicke Darm war an den Umfang des Sackes geheftet.

Der Sack selbst war eine Fortsetzung des Bauchfelles, die an einigen Stellen einfach, an andern doppelt war. Nachdem dieses auf der rechten Seite die Bauchmuskeln bis zu den Lendenmuskeln, auf der linken die Bauchmuskeln bis vier Zoll weit von der Wirbelsäule bekleidet hatte, schlug es sich gegen sich selbst um und vereinigte sich mit andern zurückkehrenden Fortsätzen, die von den in und ausser dem Bauchfelle enthaltnen Organen der Unterleibshöhle kamen und alle zur Bildung des Sackes zusammentraten. Doch bildeten diese nur sein äusseres Blatt, denn an der Oeffnung, durch welche das Ende des Krummdarms hervortrat und er mit der gemeinschaftlichen Unterleibshöhle communicirte, entstand ein zweytes, inneres Blatt, welches die innere Fläche des äussern bekleidete, nachher von diesem abging, und auf den Lendenwirbeln sich zum zweytenmahl umschlug, um das Dünndarmgekröse zu bilden.

Daher war der Rand der Oeffnung dieses Behälters glatt und dick, und der Endtheil des Krummdarms einige Zoll weit zwischen den beiden Blättern desselben enthalten.

Wo ich nicht völlig irre, so ist diese und die folgende Abnormität in den frühern Bedingungen des absteigenden Grimmdarmgekröses begründet, das anfangs, wie ich mich durch vielfache Untersuchungen überzeugt habe, sehr lang ist, und unmittelbar von der Wirbelsäule entsteht, sich aber allmählig verkleinert, hier aber seine anfängliche Gröſse behalten hatte, und deshalb den Sack bildete.

Aehnliche Bildungen sind es unstreitig, welche Cooper [1]) in zwey Fällen beobachtete, wo in dem einen ein abgetrenntes Blättchen des Grimmdarmgekröses einen Sack bildete, der alle dünne Gedärme enthielt, in dem andern diese Stelle durch das Mesenterium vertreten wurde.

Häufiger aber befindet sich eine bloſse Oeffnung im Dünndarm oder Grimmdarmgekröse, durch welche ein Theil des Darmkanals tritt, und gewöhnlich strangulirt wird. Heuermann [2]) fand eine mit dicken wulstigen Rändern versehene Oeffnung in dem Mesenterium, durch welche ein zwey Fuſs langes Stück Krummdarm von der rechten zur linken Seite getreten und eingeklemmt worden war.

Eben so fand Saucerotte [3]) bey einem Manne, der seit neun Tagen an den gewöhnlichen Zufällen eines eingeklemmten Bruches

1) Ueber die Brüche a. a. O. S. 96.

2) Abhandl. der vornehmst. chir. Operat. Bd. 1. S. 627.

3) Mém. de l'acad. de chirurg. T. IV. p. 239. obs. XV.

litt, im Mesenterium eine ringförmige, von einer bandartigen Substanz umgebne Oeffnung, durch welche der Blinddarm nebst einem Theile des Grimmdarms und einem noch grössern Theile des Krummdarms getreten waren. Die eingeschnürten Theile waren brandig, und konnten erst hervorgezogen werden, nachdem man die Luft durch einen Einstich in dieselbe herausgelassen hatte.

Auch Rutherford[1]) fand bey einer an Enteritis gestorbnen Frau einen Theil des Krummdarms durch eine abnorme Oeffnung im Gekröse getreten, daselbst eingeklemmt und sehr verwickelt.

In einem andern Falle sahe de Haen[2]) bey einer Frau, die seit drey Jahren häufig einige Wochen lang eine Anschwellung im linken Hypochondrium, welche nach einem reichlichen Abgange von Winden zu vergehen pflegte, seit einem halben Jahre in der Gegend des obern Magenmundes Beschwerden beym Schlingen gehabt hatte, und endlich nach einer achttägigen Darmgicht gestorben war, den Krummdarm durch eine Oeffnung des Grimmdarmgekröses gedrungen, die so eng war, dass sie keine Fingerspitze durchliess. Nach dem Grimmdarm hin war der Krummdarm beträchtlich verengt, gegen den Magen dagegen, der auch nebst dem Zwölffingerdarm beträchtlich erweitert war, sehr stark ausgedehnt.

Noch gewöhnlicher findet sich nur eine in den meisten Fällen später und zufällig entstandne

---

1) Monro on crural hernia. in Langenbecks chir. Bibliothek. Bd. 1. S. 839.

2) Ratio medendi. C. XI. de ileo morbo. pag. 141. ff.

Verbindung zwischen zwey ursprünglich getrennten Stellen des Bauchfelles als Veranlassung zu innern Brüchen und Einschnürung der Därme. Vorzüglich verwächst das leichtbewegliche Netz sehr häufig mit verschiednen Unterleibseingeweiden. Unter fünf Leichenöffnungen, welche ich so eben binnen wenig Tagen machte, war es bey einer nach oben geschlagen und mit der obern Fläche der Leber verwachsen; in einem zweyten Falle hing es am Muttergrunde, im dritten am Umfange des Mastdarms. Ausserdem fand ich es mehrmahls entweder in seiner ganzen Länge, oder wenigstens seinem untern Theile, strangähnlich zusammengezogen, und an den Grund der Gebärmutter geheftet, eine Verwachsung, wovon auch Ruysch [1]) einen Fall abbildet. In einem Falle dieser Art fand ich den untern Theil des Netzes in drey starke über einen Zoll lange Fäden auslaufend, die, nur einige Linien weit von einander an dem Grunde der Gebärmutter befestigt, Oeffnungen bildeten, durch welche bequem erst ein kleiner, allmählig ein grösserer Theil des Darmkanals treten konnte. In einem andern Falle war das Ende des Wurmfortsatzes an die dem rechten Bauchringe entsprechende Stelle des Bauchfelles durch einen Faden von eines Zolles Länge geheftet, und bildete also eine sehr enge Schlinge. Auch vom absteigenden Grimmdarm ging in einem andern ein ähnliches, aber etwas längeres Band ab. In einem andern war ein Theil des tief herabsteigenden Quergrimmdarms drey Zoll weit in seiner ganzen Breite mit der vordern Fläche des Bauchfelles verwachsen.

---

1) Obs. anat. obs. 63. p. 81. tab. 53.

In einem von Monro beobachteten Falle war das Netz mit der Wirbelſäule, den Eierſtöcken und den beyden Mutterbändern, in einem andern mit der Harnblaſe verwachſen. Die dadurch gebildeten Schlingen hatten in beyden Fällen Entzündung, Brand und den Tod hervorgebracht.[1])

Auch Garthſhore [2]) fand die entfernte Urſache eines ſechstägigen Ileus in einer ähnlichen Verwachſung. Ein Theil des Netzes war mit dem Dünndarmgekröſe in der Nähe der Verbindung des Krummdarms mit dem Grimmdarme verwachſen. Von dieſer Stelle ging ein bandähnlicher Fortſatz von drittehalb Zollen Länge ab, der ſich mit ſeinem andern Ende an die Peritonealhaut des Krummdarms, zwey Zoll über dem Blinddarm, heftete und mit dem Gekröſe einen Ring von der Weite eines Hühnereies bildete. Durch dieſe Schlinge war ein zwey Zoll langes, gegen ſich ſelbſt umgebogenes Stück des Krummdarms getreten, und darin ſo feſt eingeſchnürt, daſs nicht allein der Durchgang der im Darmkanal enthaltnen Subſtanzen völlig gehemmt, und Brand entſtanden, ſondern auch alle Häute des Darms in der Länge eines Zolles zerſchnitten worden waren.

Ein Mann bekam in den letzten ſieben Jahren ſeines Lebens, ſo oft er den Beyſchlaf vollzog, heftige Kolikſchmerzen, und ſtarb nach einem ſechs und dreyſsigſtündigen Anfalle dieſer Art unter Zufällen von Einklemmung.

---

1) Morbid anat. p. 533. ff.

2) Med. obſ. and inq. vol. 4. Caſe of a fatal Ileus. pag. 223. ff.

Einen Zoll weit von der Vereinigungsſtelle des Krummdarms mit dem Grimmdarme fand ſich ein Faden, der die Länge von drey Querfingern, und die Dicke eines ſtarken Zwirnfadens hatte, und mit ſeinem einen Ende an das Meſenterium, mit dem andern an das Ende des Wurmfortſatzes geheftet war. Durch die Schlinge trat ein fuſslanges ſtark entzündetes Stück Krummdarm. Die Schlinge ſelbſt war brandig und zerriſs leicht. Wäre die Zerreiſſung vor dem Tode des Kranken erfolgt, ſo wäre ſein Leben wahrſcheinlich gerettet geweſen. [1])

Nach einem dreytägigen Ileus fand Maille einen Strang, der von der einen Fläche des Gekröſes über den Krummdarm weg, ohne ſich an ihn zu heften, zu der andern ging. Hier war der Krummdarm eingeſchnürt, der obere Theil des Darmkanals ſtark ausgedehnt, der untere zuſammengeſunken.

Bisweilen ſind Verwachſungen zwiſchen verſchiednen Stellen des Darmkanals die Veranlaſſungen zur Einklemmung. Die Anlage hiezu fand ich in dem vierten der oben (S. 474.) erwähnten fünf Fälle. Der dünne Darm war bey einem fünfjährigen Knaben an vier Stellen äuſserlich ſo verwachſen, daſs zwiſchen dem Darm und dem Gekröſe Lücken übrig blieben, die ungefähr einen Zoll im Durchmeſſer hatten, und durch welche ſich ſehr leicht Gedärme einſchieben konnten.

In einem von Leſauvage beobachteten Falle war eine beträchtliche Menge anſehnli-

---

1) Mém. de l'ac. de chirurg. T. IV. p. 237.

2) Ebendaſ. p. 238.

cher Hydatidengeschwülste die Ursache von Einklemmungen des Darmkanals. [1])

Bisweilen heftet sich ein vorgefallener Theil oberhalb der Austrittsstelle an innere, und bildet dadurch eine Schlinge, welche die Einschnürung und den Brand des regelwidrigen Theiles zur Folge hat. In einem von Monro beobachteten Falle [2]) dieser Art war bei einem Netzdarmbruche die Verwachsung des Netzes mit dem Bauchfelle oberhalb des Bauchringes die Veranlassung zur Einschnürung des Darms.

Bisweilen wird nicht einmahl eine Verwachsung dieser Art zum Hervorbringen ähnlicher Erscheinungen erfordert.

So fand Monro [3]) bey einem alten, an Kolikschmerzen gestorbenen Manne eine vierzehn Zoll lange Schlinge des Krummdarms, die in das Becken herabhing, dadurch eingeschnürt, dass das Ende des Wurmfortsatzes, dessen Körper sich hinter ihr weg begab, sich über und vor ihr weg schlug und in eine Vertiefung des Mesenteriums senkte, aus der es nur mit Mühe gezogen werden konnte, weil es durch eine schleimige Flüssigkeit beynahe bis zur Weite von neun Linien ausgedehnt war. Der Eingang zu der Vertiefung des Mesenteriums, in welcher das kugelförmige Ende des Wurmfortsatzes lag, war enger als der übrige Umfang derselben.

Bisweilen setzt sich ein äusserer Bruch mit einem innern zusammen, vielleicht weil das Zusammendrängen eines Theils des Darmka-

---

1) Bullet. de la fac. de méd. à Paris 1813. in Brera G. di med. pratt. fasc. 17. 1814. p. 283.

2) Morb. anat. p. 535.

3) Edinb. phys. essays. Vol. 2. No. 28. p. 402.

nals in einem engen Orte Veranlassung zur Bildung von Schlingen der erwähnten Art giebt.

Eine sieben und vierzigjährige Frau hatte seit zehn Jahren einen Bruch. Plötzlich bekam sie eine heftige Kolik, die in der rechten Lendengegend und der Nabelgegend ihren Anfang nahm und von da aus sich über den ganzen Unterleib verbreitete. Zugleich stellte sich ein Erbrechen von Würmern und Verstopfung ein. Der Bruch, der nicht eingeklemmt war, wurde zurückgebracht, worauf das Erbrechen vier und zwanzig Stunden lang nachliess, aber nachher mit neuer Heftigkeit zurückkehrte. Um den zwanzigsten Tag der Krankheit starb sie, und gleich nach dem Tode gingen eine Menge Blähungen durch den After ab. Bey der Section fand man das Ende des Wurmanhanges genau mit dem benachbarten Theile des Gekröses verwachsen, und durch diese Schlinge ein Stück Krummdarm von acht Zollen, das, so wie der mit dem Gekröse verwachsene Theil des Wurmanhanges, brandig war, gedrungen. Von dieser Stelle an bis zum Magen war der Darmkanal ungeheuer aufgeblähet und entzündet, unterhalb derselben ganz zusammengefallen. [1])

Auch Callisen [2]) beobachtete einen merkwürdigen Fall dieser Art. Bey einer Frau, die ungeachtet der Operation, welche wegen der Einklemmung eines, nicht unter, sondern über dem linken Poupartschen Bande vorgetret-

---

1) Marteau sur une passion iliaque extraord. in Roux j. d. méd. T. 32. p. 327.

2) Collect. med. soc. Hafn. T. II. No. 27. casus 2. p. 325. ff.

nen Darmstückes mit allen Zufällen eines eingeklemmten Bruches starb, fand er zwar das vorgetretne Stück Darm gehörig zurückgebracht, auch den Darm nicht beträchtlich entzündet, allein die Ursache des Todes in einer beträchtlichen Schlinge des Darms, die sich in einem vom Bauchfelle gebildeten, und unter dem breiten linken Mutterbande längs dem Psoas nach oben getriebenen Sacke befand. Dieser Theil des Darmkanals war durchaus brandig und von dem übrigen unter einem spitzen Winkel abgebogen.

Gewöhnlich ist der Ausgang dieser Krankheit tödtlich, indem die durch die Einklemmung veranlaſste Darmentzündung in Brand übergeht und Kothergus in den Unterleib erfolgt. Es fragt sich aber, ob nicht bisweilen der Ausgang günstiger ist? Die oben in der Lehre von der Einschiebung (S. 325—342.) und vom brandigen Bruche (S. 388. ff.) erwähnten Fälle machen diese Vermuthung sehr wahrscheinlich. Es ist hier anzunehmen, daſs sich um das abgestorbne Stück des Darmkanals, in dem Maaſse, als es sich abtrennte, aus den benachbarten Theilen, dem Netz, Gekröse und dem Darmkanal selbst, mittelst ergossener gerinnbarer Lymphe eine Höhle bildet, wodurch die Continuität des Darmrohres hergestellt wird, so daſs das abgestorbne Stück in die Höhle desselben fällt, nun durch den After abgeht, und so die Heilung bewirkt wird. Bey eigends angestellten Versuchen, wo ein Stück Darm unterbunden, dadurch strangulirt und wieder in die Unterleibshöhle gebracht wurde, oder wo man ein Stück Darm ausschnitt, die Hälften unterband, und nun die Därme wieder in die Unterleibshöhle brachte, wurde in der That genau dieser Hergang gefunden. [1])

Auch wenn sich kein Sack dieser Art um das abgeschnürte Darmstück bildet, dieses also nicht in die Höhle des Darmes fällt, kann dennoch die Continuität auf andre Weise erhalten werden, indem sich ein engerer Weg zwischen der obern und untern Hälfte desselben bildet. Diese Vermuthung wird durch einen von Thillaye beschriebnen Fall angedeutet, wo bey einem Manne ein Theil des Krummdarms als eine Schlinge zwischen dem übrigen, und mehrern an ihn und das Bauchfell gehefteten Bändern lag, an den beyden Enden dieser Schlinge aber sich ein kleiner Gang befand, der, mit Schleimhaut bekleidet, vom obern Darmstück in das untere führte. [2])

4. *Fettbrüche.*

Die gewöhnlichen Brüche werden durch Ortsveränderung eines im Normalzustande vorhandnen Organs gebildet: es giebt aber eine Bruchart, welche durch das Vordringen einer neugebildeten Substanz entsteht, nähmlich den Fettbruch (Liparocele). Gewöhnlich schränkt man sie auf den obern Theil der vordern Wand des Unterleibes ein, und definirt sie als eine Fettgeschwulst, die durch zu beträchtliches Wachsthum der das runde Leberband begleitenden Fetthaut entsteht; allein sie findet in der That an

1) Travers on injuries of the intest. canal. London 1812. p. 342 — 348.

2) Bull. de la fac. de méd. de Paris 1813. in Brera G. di med. pratt. T. 14. p. 253.

an mehrern Stellen des Unterleibes Statt, und ſcheint ſogar gewöhnlich an mehrern derſelben zugleich vorzukommen, indem ſie mit einer allgemeinen zu beträchtlichen Anſammlung von Fett zuſammenhängt. Indeſs iſt dieſer Bruch ſelten. Petit ſah ihn nie; [1]) doch finden ſich Beobachtungen, welche ſeine Exiſtenz darthun.

Fardeau [2]) ſah bey einem fünf und ſechzigjährigen Manne drey Brüche dieſer Art. Unter dem Schwerdtknorpel befand ſich eine Fettgeſchwulſt von der Gröſse einer Nuſs, die auf einem Stiele aufſaſs, der die Dicke von zwey Federſpulen hatte, und ſeine Wurzeln vier Zoll weit in das Bauchfell erſtreckte, wo ſie divergirten und ſich an den Gefäſsen deſſelben endigten. Eine zweyte ſaſs zwey Zoll weit über dem Nabel, hatte die Gröſse eines Eies und eine mehr längliche Geſtalt. Durch eine in der weiſsen Linie befindliche, quere, mit rundlich platten Rändern verſehene Oeffnung drang ſie in die Bauchhöhle und reichte mit ihrer Wurzel bis zur groſsen Spalte der Leber, in deren Aufhängebande ſie ſaſs. Ihre Gefäſse erhielt ſie theils aus dem Umfange der Oeffnung, theils aus der Furche der Leber.

Eine dritte, welche die Gröſse zweyer Hoden hatte, und an der äuſsern Seite des linken Hoden ſaſs, entſprang in der Nähe des Samenſtranges, drey Zoll hoch über dem Poupartſchen Bande vom Bauchfelle.

---

1) Traité des malad. chirurg. T. 2. p. 245.

2) Sur trois hernies graiſſeuſes dans le même ſujet. In Sédillot journ. de médec. T. 18. p. 268 — 274.

Auch Deschamps [1]) fand bey einem fünf und funfzigjährigen Manne, der am Hospitalfieber gestorben war, eine faustgrosse, ausserhalb des Bauchfells liegende Fettgeschwulst, die, vier Zoll hoch über dem Bauchringe, vom Zellgewebe des runden Lendenmuskels entsprang, und die rechte Seite des Hodensackes einnahm. Sie adhärirte locker mit den benachbarten Theilen und war sehr lang und allmählig gewachsen.

Ich habe gleichfalls einmahl diese Art des Bruches beobachtet. An der Leiche eines dreyssigjährigen Mannes, der so ausserordentlich stark war, dass sich sogar auf beyden Seiten der Brust an der innern Seite der Rippenpleura stellenweise Fettmassen von der Dicke einiger Linien gebildet hatten, die durchaus nicht etwa ausgeschwitzter Faserstoff u. s. w. waren, befand sich einen Zoll weit über dem Nabel eine gestielte, in einem eignen Balge eingeschlossene Fettgeschwulst von der Grösse einer Castanie, welche durch eine der Oeffnungen, die sich in der weissen Linie finden, trat, zwischen den Blättern des Bauchfelles, welche durch ihr Zusammentreten das Aufhängeband der Leber bilden, aufsass, und eine sehr deutliche Erhabenheit an der vordern Fläche der Unterleibswand bildete. Ausserdem fand sich eine zweyte von der Grösse einer Faust, welche die ganze rechte Hälfte des Hodensackes einnahm, hinter dem Samenstrange bis unter den Hoden herabstieg und sich zwey Zoll weit über den Bauchring erstreckte, wo sie sich in dem auf dem Psoas befindlichen Zellgewebe verlor. Ausserdem be-

1) Ebendas. S. 271.

fand ſich im rechten Hodenſacke ein äuſserer, ſehr anſehnlicher, eingeklemmter Leiſtenbruch, der einen groſsen Theil des Netzes und eine Schlinge des Krummdarms enthielt. Dieſer Bruch war vor zwey Wochen entſtanden, und durch Einklemmung tödtlich geworden, der Fettbruch dagegen war ſchon zwey Jahre alt.

Die Fettgeſchwulſt war ſehr deutlich von dem Darm- und Netzbruche, deſſen Bruchſack ich durchaus vollſtändig fand, unterſchieden.

Der ſo eben angeführte Fall iſt inſofern intereſſant, als er zu beweiſen ſcheint, daſs dieſe Fettgeſchwülſte, beſonders wenn ſie ſich in der Gegend des Bauchringes hinter dem Bauchfelle entwickeln, durch ihr Gewicht zur Entſtehung von Leiſtenbrüchen, und durch ihren Umfang zur Einklemmung derſelben Gelegenheit geben können.

Bruſtbrüche.

Von den Bruſtbrüchen bemerke ich nur kurz, daſs ſie entweder angeboren oder zufällig entſtanden ſind. Die angebornen ſind in einer unvollkommnen Entwickelung der Wände der Bruſthöhle begründet, in Folge deren ein Theil der Bruſteingeweide oder alle frei liegen. Dieſe wurden ſchon im erſten Bande (S. 104 — 117.) betrachtet. Die ſpäter entſtehenden ſind eine Folge der durch irgend eine Urſache bewirkten Zerſtörung eines Theiles der Bruſthöhlenwände, ohne Verletzung der allgemeinen Bedeckungen.

Wegen ihres gröſsern Umfanges und der Veränderlichkeit ihrer Lage ſind die Lungen meiſtentheils das Organ, welches den Bruſtbruch bildet, der dann den Namen des Lungenbruches führt.

Zweyter Abſchnitt.

Von den Vorfällen.

Der Unterſchied des Vorfalls (Prolapſus) vom Bruche beſteht darin, das bey dem erſtern ein Organ, das ſeine Stelle ohne Wunde der enthaltenden Höhle verläſst, mit der äuſsern Luft in unmittelbare Berührung tritt, bey dem letztern nicht. Vorzüglich trifft dieſer abnorme Zuſtand den untern Theil des Darmkanals und die weiblichen Zeugungstheille. Des Aftervorfalles habe ich ſchon oben (S. 342.) gedacht, weil dieſer Zuſtand nicht einfach, ſondern mit Inverſion zuſammengeſetzt iſt. Eben ſo habe ich von der Inverſion der weiblichen Zeugungstheile gehandelt (S. 352.), betrachte indeſſen hier den Vorfall der Gebärmutter.

Die Inverſion der Scheide betrifft entweder bloſs die innern oder alle Häute dieſes Kanals, nur die eine Wand oder den ganzen Umfang deſſelben. Nur im erſtern Falle iſt es möglich, daſs die Gebärmutter nicht zugleich herabſteigt. Das Weſen dieſer Inverſion der innern Haut der Scheide, welche in einem höhern Grade in den Vorfall derſelben übergeht, iſt eigentlich Erſchlaffung oder Vergröſserung derſelben.

Betrifft der Vorfall aller Häute der Scheide bloſs eine Wand, ſo iſt dieſs gewöhnlich die vordere.

Saviard [1]) hat ſchon ſehr richtig bemerkt, es ſey unmöglich, daſs die Scheide,

[1]) Obſſ. chirurg. Paris 1784. p. 44.

wenn sie anschwelle und austrete, nicht die Gebärmutter nachzöge, um so mehr, da diese durch ihr eignes Gewicht schon Neigung dazu habe; doch ist es möglich, dass sich eine Verschiedenheit in der Form des vorliegenden Theiles wahrnehmen lässt, je nachdem die Inversion der Scheide zum Vorfalle der Gebärmutter, oder umgekehrt, dieser zu jenem Zustande die Veranlassung gab. Wenigstens beschreibt Sabatier [1]) den Vorfall der Gebärmutter als eine längliche, fast cylindrische Geschwulst, an deren unterem schmalen Ende sich eine quere Oeffnung befinde, aus welcher das Menstruationsblut tritt. In ihrem obern Theile ist sie nur wenig hart. Die Geschwulst, welche die invertirte und vorgefallene Scheide bildet, ist dagegen an ihrem untern Ende breiter als oben und die Oeffnung in jenem sehr unregelmässig. [2])

Allein diese Verschiedenheiten hängen wahrscheinlich nur von der grössern oder geringern Schnelligkeit, mit welcher beyde Zustände eintreten, ab. Senkt sich die Gebärmutter langsam herab, so drängt sie auch die Scheide nur allmählig vor sich her, und diese nimmt daher eine rundliche Gestalt an. Dringt dagegen die Gebärmutter plötzlich und weit hervor, so reisst sie die Scheide so schnell mit sich fort, dass diese nicht Zeit hat, vorher sich zu einer rundlichen Geschwulst zu vergrössern. Dasselbe gilt auch für die Inversion und den Vorfall der Scheide. Auch kann die Verschiedenheit

---

1) Mém. de l'acad. de chir. ed. in 4. T. III. sur les déplacements de la matrice et du vagin. p. 363.

2) Ebendas. S. 391.

zwischen der Gestalt der Theile darin begründet seyn, daſs, wenn der Vorfall der Gebärmutter die ursprüngliche Krankheit ist, er meistens zur Zeit der Schwangerschaft eintritt, wo durch die vermehrte Schwere des Organs die Schnelligkeit, mit welcher es sich hervordrängt, vergröſsert und überdieſs der vorgefallene Theil durch den noch im Becken verweilenden gestreckt wird, und daher ein mehr zugespitztes Ende bekommt.

Die anatomische Untersuchung der Theile würde wahrscheinlich den besten Aufschluſs über die Anteriorität oder Posteriorität eines jeden der beyden Zustände, woraus die Krankheit immer zusammengesetzt ist, geben, indem bey ursprünglicher, den Vorfall der Gebärmutter erst veranlassender Inversion der Scheide die Gestalt der Gebärmutter nothwendig verändert seyn muſs, wozu im entgegengesetzten Zustande sich kein Grund findet. So finde ich in drey Fällen von vollkommnem Scheidenvorfall, die ich vor mir habe, und wo, ungeachtet die Geschwulst rundlich ist, sich dennoch der transverselle Gebärmuttermund in der Mitte ihres untern Umfangs befindet, den Gebärmutterhals doppelt so lang als im Normalzustande, und Morgagni [1]) machte in einem gleichen Falle dieselbe Bemerkung.

Der Causalnexus sey indeſs, welcher er wolle, so bildet immer die invertirte Wand der Scheide die äuſsere Seite der Geschwulst, und immer befindet sich an dem obern Theile von dieser die Harnröhrenmündung an ihrer gewöhnlichen Stelle.

---

1) De s. et c. Ep. XLV. a. 11.

Wie alle Schleimhäute, nimmt die vorgefallne Scheide sehr häufig, ja gewöhnlich, mehr oder weniger die Beschaffenheit der allgemeinen Bedeckungen an, besonders, wenn die Inversion langsam erfolgt. Sie entfärbt sich, wird mehr oder weniger hart und trocken.

Saviard [1]) sah sie sogar wie von einer wahren, mit der Epidermis bekleideten Haut bedeckt.

Doch geschieht diese Umänderung der Textur, die ihren Grund unstreitig in der Berührung hat, worin die den allgemeinen Bedeckungen ohnehin analoge Schleimhaut mit der äussern Luft tritt, nicht immer, indem der Eindruck derselben und die Berührung äusserer Körper öfters nachtheilig wirkt, Entzündung und Geschwüre veranlasst. Diese können auch durch die Spannung entstehen, welche nothwendig durch die, der Scheide und Gebärmutter nachsinkenden, und die Geschwulst beträchtlich vergrössernden Unterleibsorgane veranlasst wird. So fand Hoin [2]) bey einer alten Jungfer einen cylindrischen Vorfall, der zehn Zoll Länge und sieben im Umfange hatte, und so hart als ein Fleischbruch war. Vorn war er glatt und kam durch seine Farbe mit der des Oberhäutchens beraubten Haut überein, hinten dagegen war er in zwey Drittheilen seiner Länge exulcerirt.

Die Gebärmutter tritt übrigens, wie anatomische Untersuchungen darthun, in ihrer ganzen Länge hervor.

---

1) A. a. O. S. 60.

2) Bey Sabatier a. a. O. S. 365.

Ein fünf und zwanzigjähriges Mädchen hatte seit sechs Jahren durch einen Fall einen Gebärmuttervorfall, der sich in dieser Zeit allmählig beträchtlich vergrössert hatte. Die Geschwulst war acht Zoll lang, oben breiter als unten, wo sich deutlich der Gebärmuttermund fand. Nach dem Tode fand man weder die Blase, noch die Gebärmutter und ihre Anhänge im Becken. Das Abdominalende der Trompeten befand sich dicht unter dem Schaambogen und die genannten Theile bildeten die Geschwulst. Der Grund der Blase war nach unten gewandt. Zugleich fand sich ein ansehnlicher Stein von 4½ Unzen in derselben. Die Harnleiter waren so weit als der Daumen, und traten aus dem Körper in die Blase. Die Nieren waren vereitert. Zugleich war die Leber in den untern Theil der hypogastrischen Gegend, der Magen in die Nabelgegend herabgezogen, die Speiseröhre bedeutend verlängert, die Gedärme lagen im Becken. [1])

Merkwürdig ist es, dass, auch bey so vollkommnem Austritte der Gebärmutter, dennoch die Verbindungsstelle zwischen der Scheide und Gebärmutter bisweilen ihre ursprüngliche Gestalt behält. So fand Hoin in dem so eben angeführten Falle [2]) im Umfange des an dem untern Ende der invertirten Scheide befindlichen Muttermundes, der einen kleinen Vorsprung bildete, einen zweyten, der mit der Vorhaut, wenn sie nur die Krone der Eichel be-

1) White account of a prolapsus uteri et vesicae with a stone in the bladder. in Med. obss. and inq. vol. 3. p. 1. ff.

2) A. a. O. S. 60.

deckt, Aehnlichkeit hatte. Offenbar hatte ſich hier die Falte, welche die Scheide um die Vaginalportion der Gebärmutter bildet, nicht verſtrichen.

Am häufigſten erfolgt der Gebärmuttervorfall bey Wöchnerinnen, indem die Gebärmutter ſich nicht mehr auf die Schaamfuge ſtützt, ſondern, indem ſie ſich entleert, ſich zuſammenzieht, nach unten ſteigt, und von der erſchlafften, verkürzten und erweiterten Scheide nicht zurückgehalten wird. Nicht immer aber ſinkt auch in dieſem Falle die Gebärmutter ſogleich aus dem Becken.

Eine Frau empfand nach einer glücklichen Niederkunft eine ungewöhnliche Schwere in der Gegend der Schaambeine. Sechs Monate nachher trat eine Geſchwulſt zwiſchen den groſsen Lefzen hervor, die anfangs von ſelbſt bey horizontaler Lage zurücktrat, allmählig aber anſchwoll und nicht mehr zurückgeführt werden konnte. Vier Jahr nachher hatte ſie die Gröſse eines Kindskopfes erreicht, war in ihrem obern Theile angeſchwollen, in ihrem untern zugeſpitzt, und das Menſtruationsblut floſs aus dem an ihrem unterſten Theile befindlichen Muttermunde. Nach achttägiger Anwendung erweichender Umſchläge wurde ſie zurückgebracht. [1])

Doch tritt auch nicht ſelten die Gebärmutter, wie ich ſchon vorhin bemerkte, entweder während der Schwangerſchaft oder während der Geburt aus, und, was merkwürdig iſt, die Geburt wird leicht und regelmäſsig, wenigſtens ohne Nachtheil für Mutter und Kind, vollendet.

---

1) Sabatier a. a. O. S. 364.

So erzählt Saviard [1]) den Fall einer Frau, die mit ganz vorgefallner Gebärmutter gebar. Nach der Geburt wurde die Gebärmutter reponirt.

Eine acht und dreyſsigjährige Frau erlitt im fünften Monate ihrer Schwangerſchaft einen Gebärmuttervorfall, der ſich ſo vergröſserte, daſs gegen das Ende der Schwangerſchaft der verlängerte Mutterhals ſechs Zoll weit und 2½ Zoll breit aus der Schaam hervorragte. Als ſich die Geburtswehen einſtellten, drang die ganze Gebärmutter aus dem Unterleibe. Der Mutterhals, der ſtark geſchwollen war, lieſs ſich nicht leicht ausdehnen, doch wurde das Kind gewendet und lebendig hervorgezogen. Nach der Niederkunft wurde die Gebärmutter reponirt. [2])

Bisweilen ereignet ſich der Vorfall auch erſt während der Geburt. Einen Fall dieſer Art beobachtete Dücreux. [3])

Beſonders ereignet ſich der völlige Vorfall der Gebärmutter während der Geburt leicht bey Perſonen, die ſchon früher daran litten. Einer Erſtgebärerinn, die ſeit ihrer frübeſten Kindheit einen Vorfall, der aber leicht zurückgebracht werden konnte, gehabt hatte, ſtürzte beym Eintritt der Wehen die ganze Gebärmutter hervor. Auch hier wurde die Geburt glücklich vollendet und die Gebärmutter nachher reponirt. [4])

---

1) A. a. O. S. 66.

2) Müllner Wahrnehmung von einer ſammt dem Kinde ausgefallnen Gebärmutter. Nürnberg 1771.

3) Sabatier a. a. O. S. 368.

4) Ebendaſ. S. 369.

Bisweilen ſcheint indeſs dieſe regelwidrige Lage der ſchwangern Gebärmutter zum Frühgebären Veranlaſſung zu geben. Harvey [1]) beobachtete einen Fall dieſer Art. Eine Frau, die lange an einem bald zurück, bald austretenden Gebärmuttervorfalle gelitten hatte, der zuletzt die Gröſse eines Menſchenkopfes erreichte, gebar einen todten Fötus von der Länge einer Spanne.

Dieſe Fälle, wo, wie im Harvey'ſchen und Portal'ſchen, die Geburt bloſs durch die vorgefallne Gebärmutter vollendet wurde, ſind beſonders wegen des Beweiſes, den ſie für die eigne Thätigkeit dieſes Organs bey der Geburt ablegen, ſehr intereſſant.

Doch beweiſen die oben angeführten und andre Fälle, daſs auch ohne Schwangerſchaft und Wochenbett der Vorfall in jeder Periode des Lebens durch äuſsere und innere Veranlaſſung eintreten kann.

Bisweilen ahmt der Muttervorfall die Geſtalt des männlichen Gliedes nach, ſo daſs damit behaftete Frauenzimmer für Zwitter gehalten wurden. Fälle dieſer Art führen Saviard [2]), de la Faye [3]) und Home [4]) an.

Vermuthlich aber iſt bey Bildungen, welche zu Verwechslungen dieſer Art Veranlaſſung geben können, zugleich der Gebärmutterhals, oder wenigſtens die Vaginalportion deſſelben ungewöhnlich lang. In dieſem Falle iſt es mög-

1) Exerc. de generat. anim. Amſtel. 1662. de partu p. 347.

2) A. a. O. S. 58.

3) Sabatier a. a. O. S. 362.

4) Ueber Zwitter a. d. phil. trans. 1799. p. II. p. 157. überſ. in Rooſe's Beytr. zur öffentl. Arzneyk. St. 2. 1802. S. 214.

lich, daſs, auch ohne Herabtreten der Gebärmutter und Scheideninverſion, dennoch der äuſsere Muttermund mehr oder weniger tief herabreichen kann. Eine Annäherung an eine ſolche Bildung habe ich vor mir und ſchon früher beſchrieben und abgebildet. [1])

Dritter Abſchnitt.

Von den Richtungsveränderungen.

Den Richtungsveränderungen iſt vorzüglich die Gebärmutter unterworfen. Dieſe Abweichungen derſelben vom Normal beziehen ſich hauptſchlich auf das Verhältniſs ihrer Axe zur Axe des Körpers und erhalten inſofern den Namen des Schiefſtehens oder der Obliquität der Gebärmutter. Dieſes iſt vorzüglich vierfach, indem ſie ſich mit ihrem Grunde zu ſehr nach vorn, mit dem Muttermunde zu ſehr nach hinten, umgekehrt mit dieſem zu weit nach vorn, mit dem erſtern zu weit nach hinten, endlich mit dem obern Theile zu weit nach der einen, mit dem untern zu weit nach der entgegengeſetzten Seite befinden kann. Auſserdem kann aber auch die Gebärmutter inſofern von ihrer Lage abweichen, als ſie, ohne ſchief zu ſtehen, aus der Mitte des Beckens ſich mehr oder weniger in die eine Seite deſſelben drängt. In der That iſt dieſs beſonders bey alten Perſonen, wie es mir ſcheint, eine ſehr häufige Erſcheinung. Nach meinen Beobachtungen habe ich unter fünf alten weiblichen Leichen wenigſtens eine gefunden, wo, bey übrigens völlig normaler Beſchaffenheit der Gebärmutter und aller übrigen Organe des Beckens, dieſe Höhle dennoch in der Mitte völlig leer

[1]) Journal f. anatomiſche Varietäten. Halle 1805.

war, weil die Gebärmutter dicht an der einen Seitenwand derselben lag. Bisweilen war sie hier so fest angeheftet, daſs ich sie durchaus nicht ohne Zerreiſsung der Peritonealfalten in die Mitte des Beckens ziehen konnte, bisweilen gelang mir dieſs durch beträchtliche Ausdehnung derselben. Gewöhnlich stand in diesen Fällen die Gebärmutter gerade, und ihre Axe verlief der Axe des Körpers parallel, wenn sie sich gleich nicht mit derselben in der Mitte des Körpers kreuzte, bisweilen aber stand sie schief und reichte dann gewöhnlich mit ihrem untern Ende in die Mitte des Beckens. Die Ovarien und Trompeten waren nebst dem breiten Mutterbande nicht selten zu einer Maſse verschmolzen und genau an die Beckenwand befestigt. In Fällen der letztern Art ist es nicht unwahrscheinlich, daſs der schiefe Stand der Gebärmutter während der Schwangerschaft und Geburt nicht vollkommen abgeändert worden wäre.

Wie dem auch sey, so giebt es gewiſse Grade des Schiefstehens der Gebärmutter, die, weil dabey zugleich die Gestalt dieses Organs abgeändert wird, besondere Namen erhalten haben. Vorzüglich erlangt die Neigung der Gebärmutter nach vorn oder nach hinten diesen hohen Grad. Der gemeinsame Name für diese beyden Zustände ist Umbeugung (inflexio), die Umbeugung nach vorn (antroversio) die Umbeugung nach hinten (retroversio, reflexio.) [1])

---

1) S. Merriman a diſsertation on retroverſion of the woomb. incl. some remarks on extrauterine geſtation. London 1812.

Von diesen beyden Zuständen ist der letztere bey weitem der gewöhnlichste, aber erst seit W. Hunter als eine nicht seltne Ursache von Beschwerden während der Schwangerschaft erkannt worden. Er tritt gewöhnlich in der Schwangerschaft, namentlich um den dritten oder vierten Monat, selten später ein. Die Veranlassung dazu ist ein unten weites, im Eingange enges Becken, wodurch die Gebärmutter zur Neigung nach hinten, auch im ungeschwängerten Zustande und von dem Augenblicke der Schwängerung an disponirt wird, zu lange im Becken verweilt, und nachher, wenn sie eine zu beträchtliche Gröſse erlangt hat, und sich in demselben nicht weiter zu entwickeln im Stande ist, sich nicht daraus erheben kann. Erst dann tritt eigentlich die Zurückbeugung ein. Der Muttermund wird entweder gar nicht, oder sehr hoch oben und vorn gefühlt, und zwischen der Scheide und dem After liegt der Grund als eine ansehnliche Geschwulst. Hunter [1]), Lynne [2]) und Saxtorph [3]) haben durch Leichenöffnungen diese Lage, welche die Untersuchung im Leben verräth, hinlänglich bestätigt gefunden.

Die Gebärmutter füllt das ganze Becken an. Lynne fand den Muttermund gegen die Schaambeine gewandt. Hunter sah ihn die Spitze der Geschwulst bilden, die höchste Stelle der Gebärmutter einnehmen. Im Saxtorph'schen Falle lag er hoch über den Schaambei-

---

1) Med. obs. and inq. Vol. 4. No. 36. p. 388. ff.

2) Ebds. p. 400. ff. Anatomy of the human gravid uterus. Tab. 26.

3) Collect. soc. Hafn. t. II. No. 32. de ischuria ex utero retroflexo. cas. II. pag. 303.

nen. Den Grund fanden ſie tief in der Gegend des Afters.

Die ganze Gebärmutter iſt ſo in das Becken eingekeilt, daſs ſie Hunter in einem Falle, wo ſie einen viermonatlichen Fötus enthielt, erſt nach Durchſchneidung und beträchtlichem Auseinanderziehen der Schaambeine heraus und in die Unterleibshöhle befördern konnte. Auch Saxtorph konnte dieſs in der Leiche nur mit Mühe und nach Einbringen der ganzen Fauſt.

Die Folgen dieſer Ortsveränderung der Gebärmutter erhellen von ſelbſt. Sowohl die Excretion des Harns, als des Kothes wird durchaus gehemmt und die Kranken ſterben entweder an Entzündung der mit dieſen Functionen in Beziehung ſtehenden Organe, oder an Einriſs der Harnblaſe.

Hunter fand die Blaſe ſo beträchtlich ausgedehnt als die Gebärmutter im letzten Monate der Schwangerſchaft, die Stelle derſelben, worin ſich die Harnleiter ſenkten, durch den Gebärmutterhals bis zum Eingange des Beckens emporgehoben. In den von Lynne und Saxtorph beobachteten Fällen war ſie gleichfalls ſtark ausgedehnt, zerriſſen und die Unterleibshöhle mit Harn angefüllt.

In den gewöhnlichen Fällen nimmt die zurückgebogene Gebärmutter bloſs die Beckenhöhle ein; doch fand ſie van Döveren [1]) in einem Falle, wo die Frau in der Mitte der Schwangerſchaft ſtarb, zum Theil auſser demſelben. Der Grund reichte bis zum dritten Lendenwirbel, war aber weit platter und weniger nach vorn ausgedehnt als gewöhnlich. Der

---

1) Obſſ. acad. ſpec. cap. 7. pag. 99.

Körper dagegen war vorzüglich in seinem hintern Theile ausserordentlich ausgedehnt, nahm das ganze Becken ein, und befand sich kaum einen Zoll hoch über dem After, der sehr weite Muttermund stand über den Schaambeinen. Auch hier war die Zurückbiegung durch die ursprüngliche Weite der Beckenhöhle und die Enge des geraden Durchmessers der obern Apertur veranlaſst worden, indem die Entfernung des Heiligbeins vom Schaambeine in der Beckenhöhle 4" 9''' betrug, der Vorberg aber stark hervorragte. Dieser Zustand der Gebärmutter war hier desto nachtheiliger, da die Kranke schon früher an Harnbeschwerden gelitten hatte. Man fand daher auch die rechte Niere ganz zerstört.

Gewöhnlich giebt zwar die Schwangerschaft Veranlassung zur Umbeugung der Gebärmutter, doch erfolgt diese bisweilen auch ohne dieselbe, entweder wenn die Gebärmutter auf andre Weise ausgedehnt oder vergröſsert ist, oder durch mechanische Erschütterungen herabgedrückt wird.

Vielleicht fand das letztere in dem von Willich [1]) beobachteten Falle Statt, wo bey einer drey und vierzig Jahr alten Frau, die seit fünf Monaten ihre Menstruation verloren hatte, der Grund der Gebärmutter tief in der hintern Wand der Scheide, der Mund dagegen hoch oben an der Vereinigung der Schaambeine lag, die gewöhnlichen Zufälle Statt fanden, und die Gebärmutter auf die gewöhnliche Weise zurück-

ge-

1) Beob. von einer Umbeugung der Gebärmutter in Richters chir. Bibl. Bd. 5. S. 132.

gebracht werden mufste. Wahrfcheinlich war aber auch hier die Gebärmutter vergröfsert, wenigftens habe ich gewöhnlich bey Frauen, deren Menftruation zu verfchwinden aufhörte, das Volum diefes Organs ohne anderweitige krankhafte Degeneration mehr oder weniger bedeutend vermehrt gefunden.

Nach Ofiander[1]) wird auch die Umbeugung der nicht fchwangern Gebärmutter bisweilen durch eine eigenthümliche Form der hinter ihr befindlichem Falte des Bauchfelles veranlafst, die unten weit, oben fehr eng, bisweilen durch eine fenkrechte Scheidewand fogar in zwei Hälften getheilt ift, eine Bildung, die ich gleichfalls mehrmals, doch ohne jenen Erfolg, beobachtet habe.

Seltner geht die Neigung der Gebärmutter nach vorn in Umbeugung über. Doch hat Levret [2]) einen Fall diefer Art beobachtet. Er fand bey einer dreyfsigjährigen Frau die Gebärmutter ihrer Länge nach fo im Becken liegend, dafs der Mund gegen den Maftdarm, ihr Grund gegen den Grund der Blafe gerichtet war. Dadurch war eine Hervorragung in der Harnblafe gebildet worden, welche zu der Meinung, dafs fie einen Stein enthalte, und fogar zum Blafenfchnitt, woran die Kranke geftorben war, veranlafst hatte. Die Gebärmutter war übrigens gefund, die Veränderung ihrer Lage aber

1) Ueber den Gebärmutterkrebs. In den Gött. Anz. 1808. — Daraus im Edinb. Journal. 1816. p. 286. ff.

2) Neue Bemerk. über die Verfchiebungen der Gebärmutter aus Roux j. de médec. T. 40. in Le Blanc's Operationen. S. 309. ff.

bestand wahrscheinlich schon seit zehn Jahren, binnen denen die Frau seit einem heftigen Falle auf die Knieen nur mit Beschwerde Harn und Koth von sich gegeben hatte. Dazu kam noch eine kleine Geschwulst in der vordern Wand des Körpers und Grundes der Gebärmutter, Schwangerschaft aber fand nicht Statt.

Levret glaubt diesen Zustand noch einigemahl bey Lebenden bemerkt zu haben; allein, da er die Untersuchung nicht nach dem Tode anstellte, auch die Resultate der Untersuchungen der Lebenden nicht genau angegeben werden, so ist es wahrscheinlicher, dass hier die gewöhnlichere Rückwärtsbeugung der Gebärmutter Statt fand. Auf jeden Fall sind auch diese Beobachtungen insofern interessant, als sie neue Belege für die Möglichkeit der wahren Umbeugung der Gebärmutter auch im ungeschwängerten Zustande sind.

Uebrigens muss die schiefe Stellung der Gebärmutter von der Schiefheit dieses Organs unterschieden werden. Nicht jene, sondern diese macht die Geburt regelwidrig. Auf diesen wichtigen Unterschied hat zuerst der scharfsinnige Boer [1]) aufmerksam gemacht. Nach den Beobachtungen, die ich anzustellen Gelegenheit gehabt habe, ist dieser Zustand der Gebärmutter selten; doch habe ich sie bisweilen in dieser Hinsicht sehr bedeutend vom Normal abweichend gefunden, indem sie, ohne anderweitige krankhafte Beschaffenheit, eine gekrümmte Gestalt hatte, und ihr einer Rand

---

1) Abh. u. Verh. geburtsh. Inhalts. Bd. 1. Th. 2. Ueber das Unwahre der gemeinen Begriffe von der Schiefstellung der Gebärmutter.

convex, der andre concav war. Bisweilen wurde diese Krümmung dadurch hervorgebracht, dass der Hals mit dem Körper einen stumpfen Winkel machte, einer von beyden aber gerade stand; in seltnern Fällen war die ganze Gebärmutter gekrümmt, so dass der Grund nach derselben Seite gewandt war als der Muttermund.

Auch andre haben diese regelwidrige Bildung der Gebärmutter beobachtet. Saxtorph [1]) z. B. fand den Gebärmuttergrund einer Jungfrau völlig umgebogen. Offenbar würde sich auch bey der Schwangerschaft dieses Organ wahrscheinlich auf dieselbe Weise weiter gebildet haben.

Hieher gehören auch noch die Luxationen; allein da diese in pathologisch-anatomischer Hinsicht nur durch die Reactionen der Organe interessant sind, so werde ich sie nur in dieser Beziehung weiter unten betrachten.

1) Collect. Hafn. T. II. n. 15. pag. 129.

pathologischen Anatomie

von

Johann Friedrich Meckel,

Professor der Anatomie und Physiologie zu Halle, mehrerer gelehrten Gesellschaften Mitgliede.

Zweyter Band.

Zweyte Abtheilung.

Leipzig 1818.

bey Carl Heinrich Reclam.

Inhaltsanzeige.

Nachricht an den Buchbinder.

Die Blätter pag. 21—22, 107—108 und 313—314, müssen in dem 2ten, 7ten und 20sten Bogen ausgeschnitten u. statt dessen die an diesem Titelbogen befindlichen Cartons eingelegt werden.

Zweytes Buch.

Textur- und Mischungsabweichungen.

Die Textur- und Mischungsabweichungen zerfallen 1) in die Abänderungen derjenigen physischen Eigenschaften, welche mit dem Gewebe der Organe in Beziehung stehen; 2) in die neuen Bildungen.

Erste Classe.

Abweichungen der physischen Eigenschaften vom Normal.

Zu den physischen Eigenschaften, welche mit dem Gewebe und der Mischung der Organe in nächster Beziehung stehen, gehören 1) die Färbung; 2) die Cohäsion: die Abweichungen derselben werden daher hier betrachtet.

Erster Abschnitt.

Von der regelwidrigen Färbung.

Die regelwidrige Färbung wird in der Regel entweder durch den Mangel einer im Normalzuſtande vorhandenen, färbenden Flüſſigkeit, oder im Gegentheil durch die regelwidrige Anweſenheit einer im Normalzuſtande fehlenden, oder endlich durch regelwidrige Beſchaffenheit der, wie gewöhnlich, vorhandenen veranlaſst. Nur ſelten weicht die Farbe der Organe aus einer andern als den angegebenen Urſachen ab, ohne daſs ihre Textur zugleich verändert wäre, wo dann die Farbenveränderung nur eines der Attribute der ganzen Alienation iſt.

Die erſte Bedingung iſt vorzüglich das Weſen der Leucäthiopie oder des Kakerlaken- oder Albinozuſtandes, der ſich vorzüglich durch regelwidrige Färbung der Haut, der Haare und gewöhnlich auch der Augen ausſpricht.

Die beiden erſtern ſind auffallend weiſs. In mehrern Fällen ſchuppte ſich die Oberhaut gewöhnlich oder wenigſtens häufig ab, eine Bedingung, die, ſo wie die Weiſse der Haut, vielleicht in dem von Buzzi [1]) bemerkten Mangel, oder der auſserordentlichen Feinheit des Malpighiſchen Schleimes begründet iſt.

Von derſelben Bedingung rührt wahrſcheinlich die Farbe der Haare her, die nicht blond, ſondern ziegenhaarähnlich ſind.

Die Pupille und Iris ſind mehr oder weniger roſenroth gefärbt, weil das Pigment, und, nach Buzzi's Bemerkungen, ſelbſt die Uvea (?) ganz fehlt. Die Iris iſt daher zu dünn: daſſelbe gilt aber auch für die übrigen Häute des Auges, indem Buzzi die Netzhaut feiner und weiſser,

1) Ueb. die Kakerlaken in Weigel's ital. Bibl. Bd. 4. S. 19.

die Gefäſshaut ſehr dünn und die weiſse Haut zweimal dünner als gewöhnlich fand.

Am gewöhnlichſten iſt dieſer regelwidrige Zuſtand angeboren, und auf gewiſſe Familien eingeſchränkt, ungeachtet häufig eine oder einige Generationen überſprungen werden. Gewöhnlich, ſeltne Ausnahmen abgerechnet, ſind die Individuen klein und ſchwächlich. Vielleicht kann man ihn als ein Stehenbleiben auf einer früher normalen Bildungsſtufe anſehen, indem die weiſse Farbe ein allgemeines Attribut der im Entſtehen begriffenen Organismen iſt, von mehrern Beobachtern die Aehnlichkeit der Kakerlakenhaare mit Milchhaaren, ſo wie auch bey jungen Subjecten ungewöhnliche Länge und allgemeine Verbreitung derſelben über den ganzen Körper bemerkt wird, und in einem von Siebold [1]) beſchriebenen Falle ein Stehenbleiben der Augen auf einer frühern Bildungsſtufe auch durch ihre Form angedeutet war, indem die Pupillarmembran auf beiden noch ſechs Monate nach der Geburt perſiſtirte.

Daſs dieſer regelwidrige Zuſtand unter allen Menſchenraçen vorkommt, iſt bekannt. Bey den Negern iſt die Haut dann, als Fehler der Urbildung, gefleckt, ohne daſs dieſe Abnormität, wie in einem von Parſons [2]) beobachteten Falle, einer gemiſchten Begattung zuzuſchreiben wäre.

Doch verſchwindet bey den Negern nicht ganz ſelten auch ſpäter im Leben die ſchwarze

---

1) Blumenb. med. Bibl. Bd. 3. S. 162.

2) Phil. tr. 1765. p. 45.

Farbe ganz oder zum Theil. Einen Fall dieser Art beobachtete z. B. Fischer [1]).

Indessen wird die Farbe der Augen in diesen Fällen nicht verändert, die überhaupt bey den weissen Negern schwarz zu seyn pflegen.

Die Ursache dieser später eintretenden Farbenveränderung ist so unbekannt, als die der bisweilen auch bey Europäern eintretenden partiellen oder totalen Umwandlung der weissen Farbe in die schwarze. Im Fischerschen Falle könnte man vermuthen, dass Racenvermischung die Veranlassung dazu gegeben hätte, indem der Grossvater des Kranken von väterlicher Seite eine Amerikanerin, sein Vater eine Mulattin geheirathet hatte.

Merkwürdig ist es, dass auf der andern Seite aus einigen Beobachtungen zu erhellen scheint, dass bisweilen in reifern Jahren der bei der Geburt vorhandene regelwidrige Zustand der Augen zu verschwinden scheint [2]).

Hieher gehört auch die Entfärbung der Haare, die besonders in einer Umwandlung der dunklern Farbe in die weisse, also auch in einer Depauperation des Malpighi'schen Schleimes besteht. Im Allgemeinen werden nur einzelne Haare weiss, doch veranlasste Erschöpfung der Lebensthätigkeit durch heftige deprimirende Leidenschaften oder Anstrengungen anderer Art Erbleichen aller, oder wenigstens des grössten Theiles derselben, oft in sehr kurzer Zeit. Bis-

---

1) Account of a remarkable change of colour in a negro. In Mem. of the soc. of Manchester. Vol. V. p. 1. p. 314. ff.

2) Michaelis von Kretinen und Kakerlaken auf dem Harz, in Blumenb. med. Bibl. Bd. 3. S. 679.

weilen weicht nur die eine ſeitliche Hälfte der Haare auf dieſe Weiſe vom Normal ab [1]).

Auf entgegengeſetzte Weiſe färben ſich bisweilen weiſse Haare im hohen Alter wieder dunkel, und bleiben es entweder bis zum Tode, oder nehmen nach kürzerer oder längerer Zeit wieder ihre weiſse Farbe an [2]).

Die regelwidrige Färbung der Organe, welche in der Anweſenheit einer ihnen im normalen Zuſtande fremden Subſtanz begründet iſt, kommt vorzüglich der Gelbſucht zu, wo ich, wie andre, wenn ſie lange gedauert hatte, bisweilen ſelbſt Hirn, Nerven, Knochen und Knorpel gelb gefärbt gefunden habe. Hieher gehört auch gewiſſermaſsen die Färbung der Knochen durch gewiſſe, beſonders rothe, Pigmente.

Die dritte Bedingung gilt vorzüglich für die Farbe der Haut und anderer Organe bey der blauen Krankheit. Hier iſt die regelwidrige Farbe der Haut ſowohl in der Ueberfüllung mit dem Blute, als der unvollkommenen Bereitung des überhaupt im Körper kreiſenden Blutes begründet.

Auf der andern Seite hat die Bläſſe der Organe ihren Grund in der allgemeinen Blutloſigkeit, daher z. B. die groſse Bläſſe der Leber bey der Lungenſchwindſucht, ungeachtet dieſe Bläſſe derſelben vielleicht auch eine Annäherung an die Umwandlung dieſes Organs in Fett iſt.

Auch die Ungleichheit der Farbe von doppelten Organen, die im normalen Zuſtande gleich gefärbt ſind, namentlich der Blendungen

1) Alben in Dict. des ſc. méd. T, IV. p. 177.
2) Fournier. Ebendaſ.

beider Augen, gehört hieher. Selbſt in demſelben Auge habe ich einigemal die eine Hälfte derſelben anders als die andere gefärbt gefunden.

Zweyter Abſchnitt.

Von der regelwidrigen Cohäſion.

Die abnorme Cohäſion der Organe ſpricht ſich vorzüglich durch zu groſse Härte oder Weichheit aus. Häufig iſt dabey die Textur und die Miſchung der Organe verändert, indeſſen giebt es einige Bedingungen, wo dieſe Veränderung wenigſtens nicht erwieſen iſt. Dahin gehört vorzüglich die zu groſse Härte und Weichheit des Gehirns bey Alienationen des Geiſtes. Merkwürdig iſt es, daſs die Veränderungen in der Cohäſion dieſes Organs nicht immer den phyſiſchen Affectionen paralleliſirt ſind. Dieſs iſt ſo wenig der Fall, daſs verſchiedene Beobachter beym Blödſinn das Gehirn in einigen Individuen zu weich, in andern zu hart gefunden haben.

I. Regelwidrig verminderte Cohäſion.

Ich betrachte zuerſt die regelwidrige verminderte Cohäſion der Organe, welche als Weichheit und Mürbigkeit erſcheint.

1. Knochen.

Am auffallendſten unterſcheiden ſich hierdurch die Knochen von ſich ſelbſt im Normalzuſtande.

Die Knochenweichheit (Oſteomalacia, Oſteoſarcoſis [1]) und Rachitis ſind Veränderungen der Cohäſion der Knochen, wobey

[1]) S. Planck de oſteoſarcoſi commentatio. Tubingae 1782, wo eine Menge hieher gehöriger Beobachtungen angeführt ſind.

gleichfalls die Mischung und Textur alienirt ist. Die Knochen sind weich, schwammig, ihr Gewebe ist aufgelockert, brüchig, weniger reich an phosphorsaurer Kalkerde, als im Normalzustande. Der Knochen selbst ist dünn, abundirt an Mark. In seltnen Fällen erweichen auch die Zähne. Hieher gehören wahrscheinlich die Fälle, wo man Knochen in Muskelsubstanz umgewandelt gesehen haben will. Die Krankheit erstreckt sich am gewöhnlichsten über das ganze Knochensystem, seltner nur auf einzelne Knochen, und kommt unverhältnissmässig häufiger beym weiblichen als männlichen Geschlecht vor, was offenbar in der auch im Normalzustande Statt findenden, und durch die unvollkommene Entwickelung des Athmungsgeschäftes bedingten, grössern Weichheit aller Organe im erstern begründet ist.

In beiden Hinsichten ist ein Fall merkwürdig, den ich kürzlich auf dem hiesigen anatomischen Theater fand, wo bey einem funfzigjährigen Manne, dessen Knochensystem übrigens völlig normal war, alle Rippen und das Brustbein so weich und brüchig waren, dass sie meistentheils zerdrückt werden konnten, und bey der geringsten Gewalt zerbrachen. Auch waren fast alle Rippen, unstreitig aus diesem Grunde, während des Lebens an einer oder mehreren Stellen gebrochen gewesen.

Chemische Untersuchungen der erweichten Knochen wurden bis jetzt selten angestellt; indessen finden sich einige von Davy [1]) und Bostock [2]).

---

1) In Monro's outlines of anatomy. Vol. I. p. 38. u. 39.

2) Analysis of the bones of the spine in a case of mollities ossium. In med. chir. transact. Vol. IV. p. 38—44.

Das allgemeinste Resultat derselben ist, wie sich im Voraus erwarten liess, eine bedeutende Verringerung des Salzgehaltes, im Vergleich zu der eigenthümlichen thierischen Substanz des Knochens. Statt dass im Allgemeinen jener in gesunden Knochen sich zu dieser beinahe wie 3 : 1 verhält, immer bedeutend mehr als die Hälfte beträgt, fand sich in mehrern der von Davy untersuchten Knochen das Verhältniss wie 2 : 5, in andern wie 1 : 4, in den von Bostock analysirten zum Theil wie 1 : 5, ja zum Theil sogar wie 1 : 8 [1]). In andern Fällen wurde zwar im rachitischen Knochen das Verhältniss zwischen Erde und Gallert nicht vom Normal abweichend gefunden, ja es überstieg sogar das gewöhnliche [2]); indessen war hier wohl

---

1) In den von Davy untersuchten Fällen war das Verhältniss:

	Thier. Subst.	Erd. Subst.
1. In dem Dornfortsatz eines Lendenwirbels des gekrümmten Rückgrates eines rachitischen Kindes	40. 7.	59. 3.
2. In einer Rippe derselben Person	40. 8.	59. 2.
3 Im Schienbein eines rachitischen Kindes - - - - - - -	74. 0.	26. 0.
4. In einem missgestalteten weichen u. schwammigen weibl. Becken -	75. 8.	24. 2.

Bostock fand die Wirbel einer erwachsenen Rachitischen zusammengesetzt aus:

Knorpel - - - -	57, 25.
Gallert und Oel -	22, 5.
Phosphors. Kalk -	13, 6.
Schwefels. Kalk -	4, 7.
Kohlens. Kalk - -	1, 13.
Phosphors. Talk -	— 82.
S.	100, 00.

2) Davy (a. a. O.) fand:

	Thier. Subst.	Erd. Subst.
1. im zolldicken Scheitelbein eines rachitischen Kindes - - - -	27. 1.	72. 9.
2. In einem andern St. desselb. Knochens	30. 5.	69. 5.
3. Im dicken Korper eines rachitischen Oberschenkelbeins - - -	37. 8.	62. 2.

höchst wahrscheinlich die Rachitis schon geheilt.

Die in den Knochen verschwindenden, und fernerhin auch nicht in ihnen abgesetzten Salze erscheinen vorzüglich im Harn wieder, der unter jener Bedingung durch einen sehr reichlichen weissen Bodensatz vom Normal abweicht.

2. *Nervensystem.*

Das Nervensystem ist nicht ganz selten weicher als im Normalzustande. Ausser der Hirnhöhlenwassersucht, deren beständige Begleiterin diese Abweichung ist, kommt sie auch bey übrigens normaler Beschaffenheit vor. Namentlich ist sie nach Greding's trefflichen Beobachtungen bey weitem häufiger bey Geisteszerrüttung, als die normale Consistenz, oder die ansehnlichere Härte [1]). Die regelwidrige Weichheit des Gehirns kommt nach diesen Untersuchungen keinesweges einer besondern Art der Geisteszerrüttung, namentlich nicht, nach Mehrerer Meinung, dem Blödsinn allein zu, indem sie mit jeder Art der Geisteszerrüttung verbunden ist, und beim Blödsinn bisweilen, wenn gleich lange nicht so häufig, regelwidrige Härte Statt findet.

3. *Gefässsystem.*

Unter den Theilen des Gefässsystems kommt die regelwidrige Weichheit und Mürbe

---

1) Melanch. Maniac. et Epilept. quorund. in Ptochotropheo Waldhemiensi demort. sect. in Ludwig adverf. med. pract. Vol. II. pag. 530 seqq. Vol. III. pag. 662 seqq.

vorzüglich im Herzen [1]) vor. Vorzüglich scheint sie in einem ursächlichen Zusammenhange mit rheumatischen Beschwerden und der Gicht zu stehen, indem gewöhnlich die im Leben beobachteten Zufälle nach einem heftigen rheumatischen Fieber eintreten. Das Herz ist dabey zugleich vergrößert und ungewöhnlich blass.

Auch ohne diese entfernte Ursache findet man das Herz bisweilen ungewöhnlich weich, schlaff und blutleer, wahrscheinlich in Folge erloschner Thätigkeit der Venen, weshalb kein Blut zu demselben befördert wird. [2])

Die Weichheit, Schlaffheit und Mürbe des Herzens ist auch eine Folge der langwierigen Herzentzündung. Bey dieser ist ausserdem das Herz blass, gelblich, missfarbig, von einer lymphatisch-eiterigen Feuchtigkeit durchdrungen, stellenweise zerstört, auch die vorhandene Substanz oft breiweich, und ohne die geringste Gewalt zerreissbar. [3]

4. *Hautsystem.*

Ungewöhnliche Erweichung kommt vorzüglich nicht selten in einigen Theilen des innern Hautsystems vor, namentlich der **Schleimhaut**, des **Darmkanals**, und der **weiblichen Zeugungstheile.**

Vorzugsweise ist wieder unter den Theilen des Darmkanals der Magen Sitz dieser krank-

---

1) Dundas account of a peculiar disease of the heart. in med. chir. Transact. Vol. I. p. 37. ff. Johnstone case of Angina Pectoris from an unexpected Disease of the Heart. In Memoirs of the London medical society. Vol. I. p. 376. ff.

2) Chevalier account of three cases of sudden death. In med. chir. Transact. Vol. I. p. 156. ff.

3) Corvisart maladies du coeur. p. 251. 252.

haften Veränderung, [1]) die bisweilen bis zur Zerstörung desselben geht, eine Erscheinung, auf welche vorzüglich Hunter zuerst aufmerksam gemacht hat.

Der erweichte Theil des Magens unterscheidet sich von dem normalen meistens durch Glätte, Dünne, grössere Durchsichtigkeit. Zugleich ist die Farbe abweichend, grünlichgrau, röthlich. Im geringern Grade sind alle Häute des Magens unversehrt, nur aufgelockert und erweicht, im höhern die Schleim- und Muskelhaut zerstört, so dass die Gestalt des Magens hier nur durch die Bauchfellhaut bestimmt wird.

Beim höchsten Grade endlich findet man eine Oeffnung im Magen, deren Ränder weich, breiig, und zugleich zottig sind, und völlig das Ansehen von halbverdorbenen, oder mit kaustischen Alkalien behandelten thierischen Substanzen haben. Oft, aber nicht immer, [2]) ist auch die erweichte Stelle, oder ihr Umfang, mehr oder weniger geröthet. Der Magen ist stark von Luft aufgetrieben, und enthält breiige, schleimige Substanzen.

---

1) Hunter on the digestion of the stomach after death. A. d. phil. Transact. in den Observ. on different parts of animal oeconomy. p. 226—231. A. Burns observation on the digestion of the Stomach after death. In Edinb. med. u. chir. Journ. Vol. VI. p. 129—138. Adams on the digestion of the Stomach after death. In Answer to Mr. Burns, Im London medical Journal. Vol. 23. p. 399—418. Jäger über die Erweichung des Magengrundes, oder die sogenannte Verdauung des Magens nach dem Tode. In Hufelands Journal, B. 32. St. 5. S. 1—30. Forts. in Bd. 36. St. 1. S. 15—73. Fleischmann über Erweichung des Magens in dessen Leichenöffnungen. 1815. S. 122—132.

2) Burns. p. 132.

Die Stelle ist fast immer der Grund des Magens, namentlich die hintere Fläche am obern Ende desselben. Hier ist das Verderbniss, auch wenn es sich weiter, bisweilen selbst bis zum Pförtner ausbreitet, doch am höchsten. Doch ist bisweilen auch die vordere Wand des Magens zerstört. [1])

Ausser dem Magen kommt dieselbe Umwandlung, jedoch verhältnissmässig nur sehr selten, und dann wohl immer zugleich mit denselben Erscheinungen im Magen, an andern Stellen des Darmkanals vor, so z. B. in einem Falle im Krummdarm, [2]) in einem andern in der Mitte der Speiseröhre. [3])

In vier Fällen war der ganze Darmkanal, vom obern Magenmunde an bis zum Anfange des Mastdarms, auf diese Weise umgewandelt. [4]) Die ausgetretenen Substanzen bewirken auch allmählige Auflösung der benachbarten Organe, der Leber, der Milz, der Wände des Unterleibes.

Diese Erscheinungen kommen bey weitem am häufigsten bey Kindern, und hier immer nach vorangegangenem Magenleiden, doch nicht ausschliesslich hier vor, indem sie namentlich Hunter vorzugsweise bey Erwachsenen, plötzlich Gestorbenen beobachtete. Dort sind sie, nach den Zeugnissen von Jäger und Fleischmann, welchen ich auch für drey Fälle das meinige beifügen kann, fast immer mit mehr oder weniger stark ausgesprochenem Hirnleiden zusammengesetzt.

1) Burns, p. 135.
2) Jäger bey Hufeland. B. 32. S. 16.
3) Ebend.
4) Burns, S. 137.

Diese Veränderung der Magenhäute ist unstreitig in einer Verdauung derselben durch den Magensaft begründet, welche durch vom Nervensystem ausgehende Schwächung des ersten, und höhere Steigerung der sauren Beschaffenheit des Magensaftes, indem sich höchst wahrscheinlich Essigsäure in demselben bildet, begünstigt wird, tritt wahrscheinlich wohl immer erst nach dem Tode ein, und breitet sich allmählich weiter aus. [1]) Keinesweges aber kann man mit Hunter annehmen, dass der gesunde Magensaft allein, und um desto mehr, je gesunder er sey, die Verdauung des Magens bewirke. Die Fälle, wo man vom Magen ganz entfernte Stellen des Darmkanals mit voller Integrität der dazwischen befindlichen erweicht fand, beweisen hinlänglich, dass jene beiden Momente nicht nothwendig auf die Wände und die Flüssigkeit des Magens beschränkt sind, und dass keinesweges die Milz, nach einer hypothetisch angenommenen Function derselben, die Veranlassung zur stärkern Säurebildung im Magensafte ist. Da man auch solche Stellen des Umfangs des Magens und Darmkanals alienirt fand, auf welche der Magensaft nicht vermöge seiner Schwere vorzugsweise wirken konnte, so kann offenbar nicht bloss die schon ausgesonderte, sondern auch die noch in den Gefässen enthaltene Flüssigkeit die Erweichung hervorbringen.

Die mit diesen Erscheinungen vielleicht zu vergleichenden Alienationen der weiblichen Geschlechtstheile kommen vorzüglich in der

---

1) Burns. S. 135.

Gebärmutter vor, wo sie von Boer als Putrescenz derselben beschrieben worden sind.

II. Regelwidrig vermehrte Cohäsion.

Die ungewöhnliche Härte, Dichtigkeit und Festigkeit der Organe ist vielleicht noch häufiger als der entgegengesetzte Zustand, doch meistens sichtbarer in einer Substanzumwandlung derselben, namentlich mehr oder weniger deutlich in Verknöcherung begründet. Ausserdem vergesellschaftet sie sich auch mit andern regelwidrigen, zum Theil gerade entgegengesetzten Zuständen, namentlich Vergrösserung, Verkleinerung, vorzüglich in drüsigen Organen, wo sie dann vorzüglich in Folge von Ausschwitzung von Faserstoff bey der Entzündung, oder beym Scirrhus erscheint. Hier kann nur die reine Cohäsionsvermehrung betrachtet werden, welche vielleicht im Zellgewebe, gewiss aber dem Gehirn und dem Muskelsystem vorkommt.

1. Zellgewebe.

Die Zellgewebsverhärtung (Induratio telae cellulosae, Scleroma Chaussier, Skinbound Angl. [1]) ist vorzüglich oft in

---

1) Andry sur l'endurcissement du tissu cellulaire des enfans nouveau nés. In Hist. de la soc. de médec. 1784. 85. Uebers. in Abh. zum Geb. für pr. Aerzte. Bd. 15. S. 604. ff.

Moscati's Bem. über die Verhärtung des Zellgewebes bey Kindern. A. d. Ital. in Kühn's und Weigel's ital. Bibl. Bd. 2. St. 2. S. 85. ff.

Stütz Beobachtung einer Zellgewebsverhärtung, nebst Bemerkungen. Hufelands Journal. Bd. 14. St. 4. S. 32. ff.

Reddelien Samml. kl. Abh. und Beob. über die Rose d. neugeb. Kinder und die Verhartung des Zellgewebes. Lübeck und Leipzig 1802.

neuern Zeiten durch französische Aerzte zur Sprache gekommen, und ihrem Wesen nach um so weniger bekannt, als höchst wahrscheinlich mehrere sehr verschiedene Krankheiten unter dieser Benennung begriffen werden.

Die vorzüglichsten Momente, welche dieser Zustand des Zellgewebes darbietet, sind folgende:

1) dem Namen gemäss ist die Haut ausserordentlich hart, bretartig, fast unbeweglich über die unterliegenden Theile ausgespannt. Durch den Finger wird gar kein oder nur ein kaum merklicher Eindruck in ihr hervorgebracht.
2) Zugleich ist sie mehr oder weniger geschwollen.
3) Die Farbe wird nicht von allen Beobachtern gleich angegeben, nach einigen z. B. roth, nach andern dagegen, namentlich englischen Schriftstellern, weiss, wachsähnlich.
4) Sehr allgemeine Thatsache ist, dass die Temperatur bedeutend niedrig ist, und die Kranken keiner eignen Wärmeerzeugung fähig sind, indem sie, von aussen erwärmt, zwar ei-

---

Dürr Geschichte einer Zellgewebsverhärtung u. s. w. Hufeland A. a. O. Bd. 28. S. 78. ff.

Lodemann über die sogen. Zellgewebsverhärtung neugeborner Kinder. Ebend. Bd. 31. St. 4. S. 57. ff. Nachtr. dazu Bd. 32. St. 1. S. 53. ff.

Horn über die Verhärtung des Zellgewebes neugeborner Kinder. Arch. f. prakt. Med. u. Klinik. Bd. 10. H. 1.

C. E. Fischer die Mundfaule, die Rose der Neugeb. und die Zellgewebsverhartung u. s. w. Ebendas. Bd. 33. H. 1. und 2.

Sybel Beob. der Rose oder der Zellgewebsverhärtung neugeb. Kinder. Ebendas. H. 5. S. 91 ff.

Carus über die Zellgewebsverhartung neugeborner Kinder. Hufel. Journal. Bd. 42. St. 2. S. 110. ff.

ne höhere Temperatur annehmen, dieselbe aber sehr schnell, mit Wegnahme der äussern Wärmequelle, verlieren. Die entgegengesetzten Angaben, wo die Wärme erhöht und ein fieberhafter Zustand vorhanden war [1]), weichen so sehr von dieser Krankheit ab, dass man nicht ohne Grund vermuthet, es sey eine ganz andere Krankheit, Rose der Neugebornen, Gegenstand der Beobachtung gewesen. [2])

5) Der Zustand des Zellgewebes wird nicht völlig gleich angegeben, doch ist im Allgemeinen das Zellgewebe unter der Haut verdichtet und verhärtet, enthält eine reichliche Menge gelbliches oder dunckelgelbes [3]), oder blutiges Serum. Auch das Fett wird bisweilen als härter und körniger angegeben, indessen zweifle ich sehr an der Richtigkeit dieser Angabe, da überhaupt das Fett des neugebornen Kindes immer diese Eigenschaften im hohen Grade hat. Die Anhäufung von Serum im Zellgewebe wurde von den englischen Aerzten nicht bemerkt, doch ist es höchst wahrscheinlich, dass hier nur die Gerinnbarkeit desselben erhöht war, indem Huben [5]) ausdrücklich angiebt, dass das Zellgewebe verdickt, und das Fett fester und trockner als gewöhnlich gewesen sey. Die innern Theile sind sehr blutreich, die Leber und

1) Horn a. a. O.

2) Lodemann a. a. O. Nachtrag S. 54. ff.

3) Andry a. a. O. S. 610.

4) Moscati S. 85.

5) Mém. de la soc. de médec. T. VIII. p. 103.

und die Lymphdrüſen (vielleicht) gröſser als gewöhnlich.

6) Die Krankheit hat ihren Sitz vorzüglich in dem Zellgewebe unter der Haut, weit ſeltner in den Muskeln, wo dann die Haut ſelbſt nicht härter und unbeweglicher als gewöhnlich iſt, dagegen die Muskeln auch nach dem Tode hart ſind. [1])

7) Dieſer Zuſtand breitet ſich mehr oder weniger deutlich über den ganzen Körper aus, iſt aber an den Gliedmaſsen, der Schamgegend und den Wangen vorzüglich entwickelt. Unter dieſen Theilen ſind die Gliedmaſsen kränker als die übrigen, und wieder die untern mehr als die obern. [2])

8) Die Krankheit kommt meiſtentheils nur bey neugebornen Kindern vor, wo ſie wenig Tage nach der Geburt entſteht. Bey weitem am häufigſten iſt ſie im Winter, vorzüglich bey feuchtem Wetter, und die Kälte ſcheint daher ihre Entſtehung wenigſtens zu begünſtigen, ſo wie ſie auch in ſpätern Lebensperioden bloſs durch heſtige Erkältung bisweilen erzeugt wird. [3]) Doch entſteht ſie auch bisweilen im Sommer, [4]) indeſſen war dann das Wetter in Hinſicht auf Temperatur und Feuchtigkeit veränderlich [5]). Gewöhnlich entſteht ſie in den erſten Tagen nach der Ge-

1) Lodemann a. a. O. eine eigne Beobachtung.

2) Andry S. 609.

3) Dürr a. a. O. ſah ſie hiedurch bey einem fünfjährigen Knaben entſtehen.

4) Moscati a. a. O.

5) Andry bey Reddelien S. 79.

burt, ist aber bisweilen auch angeboren, und fast immer in wenig Tagen tödlich. Fast immer kommt sie nur unter ungünstigen äussern Umständen, z. B. in Findelhäusern, und in niedrigen Ständen, bey Kindern liederlicher Aeltern vor, so dass Doublet [1]) und neuerlich Gölis [2]) sie für syphilitischen Ursprungs halten.

9) Häufig ist sie mit allgemeinen oder örtlichen Krämpfen verbunden.

10) Ueber das Wesen der Krankheit herrscht noch die grösste Ungewissheit, indem sie von einigen, z. B. Lodemann, Fischer, Gölis, für Entzündung und ähnlich oder, wenigstens in mehreren Fällen, identisch mit der Rose, von andern, z. B. Stütz, für Krampf, von noch andern, namentlich Carus, dem aber in der That Lodemann und Stütz in dieser Ansicht schon vorangegangen sind, für ein Resultat verminderter Lebensenergie der Haut und des Unterhautzellgewebes gehalten wird. So viel ist gewiss, dass alle Zufälle der Art sind, dass die erste dieser drey Meinungen höchst unwahrscheinlich wird. Sollte nicht die nächste Ursach dieser Krankheit unvollkommnes Leben der Centraltheile des Nervensystems und das Hautleiden nur Symptom seyn? Alle Zeichen derselben, die Bedingungen, unter welchen sie vorzugsweise eintritt, ihre häufige Zusammensetzung mit Krämpfen, der Umstand, dass sie mehrmals bey zu früh gebornen Kindern beobachtet

---

1) Bey Andry auserl. Abh. S. 606.

2) Salzb. Zeitung 1812. Bd 1. S. 159.

wurde, machen dieſe Annahme nicht unwahrſcheinlich.

2. *Gehirn.*

Das Gehirn iſt bisweilen beträchtlich härter als gewöhnlich. Doch iſt dieſer Zuſtand weit ſeltner als die ungewöhnliche Weichheit deſſelben. Morgagni[1]) und Meckel[2]) haben zwar als eigenthümlichen Zuſtand des Gehirns bey der Manie eine oft bedeutende Härte, Trockenheit, Elaſticität und gröſsere ſpecifiſche Schwere deſſelben angenommen, allein Greding's[3]) Unterſuchungen beweiſen, daſs auch dieſer Zuſtand des Gehirns bald ohne Manie, bald mit andern Arten der Geiſteszerrüttung, die Manie dagegen mit andern abnormen Zuſtänden des Gehirns vergeſellſchaftet iſt.

3. *Muskelſyſtem.*

Das Muskelſyſtem iſt bisweilen mehr oder weniger bedeutend härter als gewöhnlich, dann zugleich weniger contractil als im Normalzuſtande. Am Herzen, wo man dieſen Zuſtand bisweilen findet, [4]) unterſcheidet er ſich durch die bedeutend verminderte Contractilität der Subſtanz deſſelben von dem activen Aneurysma, bey welchem die verdickte Muskelſubſtanz regelmäſsig contractil iſt. Auch iſt die Verhärtung nicht nothwendig mit Maſſezunahme verbunden.

---

1) De cauſ. et ſed. morb. Ep. VIII. 8. 9. 15.

2) Recherches ſur les cauſes de la folie etc. Mém. de Berlin 1764.

3) A. d. oben S. 9. angef. Orte.

4) Corviſart mal. organiques du coeur. De l'endurciſſement du tiſſu musculaire du coeur. p. 160. ff.

Auch in andern hohlen Muskeln, namentlich der Muskelhaut des Darmkanals und der Harnblase, kommt die Verhärtung bisweilen vor, ist aber hier selten einfache Cohäsionsvermehrung, sondern mit Vergrösserung, Verdickung und Ausschwitzung von Faserstoff verbunden.

4. *Faseriges System.*

Das faserige System verliert nicht ganz selten seine Biegsamkeit, und wird härter, fester, meistens zugleich spröder als im normalen Zustande. Eine Umwandlung desselben, welche oft, aber nicht immer, der erste Anfang des Uebergangs desselben in das Knorpel- und Knochengewebe ist. Vorzüglich kommt sie in dem sehnigen Gewebe, welches den Klappenapparat der venösen Mündung der linken Herzkammer bedeckt, vor. Die Folge davon ist mehr oder weniger bedeutende Verengung, und zugleich, wegen der dadurch bewirkten Unbeweglichkeit der Klappen, unvollkommne Verschliessung dieser Mündung.

Auch andere Theile des faserigen Systemes, namentlich die Bänder und Sehnen, werden bisweilen ungewöhnlich hart und fest, ohne deutliche Umwandlung ihres Gewebes, wovon ein höherer oder minderer Grad von Steifheit die Folge ist.

Zweyte Classe.

Von den neuen Bildungen.

Die neuen Bildungen sind dem Organ, in welchem sie vorkommen, oder dem ganzen Organismus fremde Gebilde, nicht, wie alle bisher betrachteten Abweichungen, bloss

Umwandlungen der äussern oder innern Form von Theilen, welche in die normale Zusammensetzung des Organismus eingehen.

Sie zerfallen 1) in solche, welche aus der allgemeinen Nahrungsflüssigkeit auf dieselbe Weise als alle übrigen Theile, hervorgehen; 2) in die, welche sich aus und in einer, von dieser verschiedenen Flüssigkeit bilden. Jene sind bloss Theile des Organismus, in welchem sie sich bilden, und können Aftergebilde, Desorganisationen heissen. Die letztern sind entweder niedere Thiere aus der Classe der Zoophyten, Eingeweidethiere (Entozoa) oder Steine (Calculi), welchen Namen sie von ihrer meistens beträchtlichen Härte erhalten.

Erste Abtheilung.

Von den Aftergebilden.

Erster Abschnitt.

Von der Entzündung.[1])

Der Betrachtung der Aftergebilde muss die Lehre von der Entzündung vorausgeschickt werden, sofern sie theils mehr oder weniger deutlich der Process ist, durch welchen

1) J. Hunter on blood, inflammation and gunshot-wounds. Lond. 1795. A. d. Engl. v. Hebehstreit. Leipzig 1797. 2 Bde.
Burns Dissertations on inflammation. Glasgow 1800. Vol. 1. 2.
J. Thomson Lectures on inflammation. Edinburgh. 1813.
Th. Gruithuisen Theorie der Entzündung in der med. chir. Zeitung 1816. Bd. 2. S. 129. ff.

die Entſtehung derſelben vermittelt wird, theils ſich mehr oder weniger allgemein, zufällig oder weſentlich, nachdem ſie entſtanden, zu ihnen geſellt.

Die Entzündung iſt höhere Steigerung des Lebens der Gefäſse und des Blutes.

Die Hauptphänomene derſelben ſind Schmerz, Erhöhuug der Temperatur, Röthe und Geſchwulſt. Nnr in Hinſicht auf die beyden letztern kann dieſer Zuſtand ein Vorwurf der pathologiſchen Anatomie ſeyn, indem die beyden erſtern keine Veränderungen in der Structur des kranken Theiles ſind. Die Erhöhung der Temperatur iſt ſogar häufig nur ſcheinbar, wird nur von dem Kranken wahrgenommen, und afficirt das Thermometer oft ſelbſt dann nur unbedeutend, wenn der Kranke und ein anderes Individuum ſie deutlich wahrnehmen. Auch wenn das Thermometer aber einen höhern Wärmegrad als die boebachteten nicht entzündeten Theile anzeigt, überſteigt dieſer doch, nach Home's und Hunter's Erfahrungen, wahrſcheinlich nie die Temperatur der innern Theile. Organe, die eine Flüſſigkeit abſondern, verurſachen im entzündeten Zuſtande kein ſo lebhaftes Gefühl von Hitze als andre, weshalb bey einer ſehr bedeutenden Harnröhrenentzündung kein ſo läſtiges Gefühl von Hitze eintritt, als bey einer Entzündung der Haut.

Der entzündete Theil iſt roth und geſchwollen. Beyde Phänomene ſtehen mit einer Veränderung im Zuſtande ſeiner Gefäſse in Beziehung. In der That ſind die kleinſten oder die Haargefäſse vornehmlich der Sitz der Entzündung. Sie, die im normalen Zuſtande größtentheils kein Blut führen, nehmen jetzt rothes Blut auf, weil sie entweder durch Erhöhung ihrer Lebensthätigkeit, oder durch Erhöhung des Lebens im Blute, dazu geschickt werden. In dem Eindringen des Blutes in Gefäße, die wahrscheinlich kein rothes Blut führen, ist daher vorzüglich die Röthe der Entzündung begründet. Doch fragt es sich, ob außerdem nicht auch neue Gefäße gebildet werden? Daß sich im Gefolge von Entzündungen neue Gefäße bilden, indem sowohl die alten sich verlängern, als, abgesondert von diesen, eigne entstehen, welche den frühern entgegen wachsen, scheint, wie sich aus dem Folgenden ergeben wird, unwiderleglich; daß aber in einem entzündeten Theile während der Entzündung diese Bildung eintrete, und einen Theil des Wesens derselben ausmache, läßt sich nicht mit derselben Bestimmtheit erweisen. Daß die hohe Röthe des entzündeten Theiles allein keinen Grund für diese Annahmen enthält, beweist sowohl die Darstellung einer, die im Leben vvrhandene unendlich übertreffenden Anzahl von kleinen Gefäßen in mehreren Organen durch glücklich gelungene Einspritzungen, als der Umstand, daß Hitze und mehrere andere entfernte Ursachen der Entzündung so plötzlich wirken, daß sich kein neues Gefäß bilden konnte, und dennoch sogleich die Röthe eben so groß, und die Entzündung eben so vollkommen, als einen Tag nach ihrer Einwirkung, ist.

Auf der andern Seite macht das die Entzündung begleitende Erscheinen von Blutgefäßen in Organen, welche auch bey glücklichen Injectionen keine Gefäße zeigen, die entgegengesetzte Meinung nicht unwahrscheinlich.

Bey der Entzündung der Bindehaut des Auges reicht die Röthe anfänglich nur bis zum Umfange der Hornhaut. So hoch der Grad dieser Entzündung auch sey, so erscheinen in der Hornhaut die Gefäſse immer erst, nachdem sie schon einige Zeit gestanden hat. Diese ist überdiess nicht durchaus roth, wie sie es wahrscheinlich seyn würde, wenn das Erscheinen der Gefäſse in ihr bloſs in einer Erweiterung schon vorhandner seinen Grund hätte, sondern ihre Röthe beschränkt sich gewöhnlich nur auf die äuſsere Oberfläche, und oft sind, wenn gleich die Hornhaut verdickt oder verdunkelt ist, oder ein Geschwür hat, nur sehr wenig Gefäſse sichtbar. [1]) Bisweilen, doch selten, wird die ganze Hornhaut von diesen neugebildeten Gefäſsen durchdrungen, und in eine sehr gefäſsreiche Substanz verwandelt. Vorzüglich tritt dieser Zustand ein, wenn die Entzündung anfangs heftiger war, darauf eine Zeitlang nachlieſs, und nach kurzen Zwischenräumen wiederkehrte. [2])

Doch beweisen gerade diese Umstände vielleicht, daſs die neuen Gefäſse sich erst in dem, durch die Entzündung erzeugten, neugebildeten Faserstoffe entwickeln. Wenigstens findet man nicht selten bey der Entzündung der Bindehaut eine Anhäufung von Zellsubstanz mit einer Maſse neuer Blutgefäſse, die gewöhnlich einen hervorragenden, von einem Augenwinkel bis zur Mitte der Hornhaut vorlaufenden, Hügel bildet. [3])

1) Noble, über die Augenentzündung und ihre Nachkrankheiten. A. d. Engl. Leipz. 1802. S. 4. 5.
2) Ebend. S. 12.
3) Ebend. S. 11.

Uebrigens macht auch vielleicht die Verschiedenheit der Organisation in dieser Hinsicht einen bedeutenden Unterschied. In sehr gefässreichen Organen, gleichviel, ob ihre kleinen Gefässe Blut führten, bilden sich wahrscheinlich in der Entzündung keine neuen Gefässe, sondern die alten nehmen nur, zu einem höhern Leben hervorgerufen, Blut auf, während in gefässlosen Organen, wie der Hornhaut, sich Gefässe entwickeln, damit Entzündung Statt finden könne.

Burns [1]) führt zwar gegen die Annahme einer Entstehung neuer Gefässe in der Entzündung an, dass die Bildung einer vollkommnen und regelmässig organisirten Substanz durch eine im hohen Grade krankhafte Thätigkeit sich nicht mit den gewöhnlichen Gesetzen der thierischen Oekonomie vereinigen lasse; doch bilden sich Knochen, Gefässe, Haare in den weiblichen Ovarien gleichfalls durch krankhafte Thätigkeit, und ist nicht das Wesen der Entzündung und der Schwangerschaft zuletzt dasselbe, indem in beiden erhöhte Thätigkeit der Gefässe, Absonderung verschiedener Flüssigkeiten, von denen die ersten der Faserstoff, die Häute des Eies, gerinnen, die darauf folgenden, der Eiter, die zwischen den Cotyleden und den Placenten befindliche Feuchtigkeit, diese Veränderung nicht erleiden?

Doch verändern sich nicht bloss die kleinen Gefässe in der Entzündung, sondern alle Gefässe des leidenden Organs, auch die grössern, sind erweitert. Hunter [2]) liess das

1) Differt. on inflammation. Glasgow 1800. Vol. I. p. 352.
2) Ueber Blut, Entzünd. und Schussw. Bd. 2. Th. 1. S. 126.

Ohr eines Kaninchens frieren, dann wieder aufthauen. Als es den höchsten Grad der Entzündung erreicht hatte, tödtete er das Kaninchen, injicirte den Kopf desselben, und sonderte beide Ohren ab. Das nicht entzündete war durchsichtig, und die in seiner Substanz verbreiteten Gefäſse deutlich sichtbar. Das entzündete war dicker, undurchsichtiger, und seine Arterien beträchtlich weiter und gröſser, als in dem nicht entzündeten Ohre.

Der entzündete Theil ist zugleich dicker und geschwollner, als im Normalzustande.

Diese Veränderung rührt von einer, in seine Substanz ergossenen, gerinnbaren Flüssigkeit her, wodurch die in ihm befindlichen Zwischenräume angefüllt, seine einzelnen Theile eng zusammengeklebt und zu einer Masse verschmolzen werden. Ist die Menge dieses Extravasates beträchtlich, so bildet er sich häufig mit der Zeit zum wahren Zell- oder Schleimgewebe aus, nimmt sogar mehr oder weniger die eigenthümliche Beschaffenheit des Organs an, wie man z. B. bey den Knochen deutlich sieht. Durch diese Veränderung nehmen manche lockere Theile auf eine merkwürdig-täuschende Weise die äuſsere Beschaffenheit dichterer Organe an. Dahin gehört z. B. die Verwandlung der Lungen in eine leberähnliche Substanz, die schon Morgagni [1]) mit dem Namen der Hepatisation belegt hat.

---

1) De c. et sed. morb. Ep. an. med. XXI. 2. 13. 17. 19. 27.

Die Ausschwitzung der gerinnbaren Flüssigkeit begleitet zwar alle Entzündungen, doch ist der Grad derselben verschieden, und steht durchaus in keinem directen, sondern oft in einem entgegengesetzten Verhältniss mit der Höhe der Entzündung, der Erweiterung der Gefäfse und der Menge Blutes, welche das leidende Organ erhält.

Oft tritt sie erst vorzüglich nach dem Ende der Entzündung, oder wenigstens nachdem diese von ihrer Höhe herabgesunken ist, ein, und verhält sich dann zu ihr wie die Eiterung. Beide sind krankhafte Zustände, welche die Entzündung nur vorbereitete. Der Tod des entzündeten Organs ist ein dritter durch die Entzündung häufig eingeleiteter Zustand.

Die Ausschwitzung der Flüssigkeit begleitet mehr oder weniger jede Entzündung, und scheint auch als Nachkrankheit derselben eine geringere Abweichung der Kräfte der Gefäfse vom Normalzustande vorauszusetzen, als die Eiterung, weil sie der gewöhnlichen Nutrition der Organe näher als diese verwandt ist. Die gerinnbare Lymphe ist der zur Vollziehung dieses Processes wichtigste, vielleicht einzig nothwendige Theil des Blutes, der flüssig, vielleicht nur insofern verändert, als er langsamer, aber fester gerinnbar, und daher leichter bildsam geworden ist, ausgeschieden wird.

Die Produkte dieser Ausschwitzung sind dieselben, sie geschehe innerhalb der Substanz oder an der Oberfläche der Organe. Die Lymphe gerinnt, es entwickeln sich Gefäfse in ihr, und durch beide Bedingungen werden die Theile, zwischen denen sie sich ergoss, in gröfsern oder geringern Strecken, lockerer oder fester mit einander verbunden.

Die Gestalt, unter welcher die gerinnbare Flüssigkeit, sobald sie geronnen ist, erscheint, unterscheidet sich nicht vom gewöhnlichen Zellgewebe. Nach Moore's [1]) Vermuthung ist sie vielleicht nie flüssig, indem man sie häufig an der Oberfläche entzündeter Venen findet; doch läſst sich diese Meinung nicht wohl mit der ursprünglichen Flüssigkeit aller Bildungen vereinigen, ja, die gerinnbare Lymphe des entzündeten Blutes gerinnt nach Fordyce's, Hewson's, Hunter's Erfahrungen sogar schwerer, wiewohl fester, als im Zustande der Gesundheit. Daſs dennoch die gerinnbare Lymphe, wenn sie innerhalb des Körpers ausgeschwitzt wird, hinlänglich schnell gerinnt, um selbst an der innern Fläche der Venen zu haften, ja diese ganz zu verschlieſsen, wird wahrscheinlich durch die Einwirkung der Gefäſswände auf sie um so leichter bewirkt, da das Leben derselben durch die Entzündung zugleich erhöhet ist.

Die Farbe dieser Substanz ist nicht immer dieselbe, gewöhnlich weiſslich grau, bisweilen gelblich. Ihre Consistenz ist anfangs sehr locker. Ihre Dicke ist verschieden. Ich habe sie in der Brusthöhle von dem achten oder zehnten Theil einer Linie bis zu einem Zoll variiren gesehen, und es ist möglich, daſs sie das letztere Maaſs bisweilen übersteigt. Nicht selten bildet sie mehrere Lagen, die deutlich von einander ge-

1) On the process of nature in the healing of wounds. London 1789. p. 14.

trennt werden können, und sich oft durch die verschiedenen Grade von Festigkeit, die sie besitzen, von einander unterscheiden. Nicht selten scheinen sie nach einander in verschiedenen Perioden gebildet zu werden. Doch ist es möglich, daſs sie sich auch nur nach einander aus der gemeinschaftlichen ergossenen Flüssigkeit niederschlagen, indem wahrscheinlich häufig nicht bloſs Faserstoff, sondern Blutwasser zugleich ausgeschwitzt wird. Dieſs wird wenigstens durch die häufige frühzeitige Anwesenheit von einer ungeheuren Menge des letztern mit bedeutenden Verwachsungen in der Brust- und Unterleibshöhle und dem Herzbeutel wahrscheinlich. Finden auch diese Verwachsungen nicht Statt, weil das Blutwasser die Theile von einander trennt, so sind wenigstens die Oberflächen der Organe sehr häufig mit geronnener Lymphe fast bedeckt, und daher ungleich.

Daher die Erzählungen von zottigen und haarigen Herzen, so wie vom Mangel des Herzbeutels, der bey weitem in den meisten Fällen nur scheinbar und in einer engen und allgemeinen Verwachsung desselben mit dem Herzen begründet ist. Doch sind diese Erscheinungen im Herzbeutel seltner als in den Höhlen des Brust- und Bauchfelles. Ich erinnere mich unter der groſsen Menge von Leichen, die ich geöffnet habe, nur sehr weniger, wo nicht zwischen der Lunge und dem Brustfelle in einer gröſsern oder kleinern Strecke Verwachsungen Statt gefunden hätten. Vorzüglich finden sie sich hier in dem obern Theile, vielleicht wegen der geringen Beweglichkeit der Brusthöhle in dieser Gegend, der zu Folge sie sich oft nicht in demselben Verhältniſs als die in ihr enthaltene Lunge auszudehnen vermag.

Auch die Unterleibseingeweide ſind nicht ſelten unter ſich, oder mit den Wänden des Unterleibes eng verwachſen. Den Quergrimmdarm habe ich einigemal in ſeiner ganzen Länge mit der vordern Wand des Bauchfelles eng verbunden, und eine breite Schlinge bildend geſehen. So fand ich auch nach Entzündung des Darmfelles alle Därme, und überhaupt alle Organe des Unterleibes, in eine ſulzige Maſſe eingeſenkt, und ſo eng unter einander verſchmolzen, daſs ſie mit der gröſsten Mühe oft gar nicht von einander geſchieden werden konnten.

Bei ältern Perſonen findet man beſonders die Milz gewöhnlich in ein ſolches Gewebe neu entſtandener Membranen gehüllt, daſs ſie kaum zu entdecken iſt, eine Erſcheinung, die mir mit dem dieſem Organe in ſpätern Lebensperioden vorzugsweiſe zukommenden Verknorpeln und Verknöchern ſeiner Peritonealhaut eng zuſammen zu hängen ſcheint.

Auch die Trompeten, Ovarien und Gebärmutter findet man gewöhnlich in ſpätern Lebensperioden zu einer Maſſe ſo eng verſchmolzen, daſs man ſie oft kaum von einander trennen kann. Zugleich ſind nicht ſelten auch die innern Flächen der Gebärmutter an mehr als einer Stelle mit einander eng verſchmolzen. In der Jugend fand Walter [1]) dieſe Erſcheinungen vorzüglich bei Freudenmädchen, wahrſcheinlich wegen der häufigen Exaltirung der Lebensthätigkeit dieſer Or-

1) Walter de morbis peritonaei. Berol. 1785. p. 13.

gane, der zufolge ich auch ausserdem die Trompeten derselben gewöhnlich mit einer bedeutenden Menge einer schleimigen Flüssigkeit angefüllt sah. Die Häufigkeit dieser Erscheinungen im Alter kann theils in derselben entfernten Ursache ihren Grund haben, theils eine Folge der mit dem Verschwinden der Menstruation eintretenden Affectionen dieser Organe seyn.

Unter allen Entzündungen sind die der serösen Häute vorzüglich zur Ausschwitzung geneigt, welche mehr oder weniger häufig die Verwachsung der einander entgegengewandten Flächen derselben veranlasst. Hierin ist wahrscheinlich auch die nicht selten vorkommende Verschliessung der Gefässe, in Folge einer mit Ausschwitzung vergesellschafteten Entzündung, begründet. Doch gesellt sich eine ganz ähnliche Ausschwitzung auch nicht selten zu den Entzündungen der Schleimhäute, vorzüglich des Darmkanals und der Lungen, wo die Produkte dieser Ausschwitzung als hohle oder solide Cylinder, welche die Gestalt der Kanäle haben, in welchen sie sich bilden, ausgeworfen werden.

In dieser neugebildeten Substanz entwickeln sich häufig Gefässe, die mit den früher bestehenden zusammenhängen.

Diese Erscheinung tritt bisweilen äusserst schnell ein.

Home [1]) operirte einen Mann wegen eines eingeklemmten Bruches am Morgen um sieben Uhr. Der Bruchsack wurde geöffnet, und das vorliegende sechs Zoll lange Stück des

---

1) On the properties of pus. p. 41. ff.

Krummdarms, welches man genau unterſuchte, vollkommen glatt und ohne viele Blutgefaſse gefunden. Neun und zwanzig Stunden nach der Operation ſtarb der Kranke, nachdem er in den letzten fünf Stunden faſt ganz ohne Puls geweſen war. Bei der Section fand man den ſtrangulirt geweſenen Theil des Darmkanals hoch entzündet, die äuſsern Flächen weich und an mehreren Stellen mit gerinnbarer Lymphe bedeckt. Eine feine Injection durchdrang alle dieſe einzelnen Stücke geronnener Lymphe, und zeigte in jedem eine anſehnliche Arterie, die von einer gröſsern Vene begleitet wurde.

Offenbar wurde die gerinnbare Lymphe erſt nach der Operation ergoſſen, und da wegen der in den letzten fünf Stunden faſt ganz erloſchenen Lebensthätigkeit in dieſer Zeit keine Bildung neuer Gefäſse Statt finden konnte, ſo beweiſt dieſer Fall, daſs die Bildung neuer Gefäſse in weniger als vier und zwanzig Stunden geſchehen kann.

Er beweiſt zugleich, daſs dieſe Gefäſse mit dem urſprünglichen Syſtem zuſammenhängen. Andre Beobachtungen ſcheinen zu zeigen, daſs ſie Fortſetzungen deſſelben ſind. Sömmering [1]) führt mehrere, von ihm geſehene Fälle an, wo Einſpritzungen bewieſen, daſs Gefäſse, die ſich in, zwiſchen der Lunge und dem Bruſtfelle befindlichen, neuen Bändern gebildet hatten, nicht von der Lunge zu dem Bruſtfelle, ſondern von dieſem zu jener gingen und Aeſte der Zwiſchenrippenarterien waren.

Eben

---

1) Zu Baillie S. 32. Note 67.

Eben so bildet Monro [1]) eine neue grosse Membran ab, wodurch das Bauchfell mit den Därmen verbunden wurde, und deren Gefäſse gleichfalls von den Gefäſsen des Bauchfelles stammten. Doch scheint es, als entwickelten sich diese Gefäſse anfänglich oft durchaus für sich, und wüchsen erst später den alten entgegen, um durch Verbindung mit ihnen ein Theil des allgemeinen Gefäſssystemes zu werden.

Hunter [2]) fand sehr oft mitten in der extravasirten Substanz, welche die Theile verband, und an den Trennungsflächen zwischen ihr oder den letztern viele kleine Flecken rothen Blutes. Sehr unwahrscheinlich aber ist es, daſs dieſs mit der gerinnbaren Lymphe zugleich ausgetreten war, indem es in diesem Falle wohl mehr verbreitet, und bloſs dicht am Darme, nicht in der geronnenen Lymphe befindlich gewesen seyn würde, auch durch die Injection wahrscheinlich ein ähnliches Extravasat geschehen wäre, was doch nicht erfolgte.

Wahrscheinlicher ist daher die Annahme, daſs das Blut in dem neugebildeten Gerinsel selbst entstehe, gerade wie im bebrüteten Eie sich Blut in einzelnen, nicht zusammenhängenden Tropfen bildet. Dieſs wird desto wahrscheinlicher, da die Blut-und Gefäſsbildung in dieser neuen Bildung völlig dieselben Perioden durchläuft, welche das bebrütete Ei darstellt, indem sich anfänglich bloſs Blutwege in der neuen Masse, aber noch keine regelmäſsigen Gefäſse finden.

---

1) Beob. über das Nervensystem. Leipz. 1784. 4. Tab. XIII.

2) Ueber Blut etc. Th. II. Abth. I. S. 164.

Hunter[1]) injicirte den Stumpf eines über dem Knie amputirten Schenkels durch die Schenkelschlagader, und füllte auf diese Art die an der Fläche desselben befindliche geronnene Masse, die zellig, nicht eigentlich aus regelmäfsigen Gefäfsen zusammengesetzt zu seyn schien. Schon Wolff[2]) aber hat sehr schön gezeigt, wie sich, was auch Hunter[3]) bemerkt, anfangs im Umfange des Hühnchens eine Reihe kleiner Blutflecken bilden, die sich bald in ein Gefäfsgewebe verwandeln, ungeachtet ihre Wände anfangs nicht von den umliegenden Substanzen verschieden sind. Ja schon der göttliche Harvey hat gegen die frühere Meinung bewiesen, dafs das Blut der zuerst entstehende Theil ist, während die Gefäfse nur zum Umherführen desselben dienen. [4])

Zuerst also bilden sich wahrscheinlich durch eine in der ergossenen Flüssigkeit rege werdende Abstofsungs- und Anziehungskraft Lücken, Wege, mit einander communicirende Gänge, darauf Blut, das in diesen Wegen, vielleicht nach keiner bestimmten Richtung, wie bey den niedern Thieren, verläuft, und sie in wahre Gefäfse verwandelt, die zuletzt mit den alten zusammenstofsen. Auch hier sind unstreitig, wie beym Hühnchen, die Venen früher als die Arterien, denn jene sind schon beim frühesten Entstehen weiter als diese.

Die Form dieser Gefäfse ist sehr einfach. Ich habe sie in allen Fällen, wo ich sie zwi-

1) A. a. O. Th. I. S. 197.
2) De generatione. Hal. 1759. §. 176. seqq.
3) A. a. O.
4) De generat. p. 64. 190. 236.

ſchen der Rippen- und Lungenpleura fand, wenn ſie gleich faſt die Länge eines Zolles hatten, durchaus gerade gefunden. Nur an ihren beiden Enden erſchienen ſie bisweilen veräſtelt, ſo daſs ſie auf eine ſehr merkwürdige Weiſe das Pfortaderſyſtem im Kleinen darſtellten, alſo ein eignes neues Gefäſsſyſtem mit einem mittlern Stamme, aber ohne Herz. Gewöhnlich liegen dieſe Gefäſse dicht neben einander. Jene Zweige an beiden Enden verſchwinden vermuthlich bald, wenn ſie die Enden der alten Gefäſse erreichen, oder die Gefäſse nehmen eine der Natur der alten Gefäſse, mit denen ſie ſich verbinden, entgegengeſetzte Beſchaffenheit an, und differenziiren ſich nun erſt zu Arterien und Venen.

Doch ſcheinen ſich in jenen neugebildeten Productionen nicht immer nothwendig Gefäſse zu entwickeln. Wenigſtens bemerkt Haller [1]), was auch mit meinen Erfahrungen übereinſtimmt, daſs in den bandartigen Platten zwiſchen der Lunge und dem Bauchfelle oft nicht eine Spur von Blutgefäſsen wahrzunehmen iſt. Dieſe Gefäſsloſigkeit iſt vielleicht bisweilen auch ein ſpäter eintretender Zuſtand, indem die Gefäſse verſchwinden, oder ihre Zahl ſich wenigſtens vermindert. Immer fand ich dieſe wenigſtens in vielen Pſeudomembranen gröſser als in alten. Man ſieht aus der gegebenen Darſtellung, daſs dieſe abnormen Bildungen durchaus nach denſelben Geſetzen als die normalen, der Embryo und ſeine einzelnen Organe, geſchehen.

Hat die Entzündung einen höhern Grad erreicht, ſo tritt nicht, oder wenigſtens nicht

1) De corp. hum. fabr. 1778. T. I. p. 51.

allein, die Abſonderung einer auch durch die Gerinnung des Blutes auſserhalb und unter gewiſſen Bedingungen auch innerhalb der Gefäſse hervorgehenden Flüſſigkeit ein, ſondern es erfolgt die Bildung einer Flüſſigkeit eigner Art, des Eiters, [1]) als würde zur Hervorbringung derſelben ein bedeutenderer Kraftaufwand, eine höhere Stimmung der Gefäſse erfordert. Es bildet ſich ein eignes Organ, eine mehr oder weniger groſse, mit glatten Wänden verſehene Höhle, die mit einer einfachen Drüſe die gröſste Aehnlichkeit hat, und ſich vorzüglich nur durch unmerklicheren Uebergang ihrer Wände in die umliegenden Organe von dieſer unterſcheidet. Die Wände dieſer Höhle oder einfachen Drüſe entſtanden während der Entzündung durch Effuſion und Gerinnung der gerinnbaren Lymphe, gerade wie alle Organe ſich bilden.

Daſs der Eiter eine abgeſonderte Flüſſigkeit eigner Art ſey, iſt durch die treflichen Unterſuchungen von Brugmans, [2]) Home [3]) und Hunter [4]) auſser Zweifel geſetzt. Die gänzliche Verſchiedenheit dieſer Flüſſigkeit von

1) G. Darwin, Experiments eſtabl. criterion between mucagin. and purul. matter. Lightfield 1780. Grasmeyer, Abh. von dem Eiter u. ſ. w. Götting. 1790. E. Home, on the properties of pus London 1789. G. Pearſon, on expectorated matter. Philoſ. transact. 1809. P. II. Ejusd. obſ. and experim. on pus. Ebend. 1810. P. II. Daraus in Meckels Archiv für die Phyſiologie, Bd. 2. H. 3. Rizzetti de phthiſi pulmali ſpec. chem. med. I. II. in Mém. de Turin. T. II. u. T. III. p. 53—109. Roſſi et Michelotti, analyſe première du pus. Ebend. T. III. p. 109—127. Gruithuiſen, naturhiſt. Unterſuchungen über den Unterſchied zwiſchen Eiter und Schleim. München 1809.

2) De puogenia, ſive mediis, quibus natura utitur in creando pure. Groningae 1785.

3) A. a. O.

allen übrigen, welche durch Digeriren in eine eiterähnliche Flüssigkeit verwandelt werden, der nicht selten Statt findende gänzliche Mangel einer Höhle, in welcher diese Flüssigkeit in Eiter umgewandelt werden solle, die Kürze der Zeit, in welcher sich häufig der Eiter bildet, der Mangel eines wahren Eiters gerade in Geschwüren, die sich zur Fäulniss neigen, so wie die Unwirksamkeit der Beymischung des Eiters zu Flüssigkeiten, durch deren Verderben er entstehen soll, zur Beförderung dieses Verderbens, der gänzliche Mangel eines direkten Verhältnisses zwischen der Menge des Eiters und der Grösse der Höhle, worin er sich erzeugt, die Nichtvermischung des Eiters mit andern, im Abscess enthaltenen Flüssigkeiten, und den auf denselben angebrachten Reizen, das direkte Verhältniss zwischen der Beschaffenheit des Eiters in Hinsicht auf Qualität und Quantität und den Kräften des Organs oder des ganzen Organismus, in welchem er sich bildet, die Nichtverwandlung stagnirender Flüssigkeiten, z. B. des Serums in der Wassersucht, des extravasirten Blutes, in Eiter, die oft sehr reichliche Eiterbildung bey magern Menschen, so wie die nicht immer Statt findende Abmagerung bey sehr bedeutender Eitererzeugung beweisen hinlänglich, dass der Eiter nicht durch die Umänderung und Zerstörung fester oder flüssiger vorhandener Theile gebildet wird.

Ausser mehreren der schon angeführten Gründe, beweisen aber die Verschiedenheit des Eiters von allen im Blute vorhandenen Theilen, ungeachtet er einige Analogie damit hat, der gänzliche Mangel einer Tendenz zur Fäulniss im frischen Eiter, die Harmonie, worin er mit den Theilen steht, wodurch er abgesondert wird, indem er zwar bisweilen die benachbarten, nie aber diese selbst afficirt, gerade wie die Thränen die Wangen, nicht aber die Thränenwege reitzen, die von keiner nachtheiligen Folge begleitete Aufnahme des Eiters in die allgemeine Saftemasse, die Bildung von Kügelchen in dem Eiter, die in einer durchsichtigen Flüssigkeit schwimmen, die Zunahme seiner Consistenz, nachdem er die Gefäfse eine Zeitlang verlassen hat, unwiderleglich, dafs er eben so wenig im Blute, sondern in dem Abscefs oder auf der absondernden Fläche gebildet wird. Diefs wird desto einleuchtender, wenn man erwägt, dafs die Theile, worin sich Eiter bildet, eine drüsenähnliche Structur annehmen, indem sie ausserordentlich gefäfsreich werden, und dafs die Schnelligkeit der Entstehung des Eiters mit der Secretionsfähigkeit der Organe überhaupt in einem genauen Verhältnifs steht. So bilden innere Kanäle, die im normalen Zustande eine Flüssigkeit absondern, binnen fünf Stunden, die sehr gefäfsreiche Haut binnen zwanzig, Muskeln dagegen kaum in acht und vierzig Stunden Eiter. Eine Brongie in der Harnröhre erregt schon in einigen Stunden Eiterung, während derselbe Reiz in der Scheidenhaut des Hoden kaum eine Neigung zur adhäsiven Entzündung hervorbringt.

So wie der ausgeschwitzte Faserstoff in der adhäsiven Entzündung durch Gerinnung und durch Entwicklung von Blut und Gefäfsen auf eine höchst einfache Weise ein Bindungsmittel ursprünglich getrennter Theile wurde, so geschieht im Gefolge der Eiterung die Vereinigung der Wände und die Obliteration der regelwidrig gebildeten Höhle auf eine weit zusammengesetztere Weise, durch Bildung neuer Organe, die den Namen von Fleischwärzchen führen, oder durch Granulation.

Die äussere Gestalt, die Structur, der Verlauf und die zufälligen Verschiedenheiten der Fleischwärzchen bieten mehrere bemerkenswerthe Umstände dar.

Sie erscheinen als kleine, unregelmässige, hochrothe Pünktchen, die ein körniges Ansehen, aber eine ungleiche, blumenkohlähnliche Oberfläche haben. Je kleiner diese Körnchen sind, desto besser und vollkommner ist die Granulation. Sie erheben sich fast eben so hoch, und bisweilen etwas höher, als die umliegende Haut. Sie stehen anfänglich einzeln, nähern sich aber allmählich, und vereinigen sich im normalen Zustande, sobald sie mit einander in Berührung kommen, ohne dass man einen andern thierischen Stoff als Bindungsmittel annehmen könnte. Sie bilden dann eine ununterbrochne Oberfläche, eine provisorische Haut, die sich von gewöhnlichen entzündeten Membranen nur durch ihre Glätte unterscheidet, ihre Analogie mit diesen aber unverkennbar darthut, wenn man den Theil, worin sie sich befindet, ausschneidet und ausspannt. Dadurch verschwinden die Erhabenheiten, und das gedehnte Häutchen wird sichtbar.

Die Fleischwärzchen haben überall dieselbe Beschaffenheit, völlig unabhängig von der Beschaffenheit des Organs, auf welchem sie sich bilden, und selbst die Fleischwärzchen der Knochen unterscheiden sich in nichts von denen, welche sich in den weichsten Theilen zeigen. Sie enthalten eine äusserst grosse Menge von Blutgefässen, die sich aus den ursprünglichen Theilen in ihre Grundfläche erheben, von wo aus sie sich ziemlich regelmässig, einander parallel, nach der äussern Oberfläche begeben, und erscheinen, wenn man in sie schneidet, übrigens als eine einförmige Masse, ohne nach einer bestimmten Richtung verlaufende Fasern. Man schliesst auf die Gegenwart von lymphatischen Gefässen und Nerven in ihnen aus dem durch Quecksilbereinreibungen, welche auf einer mit Fleischwärzchen bedeckten Oberfläche vorgenommen wurden, entstandenen Speichelflusse und ihrer hohen Empfindlichkeit; allein das erste kann eben sowohl in einem Durchschwitzen begründet seyn, und die letztere, wie bei den niedern Thieren, ihnen ohne eigne Organe einwohnen.

Die gerinnbare Lymphe scheint die Basis auch dieser Productionen zu seyn. Hunter[1]) bemerkte oft auf der Oberfläche eines Geschwürs eine weisse Substanz, die der gerinnbaren Lymphe dem äussern Ansehn nach vollkommen ähnlich war. Wurde sie nicht abgewischt, so erschien sie am nächsten Tage voller Gefässe, und blutete beim Berühren stark. Eben so beschabte er einmal die entblösste Fläche eines Fussknochens. Am folgenden Tage war diese mit einer weissbläulichen Substanz bedeckt, und man fühlte, wenn sie mit der Sonde berührt wurde, nicht den Knochen selbst, sondern nur den Widerstand dieser Substanz. Am folgenden Tage war sie gefässreich und nicht von gesunden Gra-

1) A. a. O., Th. II. Abth. 2. S. 198.

nulationen zu unterscheiden. Da nun das Zellgewebe nur die geronnene Lymphe ist, so hat Bichat[1]) vollkommen Recht, wenn er dieses als die Grundlage derselben betrachtet. Das Zellgewebe der Fleischwärzchen findet man mit einer weisslichen, dicken, speckartigen Masse angefüllt, die allen fremden Substanzen den Zutritt verwehrt. Diese steht vielleicht mit der Eiterbildung in Beziehung, ist aber kein nothwendiges Erforderniss, indem die Bildung von Fleischwärzchen erst lange nach dem Eintritt der Eitererzeugung ihren Anfang nimmt. Denn selten oder nie bilden sich auf der innern Fläche eines Abscesses Fleischwarzen, ehe er entweder von selbst aufgebrochen, oder künstlich geöffnet worden ist, weshalb man auch in einem frischgeöffneten Abscesse, selbst wenn er alt ist, selten oder nie Fleischwarzen findet.[2]) Die innere Oberfläche desselben ist gewöhnlich weisslich, und röthet sich nur, indem nach der Oeffnung bald eine neue Entzündung eintritt, welche die Bildung von Fleischwarzen vermittelt.[3]) Auch die durch die Bildung der Fleischwärzchen entstandene neue Oberfläche aber behält das Vermögen, Eiter abzusondern, und man kann daher nur annehmen, dass durch die Bildung derselben die vorher Statt findende Beschaffenheit der Gefässe nicht verändert wird. Sehr merkwürdig ist es sogar, dass auch diese neugebildeten Organe in Hinsicht auf ihre Thätigkeit durch die Absonderung des Eiters das

---

1) Ueber die Häute. S. 237. ff.

2) Hunter, a. a. O. S. 192.

3) Moore, a. a. O. S. 41.

alte vollkommen darstellen, gerade wie bey Reproductionen jeder Art das neue Organ sich nach dem Typus des alten bildet, und selbst die Nachbarschaft eines alten Organs Einfluss auf die Beschaffenheit neuer Bildungen hat.

Nachdem die Oberfläche der Fleischwärzchen eine Zeitlang Eiter abzusondern fortgefahren hat, tritt in ihr das Bestreben der Heilung ein. Das Mittel zur Erreichung dieses Zwecks ist die Minderung der Thätigkeit der Fleischwärzchen, welche sie als jugendliche, schnell entstandene Theile leicht erleiden. Die Haut, welche sie bilden, hört auf Eiter abzusondern, und die vorher üppig hervorstehenden Wärzchen verkleinern sich, indem sie sich sowohl nach innen senken, als vom Umfange nach der Mitte des Geschwüres zusammenziehen. Ihre Wände fallen zusammen, nachdem die Flüssigkeit, welche sie absonderten, ausgeleert ist, und verwachsen. Ihre Blutgefäfse verkleinern sich, und verschwinden in demselben Maasse, ja der Theil, dessen Bildung durch die Fleischwärzchen vermittelt wurde, oder in welchen diese sich vielleicht verwandeln, die Narbe, ist sogar weniger gefäfsreich als die ursprünglichen Theile, die er ersetzt, indem seine Gefäfse, als neue und späte Bildungen, auch nur ein kurzes Leben haben, und er selbst spricht durch leichtes Aufbrechen bey Krankheiten u. s. w. dieses schwächere Leben aus.

Die weitern Bedingungen dieses Processes werde ich in dem Abschnitte von den organischen Reactionen auf äufsere Einreibungen untersuchen.

Der höchste Grad der Entzündung führt den Namen des **Brandes**, und hat gewöhnlich die Zerstörung und den Tod des leidenden Theiles zur Folge, indem die heftige Kraftäusserung die Gefässe unheilbar lähmt und das Blut tödtet. Die Erscheinungen, welche die leidenden Theile darbieten, sind hier nach dem Grade ihrer Vitalität und Zersetzbarkeit verschieden. Die weichen Theile werden in eine übelriechende Jauche verwandelt und verlieren ihre äussere Form und Textur durchaus, während die härtern, vorzüglich die Knochen, nur ihre Farbe verändern, indem sie entweder mehr als gewöhnlich weiss oder schwarz werden, letzteres aber vermuthlich nur durch die Einwirkung der Luft. Alle aber werden durch die Wirkung der einsaugenden Gefässe von den gesunden Theilen getrennt, indem sich allmählich zwischen beiden eine Rinne bildet, durch deren Wachsthum in die Breite und Tiefe sie ganz von einander geschieden werden. In demselben Maasse aber bilden sich zugleich auf der Trennungsfläche des gesunden Theiles Fleischwärzchen, welche zu einer Narbe zusammentreten. Die Blutung aus den Gefässen der Theile wird, gewöhnlich durch Verwachsung derselben mittelst adhäsiver Entzündung, verhindert, doch tritt diese nicht selten auch da nicht ein, wo man die Gefässe nach dem Tode offen findet. [1]) Wegen ihrer grössern Zersetzbarkeit werden weiche Theile, wenn sie absterben, nicht wie harte, mit Beibehaltung ihrer Gestalt abgestossen oder exfoliirt, bisweilen aber geschieht es. Diess trifft besonders die verschiedenen Schichten hohler häutiger Organe. Die eine Schicht stirbt ab, und wird von

1) Thomson lectures on inflammation. p. 255. 256. Daraus in Meckels Archiv f. d. Physiol., B. I.

den übrigen losgestossen, während diese unverletzt bleiben, ein schöner Beweis für die Selbstständigkeit der verschiedenen, durch Lagen von Zellgewebe von einander abgegränzten Schichten, wovon diese Organe gebildet werden. Doch ist es nicht immer ganz leicht zu bestimmen, ob der abgegangene Theil ein schon im Normalzustande vorhandener abgestorbener, oder ein von der entzündeten Oberfläche abgesondertes Gerinsel ist. In vielen Fällen fand unstreitig das letztere Statt, doch scheinen einige hinlänglich genau angegeben zu seyn, um in der That die erstere Annahme zu rechtfertigen, indem sie durch die Beschaffenheit der ausgestossenen Substanz und der nach dem Tode untersuchten Organe gerechtfertigt wird.

Hieher gehört z. B. ein von Lefaucheux [1]) beschriebner Fall. Ein starker Trinker warf während einer heftigen Magenentzündung zwey Tage hinter einander die beiden Hälften eines Sackes aus, der deutlich die Form des Magens, und an einigen Stellen Längen- und Kreismuskelfasern hatte, die mit einem dichten Zellgewebe bedeckt waren. Seine innere Fläche war roth, mit brandigen Flecken besäet, und an der dem Pförtner entsprechenden Stelle mit Galle gefärbt.

Der Kranke lebte noch neun Tage lang, zwar in der äussersten Schwäche, allein ohne andere bedeutende Symptome. Nach dem Tode fand man den Magen senkrecht, voll schwarzer Blutpfröpfe, den ganzen blinden Sack stark geröthet, aber nirgends ein Geschwür. Die Peritonealhaut war normal. Eben so befanden

1) Sedillot Rec. pér. T. XXIII. p. 349.

ſich unter ihr überall Muskelfaſern, wiewohl ihre Zahl in der Gegend der Milz, aus der einige Löffel voll Eiter in den Magen drangen, geringer zu ſeyn ſchien. Die innere Haut des Magens fehlte durchaus, und alle übrigen waren dünner als gewöhnlich.

Bonſeri [1]) ſah zweymal bey einer fürchterlichen Kolik, einmal am dreyzehnten, darauf am ſiebzehnten Tage cylindriſche Membranen abgehen, von denen jene eine, dieſe drei Hände lang, beide mit Koth angefüllt waren. Die zweyte war zugleich weiter als die erſte, und enthielt deutliche Drüſen. Alle Aerzte hielten ſie für die innere Haut des Darms.

Boerhave [2]) beobachtete einen ähnlichen Fall, nur war hier die Harnblaſe das leidende Organ. Eine in der achtzehnten Woche ſchwangere Frau bekam eine Harnverhaltung, woran ſie über eine Woche litt, bis durch den Katheter eine ungeheure Menge Harn ausgeleert wurde. Darauf folgte Bluthärnen, und heftige Schmerzen des leidenden Organs mit Bildung einer groſsen, weichen, blaſenförmigen Geſchwulſt, welche die ganze Scheide einnahm. Einen Monat lang blieb die Kranke in dieſem Zuſtande, worin ſie nur tropfenweiſe blutigen eitrigen Harn von ſich gab, bis plötzlich ohne bedeutende Beſchwerde eine weiche, lockere, häutige, blaſenförmige, mit Steinchen bedeckte Membran durch die Harnröhre abging. Hierauf folgte anderthalb Jahr lang ein Unvermögen, den Harn zu halten, und

1) Targioni roccolta IV. S. 147—160.

2) Affectum in libris et praxi rariſſimum deſcr. Koch. L. B. 1738.

nach Verlauf dieser Zeit von neuem Dysurie. Die abgezogene Membran erkannte Boerhave deutlich für die innere Haut der Blase.

Zweyter Abschnitt.

Von den organischen Actionen zum Behuf der Herstellung zerstörter Theile.

An die Lehre von der Entzündung schliesst sich zunächst die Betrachtung der Erzeugnisse der organischen Reactionen, welche zum Behuf der Herstellung der normalen Form und Structur verletzter oder zerstörter Theile eintreten, oder die Lehre von den Regenerationsphänomenen. Das Wesen des Processes ist dasselbe, die entfernte Ursache, welche ihn herbeyführt, sey auch die verschiedenste, mechanische Trennung oder vorangegangene Entzündung, seine Producte aber werden abgeändert durch den Grad der Verletzung und durch die Beschaffenheit des leidenden Organs. Zurückführung desselben auf den normalen Zustand ist der zu erreichende Zweck, der aber schon darum nicht immer gelingt, weil nicht alle Organe die Fähigkeit besitzen, zerstörte Theile durch eine der alten völlig ähnliche Substanz wieder zu ersetzen.

Alle organischen Actionen zum Behuf der Herstellung zerstörter Theile haben zwey wesentliche Bedingungen mit einander gemein. Es werden 1) jedesmal, die Verletzung sey auch noch so unbedeutend, und erscheine als blosse Trennung, neue Theile gebildet, und 2) die Grundlage dieser neuen Bildungen ist überall dieselbe, eine der Gerinnung fähige Flüssigkeit, aus der auch ein jeder neuer Organismus urſprünglich entſteht. Von dieſer urſprünglichen Beſchaffenheit erhebt ſich die neue Bildung im Allgemeinen in dem Maaſse leichter zu der des Organs, welches ſie erſetzen ſoll, als der Verluſt geringer, und die normale Beſchaffenheit des Organs weniger zuſammengeſetzt iſt.

Daſs bey Subſtanzverluſt, er werde nun unmittelbar durch die Art der Verletzung, z. B. durch Wegnahme eines Theiles oder durch Aufſaugung veranlaſst, nothwendig neue Theile gebildet werden müſſen, ergiebt ſich von ſelbſt. Eben ſo erhellt aus dem Obigen, daſs auch bey Verwachſungen urſprünglich getrennter Theile ſich neue Gefäſse entwickeln. Allein auch bey der Heilung bloſser Trennungen, welche wegen ihrer Leichtigkeit mit dem Namen der ſchnellen Vereinigung oder der Reunion belegt wird, findet dieſe Bedingung Statt, indem die zerſchnittenen Gefäſse ſich zurück- und zuſammenziehen, verſchlieſsen, Blut zwiſchen die getrennten Flächen ausflieſst, und daher die Vereinigung nur durch Bildung neuer Theile, welche die getrennten alten miteinander verbinden, geſchehen kann. Eine wahre Einmündung getrennter Gefäſse, deren Weſen ein unmittelbares Zuſammenwachſen der zerſchnittenen Gefäſse wäre, iſt nicht wohl denkbar, ungeachtet man beym Durchſchneiden entzündeter Gefäſse der Bindehaut gewöhnlich ſehr bald eine Vereinigung der getrennten Endigungen bemerkt.

Auch der zweyte Satz, die Allgemeinheit des Erſatzmittels, läſst ſich leicht erweiſen. Die Heilung durch ſchnelle Vereinigung, durch Adhäſion und durch Granulation, unterſcheiden ſich zwar durch gröſsere oder geringere Zusammensetzung der Vorkehrungen, aber die wesentlichen Bedingungen aller sind dieselben. Bey der Heilung durch schnelle Vereinigung ergiesst sich zwischen zwey getrennten Wundflächen Blut. Dieses gerinnt, und scheidet sich in seine Bestandtheile, legt sich an die Trennungsflächen, und von diesem Augenblicke an nimmt die Vereinigung im Grunde ihren Anfang. Das Blut vertrocknet an der Oberfläche, und bildet einen Schorf, der die Oberfläche der Wunde bedeckt. Aus dem darunter befindlichen Theile des Blutes werden die neuen Theile erzeugt, indem die rothen Theile ~~zurückbleiben~~, und nur die gerinnbare Lymphe, aus welcher sich die Organe bilden, zurückbleibt.

Diese Vereinigung durch die gerinnbare Flüssigkeit geschieht ohne erhöhte Thätigkeit der Blutgefäſse, indem das Bindungsmittel hier mit dem Blute ergossen wird. Ist aber diese nicht gelungen, weil das Blut, besonders durch Berührung mit der äuſsern Luft, entweder abgestorben ist, oder wenigstens die Fähigkeit, organisirt zu werden, verloren hat, und hat die Trennung so lange bestanden, daſs sich die offnen Mündungen der verletzten Gefäſse ganz verschlieſsen, so tritt Entzündung ein. Schon oben habe ich bemerkt, daſs bey jeder Entzündung gerinnbare Lymphe in der Substanz und im Umfange des Organs ergossen wird, daſs bey der adhäsiven Entzündung diese das Bindungsmittel zwischen getrennten Theilen unmittelbar, so wie bey suppurativer mittelbar wird, indem die Fleischwärzchen sich in der geronnenen Lymphe entwickeln. Bey der adhäsiven Entzünzündung, welche die Vereinigung regelwidrig getrennter Theile darbietet, tritt dieselbe Erscheinung ein. Es schwitzt jetzt gerinnbare Lymphe entweder aus den halboffenen Mündungen der getrennten Gefäſse, oder aus dem Schleimgewebe aus: diese gerinnt, und in ihr entwickeln sich verbindende Gefäſse.

Die schnelle Vereinigung geschieht, auch wenn die Theile wegen des zwischen sie ergossenen Blutes nicht unmittelbar miteinander in Berührung sind, indem der überflüssige Theil des Blutes aufgesogen wird, die Anschwellung in demselben Maaſse abnimmt, und die neuen Gefäſse sich von der gerinnbaren Lymphe und den umliegenden Theilen aus in das nicht aufgesogene Blut ausbreiten, dessen rother Theil zuletzt resorbirt wird. Es findet sich anfänglich bey jeder Heilung durch die erste Intention auf einer jeden Trennungsfläche eine Schicht geronnener Lymphe, und zwischen diesen beyden zwey, bisweilen zu einer mittlern vereinigte Schichten von Blut.

Bey der Vereinigung durch gerinnbare Lymphe, welche sich nach der adhäsiven Entzündung ergieſst, ist die Schicht, welche sie zwischen den Oberflächen bildet, gewöhnlich sehr dünn, und übertrifft selten den achten oder zehnten Theil einer Linie.

Gegen die Meinung, daſs die gerinnbare Lymphe die Basis der Vereinigung getrennter Flächen ist, lassen sich, wie es mir scheint, um so weniger erhebliche Einwendungen machen, als sie die Basis aller Organe überhaupt bey ihrem ersten Entstehen zu bilden scheint, indem der ganze Körper des bebrüteten Hühnchens als ein homogener, zäher Schleim erscheint, und die Stärke der Ernährung mit der Menge der gerinnbaren Lymphe im Blute in einem directen Verhältniss steht; allein eine andere Frage ist es, ob sich bey der Vereinigung getrennter Theile neue Organe bilden und zerstörte regenerirt werden?

Fabre [1]) und Louis [2]) haben die Bildung neuer Theile bey der Vernarbung durchaus geläugnet, indem die Erscheinungen, welche diesen Process begleiten, darthun sollen, dass keine neuen Theile entstehen, sondern im Gegentheil die alten zusammensinken, zurücktreten, abmagern, und durch dieses Schwinden die Haut in den Stand setzen, den entblössten oder zerstörten Theil zu bedecken. Die Regeneration der Theile würde, nach ihrer Meinung, gerade den entgegengesetzten Zustand, ein Nichtverschliessen der Oeffnung, einen Mangel der Vernarbung, ja eine Vergrösserung der Trennungen herbeyführen, weil sich das Volum der getrennten Theile vergrössern würde.

Allein sie gestehen selbst, dass ein „ernährender Saft" ergossen wird, der sich verdickt, gerinnt, und die getrennten Theile vereinigt. Endlich soll das Vertrocknen der in Eiterung gewesenen Oberfläche die Narbe erzeugen.

Jenes Schwinden findet in der That Statt, die Enden der Muskeln des Amputationsstum-

1) Mémoire ou l'on prouve, qu'il ne se fait point de régénération de chairs dans les plaies et les ulcères avec perte de substance. In Mem. de l'ac. de chir. T. IV. p. 74—105.

2) Mémoire sur la consolidation des plaies avec perte de substance. Ebend. S. 106—140.

pses verlieren sich unmerklich, die Gefäſse laufen in dünne Fäden aus, die Enden der Knochen runden sich ab und werden dünner, allein auf der andern Seite sproſsen in der ergoſsenen geronnenen Lymphe Fleischwärzchen aus, und wenn auch die zerschnittenen Knochen, Muskeln, Gefäſse und Nerven bey den höhern Thieren nicht den erlittnen Verluſt ersetzen und kein neues Glied hervorgetrieben wird, so bildet sich wenigstens das die Oberfläche des Körpers bekleidende Organ, die Haut, wieder.

Die Fleischwärzchen sind nach Fabre 1) keine Produkte eines regenerirenden Princips, weil die Theile, aus welchen sie entspringen, sich nicht nur nicht vergröſsern, sondern bedeutend schwinden; allein diese Theile können auf der einen Seite schwinden, während auf der andern Seite neue Maſse abgesetzt wird.

Der genaue Zusammenhang zwischen der Beschaffenheit des Eiters und der Fleischwärzchen, so wie der Einfluſs, welchen äuſsere Einwirkungen auf beyde haben, beweist nach Fabre gleichfalls, daſs die letztern keine neuen ersetzenden Bildungen sind; allein, meiner Meinung nach, nur, daſs die Stimmung der Lebensthätigkeit des Organs und des ganzen Organismus auf beide gleich stark einwirkt.

Die Fleischwärzchen sollen nur die nicht zerschnittnen, sich erweiternden Gefäſse seyn, die früher nicht erschienen, weil sie durch die allgemeine Entzündungsgeschwulſt verborgen waren, sich erſt verlängern, nachdem diese sich gemindert hat, und eben so viele

1) A. a. O. S. 85.

Eitergewebe darſtellen, allein die Fleiſchwärzchen erſcheinen erſt, nachdem ſich eine der gerinnbaren Lymphe ähnliche Subſtanz ergoſſen hat; die innere Fläche eines friſch geöffneten Abſceſſes iſt ganz weiſs, und die Fleiſchwärzchen erſcheinen auch da, wo keine Gefäſse zerſchnitten wurden.

Die Fleiſchwärzchen ſollen nur erweiterte Gefäſse ſeyn, die gewöhnlich eine weiſse Flüſſigkeit, erſt während der Eiterung rothes Blut führen, und eben dadurch in den Stand geſetzt werden, die Eiterung zu bewirken; allein die Eiterung findet früher Statt als die Fleiſchwärzchen erſcheinen, indem man ſie faſt nie in einem nicht geöffneten Abſceſs findet, und die Fleiſchwärzchen erſt allmählig einzeln hervorbrechen. Auch unterſcheiden ſie ſich von bloſsen Gefäſsen durch ihre Geſtalt und Structur.

Das Erſcheinen von Fleiſchwärzchen auf Knochen, Sehnen, Bändern, welche durch Kunſt oder von ſelbſt abſterben, beweiſt nach Fabre bloſs, daſs die Gefäſse dieſer Organe ſich erweitern, nnd in eine erhöhte Thätigkeit gerathen, welche durch Eiterung den abgeſtorbenen Theil abſtöſst; allein offenbar zeigt dieſes Beyſpiel, daſs die Erſcheinungen in einen falſchen Cauſalnexus gebracht werden, um jene Meinung zu begründen. Die Eiterung an der Oberflache des lebenden Knochens ſtellt ſich mit den Fleiſchwärzchen zugleich ein; allein daraus ergiebt ſich weder, daſs beide in einem nothwendigen Cauſalnexus ſtehen, noch daſs die Trennung des Todten vom Lebenden durch eine oder beyde Erſcheinungen geſchieht. Dieſe haben ihren Grund mehr in der hohen

Thätigkeit der einſaugenden Gefäſse, die Eiterung iſt eine Folge des hohen Grades der Entzündung, und die Fleiſchwärzchen brechen als erſetzende Organe, als Produkt einer regenerirenden Thätigkeit hervor.

Die krankhafte Exuberanz der Fleiſchwärzchen, welche die Heilung, ſtatt ſie zu befördern, hindert, beweiſt nur, daſs dieſe Bildungen an Intenſität verlieren, was ſie an Extenſität gewinnen, allein weder für noch wider ihre Qualität als Regenerationsprodukte.

Der Umſtand, daſs gewiſſe Organe ſich nicht wieder erzeugen, daſs man unter der Narbe die Muskeln, welche verletzt, zerſtört wurden, geſchwunden findet, daſs die Tiefe der Narbe mit dem Subſtanzverluſt gewöhnlich im Verhältniſs ſteht, beweiſt bloſs, daſs die Regenerationskraft ſowohl qualitativ als quantitativ beſchränkt iſt.

Eben ſo begünſtigt jene das Zuſammenfallen eines geöffneten Absceſſes, die Vereinigung der entfernten Flächen aber bewirkt ſie nicht; und das Senken der Fleiſchwarzenhaut iſt zwar die letzte Periode der Narbenbildung, aber nicht der ganze Proceſs deſſelben und kein Beweis für das Nichtſtattfinden der Reproduction.

Offenbar wirkt ſowohl in als nach der Entzündung und Eiterung das einſaugende Syſtem, beſonders bey Verletzungen durch den Reiz der Operation, erregt kraftvoll zur Verminderung der zu benarbenden Fläche; allein damit dieſe mit einer Narbe bedeckt werden könne, wird nicht bloſs ein Schwinden der zu bedeckenden Theile, wodurch die Haut in den Stand gesetzt wird, sie zu bedecken, und ein Austrocknen der Oberfläche des Geschwürs, sondern die Absonderung einer Flüssigkeit erfordert, die zwar nicht die verletzten Theile ihrer Form und Struktur nach darstellt, aber doch organisirt wird, eng mit ihnen verbunden ist, und sich zu einer Haut, der Narbenhaut, ausbildet.

Diess ergiebt sich am besten aus der schönen Darstellung des Heilungsprocesses mehrerer zugleich verwundeter Organe, welche van Hoorn [1]) in der Geschichte der Veränderungen des Amputationsstümpfes geliefert hat.

Die erste, sogleich nach der Amputation eintretende, Erscheinung sind kleine Runzeln, welche der Rand der durchschnittnen Haut bildet. Die Muskeln und ihre einzelnen Bündel ziehen sich, ein jeder auf eine verschiedene Weise, nebst den Gefässen, zusammen, und ihnen folgen die Nerven, wegen des Zellgewebes, durch welches sie verbunden sind.

Am folgenden Tage schwillt der verwundete Theil an. Am vierten, fünften oder sechsten Tage nach der Verletzung entsteht die Eiterung. Der Hautrand runzelt sich noch mehr nach innen, und wird mit einer Lage einer zähen gallertähnlichen Flüssigkeit belegt. Die Oberflächen der Muskeln sind ungleich. Die am meisten zurückgezogenen Theile sind weiss, undurchsichtig, mit Eiter bedeckt und weicher, die weniger zurückgezogenen entweder roth, oder ganz oder zum Theil mit einer mehr oder weniger dicken Lage einer gallertähnlichen Flüssigkeit bedeckt, die gewissermaassen den Uebergang

1) De iis, quae in partibus membri, praesertim osseis, amputatione vulnerati, notanda sunt. Lugd. B. ap. Delfos. 1803.

von gerinnbarer Lymphe in Eiter bildet. Die Gefäſse und Nerven ſieht man nicht, indem ſie zurückgezogen ſind, allein beyde ſind entzündet, die erſtern verſchloſſen. Eben ſo ſieht man den Knochen und die innere und äuſsere Beinhaut deſſelben nicht, allein die letztere iſt, wie die Muskeln, angeſchwollen, leicht geröthet und mit einer gallert- oder faſerſtoffähnlichen Flüſſigkeit bedeckt. Bald ſtumpft ſich der äuſsere Rand des Knochens ab.

Mit fortgehender Eiterung nimmt nun auf den Enden der Muskeln die Fleiſchwarzenbildung ihren Anfang. Bald ſproſſen dieſe auch auf der Beinhaut hervor und bekleiden den entblöſsten Knochen von auſsen, indem ſie allmählich zäher werden. Endlich ſproſſen auch aus dem Knochen ſelbſt, vorzüglich bei jungen Individuen, rothe Pünktchen hervor, die breiter werden, endlich mit beiden Beinhäuten verwachſen und die ganze entblöſste Knochenfläche bedecken, während der Rand des Knochens immer ſtumpfer wird, das Mark an ſeinem Ende verſchwindet und von der Beinhaut eingenommen wird.

Während einiger Wochen wird die neue Haut, welche ſich anfänglich als ein Gürtel einer gallertähnlichen Flüſſigkeit innerhalb des Umfangs der alten anlegte, dicker, zäher und breiter, die Fleiſchwarzen auf den Muskeln feſter. Doch iſt die von den letztern gebildete Lage noch ſehr dünn, die einzelnen Muskeltheile ſchimmern durch dieſelbe, und ſie ſondert Eiter ab.

Die darunter verborgenen Gefäſse verwachſen.

Die Nervenenden ziehen ſich zuſammen, bisweilen ſondert ſich ihr unteres Ende ab, immer aber ſchwellen ſie etwas höher zu rundlichen Knollen an.

Die Fleiſchwärzchen der Beinhäute und des Knochens werden erſt knorplig, dann knöchern. In dem Maaſse, als alle neue Bildungen feſt werden, nimmt der Eiter ab.

Der äuſsere Knochenrand erweitert ſich, das Ende des Knochens wird alſo durch die Callusbildung breiter als vorher, zum deutlichen Beweiſe, daſs wirklich neue Subſtanz gebildet wird. Dieſes Breiterwerden dauert ſogar nicht ſelten noch mehrere Jahre lang fort. Der Markkanal bleibt oft lange offen, oder wenigſtens nur mit einer weichen neuen Maſſe angefüllt, und verknöchert erſt ſpät.

Bey dieſem Proceſſe verlängert ſich die alte Haut nicht, ſondern es bildet ſich neue, und dieſer Theil der Narbe verwächſt mit dem übrigen innern Theile derſelben genau.

Das Fett und das in der Nähe der Wunde befindliche Zellgewebe verſchwinden in den erſten Tagen, werden aber durch neues feſteres erſetzt. Beſonders iſt das neue Zellgewebe zäher, dichter und faſerig.

Der Urſprung der auf den Muskeln gerinnenden Feuchtigkeit iſt ungewiſs, indem ſich nicht leicht beſtimmen läſst, ob ſie aus den Gefäſsen oder den Muskelfaſern ſelbſt entſpringt; doch hat ſie die gröſste Aehnlichkeit mit der Flüſſigkeit, die auf entzündeten Membranen ausſchwitzt, und eben ſo entſtehen in dieſer die Fleiſchwärzchen. Dieſe hängen, auch wenn ſie noch völlig weich ſind, mit den Muskelfaſern ſo genau zuſammen, dafs fie fich nicht durch Maceration davon trennen, nehmen aber die Irritabilität der Muskeln, deren Decke fie find, nicht an.

Die Muskelfafern ziehen fich allmählich zurück und fehlen am Ende des Stumpfes ganz; daher die kegelförmige Geftalt deffelben. Sie verwachfen mit dem neugebildeten, dichten Zellgewebe zu einer Maffe, und durch diefes mit dem Ende des Knochens, nicht alfo unmittelbar mit dem Knochen felbft, den fie mittelft deffelben wie durch eine neue Sehne bewegen, gerade wie es bey der die Ueberrefte gewöhnlich begleitenden Bildung eines neuen Knochens der Fall ift.

Ich komme jetzt zur Unterfuchung der Phänomene der organifchen Reaction gegen äufsere oder innere Störungen, welche die einzelnen Organe an und für fich darbieten. Die verfchiedenen Organe deffelben Thieres varüren in diefer Hinficht unendlich, noch mehr aber die verfchiedenen Thiergefchlechter und Arten felbft. Während die niedern Thiere Verletzungen, die bey höhern abfolut lethal wären, lange überleben, und Verlufte ganzer Glieder und der zufammengefetzteften Organe, die dort nie erftattet werden, in kurzer Zeit vollkommen erfetzen, erftreckt fich bey den höhern Thieren das Regenerationsvermögen nur auf wenige Organe, die fich, was fehr merkwürdig ift, zu den übrigen, der Regeneration unfähigen Organen, in Hinficht auf ihre übrigen Eigenfchaften und das Maafs ihrer Vitalität, gerade fo wie die niedern Thiere zu den höhern verhalten. Doch find nicht die am wenigften vitalen Organe, die gefäfslofen, oder wenigftens der, rothes Blut führenden Gefäfse beraubten Knorpel und Sehnen die, deren Reproduktionsfähigkeit am höchsten gesteigert ist, wenn sie gleich auf der andern Seite als die zähesten, unvergänglichsten Theile, dennoch die niedrigsten Thiere treffend darstellen. Diese betrachte ich daher in der Reihe der Organe hier zuerst.

I. Knorpel.

Die Knorpel zeigen sich als schwer zerstörbare Organe schon durch ihr Verhalten gegen die mechanische und chemische Einwirkung des Blutes beym Aneurysma, indem in den meisten Fällen die Zwischenknorpel der Wirbel unverletzt bleiben, während die Wirbel fast ganz zerstört sind. Diess hat man [1]) aus der Gewöhnung der Knorpel an den Druck erklären wollen, allein die Fähigkeit derselben, diesen zu erregen und jenen Einwirkungen zu widerstehen, fliesst offenbar aus demselben Princip ihrer hohen Lebenstenacität. Auch nach Ford's, Murray's, Pearson's, Morand's Beobachtungen sind bey Geschwüren der Knochen, bey der Knochengeschwulst, Kochenerweichung, die Knorpel fast immer unverletzt.

Diese Phänomene bieten die Knorpel fast bey allen äussern Einwirkungen dar, sowohl beym Druck, wie ihr Verhalten in Aneurysma beweist, als bey einfachen mechanischen Continuitätstrennungen, bey Continuitätstrennungen mit Substanzverlust und bey Anwendung chemischer Schädlichkeiten.

Dörner [2]) machte einen Einschnitt in den Nasenflügel und die Nasenscheidewand ei-

---

1) Loder, Journal der Chirurgie.

2) De gravioribus quibusdam cartilaginum mutationibus. Tubingae 1798.

ner Katze, der die Länge eines halben Zolles hatte. Nach drey Tagen waren die Ränder durchaus nicht vereinigt. Auch am achten Tage waren sie nicht vereinigt, nur stumpfer, roth und durchsichtiger.

Neun und zwanzig Tage nach Durchschneidung des Ohrknorpels war die darüber befindliche Haut vernarbt, der Knorpel selbst aber nicht. Zwischen beyden Knorpelstücken fand sich dieselbe Substanz, welche die Hautnarbe bildete, der Knorpel selbst aber war durchaus nicht verändert und leicht an der Narbensubstanz trennbar.

Die Endknorpel der Gelenke verhielten sich auf dieselbe Weise.

Die Wunden der Rippenknorpel zeigen einige Verschiedenheit.

Ein und dreifsig Tage nach Durchschneidung des Knorpels der sechsten Rippe waren die beiden Enden des Knorpels fest durch eine zwischen ihnen befindliche, knorpel- und bandähnliche Masse, verwachsen. Bey genauerer Betrachtnng wurde diese Masse für das, besonders an beiden Enden des Schnittes stark verdickte, Perichondrium erkannt. Die Knorpelränder waren stumpfer und auf der Wundfläche befand sich eine rothe, dicke, nicht fest am Knorpel adhärirende Membran. Die Schnittfläche des Knorpels selbst war gesund und unverändert. Die Verschiedenheit zwischen dem Verhalten dieser und der zuerst erwähnten Knorpel ist daher blofs in der Gegenwart der Knorpelhaut an den Rippenknorpeln und dem Mangel derselben an den erstern begründet.

Eben so verhalten sich Wunden des Knorpels mit Substanzverlust.

Acht Tage nach Wegnahme eines Stückes des Ohrknorpels war der Knorpel durchaus nicht verändert, die Schnittflächen kaum etwas geröthet. Eben so hatte der Schildknorpel, auf dieselbe Weise behandelt, nach derselben Zeit noch das Ansehen eines frischverwundeten Theiles.

Nach 28 Tagen war die Wunde durch eine feste Membran, die weisse, beinahe sehnige Streifen enthielt, geschlossen, die sich aber leicht von den Rändern, die noch durchaus das Ansehn einer frischen Wunde hatten, abnehmen liess.

Da hier der Ersatz von der Knorpelhaut herrührte, so wurden dieselben Versuche auch an den Gelenkknorpeln gemacht. Nach 29 Tagen hatte die Wunde einer im Gelenkknorpel des Oberschenkels angebrachten Lücke noch das Ansehn eines frischverwundeten Theiles, die Lücke selbst war durch eine geringe Menge von Fleischwärzchen, die aus dem entblössten Knochen wuchsen, ausgefüllt.

Immer waren die nahen Theile entzündet, und oft zum Theil vereitert; beyde Veränderungen fehlten durchaus im Knorpel. Man wandte daher stärkere mechanische und chemische Reizmittel an, allein ein Stück Glas, das drey Tage lang im Kniegelenke einer Katze gelassen wurde, Arsenik, salpetersaures Silber, Salpetersäure veränderten kaum die Farbe des Knorpels, und auch diess ohne Geschwulst, also wahrscheinlich mehr chemisch, ohne einen vitalen Process einzuleiten, ungeachtet die umliegenden Theile zerstört und in einem Falle die heftigste Knochenentzündung dadurch erregt wurde. Nur das glühende Eisen tödtete den Knorpel an der unmittelbar berührten Stelle ab,

Die Luftröhrenknorpel allein scheinen eine grössere Fähigkeit zur organischen Reaction und daher auch eine grössere Neigung zur Vereinigung zu haben. Wenigstens fand Dörner [1]) bey Versuchen binnen einem Monate die zerschnittenen Knorpelenden einander sehr genähert uud durch eine feste Membran fast unbeweglich unter einander verbunden.

Bourienne [2]) sah eine in ihrer ganzen Länge zerschnittene Luftröhre wieder verwachsen. Diess kann durch die Knorpelhaut vermittelt werden; allein, wenn ein mehr oder weniger bedeutendes Stück des Knorpelringes weggenommen wird und doch die Verwachsung geschieht, so scheint daran der Knorpel selbst Antheil zu haben.

Wegen der geringen Vegetationskraft der Knorpel ist das Absägen der Enden künstlicher Gelenke, die nach Knochenbrüchen entstehen, oder die Zerstörung derselben durch ein starkes Aneinanderreiben derselben nothwendig.

Allmählich abgeriebene Gelenkknorpel erzeugen sich gleichfalls nicht wieder. Bey Hinkenden fehlt häufig der Knorpel der Pfanne und des Oberschenkelkopfes. Doch bildet sich an den Enden falscher Gelenke und in dem neuen Gelenke für den verrenkten Kopf eines Knochens Knorpel; allein diess scheint bloss eine Hemmung der Verknöcherung auf der Knorpelstufe zu seyn.

Ihres geringen Grades der Lebensenergie ungeachtet sind die Knorpel sowohl im Gefolge mechanischer als chemischer Einwirkungen

---

1) A. a. O. S. 21. f.

2) Journ. de médéc. T. XLI.

mehrerer Veränderungen fähig, wenn ſie zunächſt durch dieſelben in Zellgewebe umgewandelt werden. So findet man ſie erweicht, verhärtet, geſchwunden, beſonders die Knorpel der Gelenkenden ganz fehlend. Dann ſind ſie auch, wie jedes andre Organ, der Entzündung und der Fleiſchwarzenbildung fähig. Eigens von Dörner angeſtellte Verſuche beweiſen, daſs der Knorpel nicht immer abſtirbt, wenn er entblöſst wird, ſondern ſich erſt in Zellgewebe verwandelt, aus welchem ſich dann Fleiſchwarzen entwickeln, daſs dieſe Fleiſchwarzen und der daraus entſtehende Erſatz langſamer als die Produkte entblöſsten Knochen hervorwachſen, daſs aber jene dicker ſind, und der darunter befindliche Knochen ſeine glatte Oberfläche behält. Doch ſtirbt der Knorpel häufig, beſonders der Berührung der äuſsern Luft ausgeſetzt, an der Oberfläche ab, wird hier erſt bräunlich, dann ſchwarz. Darauf exfoliirt ſich das abgeſtorbene Blatt, und wird bisweilen durch, aus den Knorpel ſelbſt hervorſproſſende Fleiſchwarzen erſetzt. Die Exfoliation des Knorpels geſchieht ungefähr in derſelben Zeit als die des Knochens.

II. Knochen.

Die Knochen haben eine weit gröſsere Empfänglichkeit durch äuſsere und innere Einwirkungen afficirt zu werden, als die Knorpel, und übertreffen ſie und alle übrigen Organe durch den hohen Grad ihrer Reproductionsfähigkeit.

Dieſe ſpricht ſich ſowohl in der Callusbildung, als der Bildung neuer Gelenke verrenkter Knochen und der vollſtändigen Reproduction neuer Knochen an.

der Stelle alter, aus irgend einer Urſache zerſtörter, aus.

Das Weſen dieſer Proceſſe iſt im Allgemeinen durchaus daſſelbe: es entſteht eine Subſtanz, die, ſie mag nun zwey getrennte Knochenſtücke vereinigen, oder einen alten, völlig verloren gegangenen Knochen erſetzen, in ihrer Entwickelung dieſelben Perioden durchläuft, welche die Geſchichte des normalen Knochens bezeichnen, und, wenn ſie den höchſten Grad von Vollkommenheit, deſſen ſie fähig iſt, erreicht hat, dieſem im Weſentlichen vollkommen ähnlich iſt.

Man kann daher die Callusbildung und die Bildung neuer Knochen an der Stelle abgeſtorbener, oder aus einer andern Urſache verloren gegangener zuerſt unter allgemeine Geſichtspunkte bringen und zugleich betrachten, die Beſonderheiten dagegen, welche einem jeden dieſer Proceſſe eigenthümlich zukommen, zuletzt unterſuchen. Dieſs iſt um ſo zweckmäſsiger, da die Wegnahme eines beträchtlichen Knochenſtückes zwiſchen den zwey Hälften eines gebrochenen Knochens einen ſehr zweckmäſsigen Uebergang von dem einfachen Knochenbruche zu der gänzlichen Zerſtörung eines Knochens macht.

Die Subſtanz, aus welcher ſich der neue Knochen bildet, die Veränderungen, welche er erleidet, ſein Verhältniſs zu der Beinhaut, die Bedingungen, welche ſein Entſtehen begünſtigen oder verzögern, ſind es hauptſächlich, welche Aufmerkſamkeit verdienen.

Die erſte Erſcheinung, welche ſich nach einem Knochenbruche darbietet, iſt ein blutiges Extravaſat, das ſich mehr oder weniger durch das ganze Glied erſtreckt und die Muskeln und den Bruch bedeckt, wegen ſeiner anfänglichen Flüſſigkeit nicht immer dieſelbe Geſtalt hat; immer aber feſt an den Bruchenden hängt. Auf dieſe Blutſchicht hat ſchon Heide [1]) aufmerkſam gemacht und gewiſs ſehr richtig geurtheilt, daſs ſie an der Bildung des Callus groſsen Antheil habe.

Auch Macdonald [2]) hat ſie auf dieſelbe Weiſe gewürdigt, und ihre Veränderungen genauer unterſucht. Dieſes Blut ſcheint vorzüglich aus der Markhöhle des Knochens und der Beinhaut, nicht aus den Gefäſsen der Knochenſubſtanz ſelbſt, zu kommen, indem man es nie auf den Rändern deſſelben ſelbſt bemerkt. Auch zwiſchen der Beinhaut und dem Knochen findet ſich Blut.

In den folgenden Tagen wird das geronnene Blut heller und feſter, zuerſt in der gröſsten Entfernung von den Bruchenden, und dem unter der Beinhaut befindlichen Theile deſſelben miſcht ſich eine gallertähnliche Flüſſigkeit bey. Dieſe dringt ſpäter aus der Markhöhle hervor, doch findet ſich oft noch lange zwiſchen den Bruchenden rothes Blut.

Man ſieht alſo, daſs, wie bei jeder Heilung, durch ſchnelle Vereinigung auch hier das ergoſſene Blut die Baſis der Vereinigung bildet. Der rothe Theil deſſelben wird abſorbirt und der übrig bleibende in Gallert verwandelt. Auſserdem ſcheinen auch die Gefäſse ſelbſt

1) Experimenta circa sanguinis missionem etc. accedunt ejusdem autoris observationes medicae. Amſtelod. 1686. Obſ. LV. p. 124.

2) Diſſ. inaug. de necrosi ac callo. Edinb. 1799 p. 78 ff. p. 94.

ſpäter, indem ſich ihr Ton umſtimmt, das unmittelbare Vereinigungs- und Erſatzmittel zu ergieſsen.

Die Beinhaut entzündet und verdickt ſich. In der unter ihr ergoſſenen Gallert erzeugen ſich die erſten Knochenpünktchen, immer an der vom Bruche am weiteſten entfernten Gegend, und immer mehr unmittelbar an der innern Fläche der Beinhaut, als an der äuſsern des Knochens. Der mittlere, zwiſchen den beiden Bruchenden befindliche Theil des Callus verknöchert zuletzt, und nicht eher, als bis ſich hier, wie es ſcheint, aus dem Zellgewebe der umliegenden Muskeln, neue Beinhaut gebildet hat, die anfänglich dick und locker iſt, mit dem hier befindlichen Callus ſehr eng zuſammenhängt, und erſt allmählig in einen lockern Zuſammenhang mit ihm tritt und dünner wird. Auch unter dieſer neuen Beinhaut entſtehen die Knochenkerne eher nach auſsen, als in der Mitte der Gallert.

Es ergiebt ſich hieraus, daſs die Verknöcherung des Callus mit der Bildung der Beinhaut in einer genauen Beziehung ſteht und daſs die letztere der erſteren vorangeht. Die entgegengeſetzten Reſultate der Beobachtungen über die Callusbildung laſſen ſich wahrſcheinlich aus dem Antheil, den die alte, nicht zerſtörte Beinhaut an der Callusbildung hat, erklären. Doch ſtehen hier ſo wenig als bey der urſprünglichen Knochenbildung, der Knochen und die Beinhaut inſofern in Beziehung mit einander, als ſich dieſe in den erſtern verwandelte, indem dieſs durch keine Beobachtung erwieſen und durch dieſelben Gründe, welche einem solchen Verhältniss bey der normalen Knochenbildung entgegenstehen, widerlegt wird.

Der neuentstehende Knochen durchläuft dieselben Perioden als der ursprüngliche. Zuerst erhärtet sich die gallertartige Substanz. Es scheint mir eine müssige Frage, ob der Callus vor seiner Verknöcherung wahrer Knorpel sey, oder jener Zustand sogleich auf die lederähnliche Beschaffenheit desselben folge? Bonn [1]) hat diese Frage besonders weitläuftig, aber, wie es mir scheint, ohne befriedigende Resultate untersucht, sich aber zuletzt für die Negative entschieden. Nach Dehtleef's [2]) und Haller's [3]) Untersuchungen ist der Callus in der That in einer spätern Periode wahrer Knorpel. Auch muss er es beynahe seyn, indem die Gallert sich verdickt, verhärtet und der Knorpel fast nur eine erhärtete Gallert ist.

In dem knorpelähnlichen Callus bilden sich Knochenkerne; allein nicht an einer, sondern an mehreren Stellen und nicht vorzugsweise in der Mitte, ja, wie ich schon bemerkte, nach Macdonald besonders von aussen nach innen. Diese Entstehung aus vielen einzelnen Knochenkernen ist nicht unmerkwürdig, weil auch die Zahl der normalen Knochen in dem Maasse zunimmt, als sie später entstehen.

---

1) Descriptio thesauri ossium morbosorum Heoriani. De callo. p. 162—167.

2) Dissert. inaug. exhibens ossium calli generationem. Goetting. 1753. besonders §. XIII.

3) Experim. de ossium formatione in Opp. minor. T. II. p. 460. und 478., wo die Dehtleefschen Versuche von Neuem abgedruckt und gegen Duhamel und Fougeroux angewandt sind.

Der Callus ist, nachdem er sich ganz verknöchert hat, anfänglich lockerer, poröser als der normale Knochen, genau wie alle jüngere Knochen lockerer als ältere sind. In demselben Maasse ist er auch anfangs gefässreicher. Doch wird er gewöhnlich später härter, fester und weniger gefässreich, als der alte Knochen. Aus dem ersten Grunde, sagt man, bricht ein Knochen, der schon einmal gebrochen war, selten an der ersten Stelle. Doch hat diese Erscheinung vielleicht in der That einen andern Grund. Die gebrochnen Knochenenden nämlich werden gewöhnlich, wenigstens bei normalem Hergang der Callusbildung, nicht bloss von aussen, durch den Callus, der sich, wenn der gebrochene Knochen krank ist, nur wie eine Scheide um sie legt, auch nicht durch eine zwischen ihren Rändern gebildete Substanz, sondern in ihrer ganzen Dicke mit einander verschmolzen, und die Markhöhle erst durch Knorpel, dann durch Knochen hier völlig verschlossen, der Knochen also ganz solide.

Die geringere Gefässmenge des reifen Callus scheint mit dem Umstande, dass er eine spätere Bildung ist, in einem genauen Zusammenhange zu stehen, und sich an das frühere Aufhören des vollkommnen Lebens solcher Organe, die später als die übrigen hervortreten, in einer genauen Beziehung zu stehen. Wahrscheinlich aus diesen Gründen wird daher die durch den Callus bewirkte Verbindung zweyer Knochenhälften bey allgemeinen Krankheiten, deren Wesen Schwäche ist, so leicht aufgehoben.

Doch ist dieses Phänomen wahrscheinlich auch in einer andern Bedingung des Callus, nämlich in der im Allgemeinen möglichst sparsamen Erzeugung desselben, begründet.

Bis auf Pott lehrte man zwar, daſs der Stoff des Callus, ein immer zur Vereinigung gebrochener Knochen bereit liegender Stoff, wenn er nicht eingeschränkt und kunstmäſsig geleitet würde, in solcher Menge flieſse, daſs daraus nothwendig üble Folgen und Verunstaltungen entstehen müſsten. Pott [1]) that zuerst das Unrichtige dieser Meinung dar, indem er bewies, daſs die Ungestaltheit des Callus nicht von der Menge des ergossenen Saftes, sondern von der Beschaffenheit des Bruches, dem Uebereinanderliegen der beiden Knochenenden, dem Mangel einer gehörigen Reduction, und Anpassung der beiden Enden herrühre.

Sömmerring [2]) und Creve [3]) fügten diesen Gründen neue hinzu. Der erstere fand unter 349 Knochenbrüchen nicht einen, der die Wucherung des Callus bestätigt hätte, und wandte gegen die entgegengesetzte Meinung ein: 1) daſs bey jeder Heilung eines Knochenbruches so wenig Wucherung des Callus erfolge, daſs vielmehr von den Knochenenden immer Theile weggenommen werden, indem man sie erweicht und abgerundet finde; 2) daſs gebrochene Rippen, wo kein Binden u. s. w. zur Verhütung der Calluswucherung angewendet wurde, ohne Ueberfluſs von Callus heilen. Dieſs ist so richtig, daſs gebro-

1) Chirurgical Works, London 1779 part. I. pag. 407 ff.

2) Ueber Verrenk. u. Bruch des Ruckgr. Berl. 1793. S. 29. ff.

3) Krankh. des weiblichen Beckens. Berl. 1795. S. 111. ff.

chene Rippen sogar wegen ihrer beständigen Bewegung beim Athmen häufig nie alle Perioden der Callusbildung durchlaufen; 3) die entfernten Enden gebrochner Knochen durch Callus ohne Wucherung heilen.

Greve bemerkt noch sehr richtig, dass in allen Fällen, wo man eine Wucherung des Callus vermuthet habe, die Beschaffenheit der Bruchstellen von der Menge der durch sparsamen Callus vereinigten, zersplitterten Knochenstücken veranlasst worden sey. Diess ist so wahr, dass, wie mehrere von Sandifort und Bonn beschriebene und abgebildete Fälle, denen sich ähnliche, die ich vor mir habe, anschliessen, beweisen, bey Splitterbrüchen zwey selbst weit entfernte Splitter mit dem Knochen und unter einander vereinigt werden, aber dennoch häufig viele und bedeutende Lücken übrig bleiben, indem die Vereinigung nichts weniger als an allen Punkten geschieht.

Ist der Bruch einfach, und werden die Bruchenden einander gerade gegenüber gebracht und möglichst genähert, so findet man nur eine kaum merkliche Narbe und die Menge des Callus immer gerade nur im direkten Verhältniss mit der Entfernung der Bruchenden und der Zahl der zu vereinigenden Stücke.

Diese Sparsamkeit der Bildung des Callus erklärt also wahrscheinlich, in Verbindung mit der oben bemerkten geringeren Lebensenergie desselben, die grosse Leichtigkeit seiner Zerstörung, indem in jenen Krankheiten die Knochen überhaupt lockerer und brüchiger gefunden werden.

Uebrigens macht die Subſtanz des Callus mit der Subſtanz des Knochens, deſſen getrennte Hälften ſie verbindet, ein genau zuſammenhängendes Ganzes aus, wie durch intereſſante, von Marrigues [1]) angeſtellte, Verſuche beſtätigt wird. Er legte Knochen mit alten geheilten Knochenbrüchen in Salpeterſäure und fand jedesmal, daſs zwar der Callus durch Ausſcheidung der phosphorſauren Kalkerde eben ſo biegſam als der übrige Knochen wurde, die gallertige Baſis aber immer in eins fortlief.

Der Callus erzeugt ſich nicht nur, wenn die Bruchenden in eine nahe Berührung gebracht werden, ſondern bildet ſich, auch wenn ſie in einer weiten Entfernung von einander gehalten werden, eben ſo vollkommen aus.

Dieſs beweiſt theils die Heilung der Splitterbrüche, theils die Heilung ſolcher Brüche, wo die Knochenenden ohne dieſe Zuſammenſetzung einander nicht genähert wurden.

Calliſen [2]) zerbrach das Schienbein einer Henne und zog die beyden Hälften deſſelben ſo auseinander, oder bog das Glied dergeſtalt, daſs zwiſchen beyden eine anſehnliche Lücke entſtand. In dieſer Lage erhielt er es und fand nach einiger Zeit die beyden Knochenenden durch einen ungeheuren Callus vereinigt.

Macdonald [3]) nahm aus dem Unterſchenkelbeine einer Henne ein ſechs Linien langes Stück weg und fand nach zehn Tagen beyde Knochenſtücke durch Callus vereinigt.

---

1) A. Bonn's und A. Marrigues Abh. über den Callus. Leipz. 1786. pag. 138. ff.

2) De variis formationis calli impedimentis in collect. ſoc. Hafn. Vol. II. p. 189. 190.

3) A. a. O. S. 91.

Diese Vereinigung findet auch zwischen zwey und mehreren verschiedenen Knochen Statt, wenn entweder ihre wunden Oberflächen, wie beim Knochenbruche die Bruchenden beyder Knochenhälften mit einander, in Berührung gebracht werden, oder die gerinnbare Lymphe sich zwischen zwey neben einander liegenden Knochen ergiesst und zu Knochen ausbildet. So verwachsen das Schien- und Wadenbein an den Bruchenden häufig mit einander. Diese Vereinigung tritt auch dann ein, wenn beyde Knochenenden durch die Amputation entblösst wurden. Ist bey einem Bruche zugleich die Gelenkkapsel zerrissen, so dringt das ergossene Blut und die gerinnende Lymphe auch hieher, und diese sowohl als die von der entzündeten Capsel abgesonderte Flüssigkeit bildet sich in Knochen um, der die beyden Knochen vereinigt und dadurch eine Ankylose bewirckt.

Die Möglichkeit, zwey verschiedne, mit ihren wunden Flächen einander genäherte Knochen zu vereinigen, ist besonders durch Parks [1]) Versuche bestätigt.

Noch merkwürdiger als die Phänomene der Callusbildung sind die, welche die Nekrose oder das Absterben der Knochen zu begleiten pflegen, indem sich unter dieser Bedingung, nur wenig Knochen ausgenommen, völlig neue Knochen an die Stelle der alten abgestossenen erzeugen.

Stirbt ein Knochen aus irgend einer Ursache ab, so entzündet sich die Beinhaut, schwillt mehr oder weniger heftig an, und im Umfange des abgestorbenen Knochens wird gerinnbare

1) New method of treating diseases of the joints etc. London 1783. So auch mein Handb. der Anat. Bd. 1. S. 411.

Lymphe abgesondert, die sich verdickt, zu Knorpel verhärtet und zu einem neuen Knochen ausbildet.

Troja, Blumenbach, Köler und Macdonald[1]) haben hierüber interessante Versuche angestellt.

Der neue Knochen bildet sich nach Blumenbach und Köler in der Substanz der Beinhaut. Der Grund zu dieser Annahme ist die Gegenwart einer Membran an der innern Fläche dieses Knochens. Diese halten beyde für das innere Blatt der Beinhaut. Auch Troja hat dieses Blatt beobachtet; allein er sagt ausdrücklich, es fehle anfänglich, oder sey mit der Gallert, die sich unterhalb der Beinhaut ergiesst und aus welcher sich der neue Knochen bildet, so ganz verschmolzen, dass es nicht von ihr getrennt werden könne. Macdonald fand es eben so wenig in der frühsten Periode der Bildung des neuen Knochens, wo im Gegentheil die ergossene Gallert so genau an der äussern Fläche des alten Knochens hängt, dass beyde nicht von einander getrennt werden können. Die Zartheit, Dünne, der Gefässreichthum dieses Blattes, unterscheiden es ausserdem eben so sehr von der Beinhaut, als sie es der Markmembran ähnlich machen, für die es daher unstreitig zu halten ist.

Der neue Knochen entsteht daher nicht in der alten Beinhaut, sondern zwischen ihr und dem alten Knochen. Anfänglich hängt die Gallert sehr genau mit dem alten Knochen und der entzündeten Beinhaut zusammen, aus

1) Trojin de novorum ossium etc. regeneratione Experimenta. L. Par. 1775. Blumenbach und Richters chir. Bibl. Bd. 6. 107. Köler de regenerat. ossium. Gott. 1786. Macdonald de necrosi et callo. Edinb. 1796.

welcher viele und anſehnliche Blutgefäſse in ſie übergehen. Nach Troja bleibt die Gallert, ſo lange ſie dünn und in geringer Menge vorhanden iſt, zum Theil auf der Oberfläche des alten Knochens ſitzen; wenn ſie ſich verdickt, geht ſie mit der Beinhaut ab; wird ſie aber hart, ſo bleibt ſie wieder in einem genauen Zuſammenhange mit dem alten Knochen und giebt ſich erſt dann ganz von ihm los, wenn ſie eine neue innere Membran erhalten hat, d. h. wenn die Markbildung ihren Anfang nimmt und der neue Knochen vollendet iſt.

Die Verknöcherung der ergoſſenen Gallert fängt, nach Troja [1]), immer auf der innern Seite an und erſtreckt ſich von da nach auſsen.

Erzeugt ſich der neue Knochen, nachdem die Veranlaſſung zum Abſterben des alten durch Wegnahme eines Theiles deſſelben, durch Zerſtörung ſeines Markes und die dadurch erfolgte heftige Entzündung des Knochens, gegeben worden war, ſo fängt, ſowohl nach Köler's als nach Macdonald's Beobachtungen, die Verknöcherung immer am untern Ende des neuen Knochens zuerſt an, wahrſcheinlich eine Folge der hier durch den Reiz der Operation am meiſten erhöhten Lebensthätigkeit.

Da die Epiphyſen beſonders in der Jugend, durchaus eigne Knochen ſind, ſo ſterben nicht ſie, ſondern bloſs der Körper des Knochens ab, ſie ſelbſt aber vereinigen ſich mit dem alten. Dieſs beſtätigen ſowohl die Beobachtungen von Troja, als von Blumenbach, Köler und Macdonald.

1) A. a. O. S. 54.

So wie beym Callus, geht aber die Verknöcherung nicht, wie bey der normalen Knochenbildung, sondern von mehrern Punkten zugleich aus.

Der neue Knochen unterscheidet sich von dem alten durch mehrere Bedingungen.

Er übertrifft ihn nicht an Länge, ist aber, da er sich um ihn bildet, dicker als er, und hat zugleich ein plumperes Ansehen, eine ungleichere Oberfläche.

Auch seine Structur unterscheidet sich von ihm, nach Macdonald, [1]) insofern, als seine Fasern Anfangs nicht der Länge, sondern der Dicke nach verlaufen und von seinem Umfange nach innen, wie Radien eines Kreises, zusammenstrahlen. Schon die Gallert des neuen Knochens bietet diese Beschaffenheit sehr deutlich dar. Später aber nehmen sie eine longitudinale Richtung an. Sehr merkwürdige Bedingungen, die mit andern pathologischen Erscheinungen auf eine auffallende Weise zusammenzuhängen scheinen. Wenigstens habe ich mehrmals bey unregelmäſsigen, unvollkommenen Knochenauswüchsen die brüchigen Knochenfasern senkrecht auf der Oberfläche des alten Knochens gefunden, und es scheint daher, als sey der neue Knochen Anfangs gewissermaſsen eine Auflockerung des alten, die erst später eine eigne Existenz und mit dieser die Structur eines eignen Knochens bekommt. In der That wird der Tod des alten Knochens nicht zur Erzeugung des neuen Knochens erfordert. Die Injection zeigte deutliche Gefäſse in dem alten, eingeschlossenen Knochen, ungeachtet sich der neue schon um ihn gebildet

1) S. 69.

hatte [1]), und der neue Knochen wird gebildet und vollkommen fest, ehe der alte losgestoſsen wird [2]).

Bey weitem in den meisten Fällen bildet sich der neue Knochen um den alten; doch sah Troja [3]) einigemal auch einen neuen Knochen innerhalb des alten entstehen, wenn dieser von Muskeln entblöſst und der Luft der Zutritt in die Markhöhle verschlossen wurde. Dieser neue Knochen war weiſser, dicker und fester als der äuſsere, der um den obern Theil des alten Knochens, wo die Muskeln nicht weggenommen wurden, entstand.

Die Muskeln bleiben eine Zeitlang mit dem alten Knochen in Verbindung und treten durch Oeffnungen, die sich im neuen befinden, zu ihm, trennen sich aber von ihm allmählich in dem Maaſse, als er abstirbt und der neue sich vervollständigt, an dessen äuſserer Fläche sie sich einsenken.

Der alte Knochen stirbt ab in dem Maaſse, als der neue sich bildet, und erscheint marklos, saftlos, zerbrechlich, an beiden Enden gewissermaſsen zernagt, weil die Wirkung der Lymphgefäſse an der Trennungsfläche nicht überall gleichmäſsig ist.

Nicht immer stirbt übrigens der Knochen in seiner ganzen Länge, oft theilweise, oft an verschiedenen Stellen ab, und der neue bildet sich zwischen den alten, gesundbleibenden Knochenstrecken an, mit denen er ein Ganzes bildet, das aber durch Zwischenwände ab-

1) Macdonald S. 66.
2) Russell, on necrosis. Edinburgh. 1795.
3) p. 101—139.

abgetheilt wird. Die einzelnen abgeſtorbenen Knochenſtücke liegen in den verſchiedenen Abtheilungen.

Gewöhnlich finden ſich eine oder mehrere Oeffnungen in dem neuen Knochen, die offenbar mit der Herausbeförderung des alten abgeſtorbenen Knochens in Beziehung ſtehen. Troja [1]) nennt ſie groſse Oeffnungen, foramina grandia, Weidmann [2]) cloacae in Beziehung auf ihre Beſtimmung. Dieſe Oeffnungen finden ſich nicht bloſs in einem neuerzeugten Knochen, ſondern auch beym innern Knochengeſchwüre und Abſterben der innern Knochenſubſtanz, wovon ich mich mehrmals überzeugt habe. Sie ſind mit glatten abgerundeten Rändern verſehen und die Markhaut communicirt durch ſie mit der Beinhaut, doch nicht mit dieſer allein, ſondern ſpäter durch eine ſchleimige Haut mit den äuſsern Bedeckungen. Sie ſcheinen daher ein Product der Einwirkung des in der Höhle des Knochens enthaltenen Eiters und des abgeſtorbenen Knochens zu ſeyn. Indeſs ſind ſie nach Troja ſchon bei der erſten Bildung des neuen Knochens angedeutet, indem ſich an mehreren Stellen deſſelben anſehnliche, von den Durchgangsöffnungen für die ernährenden Gefäſse verſchiedene Oeffnungen finden, die durch die Markhaut und Beinhaut verſchloſſen und mit einer weiſsbräunlichen, ſaftloſen Subſtanz angefüllt ſind. Dieſe Stellen bemerkte man ſchon um die ſechs und dreyſsigſte, noch weit deutlicher aber um die zwey und vierzigſte Stunde [3]), wo die neue

---

1) S. 28.
2) De necrosi ossium. Francof. 1793.
3) Troja S. 45. f.

Knochensubstanz kaum halb so fest als Knorpel ist. Sie scheinen daher ursprünglich zum Wesen des neugebildeten Knochens zu gehören, unterscheiden sich von den analogen Oeffnungen in einem alten, in seinem Innern zerstörten Knochen im Wesentlichen durchaus nicht, indem beyde durch Mangel an Ernährung an bestimmten Stellen entstehen. Auch ist ihre Bestimmung durchaus dieselbe. Indessen sind jene Oeffnungen in den neuen Knochen wegen ihres frühern Entstehens ausserordentlich merkwürdig, indem sie offenbar eher vorhanden sind, als der alte Knochen herausbefördert zu werden braucht, ja darf, ohne der vollständigen Entwicklung des neuen, dem er als Stütze und Vorbild dient, zu schaden. Die Zweckmäſsigkeit spricht sich also auch in diesen neuen Organen aus und ist schon mit ihrer ersten Bildung verflochten, ja ihre Form ist nach den Umständen auf eine merkwürdige Weise modificirt. Die Nothwendigkeit der Entstehung dieser zweckmäſsigen Oeffnungen aber ist wahrscheinlich in der schnellen Entwickelung des ganzen neuen Knochens begründet, welche Hemmung desselben an einer oder einigen Stellen bedingt.

Die Zahl dieser Oeffnungen ist übrigens nicht immer dieselbe. Weidmann [1]) sah nie mehr als fünf; gewöhnlich finden sich weniger. Beym Menschen sind sie selten weiter als drey bis vier Linien.

In den verschiedenen Perioden, welche die neue Knochensubstanz, sie erscheine nun als Callus oder als eigner Knochen, durch-

---

1) A. a. O. S. 35.

läuft, ist die Möglichkeit des Stehenbleibens derselben auf einer derselben und die Bildung regelwidriger oder künstlicher Gelenke begründet. Die beiden Knochenenden werden entweder durch die Wirkung der Lymphgefäße bloß abgestumpft, der niedrigste Grad, wo bloß eine Bedingung zur Heilung, die Wegnahme des Hinderlichen, Statt findet, oder sie werden zwar durch Knorpelsubstanz verbunden, allein der knöcherne Zustand tritt nicht ein. So untersuchte Alanson [1]) eine zerbrochene Schienbeinröhre, die nicht geheilt werden konnte, und fand jedes der beyden Bruchenden mit einer wahrhaft knorplichen Substanz bekleidet.

Bonn [2]) führt gleichfalls mehrere ähnliche Fälle an. Eine siebzigjährige Frau brach beyde Knochen des Vorderarms. Während sieben Monaten wurde keine Heilung zuwege gebracht, und es blieb ein bewegliches Gelenk. Nach dem Tode fand man die Enden der zerbrochenen Knochen vier Zoll weit von einander entfernt, und durch ein membranöses Band zusammengehalten. Die obern Enden waren stumpf, die untern nur sehr klein und zugespitzt. Es war so viel Knochensubstanz verloren gegangen, als die Entfernung beyder betrug, indem das Glied nur so lang als das andere war. Bey einem nicht geheilten Oberarmbruche einer andern alten Frau wurde die Verbindung gleichfalls durch eine bandartige Substanz bewirkt.

Diese Bedingungen treten im Allgemeinen 1) bey den Krankheiten, deren Wesen

1) Med. obs. and inquir. Vol. IV. p. 413.
2) Thes. l. c. p. 61, No. 184.

ein hoher Grad von Schwäche ist, im hohen Alter, ferner 2) da, wo die Lebensthätigkeit auf einen bestimmten Punkt concentrirt ist, so in der Schwangerschaft, endlich 3) bey mechanischen Hindernissen, also zu grosser Entfernung der gebrochenen Knochenstücke von einander, Eindringen fremder Theile zwischen beyde, ein. Beyde zuletzt erwähnte Hindernisse werden durch Mangel an Ruhe begünstigt.

Die erste und zweyte Bedingung treffen alle Knochen im Allgemeinen, die letzte aber besonders einen, die Kniescheibe.

Durch die heftige Gewalt der Strecker des Unterschenkels wird die obere Hälfte der gebrochenen Kniescheibe, deren Bruch gerade durch Anstrengung dieser Muskeln bey gebogenem Knie veranlasst wird, bisweilen bis über die Mitte des Oberschenkels hinaufgerissen [1]), während die untere, an dem Kniescheibenende befestigte Hälfte unverrückt in ihrer Lage bleibt. Die Annäherung der Bruchstücke gelingt nur äusserst selten in dem Grade, dass dadurch eine vollkommen knöcherne Vereinigung beyder bewirkt wird. Callisen fand in vierzig geheilten Kniescheibenbrüchen keinen wahren Callus. Häufig sind die beyden Hälften drey bis vier Zoll weit von einander entfernt [2]). Sheldon bildet sogar einen Fall ab, wo die Entfernung beyder $4\frac{1}{2}$ Zoll beträgt.

Wird der Bruch der Natur überlassen, so sind die Bruchenden abgerundet, aber dünner

---

1) Callisen Annotat. circa callum ossium continuatio in Act. soc. Hafn. T. I. No. 26. p. 310.

2) Sheldon of the fracture of the patella. London 1789. p. 38.

als der übrige Knochen. Da, wo die Entfernung etwa 1½ Zoll beträgt, findet man die Lücken mit dichtem Zellgewebe angefüllt, das mit dem Kapselbande zusammenhängt; allein auch da, wo beyde Hälften einander berühren, findet man fast immer eine Knorpelplatte zwischen ihnen, und die Verbindung durch eine Vernarbung der Bänder bewerkstelligt, nach deren Trennung die beyden Hälften mehr oder weniger leicht von einander weichen.

Callisen hält es daher [1]) für eine allgemeine Regel, dass die Kniescheibenbrüche nie durch wahren Callus heilen, und findet den Grund davon in dem Eindringen des Kapselbandes und der zelligdrüsigen Masse zwischen den beyden Bruchstücken, welche bey der ausgestreckten Lage des Schenkels nothwendig erfolgen muss.

Dass hierin, und zugleich in der heftigen Wirkung der Strecker des Unterschenkels in der That der Grund enthalten ist, beweist die Möglichkeit der Vollendung des Callus durch die Sheldonsche Methode, wobey der Stamm gegen den Oberschenkel und dieser gegen den Unterschenkel gebogen wird.

In der That fanden Sheldon [2]) und Camper [3]) die einander vollkommen genäherten Hälften der zerbrochenen Kniescheibe durch wahren, völlig knöchernen Callus verbunden. Sheldon bildet einige Fälle ab, welche diess beweisen. Doch sah Camper die Hei-

1) A. a. O. S. 312.
2) A. a. O. S. 38.
3) Ebendas. S. Explanat. of figur. No. 4.

Heilung des Kniescheibenbruches durch Knochencallus nur zweymal.

Ueber den Einfluss der Schwangerschaft auf die Callusbildung haben Fabriz von Hilden [1]), Hertod [2]), Schurig [3]), Alanson [4]) interessante Beobachtungen. Alle kommen darin überein, dass erst nach beendigter Schwangerschaft der Callus gebildet wurde. Im Alanson'schen Falle geschah der Bruch des Schienbeins schon im zweyten Monate der Schwangerschaft und wurde neun Wochen nach der Niederkunft geheilt, ungeachtet vorher alle Mittel vergeblich angewandt worden waren. In dem einen Hilden'schen Falle wurde auch durch das Säugen die Callusbildung bedeutend verzögert. In den übrigen Fällen finde ich nicht erwähnt, ob die schnellere Heilung nach der Niederkunft vielleicht in dem Nichtsäugen begründet war. Merkwürdig ist der Schurig'sche Fall, weil der Splitterbruch Veranlassung zu einer vicariirenden Milchabsonderung am Unterschenkel wurde.

Doch hindert die Schwangerschaft die Heilung der Brüche nicht durchaus. Franke [5]) sah einen Rippen- und Schienbeinbruch binnen drey Monaten heilen, ungeachtet die Kranke sich, als sie ihn erlitt, im sechsten Schwangerschaftsmonate befand.

Sachs [6]) will sogar einen Kniescheibenbruch, der im fünften Schwangerschaftsmonat

1) Obs. chir. cent. V. obs. 87. und Cent. VI. obs. 68.
2) Eph. n. c. dec. I. a. 1. obs. 25.
3) Syllepsilogia 1731. pag. 517.
4) Med. obs. and. inq. Vol. IV. no. 37. pag. 410.
5) Eph. n. c. dec. II. a. III. obs. 203.
6) Eph. n. c. dec. I. a. I. obs. 28. in scholio.

erfolgte, binnen ſechs Wochen geheilt haben. Doch bemerkt er, daſs die Frau nur mit Beſchwerde ging. Der Fall beweiſt alſo nichts, indem der Bruch wahrſcheinlich eben ſo unvollſtändig als gewöhnlich geheilt war.

Uebrigens bemerkt Alanſon [1] auf der andern Seite mit Recht, daſs mehrere der Fälle, welche zur Feſtſtellung der Meinung, daſs Brüche während der Schwangerſchaft nicht heilen, angeführt werden, nichts beweiſen, indem ſie von einer Beſchaffenheit ſind, die auch ohne Schwangerſchaft die Heilung ſehr erſchwert, während die Erfahrung darthut, daſs die Heilung einfacher Brüche in der Schwangerſchaft nicht ſelten iſt.

Die hohe Reproductionsfähigkeit ſcheint ſich nicht bloſs auf die gewöhnlichen Knochen, ſondern auch auf die Zähne zu erſtrecken.

Gewöhnlich ſieht man [2] zwar die Heilung der Brüche dieſer Organe wegen der Entblöſsung der in ihrer Höhle enthaltenen Theile für unmöglich an; doch hat Duval [3] die entgegengeſetzte Meinung ſehr unwahrſcheinlich gemacht. Er ſah bey Chauſſier einen Fall eines geheilten Zahnwurzelbruches. Auch Daubenton beſchreibt den Zahn eines Nilpferdes, an dem ſich ein deutlicher Callus befindet, und Duval ſelbſt beſitzt einen gebrochen geweſenen und geheilten Zahn deſſelben Thieres. Es iſt der untere Eckzahn der rechten Seite, der einen Zoll vier Linien Länge und einen Umfang von 5½ Zollen beſitzt. An der Wurzel befin-

---

1) A. a. O. S. 414.

2) Z. B. Euſtachi, Hemard, Fauchard, Bourdet, Lecourtois, Ruſpini, Beſdmore, Plank u. m. a.

3) Sur la conſolidation des fractures des dents. In Sédillot rec. périod. T. XIII. p. 275.

det ſich eine Spalte, die durch zwey Drittheile ihrer ganzen Länge verläuft, überall vier Linien breit und tief, und unten durch Annäherung der Falten der in Knochen verwandelten innern Membran des Zahnes verſchloſſen iſt. In ihr befinden ſich gegen die Wurzel zwey Höcker, von denen der eine acht Linien lang und vier dick, der andere zwey Zoll lang und einen breit, beyde mit Schmelz bedeckt ſind. Der Zahn zeigt, von der Oeffnung der Wurzel aus betrachtet, Stellen eines Erguſſes von Knochenſaft, der ungleich iſt und Falten bildet, die der erwähnten Spalte entſprechen und mit der groſsen Protuberanz aufhören, durch welche die Zahnhöhle verſtopft wird.

Nach Duval trägt die Beinhaut des Zahnes wenig zur Bildung des Callus bey, indem die Entblöſsung der Wurzel von dieſer Beinhaut den Zahn nicht wie den Knochen in demſelben Falle tödtet, ſondern wahrſcheinlicher iſt das Organ der Verknöcherung die innere Membran des Zahnes. In dieſer Vorausſetzung nimmt er an, daſs nur Brüche in der Wurzel, nicht alſo der Krone des Zahnes heilen.

Die Zähne reproduciren ſich auch in den Fällen, wo die Kinnlade ganz oder zum Theil abſtarb und durch eine neue erſetzt wurde; in einem noch höhern Grade als gewöhnlich aber erſcheint die Regenerationsfähigkeit der Zähne in einem von Symmonds [1]) beſchriebenen Falle geſteigert. Einem vierjährigen Kinde ſtarb bald nach den Maſern ein anſehnlicher Theil des Ober- und Unterkiefers ab. Es wurde ein anſehnliches Stück beyder Knochen

1) Medic. obſ. and inquir. Vol. III. No. XX. p. 178. ff.

und zugleich fünf Zähne des Oberkiefers exfoliirt, und mehrere untere Zähne ausgeſtoſsen. Die Exfoliation des Stückes vom Oberkiefer geſchah in ſechs Wochen, die des Unterkiefers in vier Monaten, und ſogleich brachen oben zwey, unten drey kleine weiſse Zähne hervor, die mit Milchzähnen völlig übereinkamen. Einer von den letztern, und beyde neuen obern Zähne ſielen in kurzer Zeit von ſelbſt aus, und erſchienen bloſs als Schüppchen, wie beym Fötus; allein ſechs Wochen nachher brachen ſehr ſchnell hintereinander an der Stelle der beyden letztern zwey neue Zähne hervor, die feſt und vollkommen brauchbar wurden.

Auf eine äuſserſt merkwürdige Weiſe alſo, die in der That mit der Reproduction der Fiſchzähne Aehnlichkeit hat, erfolgte bey dieſem Kinde in kurzer Zeit, und ehe es ein Alter von vier Iahren erreicht hatte, ein doppelter Zahnwechſel.

Einigermaaſsen kommt damit auch der ſchon oben [1] von Ruſca angeführte Fall überein.

Mit der Reproduction der Knochen ſteht die Bildung neuer Gelenke bey Verrenkungen in einer nahen Beziehung, indem dabey zwar kein von einem alten, ſchon beſtehenden, abgeſonderter Knochen gebildet, allein auf eine analoge Weiſe die Geſtalt deſſelben durch Schwinden an einer, und durch Anſatz an einer andern Stelle abgeändert wird. Auſserdem werden auch andere Organe dabey mehr oder weniger neu gebildet. Es fragt ſich indeſs, in

---

1) Bd. 2. Abth. 1. S. 17.

welchem Umfange die neuen Bildungen hier geſchehen.

Das Kapſelband wird bey einigermaſsen bedeutenden Verrenkungen nach Hunter's [1]), Monro's [2]), Bonn's [3]) Beobachtungen und Verſuchen gewöhnlich nicht, ohne verletzt zu werden, ausgedehnt, ſondern ganz oder zum Theil zerriſſen, ſo daſs der Gelenkkopf des Knochens frey daliegt. Dieſer tritt zwiſchen den Knochen, mit dem er eingelenkt iſt, und die an demſelben und an ihm befeſtigten Muskeln. An der Stelle der zerriſſenen Kapſel entſteht keine neue, wahre, membranöſe und glatte Kapſel, ſondern es wird durch die Muskeln und das benachbarte Zellgewebe eine faſerige, ungleiche, rauhe gebildet, die durch die zuflieſsende Gelenkfeuchtigkeit ſchlüpfrig erhalten wird. Die Muskeln halten den Gelenkkopf beſtändig mit dem Knochen, mit welchem er eingelenkt war, in Berührung. Durch dieſen Druck wird in dem letzten an dieſer Stelle eine Vertiefung, die den Kopf aufnimmt, hervorgebracht, und der Gelenkknorpel des Gelenkkopfes ſowohl als die Rindenſubſtanz beyder zerſtört, der Gelenkkopf kleiner und ungleicher. Die neue Gelenkhöhle hat bald eine ungleiche Oberfläche, bald iſt ſie vertieft, überall umgränzt und bisweilen mit Knorpel bekleidet. Der Urſprung iſt wahrſcheinlich verſchieden. Zuweilen hängt die neue überknorpelte Gelenk-

---

1) Reflections on cutting the ſymphyſis of the pubis in a letter to Dr. Vaughan. p. 86.

2) Charles White on the reproduction of animal ſubſtances. In Mém. of the literary and philoſophical ſociety of Mancheſter. Vol. I. p. 330.

3) A. a. O. de callo p. 177. 178.

fläche mit der alten zusammen und in diesem Falle scheint sich der Gelenkknorpel nach der Stelle hin, an welche der Gelenkkopf rückte, verlängert zu haben. Im entgegengesezten Falle bildet er sich auf eine merkwürdige Weise für sich. Gewöhnlich tragen die Muskeln zur Bildung des Umfangs der Gelenkkapsel bey.

Nach Hunter bilden sich auch neue Gelenkdrüsen in dem neuen Gelenke, eine Bemerkung, die auch Morgagni an einem neuen Gelenke des Oberschenkels machte.

3. *Fibröse Organe.*

Insofern als bey der Bildung neuer Gelenke auch die fibrösen Bänder interessirt seyn können, schliesst sich an diese Betrachtung die Untersuchnng über das Verhalten der fibrösen Organe gegen äussere Einwirkungen im Allgemeinen und die Reproductionsfähigkeit derselben insbesondere. Die Beinhaut erzeugt sich gewöhnlich mit, oft vor der vollkommenen Entwickelung des neuen Knochens, er sey Callus oder eigener Knochen.

Die Sehnen scheinen nicht vollkommen regenerirt zu werden. Mohrenheim[1]) sah zwar in drey Fällen die zerschnittene Achillessehne durch gewöhnliche Fleischwarzen heilen, die vierzehn Tage nach der Verwundung aus den getrennten Flächen hervorwuchsen, und sich allmählich zu einem förmlichen Callus vereinigten, der in zwey von diesen Fällen unmerklich, in dem dritten durch grössere Dicke

1) Beob. versch. chir. Vorfälle. Bd. 2. Dessau 1783. S. 184.

zu fühlen war; allein weder Kleemann [1]), noch Murray [2]), fanden bey ihren Verſuchen Regeneration wahrer Sehnenſubſtanz, wenn dieſe verloren gegangen war. Kleemann fand an der Stelle eines, vier Linien langen, ausgeſchnittenen Stückes der Achillesſehne ſechs Wochen nach der Verletzung eine ungeſtaltete dickere Maſſe, die inwendig eine gröſsere Härte und eine bläuliche Farbe hatte. Nach auſsen hatte ſie weiſse, wahren Sehnen ähnlichere Streifen. Dieſelbe Subſtanz bildete ſich in eben dieſem Hunde zum zweytenmal wieder.

Auch Murray fand immer nur ein dichtes Zellgewebe, das nicht die glänzendweiſse Farbe der Sehnen hatte. Als er die breite Schenkelbinde verwundete, fand er die Hautwunde geſchloſſen, beyde Ränder der Wunde in der Binde nicht miteinander in Berührung, und die ſie verbindende Subſtanz deutlich von der ihrigen unterſchieden.

4. *Muskeln.*

Eben ſo wenig regenerirt ſich verloren gegangene Muskelſubſtanz vollkommen [3]). Anfänglich findet man an der Stelle derſelben eine breyige, weiche, zellulöſe Maſſe, nachher eine mehr feſte, bandähnliche, in der Mitte ſelbſt knorpliche Subſtanz, die nie Muskelfaſern enthält, immer aber die getrennten Faſern hinlänglich verbindet, um die Bewegung des Theiles möglich zu machen.

---

1) Quaedam circa reproductionem. Halae 1786.

2) De redintegr. part. c. h. Götting. 1787.

3) Murray a. a. O.

5. *Gefäſse.* [1]

Unmittelbar auf die Durchſchneidung einer Arterie erfolgt ein heftiger Blutfluſs aus derſelben, ſie zieht ſich ſchnell und ſtark in ihre Scheide zurück, und verengert ſich an der durchſchnittenen Stelle etwas. Das ausſtrömende Blut ergieſst ſich in das Zellgewebe, welches ſich zwiſchen der Arterie und ihrer Scheide beſindet, und dringt in dem Kanal der Arterienſcheide, welcher durch das Zurücktreten der Arterie gebildet worden iſt, entweder frey nach auſsen, oder in das umliegende Zellgewebe, je nachdem die äuſsere Wunde groſs oder klein iſt. Die Rauhigkeit der inneren Fläche der Arterienſcheide, und das zwiſchen ihr und der Arterie befindliche, durch die Zurückziehung der letztern gedehnte und zerriſſene Zellgewebe, begünſtigen die Bildung eines Blutpfropfes, der ſich, durch die Gerinnung des ausſtrömenden Blutes, allmählich bildet, und endlich den ganzen, durch die Scheide gebildeten, Kanal anfüllt.

Dieſer Blutpfropf, deſſen Entſtehung auch durch die vermehrte Gerinnbarkeit des Blutes, einer beſtändigen Folge der verminderten Thätigkeit des Arterienſyſtems, die wieder nothwendig an den mit der Arterienwunde verknüpften Blutverluſt geheftet iſt, begünſtigt wird, iſt alſo der erſte vollſtändige Widerſtand,

---

1) Jones treatiſe on the proceſs empl. by nature in ſuppreſſing the hemorrhage etc. London 1805. B. Travers obſerv. upon the ligature of arteries etc. in med. chir. transact. Vol. IV. p. 135. ff. Derſelbe obſervations on the ligature of arteries. Ebend. Vol. VI. p. 632. ff. W. Lawrence a new method of tying the arteries in aneurism. with. incidental remarks on ſome collateral points. Ebend. Vol. VI. p. 156—209.

der dem ausströmenden Blute entgegengesetzt wird, indem er die Mündung der zerschnittenen Arterie anfüllt.

Ausser diesem Blutpfropf bildet sich gewöhnlich, wenn nicht ein Seitenast sehr in der Nähe abgeht, in welchen das durch ihn zurückgehaltene Blut unmittelbar treten kann, innerhalb der Arterie selbst bald ein zweyter, indem das verweilende Blut gerinnt. Dieser ist dünn, kegelförmig, füllt nicht das ganze Rohr der Arterie an, hängt selbst nicht einmal an ihrer Wand an, nur einen kleinen Theil des Umfangs seiner Grundfläche, die sich nahe an der Mündung des Gefässes befindet, ausgenommen.

Seine Länge hängt von der Entfernung des ersten Seitenastes von der Stelle des Durchschnittes ab. Ist diese sehr unbedeutend, z. B. nicht über $\frac{1}{4}$ Zoll lang, so bildet er sich entweder gar nicht, oder ist äusserst unbedeutend, indem die in der Arterienmündung gebildete Lage von gerinnbarer Lymphe sich zu weit in das Rohr der Arterie erstreckt. Ursprünglich füllt zwar der innere Blutpfropf die Arterie nicht an, allein allmählich umfasst diese, indem sie sich zusammenzieht, ihn so genau, dass sie mit einander in Verbindung zu stehen scheinen. Man kann zwar den grössten Theil des Blutpropfes auch dann noch, wenigstens anfangs, von der Arterie trennen, allein sein äusserer Theil scheint auch dann schon an ihr hängen zu bleiben, indem ihre innere Fläche eine schwarze Farbe hat. Später scheinen beyde ganz miteinander zu verschmelzen, indem die Arterie, ehe sie geöffnet wird, sehr dunkel gefärbt erscheint, auch ihre innere Fläche eine schwarze Farbe angenommen hat, und der Blutpfropf ganz fehlt. Im Allgemeinen trägt der innere Blutpfropf nichts zur Sillung der Blutung und der Verschliessung der Arterie bey, da seine Bildung unbeständig ist, er das Rohr der Arterie nicht anfüllt, und wenigstens ihre Wände nicht berührt. Ist aber eine Arterie zerrissen, so ist auch ihre innere Haut an mehreren Stellen zerstört, der innere Blutpfropf wird durch die an diesen Stellen austretende gerinnbare Lymphe an die Arterienwände geheftet, und kann so zur Verhütung des Blutflusses dienen.

Beyde Blutpfröpfe sind von einander völlig verschieden, und können, wegen ihrer Lage, jener mit dem Namen des äufsern, dieser mit dem des innern belegt werden.

Zugleich entzündet sich die Arterie an der durchschnittenen Stelle, und es wird von den ernährenden Gefäfsen derselben gerinnbare Lymphe ausgeschwitzt, welche die Mündung der Arterie anfüllt, die Stelle zwischen dem innern und äufsern Blutpfropfe einnimmt, sich mit ihnen etwas vermischt, und ringsum mit der ganzen innern Haut der Arterie genau zusammenhängt.

Diefs ist das vorzüglichste, bleibende Mittel zur Stillung des Blutflusses; allein es wird durch die allmähliche Zusammenziehung der Arterie und die Ergiessung von Lymphe zwischen die Häute der Arterie und in das dieselbe umgebende Zellgewebe unterstützt. Dadurch werden alle diese Theile verdickt und so genau mit einander verschmolzen, dafs sie nicht von einander unterschieden werden können, das Rohr der Arterie also nicht allein ausgefüllt, sondern ihr Ende völlig vernichtet.

Alle angegebenen Bedingungen treten ſowohl an dem Theile der Arterie, welcher dem Herzen zugewandt iſt, als an dem von dieſem Organ entfernten ein, nur iſt die Mündung des letztern gewöhnlich ſtärker zuſammengezogen, und der äuſsere Blutpfropf weit kleiner.

Die Zurück-und Zuſammenziehung der Arterie, die Bildung eines Blutpfropfes an ihrer Mündung, die Entzündung und Verwachſung ihres Endes durch Ergieſsung von Lymphe in ihren Kanal, zwiſchen ihre Häute und das umgebende Zellgewebe, ſind alſo die Proceſſe, wodurch die Verſchlieſsung der durchſchnittenen Arterie bewirkt wird.

Allmählich zieht ſich, weil das Blut nicht weiter als bis zu der verwachſenen Mündung der Arterie gelangt, der zwiſchen dieſer und dem erſten Seitenaſte befindliche Theil des durchſchnittenen Gefäſses zuſammen, bis ſeine Höhle ganz verſchwindet, und die zuſammengefallenen Wände ein bandartiges Anſehen annehmen. In wenig Tagen wird auch der gröſsere Blutpfropf aufgeſogen. Daſſelbe gilt für die gerinnbare Lymphe, welche ihn umgab, und die im Umfange der Arterie befindlichen Theile verdickte, ſo daſs dieſe wieder mehr oder weniger ihren zelligen, lockern Bau annehmen.

Noch ſpäter erſcheint der zuſammengefallene Theil der Arterie bloſs als ein Faden, der ſich von dem umgebenden Zellgewebe nur durch beträchtliche Dicke und Feſtigkeit unterſcheidet, und es verſchwindet daher eigentlich der zwiſchen der durchſchnittenen Stelle und dem erſten Seitenaſte befindliche Theil zuletzt vollkommen.

Allein weit früher als alle diese Veränderungen Statt finden, erweitern sich mehrere Seitenäste beträchtlich, und stellen durch häufige Anastomosen die durch den Schnitt unterbrochne Gemeinschaft zwischen dem obern und untern Theile des Gefäßes wieder her. Vorzüglich erstreckt sich diese Erweiterung auf die kleinern Zweige, die sich nicht allein verhältnißmäßig weit stärker als die größern Gefäße erweitern, sondern zugleich auch länger werden, und daher einen gewundenen und geschlängelten Verlauf annehmen.

Durch diese Anastomosen geschieht der Kreislauf eben so vollständig, als vorher durch den Hauptstamm, indem der unterhalb derselben befindliche Theil des Hauptgefäßes, und seine Aeste eben so weit als auf der andern Seite sind.

Auf eine völlige Zerschneidung der Arterie erfolgt daher nicht allein Verschließung der dadurch entstandenen Oeffnung des Gefäßes, sondern allmählich völlige Obliteration desselben. Interessant ist es aber, zu untersuchen, ob diejenigen Wunden dieser Gefäße, welche nicht den ganzen Umfang derselben interessiren, gleichfalls nothwendig diese Verschließung bewirken, oder ob eine wahre Vernarbung derselben mit Offenerhaltung des Rohres der Arterie möglich ist?

Das Letztere ist in der That die frühere Meinung, und die Heilung der die falschen Aneurismen veranlassenden Arterienwunde durch Compression, durch die Hasenschartennath, so wie die Einbringung einer die Arterie offen erhaltenden Federspule wurden nur in dieser Absicht angewandt.

Doch fand man beynahe immer noch bey Anwendung dieſer Methoden die Arterie an der verwundeten Stelle obliterirt.

In der That aber beweiſen mehrere Verſuche und Beobachtungen, daſs wirklich die Heilung der Arterienwunde auf dem Wege der gewöhnlichen Vernarbung möglich iſt; ja, wenn die Wunde nicht anſehnlich iſt, ſo geſchieht die Vereinigung ſogar ſo vollſtändig, daſs die Narbe nach Verlauf einer Zwiſchenzeit weder an der innern noch äuſsern Fläche der Arterie erkannt werden kann. Vorzüglich gilt dieſs für Schnittwunden, die in longitudinaler Richtung angebracht werden, und für Stichwunden. Longitudinale Wunden veranlaſſen nur eine ſehr geringe, ja ſogar keine Entfernung der Wundränder. In einem von Deschamps beobachteten Falle behielt ſogar die Arterie ihren Puls und es erfolgte keine Blutung.

Drey von Jones verzeichnete Fälle beweiſen die Möglichkeit der Heilung kleiner, in groſsen Arterien angebrachter Wunden ohne Veranlaſſung regelwidriger Erſcheinungen, wenn nur die Verblutung durch Vereinigung der äuſsern Wundränder verhütet wird.

Bey einem Hunde durchſchnitt er die Theile bis zur Armarterie, und ſtach in dieſelbe, ohne ſie aus ihrer Lage zu verrücken. Die Wunde wurde möglichſt ſchnell zugenähet, das Thier verlor eine anſehnliche Menge Blut, dies ſtand aber zuletzt von ſelbſt. Einen Monat nach der Verwundung wurde das Thier getödtet, die Gefäſse injicirt, und die Arterien beyder Arme durchaus von derſelben Beſchaffenheit gefunden. Nur das Zellgewebe war an der verwundeten Stelle etwas fester und härter, mit Lymphe angefüllt, und enger mit der Arterie verbunden.

In einem andern Falle wurde die Schenkelpulsader durch einen schiefen Lanzettenstich verwundet. Nach zehn Minuten stand das Blut, nachdem sich ein ansehnlicher Pfropf gebildet hatte. Zwey Tage darauf war dieser schon sehr vermindert. Achtzehn Tage nachher wurde auch die Pulsader des andern Schenkels auf dieselbe Weise verwundet, und dreyzehn Tage darauf derselbe Versuch am ersten Schenkel wiederholt. Sechs Tage darauf wurde wieder die zweyte, und acht Tage später die erste Arterie zum zweytenmal verwundet. Sechs und dreyssig Tage nach der ersten Verwundung wurde das Thier getödtet. Die Injection drang aus der Aorta regelmässig durch beyde Schenkelarterien, die keine Spur einer Verletzung zeigten, eine genauere Verbindung zwischen ihnen und dem nahen Zellgewebe ausgenommen.

Selbst schiefe und quere Wunden, wenn sie die Arterien nicht über den vierten Theil ihres Umfangs öffnen, werden durch Ergiessung gerinnbarer Lymphe aus ihren Rändern geheilt, und veranlassen daher wenig oder gar keine Verengerung des Rohres der Arterie.

Der Process der Heilung ist im Wesentlichen derselbe, als bey Wunden, welche durch die ganze Arterie dringen. Das ausströmende Blut ergiesst sich zwischen die Arterie und ihre Scheide, einige Zoll ober- und unterhalb der Wunde, und kurz nach der Stillung des Blutflusses findet man eine Lage geronnenen Blutes zwischen beyden. Diese ist unmittelbar über der Wunde etwas dicker und ſtärker hervorragend als in ihrer übrigen Länge, übrigens aber überall von derſelben Beſchaffenheit. Doch iſt dieſe Lage geronnenen Blutes nur eine vorübergehende Schutzwehr, und völlig gehemmt wird der Blutfluſs nur durch Vernarbung oder Verſchlieſsung der Arterie. Die Bedingungen, unter welchen der erſtere Proceſs Statt findet, wurden ſchon ſo eben in die longitudinale Richtung und Kleinheit der Wunde geſetzt. Iſt die Wunde dagegen ſehr groſs, ſo iſt die Menge der, ſowohl aus den Wundrändern als den umgebenden Theilen ergoſſenen, und in die Arterien dringenden Lymphe ſo beträchtlich, daſs das Rohr der Arterie dadurch mehr oder weniger angefüllt und verengt wird. Beträgt die Wunde mehr als die Hälfte des Umfangs der Arterie, ſo wird durch die Zerrung, welche durch die ſtarke Zurückziehung der unvollkommen getrennten Arterienſtücke ausgeübt wird, der nicht zerſchnittene Theil überdieſs beſtändig ausgedehnt erhalten, und entweder bald zerriſſen, oder allmählig durch Exulceration zerſtört.

Wird die Wunde durch Vernarbung geheilt, ſo geſchieht dieſs gleichfalls durch ergoſſene Lymphe, die ſich rings um die Arterie, und vorzüglich über der Wunde anhäuft, wo ſie eine deutlichere Anſchwellung bildet.

Zugleich entzünden ſich auch die benachbarten Theile, und ergieſsen gleichfalls gerinnbare Lymphe, wodurch die ganze Oberfläche der Wunde bedeckt, und die Arterie von der äuſsern Wunde entfernt wird.

Unter vollkommen günſtigen Bedingungen wird die Wunde durch dieſe neue Bildung auf immer völlig verschlossen, im entgegengesetzten Falle aber wird die Narbe durch das andringende Blut entweder aufgerissen oder allmählich ausgedehnt. In beyden Fällen entsteht ein falsches Aneurysma. Die Größe der Wunde, mithin der Narbe, modificirt vielleicht die Entstehungsweise des letztern, indem eine kleinere Narbe eher ausgedehnt wird, eine größere eher zerreißt.

Uebrigens besitzt die Narbe der Arterie, auch wenn man sie deutlich von der Arterie selbst unterscheiden kann, eine ansehnliche Festigkeit.

Petit [1]) untersuchte die Armarterie eines Mannes, der zwey Monate nach vollkommner Heilung einer Wunde derselben gestorben war. Die Ränder derselben waren nicht mit einander verbunden, sondern das Blut war durch einen Pfropf, der die Oeffnung verschloss, und an ihrem ganzen Umfange hing, zurückgehalten worden. Durch zweymonatliche Einweichung, wobey aber das Wasser täglich zwey bis dreymal gewechselt wurde, verlor dieser Pfropf durchaus nichts von seiner Dichtigkeit und der Genauigkeit seiner Verbindung mit der Arterie, und bewährte sich daher als eine vollkommne Narbe.

Die Vernarbung sowohl als die völlige Verschliessung der Arterie erfolgt mittelst der angegebenen Processe sowohl ohne, als mit Einwirkung äusserer mechanischer Hülfsmittel, im letzten Falle bey weitem am sichersten, vorzüglich durch Anwendung der Unterbindung. Die Untersuchung der nächsten Folgen, welche

1) Mém. de Paris 1732. p. 31. ff.

che die Unterbindung ſowohl in dem Gefäſse als den umliegenden Theilen veranlaſst, verdient daher hier eine Stelle.

Schon Deſault bemerkte, daſs Unterbindung einer Arterie die Durchſchneidung der beyden innern Häute derſelben zur Folge hat, während die Zellhaut unverletzt bleibt. Dieſe Beobachtung wurde von Thomſon, und noch näher von Jones durch mehrere intereſſante Verſuche beſtätigt. Selbſt an Leichen ſieht man beſtändig die Unterbindung der Pulsader von dieſem Erfolge begleitet. Daher treten die zu der Verſchlieſsung der Arterie nothwendigen Veränderungen ein, wenn auch die Ligatur nur dünn iſt, und nur kurze Zeit liegen blieb. Dieſs ergiebt ſich aus einer Menge von Verſuchen von Jones. Er entblöſste einen anſehnlichen Theil der Karotis eines Hundes, und legte drey Ligaturen, eine dicht neben der andern, um dieſelbe, ſo daſs ſie ungefähr einen Viertheilszoll einnahmen. Sie wurden feſt genug angezogen, um die innern Arterienhäute zu durchſchneiden, und darauf ſogleich weggenommen, ohne die Arterie zu verletzen. Nach Wegnahme der Fäden ſah man ſehr deutlich, daſs der Kreislauf vollkommen regelmäſsig durch die Arterie geſchah, und von der Anlegung der Fäden nur eine leichte Vertiefung in der Haut der Arterie übrig geblieben war.

Drey Tage nachher ſtarb das Thier. Beym Durchſchneiden der Fäden in der Hautwunde fand man eine Menge dünnen Eiters in der Wunde, der ſich bis zur Arterie erſtreckte, die indeſs von einer dicken Lage gerinnbarer Lymphe bedeckt war, welche ſich einen Zoll ober- und unterhalb der Stelle erſtreckte, wo die Ligaturen gelegen hatten. Der Kanal der Arterie war ganz obliterirt und völlig mit Lymphe angefüllt, die nicht allein an den Wänden anhing, ſondern eine Maſſe mit ihnen zu bilden ſchien.

In einem andern Falle wurden an der Karotis eines Pferdes vier Ligaturen auf dieſelbe Weiſe angelegt, weggenommen, die freye Circulation durch das Gefäſs beobachtet, und nach drey Tagen gleichfalls daſſelbe an dieſer Stelle völlig durch einen an vier Orten mit Queereinſchnitten, welche den Ligaturen zu entſprechen ſchienen, verſehenen Pfropf gerinnbarer, mit der Wunde feſt verwachſener Lymphe verſchloſſen gefunden.

In zwey Fällen, wo nur eine Ligatur angelegt und ſogleich weggenommen wurde, fand er die Arterie am dritten Tage an der Stelle derſelben zwar nicht völlig verſchloſſen, aber ihren Durchmeſſer durch einen, in der Mitte mit einer Oeffnung verſehenen, von ſeinem Umfange bis gegen dieſe Oeffnung allmählich dünner werdenden Pfropf beträchtlich verengt.

In mehreren andern dagegen, wo an mehreren Arterien nur zwey Ligaturen auf die angegebene Weiſe angelegt wurden, war die Verſchlieſsung davon in ſechzehn Tagen nach Anlegung der erſten Ligatur durchaus vollkommen.

Aus dieſen Verſuchen könnte die Vermuthung entſtehen, daſs bloſse augenblickliche Anlegung der Ligatur zur Verwundung und darauf folgenden Vernarbung der Arterie hinreichend ſey, was wegen Vereinfachung der

Wunde höchst wünschenswerth seyn würde; [1]) indessen schlägt der Versuch äusserst häufig fehl. [2]) Dagegen ist es nicht nothwendig, dass die Ligatur so lange in der Wunde bleibt, bis sie von selbst in Folge der Zerstörung des von ihr umgebenen Theiles der Pulsader abfällt, indem spätere Versuche beweisen, dass, selbst wenn der Faden nur eine Stunde lang liegen bleibt, diese vollkommen erfolgt. [3]) Indessen ist dieser Zeitraum im Allgemeinen bey weitem nicht hinreichend, indem mehrmals mehrere Tage nach Anlegen der Ligatur, wenn diese nur eine Stunde gedauert hatte, keine Spur von Verschliessung gefunden wurde.[4]) Dagegen scheint die Verschliessung immer vollständig zu geschehen, wenn der Faden sechs Stunden liegt. [5]) Indessen erfolgt die Verschliessung der Arterie dennoch nicht völlig in dieser Zeit, indem, wenn die Ligatur nach sechsstündiger Anlage weggenommen wird, das Blut sogleich ausfliesst. [6]) Diess ist selbst der Fall, wenn die Ligatur erst sechs Stunden später, nachdem sie zwölf Stunden lang gelegen hatte, weggenommen wird. [7])

Später nachher kann sie dagegen meistens ohne Nachtheil weggenommen werden. Im Allgemeinen gilt, dass Druck, wodurch die

---

1) Jones a. a. O. p. 136.

2) Dalrymple bei Travers in med. ch. Transact. Vol. IV. S. 442. 443.

3) Travers a. a. O. S. 463.

4) Travers Vol. V. S. 634.

5) Travers a. a. O. S. 634.

6) Travers a. a. O. S. 637.

7) Travers a. a. O. S. 641.

Wände der Arterien in Berührung erhalten werden, die erste Wirkung des Fadens, die Verwundung, unterstützt, indem unter übrigens gleichen Umständen in derselben Zeit völlige Verschliessung desto früher entsteht, je länger der Faden anlag. Dauert diess nur sechs Stunden lang, so findet erst um die zwanzigste Stunde völlige Verschliessung Statt, dagegen kann der Faden, ohne dass Blutung entstünde, nach zwölfstündiger Anlage weggenommen werden.[1])

Aus den durchschnittenen Häuten der Arterie ergiesst sich Blut, und da sie sich entzünden, auch unmittelbar gerinnbare Lymphe, wodurch eine mehr oder weniger vollständige Verschliessung derselben bewirkt wird, je nachdem die Durchschneidung mehr oder weniger vollständig war, oder sich über eine grössere oder kleinere Strecke des Gefässes erstreckte. Zugleich aber ergiesst sich auch gerinnbare Lymphe zwischen die durchschnittenen Häute der Arterie, und auf der äussern Fläche derselben. Jene bekommen dadurch eine ansehnliche Dicke.

Diese Phänomene treten schon sehr früh nach Anlegung der Ligatur ein. Bey einem Hunde, an dessen Karotis zwey Ligaturen angebracht, und darauf das Gefäss zwischen beyden zerschnitten worden war, fand Jones[2]) eine dichte Lage gerinnbarer Lymphe an der äussern Fläche der Arterie, die Enden der letztern verdickt und zugleich erweicht.

---

1) Travers a. a. O. S. 641.

2) A. a. O. S. 139.

Vier und zwanzig Stunden nach derselben Operation an der Armarterie eines andern Hundes hingen die durchschnittenen Wände der Arterie schon genau zusammen. [1])

Die Verdickuug der Arterienhäute beschränkt sich nicht bloss auf die Stelle der Wunde, sondern erstreckt sich mehr oder weniger weit. So fand sie Jones bey einem Hunde vier Tage nach der Operation $\frac{1}{3}$ Zoll weit sehr ansehnlich verdickt. [2])

Diese Phänomene treten gleichmässig ein, die Arterie mag zwischen zwey Ligaturen zerschnitten, oder das zwischen zwey Ligaturen begriffne Stück derselben unverletzt gelassen, oder es mag nur eine Ligatur an einer übrigens unverletzten Arterie angebracht werden.

Im ersten und zweyten Falle verschwinden allmählich aus Mangel an Ernährung sowohl die beyden über die Ligaturen hinausragenden Stücke der Arterie, als das ungetrennte, zwischen ihnen befindliche Stück, ohne dass dadurch der Verlauf des durch die Unterbindung eingeleiteten Processes auf irgend eine Weise abgeändert würde.

Schon acht Tage nach Anlegung von zwey Ligaturen, die ungefähr einen Zoll weit von einander entfernt waren, an die Karotis eines Hundes, aber ohne Durchschneidung des Gefässes zwischen ihnen, fand Jones [3]) keine Spur von dem letztern mehr, und beyde Enden der Arterie blind geendigt.

---

1) Ebendas. S. 140.

2) Ebendas. S. 145.

3) Ebendas. S. 145.

Wird nur ein Faden angelegt, ſo zieht ſich zwar die Arterie auch zuſammen, und ihre Höhle wird vollkommen obliterirt; allein das völlige Verſchwinden des verſchloſſenen Stückes ſcheint ſpäter zu erfolgen. Wenigſtens fand Jones [1]) noch am zwölften Tage nach Anlegung eines einfachen Fadens an die Karotis eines Hundes die Höhle der Arterie zwar an dieſer Stelle obliterirt, und dieſe gegen dieſelbe zuſammengezogen, allein doch die verſchloſsne Stelle eine Linie dick.

Drey und dreyſsig Tage nach einer auf dieſelbe Weiſe vorgenommenen Unterbindung der Schulterarterie fand er dieſe zwar einige Zoll weit verſchloſſen, aber noch einem dünnen Nervenfaden ähnlich. [1]) Daſſelbe fand er an einer Schenkelarterie, ſieben und dreyſsig Tage nach der Unterbindung. [2])

Doch iſt dieſe Differenz vielleicht nur zufällig; wenigſtens fand Jones [3]) ein und achtzig Tage nach Unterbindung mit zwey Ligaturen, die indeſs doch nur zwey Zoll weit von einander entfernt waren, das zwiſchen beyden begriffene Stück, wiewohl äuſserſt undeutlich, noch zu erkennen.

Die durch zwey Ligaturen nothwendig erfolgende Zerſtörung mehrerer Ernährungsgefäſse der Arterie als durch eine einzige enthält indeſſen einen hinlänglichen Erklärungsgrund dieſer Verſchiedenheit.

---

1) Ebendaſ. S. 149.

2) Ebendaſ. S. 150.

3) Ebendaſ. S. 157.

Weit ſchneller und ſicherer wirkt die Unterbindung der Arterie, als der bloſse Druck. Daher ſind ſchon rundliche ſchmale Fäden den breiten, bandähnlichen [1]) und noch mehr die Unterbindung überhaupt dem bloſsen Drucke vorzuziehen [2]). Indeſſen bewirkt auch dieſer, eine hinlänglich lange Zeit angewendet, gleichfalls vollſtändige Verſchlieſsung. Die gröſsere Langſamkeit des Proceſſes iſt darin begründet, daſs keine Durchſchneidung der innern Arterienhäute bewirkt, alſo nicht Wunden, ſondern nur durch den Druck entzündete Flächen in Berührung gebracht werden [3]).

Das Blut, welches nach der Verletzung eines Gefäſses ergoſſen wird, verſchwindet bisweilen entweder allmählig ganz, oder gröſstentheils, indem es aufgeſogen wird, in andern Fällen gerinnt es, und organiſirt ſich, verwächſt mit den benachbarten Theilen, geht unmerklich in ſie über, oder wird von einem neugebildeten Balge umgeben und von ihnen abgegränzt, der nicht ſelten eine ſeröſe Flüſſigkeit abſondert. Vorzüglich ſind in dieſer Hinſicht die Veränderungen merkwürdig, welche das beym Schlagfluſs in die Subſtanz des Gehirns oft an mehreren Stellen ergoſſene Blut darbietet [4]).

---

1) Edinb. med. Journ. Vol. II. p. 176. ff.

2) Jones. Travers. Lawrence.

3) S. Travers vergleichende Verſuche über die Wirkung der Unterbindung und des Druckes. Med. chir. transact. Vol. VI. S. 643—662.

4) S. beſonders über dieſen Gegenſtand Riobé bey Cruveilhier eſſai ſur l'anat. pathol. Paris 1816. T. I. p. 205. ff.

6. Nervensystem[1]).

Das Nervensystem besitzt nur ein sehr unvollkommnes Wiedererzeugungsvermögen. Die Substanz, welche die verloren gegangene Hirnmasse ersetzt, kommt mit der gelben Hirnsubstanz am meisten überein, und ist meistentheils lockerer und weicher als die normale.

Continuitätstrennungen der Nerven kommen, das unterhalb der Verletzung befindliche Stück des Nerven mag mit den Theilen, in welche es sich verbreitet, weggenommen, oder zurückgelassen werden, darin überein, dass im ersten Falle das einzige, im letzten beyde Nervenenden zu einem grauen, harten Knöpfchen anschwellen, welches sich allmählich vergrössert und härter wird. Das obere Knöpfchen ist gewöhnlich kleiner. Der unterhalb des Schnittes befindliche Theil des Nerven magert mehr oder weniger stark ab.

Die Substanz, welche getrennte Nerven vereinigt, hat zwar nicht alle Charaktere des normalen Nerven, indessen wird es durch die anatomischen Untersuchungen sowohl, indem die neue Masse sich gegen Salpetersäure wie Nervensubstanz verhielt, das Mikroskop die grösste Aehnlichkeit zeigte, als durch physiologische Erscheinungen höchst wahrscheinlich, dass sie dennoch wahre Nervensubstanz ist.

7. Hautsystem.

a. Aeusseres Hautsystem.

Das äussere Hautsystem hat ein bedeutendes Wiedererzeugungsvermögen.

---

1) Fontana, über das Viperngift. Berlin 1787. p. 354. Michaelis, über die Regeneration der Nerven. Cassel

Die Bildung der Fleischwärzchen habe ich oben (S. 39.) bis zu der Periode des Senkens der Membran, zu welcher sie zusammentreten, verfolgt.

Die Fleischwärzchen verwachsen, nachdem sie sich von der in ihnen enthaltenen Flüssigkeit entleert haben, unter einander, und theils dadurch, theils durch das Anschwellen der Theile, wird die Narbe bedeutend kleiner als die ursprüngliche Lücke. Die alte Haut, welche dadurch gegen die Mitte der Narbe zusammengezogen wird, legt sich in zusammenstrahlende Falten, während die Narbe selbst prall gespannt ist.

Gewöhnlich schiesst die neue Haut im Zusammenhange mit der alten an, und auch da, wo diess nicht der Fall ist, und einzelne Inseln entstehen, bildet sie sich doch gewöhnlich in grösserer Menge gegen den Umfang der zu bedeckenden Stellen, also gegen die alte Haut, als gegen die Mitte hin.

Sie besteht gewöhnlich aus denselben Theilen, welche die normale Haut bilden, doch sind sie etwas von den normalen verschieden. Die Bildung geschieht desto schneller und der normalen desto ähnlicher, je weniger die Haut in ihrer ganzen Dicke zerstört war.

1785. Arnemann, über die Reproduction der Nerven. Gött. 1786. Bd. 1. Versuche über die Regeneration der Nerven 1787. Versuche über das Gehirn und Rückenmark. Gött. 1787. Cruikshank, Versuche über die Nerven. Aus den philosoph. Transact. in Reils Archiv, Bd. 2. Haighton, über die Reproduction der Nerven. Ebend. Meyer, über Wiedererzeugung der Nerven. Ebend. Arnemann, über die Wiedererzeugung der Nerven. Eb. Bd. 3. S. auch mein Handbuch der Anatomie. Bd. 1. S. 345—350.

Die Lederhaut ist weniger elastisch als die alte, und sitzt, weil die Zellen der Fleischwärzchen verwachsen sind, viel fester auf den unten liegenden Theilen auf als die normale. Anfangs ist sie gefäßsreicher, wird aber allmählich fester, härter, selbst bandartig. Sie hat weniger Dauer und selbstständige Thätigkeit als die normale Lederhaut; daher das leichte Aufbrechen der Narben und die nicht selten erfolgende gänzliche Zerstörung der neuerzeugten Bedeckungen eines Geschwüres.

Die Bildung des Schleimnetzes und der Oberhaut scheint anfänglich nicht zu gelingen. Die Oberhaut bildet sich vom Umfange zur Mitte, erscheint später, ist dann aber hart und schuppt sich immer, auch ohne mechanische Veranlassung, einigemal ab. Bisweilen erzeugt sich, vorzüglich an den untern Gliedmaaßsen, die Oberhaut der Narbe nach dem Typus des Nagels, in Hinsicht auf Härte nnd Festigkeit. Das Schleimnetz färbt sich später, bisweilen gar nicht: wenigstens schwärzen sich die Narben der Neger nicht immer und bisweilen sehr spät, ungeachtet sie sich bisweilen auch dunkler als die übrige Haut färben. Narben sind überhaupt weißser als die übrige Haut und röthen sich nnter denselben Umständen nicht, welche die Farbe der normalen Haut erhöhen. Hierher gehört auch die nicht selten vorkommende Erzeugung von Nägeln auf dem zweiten Fingergelenke nach Wegnahme des Nagelgliedes, ein desto merkwürdigeres Phänomen, da es auch unter den ungünstigsten Bedingungen ein Streben nach der Erhaltung des normalen Typus verräth.

b. Inneres Hautſyſtem.

Weit geringer iſt das Wiedererzeugungsvermögen des innern Hautſyſtems, und bis jetzt noch durch keine einzige beſtimmte Beobachtung erwieſen [1]), wenn gleich faſt jede Narbe die Periode der Schleimhautbildung durchläuft.

8. *Seröſes Syſtem.*

Das ſeröſe Syſtem, ſowohl das eigentliche als das Synovialſyſtem, erzeugt ſich nach einigen Verſuchen und den Beobachtungen über die Bildung neuer Gelenke nach Verrenkungen (oben S. 85.) nicht vollſtändig wieder.

9. *Zuſammengeſetzte Syſteme.*

Von den Reproductionsphänomenen der zuſammengeſetzten Syſteme, welche durch die Vereinigung aller oder mehrerer der im Vorigen betrachteten entſtehen, betrachte ich diejenigen, welche die aus einer Schleim- und Muskelhaut, gröſstentheils auch zu äuſserſt aus einer ſeröſen Schicht gebildeten hohlen Organe, und unter dieſen namentlich der Darmkanal [2]) darbieten, zuerſt.

Die Verletzungen dieſes Theils ſind wegen der Möglichkeit einer Zuſammenſetzung, nicht nur mit Ergieſsung von Blut aus verwundeten Gefäſsen, ſondern auch der im Darmkanal enthaltenen Subſtanzen, beſonders gefährlich. Die letztere ereignet ſich ſelten, wenn die Verletzung klein iſt, und durch ein ſchar-

1) Thomſon Lect. on inflammation. Edinb. 1813. p. 421—422.

2) Thomſon ebend. S. 421.

3) Travers inquiry into the proceſs of nature in repairing injuries of the inteſtin. canal, illuſtrating the treatment of penetrating wounds and ſtrangulated Hernia. Lond. 1812.

ſes Werkzeug geſchieht, ſelbſt wenn der Darm an mehreren Stellen verwundet wird: dagegen gewöhnlich, wenn, ſelbſt mit Integrität der Unterleibswände, die Wunde groſs iſt, eben Nahrung eingenommen worden war, eine heftige Erſchütterung, oder ein geborſtenes Geſchwür des Darmkanals die Veranlaſſung iſt. Austritt von Luft oder Blut in die Unterleibshöhle begünſtigt ſie auſserdem. Kleine Darmwunden können durch Vereinigung der Wundränder heilen, bey groſsen, oder mit Subſtanzverluſt verbundenen dagegen verwachſen nicht die Wundränder zuſammen, ſondern mit einem benachbarten Theile, welcher die Stelle des Darmes vertritt, der ſich nicht ergänzt. Bey ſehr beträchtlichen Wunden, beſonders queren, wodurch der Umfang des Darmes ganz, oder faſt ganz zerſtört wird, erfolgt tödtlicher Kothausfluſs, weil ſich die Wundränder bedeutend von einander entfernen, der Darm umkehrt, die Schleimhaut und Bauchfellhaut nicht mit einander verwachſen. Doch legt ſich häufig die verwundete Stelle des Darms an die Bauchwunde, und der Koth flieſst nach auſsen, ohne daſs dadurch die Heilung gehindert würde. Heftige Einſchnürung des Darmes veranlaſst Continuitätstrennung der innern Haut, ohne Verletzung der äuſsern. Zugleich aber entſteht durch den heftigen Reiz Entzündung der Bauchfellhaut und Ergieſsung, wodurch, wenn auch das gedrückte Darmſtück abfällt, doch äuſserlich der Zuſammenhang erhalten und der Kothausfluſs verhindert wird. Befeſtigung eines verletzten Darmſtückes an die Unterleibswände befördert die Heilung nicht. Eben ſo hindert das Zuſammennähen des durchſchnittenen Darmſtückes ſogar die Heilung, indem dadurch die Zuſammenziehung des Darms erſchwert, und das Zurückziehen deſſelben nicht verhindert wird, wenn nicht hinlänglich viel Stiche angebracht werden, um die Wundränder vollſtändig mit einander in Berührung zu bringen, dann aber iſt es von Nutzen. Zuerſt wird hiebey gerinnbare Lymphe an und um die Wundränder ergoſſen, welche ſie, ungeachtet ſie ſich anfänglich durch die Wirkung der Längenfaſern des Darms zurückziehen, aneinander heftet. Die Fäden fallen in die Höhle des Darmkanals, indem die Wände deſſelben an der Stelle, wo ſie ſich befinden, zerſtört werden. Die durchſchnittene Schleimhaut und Muskelhaut verwächſt nie, der Darm verſchmilzt dagegen immer äuſserlich mit den benachbarten Theilen.

Die verloren gegangene Subſtanz der noch zuſammengeſetzteren Theile erzeugt ſich nicht wieder, ſondern wird durch ein weiſsliches, hartes, feſtes, einförmiges, ſehnenähnliches Gewebe erſetzt. So fand es Home bey einem Manne, der vor 32 Jahren durch die Lungen geſchoſſen worden war [1]), und ähnliche dergleichen, ſich mehr oder weniger tief in die Subſtanz der Eingeweide erſtreckende Stellen [2]), welche man nicht ſelten findet, ſind höchſt wahrſcheinlich Erzeugniſſe, welche in Folge eines aus irgend einem Grunde entſtandenen Subſtanzverluſtes entſtehn. Die Fälle von Wiederzeugung der durch den Brand zer-

1) Transact. of a ſociety for the improvement of med. and chirurg. knowledge. Vol. II. No. XIII.

2) Cruveilhier eſſai ſur l'anatomie patholog. Paris 1816. T. I. p. 382.

ſtörten und weggenommenen Eichel, [1]) halten wohl ſchwerlich eine genaue Kritik aus, und höchſt wahrſcheinlich war hier nur ein Theil derſelben im Zuſtande höchſt beträchtlicher Anſchwellung entfernt worden. Doch iſt die Thatſache nicht durchaus zu läugnen, da in einem Falle ein überzähliger Daumen bey einem dreyjährigen Kinde, der zweymal aus dem Gelenke weggenommen wurde, ſich zweymal mit dem Nagel wiedererzeugte [2]).

In dem mehr oder weniger vollkommnen Wiedererzeugungsvermögen der verſchiedenen Syſteme iſt die Möglichkeit begründet, auch ganz, oder faſt ganz vom Körper getrennte Theile wieder mit demſelben vollſtändig zu verbinden [3]), und Abſchnitte deſſelben Syſtems aus ſehr entlegnen Gegenden miteinander zu vereinigen, ſo daſs Naſen und ganze Fingerglieder [4]) wieder angeheilt, die verloren gegangene Naſenhaut durch Hautſtücke von andern Gegenden des Körpers erſetzt [5]), und fremde Zähne an die Stelle verlorner eigner eingeſetzt wurden [6]).

1) Jamieſon hiſtory of a Glans Penis regenerated after Amputation. Edinb. med. eſſays. Vol. 5. p. 359. Schütz Wiedererzeugung der männlichen Geſchlechtsth. S. Siebolds chir. Beob. Bd. 2. S. 52.

2) White on the regeneration of animal ſubſtances. Mem. of the ſoc. of Mancheſter. Vol. I. p. 338.

3) Tagliacotti, de curtorum chirurgia per inſitionem. Venet. 1597. J. Thomſon, lect. on inflammation. Edinb. 1813. p. 224 — 244.

4) S. Thomſon. a. a. O. p. 243. W. Balfour two caſes, demonſtr. of the power of Nature to reunite parts etc. Edinb. Journal. 1814. p. 421. ff Bailey, caſ. of reunion of the firſt phalanx etc. Ebend. 1815. p. 317. Fletcher, caſe of reproduction etc. Ebend. 1815. p. 450. Ph. Hunter, caſes of reunion of the Thumb. Ebend. p. 452. Braid, caſe of reunion of a ſeparated portion of the finger. Ebend. 1816. p. 422.

5) Tagliacotti. a. a. O.

6) J. Hunter on teeth. Part. I. p. 126. Part. 2. p. 94.

Dritter Abschnitt.

Von den besondern Afterbildungen.

Nachdem im Vorigen zuerst die Entzündung als der allgemeinste Procefs, durch welchen neue Bildungen hervorgehen, und zunächst die Regenerationsphänomene als die Resultate desselben betrachtet worden sind, durch welche Organe von ihren abnormen Zustande auf den normalen zurückgeführt werden, folgt die Lehre von den Afterbildungen insbesondere, deren Geschichte im Einzelnen indessen eine allgemeine Darstellung ihrer Eigenthümlichkeiten vorangehen muss.

1. Alle neuen Bildungen kommen in ihrem ersten Entstehen auf ähnliche Weise als alle Organismen unter einander mehr oder weniger vollkommen überein, und höchst wahrscheinlich wird die Art der Entwicklung aller oder mehrerer erst später durch zufällige Umstände bedingt, wie sich in demselben Aufgusse unter veränderten äussern Umständen Infusorien verschiedener Art entwickeln. Die, welche sich

---

1) Astruc des tumeurs à Paris 1759. J. J. Plenck, novum systema tumorum. Viennae 1767. Indessen gehören hieher nur das 4te bis 9te Geschlecht, und auch diese nur zum Theil. Dumas, sur les transformations des organes in Sédillot journal général. Vol. 23—25., gehört gleichfalls nur zum Theil hieher. J. Abernethy, surgical observations on tumours and on lumbar abscess. London 1811. Früher schon in dessen surgical observations. London 1803. Uebers. von Meckel. Halle 1809. An attempt to form a classification of tumours accordings to their anatomical structure. W. Crane, a remarkable case of Steatoma to which is prefixed a few observations on Tumors in general. In Edinb. med. and surg. journal. Vol. IX. 1813. p. 409. ff. J. Cruveilhier, essai sur l'anatomie pathologique en général et sur les transformations et productions organiques en particulier. Tom. I. II. à Paris 1816.

durch Ansteckung von einem Körper oder einem Organ zum andern fortpflanzen, machen zwar hievon eine Ausnahme, sofern sie ursprünglich schon einen specifischen Charakter haben, allein theils unterscheiden sich dennoch auch diese, selbst wenn sie ursprünglich schon die bestimmte Tendenz haben, in ihrem ersten Entstehen nicht von andern, theils haben auch sie in dem Körper und in dem Organ, worin sie sich ursprünglich bilden, häufig unstreitig anfangs einen indifferenten Charakter, und ihr bestimmter entwickelt sich erst zufällig.

2. Das Ortsverhältniss dieser Aftergebilde zu dem übrigen Organismus ist nicht immer dasselbe. Dasselbe neue Gebilde findet sich bisweilen so genau mit der normalen Substanz der Organe, in welchen es vorkommt, verwebt, dass beyde unmerklich in einander übergehen, und ein gemischtes Gewebe aus ihnen hervorgeht. Hier scheint sich die normale Substanz des Organs in die neue regelwidrig vorhandene umgewandelt zu haben. Oder das neue Gewebe erscheint in Massen, welche deutlich von dem der Organe, worin es vorkommt, verschieden sind, oder endlich das neue Gewebe ist sogar in einer eignen Hülle, einem Balge enthalten, wodurch es streng von der Substanz des Organs abgegränzt wird. Unter den beyden letztern Bedingungen erscheint die Substanz des Organs nicht in die neue umgewandelt, sondern durch diese verdrängt. Diese Erscheinungsweise der Aftergebilde ist die gewöhnlichere. Uebrigens hängen alle diese Aftergebilde ursprünglich mit den übrigen Organen

nen auf dieselbe Weise, als diese unter einander, zusammen, wenn sie sich gleich nicht ganz selten später zufällig von ihnen trennen, eine nicht uninteressante Erscheinung, sofern sie das Bestreben anzudeuten scheint, diese, der normalen Anordnung des Organismus fremden Gebilde auf ähnliche Weise auszustoſsen, als schädliche Stoffe fortwährend ausgeführt werden. So findet man die regelwidrig in serösen Höhlen entstandenen Knochen häufig völlig frei, die Schwamm- und Krebsbildungen werden wiederholentlich abgestoſsen.

Die Ortsbeziehung der Aftergebilde sey welcher Art sie wolle, so ist gewöhnlich das Organ, in welchem sie sich bilden, dadurch mehr oder weniger vergröſsert: sie erhalten daher im Allgemeinen den Namen Geschwülste (Phymata s. tumores), und werden durch Beysätze, welche von einer oder mehrern ihren Eigenschaften entlehnt sind, von einander unterschieden.

3. Nicht in allen Lebensperioden entwickeln sich krankhafte Gebilde überhaupt und insbesondere gleich häufig. Den allerfrühesten Perioden sind sie fast völlig fremd, und höchst selten erscheinen sie daher schon vor der Geburt, wo höchstens regelwidrige Anhäufungen von serösen Flüssigkeiten und die Erzeugung von diese absondernden und enthaltenden Organen, Wassersuchten, vorkommen. In den frühen Lebensperioden nach der Geburt kommen fast nur solche Afterbildungen vor, die entweder erblich sind, oder durch äuſsere entfernte Ursachen veranlaſst werden, wie namentlich das tuberculöse Gewebe. Fast

alle übrigen entstehen, besonders wenn sie nicht auch durch zufällige äussere Ursachen herbeygeführt werden, erst in den spätern Lebensperioden.

4. Eben so wenig kommen neue Gebilde überhaupt in allen Organen, und dieselben in den verschiedenen Organen, gleich häufig vor. Unter allen sind die, in welchen ausser dem Ernährungsprocess auch Bildung einer von ihnen selbst verschiedenen Substanz geschieht, die Absonderungsorgane im weitesten Sinne, also zuletzt das Hautsystem, am häufigsten der Sitz derselben. Diess gilt sowohl für die äussere Haut, als die Schleimhäute und die Drüsen. Zugleich ist es merkwürdig, dass, wahrscheinlich aus demselben Princip, gerade diese Systeme der Sitz von der normalen Zusammensetzung des Organismus völlig fremden Geweben sind, während die mehr den normalen Organen ähnlichen oder gleichen häufiger in andern vorkommen. Unter allen Organen sind die Eyerstöcke am häufigsten der Sitz von neuen Bildungen, und diese die verschiedenartigsten und zusammengesetztesten.

5. Auch hat die Beschaffenheit des Organs an und für sich einen bedeutenden Einfluss auf die Beschaffenheit der Aftergebilde, so dass sie, wenn sie gleich ihren allgemeinen Charakter nicht verläugnen, doch in den verschiedenen Organen mehr oder weniger abgeändert erscheinen. Dies gilt selbst für nahe verwandte Organe, z. B. die Verknöcherungen in den Arterien und den Venen. Eine für die Classification der neuen Bildungen nicht unwichtige Bemerkung, sofern durch Nichtberücksichtigung derselben die Zahl der neuen Gebilde unnöthi-

gerweiſe vermehrt, und die Analogie verkannt wird.

6. Die Bedingungen, unter welchen die Aftergebilde entſtehen, ſind nicht für alle dieſelben. Häufig entſtehen ſie in Folge einer erhöhten Bildungsthätigkeit des Organs. Hieher gehören vorzüglich die neuen Bildungen im Gewebe und im Umfange der innern weiblichen Geſchlechtstheile. Die entfernten Urſachen, welche dieſe und andere nächſte Urſachen erzeugen, ſind ſehr verſchiedene, mechaniſche oder chemiſche Verletzungen, erbliche Anlage, Anſteckung u. ſ. w.

7. Ihrer Natur und ihrem Verhältniſs zu den normalen Organen nach, kann man ſie in zwey groſse Claſſen zerfällen, in ſolche, welche Nachahmungen normaler Theile des Organismus, und in andere, welche ihm ganz fremd ſind. Die erſten ſind vorzüglich nur durch die Stellen, an welchen ſie erſcheinen, regelwidrig, ahmen aber in allen weſentlichen Bedingungen die Organe, welche ſie wiederholen, nach, ſo daſs ſie vorzüglich nur durch Bedingungen der äuſsern Form, Umgränzung, Länge u. ſ. w. ſich von ihnen unterſcheiden; durch inneres Gewebe, Entwicklungsweiſe, Miſchung u. ſ. w. völlig mit ihnen übereinkommen. Sie ſtören nur mechaniſch die Function des Organs, in welchem ſie ſich bilden, und der benachbarten. Meiſtentheils ſind ſie in demſelben Körper auf ein einziges Organ beſchränkt, und wenn ſie gleich bisweilen in mehreren zugleich vorkommen, ſo ſcheint dieſs nicht nach demſelben Princip als für die zweyte Claſſe der Aftergebilde zu geſchehen. Dann nämlich ſcheinen ſie das Re-

ſultat einer allgemeinen Anlage, während dieſe ſich im Laufe der Lymphgefäſse durch Anſteckung verbreiten, oder, wo dieſer Weg der Verbreitung nicht nachgewieſen werden kann, Theile von demſelben Gewebe allmählich dieſelbe Umwandlung erleiden. Doch ſind dieſe Gränzen freylich nicht ſcharf. Indeſſen unterſcheidet ſich die letzte Claſſe von Aftergebilden weſentlich von der erſten durch ihren Verlauf und ihr Verhältniſs zum Organismus inſofern, als ſie mehr oder weniger deutlich das Beſtreben hat, ihn völlig in ihre Subſtanz umzuwandeln. Daher wird durch ſie nicht nur das Organ zerſtört, in, oder über welchem es ſich bildete, indem es ſich, wie bey Schwamm- und Krebsbildungen, ganz in das neue Gewebe umbildet, ſondern auf die angegebene Weiſe breitet ſie ſich auch allmählich mehr oder weniger über den ganzen Körper aus.

Die ganz regelwidrigen neuen Gebilde bieten vorzüglich zwey Stadien dar. Im erſten ſind ſie weit härter und feſter als im letzten. Die allmählige Auflockerung und Erweichung iſt das Mittel zur Zerſtörung des neuen Gebildes und des Organs, in welchem es ſich entwickelte.

8. Die Aftergebilde unterſcheiden ſich außerdem von einander auch durch den Grad ihrer Zuſammenſetzung. Faſt kommen häufiger mehrere zugleich, als nur eines, in demſelben Theile vor, und nicht ſelten ſind hier mehrere der beyden oben feſtgeſetzten Claſſen mannichfach mit einander vereinigt. Die Beziehung zwiſchen den verſchiedenen Gebilden bietet hier inſofern Verſchiedenheiten dar, als ſie entweder gleichzeitig entſtanden, und neben einander vorhanden ſind, oder unter einan-

der in einem ursächlichen Zusammenhange zu stehen scheinen, wie z. B. bey gleichzeitiger Anwesenheit von Fett und Haaren an derselben Stelle.

9. Durch die Entstehung von Aftergebilden werden verschiedenartige Organe oft mehr oder weniger in einander umgewandelt, indem die Mischung und das Gewebe der neuentstandenen Substanz mit andern gröfsere Aehnlichkeit hat, als mit dem, in welchem sie sich bildet. Vorzüglich gilt diefs für die Aftergebilde, welche blofs Wiederhohlungen normaler Gewebe sind, weniger für die zweyte Klasse. Zwar hat man den Versuch gemacht, alle Aftergebilde mit normalen zu parallelisiren [1]) und ist sogar so weit gegangen, jede Abweichung der Organe vom Normal, auch die zufällig entstehenden äufsern Formveränderungen, als Umwandlung eines Organs in das andere vorzustellen [2]), so dafs man die Vergröfserung der Gefäfse, des Zwölffingerdarms, der Bauchspeicheldrüse, als Bildung neuer Herzen, Magen und Eingeweide [3]), die Verhärtung der Lunge durch in Folge von Entzündung ergossenen Faserstoff als wirkliche Verwandlung derselben in die Leber angesehen hat [4]); allein, so interessant auch diese Seite der Umbildung der Organe ist, so ergiebt sich doch leicht aus diesen Versuchen, dafs die aufgestellten Uebereinkunftspunkte viel zu zufällig sind, als dafs sie jene Gleichungen rechtfertigen könnten.

---

1) Fleischmann Leichenöffnungen. Erlangen 1815. S. 111.

2) Dumas sur la transformation des organes. In Sedillot journal général de médécine. Tom. 23 und 25.

3) Dumas a. a. O. T. 23.

4) Dumas ebend.

Von den regelwidrigen Bildungen, welche Wiederholungen normaler Theile sind.

Es giebt fast keinen Theil, der sich nicht regelwidrig zuweilen wiederhohlte, doch erscheinen einige vorzugsweise vor den übrigen häufig. Am häufigsten, kann man sagen, wiederholt sich unter den festen das Schleimhautgewebe, sofern die Eiter absondernde Fläche mit diesem die gröſste Aehnlichkeit hat. (S. oben S. 36.) Auſser dieser vorübergehenden Bildung kommen als länger bestehende regelwidrige Gewebe vorzüglich das seröse, Knorpel- und Faserknorpel- und das Knochengewebe häufig vor. Ihnen zunächst stehen mehrere Oberhauttheile, Haare, dann Zähne. Muskelsubstanz bildet sich dagegen selten oder nie, und eben so wenig findet man Nervensubstanz und groſse vollkommen gebildete Gefäſse, wenn gleich sich die zartesten Abtheilungen von beyden in fast allen neu entstehenden Theilen beständig entwickeln. Die flüssigen Theile entstehen häufiger regelwidrig als die festen. Indessen ist hier meistentheils entweder nur die normale Menge vermehrt, wie für die serösen Flüssigkeiten bey den Wassersuchten, das Fett bey der regelwidrigen Fetterzeugung, oder sie sind, wie bey den Balgwassersuchten, Erzeugnisse der neuentstandenen Organe. Die allgemeine Nahrungsflüssigkeit, das Blut, entwickelt sich wie die Gefäſse, und von demselben unabhängig, bisweilen in neu entstandenen Theilen, gerade wie bey der Entstehung des neuen Organismus.

Ich betrachte hier nicht die regelwidrige Erzeugung flüſſiger Theile, [1]) mit Ausnahme des Fettes, ſofern dieſes den Uebergang von dieſen zu den feſten macht, und ſich häufig mit ihm zugleich Zellgewebe entwickelt.

I. Von der regelwidrigen Fetterzeugung.

Die regelwidrige Fetterzeugung iſt ein krankhafter Zuſtand, der in mehreren Beziehungen nicht immer derſelbe iſt, und zwar

1) In Beziehung auf die Structur der Stellen, welche der Sitz der regelwidrigen Fetterzeugung ſind, ſofern nur reine Fettanhäufung, oder zugleich Umwandlung des auch im normalen Zuſtande Fett enthaltenden Schleimgewebes Statt findet; 2) in Beziehung auf die Gegenden, in welchen das Fett regelwidrig entſteht. Entweder nämlich entwickelt ſich das Fett bloſs an den Stellen, an welchen es im Normalzuſtande vorkommt, in ungewöhnlicher Menge; oder es bildet ſich in Gegenden, die unter erſterer Bedingung fettlos ſind.

Die ungewöhnliche Fettentwicklung iſt entweder örtlich oder allgemein. Die erſtere wird mit dem Namen Fettgeſchwulſt (Tumor adipoſus ſ. Lipoma [2]) belegt, wenn ſie eine einzelne umſchriebne, die benachbarten Theile deſſelben Organs überragende Anſchwellung bildet, die letztere iſt die übermäſsige Fettheit (Obeſitas ſ. Polyſarcia). Bey der Fett-

1) S. Bd. 1. Vorrede S. VIII.

2) Doch iſt zu bemerken, daſs mit dem letzten Namen Geſchwülſte ganz verſchiedener Natur belegt worden, die nur durch eine weiſsliche Farbe mit dem Fette einige Aehnlichkeit haben.

geschwulst findet man das Fett gewöhnlich in einem mehr oder weniger deutlichen, meistens dünnen Balge enthalten, mit welchem sie nur locker, theils durch Schleimgewebe, theils durch kleine Gefäße, zusammenhängt, so daß sie leicht ausgeschält werden kann. Indessen ist man nicht zu der Meinung berechtigt, daß sich **immer** ein solcher Balg finde, indem ich mehrmals bey beträchtlichen Fettgeschwülsten keine Spur davon gefunden habe. Dieser Balg wird gewöhnlich für ein, durch den Druck des Fettes verdichtetes Zellgewebe angesehen, und ist es auch unstreitig häufig, namentlich in den Fällen, wo das in ihm enthaltene Fett in den gewöhnlichen Fettzellen enthalten ist, allein da, wo es, wie z. B. in den Eyerstöcken, frey und nur von ihm umgeben, liegt, muß man unstreitig annehmen, daß er vor dem Fette entstand und Absonderungsorgan desselben ist. Irrig ist wohl unstreitig die Annahme, daß Fettgeschwülste ursprünglich gerinnbare, erst allmählich in Fett umgewandelte Lymphe seyen [1]; da das Fett im normalen Zustande ursprünglich als solches entsteht und sie sich meistentheils im schon vorhandenen Fette bilden.

Stellen, an welchen sich auch im normalen Zustande Fett findet, wo es sich aber vorzugsweise in regelwidriger Menge überhaupt, oder als Geschwülste entwickelt, sind die **Fetthaut** und einige Gegenden des **serösen Systemes**.

---

1) Abernethy's med. chir. Beobacht., übers. von J. F. Meckel. Halle 1809. Ueber die Geschwülste. S. 19.

In mehreren Fällen, wo nur die äuſsere Fetthaut regelwidrig entwickelt ſchien, iſt es möglich, daſs ſich das Fett zugleich überall in ungewöhnlich groſser Menge gebildet hatte, indem meiſtens keine, oder nur unvollkommne Leichenbefunde geliefert wurden. Doch fand man in der That bisweilen nur das äuſsere Fett ungewöhnlich reichlich. [1])

Dieſe allgemeine äuſsere Fettheit iſt bisweilen ungeheuer, ſo daſs dadurch das Gewicht des Körpers auf 486 [2]) ſelbſt 600 [3]) Pfund ſtieg.

Dieſer regelwidrige Zuſtand entwickelt ſich bisweilen ſehr früh, ohne jedoch mit regelwidrigem Vorauseilen der Pubertätserſcheinungen nothwendig verknüpft zu ſeyn. Fälle dieſer Art finden ſich bey Bartholin, [4]) Tulp, [5]) Clauder, [6]) Käſtner, [7]) Tileſius, [8]) Benzenberg, [9]) Eſchenmayer [10]). Das Tileſius'ſche Kind wog in einem Alter von 4 Jahren 33, das Käſtnerſche eben ſo alte in

1) S. z. B. Eſchenmayers Beſchreibung eines monſtröſen Fettmädchens u. ſ. w. in den Tübinger Blättern. Bd. I. 1815. S. 261—285.

2) Fournier Dict. des ſc. médic. à Paris. T. IV. p. 196.

3) Philoſ. transact. Vol. 47. H. 188.

4) Hiſt. anat. Cent. III. p. 88.

5) Obſ. med. L. III. C. 55.

6) Eph. n. c. D. II. a. 6.

7) Hamb. Magazin, Bd. II. S. 556. ff. Abmeſſung eines auſserordentlich dicken Kindes.

8) Vorlaufige Nachrichten von einem ungewöhnlich dicken Kinde. In Voigts Magazin, Bd. 5. S. 289. und Reflexion. und Bemerk. über ein, im eigentlichſten Sinne des Wortes, im Fette erſticktes Kind. Ebend. S. 408. ff.

9) Ebend. B. 6. S. 251.

10) A. a. O.

demſelben Alter 82, das Benzenbergſche, gleichfalls von demſelben Alter, 137 Pfund. Das von Eſchenmayer beſchriebene hatte in einem Alter von 10 Jahren ein Gewicht von 219 Pfunden.

Gewöhnlich ſind zugleich die Haare ungewöhnlich ſtark entwickelt. Dies fand wenigſtens bey den von Käſtner, Tileſius und Eſchenmayer beſchriebenen Kindern Statt, doch fanden ſich nur in dem von Tileſius unterſuchten Schamhaare. Auch iſt der Körper meiſtentheils gröſser als gewöhnlich, ſo daſs alſo durch dieſen Umſtand eine Aehnlichkeit mit der vorſchnellen Entwicklung bewirkt wird.

Gewöhnlich ſtarben dieſe Kinder früh, die zwey erſten im fünften, das letzte im zehnten Jahre.

In den meiſten der angeführten Fälle, nur die von Tulp und Clauder ausgenommen, waren es Mädchen, wie überhaupt das weibliche Geſchlecht mehr als das männliche zum Fettwerden geneigt iſt.

In den von Tileſius und Eſchenmayer beſchriebenen Fällen waren die Reſpirationsorgane verhältniſsmäſsig zu klein, die Leber gröſser als gewöhnlich, dieſe im erſten Falle mit Geſchwüren beſäet.

Vielleicht war immer die regelwidrige Fettentwicklung in Kleinheit des Reſpirationsſyſtems begründet, welche dann, jedoch nur unvollkommen, und ſo, daſs bald Entartung des vicariirenden Organs eintrat, durch die Leber erſetzt wurde, wenn gleich auch, wie Tileſius wenigſtens ausdrücklich andeutet, die unvollkommne Entwicklung der Reſpirationsorgane zum Theil durch den Druck des äuſsern Fettes wenigſtens vermehrt ſeyn mochte.

Der Zuſtand der Geſchlechtstheile war in dem Eſchenmayer'ſchen Falle gänzlicher Mangel von Entwicklung, im Tileſius'ſchen dagegen ungewöhnliches Vorauseilen in Hinſicht auf Form und Gröſse. Vielleicht hängt damit die beträchtliche Gröſse des Körpers im erſten Falle zuſammen.

Die partiellen Wucherungen in der Fetthaut, oder die Fettgeſchwülſte, kommen in allen Gegenden des Körpers, vorzüglich aber am Stamme, hier hauptſächlich am Rücken, ſeltner am Kopfe und den Gliedmaſsen vor. Sie ſind meiſtentheils einzeln, bisweilen aber, auch über mehrere Gegenden verbreitet. Nicht ſelten erreichen ſie eine ſehr beträchtliche Gröſse und Schwere. So rottete Abernethy eine Fettgeſchwulſt von 15 Pfund am Oberſchenkel aus [1]).

Ihre Miſchung iſt nicht immer völlig dieſelbe. Oft, aber nicht immer ſind ſie wahres Fett. Die Subſtanz einer von Boſtock unterſuchten Geſchwulſt kam zwar äuſserlich völlig mit dem Fett überein, unterſchied ſich aber in ihren chemiſchen Eigenſchaften bedeutend von demſelben und vom Fettwachs, und ſchien faſt ganz aus Kohlenſtoff zu beſtehen [2]). Bisweilen haben ſie mehr Aehnlichkeit mit Oel, als mit Fett. [3])

Entwickeln ſich dieſe Geſchwülſte an Stellen, wo gewöhnlich Unterleibseingeweide Brüche bilden, ſo können ſie mit Brüchen verwech-

1) Abernethy a. a. O. S. 21.

2) Analyſis of a ſtearoid tumour. In Edinb. med. and ſurg. journal. Vol. II. 1806. p. 14. ff.

3) Cruveilhier a. a. O. Th. 1. S. 303.

ſelt werden. Man hat ſogar eine eigne Art von Brüchen unter dem Namen der Fettbrüche gebildet, wovon ich oben (Th. 2. Abth. 1. S. 480.) gehandelt habe.

Meiſtentheils ſind dieſe Fettgeſchwülſte auf die Fetthaut allein eingeſchränkt; indeſſen erſcheinen auch hier bisweilen die allgemeinen Bedeckungen mehr oder weniger abgeändert, aufgelockert, dunkelgefärbt, mit reichlichen und längern Haaren als im normalen Zuſtande beſetzt. Dieſer zuſammengeſetzte krankhafte Zuſtand iſt meiſtens angeboren, und von dem trefflichen Walther, der Zierde der deutſchen Chirurgie, der einen intereſſanten Fall dieſer Art beſchrieben und mehrere ähnliche zuſammengeſtellt hat, mit dem Namen Fettmuttermaal (Naevus maternus lipomatodes) belegt werden [1]). Ungeachtet die Krankheit meiſtens angeboren iſt, ſo breitet ſie ſich doch nach der Geburt gewöhnlich beträchtlich aus, indem ſich die Gröſse und Zahl der Fettgeſchwülſte beträchtlich vermehrt.

Weit ſeltener bilden ſich Lipome am innern Hautſyſteme oder den Schleimhäuten, doch habe ich mehrere Beyſpiele, namentlich aus dem Darmkanal, davon vor mir. In einem Falle befindet ſich ein Lipom am untern Ende der Speiſeröhre, in einem andern am Zwölffingerdarm, in einem dritten am Grimmdarm. Sie

---

1) Ueber die angebornen Fetthautgeſchwülſte und andere Bildungsfehler. Landshut 1814. Hierher gehört auch unſtreitig Ludwig hiſt. pathol. ſingul. cutis turpitudinis. Lipſ. 1795. Einen ähnlichen Fall, wo die Krankheit erblich war, beſchreibt auch neuerlich Renard in der med. chir. Zeitung. 1815.

ſind immer in zarten Bälgen enthalten; und auſserdem noch immer von der Schleimhaut bekleidet.

Auch tief in dem Zellgewebe zwiſchen den Muskeln entwickelt ſich bisweilen Fett, welches in eignen Bälgen enthalten iſt, und häufig mit Haaren zugleich vorkommt [1].

Unter den ſeröſen Häuten iſt beſonders häufig das Netz der Sitz regelwidriger Fettanhäufung, ſelbſt bey übrigens magern Menſchen. Ich habe ſelbſt unter letzterer Bedingung bey ältern Perſonen, vorzüglich an eine ſehr ſitzende Lebensart gewöhnten Weibern, das Netz einigemal in eine acht bis zehn Pfunde ſchwere Fettmaſſe verwandelt gefunden, und Portal führt mehrere ähnliche Fälle an. [2])

Auch im Dünndarmgekröſe entwickeln ſich bisweilen anſehnliche Fettgeſchwülſte, welche durch den Druck auf die Unterleibseingeweide nachtheilige Folgen hervorbringen. [3])

An der Oberfläche des Herzens und im Umfange des Herzbeutels häuft ſich nicht ſelten eine bedeutende Fettmenge an, welche gewöhnlich als Krankheitsurſache deſſelben angeſehen wird, es aber wenigſtens nicht in allen Fällen iſt [4]).

---

1) Malpighi opp. poſth. p. 95. Ruyſch Theſ. VI. 6. X. 3.

2) Des tumeurs adipenſes de l'épiploon. In obſervations ſur les tumeurs et engorgemens de l'épiploon in ſ. Mém. ſur la nature et le traitement de pluſ. maladies. à Paris 1800. T. I. S. 83—88.

3) In Richters chir. Bibl. Bd. 11. S. 346.

4) Teſta della pinguedine accumulata intorno ai praecordii, in Malatt. del cuore etc. Bologna 1811. Vol. II. L. II. p. II. Cap. XIV. p. 317. ff.

Bisweilen werden die Lipome krebſig [1]).

Seltner iſt die Entſtehung von Fett an Stellen, wo es ſich im normalen Zuſtande gar nicht findet.

So habe ich einen Fall vor mir, wo ſich unter der Vereinigungsſtelle der Sehnerven, dicht vor dem Hirnanhange, eine in einem zarten Balge enthaltne Fettgeſchwulſt von der Gröſse einer Haſelnuſs gebildet hatte. Dieſs iſt merkwürdig, theils wegen der auſserordentlichen Seltenheit des Falles, theils, weil das auch im normalen Zuſtande gebundene, im Gehirn enthaltene Fett hier frey hervorgetreten ſchien.

In einem andern fand ich bey einem ſehr fetten Menſchen, zwiſchen dem Lungentheile des Bruſtfelles, der Gefäſse und harten Haut des Auges, wie bey mehrern Fiſchen hier auch im normalen Zuſtande, Fett. Häufiger entwickelt es ſich im Zellgewebe des Hodenſackes.

Hierher gehört auch die Entwickelung von Fett in den Eyerſtöcken, wo es ſich in eignen ſeröſen Bälgen bildet. Gewöhnlich iſt es mit der Entwicklung von Haaren verbunden. In demſelben Eyerſtocke finden ſich zugleich häufig, wenn gleich nicht immer, Anhäufungen von Serum und feſterer, faſeriger Subſtanz.

Endlich iſt die regelwidrigſte Art der ungewöhnlichen Fettbildung die Umwandlung der Subſtanz der Organe in Fett. Nicht alle ſind dieſer gleich häufig unterworfen. Vorzüglich gehören hieher die Muskeln und einige drü-

---

1) Ein Fall bey Cruveilhier. T. I. p. 198. ff.

ſige Organe, namentlich die Leber, ſeltner die Nieren.

1. Die vorzüglichſte Bedingung zur Umwandlung des Muskels in Fett iſt lange Unthätigkeit deſſelben; daher findet man die Muskeln lange gelähmt geweſener Glieder, nach langwierigen Knochenbrüchen, nicht zurückgebrachten Verrenkungen, bey Klumpfüſsen etc. in Fett umgewandelt. Auch der reichliche Genuſs geiſtiger Getränke begünſtigt vielleicht dieſe Umwandlung der Muskelſubſtanz in Fett. Allgemeines Streben zur übermäſsigen Fettentwicklung iſt nicht die Veranlaſſung, denn in einem Falle von Vandermonde wird ausdrücklich beſondere Magerkeit angegeben, und übermäſsige Fettbildung kommt ohne Umwandlung der Muskeln im Fett vor.

Der Zuſtand iſt nicht immer derſelbe. Bisweilen ſind alle, bald nur einige Muskeln eines Gliedes umgewandelt, bald iſt noch ein Theil eines Muskels normal, ein anderer in Fett übergegangen, bisweilen die Textur des Muskels normal, die Faſerung deutlich, doch dann zuweilen die Muskelſtränge geſchwunden, dünner, feiner, bandähnlich, bisweilen, beym höchſten Grade der Abweichung, auch die Textur verſchwunden, wenn gleich die äuſsere Form ſich erhalten hat, und das Fett in Zellen enthalten. Beym höchſten Grade der Abweichung iſt auch die äuſsere Form verloren. Unter dieſen Bedingungen iſt auch häufig die Farbe und Textur der Sehnen und Aponeuroſen abnorm, die Faſerung undeutlich, die Farbe weniger glänzend, der Unterſchied zwiſchen ihnen und der Muskelſubſtanz mehr oder weniger aufgehoben. Die Pulsadern ſind bisweilen gänzlich verknöchert, die Nerven weicher als gewöhnlich. Am gewöhnlichsten kömmt die Fettumwandlung in den willkührlichen Muskeln, bisweilen aber auch in den unwillkührlichen, z. B. dem Herzen [1]) vor.

Beyspiele dieser Umwandlung welche die vorzüglichsten, so eben angegebenen Momente derselben enthalten, findet man bey Vandermonde [2]) Vicq d'Azyr, [3]) Le Tual, [4]) Martin, [5]) Schallhammer, [6]) und Cruveilhier, [7]) der mehrere Beyspiele davon, welche ich vor mir habe, gut beschrieben und abgebildet hat. Uebrigens ist die Substanz, in welche sich der Muskel umwandelt, nicht Wallrath, sondern wahres Fett und Oel [8]).

2. Die Leber verwandelt sich, ohne ihre äussere Form zu verlieren, nicht selten in eine mehr oder weniger gelblich weisse, oder röthliche, buckliche, schmierige, fettig anzufühlende, entzündete Masse. Die erste Stufe dieser Verwandlung ist Blässe und Weichheit der Leber. Oft

---

1) Cruveilhier a. a. O. S. 183. bey einer 55 Jahr alten, überhaupt sehr fetten Frau.

2) Journal de méd. T. X. p. 438.

3) Mém. prés. de l'acad. de Paris. an. 1773. p. 301. ff.

4) Roux j. de méd. T. 35. p. 455.

5) A. d. Franz. in Reils Archiv für die Physiol. Bd. 4. H. 2. S. 189. ff.

6) De morbis fibrae muscularis 1799. in Reils Archiv. Bd. I. H. 2. S. 284. ff.

7) A. a. O. T. I. p. 185—190.

8) Cruveilhier S. 189. ff. Eine vergleichende Analyse eines vollständig und eines unvollständig umgewandelten Muskels.

Oft ist dieser Zustand mit Lungenschwindsucht verbunden. Bisweilen vergrösert sie sich zugleich unter dieser Bedingung. Thénard's Behauptung, dass die Galle dann nicht bitter sey, habe ich einigemal durchaus nicht bestätigt gefunden, und die Gesundheit leidet durchaus nicht immer, so dass im Leben oft keine Zeichen vorhanden waren.

3. Auch die Nieren findet man bisweilen sehr blass, von weniger deutlicher Textur, öhlig, eine Beschaffenheit, welche den Uebergang zu der wirklichen Umwandlung derselben in vollkommnes Fett macht, wovon ich einige Beyspiele vor mir habe [1]). In einigen Fällen schien auch diese Fetterzeugung Folge der Unthätigkeit der Niere zu seyn, da der Harnleiter zerstört war.

4. Noch seltner wandeln sich andere drüsige Organe, die Brüste, die Bauchspeicheldrüse, die Knochen, in Fett um. [2])

II. Von der regelwidrigen Zellgewebsbildung.

Die regelwidrige Zellgewebsbildung entsteht vorzüglich in Folge der Entzündung, und erscheint dann als Pseudomembran, [3]) welche entweder die unterliegenden Theile bloss bedeckt, oder benachbarte Flächen verbindet. Letzteres findet vorzüglich zwischen einander entgegen gewandten serösen Flächen Statt;

1) Heer de renum morbis. Halae 1790.

2) Fälle davon bey Cruveilhier a. a. O. S. 193—196.

3) L. R. Villermé Essai sur les fausses membranes. à Paris 1814.

doch werden auch alle übrigen Organe, welche lange mit einander in enger Berührung sind, und entweder hiedurch, oder durch vorangegangene Vereiterung wund wurden, durch eine zellgewebähnliche Substanz vereinigt, wenn sie gleich im normalen Zustande weniger als die serösen Häute hiezu geneigt sind. Die wichtigsten allgemeinen Bedingungen dieser Bildungen, welche die Resultate der adhäsiven Entzündung sind, habe ich schon oben [1]) abgehandelt. Weitläufiger hat Cruveilhier den Gegenstand betrachtet. [2])

III. Von der Balgbildung oder der regelwidrigen Entstehung des serösen Systems.

Alle, sowohl regelmäfsige Organe darstellende, als völlig regelwidrige Produkte sind häufig in einer eignen, sie von den benachbarten Theilen absondernden geschlossenen Hülle enthalten, die den Namen eines Balges (Cystis) führt, so wie die enthaltene Substanz in Verbindung mit dem Balge eine Balggeschwulst (Tumor cysticus) heifst. In Hinsicht auf die Entstehungsweise und Bedeutung der Bälge glaubt man im Allgemeinen, dafs der Balg durch Zusammendrückung des im Umfange einer ergossenen Flüssigkeit befindlichen Schleimgewebes mechanisch hervorgebracht werde; allein Bichat [3]) hat 1) aus der Analogie der Bälge mit den serösen Häuten, der

1) S. 27—35.

2) Transformations lamineuses. In dessen Essai sur l'anat. pathol. T. I. p. 142—181.

3) Ueber die Häute, übers. v. Dörner. S. 227.

zu Folge zu vermuthen iſt, daſs ſie nach denſelben Geſetzen entſtehen; 2) aus der hohen Thätigkeit dieſer Bälge; 3) aus dem Nichtverſchwinden des im Umfange des Balges befindlichen Schleimgewebes; 4) aus der gleichmäſsigen, nicht etwa durch den ſtärkern Widerſtand, den ein unterliegender Knochen verurſachte, vergröſserten Dicke des Balges, meiner Meinung nach, mit Recht geſchloſſen, daſs ſie als ſelbſtſtändige Produkte, die ſich im Schleimgewebe, dem gemeinſamen Grundſtoffe aller Bildungen, entwickeln, und die Organe der Abſonderung der Subſtanzen anzuſehen ſind, welche ſie enthalten. Dieſs ergiebt ſich aus der in den meiſten Fällen Statt findenden Fortdauer der Abſonderung, wenn auch nur ein Theil des Balges unzerſtört bleibt, aus dem gewöhnlich ſehr lockern Zuſammenhange zwiſchen dem Balge und dem benachbarten Zellgewebe. Doch iſt es höchſt wahrſcheinlich, daſs häufig an einer Stelle des Zellgewebes die Aushauchung vermehrt wurde und darauf erſt, entweder aus der ausgehauchten Flüſſigkeit oder aus dem Zellgewebe, ſich ein eignes Organ entwickelte, ſo wie in der Thierreihe ſchon lange vor der Anweſenheit eigner Organe, welche bey höhern Thieren zur Vollziehung gewiſſer Functionen nothwendig ſind, dennoch die Functionen vollzogen werden. Für die gewöhnliche Meinung könnte der Umſtand zu ſprechen ſcheinen, daſs auch fremde, zufällig in den Körper gekommene Subſtanzen oft von einem Balge umgeben ſind, der offenbar durch Druck entſtanden iſt, allein dieſs beweiſt nicht geradezu für jene Annahme. Hier iſt zwar der fremde Körper offenbar durch den Reiz, welchen er erregt, die Urſache der Entſtehung des Balges, allein dieſer iſt theils häufig gar nicht Abſonderungsorgan, theils folgt auch daraus, daſs hier ein ſolcher urſächlicher Zuſammenhang Statt findet, nicht, daſs er auch bey den übrigen Bälgen anzunehmen ſey.

Neuerlich hat ſogar Adams [1]) die Meinung aufgeſtellt, daſs alle Balggeſchwülſte für eigne Thiere der niedrigſten Art, für Hydatiden zu halten ſeyen. Die Hydatide giebt nach ihm die einfachſte Idee des thieriſchen Lebens, indem ſie ein Thier darſtellt, das bloſs aus einem Balge und der darin enthaltenen Subſtanz beſteht, nur in belebter thieriſcher Materie exiſtiren kann, das Vermögen hat, aus ſeinem Neſte die Nahrung aufzuſuchen, die ſeine ganze Höhle anfüllt, und ſich ohne ſichtbare Generationsorgane fortzupflanzen. Er ſetzt verſchiedene Arten feſt und dehnt ſeine Anſicht auch auf das Steatom, das Atherom und die Meliceris aus.

Die Gründe für ſeine Meinung findet er 1) in dem gänzlichen Mangel einer Verbindung zwiſchen den Bälgen und den umgebenden Blutgefäſsen;

2) in der Fähigkeit zu wachſen, welche ſie beſitzen, und dem Umſtande, daſs ſie durch ihr Abſterben den Körper, worin ſie ſich befinden, auf keine andere Weiſe, als durch den örtlichen Reiz afficiren, welchen ſie erregen;

3) der Unfähigkeit dieſer Säcke, in Eiterung zu gerathen, und überhaupt der groſsen

---

1) On the camerous breaſt. London 1801.

Verſchiedenheit, welche zwiſchen ihnen und zwiſchen den Kapſeln, die in einem Abſceſs die Austreibung des Eiters verhüten, ſo wie den urſprünglich anweſenden, durch Flüſſigkeiten regelwidrig ausgedehnten Membranen, in Hinſicht auf ihren Verlauf Statt findet;

4) in dem gleichzeitigen Erſcheinen jener Geſchwülſte mit Hydatiden in denſelben Organen; und

5) in der Analogie, welche zwiſchen den Hydatiden und den oben erwähnten Balggeſchwülſten in Hinſicht auf ihre Fortpflanzung Statt findet.

Allein keiner dieſer Gründe an und für ſich, ſo wenig als alle vereinigt, ſcheinen mir die Thierheit dieſer Gebilde zu erweiſen, wenn ſie gleich für die Anſicht, daſs ſie als neue, eigne Produkte zu betrachten ſind, ſprechen. Ueberdieſs ſind die Gründe, welche Adams für ſeine Meinung anführt, ſogar nur zum Theil richtig.

Dieſe Bälge ſind nur auf dieſelbe Weiſe gefäſslos, als die ſeröſen Häute überhaupt, wo die Blutgefäſse auch nur in dem ihre äuſsere Fläche bekleidenden Zellgewebe verlaufen: ich habe ſehr deutlich ſich Blutgefäſse, genau nach demſelben Typus, auf der äuſsern Fläche eines groſsen, die ganze Unterleibshöhle einnehmenden Balges dieſer Art verbreiten geſehen, und andere Beobachter beſtätigen völlig daſſelbe. So fand Schacher[1]) bey einem ſechzehnjährigen Mädchen den linken Eyerſtock auſserordentlich ausgedehnt, und in eine Maſſe mit

1) Schacher et Möbius, de virgine aſcitica. Lipſ. 1725. recuſ. in Halleri collect. diſſ. pr. T. IV. p. 531. ff.

Serum angefüllter Bälge von verschiedener Gröſse verwandelt, die mit äuſserst zahlreichen Blutgefäſsen versehen waren, ein Umstand, der auf den beygefügten Kupfern sehr deutlich erläutert wird.

Salzmann [1]) fand im Unterleibe eines drey und zwanzigjährigen Mädchens eine 6½ Pfund schwere, aus einer Menge von Bälgen von verschiedener Gröſse und Inhalt gebildete Geschwulst, die, wie er ausdrücklich bemerkt, von eignen Gefäſsen ernährt wurde.

Ich sah zu einem im breiten Mutterbande befindlichen Balge, der mit einer hellen Flussigkeit angefüllt ist, eine Menge sehr ansehnlicher Gefäſse gehen.

Wenn die Gefäſsmenge dieser Bälge in Vergleich mit der Menge der in ihnen enthaltenen Masse gering ist, so hängt dieſs vielleicht mit der Leichtigkeit, womit sich diese bildet, theils auch damit zusammen, daſs die Blutmenge von Organen, welche ein höheres Produkt, z. B. den Foetus enthalten, nicht bloſs seine Ernährung, sondern auch die Belebung seines Blutes bezweckt.

Der zweyte Grund ist sehr schwach. Die Fähigkeit, sich zu vergröſsern, kann unmöglich die Thierheit eines Gebildes beweisen, da kein Organ existirt, welches sich nicht, ohne im geringsten von seiner Structur abzuweichen, auf eine, oft ungeheure Weise regelwidrig vergröſsert hätte, wie z. B. für die Knochen, das Herz, die Brüste u. s. w. bewiesen wurde.

---

1) De abscessu mirae magnitudinis. Argentorati 1671. ebend. p. 355. ff.

Auch der zweyte Theil dieses Grundes beweist eben so wenig für die Thierheit der Bälge. Das Absterben eines ursprünglich dem Körper einverleibten normalen Organs afficirt den Organismus nur insofern, als dadurch eine der Federn, welche ihn in Bewegung erhalten, unthätig wird. Ist der Antheil des Organs an dem Lebensprocesse geringer, so wird der Körper gleichfalls nur durch den örtlichen Reiz, den das Absterben veranlasst, afficirt. Um wie viel mehr muss diess für Gebilde gelten, die, wenn gleich ihre Structur mit normalen übereinkommt, dennoch regelwidrige Erscheinungen sind, und keinen Antheil an dem normalen Lebensprocesse haben.

Was den dritten Grund betrifft, so ist damit, dass der Balg sich von dem gewöhnlichen Abscess unterscheidet, noch keineswegs erwiesen, dass er darum als ein eigner, belebter Organismus zu betrachten sey. Adams spricht übrigens zur Bestätigung dieses Grundes den Bälgen Eigenschaften ab, welche sie in der That besitzen. Nach ihm fehlt ihnen die Fähigkeit, Fleischwärzchen zu erzeugen; allein Abernethy [1]) bemerkt ausdrücklich das Gegentheil, indem er die Fleischwarzenbildung mehrmals bey Bälgen, die von selbst aufbrachen, beobachtete. Nur sind diese gewöhnlich schlaff und nicht zur Heilung geneigt. [2]) Eben so entzünden sie sich nicht selten, wovon Abernethy [3]) gleichfalls mehrere Beyspiele aufgestellt hat. Ja, nach Hunter und Aber-

1) Medicinisch-chirurgische Beobachtungen, übers. von Meckel, Halle 1809. S. 61.

2) Ebend. S. 65. ff.

3) Ebend. S. 66. ff.

nethy [1]) entſteht ſogar nach Wegnahme der vordern Wand des Balges, wenn die Haut über die hintere gelegt wird, Verwachſung zwiſchen beyden.

Die Nothwendigkeit, den ganzen Sack wegzunehmen, um eine vollſtändige Heilung hervorzubringen, begründet bloſs die Abſonderungsthätigkeit, allein nichts weniger als die Thierheit der Bälge, indem ſie darin mit allen abſondernden Oberflächen übereinkommen. So verſchwindet die Waſſerſucht der Scheidenhaut nur dann völlig, wenn durch irgend ein Mittel eine vollſtändige Obliteration der Scheidenhaut als abſondernder Oberfläche bewirkt wird.

Das gleichzeitige Vorkommen von Balggeſchwülſten, die mit ganz verſchiedenen Subſtanzen angefüllt ſind, in demſelben Organe iſt zwar in der Erfahrung begründet, beweiſt aber bloſs, daſs die Thätigkeit der gleichzeitig gebildeten, im normalen Zuſtande vorhandenen Bälge, nicht nothwendig immer dieſelbe ſey. Mit demſelben Rechte könnte man die ſeröſen Häute für eigne Thiere halten, weil Bruſtwaſſerſucht und Bauchwaſſerſucht häufig von einander getrennt vorhanden ſind.

Eben ſo wenig beweiſt endlich der Umſtand, daſs die Balggeſchwülſte und der Krebs ſich nach verſchiedenen Richtungen verbreiten, und von den zuerſt entſtandenen aus Nebenbälgen entſtehen, für die thieriſche Natur dieſer Gebilde. Balggeſchwülſte liegen zwar häufig neben einander, und in einem hydropiſchen Eyerſtocke finden ſich weit gewöhnlicher

---

1) Ebend. S. 61.

mehrere Bälge, als eine Verwandlung des ganzen Organs in einen einzigen Balg; allein theils ist auch die letztere Bedingung keine ganz ungewöhnliche Erscheinung, theils beweist jene fortschreitende Entwicklung mehrerer, neben einander liegender Bälge nicht, dass die Entstehung der neuen in der Existenz der alten begründet ist, indem sie viel wahrscheinlicher nur nach, nicht durch einander entstehen, nicht von einander aussprossen, da die gleichzeitige Erzeugung derselben in verschiedenen Theilen desselben Körpers keine ungewöhnliche Erscheinung ist. Man findet, wie Abernethy [1]) ganz richtig bemerkt, nicht selten mehrere, bis zwanzig Balggeschwülste in verschiedenen Organen derselben Person, die in ihrem Bau und Inhalt genau übereinkommen, und die Anlage dazu sogar bisweilen erblich.

Ein anderer, wie es mir scheint, nicht unwichtiger Grund gegen diese Ansicht, ist die von Brüninghausen [2]) gemachte Bemerkung, dass Balggeschwülste häufig im Gefolge anderer Leiden zu entstehen scheinen, oder ihre Wegnahme zur Entstehung derselben Gelegenheit giebt, so dass sie nicht ohne Wahrscheinlichkeit als Theil eines allgemeinen Leidens angesehen werden. So bekam ein Kranker, dem eine auf der linken Wange sitzende Balggeschwulst, deren Gewicht man auf sechzehn bis achtzehn Pfund schätzte, weggenommen wurde, während der Heilung rheumatische Rückenschmerzen. Loder nahm einer Frau eine

1) A. a. O. S. 69.

2) Ueber die Exstirpation der Balggeschwülste am Halse. Würzburg 1805. Ausz. in Langenbecks chir. Bibl. B. 1. S. 494.

bewegliche, an der rechten Seite des Halſes ſitzende Balggeſchwulſt von der Gröſse eines Apfels weg, auf welche vier Jahre nachher, indeſs auf einen heftigen Stoſs, eine Verhärtung in der Ohrſpeicheldrüſe entſtand, die in Krebs überging. Siebold ſchnitt eine Balggeſchwulſt an der Backe, dem Ohr und dem Halſe ab, die eine groſse Menge Gallert und geronnenes Blut enthielt, und bald nachher entwickelten ſich an der Backe ſcrophulöſe Geſchwülſte. Brüninghauſen ſelbſt ſah nach Wegnahme einer beweglichen Balggeſchwulſt von der Gröſse eines Hühnereyes, die auf der Luftröhre ſaſs, eine Verhärtung der Schilddrüſe entſtehen. In einem andern Falle ſah er eine Speckgeſchwulſt nach lange anhaltenden Schmerzen gebildet werden, die verſchwanden, während die Geſchwulſt anwuchs, aber nach Wegnahme derſelben von neuem eintraten. In einem andern Falle verloren ſich herumſchweifende Gichtſchmerzen, nachdem ſich mehrere Speckgeſchwülſte entwickelt hatten.

Durch die angeführten Gegengründe ſcheint mir daher die von Adams aufgeſtellte Meinung über die thieriſche Natur der Bälge im Allgemeinen hinlänglich widerlegt zu ſeyn. Noch mehr wird ſie dieſs, wenn man erwägt, daſs ſich von den Bälgen ein unmerklicher Uebergang zu den Abſceſſen durch eigne Höhlen machen läſst, die man weder für Balggeſchwülſte noch für Abſceſſe halten kann, und auf welche kürzlich Abernethy [1]) aufmerkſam gemacht hat. Dieſs ſind abſondernde Oberflä-

1) Ebend.

chen, von unregelmäſsiger Geſtalt, die nach der Geſtalt der Theile, zwiſchen welchen ſie ſich entwickeln, variiren, ſich nicht ſo leicht von dieſen trennen laſſen als die gewöhnlichen Bälge, ſondern feſt, wie die Wände von Eiterbälgen, an ihnen hängen, aber Subſtanzen enthalten, welche mit denen, die man in den gewöhnlichen Bälgen findet, übereinkommen, eine Art von Blutwaſſer und Hydatiden, wie die in der Subſtanz der Leber gebildeten Bälge. Bisweilen findet man auch eine Menge körniger Maſſen von weiſser Farbe, die viel kleiner als Perlgraupen ſind, eine glatte Fläche und eine normale Geſtalt haben.

Allein auf der andern Seite wird durch dieſen allmähligen Uebergang, der durch die oben erwähnten Höhlen von den eigentlichen Bälgen zu den Abſceſſen gebildet wird, der vorhin aufgeſtellten Anſicht, daſs ſie als für ſich beſtehende, durch eigne Thätigkeit ſich entwickelnde Organe anzuſehen ſeyen, nichts von ihrem Werthe benommen, indem der Abſceſs ſelbſt ein eignes, neugebildetes Abſonderungsorgan, genau wie die gewöhnlichen Bälge iſt, welches ſich von ihnen nur durch den zufälligen Umſtand, daſs zu ſeiner Entſtehung, nicht aber zur Entſtehung der Bälge, das Vorangehen einer Entzündung erfordert wird, unterſcheidet.

Die Bälge ſelbſt, welche die Subſtanzen verſchiedener Art enthalten, würde ich daher nicht für paraſitiſche Thiere anſehen, wenn ich es gleich nicht für unmöglich halte, daſs ſich in dieſen Bälgen aus der darin enthaltenen Flüſſigkeit eigne, für ſich beſtehende Organismen entwickeln, welche die niedrigſte Stelle in der Thierreihe einnehmen. In der Höhle dieſer

Organismen aber ist oft dieselbe, blutwasserähnliche Flüssigkeit enthalten, welche auch wahre Bälge einschliessen, ohne dass man deshalb beyde Produkte als identisch anzusehen hätte. Einige Bälge sondern eine Flüssigkeit ab, welche entweder an und für sich, oder durch andere zufällig eintretende Umstände unfähig ist, zur Entstehung neuer Bildungen zu dienen; dagegen ist die von andern abgesonderte vielleicht höher belebt, bildsamer, und aus ihr gehen dann jene in der Höhle des Balges enthaltenen eignen Organismen hervor, die, nachdem sie sich allmählich beträchtlich vergrössert haben, absterben, und zu den auf einander geschichteten Blättern des gemeinschaftlichen Balges werden, der wahrscheinlich zuerst immer nur aus einem bestand, so dass oft auch auf diese Weise mehrere Schichten entstehen können. Doch vergleiche man hiermit, was ich in dem Abschnitte von den Hydatiden anmerken werde.

Die vorzüglichsten übrigen Momente in der Geschichte der Bälge sind: 1) ihr Bau oder ihre Beschaffenheit an und für sich; 2) die Stellen, an welchen sie vorkommen, 3) ihr Inhalt; 4) die Veränderungen, welche sie erleiden.

1. Bau. Die äussere Gestalt, Gewebe, Dicke, Grösse, Art der Verbindung mit den benachbarten Theilen, sind die Hauptmomente, welche hier zu betrachten sind.

a. Sie sind im Allgemeinen rundlich, ahmen aber, wenn sie festere, eine eigne Gestalt habende Substanzen umgeben, die Gestalt von diesen nach.

b. Durch ihr Gewebe kommen sie gewöhnlich mit den serösen Häuten sehr genau überein, und können daher im Allgemeinen in dieser, wie in der vorigen Hinsicht, als regelwidrige Wiederhohlungen von diesen angesehen werden. Doch giebt es in der That, wenn gleich seltner, Bälge, welche weit mehr Aehnlichkeit, bisweilen völlige Gleichheit mit den Schleimhäuten darbieten, dicker, undurchsichtiger, weicher, gefäſsreicher als die gewöhnlichen sind, und zugleich eine ungleiche, faltige, netzförmige Oberfläche zeigen. Besonders habe ich sie in den Ovarien, entweder allein, oder mit serösen Bälgen, und diese Verschiedenheit des Baues mit Verschiedenheiten der abgesonderten Flüssigkeit zusammentreffend gefunden, sofern diese schleimhautähnlichen Bälge eine dickere, schleimähnliche Feuchtigkeit enthielten.

Uebrigens sind nicht selten auch die serösen Bälge äuſserlich von dickern hartern, mit dem Fasergewebe sehr übereinkommenden Schichten umgeben, welche man mehr oder weniger deutlich in mehrere Blätter zerlegen kann. Unter dieser Bedingung kann man die Bälge als Wiederholungen der faserig-serösen Häute ansehen. Diese kommen vorzüglich in der Lebersubstanz vor, und enthalten Hydatiden. Die äuſsern, dem faserigen Gewebe analogen Schichten bilden sich erst später, vielleicht wandelt sich bisweilen die zuerst vorhandene seröse Haut in sie um, und an ihrer Stelle entsteht eine neue, indem die innern Schichten lockerer als die äuſsern an einander geheftet sind. Doch mögen sie sich am gewöhnlich-

1) Auch Laennec. (Dict. des sc. medic. T. II. p. 54.) deutet diese Bälge an.

ſten in Folge des durch die Bälge veranlaſsten, und ſich immer mehr vergröſsernden Reizes bilden.

c. Die Dicke der Bälge iſt ſehr verſchieden, und hängt durchaus nicht mit ihrer Gröſse zuſammen. Dieſe Verſchiedenheit hängt übrigens nicht mit dem Grade der Zuſammenſetzung zuſammen, indem oft ſehr dicke Bälge ganz einförmig ſind, wie auch die normalen ſeröſen und Schleimhäute ſich nicht ſelten auſserordentlich verdicken.

d. Die Gröſse iſt ſehr verſchieden, und variirt von den kaum wahrnehmbaren bis zum Durchmeſſer mehrerer Fuſse. Theils wird dieſe Verſchiedenheit durch die Natur des Balges ſelbſt, theils auch durch die der Theile bedingt, in welchen er ſich entwickelt, letzteres auf mehrere Weiſe, mechaniſch und dynamiſch.

e. Der Zuſammenhang mit den Theilen, in welchen ſich der Balg entwickelt, iſt auſserordentlich verſchieden, gewöhnlich aber nur locker, durch zartes Zellgewebe und wenig Blutgefäſse vermittelt, ſo daſs die Bälge leicht getrennt werden können und deutlich von den umgebenden Theilen verſchieden ſind. Doch findet man bisweilen einen ſehr unmerklichen Uebergang und weniger genaue Differenziirung beyder. (S. oben S. 139.)

2. Stelle. Am häufigſten entwickeln ſich Bälge da, wo die Menge des Zellgewebes am reichlichſten, und die Bildungsthätigkeit am höchſten geſteigert, und ſchon der normale Bau der Organe blaſig iſt, aus dem erſten Grunde in der Fetthaut, aus den letztern in den Eyerſtöcken. Ihrer Häufigkeit und nicht ſeltnen Vereinigung mit der gewöhnlichen Waſ-

ſerſucht ungeachtet iſt doch die, beſonders von Morgagni[1]) vorgetragne Meinung, daſs dieſe faſt immer in einer Zerreiſsung von ſeröſen Bälgen begründet ſey, auf keine Weiſe erweisbar und ſchon darum nicht annehmlich, weil dadurch nur die Schwierigkeit der Entſtehung der Krankheit vergröſsert wird. An den ſeröſen Häuten entſtehen ſie gleichfalls vorzugsweiſe häufig, unſtreitig wohl, weil ihre Beſchaffenheit dieſelbe iſt, und durch eine Art von Zeugung.

3. Beſchaffenheit der enthaltenen Subſtanzen. Dieſe iſt ſehr bedeutenden Verſchiedenheiten unterworfen, ſofern, wie ſchon bemerkt wurde, faſt jede regelwidrig vorkommende Subſtanz von einem Balge umgeben iſt. Die flüſſigen Subſtanzen, welche ſie enthalten, ſind entweder ſerös, Waſſerblaſen (Hydatides), beſſer ſeröſe Bälge (Cyſtides ſeroſae), breyähnliche, Breygeſchwülſte (Atheromata) honigartig, (Meliceride) oder gallertartig (Tumores gelatinoſi, gummata).

4. Veränderungen, welche die Bälge erleiden. Gewöhnlich vergröſsern ſie ſich mehr oder weniger, bisweilen ungeheuer. Bisweilen brechen ſie auf, und es bilden ſich Fleiſchwärzchen auf ihrer Oberfläche; doch ſind dieſe ſelten energiſch, ſondern meiſtens ſchlaff und nicht zur Heilung geneigt. Häufig wächſt daher vielmehr aus einem aufgebrochnen Balge ein Schwamm hervor, der die Heilung der umgebenden Haut hindert. Bisweilen verwächſt jedoch die hintere Wand einer Balggeſchwulſt, wenn bloſs die vordere Wand weggenommen

1) De c. et ſ. a. a. O.

wird, mit der darüber gelegten Haut, wo aber der Verwachſungsproceſs vielleicht mehr der äuſsern Haut als der Balggeſchwulſt, zuzuſchreiben iſt. Oeffnen ſie ſich nur durch eine kleine Oeffnung, ſo füllt ſich der Balg wiederholentlich durch Abſonderung einer ähnlichen, anfangs mehr flüſſigen Subſtanz wieder an. Sehr häufig bilden ſich in den Häuten der Balggeſchwulſt Verknöcherungen, theils nach der Analogie der ſeröſen und faſerig-ſeröſen Häute, von welchen die meiſten Bälge Wiederholungen ſind, theils als Zeichen ihres ſich mindernden Lebens, ſo daſs man an der Stelle ehemaliger Bälge in der Leber, der Schilddrüſe u. ſ. w. ähnliche, bisweilen ganz ſolide Knochenſtücke findet. Die wahren Blätter, woraus ſie bisweilen beſtehen, und die äuſserſt dicht aneinander liegen, rühren wahrſcheinlich oft von Ausſchwitzung an ihrer innern Fläche her, und ſcheinen, ſo wie die wiederholentlich geſchehende Anfüllung dieſer Bälge, für die oben geäuſserte Meinung über ihre Entſtehungsweiſe zu ſprechen.

A. Seröſe Bälge.

Seröſe Bälge nenne ich die, mit einer dünnen, dem Serum mehr oder weniger ähnlichen Flüſſigkeit angefüllten Bälge, welche an ihrer äuſsern Fläche mit den benachbarten Theilen verwachſen ſind, und unterſcheide ſie hiedurch von dem Hydatiden, welche an ihrer äuſsern Fläche nicht befeſtigt ſind.

Am häufigſten ſind die ſeröſen Bälge, vermuthlich, weil die Erzeugung dieſer Flüſſigkeit, welche, als Flüſſigkeit des Graafſchen Bläschens, den Anfang aller Bildung darſtellt, die leichteſte

teste ist. Die Krankheit, welche der seröse Balg darstellt, ist die Sackwassersucht (Hydrops saccatus). Ich werde die Organe vorzüglich nach der Häufigkeit, mit welcher sich seröse Bälge in ihnen entwickeln, betrachten.

A. Geschlechtstheile.

Die Geschlechtstheile sind, wenigstens einzelnen Abschnitten nach, vorzugsweise der Sitz seröser Bälge.

Häufiger als in den männlichen kommen sie in den weiblichen vor.

1. Weibliche Geschlechtstheile.

Unter allen Organen ist unstreitig der Eyerstock am meisten zur Bildung von serösen Bälgen geneigt, und auf eine merkwürdige Weise erstreckt sich diese Tendenz auch auf seine Sphäre. Es ist nichts seltnes, mehrere gröfsere oder kleinere Bälge in dem Umfange des Eyerstockes zu finden, die bisweilen in langgestielten Verdoppelungen [1]) des Bauchfelles, durch lockeres Zellgewebe an die innere Fläche des Grundes dieser Verdoppelungen geheftet, hängen, bisweilen, besonders wenn sie eine etwas bedeutende Gröfse erreicht haben, in einer kugelförmigen Gestalt erscheinen.

Besonders habe ich bey öffentlichen Mädchen fast immer gröfsere oder kleinere, von

---

1) Die Stiele sind bisweilen beträchtlich lang. Einmal fand ich den Stiel der Bauchfellverdopplung, die in ihrem Grunde einen leicht auszuschalenden Balg von drey bis vier Linien im Durchmesser enthielt, beynahe drey Zoll lang, in einer Strecke von anderthalb Zollen drey Linien weit, hier mit Fett angefüllt, in der übrigen Länge nur eine Linie weit und ganz leer.

den Eyerstöcken, oder den Trompeten oder breiten Mutterbändern herabhängende Productionen dieser Art gefunden: offenbar ein sehr merkwürdiges Phänomen, indem sich hier die zu häufig erhöhte Thätigkeit der Genitalien durch Bildung von Organen äusserte, die auf eine interessante Weise mit dem Ey die gröſste Aehnlichkeit haben. Am gewöhnlichsten enthielten diese Bälge bloſs eine mehr oder weniger durchsichtige Flüssigkeit; doch fand ich sie einigemal auch ganz oder zum Theil unter den angegebenen Umständen mit Knochen angefüllt.

In den breiten Bändern und den Fledermausflügeln habe ich einigemal bedeutend groſse Bälge gefunden, statt daſs die frey und an Stielen hängenden gewöhnlich klein sind. In wiefern der Grund dieser Verschiedenheit des Umfangs in der Verschiedenheit der Stelle, an welcher sie sich entwickelten, enthalten ist, mag ich nicht bestimmen; doch ist es möglich, daſs im letztern Falle die Bälge kein bedeutendes Volum erlangen, weil sie wegen geringerer Unterstützung leichter einreiſsen, oder wegen durch ihre Schwere bewirkter Verengerung des Stieles ihre Gefäſse zusammengedrückt werden. Vielleicht wird diese Meinung durch die Erscheinung erbsengroſser oder noch kleinerer, harter, ungleicher Körperchen, die ich bisweilen an langen, ganz zusammengezogenen Stielen hängend fand, bestätigt.

Gröſsere Bälge, die sich in den breiten Bändern und den Fledermausflügeln bilden, können leicht für Trompetenwassersucht gehalten werden, ein Irrthum, der bey kleinern weniger leicht zu begehen ist, indem die Form der Trompete, selbst nicht abgeändert, und also beide leicht zugleich durch diese erkannt werden. So habe ich z. B. einen kleinen Balg, der vor und unter der linken Trompete sitzt, vor mir. Diese selbst ist völlig normal, ungefähr einen halben Zoll weit von ihm entfernt. Die Frangen ihrer gleichfalls von ihm entfernten Abdominalmündung sind sehr deutlich.

Vergrößert sich der Balg dagegen, so drängt er sich bis an die Trompete selbst, und plattet diese ab, so dass sie nur bey einer sehr genauen Untersuchung erscheint, indem auch die Fimbrien nach und nach verschwinden.

So fand ich fünf Zoll weit von der Gebärmutter, unter und etwas vor der linken Trompete, einen drey bis vier Zoll im Durchmesser haltenden Balg, dessen eine bis anderthalb Linien dicke Wände aus mehrern Lamellen bestehen, und dessen innere harte Haut durch kleine Furchen ungleich gemacht wird, über welchen die Trompete, zur Länge von zehn Zollen ausgedehnt, verläuft. Ihr zwischen der Gebärmutter und dem Balge befindlicher Theil ist normal, allein an der Stelle, wo sie den Balg erreicht, plattet sie sich beträchtlich ab, ihre Wände verdünnen sich, ihre Höhle erweitert sich beträchtlich, sie selbst aber ist ihrer Abplattung wegen nur merklich, wenn man das sie und den Balg bekleidende Bauchfell wegnimmt. Die Fimbrien sind gröfstentheils in eine breite Membran von der Länge eines Zolles ausgezogen, nur eine kleine Stelle ausgenommen, wo die Membran, welche ihre Mündung umkleidet, kaum eine Linie breit ist.

Merkwürdig ist es, dass sich zugleich im rechten Eyerstocke eine fibröse Production von der Grösse einer Haselnuss und mehrere kleine Cervicalpolypen in der Gebärmutter fanden.

In einem andern Falle fand ich bey einem serösen Balge von derselben Grösse, der sich nur durch geringere Dicke der Wände von dem vorigen unterscheidet, und etwas näher an der Gebärmutter liegt, die Trompete weniger platt, ihre Oeffnung kenntlicher.

Bey einer alten Jungfer fand ich unter und hinter der rechten Trompete, sechs Zoll weit von der Gebärmutter, einen Balg, der sechs Zoll im Durchmesser hält. Die Trompete verläuft in seiner vordern Fläche bis zu dem untersten Theile seines Umfangs, wo sie abgeplattet und sehr weit ist. Von dem Balge bis zur Gebärmutter ist sie sehr eng und dünn, und der Durchmesser ihres ganzen äussern Umfangs beträgt kaum eine Linie.

In allen diesen Fällen wurden diese Bälge für Trompetenwassersucht gehalten, allein in allen konnte ich bey einer nähern Untersuchung den Balg in seinem ganzen Umfange deutlich von der Trompete trennen, und diese durch das Messer und die Sonde auf ihm verfolgen.

Häufiger ist der Eyerstock selbst der Sitz von Bälgen, deren Inhalt ausserordentlich variirt. Ihre Entstehung gerade in diesem Organe wird wahrscheinlich durch die ursprüngliche normale Bildung desselben begünstigt, indem sie nur eine Wiederholung der Graafschen Bläschen zu seyn scheinen. Von mehreren Schriftstellern sind sie in der That bloss für eine Vergrösserung derselben gehalten worden; doch wird diese Ansicht durch ihre oft ungeheure

Menge, welche die der Graafschen Bläschen bey weitem übersteigt, unwahrscheinlich gemacht, man müsste denn die Existenz einer weit grössern Menge äusserst kleiner Graafscher Bläschen, als sich gewöhnlich sichtbar entwickeln, annehmen: offenbar eine unnütze Voraussetzung, da sich ähnliche Bälge auch an andern Orten bilden, wo sie nicht durch Vergrösserung eines Bläschens entstehen können.

Die Balgwassersucht des Eyerstockes erscheint unter zwey Hauptformen, indem entweder der ganze Eyerstock sich mehr oder weniger nur in eine grosse Blase verwandelt, oder aus einer Anhäufung von mehrern besteht. Der letztere Fall ist der häufigere, und nicht selten sind dann die in den Bälgen enthaltenen Substanzen in jeder Hinsicht von einer ganz verschiedenen Beschaffenheit. Die Dicke der Häute, und die Grösse des wassersüchtigen Eyerstockes variiren unter beiden Bedingungen bedeutend, bisweilen hat er eine enorme Grösse.

So habe ich ein hydropisches Ovarium der linken Seite vor mir, das in einen ganz einfachen Sack, dessen Häute überall kaum eine halbe Linie dick sind, und dessen Durchmesser beynahe zwanzig Zoll beträgt, verwandelt ist. Es war mit einer wasserhellen Flüssigkeit angefüllt. Von der normalen Substanz des Ovariums findet sich nirgends eine Spur.

Von den einfachen Säcken machen die durch unvollkommne Scheidewände abgetheilten den Uebergang zu dem Zustande, wo sich mehrere völlig von einander getrennte finden.

So habe ich einen Fall vor mir, wo das rechte Ovarium einen Balg darstellt, der neun Zoll im Durchmesser hält. Er besteht überall aus drey Membranen, von denen die äuſsere das etwas verdickte Bauchfell, welches ſich leicht von der mittlern abſondert, die zweyte die weiſse Haut des Ovariums, die einen mehr fibröſen, trocknen Bau hat, und ſich ſchwerer von der äuſsern und innern abſondert, die innere die eigenthümliche ſeröſe Haut des Balges iſt. Die ganze Dicke ſeiner Wände beträgt etwa $1\frac{1}{2}$ Linien. Der Bau der innern Haut weicht von dem gewöhnlichen dadurch ab, daſs ſie an ihrer innern Fläche eine Menge kleine Vertiefungen enthält, wodurch ſie ein netzförmiges Anſehen bekommt. Der ganze Sack iſt inwendig in drey von ungleicher Gröſse getheilt, in deren einem die innere Haut viel netzförmiger als in den beiden übrigen erſcheint, wo ſie eine ganz glatte innere Fläche hat. An vielen Stellen gehen ſehr dünne Verdopplungen der innern Membran ab, die oft mehrere Zoll lang und noch viel breiter, theils frey in die Höhle des Sackes hängen, theils unvollkommne Abtheilungen der Säcke veranlaſſen.

In einem andern Falle iſt das Ovarium in eine Maſſe von Säcken verwandelt, die ſechs Zoll im Durchmeſſer hält. Die Dicke der Häute variirt nach der Gröſse, beträgt aber nicht mehr als zwey Linien. Die unvollkommnen Scheidewände ſind hier zwar klein, meiſtens nur einen halben Zoll hoch, aber äuſserſt zahlreich, und geben der innern Haut ein zelliges Anſehen. Hier iſt offenbar die Bildung, welche der vorige Fall darſtellte, weiter entwickelt. Statt einer ſeröſen Feuchtigkeit findet ſich hier eine gelbe, ſehr dicke, butterartige Subſtanz.

Bisweilen finden ſich nur einige groſse, einfache Säcke. So iſt in einem andern Falle, den ich vor mir habe, das rechte Ovarium in zwey membranöse Säcke verwandelt, von denen der eine, welcher näher an der Gebärmutter liegt, drey Zoll im Durchmesser hält und aus dünneren Häuten besteht als der grössere, der über acht Zoll im Durchmesser hat, und bloss durch Zellgewebe an ihn befestigt ist. In Hinsicht auf die Structur kommt dieses ganz mit dem zweyten Ovarium überein, nur finden sich in der äussern Haut des kleinern hie und da glatte Knorpelplatten von der Länge eines halben Zolles und der Dicke einiger Linien, und an seiner äussern Fläche kleinere Bälge.

Bisweilen sind die grössern Säcke mit einer ungeheuren Menge kleinerer angefüllt. So finde ich das linke Ovarium in zwey Säcke ausgedehnt, die zusammen funfzehn Zoll im Durchmesser halten, und von denen der eine weit grösser als der andere ist. Sie bestehen aus glatten Membranen, welche den gewöhnlichen Bau haben, und zusammen 1½ Linien dick sind. Meistentheils werden die Wände durch Gruppen von kleinen serösen Bälgen ungleich, deren Grösse von der einer Erbse bis zu der einer Wallnuss variirt, und die zum Theil eine helle, zum Theil eine trübe, dickere Feuchtigkeit enthalten. Meistens stehen mehrere Hunderte zu länglichen, ungefähr drey bis vier Zoll langen Gruppen dicht an einander gereiht. Immer sind sie von der innern Haut überzogen, und befinden sich in dem Zellgewebe zwischen ihr und den übrigen Häuten.

b. **Trompeten.** Schon oben wurde bemerkt, dass die Entstehung seröser Bälge im Umfange der Trompete leicht für Sackwassersucht der Trompeten gehalten werden kann.

Doch entwickeln sich allerdings bisweilen in ihr seröse Bälge, vielleicht am häufigsten aber ist sie selbst Sitz und Quelle der Flüssigkeit, indem sie sich durch Verschliessung an mehreren Stellen in einen oder mehrere Bälge umwandelt. Eine sorgfältigere Untersuchung, als sie besonders auf den deutschen grossen anatomischen Theatern, und selbst in Hospitälern zu geschehen pflegt, würde über diese noch durchaus dunkeln Punkte Licht verbreiten.

c. Gebärmutter. Sowohl in der Substanz als in der Höhle der Gebärmutter kommen nicht ganz selten seröse Bälge vor. Beide, vorzüglich aber die letztern, erreichen bisweilen eine sehr ansehnliche Grösse. Die Nabothschen Bläschen machen den Uebergang zwischen beiden. Die der zweyten Art sind unstreitig Resultate einer Veränderung des Lebens der Gebärmutter, welche mit der durch die Begattung gesetzte Aehnlichkeit hat, vielleicht oft wirkliche Zeugungsprodukte, und nicht zuerst in der Gebärmutter, sondern im Eyerstocke entstanden. Die Wassersucht der Gebärmutter ist wahrscheinlich immer Sackwassersucht.

d. Rundes Mutterband. Bisweilen, doch selten, entwickeln sich im runden Mutterbande seröse Bälge, die, wenn sie durch den Bauchring nach aussen dringen, für Leistenbrüche gehalten werden können [1]).

e. Schaamlippen. Weit häufiger dagegen sind sie in den grossen Schaamlippen,[2]) wo unstreitig die reichliche Menge von Zellgewebe ihre Entstehung begünstigt. Sind sie hier viel-

---

1) Ein Fall bey Cruveilhier, T. I. p. 291.

2) Mehrere Fälle bey Cruveilhier, T. II. p. 292. ff.

leicht unvollkommne Nachahmungen der Scheidenhaut des Hoden?

2. Männliche Geschlechtstheile.

a. Hoden. In der Substanz des Hoden entwickeln sich bey weitem seltner als in den Eyerstöcken, Bälge. Nicht selten kommen sie dagegen in der Scheidenhaut, namentlich am obern Theile des Hoden, vor. Auch in dem ihn und den Samenstrang im Ganzen, so wie die einzelnen Theile des letztern umgebenden Zellgewebe entstehen sie nicht selten, und können dann von Unwissenden leicht für überzählige Hoden gehalten werden. Nicht selten bildet ein ursprünglich vorhandener Theil des Scheidenhautkanals, der zwischen zwey Punkten, an welchen er sich verschliesst, offen bleibt, und regelwidrig stark absondert, ihren Sitz.

b. Ruthe. Einen seltnen Fall, wo sich in einer stark vergrösserten Eichel ansehnliche seröse Bälge entwickelt hatten, habe ich schon (Bd. 2. Abth. 1. S. 313.) angeführt. Vielleicht gehört zur Geschichte der Bildung seröser Bälge in der Ruthe ein von Barclay [1]) beschriebener Fall.

3. Brüste. In der, besonders weiblichen Brust, entwickeln sich nicht selten allein, oder in Verbindung mit andern neuen Bildungen, einfache oder zusammengesetzte seröse Bälge, welche von Unwissenden leicht für Scirrhus gehalten werden.

B. Verdauungssystem.

1. Mundhöhle. Von den in der Mundhöhle enthaltenen Theilen kommen vorzüglich

---

1) Edinb. med. Journ. p. 403.

nur an den Zähnen seröse Bälge vor. Sie entstehen im Boden der Zahnhöhle, heften sich mit ihrem entgegengesetzten Ende an die Wurzel des Zahnes und verursachen die Zerstörung derselben [1]).

2. Bauchfell. Sowohl in der äussern als in der innern Fläche des Bauchfelles entwickeln sich nicht selten seröse Bälge, die unter der erstern Bedingung zwischen ihm und den Unterleibsmuskeln liegen, unter der letztern frey hineinragen. Einen sehr merkwürdigen Fall der letztern Art habe ich vor mir, wo von der vordern Wand des Bauchfelles ein 1½ Fuss langer, überall verschlossner Beutel frei herabhängt, der sich dreymal beträchtlich erweitert, ehe er sich unten mit einer blinden, sehr ansehnlichen Anschwellung endigt. Er wird aus dem umgeschlagnen Bauchfell und einer innern, sehr zarten, genau mit demselben verbundenen Membranen gebildet, und enthält eine seröse Flüssigkeit.

3. Im Magen- und Darmkanal kommen seröse Bälge nur sehr selten vor, doch beobachteten Jodon [2]) Cleyer [3]) Fälle dieser Art, wo besonders im ersten Falle die Menge derselben beträchtlich war, und, als sie platzten, sich eine sehr bedeutende Menge von Flüssigkeit in die Höhle des Magens ergoss. Vielleicht gehört hieher auch ein Fall von Frank, wo sich in dem Darmkanal eines neugebornen Kindes acht mit Serum angefüllte Säcke befanden [4]).

1) Duval Dict. des sc. médic. T. VIII. p. 339.

2) De hydrope ventriculi. Lond. 1646.

3) Misc. n. c. D. II. A. 1. Obs. 18.

4) Gott. Anzeigen. 1784.

4. Leber. Auch in der Leber sind Sackwassersuchten selten, wenn gleich Bälge, welche Hydatiden enthalten, in ihr zu den nicht ungewöhnlichen Erscheinungen gehören. Cruveilhier erzählt unter der Rubrik von serösen Bälgen der Leber nur Fälle der letztern Art, und bestätigt dadurch seine Aussage, dass man gewöhnlich die Hydatiden mit Sackwassersucht derselben verwechsle [1]).

5. Milz. Eben so wenig habe ich sie in der Milz gesehen. In einem von Morgagni [2]) erzählten Falle gehörten die Bälge der Bauchfellhaut der Milz an, da sie auch auf der äussern Fläche des Darmes und dem Bauchfelle aufsassen.

6. Speicheldrüsen. Balgwassersucht der Speicheldrüsen, sowohl der Mund- als der Bauchspeicheldrüsen, ist eine sehr seltene Erscheinung. In einem von Cruveilhier erzählten Falle war der Bauchspeicheldrüsengang durch einen Scirrhus im Kopfe der Drüse so stark zusammengedrückt, dass er für eine Balggeschwulst gehalten wurde, und fünf Unzen Speichel enthielt [3]).

C. Harnsystem.

Im Harnsystem findet man, besonders im höhern Alter, und namentlich bey weiblichen Leichen, die Nieren ganz oder zum Theil in eine Masse von Bälgen dieser Art verwandelt, welche sehr verschiedentlich gefärbte, immer

---

1) A. a. O. S. 285—287.

2) De C. et S. XXXVIII. 34.

3) A. a. O. S. 286.

aber sehr dünne Flüssigkeiten enthalten, auch, wo sie klein und einzeln sind, gewöhnlich dicht unter der eigenthümlichen Haut der Nieren liegen, da, wo sie in grösserer Zahl vorkommen, den Nieren gewöhnlich einen Umfang geben, der viel grösser als der normale ist.

Bisweilen tritt diese Veränderung schon in sehr frühen Lebensperioden ein. So habe ich die ganze rechte Niere eines siebenmonatlichen Fötus vor mir, welche bloss aus serösen Bälgen gebildet, und sechsmal grösser als die normale ist [1]).

Seltner sind sie in den übrigen Theilen des Harnsystems; doch fand Pitet in der Schleimhaut des Blasenhalses einen in die Höhle der Blase hervorragenden Balg [2]).

D. Respirationssystem.

1. In der Brusthöhle entwickeln sie sich bisweilen, doch seltner als in der Unterleibshöhle, entweder zwischen dem Rippenbrustfell und den Zwischenrippenmuskeln, oder zwischen dem Rippenbrustfell und der Lunge, welche dadurch bisweilen so zusammengedrückt wird, dass sie fast verschwindet [3]).

2. In den Lungen sind sie keine ganz ungewöhnliche Erscheinung, und wahrscheinlich sind die angeblich erweiterten und überall verschlossenen Lungenzellen wenigstens in mehreren Fällen seröse, in ihrem Innern entstandene Bälge.

---

1) O. Heer de renum morbis. Halae 1790. p. 32. T. I.

2) Bullet. de la soc. méd. T. XIII. XIV. p. 225.

3) Haller opusc. path. Obs. 12. Dupuyren bey Cruveilhier p. 265.

3. Ganz vorzüglich häufig ist die Schilddrüse der Sitz seröser Bälge, welche sich entweder allein, oder in Verbindung mit andern neuen Bildungen aller Art in ihr entwickeln, besonders häufig ganz oder theilweise verknöchern, und oft Veranlassung zu sehr bedeutender Vergrösserung des Theiles sind. In den übrigen Theilen kommen sie nur selten oder gar nicht vor.

E. Nervensystem.

Das Nervensystem ist nicht selten der Sitz seröser Bälge, die sich vorzüglich im Gehirn, namentlich in den Adernetzen, hauptsächlich denen der Seitenhöhlen, im Alter sehr häufig entwickeln, allein auch in der äussern Gefässhaut [1]) und der Substanz des Gehirns [2]) vorkommen. An der Stelle des Gehirns und des Rückenmarkes, oder auf dem letztern findet man nicht selten bey Schädel- und Wirbelspalte eine grössere oder geringere Menge von serösen Bälgen. Weit seltner bilden sich seröse Bälge in den Nerven; dagegen kommen sie unter den Sinnorganen vorzugsweise am Auge vor. Hier erscheinen sie am gewöhnlichsten in der Augenliedern, näher an der innern als an der äussern Fläche derselben, [3]) in der Augenhöhle, wo sie aus dem Grunde in die Augenlieder, meistens das untere, hervorwachsen, seltner im Augapfel, wo sie an verschiedenen Stellen, z. B. zwischen den Blättern der Hornhaut [4])

---

1) Lieutaud hist. anat. med. Lib. X. O. 4. Portal ebend.

2) Portal anat. médic. T. IV. p. 72.

3) Scarpa malad. des yeux. Cruveilhier p. 261.

4) Düpuytren bey Cruveilhier S. 260.

zwischen der Ader- und Netzhaut,[1]) beobachtet wurden. Eine seltne Erscheinung ist auch ihre Entwicklung in der Thränendrüse[2]).

F. Gefäſssystem.

Das Gefäſssystem ist nur sehr selten die Bildungsstätte von serösen Bälgen. Doch hat man Fälle davon im Herzbeutel[3]) in der Substanz des Herzens,[4]) in den Pulsadern[5]).

II. Synovialbälge.

Den serösen Bälgen stehen die Synovialbälge oder Ueberbeine (Ganglia) am nächsten, meistentheils dickwandige, in der Nähe von Gelenken und Sehnenscheiden sich vorzugsweise entwickelnde Höhlen, welche eine der Gelenkschmiere äuſserst ähnliche Feuchtigkeit enthalten, und wenigstens sehr häufig wirklich neue Erzeugnisse sind. Hieher gehören wahrscheinlich auch die mit einer schleimigen und gallertartigen Feuchtigkeit angefüllten Bälge, wovon Gruveilhier einige von Dupuytren und ihm gesehene Fälle anführt. Der Sitz der Krankheit war immer das Zellgewebe unter der Haut[6]).

III. Honig-, Brey-, Speckgeschwülste.[7])

Die Honig-Brey- und Speckgeschwülste unterscheiden sich von einander und den vorigen

1) Portal anat. méd.
2) A. Schmidt, Krankheiten des Thränenorgans Wien 1805. S. 73. ff. Taf. 1. 2.
3) Senac du coeur. L. VI. p. 34.
4) Morgagni de C. et S. Ep. XXI. a. 54. Dupuytren in Corvisarts Journal de médec. an. II.
5) Beauchêne in den Wänden der Aorta. Bullet. de la soc. de méd. XIII. XIV. p. 225.
6) Anat. pathol. T. I. p. 304. 305.
7) P. Weidmann de steatomatibus. Mogunt. 1817.

vorzüglich durch gröſsere Dicke der in ihnen enthaltenen Subſtanz. Wahrſcheinlich bezieht ſich die oben (S. 123.) mitgetheilte Unterſuchung von Boſtock auf die Subſtanz einer Balggeſchwulſt dieſer Art. Thénard unterſuchte die einer andern, welche ſich in der Vorhaut entwickelt hatte, zerreiblich, theils grauweiſs, theils gelblich war, kleine glänzende Schuppchen und Pünktchen enthielt, fand, daſs ſie durch das Austrocknen 60 von 100 Theilen verlor, und den Rückſtand aus 0,16 Eyweiſs und 0,24 Fettwachs zuſammengeſetzt[1]). Damit kommen auch die Unterſuchungen, welche Marcet[2]) und Boſtock[3]) von ähnlichen Flüſſigkeiten anſtellten, welche in Bälgen, die ſich in muskulöſen und drüſigen Theilen gebildet hatten, enthalten waren, nahe überein. Das Eyweiſs und das Fettwachs ſcheinen nach dieſen völlig geſchieden in der Flüſſigkeit zu ſeyn, und das letztere die Schüppchen zu bilden. Indeſſen iſt die Zahl der über die Miſchung dieſer Subſtanzen vorhandenen Thatſachen noch ſo gering, daſs gerade über dieſen Gegenſtand eine Reihe von Unterſuchungen zu wünſchen wäre; doch geht aus den vorhandenen ſo viel hervor, daſs ſie den Uebergang von den ſeröſen zu den Fettbildungen machen.

Dieſe Balggeſchwülſte kommen vorzüglich in der Fetthaut, namentlich an den obern Theilen des Kopfes und den Augenliedern, nicht ſelten auch in den Eyerſtöcken vor.

---

1) Bey Cruveilhier a. a. O. S. 297—301.

2) Medico-chirurgical transactions. Vol. II. p. 377.

3) Ebend. Vol. IV. p. 83.

IV. Regelwidrige Knorpel- und Knochenbildung.

Das Knochengewebe gehört unter die, welche sich am häufigsten regelwidrig entwickeln, eine Erscheinung, welche, wo ich nicht irre, in der großen Reproductionsfähigkeit der normalen Knochen begründet ist. Am gewöhnlichsten ist, seltne Ausnahmen abgerechnet, die regelwidrige Knochenbildung eine Begleiterinn des höhern Alters, und eben so verknöchern Theile, welche zufällig entstehen oder nicht dasselbe Alter als der ganze Organismus erreichen, häufig schnell, die letztern um das Ende ihres Lebens. Hieher gehören die häufigen Verknöcherungen von Bälgen, der äußern Fläche des Mutterkuchens, der ganzen Nabelblase, der im Innern des arteriösen Ganges enthaltenen Substanz, welche ich mehrmals beobachtet habe.

Nach mehreren Beobachtungen, wo ich besonders in den Leichen kränklicher junger Personen, in den Bronchialdrüsen, den Gekrösdrüsen, im Umfang der Eyerstöcke, knorplige oder knöcherne Bildungen fand, glaube ich mich auch zu der Vermuthung berechtigt, dass auch bey früheren Altern des ganzen Körpers früher regelwidrige Knochenbildung eintritt. Gewöhnlich entstehen sie ohne wahrnehmbare äussere Veranlassungen, bisweilen aber auch in Folge von mechanischen Verletzungen. Die krankhaft producirte Knochensubstanz entwickelt sich in Hinsicht auf ihr Verhältniss zu den Theilen, wo sie vorkommt, auf eine doppelte Weise: entweder bildet sie sich im Umfange oder in ihrer Substanz, oder diese wandelt sich selbst in sie um. Die erstere Bedingung ist bey

wei-

weitem häufiger als die letztere. Die regelwidrige Knochenbildung der erstern Art erscheint vorzüglich in zwey Hauptformen. Sie bildet entweder Platten oder rundliche Körper. Zum Theil hängt diese Verschiedenheit von der Lage der neuen Knochenbildungen ab, zum Theil aber scheint sie von dieser völlig unabhängig. So entwickeln sich die locker verbundenen Knochenconcremente der Substanz der Gebärmutter, der Schilddrüse, der Scheidenhaut des Hoden, der serösen Haute immer als rundliche Körper, während die an der Milz gewöhnlich als Platten vorkommen. Diese Form haben auch die am Brustfelle meistens vorkommenden Verknöcherungen, wo aber die Gestalt von der Lage zwischen den Rippen und dem Brustfelle bedingt zu seyn scheint. Die wahre Umwandlung der Substanz in Knochen ausgenommen, die man nur selten, vorzüglich aber in den fibrösen Theilen findet, sind die zufallig entstehenden Knochen immer mehr oder weniger locker mit dem Gewebe, in dessen Nähe sie sich bilden, verbunden. Ein engerer Zusammenhang entwickelt sich meistens nur später.

Penada[1]) ist zwar der Meinung, daſs diese Productionen nicht als wahre Knochenbildungen, sondern als unorganische oder falsche Knochenconcretionen (Concr. pseudo-ossose) anzusehen seyen, indem sie 1) in Hinsicht auf ihren Bau keine Analogie mit Knochen irgend einer Art haben, nicht aus parallelen Fasern und Zellen bestehen, keine glatte Fläche haben, dicht, unorganisch, unregelmaſsig sind:

1) Saggio di osservaz. etc. Padua 1800. T. II. p. 36. ff.

2) in Hinsicht auf ihre Mischung von den wahren Knochen dadurch abweichen, dass sie, in Salzsäure zerlegt, sich sogleich ohne erdigten Rückstand, im Papinianischen Topfe auch bloss in eine weiche, unorganische Masse auflösen, die sehr wenig Leim und Erde enthält; allein diese Umstände beweisen nur, dass Knochen, die sich zufällig bilden, gewöhnlich den normalen Knochen nicht vollkommen ähnlich sind. Dadurch kommen sie aber selbst mit den Knochen überein, welche sich an der Stelle alter, zerstörter bilden, denn auch diese sind immer ungleicher, rauher, plumper, dichter als die ursprünglich vorhandenen. Uebrigens haben auch nicht alle regelwidrige Knochenbildungen jenen soliden, faser- und zellenlosen Bau. Morgagni [1]) fand sowohl Knochenconcremente in der harten Hirnhaut als in den Arterien aus Fasern gebildet. In einem andern Falle bestand ein in der Gebärmuttersubstanz gebildeter Knochen ausser einer äussern festern Substanz aus Diploë [2]). Dasselbe fand ich in einer ansehnlichen Menge von Verknöcherungen vieler Organe.

Die geringere Menge von Erde ist aber insofern höchst merkwürdig, als sie der Charakter aller unvollkommnern Knochenbildungen ist, indem sowohl die Knochen des jungen Thieres als die der Fische weniger phosphorsauren Kalk enthalten als die des älteren Thieres und der höhern Organismen. Bey Penada's Unter-

---

1) De. s. et c. Ep. XXVII. a. 20.

2) Des Gaux de Faubert in Vandermonde recueil périod. T. II. p. 337.

suchungen fand sich der Knochen mehr aus einer schleimigen Masse gebildet. Diess erinnert an den allerfrühsten Zustand der Knochen, wo sie sich von den übrigen Organen noch gar nicht durch ihre Consistenz unterscheiden.

Van Heekeren[1]) fand übrigens, dass sich ein Knochenconcrement aus der Aorta in Salpetersäure gerade so verhielt, als ein gleich grosses Stück von einem normalen Knochen. Es löste sich zwar, wegen geringerer Dichtigkeit und unbedeutendern Gehaltes an phosphorsaurer Kalkerde, schneller auf, allein die Gallert blieb, wie gewöhnlich, von der Säure unangegriffen.

Indessen findet man die regelwidrige Knochenbildung bisweilen dadurch von der gewöhnlichen abweichend, dass nur die wesentlichsten chemischen Bestandtheile des Knochens erzeugt werden, nicht aber die Knochenform dargestellt wird. So findet man nicht selten in der Schilddrüse und den Bronchialdrüsen, bisweilen auch hinter der innern Haut der Pulsadern, ansehnliche Anhäufungen von flüssiger phosphorsaurer Kalkerde.

Unter welcher Form die regelwidrige Knochensubstanz auch erscheine, bietet sie im wesentlichen dieselben Erscheinungen dar, als der normale Knochen. Sie durchläuft immer dieselben Perioden, welche die Bildung des gewöhnlichen Knochens bezeichnen, und befindet sich anfangs in einem gallertartigen, darauf in einem knorpligen Zustande, und in diesem

1) Van Heekeren a. a. O. p. 119.

Knorpel entwickeln ſich bald mehr, bald weniger Knochenkerne.[1])

Da der regelwidrige Knochen dieſelben Perioden als der normale durchläuft, ſo kann man hier am zweckmäſsigſten zugleich die regelwidrige Bildung von Knorpel und Faſerknorpel abhandeln. Wenn gleich nicht nothwendig ein jeder regelwidrig entſtehender Knorpel ſich in Knochen umwandelt, ſo findet man doch gewöhnlich denſelben, wenn er ein gewiſſes Alter erreicht hat, mehr oder weniger verknöchert.

Zwey Klaſſen von zufällig entſtehenden Knorpeln anzunehmen, wie neuerlich Laennec[2]) gethan hat, indem er unvollkomne oder Halbknorpel und vollkommne annimmt, von denen ſich jene durch gröſsere Weichheit und mehr gelbliche Farbe unterſcheiden, ſcheint mir inſofern zwecklos, als der Zuſtand des Halbknorpels unſtreitig nur die erſte Stufe der wahren Knochenbildung iſt.

Noch unrechtmäſsiger belegt wohl Wardrop Knorpel, die überdieſs meiſtens im Innern Knochen enthalten, welche ſich in den Höhlen von ſeröſen und Synovialhäuten entwickeln, mit dem Namen eyweiſsartiger Concremente[3]).

---

1) Ueber dieſen Gegenſtand finden ſich, wegen ſeiner Häufigkeit, theils eine Menge einzelne Beobachtungen verzeichnet, theils einzelne Auſſatze. A. Haller, de oſſificatione praeter naturam. Gött. 1749. Hoernigk de induratione partium praematura. Lipſ. 1750. Schocher de oſſificatione partium praeternaturali. Lipſ. 1726. E. Sandiſort, de piae matris, aliarumque partium oſſificatione. Obſ. an. path. L. III. C. II Van Heekeren. de oſteogeneſi praeternaturali. L. B. 1797.

2) Diction. de ſc. méd. à Paris 1813. T. IV. p. 125. ff.

3) Edinb. méd. and ſurg. Journ. T. IX. p. 14.

Wohl nicht ohne Grund kann man die sogenannten Speckgeschwülste (Steatomata) und Fleischgeschwülste (Sarcomata) häufig als den niedrigsten Grad der Knochenbildung ansehen. Sie erzeugen sich nicht selten als mehr oder weniger grosse, rundliche, weissliche oder röthliche Massen von unbestimmter, häufig blättriger Textur, die mehr oder weniger fest mit den benachbarten Theilen verwachsen sind, im Zellgewebe unter der Haut und zwischen den Eingeweiden.

Rahn [1]) fand eine solche Geschwulst in dem Zellgewebe zwischen dem Brustfelle, dem Bauchfelle und den Wirbeln und Rippen. Sie wog vier Pfund, war nach gewaltsamen Bewegungen und dem Tragen schwerer Lasten entstanden. Mit ihrem breitern obern Ende reichte sie bis in die Brusthöhle, mit der Spitze gegen die Lendenwirbel. Sie war mit allen nahen Theilen, besonders den Rippen und Wirbeln fest verwachsen, hatte das Zwerchfell auf der linken Seite stark in die Höhe, die Milz und den linken Magenmund nach vorn und in die Mitte des Unterleibes, den Grund des Magens bis in die Nabelgegend gedrängt.

Laennec [2]) fand bey einem Manne von 33 Jahren, der seit einem Jahre an beträchtlichen Respirationsbeschwerden gelitten hatte, und endlich unter Erstickungszufällen gestorben war, in der Brusthöhle eine feste, röthlichweissliche, ungleiche Masse, welche die linke Hälfte derselben und das Mittelfell einnahm, und sich

1) Museum der Heilkunde. Bd. 1. 1792. S. 30.

2) Corvisart J. de médec. an IX. Germinal.

oben und vorn auch in die rechte Brusthöhle drängte. Ihre Länge von oben nach unten betrug zehn Zoll, von der rechten zur linken Seite sieben, ihre Tiefe beinahe eben so viel. Sie erstreckte sich von der ersten Rippe bis zum Zwerchfell, und schickte ausserdem noch zwey grosse Anhänge ab, zwischen denen sich die Luftröhre befand, und die unter dem Schlüsselbeine bis zur Schilddrüse reichten.

Auf dem obern Theile dieser Masse befand sich der Rest der linken Lunge als eine milzähnliche Ekchymose, die nur drey Linien Dicke hatte. Die rechte Lunge war gesund, aber kleiner als gewöhnlich; doch enthielt sie drey Tuberkeln, von denen eines vereitert war. Auch am Herzbeutel befanden sich äusserlich einige steatomatöse Auswüchse.

Die Geschwulst lag zwischen der linken Lunge und dem Brustfelle derselben Seite, und war durch eine eigne feine Membran, und das Rippenbrustfell, das fest an ihr hing, bekleidet.

Sie wog 13½ Pfund und bestand aus zwey Substanzen, von denen die äussere compact, weisslich, die innere weisser, etwas körnig, nach Vauquelin's Untersuchungen ganz aus Eyweiss gebildet war.

Laennec glaubt, die Lymphgefässe des hintern Mittelfelles seyen ausgedehnt und zerrissen, der seröse Theil der dadurch ergossenen Lymphe aufgesogen, das Eyweiss derselben dagegen habe sich angehäuft und sey von selbst degenerirt; allein wahrscheinlicher wurde wohl diese Substanz durch die absondernde Thätigkeit der Gefässe erzeugt.

Pfündel [1]) fand in einem ähnlichen Falle bei einem funfzigjährigen Manne, der seit 3 Jahren an Respirationsbeschwerden gelitten hatte, die rechte Brusthöhle ganz durch ein grosses Steatom angefüllt. Es war leicht herauszunehmen, erhielt aus der Lunge selbst, da wo es mit ihr verwachsen war, keine Gefäfse, und war überhaupt, sowohl in seiner Oberfläche, als im Innern, völlig gefäfslos. Nach aufsen war es weicher und von einer mehr bräunlichen Farbe als in seinem Innern. Sein Gewicht betrug zehn Pfund.

Einen ähnlichen Fall hat auch Carden [2]). Er fand bey einem Manne, der ein Iahr lang an Respirationsbeschwerden und Hautwassersucht gelitten hatte, die ganze linke Brusthöhle durch eine weisse, fettähnliche Substanz eingenommen, welche Herz und Lunge verbarg, und fest an dem Rippenbrustfelle hing. In ihrer Mitte befand sich, in einem engen Balge, der aus Schichten von brauner Lymphe bestand und aussen von einer dünnen weissen Kapsel bedeckt war, eine Menge geronnenes Blut und Blutwasser.

Die linke Lunge hatte nur die Grösse einer halben Hand, nicht die gewöhnliche schwammige Beschaffenheit, übrigens aber den normalen Bau; selbst ihre äussere Haut war nicht verdickt. Im hintern Theile der linken Brusthöhle befand sich eine Masse lockerer geronnener Lymphe, die eine braune, lamellöse Beschaffenheit und die Grösse einer halben gesunden Lunge hatte.

---

1) Baldingers neües Magazin Bd. 7. S. 165.

2) Mem. of the London med. society. Vol. VI. p. 122—128.

Die rechte Lunge war, so wie ihre Arterie, nur etwas kleiner als gewöhnlich. Die linke Lungenarterie und die Venen derselben Seite waren um zwey Drittheile zu klein und dünn.

Es fand sich zwar durchaus kein Zeichen von Ruptur eines Gefäſses; allein es ist sehr wahrscheinlich, daſs in diesem Falle zum Theil wenigstens Blut ergossen wurde, das sich in seine Bestandtheile schied.

In der Brusthöhle haben diese Massen gewöhnlich einen völlig indifferenten Charakter, sie sind homogen und zeigen keine deutliche Spur von Organisation, von höherer Entwickelung, von Entstehung normaler Organe. Das bloſse Bett, welches dazu bereit liegt, ist geblieben. Rührt dieſs von der schnellen Tödtlichkeit der Exsudationen dieser Art, wegen des Druckes auf die Lungen, her, oder findet sich auſser diesem Grunde ein anderer, der vielleicht eben so vielen Antheil an dieser Erscheinung hat? Ist es nämlich nicht wahrscheinlich, daſs im Unterleibe sich die rohen Stoffe darum gewöhnlicher in vollkommne Produkte umwandeln, weil hier auch im normalen Zustande die Bildung sowohl der ernährenden Flüssigkeit zur Erhaltung des Individuums, als des neuen Individuums zur Erhaltung der Art vor sich geht? Diese Meinung wird desto wahrscheinlicher, wenn man erwägt, daſs besonders in der Nähe der Geschlechtstheile diese Veränderungen am constantesten und am meisten nach dem normalen Typus erfolgen. Ein merkwürdiges Beispiel hievon habe ich selbst zu beobachten Gelegenheit gehabt. In dem Unterleibe einer sechzigjährigen Frau, die man wegen der ungeheuren Anschwellung desselben achtzehn Iahre lang für ſchwanger gehalten hatte, fand ich eine ungeheure ſteatomatöſe Geſchwulſt, deren Gewicht fünf und zwanzig Pfund betrug und die aus dem Becken, welches ſie ganz einnahm, beinahe bis zum Zwerchfell reichte. Sie lag, durch lockeres Zellgewebe in ihrem ganzen Umfange an die Theile, welche ſie berührten, geheftet, aber mit keinem eng verbunden, ſo daſs ſie durchaus als ein eigenes für ſich beſtehendes Produkt, nicht für ein degenerirtes Organ angeſehen werden konnte, vorzüglich zwiſchen den Blattern des Dünndarmgekröſes. Den dünnen Darm hatte ſie hoch nach oben und hinten in das linke Hypochondrium, den Grimmdarm auf der Seite nach auſsen und nach oben gedrängt, und eben ſo die Gebärmutter und ihre Anhänge, ſo wie die Blaſe in ihrer vordern Fläche, glatt emporgezogen. So weit als dieſe Geſchwulſt, die nur wenig Blutgefäſse von den nahen Theilen erhielt, im Becken lag, war ſie hart, feſt, faſerig, knorpelartig, und überall fanden ſich hier in ihrem Innern eine Menge gröſserer und kleinerer platter Knochenſtücke, die in einer eigenen, ſehr dicken, lockern Beinhaut enthalten wären, eingeſprengt. Oberhalb des Beckens verſchwanden aber dieſe nicht allein gänzlich, ſondern die knorplig-ligamentöſe Subſtanz der Geſchwulſt ging auch allmählich in eine ſpeckartige, viel weichere, faſerloſe, homogene über, die nur das Anſehen einer geronnenen Flüſſigkeit hatte und weit weniger Blutgefäſse als der untere Theil erhielt.

Hier war der groſse Einfluſs, den die Nähe der Geſchlechtstheile auf die Geſchwulſt hatte, ungeachtet ſie nicht in ihrem Innern ſelbſt entſtanden war, unverkennbar.

Unter allen Organen verknöchert das Gefäſsſyſtem unſtreitig am häufigſten. Eines der merkwürdigſten Phänomene, welche die Knochenerzeugung in dieſem Syſtem begleiten, iſt die faſt gänzliche Beſchränkung derſelben auf den Theil deſſelben, der dem Körper das Lungenblut zuführt, alſo auf die linke Seite des Herzens und die Aorta mit ihren Aeſten und Zweigen. Auf den erſten Anblick ſcheint die chemiſche Beſchaffenheit des Blutes um ſo eher einen vollkommnen Aufſchluſs über die vorzugsweiſe Statt findende Affection des Aortenſyſtems zu geben, als beſonders weit verbreitete Verknöcherungen der Arterien auch häufiger im männlichen als im weiblichen Geſchlecht vorzukommen pflegen; allein woher rührt die Seltenheit derſelben in den Lungenvenen, durch welche offenbar ein möglichſt oxygenhaltiges Blut ſtrömt?

Es iſt mir nicht wahrſcheinlich, daſs ſie an den Lungenvenen wegen der geringen Aufmerkſamkeit, die man auf ſie wendet, nur überſehen werden, indem ich ſie wenigſtens bey hundert alten Leichen, deren ſehr viele gröſsere oder geringere Strecken der Arterien in einem verknöcherten Zuſtande zeigten, eigen und genau unterſuchte, aber nie auch die geringſte Spur von Verknöcherung in ihnen fand. Sie ſind zum Theil vielleicht bloſs ſeltner, weil die Strecke, welche ſich verknöchern kann, kürzer iſt. Dieſs wird in der That durch die Bemerkung wahrſcheinlich, daſs auch bey der Verknöcherung der Arterien ſelten eine bedeutende Strecke alienirt iſt. Uebrigens ſpricht ſich hier nur der allgemeine Unterſchied zwiſchen Arterien und Venen wieder aus, indem auch im Normalzustande, und in der Jugend, die innere Haut der Arterien weit spröder, brüchiger und zerreifslicher als die correspondirende der Venen, und die trockne, platte, gelbliche Faserhaut jener bey diesen gröfstentheils in ein lockeres, saftiges Zellgewebe aufgelöst ist. Ja die Anwesenheit und Beschaffenheit der Fasernhaut in den Arterien scheint einen grofsen Antheil an dem häufigen Vorkommen der Verknöcherungen in ihnen zu haben, da sich in der Gebärmutter, deren Fasern so sehr mit den Fasern der Arterien übereinkommen, nächst den Arterien unstreitig am häufigsten Knochen erzeugen. Doch erklärt sich hieraus nicht die gröfsere Häufigkeit der Verknöcherungen in der linken Herzhälfte, wenn gleich auch die stärkere Musculosität und gröfsere Derbheit derselben auch im Normalzustande eine gröfsere Neigung zum Erhärten und Erstarren andeutet.

Das, wenn nicht häufige, doch nicht ganz ungewöhnliche Vorkommen der Verknöcherungen des Herzens bringt übrigens einen sehr merkwürdigen Unterschied zwischen diesem und allen übrigen muskulösen Organen hervor, indem die Verknöcherung der willkührlichen Muskeln und der Muskelhaut des Darmkanals eine fast unerhörte Erscheinung ist, und scheint in der That die Meinung, dafs das Oxygen des Arterienblutes ganz vorzüglich den höchsten Grad der Gerinnung, die Knochenbildung in dem Aortensysteme begründe, zu begünstigen. Uebrigens wird sich aus dem Folgenden ergeben, dafs auch am Herzen weniger der muskulöse als die sehnigen Theile verknöchern.

Ich werde den Anfang mit den im Muskelfleische des Herzens vorkommenden Verknöcherungen machen, und durch die, welche die Sehnentheile und den Klappenapparat betreffen, zu den Verknöcherungen der Gefäfse übergehen.

Ungeachtet Voigtel [1]) Baillie tadelt, dafs er die Verknöcherungen und den Abfatz von erdiger Maffe in die Fleifchfubftanz des Herzens als eine fehr feltne Erfcheinung anfieht [2]) und auch Sömmerring vermuthet, [3]) dafs diefe häufiger vorkommen, als Baillie andeudet, fo halte ich doch Baillie's Meinung für die richtigere. So häufig ich auch Verknöcherungen der Arterien gefunden habe, fo ift mir doch unter einer fehr grofsen Anzahl von Leichen, die ich vorzüglich in pathologifch-anatomifcher Hinficht geöffnet habe, nur bey einer einzigen ein Knochen in der Muskelfubftanz des Herzens vorgekommen, und wenn Sömmerring bemerkt, dafs die Verknöcherungen des Herzens vorzüglich häufig in der Bafis deffelben vorkommen, fo erinnert diefs offenbar an den Sehnenring, der fich hier befindet. Es ift für mich durchaus keinem Zweifel unterworfen, dafs das Herz, wohlverftanden der Muskeltheil deffelben, nichts weniger als unter die Organe gehört, in denen man häufig Verknöcherungen findet. Die Arterien, die Gebärmutter, die Ovarien, die lymphatifchen Drüfen, die Schilddrüfe, die feröfen

1) Pathol. Anat. Bd. 1. S. 431.

2) Anat. des krankhaften Baues. S. 26.

3) Ebend. Note 49.

Häute, selbst die Knorpel, die sich im normalen Zustande nicht verknöchern, bieten diesen Zustand ungleich gewöhnlicher dar, und das Herz selbst verknöchert daher vielleicht nur häufiger als willkührliche Muskeln, das Nervensystem, die Schleimhäute nebst den Organen, in deren Bildung diese vorzüglich eingehen, die Gebärmutter ausgenommen, und die allgemeinen Bedeckungen.

Doch finden sich in der That Beobachtungen von Verknöcherungen in der Muskelsubstanz des Herzens, die bisweilen sogar eine ansehnliche Gröfse erreichten.

So sahe Guest [1]) bey einem funfzigjährigen Manne, der seit fünf Jahren an Respirationsbeschwerden gelitten hatte, das Herz, dessen Gröfse die gewöhnliche weit überstieg, an seiner Grundfläche von einem beweglichen Knochenringe, der die Breite eines Zolles hatte, umgeben. Ausserdem fanden sich zwischen der linken Kammer und dem rechten Ohre und an der Spitze des Herzens ansehnliche fibröse Geschwülste.

Simmons und Watson [2]) fanden bey einem 67jährigen Manne eine Verknöcherung, die sich längs der Scheidewand von der Grundfläche bis zur Spitze des Herzens erstreckte, und nicht über vier Zoll Länge hatte. Ihre Breite betrug einen Zoll: überdiess schickte sie meh-

1) Account of an uncommon ossification in the heart. im Med. Museum. Lond. 1764. T. III. p. 165.

2) Medical communications. Vol. 1. Lond. 1784. No. XVIII. p. 228. Die Abbildung desselben Falles findet sich in Baillie's Engravings. Fasc. I. Tab. 5.

rere Fortsätze ab, die sich längs der Kranzgefäfse erstreckten. Bis zur Höhle des Herzens reichte sie nicht.

Bordenave [1]) fand bey einem 50jährigen Manne an der Oberfläche des Herzens eine Verknöcherung von ungleicher Dicke, deren Breite an mehrern Stellen zwey Zoll betrug, beinahe den ganzen rechten Ventrikel bedeckte, und längs der Scheidewand von der Spitze des Herzens aufwärts die Hälfte der linken Kammer bekleidete.

Mohrenheim [2]) fand bey einem 70jährigen Manne die Substanz der ganzen linken Kammer von der Grundfläche bis zur Spitze in einen Knochen von der Dicke eines Zolles verwandelt.

Auch Thomann [3]) sah im Herzen einer alten Frau einen 2½ Zoll langen weichen Knochen, der mit der hintern Wand der linken Herzkammer und der Scheidewand zusammenhing. Doch war er zum Theil frey, zum Theil mit der venösen Klappe verbunden.

Andere, kleinere Verknöcherungen in der Muskelsubstanz findet man bey Morgagni [4]), de Haen [5]), Cheselden [6]).

---

1) Mém. de l'ac. des sc. 1768.

2) Wiener Beitr. Bd. 2. S. 212.

3) Ann. inst. clin. Wirceb. 1799. Vol. I. Jan.

4) De c. et sed. Ep. III. a. 22. Ep. XXVII. a. 16.

5) Heilungsmethode, Bd. 3. Th. 6. Kap. 4. S. 87.

6) Osteogr. Tab. I. fig. 5. S. auch Abh. der Josephsacad. Bd. 1. S. 287. Taf. 7.

Dieſe Verknöcherungen ſcheinen, wie in den Arterien, oder richtiger, wie in allen Organen, die mit einer ſolchen ſeröſen Haut bekleidet ſind, zuerſt in dem Raume zwiſchen dieſer und dem unterliegenden Organ zu entſtehen, und, indem ſie nach innen wachſen, die Muskelſubſtanz zu verdrängen, da man ſie gewöhnlich entweder an der äuſsern oder der innern Fläche des Herzens, unmittelbar hinter der ſeröſen äuſsern oder innern Bekleidung deſſelben, findet. Bisweilen wird auch durch ihren Druck, beſonders wenn ſie weich ſind, die innere Haut des Herzens zerſtört, ſo daſs ſie in unmittelbarer Berührung mit dem Blute ſtehen.

Dieſe Anſicht wird, auſser den meiſten der vorigen Fälle, auch durch eine Bemerkung von Watſon [1]) beſtätigt, der an der äuſsern Fläche des Herzens und dem Herzbeutel eine Menge feiner weiſser glatter Schüppchen fand, welche mit der innern Perlenſchale der Auſtern viele Aehnlichkeit hatten.

Merkwürdig iſt es, daſs bey Vögeln ſehr weit gediehene Verknöcherungen des Herzens keine ganz ſeltne Erſcheinung zu ſeyn ſcheinen.

So fand le Meilleur [2]) das ganze Herz einer Ente verknöchert. Vorzüglich hart waren die Ohren, die Urſprünge der Venen und Arterien waren es in einem hohen Grade. Im ganzen Herzen fand ſich durchaus keine Muskelfaſer. Die Scheidewand war dünn.

1) A. a. O. S. 225.

2) Roux j. de médec. t. 32. p. 411.

Auch Malacarne beſchreibt eine totale Verknöcherung eines Entenherzes.

Hierher gehören auch unſtreitig die Fälle von Verſteinerung des Herzens, indem ſich die Maſſe hier wahrſcheinlich nur durch ein gröſseres Verhältniſs der erdigten Theile zu den weichen vom gewöhnlichen Knochen unterſcheidet.

So fand Renauldin [1]) bei einem drey und zwanzigjährigen Manne, der ſeit zwey Jahren an Kopfſchmerz und Reſpirationsbeſchwerden, heftigem Herzklopfen und Schmerzen in der Gegend des Herzens gelitten hatte, die linke Herzkammer verſteinert. Nach auſsen war die Maſſe erdartig, nach innen bildete ſie ſalzähnliche Kryſtalle, die ſich gegen den Umfang der Höhle vergröſserten und in die Warzenmuskeln übergingen, die auch verſteinert und bedeutend vergröſsert waren. Mehrere waren ſo groſs als eine kleine Fingerſpitze und hatten mit Stalaktiten Aehnlichkeit. Zugleich war die Dicke der Wände vermehrt, auſserdem mehrere kleine Arterien verknöchert.

Auch Haller [2]), Blaſius [3]), Culmus [4]) und Morgagni [5]) u. m. a. führen Fälle von ſteinigen Concrementen der Muskelſubſtanz des Herzens an.

Wo ich nicht irre, ſpricht ſich die Tendenz zur Knochenbildung am Herzen zuerſt durch Ver-

1) Corviſart j. de médec. t. XI. p. 259.
2) Opp. min. Tom. III. Opp. pathol.
3) Obſ. med. P. VI. obſ. 13. pag. 81.
4) Act. erud. Lipſ. a. 1727.
5) Ep. LXVIII. a. 12.

Verhärtung seiner Substanz, ohne wahrnehmbare Mischungsveränderung derselben aus. Wenigstens fand Pohl [1]) bey einer sechs und siebzigjahrigen Frau, deren Aorta, Lungenarterie und Mitralklappen zum Theil verknöchert waren, die Muskelsubstanz des Herzens offenbar härter als gewöhnlich.

Eine ähnliche Beobachtung machte auch Corvisart [2]) an einer Frau von 55 Jahren. Die linke Kammer des Herzens, welches sehr groſs und, wie gewöhnlich bei seinen Affectionen, fast ganz fettlos war, hatte zwar eine vollkommen gesunde Farbe, war aber ganz hart und sehr elastisch. Diese Veränderung erstreckte sich nicht bloſs auf die Wände dieser Kammer, welche doppelt so dick als gewöhnlich waren, sondern auch die Warzenmuskeln desselben und die Säulen des Ohres. Auch die ganze rechte Seite war in demselben Grade elastisch, wiewohl nicht so hart als die linke.

Am gewöhnlichsten verknöchern die Klappen des Herzens, besonders der sehnige Apparat, wodurch diese mit den Wänden desselben in Verbindung gesetzt werden. Hier zeigt sich auf eine sehr auffallende Weise der groſse Unterschied zwischen der rechten und linken Herzhälfte, indem sowohl die Klappen der Aorta als die Mützenklappen äuſserst häufig, sehr selten dagegen die correspondirenden Klappen auf der rechten Seite verknöchern.

Am gewöhnlichsten findet man, ohne anderweitige Degeneration, bloſs die knorpligen

---

1) De ossific. vasorum praeternaturali. Lipsiae 1775. p. XI.

2) Journ. de médec. an IX. Ventose.

Knötchen der halbmondförmigen Klappen angeschwollen, härter, ungleich und knöchern. Ich habe sie, mit vollkommen normaler Beschaffenheit der Klappen im Allgemeinen, bisweilen größer als eine Erbse gefunden. Nächst den Knötchen der halbmondförmigen Klappen ist besonders die Basis derselben häufig verdickt und verhärtet. Doch habe ich auch die Klappen selbst nicht selten durchaus verdickt, verhärtet und mehr oder weniger verknöchert gesehen. Nicht selten haben sie dann ganz ihre gewöhnliche Form verloren, sind ganz starr und unbeweglich, rauh und höckerig, beträchtlich verdickt. Auch finden sich dann bisweilen alle, oder wenigstens zwey unter einander zu einer unförmlichen Masse verwachsen, wodurch der Weg aus der Kammer in die Aorta ausserordentlich verengt wird.

So fand ich im Herzen eines alten Mannes zwey zu einer unregelmäfsigen, eine Linie dicken, starrer Knochenmasse verschmolzen. Die dritte war zwar frey, aber das Knötchen derselben hatte über zwey Linien im Durchmesser, war vollkommen knöchern und rauh. Nothwendig war dadurch der Durchmesser der Aortenmündung weit mehr als um die Hälfte verengt.

Uebrigens habe ich sowohl von der letzten Bedingung als von den minder grossen Degenerationen mehrere Fälle vor mir.

Sehr häufig erscheinen die Verknöcherungen der Arterienklappen als Auswüchse, die ein traubenförmiges Ansehen haben, wie Sömmerring richtig bemerkt [1]). In diesem Falle sind sie offenbar keine Degenerationen, son-

---

[1]) Baillie a. a. O. S. 20. Not. 39.

dern, neue Bildungen, welche verschiedene Stadien durchlaufen.

So fand Lancisi [1]) bey einem Manne an allen den halbmondförmigen Klappen der Aorta ungleiche kleine Fleischauswüchse, die sich, wie Kondylome, in franzenähnliche Lappen theilten. Auch Sandifort [2]) sah einen ähnlichen Zustand der Klappen. Sie hatten ein zerrissenes Ansehen, und waren mit einer Menge kleiner Auswüchse besetzt.

Die Aehnlichkeit dieser Productionen mit den Kondylomen macht es vielleicht nicht ganz unwahrscheinlich, dafs sie nicht ganz selten einen Theil der Syphilis ausmachen, und ihre Entstehung durch diese bedingt wird. Diefs reimt sich sehr gut mit der Häufigkeit der Aneurismen bey Personen, die häufig und lange an dieser Krankheit gelitten hatten. Diese Vermuthung wird mir besonders durch eine Beobachtung von Corvisart [3]) wahrscheinlich gemacht. Er fand bei einem neun und dreifsigjährigen Manne, dessen Eichelkrone ganz mit venerischen, zum Theil nicht vollkommen geheilten Geschwüren besetzt war, an dem freyen Rande der Mützenklappe mehrere lange, unregelmäfsige, weiche Excrescenzen, welche vollkommen mit venerischen überein kamen. Eine sehr starke befand sich auch auf einer der halbmondförmigen Klappen und eine ansehnliche Strecke der linken Vorkammer war durch dieselbe Degeneration, die sich von jener nur durch

12 *

1) De subitaneis mortibus. Lib. II. Obs. 4.

2) Obs. an. path. L. I. p. 51.

3) J. de médec. an. IX. Brumaire.

die Kleinheit der einzelnen Auswüchſe unterſchied, rauh und ungleich.

Auſser dieſem Falle fand Corviſart [1]) noch zweymal bey Syphilitiſchen dieſelbe Krankheit des Herzens.

Indeſſen wurden Productionen dieſer Art nicht nur beym Fötus, z. B. von Sandifort und mir, ſondern auch bey Erwachſenen [2]) ohne Verdacht von Syphilis gefunden.

Nach Baillie [3]) verknöchern die venöſen Klappen des Herzens ſeltner als die arteriöſen. Die Richtigkeit dieſer Bemerkung habe ich gleichfalls zu beſtätigen Gelegenheit gehabt. Dieſes Phänomen hängt unſtreitig damit zuſammen, daſs dieſe Klappen mehr ein Theil des venöſen als des arteriöſen Syſtems ſind.

Doch iſt in der That, beſonders in der linken Seite des Herzens, die Verknöcherung der venöſen Klappen keine ſeltene Erſcheinung.

Nach meinen Beobachtungen lagert ſich beſonders in dem venöſen Ringe nicht ganz ſelten eine mehr oder weniger groſse Menge von Knochenſubſtanz ab, die gewöhnlich ein ungleiches, körniges, höckeriges Anſehn hat.

So fand ich bey einem alten Manne die äuſsere Hälfte deſſelben mit einer Knochenſchicht von der Breite und Dicke zweyer Linien beſetzt, die eine ungleiche rauhe Oberfläche hatte.

In einem andern ähnlichen Falle war nur ein Zoll des ganzen Umfangs frey.

---

1) Ebend.

2) Farre path. reſearches. London 1814. Eſſay 1. On Malformations of the heart. p. 40. Hodgſon S. 18. Ich gleichfalls.

3) A. a. O. S. 21.

Bisweilen wird durch diese Alienation der Klappen die venöse Mündung bedeutend verengt. Doch ist es merkwürdig, dass der Grad der Alienation der Klappen und der Verengerung der Mündung nicht immer in einem directen Verhältnisse steht. Diese hat verschiedene Grade, indem sie bisweilen unbedeutend, bisweilen so eng ist, dass sie selbst eine dünne Sonde nicht durchlässt. Gewöhnlich ist dabey der linke Vorhof sehr erweitert, die linke Kammer verengt.

Abernethy [1]) fand bey einem 19jährigen Manne, der seit drey Jahren am ganzen Körper wassersüchtig war, eine bläuliche Farbe, häufig einen kurzen Husten, und immer einen kleinen und häufigen Puls hatte, die venöse Oeffnung der linken Kammer wegen Erhebung der Mitralklappe fast ganz verschlossen, so dass der kleine Finger nicht durchgeführt werden konnte, die linke Vorkammer doppelt so gross als gewöhnlich, die linke Kammer klein und leer. Die Mützenklappe war etwas weisser und dunkler, allein weit weniger, als man sie häufig ohne eine solche Verengerung der venösen Oeffnung findet.

In einem andern Falle [2]) sah er bey einer 38jährigen Frau den venösen Ring in einen Schlitz von der Länge eines Zolles, und der Weite von anderthalb Linien verwandelt, der mit einem unregelmäfsigen, harten, knorpligen, weissen Rande umgeben war. Die Mützenklap-

1) Medico-chirurg. Transact. Vol. I. On a diminution of the area, by which the left auricle of the heart communicates with the ventricle of the same side. p. 30.

2) Ebend. p. 33.

pe war viel dicker als gewöhnlich, dunkel und gleichfalls knorplig. Hier schienen die Klappen am stärksten afficirt, und durch sie die Verengerung veranlasst zu seyn. Hieher gehören auch einige Beobachtungen von Hunauld [1]) und Vieussens [2]).

Die Gestalt der venösen Oeffnung wird bey dieser Veränderung ihres Durchmessers immer mehr oder weniger elliptisch. Der Grund dieser Erscheinung ist unstreitig in der Richtung enthalten, welche die Warzenmuskeln durch ihre Zusammenziehung den beiden Segeln der Mitralklappe mitzutheilen streben, indem sie sie senkrecht und eng an einander drücken. Doch müssen nothwendig, um dieser Richtung und der daraus im Augenblicke der Contraction des Herzens resultirenden Form der venösen Oeffnung Stätigkeit zu geben, die dünnen Klappen spröder, härter und fester werden. Immer sind sie daher zugleich mehr oder weniger verdickt, undurchsichtig und weiss. Der höchste Ausdruck dieses Zustandes ist endlich die Verknöcherung. Gewöhnlich erstrecken sich diese Veränderungen über den ganzen Klappenapparat, bisweilen aber nur auf einzelne Theile, ausser dem venösen Ringe, z. B. bloss auf die Sehnen der Warzenmuskeln. Alle diese Bedingungen finde ich in mehreren Fällen, die ich vor mir habe.

Nicht selten kommen in demselben Herzen Verknöcherungen der arteriösen und venösen Klappen zugleich vor, wovon ich gleichfalls mehrere Fälle vor mir habe.

---

1) Mém. de l'acad. des sc. 1735. hist. p. 27. Nr. VI.

2) Sur la structure du coeur, p. 103.

Um sich von der bey weitem grössern Häufigkeit der Verknorpelung und Verknöcherung der Klappe der linken Herzseite als der rechten zu überzeugen, braucht man nur einen Blick auf das Verzeichniss zu werfen, welches Morgagni von der Zahl der Fälle giebt, wo er die Aortenklappen auf diese Weise degenerirt fand, und damit die Beobachtung von ihm zusammenhalten, wo er die Lungenarterienklappen verknöchert sah. Er hat fast funfzig Fälle aufgeführt, wo die Aortenklappen, entweder sehnig oder knorplich, oder ganz oder zum Theil verknöchert waren, und dagegen nur einmal einige Verknöcherungen in den Lungenklappen eines sechzehnjährigen Mädchens gesehen, die an der blauen Krankheit gestorben war [1]. Eben so führt er auch eine ansehnliche Menge von derselben Degeneration in der Mützenklappe, sehr wenig dagegen aus der dreyzipfligen an.

Indess beweisen sowohl diese Fälle als andere, dass in der That die Klappen der rechten Herzhälfte bisweilen verknöchern [2].

2. *Gefässe.*

a. Pulsadern.

Am häufigsten unter allen Theilen des Gefässsystemes verknöchert die Aorta und ihre Aeste. Die Verknöcherung ist sogar beynahe als eine regelmässige Veränderung derselben im Alter anzusehen, da sie nach Baillie [3]) bey Personen, die über sechzig Jahr alt sind, häufiger als der knochenfreye Zustand derselben angetroffen, und auch nach Bichat [4]) über diesen Termin hinaus unter zehn Perso-

1) Ep. XVII. a. 12.
2) Mehrere Fälle angef. bey Hodgson a. a. O. S. 43.
3) Transact. of a soc. etc. Vol. 1. p. 133.
4) Anat. gén. T. II. p. 292.

nen sieben Verknöcherungen in den Arterien haben. Auch Cowper[1]) hat daher schon bemerkt, dass die Verknöcherung der Gefässe im hohen Alter normaler Zustand, und nur in der Jugend als krankhaft anzusehen sey, weil sie nur in dieser Periode Störungen in den Functionen dieses Systems veranlasse. Doch ist diess zu allgemein, indem auch bey alten Personen Verknöcherungen der Gefässe mehr oder weniger die Functionen derselben stören, und nur in dem Maasse mehr oder weniger nachtheilig sind, als sich die Verknöcherung mehr oder weniger weit entfernt vom Herzen findet. Bey jungen Personen tritt sie sehr selten ein; doch fand Penada[2]) bey einem jungen Manne das Arteriensystem, Young[3]) die Schlafpulsader sogar bey einem Kinde von 15 Monaten durchaus verknöchert. Die Verknöcherung der Gefässe kommt auch beym männlichen Geschlechte häufiger vor als beym weiblichen, vielleicht, weil das Oxygen bey jenem in grösserer Menge aufgenommen wird. Doch ist der Unterschied zwischen beyden Geschlechtern nach meinen Beobachtungen nicht hinlänglich bedeutend, um diesen Grund anzunehmen, um so mehr, da beym weiblichen Geschlechte die Knochenbildung in und an der Gebärmutter so häufig in einer so beträchtlichen Extension vorkommt, dass dadurch leicht die geringere Häufigkeit der Verknöcherungen in der Aorta compensirt wird. Ueberdiess muss man bey jener Erklärung immer nicht ver-

---

1) Phil. Transact. no. 299. p. 1970.

2) Saggio di osserv. cet. in Padova 1800. p. 22. T. II. Die vollständige Geschichte dieses Falles steht nach dem a. a. O. befindlichen Citate in Penada quinquennio I. delle oss. medico-meteorologiche. p. 180.

3) Hodgson a. a. O. S. 23.

gessen, dass nicht bloss Phosphorsäure, sondern auch Kalkerde den Knochen constituirt.

Der Sitz der Verknöcherung ist immer der Raum zwischen der hintern Fläche der innersten und der fibrösen Haut. Man findet beym Anfange der Alienation die innere Fläche der Arterie mehr oder weniger ungleich, höckerig und weisslich. Diese Anschwellungen ragen in der Aorta oft eine bis zwey Linien weit über die übrige Fläche des Gefässes empor, und verlieren sich, in Hinsicht auf ihre Hervorragung, bisweilen allmählich, bisweilen plötzlich, in Hinsicht auf die Structurveränderung aber immer unmerklich in den nicht afficirten Theil des Gefässes.

Die innere Haut der Arterie habe ich gewöhnlich, selbst bey sehr grossen und hohen Anschwellungen dieser Art, ganz normal, nur etwas fester als an den übrigen Stellen an die fibröse Haut geheftet gefunden. Bisweilen ist diese Verbindung sehr fest, so dass man sie nicht davon trennen kann, und in diesem Falle erscheint sie verdickt, gelblich und undurchsichtig.

Später bildet sich eine Höhle in der Mitte dieser Anschwellung, die sich mit einer gelblichen, breyähnlichen Flüssigkeit anfüllt, ohne dass sich diese in ihrem Umfange veränderte. In dieser breyähnlichen Flüssigkeit habe ich mehrmals kleine Körnchen gefühlt. Endlich findet sich an der Stelle der weisslichen Anschwellung und der Flüssigkeit ein gelblicher Knochen, der in seinem Umfange von der ersten knorpligen Production umgeben wird, sich aber auf eine merkwürdige Weise von ihr durch eine weit geringere Dicke unterscheidet, indem immer seine Oberfläche niedriger als die umgebende knorpelartige Verdickung und als die Oberfläche gleich groſser, in demſelben Gefäſs vorkommender, noch nicht verknöcherter Anſchwellungen iſt. Zugleich habe ich immer den Zuſammenhang der inneren Arterienhaut mit dem Knochen weit geringer als mit dem Knorpel, gewöhnlich ſogar geringer als mit dem normalen, fibröſen Haut gefunden.

Der Knochenbildung ſcheint daher immer die Ergieſsung einer flüſſigen Subſtanz voranzugehen. Wenigſtens findet man in demſelben Gefäſs bloſse Anſchwellungen, Anſchwellungen, welche eine breyige Flüſſigkeit enthalten, andere, wo dieſe und Knochen zugleich vorkommt, und endlich bloſse Knochenſtücken. Ueberdieſs findet man an der convexen Fläche der Knochenſtücke nicht ſelten Furchen, welche der Geſtalt der Arterienfaſern genau entſprechen. Sind die Knochenplatten etwas dick, ſo enthalten ſie nicht ſelten dieſelbe breyige Flüſſigkeit in ihrem Innern. Die verdickten Stellen ſind bisweilen, beſonders in den Arterien des Gehirns, wie Morgagni in der Zapfenarterie, und ich mehrmals in ihr ſowohl als dem im Innern des Schädels enthaltenen Theile der innern Karotiden bemerkte, wenn ſie auch nicht flüſſig ſind, viel weicher als die übrige Subſtanz der Arterie, haben auch an ihrer äuſsern Fläche Eindruck der Arterienfaſern, und ſcheinen daher gleichfalls zuerſt flüſſig geweſen zu ſeyn.

Ich habe dieſe Verknöcherungen in allen Perioden, welche ſie durchlaufen, immer von derſelben gelblichen Farbe, nur anfangs, wie ſchon bemerkt, mehr weiſslich, als Knochen mehr gelblich gefunden. Malacarne aber bemerkt, daſs ſie im Entſtehen röthlichgrau, auf der Seite, wo sie sich an die innere Haut heften, mit einem Gefäſsgewebe bedeckt und breyartig sind. Dann werden sie nach ihm weiſslichgrau und zerreiblich, darauf gelb und so hart als Leder, endlich ganz weiſs und so hart, als Kalk oder Knochen.

Nach ihm soll sich mit ihrer Consistenz auch ihre Gröſse verändern, die kleinern, welche die Gröſse einer Linse haben, röthlich, bläulich, die gröſseren, nach Maaſsgabe der Zunahme ihres Umfangs, hellroth, gelblich, und zuletzt weiſs werden.

Dieses Zusammentreffen habe ich nie auf eine constante Weise bestätigt gefunden, indem ich sehr kleine Concremente oft ganz knöchern, sehr groſse noch vollkommen im ersten Stadium der Bildung begriffen fand.

Im vollendeten Knochen fand ich nie etwas Mark- oder Diploëähnliches, sondern immer eine solide, homogene Substanz.

Immer aber bemerkte ich mehrere und gröſsere Blutgefäſse im Umfange des Flecks, wenn sich in seinem Innern eine flüssige Substanz zu bilden anfing, ein Phänomen, das sich auch bey der normalen Knochenbildung ereignet.

Immer fand ich in einer und derselben Insel nur einen Knochenkern, nie mehrere, die durch allmähliges Zusammenrücken einen gröſsern Knochen gebildet hätten.

Nie fand ich das ganze Rohr der Arterie, selbst wenn sie klein war, ja selbst der Rippenarterien, durch ein Knochenblatt umgeben, sondern immer zwischen den degenerirten Stellen normale. Doch zweifle ich nicht, daſs sie bisweilen das ganze Rohr umgeben, indem ich die beiden Ränder einer angeschwollnen Stelle oder eines Knochenstücks bisweilen fast in unmittelbarer Berührung fand, und Loder [1]) die gemeinschaftliche Hüftarterie auf beiden Seiten in ihrem ganzen Umfange verknöchert sah.

Die Größse der Knochenstücke variirt. Ich fand sie einigemal in der absteigenden Aorta zwey Zoll lang und mehr als einen breit, selten über eine Linie dick. An einer kleinen Stelle fand ich indessen ein Knochenstück beynahe drey Linien dick.

Am häufigsten erscheinen sie nicht weit über dem Ursprunge der Aorta, nicht selten im Lendentheil derselben, seltner in den kleinern Gefäßsen. Fast nie öffnete ich den Schädel einer alten Leiche, ohne den im Innern desselben befindlichen Theil der Arterien, namentlich den auf dem Sattel liegenden Theil der Karotis, mehr oder weniger verknöchert zu finden. Dreymal habe ich bey alten Männern auf eine sehr merkwürdige Weise alle Arterien der untern Extremitäten von der Theilung der Aorta an bis zu den kleinsten Zweigen durchaus verknöchert gefunden, während in dem Gefäßsystem des einen sich außerdem nicht die geringste Spur davon, in dem andern nur die Arterien des Vorderarms an einigen Stellen verknöchert zeigten.

Doch sah Loder [2]) das ganze Arteriensystem eines 76jährigen Mannes verknöchert.

Nicht selten sieht man die innere Haut der Arterie an der verknöcherten Stelle ganz fehlen, so dafs diese an ihrer innern Fläche mit

1) Köhlers Beschr. von Loders Präparat. S. 169. Note. Doch mufs man bemerken, dafs von einem getrockneten Präparate die Rede ist.

2) A. a. O. S. 169.

dem Blute in unmittelbarer Berührung steht. Vielleicht reisst sie ein, weil die Arterie an der verknöcherten Stelle nicht in demselben Maasse nachgiebt als an den übrigen. Auch kann dazu die Ungleichheit der Ränder der Knochenplatten beitragen. Am besten aber erklärt sich diese Erscheinung und das ungleiche, zerrissene Ansehen der innern Fläche der Arterie, welches eine Folge davon ist, aus der Obliteration der ernährenden Gefässe an der Stelle, wo sich der Knochen gebildet hat, wenn man damit die äusserst lockere Vereinigung und oft vollkommne Trennung der noch unverletzten innern Haut von dem Knochenstücke zusammenhält. Dadurch stirbt diese an einer Stelle ab, reisst ein, zieht sich gegen den Umfang des Knochenstückes zurück und hängt oft in Stücken in die Höhle der Arterie hinein.

Auch die Fasernhaut der Arterie sah ich bisweilen, besonders bey starken Knochenstücken, fast ganz zerstört.

Die entfernte Veranlassung der Verknöcherung der Arterien ist so schwer anzugeben, als die entfernte Veranlassung jeder Umwandlung überhaupt. Spangenberg [1]) sieht die Entzündung der Arterien dafür an, doch glaube ich kaum, dass man die Knochenbildung, weder in diesen Organen, noch überhaupt, für eine Folge der Entzündung zu halten hat, indem sie viel zu häufig und bey Subjecten vorkommt, wo kein vorangegangener Zufall auf vorangegangene Entzündung schliessen liess.

---

1) Horn's Archiv für med. Erfahrung. Bd. 5. H. 2. S. 291. ff.

b. Blutadern.

Auch die Blutadern sind, aber weit seltner als die Arterien, der Verknöcherung unterworfen. Beyspiele davon finden sich bey Morgagni[1]), Ruysch[2]), Murray[3]), Walter,[4]), Dupuytren[5]), Baillie[6]), Loder[7]), Langstaff[8]), Macartney[9]), Cruveilhier[10]).

Die Knochenbildung in den Blutadern muss in zwey ganz verschiedene Arten zerfällt werden. Entweder verknöchern die Wände der Venen, wie in den Fällen von Morgagni, Ruysch, Murray, Walter, Baillie, Loder, Macartney, nach Art der Arterien. Diese Veränderung scheint vorzüglich in Folge anderweitiger krankhafter Veränderungen in den benachbarten Theilen einzutreten, indem im Morgagni'schen, Walter'schen und Murray'schen Falle die Höhle zugleich mehr oder weniger verschlossen, in den beiden letzten die Vene von einer Knochengeschwulst umgeben war.

Oder es bilden sich rundliche Knochenconcremente, die man auch als Steine beschrieben findet, in der Höhle der Venen.

1) De c. et sed. Ep. XIV. Art. 9.

2) Thes. anat. VIII. No. 58.

3) Act. med. suec. Upsal 1783. T. 1. p. 3.

4) Obs. anat. p. XLV. Tab. IX.

5) Bullet. de l'école de médecine. an. XIII. p. 225.

6) Transactions f. chir. and med. Vol. I. p. 133.

7) Beschr. seiner Präparate. S. 171. No. 693. b.

8) Hodgson diseases of arteries. London 1815. p. 522.

9) Ebend.

10) A. a. O. T. II. S. 69.

So verhält es sich in den Fällen von Dupuytren, Langstaff, Macartney, Cruveilhier und einem von mir gesehenen. Die ansehnlichsten haben die Größe einer Erbse. In meinem Falle waren einige an der innern Fläche der Venen befestigt; andere ganz frey, doch so, dass sich bey mehreren ein kleiner Stiel als Spur einer ehemaligen Befestigung fand. Bey einigen konnte ich deutlich einen Balg von der Knochensubstanz trennen, der neben den andern abgestreift lag. Die Venen waren immer im Umfange dieser Concremente verschlossen. Alles Bedingungen, welche zu beweisen scheinen, dass sie keineswegs, wie Hodgson glaubt, ausserhalb der Venen entstehen und in ihre Höhle dringen.

Sehr merkwürdig ist, dass diese Gebilde vorzugsweise in den Zweigen der Beckenblutadern vorkommen. So fand ich sie in den Blasenvenen eines 60jährigen Mannes, Langstaff in den Gebärmuttervenen, Cruveilhier in den Blasenblutadern, Lobstein und Laennec bemerken, dass sie nur in den Beckenblutadern vorkommen [1]. Indessen fanden sie Dupuytren und Tilorier in den tiefen und oberflächlichen Blutadern des Unterschenkels [2].

Eben so ist es auch für die Entstehungsweise der Verknöcherungen in den Gefäßen wichtig, dass sie im Pfortadersystem nur äusserst selten beobachtet wurde. Doch fand Ruysch die Pfortader an mehrern Stellen verknöchert.

Der Einfluss der Verknöcherungen im Blutgefässsystem ist nicht immer derselbe. Das Alter

---

1) Bey Cruveilhier. T. II. p. 70.

2) Ebend. p. 71.

scheint eine bedeutende Verschiedenheit hervorzubringen. Verknöcherungen der Klappen und selbst der Substanz des Herzens, welche im Alter höchstens einen intermittirenden Puls oder Herzklopfen erregen, stürzen, wenn sie in der Jugend eintreten, schnell unter einer Sammlung der fürchterlichsten Zufälle ins Grab. [1]). Der Verknöcherung einzelner Arterien schreibt man häufig den Brand zu, allein wahrscheinlich ohne Grund, indem sehr häufig verknöcherte Arterien ohne denselben gefunden werden, so dass man beyde Zustände richtiger für eine Wirkung derselben Ursache hält. Dasselbe möchte ich auch über die Parry'sche [2]) Aetiologie der Brustbräune (Angina pectoris) sagen, da in so vielen Fällen dabey weder die Kranzarterien, noch die Aortenklappen verknöchert waren.

Im Allgemeinen nimmt man, und mit Recht an, dass die Verknöcherung der Pulsadern ihre Verschliessung in Folge eines äussern Druckes hindert, sofern die innere Haut dadurch unfähig gemacht werde, in adhäsive Entzündung zu gerathen. Doch beweist ein kürzlich von Lawrence [3]) erzählter Fall, wo bey einem Manne von 59 Jahren die verknöcherte Schenkelpulsader sich nach der Amputation völlig verschloss, dass dieses Gesetz nicht ohne Ausnahme ist."

c. Einsaugende Gefäfse.

Auch das einsaugende System ist zum Theil nicht selten der Sitz von Verknöcherungen. Bro-

1) Bichat, anat. gén. T. I. p. 295. Hodgson a. a. O. S. 83.

2) Ueber Syncope anginosa. a. d. E. v. Friese 1801.

3) Med. chir. Transact. Vol. VI. p. 193.

Browne Cheston[1]) fand bey einem 22jährigen Manne, der an einem ungeheuren Osteosteatom, welches die rechte Hälfte des Beckens und die rechte Darmgegend einnahm, gestorben war, außer einer Menge knorpliger Substanz in den Lungen, den Milchbrustgang von der Milchcisterne an ganz verknöchert und verschlossen. Doch waren seine Häute normal. Zugleich war die untere Hohlvene von der Nierenvene an bis zum Heiligbein mit einer festen unelastischen Masse angefüllt, die hie und da mit ihrer innern Fläche genau zusammenhing und kleine Knochenstücke enthielt.

Auch Mascagni und Wrisberg[2]) fanden die Häute der Lymphgefäße knorplig und knöchern.

Weit gewöhnlicher findet man die lymphatischen Drüsen verknöchert. Ich habe diese Veränderung besonders in den Gekrös- und Bronchialdrüsen beobachtet, wo sie auch nach dem Zeugniss anderer Beobachter am häufigsten ist. Unter vier Leichen, wo ich die erstere verknöchert sah, war keine männliche, nur eine alt, die übrigen waren junge Frauen, alle, die alte ausgenommen, im hohen Grade wassersüchtig. Die Drüsen waren etwas größer als gewöhnlich, ungleich, höckerig, allein immer fand sich noch viele normale Substanz zwischen den verknöcherten Stellen. Auch die Bronchialdrüsen waren vergrößert. Diese fand ich einigemal von der Größe einer Wallnuss

1) Philos. Transact. Vol. 70. a. 1780. p. 323.

2) Cruveilhier. Th. 2. S. 107. 108.

und vollkommen verknöchert. Im Allgemeinen nimmt die Verknöcherung ihren Anfang in dem äussern Theile der Drüsen. Die Veranlassung zu den Verknöcherungen der Lymphdrüsen bey jungen Personen, wo sie nach der obigen Angabe nicht ganz selten vorzukommen scheinen, ist vielleicht nicht ganz selten ein regelwidriger Zustand der Organe, von denen die Lymphgefässe, welche zu den respectiven Drüsen gehen, entspringen. Wenigstens fand ich in zwey von den Fällen, wo ich mehrere Mesenterialdrüsen verknöchert sah, den Darmkanal entzündet und die Zottenhaut an mehrern Stellen vereitert. Die Verknöcherung der Bronchialdrüsen beobachtete ich nur an Lungenschwindsüchtigen: vielleicht ist daher diese Verknöcherung hier häufig eine Folge der durch Einsaugung von Eiter u. s. w. veranlassten Entzündung der Lymphdrüsen.

Auch Monro [1]) fand bey einer gesunden jungen Frau, die an Fieber, Durchfall und Blutspeien gestorben war, alle Gekrösdrüsen hart und vergrössert. Einige waren zwar nur so gross als Erbsen und Bohnen, mehrere aber hatten die Grösse einer Wallnuss. Viele waren verknöchert und hatten Aehnlichkeit mit schwammigen cariösen Knochen, stellten aber nicht einen einzigen grossen Knochen, sondern mehrere kleinere durch Membranen verbundene dar. Die Häute des Krummdarms und Grimmdarms waren vereitert, und die Zottenhaut ganz zerstört; zugleich war die Lunge voll Eiter.

---

1) Medical Transact. Vol. II, p. 361. Case of ossification in the mesentery.

Doch ist es möglich, dass die frühzeitige Verknöcherung gerade der Lymphdrüsen, als der Organe, welche nächst den Darmzotten die unmittelbaren Umwandlungsorgane der Nahrungsflüssigkeit sind, unter den angegebenen Umständen ein Beweis des früh erlöschenden Lebens sind.

Uebrigens findet sie sich bisweilen auch ohne nachtheiligen Einfluss auf das Nutritionsgeschäft zu äussern, vermuthlich aber nur, wenn sie sich nur auf wenige Drüsen erstreckt.

Indessen fand Rullier [1]) bey einem fetten Manne viele Gekrösdrüsen verknöchert. Ich fand in einem Falle nur eine, in den übrigen aber nur zehn bis zwanzig verknöchert.

Seltner ist die Verknöcherung der Saugaderdrüsen an den Gliedmassen, wo sie von Dupuytren und Ramon [2]) in der Leistengegend und der Achselhöhle beobachtet wurde.

B. Seröse Häute.

Die serösen Häute sind besonders zur regelwidrigen Knochenbildung geneigt. Höchst wahrscheinlich muss man den Grund der Häufigkeit der Verknöcherung des Gefässsystems hierin suchen, sofern die innere Haut desselben, welche alle Merkmale einer serösen Haut hat, der Sitz derselben ist, und die vorzugsweise häufigen Verknöcherungen von Theilen anderer Systeme, z. B. der harten Hirnhaut, gehören wahrscheinlich gleichfalls, sofern sie in dem serösen Blatte derselben wurzeln, hie-

1) Bullet. de la soc. de l'éc de médec. an. XIII. XIV. p. 224.
2) Cruveilhier. S. 108. 109.

her. Eine deſto merkwürdigere Erſcheinung, da das ſeröſe Syſtem durch keine Bedingung Aehnlichkeit mit dem Knochenſyſtem hat, die man aber auf andere Art ziemlich befriedigend erklären kann. Das ſeröſe Syſtem iſt eines der am früheſten erſcheinenden. Die Eyhüllen beſtehen gröſstentheils daraus, und viele ſpätere, gröſstentheils deutlich faſerige Häute ſind anfangs, wie z.B. der Herzbeutel, die harte Hirnhaut, bloſs serös. So ſind auch die Synovialkapſeln früher vollendet als die faſerigen und die Faſerbänder. Auf und um die ſeröſen und Synovialhäute aber entſtehen im regelmäſsigen Zuſtande die Faſerhäute. Das Faſerſyſtem aber hat theils eine bedeutende Aehnlichkeit mit dem Knochenſyſteme, theils, wie die vergleichende Anatomie beweiſt, eine groſse Neigung zu verknöchern, und, was das wichtigſte iſt, die normale Knochenbildung geſchieht innerhalb des, aus dem ſeröſen Syſtem hervorgegangenen Faſerſyſtemes, und, was noch merkwürdiger und erläuternder iſt, zwiſchen Faſer- und ſeröſen Häuten. So entſtehen die Schädelknochen zwiſchen der äuſsern Beinhaut und der Spinnenbeinhaut, auf welcher die harte Haut nur ſpäter entſtanden iſt, die Röhrenknochen zwiſchen der Beinhaut und der ſeröſen Markhaut, ihre Anſätze und die kurzen Knochen zwiſchen Synovial- und Beinhaut; gerade wie ſich die Knochenplatten im Gefäſsſyſtem zwiſchen der ſeröſen und Faſerhaut, im Umfange der ſeröſen Häute, zwiſchen dieſen und den Faſerhäuten bilden. Die Knochenbildung in und an den ſeröſen Häuten iſt alſo ſehr genaue Wiederholung der normalen. Wie überall, kommt auch hier die Plattenform und die rundliche vor. Die plattenförmigen Knochenſtücke entstehen an der äuſsern Fläche der serösen Häute, und werden allmählich mit ihnen eins, die rundlichen entwickeln sich zwar auch von auſsen nach innen, drängen aber einen sich verlängernden Theil der serösen Haut vor sich her, hängen frey in die Höhle, werden nicht mit ihr eins, gewöhnlich löst sich die Verbindung zwischen beyden durch Zerreiſsung des dünnen Verbindungsstückes. Doch sind beyde nicht wesentlich verschieden, und man findet selbst stellenweise auf Knochenplatten rundliche, stark vorragende Knochenvorsprünge.

Die plattenförmige Knochenbildung, die bey weitem gewöhnlichere, ahmt den normalen Typus besonders auffallend nach, und erscheint, wo ich nicht irre, sehr deutlich als ein Streben, membranöse Höhlen nach Art der Wirbel- und Schädelhöhle in knöcherne umzuwandeln und zu vervollständigen. Daher im Innern des Schädels Verknöcherungen fast nur an der Sichel und dem Hirnzelte, wo unter gewöhnlichen Bedingungen der Schädel nicht vollständig zu werden scheint, die Bildung breiter Knochenplatten im Umfange der Brusthöhle, deren Wände durch die Rippen nur unvollkommen verschlossen werden, der Scheidenhaut des Hoden, um diesen, wie das Gehirn, von einer knöchernen Hülle zu umgeben. Die mit Knochenplatten angefüllten Gefäſswände sind unverkennbar den Höhlen, welche die Centraltheile des Nervensystems umgeben, verähnlicht. Vielleicht ist es nicht unmerkwürdig, daſs die platten und rundlichen regelwidrigen Knochen, welche in den gewöhnlichen, einander ganz ähnlichen serösen Häuten zugleich vorkommen, im Gefäſssysteme in die beyden Hauptabtheilungen desselben, die arteriöse und die venöse, sehr streng geschieden erscheinen.

1. Eigentliche seröse Häute.

a. Bauchfell.

Die regelwidrige Knochenbildung des Bauchfelles kommt am häufigsten an Stellen seines umgeschlagenen Theiles, doch bisweilen auch in seinem äussern Blatte vor.

Ich habe einige Mal das Bauchfell in einem grossen Theile seines Umfangs, sowohl da, wo es die Bauchmuskeln, als wo es die Leber und den Darmkanal bekleidet, mit einer Menge von, theils sehnenartigen, theils knorpligen, theils ganz, oder hie und da, vorzüglich in der Mitte, knöchernen Körpern, deren Grösse von einer Linse bis zum Durchmesser von einigen Zollen variirte, bedeckt gefunden. In beiden Fällen waren die Personen an einer, auf eine langwierige Peritonitis gefolgten Wassersucht gestorben.

In diesen Fällen scheint der Knochenbildung eine Entzündung und Ausschwitzung vorausgegangen seyn, und der ausgeschwitzte Faserstoff sich in Knochen verwandelt zu haben; doch bilden sich auch grosse Knochengeschwülste in der Höhle des Bauchfelles, ohne diese entfernte Ursache.

So fand Grandchamp bey einer Frau [1]) von 78 Jahren zwischen der Gebärmutter und Harnblase einen harten, in einer eignen Hülle des schwammigen Bauchfelles eingeschlossenen Körper von der Grösse einer Faust, der weder

---

1) Sedillot, J. de medec. T. I. p. 265.

mit dem einen, noch dem andern Organ communicirte. In seinem äussern Umfange war er vollkommen knöchern, weniger aber in seinem Innern.

Auch Brady [1]) fand im Becken eines Mannes einen durchaus knöchernen, ungleichen Körper, der am Dünndarmgekröse durch eine drüsige Substanz befestigt war, deren Spitze fest in einer am Ende des Knochens befindlichen Höhle sass. Dieser war in einer eignen dünnen Membran eingeschlossen, und wog 20 Unzen.

Bisweilen trennen sich diese Körper, da sie oft nur an dünnen Stielen hängen, und liegen dann frey in der Bauchhöhle. So fand Littre [2]) in der Unterleibshöhle eines Mannes einen sehr weissen, harten und glatten Knorpel von der Länge eines Zolles, der Breite von zehn, der Dicke von sieben Linien, und von ovaler Gestalt, der in der Mitte einen runden Stein von der Grösse einer Erbse enthielt.

b. Brustfell.

Auch im Brustfelle finden sich bisweilen Verknöcherungen. Sie liegen gewöhnlich an der äussern Fläche desselben, und erscheinen als dünne glatte Blätter. So fand Giffard [3]) bey einem Manne, der mehrere Jahre lang am Husten, zuletzt an sehr starken Respirationsbeschwerden und Schmerzen auf der rechten Seite gelitten hatte, und endlich an einer Pneumo-

1) Medical museum. London 1763. Vol. 2. p. 1763.

2) Mém. de l'ac. des sc. an. 1703. hist. p. 46.

3) Ph. Transact. no. 395.

nie gestorben war, auf der leidenden Seite zwey Knochenplatten, deren jede sechs Zoll lang, drey Zoll breit, und einen Viertelzoll dick war. Jede war in einer starken dicken Kapsel, offenbar einer eignen Beinhaut, eingeschlossen, die sich in das Brustfell verlor, und durch starke Fasern auch mit der Beinhaut der Rippen und den Intercostalmuskeln zusammenhing. Die Lungen waren an dieser Stelle sehr fest mit dem Rippenbrustfell verwachsen.

Auch Schacher[1]) fand bey einem fünfzigjährigen Manne, der lange an einem drückenden Gefühle auf der rechten Seite der Brust und Respirationsbeschwerden gelitten hatte, zwischen dem Rippenbrustfell und den Rippen einen Knochen, der von der siebenten bis zur letzten Rippe reichte, zwölf Zoll lang, unten drey, in der Mitte fünf, oben vier Zoll breit, zwar biegsamer, aber beynahe eben so dick, als die Rippen selbst war.

Ich habe gleichfalls in der Leiche einer ungefähr 50jährigen Frau auf der linken Seite zwischen dem Rippenbrustfelle und den Rippen eine, in einer eignen, aus wahrer Beinhaut gebildeten Kapsel eingeschlossene, glatte, im Umfange noch knorplige Knochenplatte, deren Länge acht, die Breite vier, die Dicke einen Drittelszoll betrug, gefunden. Die Lunge war hier nicht verwachsen, die Substanz des Brustfelles durchaus nirgends verändert.

In einem andern Falle, den ich vor mir habe, befindet sich gleichfalls zwischen dem

---

1) Facult. med. in academ. Lips. panegyr. indicit Schacher. 1726. p. 2.

Rippenbruſtfell und den Rippen, von der vierten, bis zur ſechsten, ein, nach innen etwas ungleiches, auch mit ungleichen Rändern verſehenes Knochenſtück, deſſen Länge anderthalb, die Breite ungefähr einen Zoll, die Dicke eine bis zwey Linien beträgt. Neben ihm befinden ſich noch mehrere kleinere. Auch hier findet ſich keine Spur einer Verwachſung der Rippen mit den Lungenbruſtfell.

Hieher gehören auch freye, platte und glatte Concremente in dem Bruſtfelle, die durch die Verwachſung kleiner, gelblichweiſser Maſſen entſtanden zu ſeyn ſchienen, und von Lenoble [1]) gefunden wurden.

Auch Hörnigk [2]) fand bey einem 40jährigen Manne an der innern Fläche des ſechsten innern Zwiſchenrippenmuskels eine Knorpelplatte, der mehrere Knochenconcremente eingeſprengt waren. Merkwürdig iſt es, daſs ſich zugleich in dieſer Leiche Knochenplatten an der untern Fläche des Zwerchfelles fanden.

Seltner kommen an der innern Fläche des Bruſtfelles Knochenconcremente vor. Indeſſen fand Wardrop einmal hier einen rundlichen, glatten, locker am Bruſtfelle anſitzenden, gröſstentheils knorpligen, aus einer Menge concentriſcher Blätter gebildeten, nur in der Mitte knöchernen Körper von der Gröſse einer Haſelnuſs [3]).

---

1) Bullet. de l'éc. de médec. an XIII et XIV. p. 224.

2) De induratione partium praematura. Lipſiae 1750. p. 19.

3) Edinb. med. and ſurg. Journal. Vol. IX. No. 2. p. 11.

c. Herzbeutel.

Der Herzbeutel ist selten der Sitz von Verknöcherungen; doch habe ich einmal bey einem alten Weibe ein raubes Knochenstück von der Länge und Breite eines halben Zolles, und der Dicke zweyer Linien in ihm gefunden. Es nahm seine Substanz ein, ragte nach innen, und war genau mit einem Theile der Grundfläche der rechten Herzkammer verwachsen.

Auch Aurivillius 1) fand in einem mit dem Herzen verwachsenen Herzbeutel eines Mannes von 44 Jahren mehrere Knochen von verschiedener Grösse.

d. Scheidenhaut des Hoden.

An der Scheidenhaut des Hoden habe ich mehrmals kleine, in dünnen Bälgen eingeschlossne Knochenconcremente gefunden. Immer waren sie glatt, bisweilen ganz, bisweilen mehr in ihrer Mitte knöchern, im Umfange dagegen knorplig. Bald sassen sie mit einen Theile ihres Umfangs unmittelbar auf der Scheidenhaut, bald hingen sie nur an mehr oder weniger langen dünnen Stielen, bald lagen sie völlig frey in der Höhle der Scheidenhaut. Einige Mal war offenbar der kleine, hydatidenähnliche, am obern Ende des Hoden befindliche Körper in einen solchen Knochen verwandelt; doch fand ich einmal acht zugleich in der Scheidenhaut, von denen einige frey lagen, andere befestigt waren. Immer hatten sie eine rundliche Gestalt, und eine, höchstens anderthalb Linien im Durchmesser. Aehnliche Beobach-

1) Act. Upsal. nova. T. I. 1795.

tungen finden sich bey Morgagni[1]) Monro[2]) Sömmerring[3]), Wardrop[4]), Laennec[5]).

Gewöhnlich erscheinen sie zugleich mit Wassersucht der Scheidenhaut und stellenweiser Verwachsung des äussern und des umgeschlagenen Blattes derselben.

Sie scheinen sich in dem Schleimgewebe hinter der Scheidenhaut zu entwickeln, und von aussen nach innen zu wachsen, indem sie die Scheidenhaut vor sich her drängen, da man sie bisweilen locker in einer nach innen gerichteten Verlängerung dieser letztern findet, die man umkehren und so das Concrement aus der Höhle der Scheidenhaut bringen kann. Allmählich verschliesst sich dieser umgeschlagne Theil der Scheidenhaut, und es bildet sich ein dünner Stiel, der endlich auch zerreisst, wo dann das Concrement frey in der Höhle der Scheidenhaut liegt.

Von dieser Knochenbildung muss man die plattenförmige Verdickung, Verknorpelung und Verknöcherung der Scheidenhaut unterscheiden, welche man hier, wie in andern serösen Häuten, vorzüglich in Verbindung mit Hydrocele findet[6]), und welche oft die Verwachsung des Hoden mit dem äussern Blatte der Scheidenhaut bestimmt.

---

1) De c. et sed. morbor.

2) De bursis mucosis. Cap. VIII.

3) Zu Baillie S. 219.

4) Edinb. med. and surg. Journal. Vol. III. No. 8. p. 421. und Vol. IX. No. 2. p. 22.

5) Laennec Dict. des sc. médic. T. IV. p. 126.

6) Cruveilhier a. a. O. S. 98. 99.

e. Andere seröse Häute.

Außer diesen gewöhnlichen Stellen kommen auch Verknöcherungen an der Spinnwebenhaut, an andern Stellen als dem die Faserhaut bekleidenden Theile derselben, vor. Hieher gehören unstreitig die meisten Beobachtungen von Verknöcherungen der Gefäßhaut des Gehirns. Auch erscheint diese Bildung nicht selten im Alter an der Spinnwebenhaut des Rückenmarkes [1]) Weniger häufig kommt sie an der Spinnwebenhaut im Schädel vor, doch fand sie hier Vicq d'Azyr mehrmals an der Grundfläche [2]). Laennec [3]) fand sie an der äußern Fläche des Theiles derselben, welcher die Hirnhöhlen bekleidet, Kerckring und Marklin innerhalb ihrer Höhle.

Am gewöhnlichsten scheinen sie sich hier in den Pacchionischen Körpern zu bilden, deren Entstehungsweise selbst die Knochenbildung zu begünstigen scheint, indem sie, nach Wenzel's [4]) schönen Untersuchungen, nur krankhaft aus geronnenem Faserstoff entstandene Gebilde sind.

Greding [5]) fand in der That drey Mal diese Körper weit härter als gewöhnlich, als wären sie im Begriff, sich in Knorpel oder Knochen zu verwandeln. Außerdem fand er in

1) Sabatier Mém. de Paris 1783. p. 75. Morgagni de s. et c. Ep. 25. a. 9. Hertel, de cerebri et meningum tumoribus. Ber. 1814.

2) Mém. de Paris 1781. p. 498.

3) A. a. O. S. 127.

4) De penit. str. cerebri. Cap. 1.

5) Ludwig advers. m. pr. T. II. P. III. p. 482.

acht Fällen [1]) mehr oder weniger beträchtliche knöcherne Ungleichheiten in ihnen, am gewöhnlichsten auf beyden Hemisphären. Doch scheinen sie sich bisweilen auch nicht in diesen Körpern zu entwickeln: wenigstens fand Greding [2]) sie in einem Falle bey einem Epileptischrasenden, der durchaus keine Pacchionischen Körper hatte, und in einem andern an einer Stelle, wo sich keine Pacchionischen Körper entwickelt hatten. Doch ist es möglich, daſs hier diese Körper vollständig verknöchert waren.

Diese Knochen der Gefäſshaut sind im Allgemeinen dünn, besonders die kleinern, welche die Gröſse eines Hirsenkorns oder einer Linse haben, scheibenförmig oder oval, bisweilen auch sehr länglich viereckig, z. B. sechs Linien lang, zwey breit. In einem Falle fand er einen ringförmigen Knochen, der einen halben Zoll im Durchmesser hatte. Ihre gegen die harte Hirnhaut, mit der sie genau zusammenhingen, gewandte Fläche war glatt, die gegen das Gehirn gerichtete dagegen immer rauh und ungleich. Kleinere, die immer in den Pacchionischen Körpern saſsen, fanden sich immer in einer beträchtlichen Menge, doch fand er in demselben Körper vier, in einem andern fünf, in einem dritten neun gröſsere, die kleinern nicht gerechnet.

Einmal fand Greding [3]) auf beiden Seiten der Stirn in der Gefaſshaut einen sehr an-

---

1) Ebend. S. 483. ff.

2) Ebend. S. 485.

3) Ebend. T. III. P. IV. p. 627. ff.

sehnlichen Haufen dieser Körperchen von der Gröfse eines Thalers.

Auch Sandifort [1]) fand an der Stelle, wo sich gewöhnlich die Pacchionischen Körper finden, aufser diesen in der Gefäfshaut mehrere ungleiche, knöcherne, rauhe Erhabenheiten, von denen zwey den Umfang eines Nagels übertrafen. An der Stelle, wo sich diese letztern befanden, war die Gefäfshaut weit härter und dicker als gewöhnlich, die harte Hirnhaut fast ganz zerstört.

Am gewöhnlichsten kommen diese Verknöcherungen an der äufsern Fläche der Gefafshaut vor, wie aufser den angeführten Beyspielen die Beobachtungen von Haller [2]), Cheselden [3]) und auch zwey Fälle, die ich vor mir habe, beweisen.

Doch fand Süe [4]) auch im Adernetz der

Figreu fand zwischen der Krystallkapsel und der Glashaut einen losen Knorpel, und Cruveilhier [5]) sahe die Demoursche Haut in eine dünne Knochenplatte verwandelt.

2. Synovialhäute.

An den Synovialhäuten erscheint die regelwidrige Knochenerzeugung gleichfalls in der Bildung rundlicher, anfangs mit ihrer innern Fläche verbundener, dann gewöhnlich getrennter Knochen, den sogenannten Gelenkmäusen,

---

1) Observat. anat. pathol. T. III. p. 45. ff.

2) Elem. physs. T. IV. p. 21.

3) Anat. of the hum. body. p. 221.

4) Ostéologie de Monro. p. 20. Note.

5) Bey Laennec a. a. O.

die hier weit häufiger als in den eigentlichen serösen Häuten sind.

Am häufigsten befinden sie sich im Kniegelenke. Fälle dieser Art haben Pechlin[1], Henkel[2], Monro[3], Simpson[4], Reimarus[5], Morgagni[6], Theden[7], Cruikshank[8], Ford[9], Home[10], Desault[11], Sulzer[12], Hey[13], Abernethy[14], Clark[15], Dewar[16], Monro[17], Richerand[18].

---

1) Obss. phys. med. Obs. 38.

2) Med. und chir. Anm. 3. Samml. S. 7. ff.

3) Med. essays and obs. of Edinb. Vol IV. No. 19. p. 244.

4) Ebend. No. 20. p. 246.

5) De tumore ligament. Leidae 1757. rec. in Halleri coll. Diss. pract. T. VI. p 454 ff.

6) De causs. et sed. morb. Ep LVII. Art. 14.

7) Neue Bemerk. und Erf. zur Bereicherung der Wundarzneyk. 1782. Bd. 1. Abschn. 17. S. 99. ff.

8) Medical and philosophical Comment. by a society of Edinb. London 1776. Vol. IV. p 342 ff.

9) Med. observ. and inquir. Vol. 5. No. 30. p. 329.

10) Von den beweglichen Knorpeln im Kniegelenke, in den Transact. of a society for the impr. of med. and ch. knowl. Vol. I. in Richters chir. Bibl. Bd. 13. S. 175. ff.

11) Journal de chirurgie. T. II., in Richters chir. Bibl. Th. 13., S. 369.

12) Ebend. Th. 8. S. 492.

13) Practical observ. in surgery. London 1803. In Langenbecks chir. Bibl. Bd. 1. S. 293. ff.

14) Chirurg. Beob., übers. v. Meckel. S. 186. ff.

15) Med. chir. Transact. of London. Vol. V. 1814. No. IV. p. 67. ff.

16) Bey Monro de burs. muc. c. h. p. 65.

17) Ebend.

18) Bey Cruveihier Th. 2. S. 105.

Sie variiren sowohl in Hinsicht auf ihre Consistenz, als auf ihre Zahl, Grösse, und auf das Verhältniss, worin sie zu der Synovialmembran stehen.

1. Bisweilen sind sie so äusserst weich, dass sie kaum knorplig genannt werden können, bisweilen bloss knorplig, bisweilen hat sich in ihrer Mitte ein knöcherner Kern entwickelt, bisweilen sind sie völlig knöchern.

2. Cruikshank fand einmal in demselben Kniegelenke zwey, von denen der eine ganz knorplig war, der andere in der Mitte einen knöchernen Kern enthielt.

Der Körper, den Ford ausschnitt, war durchaus knorplig, sein Umfang mit zarten, haarähnlichen Fäden besetzt.

Simpson fand gleichfalls in der Mitte des Körpers, der anfangs bloss knorplig zu seyn schien, einen Knochenkern.

Dasselbe sahen auch Desault und Midleton.

Die Verknöcherung fängt also auch hier in der Regel in der Mitte an, doch fand Monro auf eine entgegengesetzte Weise äusserlich eine dünne Knochenplatte, die mit Oel angefüllte Zellen enthielt. Morgagni fand in einem nachher anzuführenden Falle mehrere dieser Körper ganz, oder nur in der Mitte knöchern. Meistentheils haben sie eine längliche, platte Gestalt, abgerundete Ränder und eine glatte, glänzende Oberflache; so beschreiben sie Cruikshank, Midleton[1]), Clark[2]), Monro, Sim-

1) Bey Reimarus a. a. O. S. 455.

2) A. a. O. S. 371.

Simpſon, Morgagni, Ford und Abernethy; doch fand Sulzer einen Körper dieſer Art in ſeiner Oberfläche ungleich und körnig; auch im Deſaultſchen Falle war der Rand ungleich.

Die Zahl dieſer Concremente variirt. In der Regel findet man nur eins [1]).

So fand es Theden in drey Fällen, auch Reimarus, Monro, Simpſon, Middleton, Deſault, Ford.

Doch findet man nicht ganz ſelten auch mehrere, wie eine andere Beobachtung von Henkel [2]), die ſchon erwähnte von Cruikſhank, ferner von Abernethy und Home [3]) beweiſen. Home und Clark ſahen drey, die übrigen beobachteten nur zwey, Morgagni [4]) aber in einem merkwürdigen Falle eine noch weit gröſsere Menge. Im linken Kniegelenk einer alten Frau nämlich fand er mehr als 20, von denen die beträchtlichſten ſo groſs als Weinbeerenkerne, die übrigen aber zum Theil weit kleiner, waren. Alle waren weiſs und glatt, nur mit einem kleinen Theile ihres Umfangs am Kapſelbande befeſtigt und völlig von einander getrennt. Dieſelbe Zahl fand auch Monro.

Die Gröſse dieſer Knochen iſt gleichfalls bedeutenden Verſchiedenheiten unterworfen.

Einigermaaſsen ſteht ſie, wie der von Morgagni beobachtete Fall beweiſt, mit ihrer Zahl im Verhältniſs.

1) Cruikſhank a. a. O. S. 345.

2) Fünfte Samml. med. u. chir. Anm. S. 25.

3) A. a. O. S. 179.

4) De c. et ſ. Ep. LVII. 14.

Gewöhnlich haben ſie die Gröſse einer kleinen Bohne. Dieſs bemerkt Home; ſo fanden ſie auch Theden, Monro, Cruikſhank, Middleton, Clark; doch ſind ſie oft auch weit kleiner. Im Gegentheil findet man ſie bisweilen auch weit anſehnlicher. In den von Deſault und Sulzer beſchriebenen Fällen waren die einfachen; in den von Abernethy beobachteten beide Knorpel neun Linien lang und einen halben Zoll breit.

Ford ſchnitt ſogar einen ſolchen Körper von der Gröſse einer Kaſtanie aus. Home [1]) führt einen Fall an, wo der Körper faſt die Gröſse einer Knieſcheibe hatte.

Doch ſcheint ihre Structur nicht in einer geraden Beziehung zu ihrer Gröſse zu ſtehen. Der groſse Knorpel, den Ford ausſchnitt, enthielt durchaus keinen Knochenkern, während die von Morgagni beobachteten zum Theil völlig knöchern waren.

In Rückſicht auf die Stelle ſind dieſe Körper, wenn ſie gleich am häufigſten im Kniegelenke vorkommen, doch nicht bloſs auf daſſelbe beſchränkt.

Hey führt einen Fall eines im Ellenbogengelenke befindlichen Knorpels an [2]). Haller [3]) fand bey einer alten Frau, auſser mehreren Verknöcherungen im Gefäſsſyſtem, auch ungefähr zwanzig ganz frey liegende halbknorplige, halbknöcherne Körper in dem einen Kiefergelenke. Aus dem Ellenbogengelenke ſchnitt Coley einen Knochen von der Gröſse einer nux vomica aus [4]).

1) A. a. O. S. 180.

2) A. a. O. S. 295.

3) Progr. de induratione in c. h. partibus. §. 5.

4) Med. ch. Transact. Vol. V. No. V.

Nach Bell kommen sie im Fuſsgelenk nicht selten vor. Laennec fand sie im Schultergelenke [1]) und in der Kapsel zwischen dem Schien- und Wadenbeine [2]), Bichat im Kapselbande des Erbsenbeins [3]) und im Handgelenke [4]). Hunter [5]) fand bey einem 68 Jahr alten Manne sogar in einer regelwidrigen Gelenkhöhle, welche durch Nichtheilung eines schon vor vier Jahren erfolgten Bruches des Schulterblattes entstanden, und durch einen groſsen, einer Gelenkkapsel ähnlichen, mit Gelenkschmiere angefüllten Sack gebildet war, dreyſsig bis vierzig kleine, ganz lose, Körperchen, wovon einige knorplig, andere härter waren.

Es ist wohl keinem Zweifel unterworfen, daſs diese Körper anfangs mit der Kapselhaut zusammenhängen und ihre Entwicklung nach demselben Gesetze als in den serösen Häuten geschieht.

Morgagni fand alle, die er beobachtete, in einem Theil ihres Umfangs damit zusammenhängend. Auch Middleton sah ihn befestigt. Theden führt zwey Fälle an, wo er ihn in beiden durch einen Faden anhängend fand, der in dem einen Falle drey Zoll lang war. Im Monro'schen Falle hing der Körper an einem feinen Faden. Auch Cruikshank fand einen solchen Körper mit dem untern Ende des Ober-

1) Dict. des sc. méd. T. IV. p. 131.

2) Ebend. S. 125.

3) Anat. gén. T. III. p. 144.

4) Cruveilhier Th. 2. S. 104.

5) Transact. of a soc. etc. T. I. p. 233.

ſchenkelbeins zuſammenhängend, und in dieſem eine, dem zweiten Knochen entſprechenden, Vertiefung. Die Ränder des Knochens, den Ford ausſchnitt, waren mit Fäden beſetzt. Auch im Clark'ſchen und Coley'ſchen Falle gingen von dem Knorpel Fäden aus. In dem Hunter'ſchen Falle waren die Ränder der nicht verwachſenen Schulterblatthälften zum Theil ohne Knorpel, zum Theil mit Knorpelſtücken beſetzt, welche ganz mit den frey liegenden übereinkamen. Er und Ford fanden überdieſs mehrmals an den Knochenenden des Kniegelenkes knorplige Erhabenheiten, die leicht durch eine ſtarke Bewegung des Gliedes abgeſtoſsen werden konnten.

Hunter glaubt daher, daſs dieſe Körper urſprünglich extravaſirtes Blut ſeyen, das ſich organiſirt und die Beſchaffenheit des Theiles angenommen habe, mit dem es in Verbindung ſtand.

Dieſe Meinung ſcheint inſofern beyfallswerth, da man beynahe immer bemerkt findet, daſs der Entſtehung dieſer Körper eine gewaltſame Urſache vorherging. Hey fand immer eine äuſsere Gewaltthätigkeit als die entfernte Urſache derſelben, und ſah ihnen niemals ſpontanen Schmerz vorangehen.

Im Deſault'ſchen Falle zeigte ſich der Knorpel drey Monat nach einer gewaltſamen Dehnung des Kniegelenkes, die mit heftigen Schmerzen verbunden war.

In der Ford'ſchen Beobachtung entſtand er gleichfalls nach einem heftigen Falle, wobey der Kranke ſogleich einen heftigen Schmerz im Knie empfunden hatte.

Der Mann, welchen Abernethy operirte, war zwey Mal auf dasselbe Knie gefallen, und hatte das erste Mal eine heftige Entzündung in demselben bekommen.

Doch geht der Erscheinung dieser Knorpel nicht nothwendig jedes Mal eine äussere Gewaltthätigkeit voraus.

Sulzer z. B. sah sie ohne dieselbe bey einem Manne von 43 Jahren entstehen, der öfters die Rose an dem Fuss derselben Seite hatte.

Auch Simpson bemerkt ausdrücklich, dass der Entstehung des von ihm ausgeschnittenen Knorpels keine Gewaltthätigkeit voranging, und es ist mir daher wenigstens nicht wahrscheinlich, dass das frey in die Höhle ergossene Blut gerinne, und mit der serösen Haut verwachse. Dass sie vielmehr aus der Synovialhaut hervorwachsen, wird mir durch zwey merkwürdige, schon von Götz [1]) beschriebene und abgebildete Kniegelenke sehr wahrscheinlich, wo die ganze Synovialhaut mit zahllosen, befestigten, dünngestielten Körperchen besetzt ist.

Sehr interessant aber ist es, dass der in der Nähe des Knochens exsudirte Faserstoff oder das extravasirte Blut sich so häufig in Knorpel und Knochen verwandeln, wenn man diese Erscheinung mit der Bildung von Haarbälgen gerade in der Nähe normaler Haare, z. B. der Augenbraunen, zusammenhält. Vielleicht entstehen nach demselben Gesetze neben einem grösseren, einmal gebildeten, regelwidrigen Balge so häufig kleinere.

Nachdem sich diese Concremente von den Stellen, auf welchen sie festsitzen, getrennt ha-

1) De morbis ligament. Hal. 1798. in Reils Archiv. Bd. 4.

ben, wachsen sie nicht weiter fort [1]). Die Unwahrscheinlichkeit der Meinung, dass eine Art dieser Concremente durch Verdickung der Gelenkschmiere entstehe, sich allmählich vergrössere, so wie das Fortwachsen derer, welche anfänglich mit der Synovialhaut verbunden sind, nach ihrer Trennung [2]), hat schon Cooper [3]) mit Recht gerügt.

Eine von den gewöhnlichen Gelenkknochen ganz verschiedene Art von Concrementen aber sind Theile kleiner Exostosen, welche sich im Umfange der Gelenkknorpel bilden, zufällig abgestossen und dann im Gelenke gefunden werden [4]).

Nicht bloss in den Gelenkkapseln, sondern auch in den nahe verwandten Schleimbeuteln, entwickeln sich diese regelwidrigen Concremente. So wurden von Monro in den Schleimbeuteln des Handgelenkes, im Schleimbalge des grossen Gesässmuskels ein solcher Körper, im Schleimbalge der Sehne des langen Daumenbeugers ungefähr funfzig gefunden.

Insofern, als besonders in der Höhle seröser Häute, des Bauchfelles, der Scheidenhaut des Hoden, der Gelenke diese eigenthümlichen Körper gefunden wurden, ist es interessant, dass Richter [5]) bey einem 40jährigen Manne in einer Balgwassersucht des Hodensackes drey eyrunde, mit einer knorpligen Rinde überzogne, nirgends anhängende Knochenkerne fand. Hier hatte sich also ein eyähnlicher Balg,

---

1) Monro a. a. O. S. 66.
2) Russell morbid affect. of the kneejoint. Edinb. 1802. p. 88.
3) Diseases of the joints. London 1807. p. 34.
4) Brodie med. ch. Transact. Vol. 4. p. 276.
5) Medic. und chirurg. Beob. Götting. 1791. S. 125.

gebildet, der das Knochenconcrement abgesondert hatte, und dieses sich völlig von ihm getrennt.

Unstreitig gehört hieher auch, wenn es nicht bloss eine Veränderung der Schleimbeutel und Schleimscheiden ist, die Bildung einer Art von Bälgen, auf welche neuerlich Dupuytren und Cruveilhier [1]) besonders aufmerksam gemacht haben. Sie kommen vorzüglich in der Gegend des Handgelenkes an der Hohlhandfläche, weniger gewöhnlich auf dem Handrücken, seltner am Fussgelenke, immer aber in der Nähe der Synovialkapseln und Sehnen vor, sind meistens durch eine (unstreitig von den Streifen der benachbarten Faserbänder herrührende) Oeffnung in zwey unter einander zusammenhängende Hälften abgetheilt, und enthalten, ausser einer serösen oder Synovialfeuchtigkeit, eine grössere oder geringere Menge, bis auf hundert, länglichrundlicher, aus mehrern Schichten gebildeter, glatter Körperchen von der Grösse eines Haferkorns bis zu der eines Birnenkerns, die ungefähr die Härte des Faserknorpels haben. Diese Körperchen mit Dupuytren für eigne Organismen zu halten, weil sie aus mehrern Schichten bestehen, vielleicht eine Höhle enthalten, sich vielleicht einmal bewegten, findet sich um so weniger ein Grund, als sie sich sehr ungezwungen an die Knorpel- und Knochenbildung der serösen und Synovialhäute anschliessen und richtiger halten sie daher gewiss Bosc und Dúméril bloss für eyweissartige Gerinsel.

---

1) Kystes contenans de petits corps blancs. In Cruveilhier's Anat. path. T. I. p. 306. 325.

Hieran schliesst sich die Bemerkung, dass bisweilen zufällig entstandene seröse Häute, Pseudomembranen, verknöchern [1].

Die zweyte, weit seltnere Art regelwidriger Knochenerzeugung an den Synovialhäuten ist die Umwandlung ihrer eignen Substanz in Knochen, welche vielleicht bey der von selbst, ohne durch Vereiterung veranlasste, vorangegangnen Zerstörung derselben entstandenen Ankylose eintritt. Dagegen ist die Ersetzung der auf diese Weise verloren gegangenen Synovialhäute durch Knochensubstanz eine sehr gewöhnliche Erscheinung.

C. Knorpel.

Unter den Knorpeln verknöchern die des Kehlkopfes, besonders im männlichen Geschlecht, im Alter äusserst häufig, und werden dann nicht selten der Sitz von Knochengeschwüren. Einmal habe ich sogar bey einem 26jährigen Manne schon den Schildknorpel zur Hälfte verknöchert gefunden. Häufiger als die Giessbeckenknorpel trifft diese Umwandlung den Schild- und Ringknorpel, so dass Morgagni [2]) sie an jenen nie sah, doch fand ich sie selbst einige Mal, und Cruveilhier führt drey eigne Fälle davon an [3]). In einem, von Travers beschriebenen, Falle verursachte die Verknöcherung und Vergrösserung der beiden letzten bey einer 50jährigen Frau den Tod [4]). Die Verknöcherung breitet sich gewöhnlich von innen nach aussen aus.

Seltner verknöchern die Rippenknorpel, so dass sie bisweilen noch im höchsten Alter

1) Fleischmann Leichenöffnungen. Erl. 1815. S. 201.
2) De c. et f. Ep. XXIII. 6.
3) A. a. O. Bd. 2. S. 6—9.
4) Med. chir. Transact. Vol. 7. Part. 1. p. 150. ff.

keine Spur von Knochen zeigen. So ſand Hervey [1]) bey Thomas Parre, der 152 Jahr 9 Monat alt wurde, die Rippenknorpel nicht härter als bey jungen Subjecten, ſondern ganz weich und biegſam.

Eben ſo ſah Keil [2]) bey dem 130 Jahr alten John Bayles die Rippenknorpel nicht härter als gewöhnlich, ungeachtet der Magen eine pergamentähnliche Härte hatte, die Unterleibsaorte und die Hüftarterien meiſtens knorplig waren, und ſich neben der Hirnſichel eine kleine Verknöcherung fand. Auf dieſelbe Weiſe waren auch an einem Skelett, wo alle Gelenke durchaus verwachſen waren, die Rippenknorpel durchaus nicht verknöchert [3]). So ſind auch in einem Falle, den ich vor mir habe, in einem ſehr alten Skelett mit Verknöcherung aller Bänder des Stammes nur einige Rippenknorpel, und auch dieſe nur an kleinen Stellen verknöchert.

Dagegen fand Scheuchzer [4]) bey einem Manne von 109 Jahren alle Rippenknorpel mit den Rippen durchaus zu einem Knochen verwachſen. Zugleich hatten die Aortenklappen dieſelbe Beſchaffenheit angenommen, die Schädelnäthe waren ganz verſchwunden, die harte Hirnhaut war lederartig und dreymal dicker als gewöhnlich.

Ueberhaupt finden ſich auch in einem nicht völlig ſo hohen Alter Verknöcherungen der Rip-

---

1) Phil. Transact. No. 44. p. 886.

2) Ebend. No. 306. p. 2247.

3) Columbus de re anat. Lib. XV. p. 263.

4) Ebend. No. 376. p. 313.

penknorpel. So beobachtete sie Loder [1]) mehrmals an Körpern, wo das Brustbein auch in seine drey Theile getrennt war, und auch ich habe diese Bemerkung einigemal gemacht.

Merkwürdig ist es, dass die Rippenknorpel gewöhnlich von aussen nach innen verknöchern; doch bilden sich bisweilen auch die Knochenkerne im Innern. In andern Fällen findet beides zugleich Statt, wie mehrere Beyspiele, die ich vor mir habe, und ein von Loder [2]) angeführter Fall beweisen. In Hinsicht auf die Folgen ist es wichtig, dass in vier Fällen von Brustbräune, welche Blacke beobachtete, immer die Rippenknorpel verknöchert waren [3]).

Nicht selten verschwindet auch der Gelenkknorpel, und an seiner Stelle wird Knochen erzeugt. Fast immer ist die Folge davon eine Verwachsung der Knochen, oder die wahre Ankylose [4]). Gewöhnlich geschieht diess bey und nach Entzündungen und Vereiterungen der Gelenke, und die Verdrängung des Knorpels durch Knochen ist hier wahrscheinlich die Folge eines raschern Vegetationsprocesses, indem der Knorpel zerstört wird, und an seiner Stelle sich der vitalere Knochen erzeugt. Nach demselben Gesetz werden auch häufig die Knorpelbrüche durch einen knöchernen Callus vereinigt [5]). Doch verschmelzen, auch ohne

---

1) Verzeichniss etc. S. 173. No. 702.

2) A. a. O. S. 702.

3) Hist. of two cases of Angina pectoris. In med. chir. Transact. Vol. 7. p. 78.

4) J. Th. Wynperſſe de ancylosi. L. B. 1783.

5) Magendie und Desoër bey Cruveilhier Th. 2. S. 9.

vorangegangene Krankheiten, besonders im Alter, nicht selten Knochen, welche nur durch Knorpel und Bänder zusammengehalten werden, durch ergossene Knochensubstanz unter einander. Die Verwachsung der Knochen, die Veranlassung sey, welche sie wolle, erstreckt sich gewöhnlich nur auf einzelne oder einige Gelenke, ist bisweilen aber auch allgemein, wovon Columbus [1]), Cormor [2]), Deslandes [3]), Olivier [4]), Smith [5]), Walter [6]) Percy [7]), Portal [8]), und Gastellier [9]) merkwürdige Fälle anführen.

Am häufigsten werden unstreitig Ankylosen zwischen den Wirbelbeinen gebildet; doch verschwindet, wenigstens nach meinen Untersuchungen, der Zwischenknorpel gewöhnlich nicht, oder wenigstens nicht ganz, sondern es bildet sich von dem Körper des einen Wirbels zum andern eine mehr oder weniger vollständige Brücke, wodurch beide zusammengehalten werden, die oft eine sehr ansehnliche Dicke, zu einem halben bis ganzen Zolle, hat.

Auch Wynpersse [10]) bemerkt, dass der Zwischenknorpel selten oder nie ganz verknö-

---

1) De re anat. L. XV. p. 485.

2) De stupendo ossium coalitu. Oxon. 1695.

3) Vandermonde Journal de médec. T. XII.

4) Mém. de Paris 1716.

5) Natural. hist. comit. Hyberniae. Dublin. 1744—1750.

6) Anat. Mus. Bd. 2. S. 77.

7) Mém. de l'institut. Ann. 1801.

8) Anat. méd. T. I. p. 14.

9) Obs. sur une ankylose universelle in Corvisart Journal de médec. 1815. Juillet.

10) A. a. O. p. 25.

chert; selbst wenn er es äusserlich zu seyn scheint, indem er immer in der Mitte eine Lücke gefunden habe.

Unter den Knochen des Stammes ankylosiren sich besonders die Lenden- und Rückenwirbel häufig. Einen oder den andern findet man beynahe bey jeder alten Leiche mit den benachbarten verbunden.

Eben so verwächst der letzte Lendenwirbel nicht selten mit dem Heiligbein, besonders an dem Querfortsatz einer oder beider Seiten. Dasselbe gilt für das Steiss- und Heiligbein, zwischen denen gewöhnlich die Verwachsung nicht an dem Körper, sondern den Seitenfortsätzen, anfängt. Sowohl in dem einen als dem andern Falle scheint das Heiligbein dann fünf Löcher zu haben, und wahrscheinlich ist eine ursprüngliche Zusammensetzung desselben aus sechs Wirbeln weit seltner.

Nicht selten verwachsen auch besonders die untern Wirbel der Steissbeine unter einander zu einem Knochen.

Seltner sind die Halswirbel unter einander verwachsen; doch habe ich auch diesen regelwidrigen Zustand mehrmals vor mir.

Seltner noch verwächst der Träger mit dem Hinterhauptbeine; doch führt Wynpersse [1]) acht Fälle von dieser Verschmelzung an.

Van Döveren besass auch einen Fall einer Verwachsung des Trägers mit dem zweyten Halswirbel. Der erstere war zerbrochen, und sein Querfortsatz mit dem Querfortsatze und dem Zahn des zweiten Halswirbels verwachsen; vor

---

1) A. a. O. S. 18. 19.

dem rechten Querfortſatze des Atlas liegt in einem Höcker des Knochens eine Kugel [1]).

Sehr ſelten verwächſt auch der Träger mit dem Hinterhauptsbein und dem zweiten Halswirbel zugleich. Fälle davon beſchreiben Büffon [2]), Wynperſſe [3]), Sandifort [4]), Baur [5]).

Auch ich bewahre einen merkwürdigen Fall dieſer Art auf. Der erſte Halswirbel iſt nur wenig auf die linke Seite nach oben geſchoben, die Gelenkfortſätze ſind frey, aber der hintere Bogen in der Mitte und rechterſeits mit dem Hinterhauptsbein verwachſen. Der zweyte dagegen iſt ſtark nach hinten, rechts und oben, verrückt, ſo daſs ſein rechter oberer ſchiefer Fortſatz mit der Hinterhauptſchuppe hinter und neben dem Hinterhauptsloche, die vordere Fläche ſeines Querfortſatzes mit dem rechten untern Gelenkfortſatze des Trägers feſt verwachſen iſt. Die vordere Fläche ſeines Körpers ſteht 4 Linien hinter den vordern Bogen des Trägers. Die hintere iſt von dem hintern Rande des Hinterhauptsloches, oder vielmehr dem in daſſelbe hineinragenden hintern Bogen des Trägers, kaum drey Linien weit entfernt. Ungeachtet daher das Rückenmarksloch beider erſten Wirbel an und für ſich regelmäſsig iſt, ſo iſt doch wegen dieſer Veränderung des zweiten die Oeffnung für den Anfang des Rückenmarkes mehr als um die Hälfte verengt, und das lange Leben bey dieſem Zuſtande höchſt

1) Ebend. S. 21.

2) Hiſt. nat. T. III. p. 41.

3) A. a. O. S. 19.

4) Exerc. acad. Lib. II. Cap. 4.

5) Tübinger Blätter, Bd. 1. S. 154.

merkwürdig. Vorangegangene gichtische Entzündung und Vereiterung gab wahrscheinlich zu der spontanen, durch die Ankylose geheilten, Uxatisation Veranlassung, und dieser Fall ist daher, in Verbindung mit den oben angeführten, ein neuer Beitrag zu dem Beweise der Möglichkeit der Heilung selbst der Caries der ersten Halswirbel und der Möglichkeit, daſs selbst der durch diese Verrenkung und Verwachsung bewirkte, allmählich eintretende, Druck auf den Anfang des Rückenmarks und das verlängerte Mark lange ertragen werden kann, wovon auch Armstrong [1]) und Rust [2]) einige, doch nicht durch die Section genauer bestätigte, Fälle anführen.

Am Kopfe verwächst das Unterkiefergelenk bisweilen, aber sehr selten. Connor [3]) Palfyn [4]), Sandifort [5]), Percy [6]), führen Fälle davon an. Auch Camper [7]) besaſs einen Fall dieser Art.

Gaub [8]) führt auch einen Fall von einer Ankylose der Gehörknöchelchen an.

Gar nicht selten verschwinden auch die zwischen den Rändern der Schädelknochen befindlichen Knorpel, und die Näthe werden daher obliterirt. Im höhern Alter ist dieſs nor-

---

1) Edinburgh med. Journal. Vol. IX. p. 385. ff.

2) Arthrokakologie. Wien 1817. S. 82.

3) A. a. O. p. 7.

4) Beschr. der Beenderen. p. 211.

5) De ancylosi inferioris maxillae. Obss. pathol. anat. L. I. Cap. VII.

6) A. a. O.

7) Wynpersse a. a. O. S. 17.

8) Institut. pathol. §. 704.

maler Zustand, der besonders in der Pfeilnath häufig eintritt, und von da aus sich auf beiden Seiten in die Kranz- und Lambdnath ausbreitet; doch verschwinden auch in der Jugend die Näthe nicht selten. So fand ich bey mehrern jungen Schädeln von achtzehn bis zwanzig Jahren keine Spuren einer Trennung zwischen dem Zapfentheile und dem Schlafbeine, so wie dem hintern Theile des Schuppenbeins und dem Scheitelbeine. Bey einem 19jährigen Menschen fand ich erst in diesen Tagen keine Spur von der Pfeilnath, und Hünauld [1]) sah weder an der äufsern noch der innern Fläche des Schädels eines 7jährigen Kindes ein Zeichen der Pfeil- und Kranznath.

Merkwürdig ist, dafs in diesem Falle die Abdrücke der Hirnwirkungen weit tiefer als gewöhnlich waren.

So ist es auch interessant, dafs in allen meinen Fällen das Keil- und Hinterhauptsstück des Grundbeins noch völlig von einander getrennt waren.

Die Verknöcherung der Heilig-und Hüftbeinverbindung ist eine der gewöhnlichsten Erscheinungen, und kommt, nächst der Ankylose der Brust- und Lendenwirbel, am häufigsten, doch unstreitig nicht so häufig als diese, vor, und ist daher nicht für die häufigste zu halten [2]). Seltner erscheint sie auf beiden Seiten zugleich als auf einer, und diess auf der rechten Seite weit häufiger als auf der linken, so dafs sie Creve [3]) dort mehr als doppelt so häufig als hier

---

1) Mém. de l'acad. des sc. 1734. Hist. p. 58. No. 2.
2) Creve Krankh. des Beckens. S. 165.
3) A. a. O.

(wie 1:2½) fand. Nach ſeinen Unterſuchungen kommt ſie auch beym weiblichen Geſchlechte häufiger als beym männlichen, in dem Verhältniſs von 41:88, vor.

Sehr ſelten dagegen ankyloſiren ſich beide Schambeine mit einander, und Voigtel [1]) hält mit Unrecht dieſen Zuſtand für eine gewöhnliche Erſcheinung [2]).

Ich habe ihn in der That bey ſorgfältiger Unterſuchung einer groſsen Menge von Becken meiſtens alter Perſonen noch nie gefunden, und bewahre nur einen Fall davon auf.

Wynperſſe [3]) führt einen Fall von dieſer Ankyloſe an, wobey zugleich das Steiſsbein ganz verwachſen war. Andere Fälle beſchreiben Sandifort [4]), Köhler [5]), Michell [6]), Krapff [7]), Creve [8]), Heekeren [9]).

Der Fall, welchen ich vor mir habe, iſt aus einer ungefähr vierzigjährigen Frau. Die Verwachſung erſtreckt ſich durch die ganze Höhe der Schamfuge, nimmt in der obern weit kleinern Hälfte die ganze Dicke, in der untern nur die hintere Hälfte derſelben ein, und bildet

1) A. a. O. S. 38.

2) Pathol. Anat. Bd. 1. S. 347.

3) A. a. O. S. 38.

4) Obſ. an. pathol. L. I. Cap. VII. p. 100. L. II. Cap. VI. de anchyloſi oſſium pubis. Ein zweiter Fall ebend. L. IV. Cap. X. p. 119.

5) Beſchr. von Loders Präparaten. S. 11.

det nach innen eine starke Vorragung. Oben und an den Seiten ist sie von starken Exostosen umgeben, und linkerseits fehlt oben und hinten die Rindensubstanz, so dass höchst wahrscheinlich Entzündung und Vereiterung vorangegangen war.

Die Verwachsung zwischen dem Hüftbein und dem Oberschenkelbein ist selten, und wird höchst wahrscheinlich meistentheils durch Oberschenkelhalsbruch veranlasst, wenn gleich dieser nicht nothwendig diese Folge hat, sondern der abgebrochne Kopf oft Jahre lang völlig getrennt bleibt [1]). Häufiger verwachsen die Knochen des Kniegelenkes, und in seltnen Fällen verschmilzt dann sogar das Wadenbein mit dem Oberschenkelbein. [2]) Zu der nicht selten an verschiedenen Stellen vorkommenden Verwachsung der beiden Unterschenkelknochen geben besonders Brüche häufig Veranlassung, wovon ich mehrere Fälle besitze. Seltner ist die Ankylose des Fussgelenkes, häufiger theilweise der Fusswurzel, des Mittelfusses und der Zehen.

An den obern Gliedmassen verwächst das Schlüsselbein sehr selten mit dem Brustbeine, nicht ganz so selten mit dem Schulterblatte, wovon Köhler einen Fall beschreibt, von dem man aber bemerken muss, dass er keine Verknöcherung einer normalen Verbindung ist, indem eine Exostose das Schlüsselbein mit dem Schulterhaken verband [3]). Die Verwachsung zwischen Schulterblatt und Oberarmbein ist nicht gewöhnlich, weit häufiger ankylosirt das El-

1) Mehrere Fälle bey Wynpersse a. a. O. S. 41. ff.
2) Wynpersse S. 45.
3) Loders Präparate. S. 11.

lenbogengelenke. Weniger gewöhnlich als hier kommen Verſchmelzungen an den Vorderarmknochen und an der Hand vor. Ueberhaupt ſind ſie an den obern Gliedmaaſsen, ſowohl zwiſchen den erſten Knochen derſelben und dem Stamme, als zwiſchen den Knochen der verſchiedenen Abtheilungen derſelben, mit Ausnahme vielleicht des Ellenbogengelenkes, ſeltner als an den untern Gliedmaſsen. Unſtreitig beruht dieſe Verſchiedenheit gröſstentheils darauf, daſs beſonders die mechaniſchen Veranlaſſungen auf die erſtern weit häufiger einwirken; ſollte ſie aber nicht auch einen tiefern Grund haben, die urſprüngliche Verſchiedenheit der Beweglichkeit beider?

Auch ohne Ankyloſe verknöchern, jedoch weit ſeltner, die Gelenkknorpel bisweilen. So fanden Grandgagnage und Pitet im Kniegelenk und dem Mittelhand-Fingergelenk an der Stelle des Knorpels und der Synovialhaut ein elfenbein- oder ſchmelzähnliches Gewebe [1]).

E. Schleimhäute.

Die Schleimhäute und die Eingeweide, welche nur Entwicklungen von ihnen ſind, zeigen nur ſelten Knorpel- und Knochenbildung; doch finden ſich einzelne Beobachtungen darüber in den verſchiedenen Gegenden.

1. Verdauungsſyſtem.

a. Speiſeröhre.

Die Beobachtungen von Verwandlung der Speiſeröhre und des Magens in eine knorpelähnliche Subſtanz ſind nicht ſelten, doch

2) Bullet. de la ſoc. de médec. an. XIII. XIV. p. 227.

wurde hier wohl gewöhnlich das Wesen der Krankheit verkannt und Scirrhus für Knorpel gehalten; in allen Fällen dieser Art wenigstens, die ich zu untersuchen Gelegenheit hatte, bemerkte ich diess.

Wirklich verknöchert sahen indess einen Theil der Speiseröhre Metzger[1]), Walter[2]) und Abrahamson[3]), wenigstens die beiden letzten bestimmt.

b. Magen.

Eine Verknöcherung im Magen fand Walter[4]) bey einer 60jährigen Frau. Sie war rundlich, sieben Linien lang, vier dick, wog einen halben Scrupel und sass zwischen der Muskel- und Gefässhaut.

c. Darm.

Baillie[5]) fand in seltnen Fällen eine Art Knochensubstanz auf der Oberfläche der innern Darmhaut abgesetzt; in einem Falle sah er sogar eine Verwachsung zwischen zwey verknöcherten Stücken eines Darmes; doch betraf hier wahrscheinlich die Degeneration nur die Peritonealhaut.

Auch Sömmerring[6]) sah bey einem Kinde die innere Seite des dünnen Darms verknöchert. Dahin gehören vielleicht auch die Steinchen, welche ein aus erdigen Theilchen zusammengebackenes Ansehen haben, die Söm-

1) Observatio de viro fame consumpto ob osseam oesophagi angustiam in Adversar. med. T. I p. 175. ff.
2) Anat. Museum. Th. 1. S. 140. No. XI. 278.
3) Meckel's Arch. der prakt. Arzneik. 1789. Bd. 1. S. 79.
4) A. a. O. S. 157. No. VII. 314.
5) Anat. des krankh. Baues. S. 112.
6) Ebend. S. 112. Not. 228.

merring [1]) im wurmförmigen Fortſatze eines Kindes fand.

Sehr merkwürdig iſt beſonders eine von Müller [2]) verzeichnete Beobachtung von einem Manne, welcher zehn Jahre lang nicht ohne die heftigſten Schmerzen auf der linken Seite liegen konnte, und alle Zufälle verſchwinden ſah, als ein rauhes knöchernes Concrement, das friſch ſechs Unzen, getrocknet neun Drachmen wog, und die Härte und Weiſse des Elfenbeins hatte, abgegangen war.

d. Anhänge des Darmkanals.

Die Anhänge des Darmkanals ſcheinen etwas häufiger als er ſelbſt der Sitz von Verknöcherungen zu ſeyn; doch iſt es nicht immer ausgemacht, ob nicht die urſprüngliche Stätte mehr die Peritonealhaut als ihr eigenthümliches Parenchyma war.

α. Gallenblaſe.

Unter den unmittelbar mit dem Darmkanal verbundenen Organen iſt die Gallenblaſe, wie es ſcheint, am häufigſten der Verknöcherung unterworfen.

Baillie [3]) fand einmal die ſehr verdickten Häute der Gallenblaſe an vielen Stellen in eine Art von Knochenſubſtanz verwandelt.

Walter [4]) ſah bey einer Frau von 84 Jahren die Gallenblaſe in einen knöchernen Behälter verwandelt.

Grandchamp [5]) fand bey einer Frau von 67 Jahren die Gallenblaſe in eine röthliche, un-

1) Ebend. S. 113. Not. 229.
2) N. a. n. c. T. I. Obſ. LXI. Tab. IV. S. 1—4.
3) A. a. O. S. 142.
4) A. a. O. S. 158. No. IX. 316.
5) Sur les oſſifications contre nature in Sedillot Journal de médec. T. I. p. 265.

förmliche, harte, völlig knöcherne Masse von der Gröfse des Kopfes eines siebenmonatlichen Fötus verwandelt. Ihr gröfster Umfang betrug 9, ihr kleinster vier Zoll. Sie enthielt eine graue, überall durchsichtige Gallert, die einen desto höhern Grad von Festigkeit hatte, je näher sie sich den Wänden der Gallenblase befand, wo sie fast knorplig war. Die Wände der Gallenblase, die ein Pfund drey Unzen wog, waren beynahe zwey Linien dick, nur an den beiden Enden des Längendurchmessers in zwey knorplige Höcker ausgedehnt, aufserdem überall knöchern. Der Blasengang fehlte, schien auch nie existirt zu haben, und der Lebergang ging gerade von der Leber zum Zwölffingerdarm.

Auf dieselbe Weise fand ich bey einer 60jährigen Frau die Gallenblase, welche die Gröfse eines Gänseeyes hatte, durchaus in eine knorplige, gröfstentheils knöcherne Masse von der Dicke einer Linie verwandelt, die sich zwischen der stark verdickten Peritonealhaut und der überall vorhandenen Schleimhaut, mit beiden fest verbunden, gebildet hatten. Sie enthielt helle Galle und ungefähr 30 gewöhnliche Gallensteine. Nur der etwas erweiterte Blasenhals war nicht verknöchert, die Gallengänge durchaus normal.

Die meisten Concremente, welche man zwischen den Häuten der Gallenblase findet, sind wahrscheinlich Gallensteine, welche durch einen Bruch der innern Haut der Gallenblase durch die Gefäfshaut in die allgemeine Höhle der Gallenblase gelangten. Vielleicht entsteht auch ein solcher Bruch früher als der Gallenstein, und das Verweilen der Galle in demselben giebt zur Bildung des letztern Anlafs. Wie dem auch sey, so habe ich mehrmals an mehreren Stellen der Gallenblase zugleich, häufiger aber nur an einer, und namentlich am Grunde, kleine, mit einem engen Halse aufsitzende, durch eine enge Oeffnung mit der Höhle der Gallenblase communicirende Verlängerungen gesehen, die mit einem Gallensteine angefüllt waren. In andern Fällen waren diese Fortsätze ganz von der übrigen Höhle der Gallenblase abgeschnürt, und ich bemerkte an dem gegen diese gewendeten Theile des Umfangs des Balges, in dem sie sich auf diese Art befanden, eine narbenähnliche Verdickung.

Doch mögen die Gallensteine bisweilen auch durch eine wahre Continuitätstrennung der innern Haut der Gallenblase aus der Höhle der letztern gelangen. Wenigstens fand ich kürzlich die innere Haut der Gallenblase eines alten Weibes, wo sich auch am Grunde derselben ein vollkommen von ihrer Höhle abgeschnürter Stein zwischen der innern und der Peritonealhaut befand, so wenig dicht, dass Luft, die ich durch den Gallenblasengang einblies, mit der gröfsten Schnelligkeit überall hindurch drang, und das sie umgebende Zellgewebe in Blasen aufhob. Diefs geschah, ungeachtet ich die Section den Tag nach dem Tode machte, und die Leiche völlig frisch war. Bey keiner andern Gallenblase gelang es mir bis jetzt, die Luft durch die innere Haut der Gallenblase zu treiben.

β. Leber.

Die Knochenbildung in der **Leber** ist eine seltne Erscheinung. **Cruveilhier** sagt sogar, er habe bey den Beobachtern keinen Fall davon gefunden [1]); diefs ist indessen

1) A. a. O. Th. 2. S. 11.

falsch, da schon Voigtel mehrere glaubwürdige Beobachtungen zusammengestellt hat [1]. Auf der andern Seite fanden sich unter diesen mehrere, in welchen die Knochenerzeugung nicht die erste Krankheit, sondern nur eine Umwandlung eines regelwidrig in der Leber entstandenen Balges war; und nach vier Fällen, welche ich vor mir habe, den einzigen, welche ich von Leberverknöcherung sah, bin ich zu der Vermuthung geneigt, daſs meistentheils dieſs die Entstehungsweise der Knochenbildung der Leber sey. In dem einen, der von meinem Vater beobachtet und schon anderwärts [2]) beschrieben wurde, besteht die an der obern Fläche des rechten Leberlappens liegende Verknöcherung aus zwey übereinander liegenden, überall verschlossenen, bis auf vier Linien dicken, hohlen Kapseln, deren äuſsere, sehr ungleiche Fläche mit Hirnmündungen groſse Aehnlichkeit hat.

In einem ähnlichen Falle, den ich selbst bey einem ungefähr 50jährigen Manne beobachtete, war das ganze rechte, stark verdickte Brustfell mit Hydatiden so strotzend angefüllt, daſs die Lunge dieser Seite fast ganz verschwunden war. Am untern Theile desselben entdeckte ich eine kleine Oeffnung, welche zu einer harten, in der Mitte des stumpfen Randes des groſsen Leberlappens befindlichen Stelle führte, die bei näherer Untersuchung als eine ansehnliche, wallnuſsgroſse Verknöcherung von der Dicke einiger Linien mit unglei-

1) Handb. der pathol. Anat. Bd. 3. S. 53. ff.

2) Neues Archiv der prakt. Arzneik. 1789. Th. 1. S. XXI. ff.

cher Oberfläche erschien, in deren Höhle eine trübe Feuchtigkeit und Spuren von Hydatiden enthalten waren. Die Leber war beträchtlich geschwunden. Offenbar hatte sich hier ein Hydatidenbalg in die Brusthöhle geöffnet, wie bisweilen Leberhydatiden durch die Lunge ausgeworfen werden.

So fand ich an der obern Fläche der Leber, gegen ihren vordern Rand, einen fast ganz aus knöchernen Wänden gebildeten runden Balg von zwey Zollen im Durchmesser, der Ueberbleibsel von Hydatiden enthielt.

4) In einer an der Oberfläche des großen Leberlappens dicht unter der Peritonealhaut befindlichen Verknöcherung von der Größe einer ansehnlichen Haselnuß erwartete ich keine Höhle zu finden, indem beym Durchsägen an einer Stelle die Wände drey Linien dick gefunden wurden; dennoch entdeckte ich eine verhältnißmäßig ansehnliche, rundliche, mit einer schmierigen Feuchtigkeit angefüllte Höhle.

Die obige Vermuthung wird durch eine Beobachtung von Laugier [1]) bestätigt, der die in einem, von dem vordern Rande der Leber weggenommenen Balge enthaltene Substanz fast bloß als phosphorsauren Kalk fand.

γ. Milz.

Die Verknöcherungen der Milz, oder wenigstens der Anfang davon, die Knorpelbildung ist in spätern Lebensperioden einer der gewöhnlichsten pathologischen Zustände. Man kann fast keine ältere Leiche öffnen, ohne an einigen Stellen ihrer Oberfläche Knorpel-

1) An. de Chim. et de Physique 1816. Juin.

ſtücke zu finden, und nicht ſelten iſt dieſe in einem groſsen Umfange damit bedeckt. Baillie [1]) ſieht daher auch dieſe Krankheit gewiſſermaaſsen als der Milz eigenthümlich an, indem ſie, wie er richtig bemerkt, ihr wenigſtens viel gemeiner als allen übrigen Organen iſt. Sömmerring [2]) bemerkt dabey, daſs er beſonders bey Branntweintrinkern die Haut der Milz oft verknorpelt gefunden habe. Beſonſonders häufig fand ich dieſe Umwandlung in kleinen, mehr als gewöhnlich harten und brüchigen Milzen. Faſt nie ſah ich ſie an der innern Fläche der Milz, wenn gleich die äuſsere convexe mit Knorpel bedeckt war, eine Bemerkung, die wahrſcheinlich im Allgemeinen für die Knorpelerzeugung von dieſem Organ gilt, da ſie auch Baillie [3]) machte. Bey näherer Unterſuchung findet man aber die Subſtanz der Milz nicht ſelbſt in Knorpel verwandelt, ſondern, wie auch ſchon Baillie richtig bemerkt, die Häute derſelben als den Sitz deſſelben; ja ich konnte ſogar häufig den Knorpel völlig von der innern Haut, ohne Verletzung derſelben, trennen, und ſehe ihn daher im Allgemeinen nur für eine Veränderung der äuſsern, vom Bauchfelle ſtammenden, an.

Auch Morgagni [4]) bemerkt, daſs die Cartilaginescenz der Milz gewöhnlich an der äuſsern Haut anfange. Doch fand Plevier [5])

---

1) A. a. O. S. 155.

2) Ebend. Not. 324.

3) Ebend.

4) De c. et ſ. m. Ep. XXXVI. Art. 6.

5) Plevier ſpec. an. path. ſiſtens repertum ſingulare, oſſificationem praeternaturalem inprimis ſpectans. Harderovici 1761. p. 6.

mitten in der Substanz der Milz vier ansehnliche Knochenstücke von beträchtlicher Härte. Indeſs war auch hier auſserdem die Oberfläche derselben mit einer knorplig-knöchernen Substanz bedeckt.

Dieser Knorpel gleicht nach Baillie [1]) mehr den Knorpeln der Nase und Ohren als den Knorpeln an den Knochenenden, und ist gewöhnlich sogar von einer noch weiſsern Farbe als jene. Auch ich habe ihn nie von der Sprödigkeit und Dichtigkeit der letztern gefunden und zu bemerken geglaubt, daſs sogar weit dickere Milzknorpel als die Nasen- und Ohrknorpel beym Trocknen noch beträchtlicher einschrumpfen, so wie überhaupt weit dickere gewöhnlich sogar noch weicher und biegsamer als sie sind.

Im Allgemeinen erscheinen sie vorzüglich unter zwey Formen. Die eine ist die kleiner, rundlicher, einzeln stehender Vorsprünge von der Gröſse eines Stecknadelkopfes bis zur Gröſse einer Erbse, die unregelmäſsig über die äuſsere Oberfläche der Milzhaut verstreut sind, die andere stellt groſse flache Platten von verschiedener Dicke, von einer halben Linie bis zu vier Linien dar, die sich über die Oberfläche der Milz erheben, gegen ihre Ränder beträchtlich dünner werden, und deren Umfang gewissermaaſsen gezackt ist, indem ihre Ränder groſse eintretende Bögen bilden, die groſse Stücken normaler Milzmembran einschlieſsen. Meistentheils findet sich nur eine gröſsere Platte, sehr selten kleinere, und selten sind beide Formen auf derselben Milz vereinigt.

---

1) A. a. O. S. 156.

An jenen plattenähnlichen Knorpeln habe ich besonders deutlich gesehen, dass selbst die äussere Membran weniger in sie umgewandelt ist als die Knorpel auf ihr gebildet sind. So konnte ich eine Knorpelplatte, welche fast die ganze äussere Fläche der Milz bedeckt, und von einer bis zu zwey Linien Dicke hat, von der ganzen Membran trennen. Auch eine ähnliche Platte, die drey Zoll lang, beinahe zwey breit und über drey Linien dick ist, halb über die Oberfläche der Milz hervorragt, konnte ich ganz von der darunter verlaufenden, nur etwas verdickten Membran wegnehmen, an die sie durch kurzes Zellgewebe geheftet war.

Auch wenn phosphorsaure Kalkerde in die Knorpel der Milz abgesetzt wird, scheint doch das Verhältniss derselben zu der Gallert gewöhnlich weit geringer als bey normalen Knochen zu seyn, und also der Knochen nach demselben Typus als der Knorpel gebildet zu werden. Wenigstens konnte ich die kleinen rundlichen Concremente, die einzigen, welche ich an frischen Leichen verknöchert fand, auch wenn sie ganz das Ansehen von Knochen hatten und ganz solidè waren, immer ohne viele Mühe zerschneiden. Selbst in einer trocknen Milz bemerke ich diess sehr deutlich. Hier findet sich ausser mehreren kleinen platten Concrementen auch eine dreieckige, von der Länge und Breite eines Zolles, von der Dicke einer Linie, die sich leicht nach allen Richtungen durchschneiden läst, ungeachtet sie durch das Trocknen ohne Zweifel compacter und fester geworden ist und völlig die knochengelbe Farbe hat.

Baillie [1]) fand den Knorpel der Milzhaut nie verknöchert. In der That sind auch Verknöcherungen, besonders im Verhältniſs zu der groſsen Häufigkeit der Knorpel, die man deshalb in einem gewiſſen Alter beinahe als Normalzuſtand anſehen kann, in der That ſehr ſelten; doch führt Morgagni einige Fälle von Knochenconcrementen an, die er und andere in der Milz fanden, von denen beſonders einer intereſſant iſt. Er fand bey einem 60jährigen Manne auf der convexen Fläche der Milz einen weiſsen Fleck, und in der Mitte deſſelben eine kleine Verknöcherung, zum Beweiſe, daſs der Uebergang der knorpligen Degeneration in die knöcherne regelwidrige Knochenbildung gerade nach demſelben Geſetz erfolgt als bey normaler, von der Mitte nach dem Umfange hin [2]). Auch Pechlin [3]) fand bey einer hypochondriſchen Frau einen anſehnlichen Theil der Milzhaut, und, was der merkwürdigſte Umſtand iſt, um den Eintritt der Milzarterie, in einen harten Knochen verwandelt.

Ich ſelbſt habe, wie geſagt, mehrmals die kleinen, granulöſen Knorpel verknöchert, nie aber eine ſo beträchtliche Concretion dieſer Art gefunden als die, welche ich, von der Hand meines Groſsvaters bezeichnet, vor mir habe. Sie iſt von der Milz getrennt, zwey Zoll lang, über einen Zoll breit, von vier bis acht Linien dick und gewölbt. An dem einen Ende läuft ſie in zwey, mit den langen Rändern parallele Spitzen aus. Ueberall iſt ſie durch kleine Er-

1) A. a. O. S. 156.

2) A. a. O. Ep. XL. p. 23.

3) Obſſ. phyſ. med. Obſ. 41. p. 314.

habenheiten und Vertiefungen rauh und ungleich. Sie besteht aus einer sehr harten, compacten, elfenbeinähnlichen, aber doch deutlich aus mehrern Schichten, welche sich durch ein dunkleres und helleres Gelb von einander unterscheiden, gebildeten Platte, deren Dicke von einer bis zwey Linien variirt. Diese Platte bildet, indem sie sich überall gegen sich selbst umschlägt, eine überall geschlossene Höhle, welche zum Theil leer ist, zum Theil eine trockne, blättrige Diplöe enthält. Der ganze Knochen wiegt etwas über sechs Drachmen.

Morgagni [1]) beschreibt ein noch weit grösseres Knochenconcrement aus der Milz, das sieben Queerfinger lang, zwey bis vier breit, einen halben bis ganzen Finger dick, gleichfalls gelblich, ungleich, gebogen und in mehreren Stellen hohl und zellig ist. Diess wog zehn Drachmen. Der Mensch, von dem es stammte, hatte an heftigen Schmerzen in der Milzgegend gelitten.

In einer andern, vier Queerfinger langen, die Hälfte schmaleren, knöchernen Concretion fanden sich an der äussern und innern Fläche mehrere kleine Tuberkeln, davon viele, wie Morgagni ausdrücklich bemerkt, aus einer halb knorpligen, halb knöchernen Substanz bestanden.

Im Allgemeinen findet man zwar sowohl die knorplige als die knöcherne Degeneration der Milzhäute nur im höhern Alter; doch habe ich sie nicht ganz selten auch bey 30jährigen Personen gefunden. Auch der Mensch, von dem Morgagni die ungeheure Verknöcherung

---

1) L. c. Ep. XXXVI. 15.

beschreibt, war nicht sehr alt, und in einem andern Falle fand er bey einem 36jährigen Manne eine Verknorpelung an der äussern Fläche der Milz [1]). Vielleicht hängt dieses häufigere Vorkommen der Verknorpelung der Milzhaut auch bey jüngern Subjecten mit der grösseren Geneigtheit dieses Theils dazu im Allgemeinen zusammen.

Fast immer fand ich die verknöcherten oder verknorpelten Stellen, und auch die normalen Zwischenstellen der Milz mit dem benachbarten Bauchfelle auf das engste verwachsen, so dass bey einem Versuche zur Trennung der Milz von diesem die Milzhaut damit im Zusammenhange blieb. Wahrscheinlich rührt diess weniger von einem mechanischen Drucke des Knorpels auf die nahen Theile her, als es in der Entstehung derselben begründet ist.

2. Harnsystem.

Nur selten findet man die Nieren verknöchert; doch hat Fearon [2]) einen merkwürdigen Fall davon beschreiben.

Eine 50jährige Frau bekam heftige Schmerzen in der Lendengegend und der Gebärmutter und eine Geschwulst an derselben Stelle, die sich binnen zehn Jahren beträchtlich vergrösserte. Zuletzt gesellte sich häufig Drang zum Harnlassen, und oft plötzliche Harnverhaltung dazu, womit zugleich ein häufiger Schleimabgang aus der Harnröhre verbunden war. Endlich starb sie, nachdem sie in den letzten sechs Tagen ihres Lebens keinen Harn gelassen hatte.

---

1) Ep. XXIV. a. 18.

2) Medical commuuic. Vol. I. No. XXVII. p. 416. Tab. X.

An der Stelle der einen Niere fand man eine rundliche Geschwulst, die funfzehn Zoll im Umfange hatte, zwey Pfund, sechs und eine halbe Unze wog, und oberhalb deren sich, in einer eignen Membran eingeschlossen, die Nebenniere befand. Beim Durchsägen erschien diese Geschwulst als eine unregelmäfsig verknöcherte Masse, die sich, mit chemischen Reagentien behandelt, völlig wie normale Knochensubstanz verhielt. In andern, von Cruveilhier angeführten Fällen war vermuthlich das Wesen der Krankheit nicht Verknöcherung, sondern Entzündungsausschwitzung [1]).

Die Schleimhaut der Harnröhre sah Laennec [2]) einmal zum Theil in eine knorplige Masse umgewandelt.

3. Respirationssystem.

Nur sehr selten bilden sich Knochenconcremente in den Lungen, ungeachtet die Verknöcherung der Luftröhren-und Kehlkopfknorpel, der Bronchialdrüse und der Pleura keine seltne Erscheinung ist, und sich bey alten Personen häufig in der Lungensubstanz eingebalgte Steine finden. Auch bey den wenigen bekannten Fällen von Verknöcherung der Lunge finden sich überdiess oft Bedingungen, welche die regelwidrige Knochenbildung überhaupt begünstigen.

So fand Büttner [3]) bey einem 70jährigen Manne, dessen linker unterer Lungenlappen in ein Stück Knochen von sechs Zoll Länge,

1) A. a. O. Th. 2. S. 117. 118.

2) Dict. des sc. méd. T. 4. S. 132.

3) Anat. Wahrn. S. 202.

drey Zoll Breite und einen Zoll Dicke verwandelt war, die Knochen ausserordentlich weich, so dass sie leicht mit einer Nadel durchstochen werden konnten. Zugleich waren die Aortenklappen verknöchert.

In einem andern Falle, den Baillie [1]) beobachtete, hatte sich ein beträchtlicher Theil beider Lungen bey einem Menschen verknöchert, dem wegen einer sehr ansehnlichen Knochengeschwulst, die das Knie umgab, der Schenkel abgenommen worden war. Merkwürdig ist es, dass dieser Process sehr schnell vor sich gegangen zu seyn schien, indem bald nach der Operation Respirationsbeschwerden eingetreten, und der Tod wenig Wochen nachher erfolgt war. Cruveilhier führt gleichfalls einige, eigne und fremde, neuere merkwürdige Fälle an [2]). Hieher gehören auch die in den Lungen nicht ganz selten entstehenden Steine, welche diesen Namen zum Unterschied von den Verknöcherungen nur erhalten, weil die thierische Substanz in ihnen in geringerer Menge vorhanden ist, und sie sowohl in der Tiefe als an der äussern Oberfläche der Lunge vorkommen, so dass diese bisweilen ganz damit bedeckt [3]), oder die Lunge so damit angefüllt ist, dass sie völlig versteinert scheint [4]).

Die

1) A. a. O. S. 45.

2) A. a. O. Th. 2. S. 112. 113.

3) Schreiber Comm. petrop. T. VII. p. 228.

4) Cruveilhier S. 113. S. auch einen Fall bey Johnson im Lond. med. chir. Journal and review. Vol. 3. p. 255. wo mehrere Falle angeführt werden.

Die durch die Knochen- und Steinbildung veranlaſste Krankheit der Lungen iſt Bayle's Phthiſis granuloſa und calculoſa.

Die Schilddrüſe iſt eins von den Organen, in welchen ſich auſserordentlich häufig die Knorpel-Faſerknorpel- und Knochenbildung entwickelt. Meiſtens ſind die regelwidrig erzeugten Maſſen mehr oder weniger rundlich, nicht ſelten auch ſehr unregelmäſsig und nicht deutlich von der übrigen Subſtanz zu unterſcheiden. Beſonders häufig ſcheinen hier auch die ſeröſen Bälge, eine ſehr gewöhnliche Erſcheinung dieſes Organs, ganz oder ſtellenweiſe zu verknöchern. Meiſtens liegen die regelwidrigen Knochen in der Subſtanz der Schilddrüſe, doch findet man ſie bisweilen in dem benachbarten Zellgewebe und nur locker mit ihm verbunden.

Nicht unmerkwürdig iſt es, daſs dieſe Bildungen in der Schilddrüſe dieſelben in der Gebärmutter ſehr genau nachahmen, und nicht ſelten beide Organe zugleich auf dieſelbe Weiſe leiden. Bisweilen vereinigen ſich auch Verknöcherung der Schilddrüſe und der Kehlkopfknorpel [1]).

Ein ſehr beträchtliches Knochenconcrement aus der Schilddrüſe eines Cretins bildet Jphofen ab [2]) wo beſonders der verhältniſs-

1) Travers oſſification of the cartil. of the Larynx. Med. chir. Tr. Vol. 7. p. 153.

2) Ueber den Cretinismus. Dresden 1817. Taf. 1.
Die Beſtandtheile waren 0,54 kohlenſ. Kalk.
0,30 phosphorſ. Kalk.
0,10 Eyweiſs.
0,04 Salze u. ſ. w.
0,98
2 Verluſt.
100

mäſsig ſehr groſse Gehalt von kohlenſaurem Kalk merkwürdig iſt.

4. Geſchlechtstheile.

Die Geſchlechtstheile ſind nicht ſelten der Sitz von Verknöcherungen, und unter ihnen die weiblichen weit häufiger als die männlichen zur regelwidrigen Gebärmutter geneigt.

1. Weibliche Geſchlechtstheile.

a. Gebärmutter[1]). Die Verknöcherungen der Gebärmutter, die vorzugsweiſe vor allen Theilen mit Ausnahme des Gefäſssyſtems, der Sitz derſelben iſt, erſcheinen als eigne, nur locker mit ihr zuſammenhängende Körper, von einer rundlichen Geſtalt und meiſtentheils glatter, doch hin und wieder etwas höckeriger Oberfläche. Wie alle Verknöcherungen, durchlaufen ſie verſchiedene Perioden. In der früheſten ſind ſie nicht viel härter als Fleiſch, und werden daher auch hin und wieder mit dem Namen Sarcom oder Fleiſchgewächs der Gebärmutter belegt. In dieſer Periode iſt ihre Oberfläche beſonders durch tiefe Furchen ungleich, die ſich bis weit in ihre Subſtanz fortſetzen, indem ſie meiſtentheils aus mehrern, durch vieles und lockeres Zellgewebe verbundenen Lappen gebildet ſind. Ihre Farbe iſt gewöhnlich gelblichweiſs oder hellbraun. Die gröſsern Lappen, woraus ſie be-

1) Bayle ſur les corps fibreux qui ſe forment dans les parois de la matrice in Corviſart Journal de méd. An. XI. Vendémiaire Louis mém. ſur les concretions calculeuſes de la matrice. Mém. de chirurgie de Paris. T. II. Ed. IV. Sandifort de tumoribus utero annexis. Obſ. anat. pathol. Lib. I. Cap. VIII.

ſtehen, zerfallen in eine Menge kleinerer, die aber immer durch Faſern von ihrer eigenthümlichen Subſtanz und durch Zellgewebe zuſammengehalten werden. Nie aber findet ſich im Innern der Lappen ſo lockeres und vieles Zellgewebe als in ihrem Umfange und zwiſchen ihnen. Die Lappen und Läppchen ſind aus Faſern, die faſt immer ſehr unregelmäſsig gewunden verlaufen, gebildet, und beſtehen deutlich aus einer doppelten Subſtanz, einer weiſslichen feſtern, und einer bräunlichen, etwas weichern. Dieſe iſt gewöhnlich in geringerer Menge vorhanden als jene, und ſcheint kernähnlich in ſie eingeſenkt zu ſeyn. Nur ſelten liegen die Faſern, woraus die Lappen beſtehen, concentriſch um einander. In einem Falle finde ich einen fibröſen, auf dem Gebärmuttergrunde ſitzenden Körper von der Gröſse einer Nuſs, der, wie gewöhnlich, aus mehrern Lappen beſteht, äuſserlich in ſeinem ganzen Umfange von einer aus regelmäſsigen, concentriſchen Faſern gebildeten Schicht umgeben. Immer gehen aber auch von einem der gröſsern Lappen zu dem andern mehr oder weniger dicke Bündel von Faſern über, wodurch alle zu einer Maſſe verbunden werden. Die beiden Subſtanzen ſind häufig nur locker, bisweilen aber auch äuſserſt eng mit einander verbunden, ſo daſs, wenn man ſie auch durch die Farbe und den verſchiedenen Grad von Feſtigkeit von einander unterſcheidet, ſie doch nicht von einander getrennt werden können.

In dem Maaſse, als dieſe Körper ſich verhärten, verſchwinden die Gefäſse und das Zellgewebe, welches ihre Lappen von einander theilte, und ſie erſcheinen nur als eine Maſſe, die nicht mehr in Lappen theilbar iſt, deren beide Subſtanzen ſich aber deutlich durch ihre Farbe von einander unterſcheiden; auch wenn ſie verknöchern, iſt immer ihre faſerige Structur ſehr deutlich.

Die braune Subſtanz ſcheint ſich immer zuerſt in Knorpel und Knochen zu verwandeln; allein der Verknöcherungsproceſs nimmt in Bezug auf den ganzen faſerigen Körper nicht immer denſelben Weg.

Nach Bayle ſollte man vermuthen, daſs die Verknöcherung immer von dem Centrum ſich nach der Peripherie ausdehne, indem er ſagt, daſs die kleinen im Innern befindlichen Körperchen immer zuerſt verknöchern[1]); allein ich fand ſie häufiger von der Peripherie aus anfangen.

Eine Geſchwulſt dieſer Art, welche die Gröſse und Geſtalt einer Wallnuſs hat, und auſsen an dem obern Theile der vordern Gebärmutterwand aufſitzt, iſt in ihrem ganzen äuſsern Umfange von einer platten, mehr als eine Linie dicken Knochenſchicht umgeben.

Eben ſo wird der ganze äuſsere Umfang einer andern, welche vier Zoll im Durchmeſſer hat, von einer bräunlichgelben Knochenplatte gebildet, die eine bis zwey Linien Dicke hat.

In einer andern Geſchwulſt von derſelben Gröſse ſind die Knochenkerne nur eingeſprengt, haben ganz dieſelbe Form als die faſerigen Körperchen, woraus die Subſtanz beſteht, finden

2) Sur les corps fibreux qui ſe forment dans les parois de la matrice. In Corviſart Journ. de médec. an. XI. Vendémiaire.

ſich aber auch in weit gröſserer Menge im Umfange, und reichen nicht völlig bis zur Mitte. Einige haben die Länge eines ganzen, die Dicke und Breite eines halben Zolles, ſind ſehr genau mit der noch nicht verknöcherten Maſſe verbunden, ganz ſolide, und überall gleich hart, ungeachtet der Unterſchied zwiſchen den beiden Subſtanzen auch in ihnen durch Verſchiedenheit der Färbung angedeutet iſt.

Bisweilen verknöchert die ganze Geſchwulſt, doch ſteht dieſe Veränderung durchaus nicht mit der Gröſse derſelben im Verhältniſs. Dieſe Körper ſcheinen oft eine ungeheure Gröſse zu erreichen, ohne daſs ſie einträte, während kleine ſich oft durchaus in Knochen verwandeln.

In einer Gebärmutter finde ich ſechzehn gröſsere und kleinere fibröſe Concretionen, welche die vordere Fläche und den Grund dieſes Organs bedecken und beträchtlich zuſammendrücken. Sie ſind hauptſächlich in zwey groſse Maſſen getheilt, von denen die auf der rechten Seite befindlichen aus allen kleinen, die einen bis zwey Zoll im Durchmeſſer halten, beſteht; die linke mehr einen Körper bildet, deſſen Durchmeſſer ſechs Zoll beträgt. Auſser dieſen befinden ſich einige kleine abgeſonderte an der linken Seite der Gebärmutter und in der Nähe der linken Trompete. Dieſe kleinen ſind beinahe durchaus knöchern. Auch in den gröſsern finden ſich verſchiedene Knochenconcremente, doch iſt in der mittlern das Verhältniſs zwiſchen ihnen und der übrigen Maſſe geringer. Der groſse Körper aber enthält eine ſehr groſse Menge, indem er faſt ganz aus ungleichen Knochenconcrementen von der Gröſse eines Zolles beſteht, welche ſeine Oberfläche ungleich machen, aber auch durch die ganze Substanz dringen. An diesen Geschwülsten finden sich erweiterte, aber beträchtlich verknöcherte Arterien.

Außer den Verschiedenheiten, welche die verschiedenen Entwicklungen dieser Geschwülste bezeichnen, finden sich andre, welche weniger wesentlich sind. Diese beziehen sich vorzüglich auf den Sitz, die Zahl und die Größe derselben.

In Bezug auf den ersten Punkt habe ich schon im Allgemeinen bemerkt, daß sie immer nur locker an die Gebärmutter geheftet sind, so daß man sie sehr leicht aus dem Zellgewebe schälen kann, indem sie von der Substanz des Organs, die immer völlig normal ist, deutlich verschieden sind. Die Stelle, welche sie an der Gebärmutter einnehmen, ist verschieden. Am gewöhnlichsten befinden sie sich an der äußern Oberfläche derselben, unmittelbar unter der Peritonealhaut, so daß sie entweder mit einem Theile ihres Umfangs in die Substanz der Gebärmutter gesenkt sind, und nur mit einem Theile desselben in die Unterleibshöhle ragen, oder ganz vom Bauchfell umkleidet nur durch ihre Grundfläche mit der Gebärmutter zusammenhängen. So finde ich eine Geschwulst von vier Zollen im Durchmesser bloß durch wenige Membranen mit der Gebärmutter verbunden. In einem andern Falle hängt ein fibröser Körper von der Dicke eines halben, der Länge eines ganzen Zolles mit einem hohlen zottigen Stiele an der Stelle, wo der Körper in den Hals übergeht; auf dieselbe Weise ist eine kleinere mit dem Grunde verbunden. In andern Fällen haben sich diese Körper in der Substanz der Gebärmutter entwickelt, ſo daſs ſie weder nach auſsen noch nach innen frey hervorragen.

So finde ich einen fibröſen Körper, an dem die breiten, ſehnenähnlichen Streifen faſt ganz fehlen, und der ganz aus einer Menge kleiner, rundlicher, leicht von einander zu trennender Körperchen beſteht, an der vordern Wand der Gebärmutter, die er ganz einnimmt. Ungeachtet er ſtark nach auſsen protuberirt, iſt er doch in ſeinem ganzen Umfange von einer wenigſtens zwey Linien dicken Lage Gebärmutterſubſtanz bekleidet.

So finde ich auch in einer andern Gebärmutter eilf fibröſe Concretionen von verſchiedener Gröſse, von denen die kleinſten vier bis fünf Linien, die gröſsten zwey Zoll im Durchmeſſer halten, und die ſich alle leicht in viele kleinere Maſſen trennen laſſen, ganz in der Subſtanz der Gebärmutter verborgen, ſo daſs auch die gröſseren, ungeachtet ſie ihrer beträchtlichen Dimenſionen wegen bedeutend hervorragen, dennoch überall von der mehrere Linien dicken Gebärmutterſubſtanz umgeben ſind.

Am ſeltenſten ragen aber dieſe Geſchwülſte in die Höhle der Gebärmutter, indem ſie ſich entweder auf ihrer innern Fläche entwickelten, oder aus ihrer Subſtanz von auſsen nach innen wuchſen.

So ſah Baillie in der Höhle einer Gebärmutter eine ſolche Maſſe von der Gröſse eines ausgetragenen Kindskopfes [1]).

Ich fand die ganze Höhle der Gebärmutter durch einen fibröſen, über zwey Zoll im Durchmeſſer haltenden Körper, der ganz rund und

1) A. a. O. S. 214.

glatt ist, und mit einer breiten Grundfläche an der ganzen hintern Wand entspringt, erfüllt und beträchtlich ausgedehnt.

In einem andern Falle befindet sich an der hintern Wand der Gebärmutter einer Person, die wenig Tage nach der Entbindung starb, ein um die Hälfte grösserer Körper, der nach innen nur durch eine äusserst dünne Schicht von Gebärmuttersubstanz bekleidet ist.

Bey einer alten weiblichen Leiche fand ich einen solchen Körper von der Grösse einer kleinen Wallnuss im Halse der Gebärmutter, der dadurch völlig verschlossen wurde.

Da diese Körper auch hier nur sehr locker mit der Gebärmutter zusammenhängen, und dieser Zusammenhang sich in dem Maasse vermindert, als sie verknöchern, so dass sie bisweilen nur durch einige Fäden mit ihr zusammenhängen, so ist es nicht auffallend, dass sie sich bisweilen ganz von ihr trennen und ausgestossen werden.

Bey einer Frau, die lange ein Gefühl von Schwere in der Gegend der Gebärmutter gehabt, und seit drey Jahren an heftigen Schmerzen derselben und einem Ausflusse einer weissen Flüssigkeit gelitten hatte, zeigte sich, sechs Wochen vor ihrem Tode, ein steinartiger Körper von der Grösse und Gestalt eines Hühnereyes in der Scheide. Er wurde herausgenommen, und den folgenden Tag erschien ein neuer, aber etwas kleinerer [1]).

Auch Salius [2]) sah bey einer ungefähr 50jährigen Nonne, die seit mehreren Monaten

1) Louis a. a. O. p. 133.

2) Schenk Obs. med. Lib. IV. de variis uteri affectibus.

an fürchterlichen Schmerzen in der Gebärmutter litt, einen Stein von der Gröſse eines Enteneyes abgehen.

Bisweilen hat man Concretionen dieſer Art, die durch die Genitalien abgingen, für Extremiterialfötus gehalten.

Eine 40jährige Frau kam im dreizehnten Monate ihrer Ehe nieder, abortirte aber nachher im achten Monate ihrer zweiten Schwangerſchaft. Ein Jahr nachher glaubte ſie ſich wieder ſchwanger, bekam aber im vierten Monate übelriechenden Athem, und einen heftigen, mit groſsen Schmerzen verbundenen Blutfluſs aus der Gebärmutter. Dieſe Schmerzen und ein damit verbundener, äuſserſt übelriechender Ausfluſs aus der Scheide hielt vier Jahre lang an. Nach Verlauf dieſer Zeit wurde die Kranke plötzlich von einem harten Körper, der viele Aehnlichkeit mit einem menſchlichen Kopfe hatte, und einen Monat nachher von einem andern entbunden, der dem Stamme glich. Beim Durchſägen fand man deutliche Spuren von Organiſation in dieſen Körpern, und die Analyſe zeigte ſie aus phosphorſaurem Kalk und Gallert gebildet [1]).

Nach Reyneri's Meinung war es ein in der rechten Trompete gebildeter Fötus, deſſen Extremitäten, da der Ausfluſs aus der Scheide anhielt, zurückgeblieben waren; allein wahrſcheinlicher iſt es offenbar, ihn für einen verknöcherten fibröſen, in der Gebärmutterhöhle gebildeten Körper zu halten.

Schon aus mehreren der vorher angeführten Beyspiele ergiebt es sich, dass die Zahl und Grösse dieser Körper bedeutend variiren. Ich habe sie bisweilen kleiner als eine Erbse und, wie auch Baillie[1]) anmerkt, weit grösser als eine Faust gefunden.

In einem Falle, den ich vor mir habe, befindet sich in der hintern Fläche der Gebärmutter eine graue aus einer grossen Menge locker verbundener Lappen gebildete Geschwulst dieser Art, die einen Durchmesser von acht Zoll und ein Gewicht von vier Pfunden hat.

In einem andern ist die Gebärmutter von drey grossen knorpelharten Geschwülsten umgeben, die zusammen sechs Pfund wiegen. Die grösste sitzt auf dem Grunde der Gebärmutter und ist zehn Zoll lang, acht breit, die mittlere acht Zoll lang, sechs breit, die kleinste hält in jeder Richtung vier Zoll.

Auch des Gaux de Faubert[2]) fand bey einer Jungfer von drey und sechzig Iahren eine Gebärmutter, die vier und zwanzig Zoll im Umfange hielt, und beinahe neun Pfund wog. Sie war von einer dünnen Haut umgeben, welche eine schädelähnliche Knochensubstanz bekleidete, die in der Mitte durch eine sehnige Substanz abgetheilt war. In der Gebärmutter fand sich keine Höhle. Aeusserlich war die Geschwulst von einer sehr festen, zwey Linien dicken Rindensubstanz bekleidet, auf welche eine zwey Zoll dicke Diplöe folgte. Der grösste, innere Theil war eine sehnige Substanz, worin kleine, knorplige und knöcherne Pünktchen

1) A. a. O. S. 213.

2) Vandermonde recueil périodique. T. 11. p. 337.

eingeſprengt waren, und die einige rothe Pünktchen, Ueberbleibſel von Gefäſsen, enthielt. Dieſe ungeheure Geſchwulſt hatte einen Nabel- und Leiſtenbruch veranlaſst, von denen der letztere den Tod der Kranken verurſachte.

Dieſe Knoten in der Subſtanz der Gebärmutter ſind ein gewöhnliches Attribut des höhern Alters. Sömmerring [1]) bemerkt, daſs er bey betagten Perſonen die Gebärmutter ſelten ohne ſie gefunden, und Portal fand, unter zwanzig Gebärmuttern alter Weiber, in dreyzehn Geſchwülſte dieſer Art [2]). Auch ich habe dieſe Bemerkung bey meinen Leichenöffnungen zu machen Gelegenheit gehabt und Bayle's Meinung, daſs ſie ſelten unter dem vierzigſten Jahre vorkommen, beſtätigt gefunden. Sömmerring ſcheint ſie dagegen auch in früheren Perioden gefunden zu haben, indem er bemerkt, daſs er ſich nicht erinnere, ſie unter dem achtzehnten oder zwanzigſten Jahre geſehen zu haben. Ich fand ſie nie unter dem funfzigſten Jahre. Noch ſoll man ſogar in der Gebärmutter eines fünfjährigen Mädchens einen Stein von der Gröſse eines Taubeneyes gefunden haben [3]).

Merkwürdig iſt Bayle's Bemerkung, daſs ſie ſich beſonders bey alten Jungfern zu bilden ſcheinen, indem er ſie beſonders häufig in Leichen fand, deren Unterleibsbedeckungen keine Runzeln hatten und die mit der Scheidenklappe verſehen waren. Auch war die Gebärmutter bey äuſseren Geſchwülſten dieſer Art, die auf einem Stiele auſſaſsen, viel kleiner als

1) Bey Baillie a. a. O. S. 213.

2) Mém. de Paris 1770. p. 190.

3) Eph. n. c. dec. I. a. IV. Obſ. 65.

gewöhnlich, gleichfalls eine Veränderung, welche nur die jungfräuliche Gebärmutter im Alter zu erleiden pflegt.

Auch mehrere Gebärmütter, die ich mit fibrösen Körpern besetzt finde, haben deutlich den jungfräulichen Habitus.

Damit kommen auch die Beobachtungen mehrerer Schriftsteller überein, welche diese Concretion bey Jungfern fanden, z. B. die angeführte von Faubert, eine von Louis,[1]) der bey einer 62jährigen Jungfer die Gebärmutter von einem grossen Körper dieser Art genau angefüllt, und zur Grösse eines Hühnereyes ausgedehnt fand, eine von La Fitte, der bey einer 60jährigen Jungfer mehrere knöcherne Körper in der Gebärmuttersubstanz entdeckte. Auch Hody[2]) fand eine ansehnliche Verknöcherung in der Gebärmutter einer Frau von 57 Jahren, die 30 Jahre verheirathet gewesen war und nie geboren hatte.

Wenn in der That diese Concretionen bey unverheiratheten Frauenzimmern vorzugsweise vorkommen, so ist der Grund davon vielleicht das Bestreben der Gebärmutter, zu produciren, das sich hier bloss in der Hervorbringung von Massen äussert, die sich höchstens in Knorpel und Knochen verwandeln können, indem die Thätigkeit dieses Organs nicht auf die Bildung und Entwicklung eines Fötus gerichtet wurde. Wenigstens arten die Eyerstöcke vorzüglich bey unverheiratheten Personen sehr häufig aus, nur mit dem Unterschiede, dass die Bildungen hier verschiedner und häufig vollkommner sind, weil

1) A. a. O. S. 131.

2) Phil. Transact. 1736. bey Louis a. a. O. S. 139.

der Eyerſtock zur erſten Hervorbringung des neuen Organismus beſtimmt iſt, und ihm daher die höchſte bildende Kraft einwohnt.

Bey unverheiratheten Perſonen findet man vielleicht häufiger als bey verheiratheten dieſe Körper ſchon früher, während ſie bey den letztern erſt ſpät entſtehen, wenn der männliche Saame nicht mehr die weiblichen Organe zur Hervorbringung eines neuen Organismus zu erregen vermag.

Vielleicht entwickeln ſie ſich auch bey unverheiratheten leichter als bey andern, weil die Gebärmutter bey ihnen zur Zeit des Aufhörens der Menſtruation, gerade der Periode, wo man dieſe Productionen am häufigſten findet, leichter als bey verheiratheten und Perſonen, die häufig gebaren, in einen gewiſſen Zuſtand verſetzt wird, der die Hervorbringung neuer Bildungen zur Folge hat. Dieſs Organ iſt bey ihnen nicht, wie bey den letztern, durch Begattung und Geburten geſchwächt; eine erhöhte Thätigkeit deſſelben, welche durch verhinderten Austritt des Menſtruationsblutes veranlaſst wird, hat alſo bey ihnen vielleicht häufiger die Bildung unſchädlicher, andern ſchon vorhandenen Organen analoger Produkte zur Folge als die ſcirrhöſe, das Organ, welches ſie ergreift, zerſtörende Desorganiſation.

b. Eyerſtöcke.

Die Eyerſtöcke degeneriren gleichfalls nicht ſelten auf eine ganz ähnliche Weiſe, nur ſcheint hier gewöhnlicher die Subſtanz des Ovariums ſelbſt ſich in eine ſolche Maſſe zu verwandeln, als dieſe ſich in Umfange deſſelben zu bilden; doch iſt dieſs freilich nicht immer leicht zu bestimmen, indem vielleicht die Beobachter häufig das Ovarium übersahen, vielleicht auch jede Spur desselben verschwand.

Gewöhnlich bilden sich zugleich Bälge in dem Ovarium, wenn es auf diese Weise degenerirt.

So fand ich das linke Ovarium in einer alten weiblichen Leiche dem Ansehn nach um das Vierfache vergrössert und ganz solide, über drey Zoll lang und einen Zoll dick, sehr ungleich und besonders an seinem obern Ende mit einer Menge rundlicher Erhabenheiten besetzt, beym Einschneiden aber einen grossen, überall von der Substanz des Ovariums umgebenen serösen Balg in demselben, und den oberen Theil durch einen ungleichen, länglichrunden, harten, fibrösen Körper gebildet, der über einen Zoll lang und ungefähr halb so dick war.

Le Clerc [1]) fand bey einer 60jährigen Frau das rechte Ovarium so gross als zwey Fäuste, hart, an mehreren Stellen verknöchert. In seinem Innern enthielt es eine eiterähnliche Materie und nach oben einen mit derselben angefüllten Sack.

Nicolai [2]) fand bey einer alten Frau das rechte Ovarium von der Grösse eines Straussen-eyes, und vorzüglich in seinem innern Theile, knöchern. Merkwürdig ist es, dass zugleich die Gebärmutter aus einer Menge von fibrösen Körpern bestand, und die Aorta und der Sichelfortsatz Knochenconcremente enthielt.

---

1) Roux Journ. de médec. T. 12. p. 530.

2) Decas. observ. anat. Argent. 1725. rec. in Halleri coll. diss. anat. Vol. VI. p. 692.

Bey einer unfruchtbaren Frau fand ſich am linken Eyerſtocke eine kleine Verknöcherung.[1])

Kleine Verknöcherungen, die bisweilen an kürzern oder längern Stielen auffaſsen, habe ich nicht ſelten, ſelbſt bey jüngern Perſonen, vorzüglich Freudenmädchen gefunden.

Am gewöhnlichſten ſcheinen ſich die Grafiſchen Bläschen zu verknöchern, oder im Umfange derſelben ſich Knochen zu bilden. In mehrern Ovarien alter Weiber habe ich, und gewöhnlich mit fibröſen Körpern an der Gebärmutter zugleich, eine gröſsere oder geringere Anzahl gröſserer und kleinerer dicker, aus einer feſten, weiſsen Subſtanz gebildeter Bälge gefunden, deren Gröſse von der einer Linſe bis beinahe zur Gröſse einer Wallnuſs variirte. Die Dicke der Wände ſteht in einem genauen Verhältniſs zur Gröſse des Balges. Gewöhnlich iſt die innere Fläche ungleich, faltig, gerunzelt, bisweilen beinahe ganz obliterirt. Bey näherer Unterſuchung findet man dieſe Bälge deutlich aus zwey Häuten, einer innern feinen, einer äuſsern dicken, gebildet, von denen ſich in der letztern oder im Umfange derſelben eine knorplig - faſerige, bisweilen knöcherne Subſtanz entwickelt. Bisweilen wandeln ſie ſich auch in ſolide Knochen um [3])

2. Trompeten.

Auſser den Ovarien und der Gebärmutter entwickeln ſich fibröſe und knöcherne Körper auch an der Trompete und dem breiten Bande, aber ſeltner als in den erſtern Organen.

Baillie[2]) fand indeſs an der äuſsern Oberfläche der Trompete eine harte runde Geſchwulſt,

1) Fränk. Samml. Bd. 5. S. 179.
2) A. a. O. S. 235.
3) Superville. ph. Tr. Vol. 41. p. 298.

die vollkommen dieselbe Structur als die an der Oberfläche der Gebärmutter befindlichen Trompeten zeigte, indem sie aus einer harten weisslichen, mit starken häutigen Fäden durchzognen Substanz bestand.

Auch ich bewahre einen dreyeckigen, länglichen, zwey Zoll langen, an der Grundfläche anderthalb Zoll breiten, ungefähr einen Zoll dicken Körper auf, der aus einer fibrösen, an einigen Stellen nur eine Linie, an andern über einen Zoll dicken, homogenen, harten, faserigen, grauen Rinde und einer innern regelmässigen bräunlichen Centralsubstanz besteht, die weit härter, zerreiblich und aus einer Menge kleiner Körnchen gebildet ist, die unter dem Messer knirschen.

An den meisten Stellen ist diese Substanz in die faserige, aber in überwiegender Menge, eingesenkt, an einzelnen Stellen aber zu rundlichen, wiewohl unregelmässigen Massen ohne Beymischung von fibröser Substanz zusammengetreten.

An der Oberfläche dieses Körpers finden sich mehrere seröse, in seine Substanz eintretende Bälge.

d. Scheide und äussere Geburtstheile.

Auch in der Scheide entwickeln sich bisweilen knöcherne Geschwülste. So fand Faubert in dem vorher angeführten Falle mit Verknöcherung der Gebärmutter an der Scheide in der Nähe der Schaamlippen eine knöcherne Excrescenz, die drey Drachmen wog.

Verknöcherung. So finde ich es wenigstens in vier Fällen von sehr ansehnlicher Knochenbildung an dieser Stelle. Der allgemeine Charakter derselben ist sehr grosse Unregelmässigkeit der Oberfläche, welche wahrscheinlich durch ihre Entstehung zwischen den Windungen und der faserigen Hülle des Nebenhoden bedingt wird. In allen von mir untersuchten Fällen sind die Knochenconcremente äusserst hart, beinahe elfenbeinartig, ohne oder wenigstens mit nur sehr wenig Diploë. In zwey Fällen sind sie rundlich und von der Grösse einer welschen Nuss, in einem bildet das Concrement eine ansehnliche Platte von zwey Zoll Länge, einem Zoll Breite und einem halben Zoll Dicke. Im vierten fand sich zwischen den auseinandergeworfenen Windungen des zum Theil zerstörten Nebenhoden ein Balg von der Grösse eines Hühnereyes, der aus zwey Linien dicken, theils knorpligen, theils knöchernen Wänden bestand. Alle waren aus alten Körpern, bey denen sich zum Theil die Spuren öfterer syphilitischer Krankheiten sehr deutlich zeigten.

Weit seltner entwickelt sich Knochensubstanz im Hoden. Dubois fand indessen die Mitte der beiden sehr vergrösserten Hoden eines jungen Mannes, deren jeder 1½ Pfund wog, verknöchert [1]).

---

1) Guerbois Uebers. von Baillie's morbid anat. Paris 1815. in Sedillot Journ. gén. de médec. T. 54. p. 161.

F. Nervensystem.

1. Nerven.

In den Nerven entwickeln sich, allein wie es scheint, nur selten, Geschwülste, die eine Neigung zum Verknöchern haben, oder wenigstens durch faserigen Bau, Härte und den Umstand, daſs sie keine Veränderung anderer Art erleiden, mit denen, welche in der Gebärmutter gewöhnlich zuletzt diese Veränderung erleiden, überein zu kommen scheinen.

Home [1]) hat einige Fälle dieser Art verzeichnet, aus welchen sich der Sitz dieser Knoten ergiebt. In dem einen Falle bekam eine 20jährige Frau an der äuſsern Seite des zweyköpfigen Beugers des rechten Arms eine elliptische bewegliche Geschwulst von der Gröſse eines Hühnereyes, die beim Berühren sehr schmerzhaft war, mehrere Jahre, und zuletzt sehr schnell, wuchs. Bey der sehr schmerzhaften Operation, wodurch sie entfernt wurde, fand man ihre Oberfläche sehr glatt, glänzend, sie selbst an ihrem obern und untern Ende in einen starken weiſsen sehnenartigen Strang, den Muskelhautnerven auslaufend, und sah beim Einschneiden, daſs sie in dem Nerven, den sie in zwey platte Hälften getheilt hatte, enthalten war. Aus dieser dünnen Nervenhaut konnte die Geschwulst, ihre beiden Enden ausgenommen, sehr leicht geschält werden. In ihrem Mittelpunkte fanden sich geschlängelte nervenähnliche Fäden, die von einander getrennt, und deren Zwischenräume mit der nervenähnlichen Masse der Geschwulst angefüllt waren. Weiter nach auſsen gegen ihren Umfang hatte sie einen strahlenförmigen Bau.

---

1) Chirurg. and med. Transact. Vol. II. No. XI.

In einem andern Falle [1]) bekam ein 35jähriger Mann, nachdem er ein Jahr vorher heftige Schmerzen in den Fingern gehabt hatte, in der Achselgrube eine Geschwulst von der Grösse eines Hühnereyes, welche binnen einem Monat sich um das Doppelte vergrösserte. Bey der Operation fand man die Geschwulst in einer dünnen Membran enthalten, und ihr unteres Ende in einen dünnen Nervenfaden auslaufend. Die Geschwulst, welche auch hier leicht herausgenommen wurde, bestand aus einer weissen festen Substanz, hatte in der Mitte einen undeutlich faserigen, nach aussen einen deutlich strahlenförmigen Bau. Nach dem Tode fand man, dass sie ihren Sitz in einem grossen Achselnerven gehabt hatte, den zurückgelassenen Balg sehr zusammengezogen, um das Vierfache verdickt, entzündet und mit gerinnbarer Lymphe angefüllt. Auch in einem andern Achselnerven war eine ähnliche, nur etwas kleinere Geschwulst, die ganz denselben Bau hatte, enthalten.

Dahin gehören vielleicht auch ähnliche, von Dubois beobachtete Geschwülste, die in dem Mediannerven, dem Schenkelhautnerven gefunden wurden, weiss, glänzend, undurchsichtig und homogen waren, und nur eine geringe Menge Nervenmark enthielten. [2])

Andere Beobachtungen findet man bey Camper [3]), nach welchem sie besonders in

1) Ebend. S. 157.

2) Spangenberg über Nervenanschwellungen in Horns Archiv, Bd. 5. S. 306. ff.

3) Demonstr. anat. pathol. Lib. I. p. 11.

den oberflächlichen Nerven vorkommen, gewöhnlich von der Grösse einer Erbse, weisslich, knorpelhart, fest, und innerhalb der Nervenhüllen enthalten sind. Hieher gehören auch Beobachtungen von de Haen [1]), Hesselbach [2]), Alexander [3]), Zagorsky [4]), Rudolphi [5]). In einer Beobachtung von Camper war die Bedeutung dieser Knoten deutlich entwickelt, sofern er im Zwerchfellsnerven eine steinige Concretion fand [6]).

Der Sitz dieser Anschwellungen scheint nicht immer derselbe zu seyn. Bisweilen ist die ganze Substanz der Nerven umgewandelt. So verhielt es sich wohl in einem von Zagorsky, und einem andern von Rudolphi beschriebenen Falle; häufiger entwickeln sie sich zwischen den Nervensträngen als eigne neue Gebilde, die oft mit einem Balge umgeben sind, wahrscheinlich die häufigste Anordnung; oder endlich, sie entstehen in der zelligen Scheide des Nerven. So fand Rudolphi bey einer hundertjährigen Frau auf beiden Seiten die Scheide des Oberschulterblattnerven verdickt und verknöchert.

Wahrscheinlich gehören hieher auch mehrere andere Fälle von Geschwülsten, welche vorzugsweise unter der Haut vorkommen und

---

1) Lieutaud hist. anat. med. L. II. c. 787.

2) Weinhold über die krankh. Metamorph. d. Highmorsh. S. 190.

3) De tumoribus nervorum. L. B. 1810. im neuen Arch. für pr. Aerzte. Bd. 1. Heft 1.

4) Mém. de Petersb. T. III. p. 219.

5) Oppert de vitiis nervorum organicis. Berol. 1815.

6) Snip de lithotomia. Amst. 1761. 4.

ihren Sitz vermuthlich immer in den Hautnerven haben[1]). Immer ſind ſie klein, wie Camper angiebt, meiſtens von der Gröſse einer Gartenerbſe, nicht gröſser als eine Kaffeebohne, hart, umgränzt, unmittelbar unter der Haut, locker im Zellgewebe gelegen. Meiſtens werden ſie nur durch das Gefühl wahrgenommen, nur ſelten bilden ſie einen Vorſprung. Gewöhnlich findet ſich nur eine Anſchwellung. Nur in einem Fall lagen drey neben einander[2]). Aus den bisher bekannten Beobachtungen iſt es noch ungewiſs, ob ſie ſich in ihren erſten Perioden raſch entwickeln. Haben ſie aber eine gewiſſe Gröſse erreicht, ſo erleiden ſie viele Jahre hindurch keine weitere Veränderung und haben durchaus keine Neigung, das benachbarte Haut- und Zellgewebe anzugreifen, oder ſich im Laufe der Lymphgefäſse auf andere Organe fortzupflanzen. Charakteriſtiſch und die Muthmaſsungen über ihren Sitz veranlaſſend ſind äuſserſt heftige Schmerzen, welche ſie verurſachen, die nicht immer Statt finden, ſondern in Anfällen wiederkehren, deren Dauer von zehn Minuten bis auf zwey Stunden variirt, die an Extenſität und Intenſität mit der Zeit zunehmen, meiſtens von ſelbſt entſtehen, und während derer ſich der Knoten oft zu vergröſsern ſcheint, und die Haut, unſtreitig vom lebhafteren Blutandrange, höher färbt. Der Heftigkeit derſelben ungeachtet ſind die Anſchwellungen im

1) Biſſet on an extraordinary irritable ſympathetic tumour. In Memoirs of the med. ſociety. Vol. III. p. 58. Pearſon account of ſome extraordinary ſymptoms u. ſ. w. In den med. facts and obſervations. Vol. VI. Wood on painful ſubcutaneos tubercle. Im Edinb. med. and ſurg. Journal. Vol. VIII. p. 283. ff. und p. 429. ff. M. Hall caſe of painful ſubcutaneous tubercle. Ebend. Vol. XI. p. 466. ff.

2) Wood a. a. O. S. 286.

gewöhnlichen Zustande selbst beim festen Anfühlen unempfindlich. Merkwürdig ist es, dass sie beym weiblichen Geschlecht ohne Vergleich häufiger als beym männlichen vorkommen.

Bey weitem am häufigsten kommen diese Gebilde, welche nach dem Obigen höchst wahrscheinlich in den Nerven ihren Sitz haben, an den Extremitäten vor. Doch fanden sie Zagorsky, Rudolphi, Camper, de Haen auch an Nerven des Stammes und Kopfes.

Physiologisch sehr merkwürdig ist in dem von Bisset beschriebenen Falle die während vier Schwangerschaften regelmäsig Statt findende äusserst hohe Steigerung der Empfindlichkeit einer solchen Geschwulst, die in der ersten sich plötzlich vergrösserte, und sogar, als sie nach der zweiten ausgerottet worden war, sich in der dritten von Neuem bildete.

2. Gehirn.

Weit seltner bilden sich in der Substanz des Gehirns Knochenconcremente; doch beobachtete selbst Greding diese Erscheinung einige Mal.

In dem einen Falle fand sich in der grauen Substanz des vordern linken Hirnlappens in der Tiefe zwischen zwey Windungen des Gehirns ein ansehnlicher, einen Kreisabschnitt bildender Knochen [1]); in dem andern hatte sich in der grauen Substanz der rechten Hälfte des kleinen Gehirns ein Knochen gebildet, der beinahe einen Zoll lang, halb so breit, oben vier, an seinem untern Ende anderthalb Linien dick und durchaus solide war. Er war an seiner ganzen äussern Fläche mit der Rindensubstanz bedeckt,

1) Ludwig adv. med. pr. T. II. p. 488.

hob aber diese überall durch seine spitze Erhabenheit in die Höhe. Mit der Substanz des Gehirns hing er so fest zusammen, dass er nur mit der grössten Mühe davon getrennt werden konnte.[1]) Cruveilhier hat gleichfalls einige Fälle von Entwicklung faserknorpliger und Knochensubstanz im Gehirn.[2]) In den meisten andern Fällen von Verknöcherung im Gehirn findet man nicht bemerkt, ob sie von der Substanz desselben bedeckt waren und immer sogar angegeben, dass sie sich an der äussern Fläche desselben gebildet hatten, so dass es nicht gewiss ist, ob sie sich nicht vielmehr in der Gefässhaut entwickelten.

Gehören hieher in der That die Fälle von Verknöcherung und Versteinerung des Gehirns, die man nicht selten bey Ochsen beobachtet haben will, oder sind sie vielmehr, wie Sömmerring[3]) glaubt, für Exostosen des Schädels zu halten, welche die Gehirnsubstanz zerstörten? Aeusserst merkwürdig ist es, dass die Thiere, bey denen man sie fand, bis zu ihrem gewaltsamen Tode immer gesund und wohlgenährt waren.

3. Sinnorgane.

Unter den Sinnorganen finden sich, so viel ich weiss, nur im Auge Verknöcherungen.

a. Aderhaut.

Unter allen Theilen desselben bilden sie sich vorzüglich an der Aderhaut. Immer ist wahrscheinlich mit diesem Zustande Blindheit verbunden, die ihn entweder veranlasst, oder

1) Ebend. T. III. p. 657.
2) A. a. O. S. 80 und 84.
3) Zu Baillie S. 268.

durch ihn veranlaſst wird. Nicht immer findet man ſie bloſs im höhern Alter.

Walter [1]) beſchreibt eine in ihrer hintern Hälfte verknöcherte Aderhaut an einem Manne, der mehrere Jahre hindurch auf dieſem Auge blind geweſen war. Hier konnte man vor der Unterſuchung des Auges nichts regelwidriges entdecken, indem es eben ſo gewölbt als das andere war; allein gewöhnlich findet man die Verknöcherung der Aderhaut nur bey auch anderweitig degenerirten Augen.

So fand Walter [2]) bey einem 60jährigen Manne, der acht und zwanzig Jahr lang blind geweſen war, die Feuchtigkeiten in beiden Augen verſchwunden, die Augäpfel zuſammengezogen und vertrocknet, den vorderen Theil der Aderhaut auf beiden Seiten in einen kegelförmigen Knochen verwandelt, deſſen Grundfläche nach vorn, deſſen Spitze nach hinten gekehrt war. Jene hatte ſechs Linien im Durchmeſſer, die ganze Höhe des Kegels betrug drey Linien.

Auch in zwey andern Fällen waren die Augen, deren ganze Aderhaut bis zum Strahlenkranze man verknöchert fand, zuſammengeſunken [3]).

Wahrſcheinlich gehören hieher auch mehrere andere Beobachtungen von Knochenbildung im Innern des Auges, welche man zum Theil in andere Theile deſſelben ſetzt.

So glaubte Haller [4]) die Netzhaut auf dieſe Weiſe verändert. Er fand unter der

1) Anat. Muſeum. Bd. 1. S. 146. No. 292.
2) Ebend. No. 293.
3) Ebend. No. 294. 295.
4) Opp. min. T. III. Opp. pathol. obſ. LXV. p. 366.

Aderhaut an der Stelle der Netzhaut eine knöcherne Platte, die mit der Aderhaut so, wie sonst die Netzhaut, zusammenhing. Innerhalb dieser knöchernen Höhle fand sich kein Glaskörper, sondern ein weisser, bandähnlicher Cylinder, der durch eine, in der knöchernen Platte befindliche Oeffnung drang und sich bis zu einem unregelmäfsig gestalteten knöchernen Körper erstreckte, den man für eine degenerirte Krystalllinse halten konnte.

Auch Morgagni [1]) fand an der Stelle der Netzhaut ein dünnes, knöchernes, nirgends unterbrochnes Blatt, das sich vom Sehnerven bis zum Strahlenkranz erstreckte.

Morand [2]) fand zwischen der Netz- und Aderhaut ein Knochenblättchen, Cruveilhier unter dieser ein Knochenconcrement und in ihrer Höhle deutliche Nervenfäden [3]).

Eben so finde ich an der innern Fläche der Aderhaut einen ansehnlichen, den gröfsten Theil des Auges umgebenden knöchernen Halbkreis.

Höchst wahrscheinlich entwickeln sich also diese regelwidrigen Knochen nur zwischen Ader- und Netzhaut, ohne dafs sich eine von beiden neu umwandelt.

b. Krystalllinse.

Auch die Krystalllinse scheint nicht selten eine knöcherne Beschaffenheit anzunehmen; besonders wird sie bey gichtischen Indi-

---

1) De c. et c. ep. XIII. Art. 10.

2) Mém. de l'ac. des sc. a. 1770. hist.

3) A. a. O. S. 89. 90.

viduen bisweilen steinhart. Doch fragt es sich freilich, ob sie gerade bey dieser Bedingung durch ihre Mischung mit dem normalen Knochen übereinkommt? Dieser Zustand der Linse ist übrigens nur ein höherer Grad der Gerinnung, welche im Allgemeinen das Wesen des grauen Staares (Cataracta) ist.

Beobachtungen verknöcherter Linsen finden sich bey St. Yores [1]), Morgagni [2]) Acrell [3]), Daviel [4]), Sibbern [5]) und Walter [6]). Fast immer waren zugleich andere Theile des Auges, namentlich die Aderhaut, auf dieselbe Weise degenerirt.

Eben so führen mit anderweitigen Degenerationen, und meistens totaler Desorganisation des Auges, Beyspiele von Versteinerung der Linse an Morand [7]), Acrell, [8]) Walter [9]), Scarpa [10]). Dieser fand in dem Auge einer alten Frau, das um die Hälfte kleiner als das andere war, die harte Haut und die Hornhaut ziemlich gesund. In der Augenkammer fand sich etwas Wasser, unter der Aderhaut aber hintereinander zwey harte, steinige Schüppchen, die durch eine feste membranöse Substanz im Zusammenhange standen. Die vor-

1) Mal. des yeux. p. 251.
2) De c. e sed. ep. XIII. 4. 9.
3) Chirurg. Vorf. B. 1. S. 121.
4) Bey Acrell, S. 121. Note.
5) Collect. soc. med. Hafn. 1775. Vol. 1. p. 118.
6) Anat. Museum. B. 1. S. 148. No. 395.
7) Mém. de l'ac. des sc. 1730.
8) Chir. Vorf. S. 131.
9) Anat. Mus. Bd. 1. S. 134. No. 264.
10) Malatt. degli occhj. Pavia 1801. p. 269.

dere nahm die Stelle der Linse ein. Die Haut, wodurch sie zusammengehalten wurden, enthielt einige Tropfen einer blutigen klebrigen Feuchtigkeit und einen kleinen, weichen Cylinder, der vom hintern Ende des Auges bis zum vordern Schüppchen ging. Mit diesem hing die Blendung fest zusammen und war um dasselbe contrahirt. Der Sehnerv, der nur als ein dünnes Fädchen erschien, verlor sich in dem weichen Cylinder, der gröſstentheils nur die zusammengezogene Glashaut zu seyn schien.

Auch Caldani [1]) fand die Krystalllinse eines 16jährigen Knaben, der lange blind gewesen war, steinern. Dieser Fall ist besonders interessant, weil zugleich die Glasfeuchtigkeit auf dieselbe Weise verändert war. Die ganze Höhle des Augapfels war innerhalb der harten Haut mit einem steinigen Concremente angefüllt. Nur zwischen der Linse und der Hornhaut befand sich etwas Flüſsigkeit. Die Aderhaut und die Blendung hingen so fest an dem Concremente, daſs sie nicht davon getrennt werden konnten. Merkwürdig ist es, daſs bey dieser gemeinschaftlichen Degeneration des Glaskörpers und der Linse beide auch insofern ihr normales ursprüngliches Verhältniſs zu einander darstellten, als die Linse viel dichter und weiſser als die Glasfeuchtigkeit war. Beide lieſsen sich von einander trennen, die erstere war mit blasenförmigen Erhabenheiten besetzt.

c. Hornhaut.

Am seltensten scheint sich die Hirnhaut zu verknöchern; wenigstens kenne ich nur einen

---

1) De nervorum opticorum decussatione. In opusc. anat. Patavii 1803. p. 33.

Fall dieser Art, den Walter [1]) anführt. Er fand in der Hornhaut eines 60jährigen Mannes ein Knochenstück von drey Linien Länge und zwey Linien Breite, dessen Gewicht zwey Gran betrug. Diess ist desto merkwürdiger, da der Process, der sonst nicht selten die Verknöcherung einleitet, die Verdickung und Ausschwitzung, in der Hornhaut so häufig erscheint.

Noch mehr aber nimmt es mich Wunder, nur ein Beispiel [2]) von Verknöcherung der harten Haut angeführt zu finden, die als fibröses Organ und der Analogie der harten Hirnhaut und der Bänder nach häufiger als alle übrigen Theile des Auges verknöchern sollte.

V. Regelwidrige Hautbildung.

Das Hautsystem erzeugt sich, wenigstens allen seinen Theilen nach, nur selten regelwidrig als bleibendes Organ, wenn gleich einzelne Theile, namentlich die Oberhauttheile nicht ungewöhnlich an regelwidrigen Stellen erscheinen, und, wie schon oben bemerkt wurde, schleimhautähnliche Bildungen als vorübergehende Erzeugnisse bey der Eiterbildung nicht selten vorkommen. Die Eiter absondernde Fläche kommt vorzüglich mit der gewöhnlichen Schleimhaut, die Haut der Fistelgänge dagegen mit der Haut der Ausführungsgänge der conglomerirten Drüsen überein [3]). Nicht ganz richtig kann man aber wohl jede Narbe in irgend einem Theile als der

---

1) Anat. Museum, Th. 1. S. 139. No. 274.

2) Blasii obs. med. rar. Amst. 1677. p. 78.

3) Villermé, über die Haut der Fistelgänge in Meckels Archiv, Bd. 2.

äufsern Haut entsprechend ansehen, da sie durchaus nicht die Eigenschaften derselben hat. Eben so wenig kann man auch wohl geradezu annehmen, dafs bey der Heilung des widernatürlichen After sich ein Theil des Bruchsackes, welcher beide getrennte Darmstücke verbindet, in eine Schleimhaut verwandle [1]). Dagegen sind manche Bälge [2]) nicht serös, sondern schleimhautähnlich.

Die Umwandlung der, der Einwirkung der Luft u. s. w. durch Umkehrung ausgesetzten Schleimhäute in äufseres Hautgewebe kann man nicht auf dieselbe Weise wie die Verknöcherung anderer Theile als Bildung des äufsern Hautgewebes ansehen.

Nicht unwahrscheinlich, wenn gleich durchaus nicht nothwendig, ist es wohl, dafs dieses bisweilen, selbst oft in Bälgen, welche Haare enthalten, entsteht: nicht nothwendig, da theils bestimmt Haare in andern Systemen, namentlich den Schleimhäuten, entstehen, theils nicht die eigentliche Haut, sondern das Fettgewebe unter derselben, der Sitz der Haare ist, und die häufig unbefestigten Haare in Fett eingehüllt sind. In der That aber wurde in einem Falle, wo sich höchst wahrscheinlich im rechten Eyerstocke Haare gebildet hatten, ein Theil des Balges völlig der Kopfhaut ähnlich, und mit kürzern Haaren besetzt gefunden, ungeachtet seine Höhle mit einer käseähnlichen Substanz und vielen unbefestigten Haaren angefüllt war. [3])

---

1) Cruveilhier, Th. 2, S. 173.

2) Oben S. 141.

3) Vallerand bey Cruveilhier, Th. 2, S. 166—169.

Bey weitem häufiger kommen oberhautartige Theile, Haare, Zähne und Hörner vor; die letzten jedoch weit seltner als die beiden erstern. Die Bedeutung der Entstehung dieser neuen Bildungen ist nicht immer dieselbe. Die Hornbildungen immer, die Haarbildungen bisweilen, die Zahnbildungen nur äusserst selten, entstehen auf ähnliche Weise als andere neue Bildungen und die normalen Theile des Körpers, und stehen mit den übrigen in demselben Verhältniss als alle unter einander. Dagegen ist die Haarbildung nicht selten, die Zahnbildung fast immer als ein sehr ungelungener, bisweilen sogar höchst wahrscheinlich durch Einwirkung des Mannes veranlasster Zeugungsversuch anzusehen, und diese Theile stehen also dann zu dem enthaltenden Organ und ganzen Organismus in einem Verhältniss, welches mit dem des Embryo zum mütterlichen Organismus überein kommt.

4. Haar- und Zahnbildung. [1])

Die regelwidrige Haar- und Zahnbildung können insofern zweckmässig zusammengestellt werden, als Haare und Zähne durch Bau und Lebenserscheinungen auffallend übereinstimmen, und, wie sie im normalen Zustande unter denselben Umständen erscheinen, auch in krankhaften häufig zugleich vorkommen.

---

1) Ueber regelwidrige Haar- und Zahnbildungen. Von J. F. Meckel. In dessen Archiv für die Physiol. Bd. 1. H. 4. S. 519—588. Auf diesen Aufsatz verweise ich hier durchaus, da ich daselbst umständlich alle Momente dieser interessanten Erscheinung nachgewiesen, so wie die Litteratur derselben angeführt habe, und mich nur selbst abschreiben würde, wenn ich den Gegenstand hier weitläufiger behandelte.

Für die regelwidrige Haar- und Zahnbildung gelten dieselben Gesetze als für die normale.

Die erstern entstehen daher, wenn sie sich nicht in den Wänden normaler Theile entwickeln, immer in Fettanhäufungen, sind immer anfänglich mit Wurzeln versehen; die letztern bilden sich immer in eignen, mit einer gallertähnlichen Feuchtigkeit angefüllten, meistentheils mehr oder weniger kieferähnlicher Knochen und Bälgen, die Kronen entstehen vor den Wurzeln, Zähne von derselben Klasse stehen gewöhnlich neben einander; die Zahl der Zähne entspricht mehr oder weniger der Zahl der normalen, so dass, wo Zähne aus verschiedenen Klassen vorhanden sind, ihre Zahl entweder mit der Zahl der Milch- oder bleibenden Zähne aus beiden oder einem Kiefer, oder einer Kieferhälfte übereinstimmt, so dass sich mehrentheils mehr Back- als Schneide- und Hundszähne, und diese in geringster Menge bilden, wo sich dagegen neue Zähne von einer Art finden, diese auf ähnliche Weise die Zahl der normalen Zähne dieser Klasse nachahmen.

Von dieser Regel finden sich indessen Ausnahmen, so dass z. B. in einem einzigen Eyerstocke mehrere Hunderte von Zähnen, die grösstentheils gar keine Aehnlichkeit mit gewöhnlichen hatten, gefunden wurden.

Sowohl Haare als Zähne fallen auf dieselbe Weise aus als die regelmässigen, und aus mehrern Fällen scheint sich sogar mit Gewissheit zu ergeben, dass ein ähnlicher Wechsel als bey den regelmässigen Theilen Statt findet.

So wie die Haare beim Fötus früher als die Zähne hervorbrechen, sie oder eine ähnliche Vegetation allgemeiner als die Zähne verbreitet ſind, ſo erſcheinen ſie auch regelwidrig weit häufiger als die Zähne, und nur ſelten findet man dieſe ohne jene, während Haare ohne Zähne keine ungewöhnliche Erſcheinung ſind.

Zu beiden findet der Uebergang durch ungewöhnliche Verlängerung und Vermehrung der gleichnamigen normalen Theile Statt.

Nicht an allen Stellen des Körpers bilden ſie ſich gleich häufig.

Unſtreitig iſt unter allen Theilen keiner ſo ſehr zu ihrer Entwicklung geneigt als der Eierſtock, in welchem ſie ſich, am gewöhnlichſten auf einer, namentlich, gegen die allgemeine Meinung, auf der rechten Seite, weit weniger häufig auf beiden, nicht ganz ſelten bilden. Haare ſind beſonders hier weit häufiger als Zähne.

Dieſs ergiebt ſich aus der Vergleichung einer anſehnlichen Menge von Fällen [1]), denen man noch einen von Vallerand [2]) beifügen kann. Ein anderer [3]) iſt leider zu dieſem Behuf nicht zu benützen, da ſowohl dae kranke (S. 134.) als das geſunde (S. 134.) Ovarium das linke genannt wurde. In einem von Bock [4]) kürzlich beobachteten Falle war jedoch wahrſcheinlich der linke Eyerſtock entartet.

Wegen der Function dieſes Theiles iſt man häufig geneigt, ſie für Producte eines Zeugungsactes

1) Archiv, Bd. 1. S. 536. 559.

2) Bey Cruveilhier S. 168.

3) Otto ſeltne Beobacht. S. 134 u. 135.

4) Tübinger Blätter. B. 2. S. 65.

actes zu halten, und nimmt entweder an, daſs ſie Ueberbleibſel eines regelmäſsigen Fötus oder ſehr unvollkommne Bildungen ſeyen, welche nie eine höhere Form hatten.

Von dieſen Meinungen iſt die erſte ganz zu verwerfen, da man 1) nie Spuren anderer Theile findet, ungeachtet ſelbſt die weichen Theile der Extrauterinalfötus ſich viele Jahre lang [1]) unverletzt erhalten; 2) Zahl und Geſtalt der vorhandenen ſich nicht ſelten völlig vom Normal entfernt [2]).

Auſser mehreren angeführten Fällen fand auch Bock [3]) von zwey Eierſtockszähnen den einen zwar einem Hundszahn ähnlich, den andern aber, ungeachtet er mit einem Schneidezahn etwas übereinkam, doch durch einen eignen Zacken davon unterſchieden. Indeſſen iſt freylich, da regelwidrig gebildete Zähne auch in übrigens normalen Organismen vorkommen, das von der Form dieſer Zähne hergenommene Argument nicht ganz bündig.

Für die zweyte ſpricht der Umſtand, daſs bey weitem am häufigſten dieſe Gebilde bey mannbaren verheiratheten, oder wenigſtens bey ſolchen Frauenzimmern vorkommen, welche den Beyſchlaf vollzogen hatten, und man kann daher nicht ohne Grund annehmen, daſs in der Mehrzahl der Fälle ſie wirklich Begattungsprodukte ſind. Vorzüglich iſt es nicht unwahrſcheinlich, daſs Schwäche der Zeu-

---

1) S. Bd. 2. Abth. 1.

2) Archiv A. a. O.

3) S. unten, S. 276. Note 4.

gungsfähigkeit ihre Entſtehung begünſtigt, indem ſie die Entſtehung eines normalen Organismus hindert. Dieſs wird aus den Beobachtungen wahrſcheinlich, wo ſie bey alten, beſonders erſt ſpät an kränkliche Männer verheiratheten Jungfern, oder überhaupt bey ältern, auf der andern Seite aber auch bey ſehr jungen Frauenzimmern vorkamen. Eben ſo ſprechen für dieſe Anſicht auch die Fälle, wo Haare und Zähne ſich in den Eyerſtöcken oder der Gebärmutter mit normalen Kindern bildeten.

Allein hiedurch wird keinesweges die Annahme gerechtfertigt, daſs zu ihrer Entſtehung die Begattung eine nothwendige Bedingung ſey. Vielmehr ſpricht gegen dieſe Meinung die nicht ganz ſeltne Entwicklung derſelben bey ſehr jungen unmannbaren Mädchen mit allen Zeichen der phyſiſchen Jungfräulichkeit.

Hier iſt zwar ihre Entſtehung unſtreitig in einer ungewöhnlich erhöhten, wahrſcheinlich zu früh erwachten Thätigkeit der weiblichen Geſchlechtstheile begründet, allein offenbar in einer eigenmächtig, nicht durch den Zutritt der männlichen Zeugungsfähigkeit erhöhten.

Für die Richtigkeit dieſer Anſicht ſpricht auſser den angeführten Gründen das Vorkommen derſelben und anderer Bildungen 1) an andern Stellen des Körpers; 2) beym männlichen Geſchlecht, wo ſie ſowohl in dem, dem Eyerſtocke entſprechenden Hoden, wenn gleich hier weit ſeltner als dort, als auch an andern Theilen vorkommen. Von Haaren im menſchlichen Hoden führt Schaarſchmidt [1]), von

1) Chir. Nachrichten. Bey Voigtel path. An. Bd. III. S. 402.

Zähnen in der Weichengegend eines Wallachen Home [1]) einen Fall an, und ich selbst habe kürzlich einen ähnlichen, höchst merkwürdigen beobachtet und bewahre ihn auf, wo der Hode eines Hengstes in seinen Wänden sehr beträchtliche Knochenstücke und im Innern eine fettähnliche Substanz mit einer beträchtlichen Menge von Haaren enthält. Dass sie sich in den Eyerstöcken unverhältnissmässig häufiger als in andern Theilen erzeugen, ist unstreitig in der hier am höchsten gesteigerten Bildungsthätigkeit begründet, welche oft auch krankhaft die häufigsten und vollkommensten Gebilde erzeugen wird.

Nur für höchst seltne Fälle dürfte die Annahme anwendbar seyn, dass diese Gebilde angeboren seyen, und ganz unstatthaft ist die Vermuthung, dass sie, namentlich die Zähne, von aussen in den Körper gelangt seyn möchten.

Ausser den angegebenen Stellen kommen Haare vorzüglich vor:

1) in Bälgen unter der Haut, wo es merkwürdig ist, dass sie sich vorzüglich unter solchen Stellen der Haut bilden, welche auch im normalen Zustande mit längern Haaren besetzt sind, namentlich unter der Kopfhaut [2]) und im obern Augenliede [3]).

---

1) Lectures on comparat. anatomy. London 1814. Vol. 1. p. 179.

2) Hoffmann Eph. n. c. Dec. II. A. V. o. 210. p. 433. Ebend. A. VIII. u. f.

3) Pitet Bullet. de la soc. méd. An. 13. 14. p. 225. Dupuytren bey Cruveilhier T. II. p. 187. Zethermann bey Demangeon rapport sur les travaux de la soc. médic. de Suède. 1810. Ebend.

2) Frei wachsend an Schleimhäuten, namentlich des Auges [1]), des Darmkanals [2]) und der Harnblase [3]).

Sie und Zähne bilden sich bisweilen auch im Umfange, oder selbst in der Höhle der Gebärmutter.

Seltner erscheinen beide an serösen Häuten, z. B. im Gekröse. Am seltensten kommen sie in großer Entfernung von der Sphäre der Geschlechtstheile, oberhalb des Zwerchfelles vor, doch wurden sie hier, namentlich Zähne in Bälgen, in der Brusthöhle dicht über dem Zwerchfelle, am obern Theile des Halses und in der Augenhöhle gefunden.

Diese regelwidrigen Gebilde können, die Stellen, wo sie vorkommen, seyen welcher Art sie wollen, als fremde Körper, Entzündung und ihre Folgen veranlassen und dadurch ausgestoßen werden [4]), ohne daß auf diesen Ausgang gerade ein zu großes Gewicht zu legen wäre.

2. Hornbildungen.

Die Hornbildungen kommen fast ausschließlich in dem äußern Hautsystem vor.

1) Albin annot. acad. Lib. III. cap. 8. in der Thränenkarunkel Gazelles Journ. de méd. T. 24. p. 332. auf der Hornhaut. Wardrop ess. on the morbid anatomy of the human eye. Edinb. 1808. p. 31. Tab. IV. Fig. 1. auf einem von der Bindehaut bedeckten Auswuchs vor der Hornhaut und harten Haut, wo es merkwürdig ist, daß die Haare, ungeachtet der Auswuchs schon bey der Geburt vorhanden war, erst mit den Barthaaren gleichzeitig hervorbrachen.

2) S. mehrere Fälle davon in meinem Archiv, Bd. 1. S. 524.

3) Ebend.

4) S. außer mehrern in meinem Archiv (Bd. 1. S. 566.) angeführten Fällen dieser Art, auch einen neuen von Bock. (Tübinger Blätter, Bd. 2. S. 65. ff.)

Sie können in solche, die in Bälgen, und solche, die ohne vorgängige Balgbildung entstehen, abgetheilt werden. Die Bildungen der letztern Art begreifen vorzüglich die regelwidrigen Verdickungen und Verhärtungen der Oberhaut, wo sie die Gestalt von Schuppen annimmt, die erstern die eigentlich sogenannten Hörner. Diese sind keine ganz seltne Erscheinung. Die Veranlassung zu ihrer Entstehung sey welche sie wolle, so geht ihnen immer eine Geschwulst voran. Am gewöhnlichsten entstehen sie am Kopfe, in seltnen Fällen auch an andern Theilen des Körpers, immer aber in der Haut, am häufigsten im Alter, und, wo ich nicht irre, beym weiblichen Geschlecht. Bisweilen findet sich an derselben Person nur ein, bisweilen mehrere Hörner, die nicht selten eine ansehnliche Gröſse erreichen. Folgende Fälle mögen zur Bestätigung des Gesagten dienen.

Eine zwey und vierzigjährige Frau bemerkte auf der linken Seite des Kopfes eine bewegliche Geschwulst, die in vier oder fünf Jahren die Gröſse eines Hühnereyes erreichte, um diese Zeit borst, und eine Woche lang eine dicke, sandige Flüssigkeit ergoſs. In der Mitte nahm man eine kleine, zarte, an der Spitze röthliche Substanz von der Gröſse einer Erbse wahr, die für wildes Fleisch gehalten wurde, allmählich an Länge und Dicke wuchs, drey Monate lang biegsam blieb, dann aber eine hornähnliche Beschaffenheit annahm. Wegen der heftigen Schmerzen suchte die Kranke das Horn nach zwey Jahren abzureiſsen, brach es aber ab, worauf eine beträchtliche Vertiefung zurückblieb. Die Länge betrug fünf, der Umfang am letzten

Ende einen Zoll, in der Mitte weniger. Es hatte eine gekräuſelte Geſtalt und eine Frauenglas ähnliche Farbe.

Aus dem untern Ende der Vertiefung wuchs ein zweytes, drey Zoll langes und einige Linien dickes, weniger gewundnes und dicht am Kopf liegendes Horn hervor.

Allmählich entſtanden noch in der Gegend des Lambdawinkels drey andere Hörner; zugleich bildeten ſich auch zwey andere, einer groſsen Meerſchnecke ähnliche, ziemlich bewegliche und dem Anſchein nach mit Flüſſigkeit von einer ungleichen Conſiſtenz angefüllte Geſchwülſte am Kopfe.

Allen Hörnern ging dieſelbe Balggeſchwulſt voran, die Flüſſigkeit aber war ſandig. Die Bälge ſchmerzten wenig, bis das Horn hervorzubrechen anfing, worauf das Leiden unerträglich wurde.

Eine andere Frau von mittlern Jahren hatte eine bewegliche Balggeſchwulſt unmittelbar unter der Schädelhaut. Als ſie die Gröſse eines Hühnereyes erreicht hatte, borſt ſie und ergoſs eine Flüſſigkeit, die ſich bald verminderte. Darauf entſtand ein horniger, beweglicher, gewundner, fünf Zoll langer, blättriger Auswuchs, der unſchmerzhaſt war, ungeachtet häufige Berührung deſſelben Entzündung der angränzenden Haut zur Folge hatte [1]).

Parkinſon [2]) ſah zwiſchen dem Scheitel und rechten Ohr einer Frau eine kleine

---

1) Home über gewiſſe hornartige Auswüchſe des menſchlichen Körpers. In Harles und Scherzers Journ. für ausl. Literatur.

2) Mem. of the Lond. med. ſoc. Vol. 4. p. 391.

steatomatöse Geschwulst entstehen, die sich vergrösserte, entzündete und eine Flüssigkeit ausschwitzte, welche an der Luft zu Horn vertrocknete. Die Gefäfse, woraus sie floss, hatten sehr dicke und dichte Häute. Man sah deutlich, dass die Geschwulst von der Aponeurose des Schädels entstand. Sie war schmerzlos und beträchtlich beweglich. Vier Jahre vorher hatte sich an derselben Stelle eine kleine Horngeschwulst gebildet, die ausgerissen wurde. Das zweyte Horn war viel grösser als das erste. Zugleich bildete sich um die Zeit, als er die Beobachtung anstellte, ein drittes, und an verschiedenen Stellen des Schädels entwickelten sich andere kleine Steatome.

Eine 83jährige Frau bemerkte am untern Theile des linken Schlafbeins eine Geschwulst, die sich allmählich vergrösserte. Bald bemerkte man, dass sie die Beschaffenheit der Nägel hatte und sehr schnell wuchs. Sie wurde mehrmals abgesägt, wuchs aber immer von neuem. Merkwürdig ist es, dass die ersten Auswüchse sehr hart und regelmäfsig abgerundet, die zweyten weniger dicht und nicht so vollständig organisirt waren. Auch diese war beweglich und nicht in den Knochen gepflanzt [1]). Zugleich hatte die kranke Frau mehrere Balggeschwülste am Kopfe.

Vesling[2]) schnitt einer 60jährigen Nonne ein Horn von der Grösse eines Fingergliedes ab, das auf der linken Seite der Stirn sass.

1) Gastellier in den Mém. de la soc. de Médec. 1776. hist. p. 312.

2) Bartholin hist. anat. cent. 5. hist. 27.

Auch dieses brach wieder hervor, wurde aber durch das glühende Eisen zerstört.

Eine 70jährige Frau hatte seit ihrem sechs und funfzigsten Jahre am obern Theile der Stirne eine schwammige graue Erhabenheit, die sich in drey knotige und harte Aeste theilte, von denen die seitlichen kurz, der mittlere vier Zoll lang und gebogen war. Auch dieses Horn sass in der Haut und war daher leicht beweglich. Die innere Substanz war lockerer, schwammiger und heller als die Rinde. [1]). Der Entstehung des Horns waren heftige Kopfschmerzen vorausgegangen.

Cabrol [2]) nahm von der Stirne eines Mannes ein Horn weg. Am Hinterhaupte eines Bettlers sah Alibert gleichfalls zwey [3]).

Die Hornbildung wird bisweilen auch durh mechanische Verletzungen veranlasst.

So sah Bauhin [4]) bey einem Manne, nach einem Falle, wobey das rechte Schädelbein gequetscht wurde, aus der gequetschten Stelle eine flüssige Substanz hervorsprossen, aus deren Grundfläche ein widderähnliches Horn hervorwuchs.

Vicq d'Azyr [5]) sah bey einem Manne an der rechten Schlafgegend in der Höhe des Auges ein Horn, das drey Zoll lang und an der Grundfläche einen Zoll dick, aber zugespitzt war. Es war durch einen mehrmals wiederhohl-

---

1) Majorat in Gazette salutaire de Bouillon 1788. in Hufeland's Annalen, Bd. 1. S. 447. n. 109.

2) Obs. anat. XI.

3) Dict. des sc. méd. T. IV. p. 251.

4) Bey Bartholin a. a. O.

5) Mém. de la soc. de medec. 1780. p. 494.

ten Schnitt mit dem Barbiermesser entstanden. Bald nach der Verwundung hatte sich ein kleiner harter Körper gezeigt, der in zwey Monaten die Grösse von sechs Linien erreichte, aus vielen Fasern bestand, und an dessen Grundfläche sich viele Gefässe befanden.

Entstehen auch unter diesen Umständen die Hornauswüchse aus Bälgen, oder ändert hier der Reiz der Verwundung die Thätigkeit der Haut nur so ab, dass unmittelbar eine hornähnliche Substanz secernirt wird? Das erstere ist mir aus einem von Caldani beobachteten Falle wahrscheinlicher, wo bey einer Frau nach einer heftigen Quetschung der Kopfhaut mehrere Balggeschwülste entstanden, wovon eine weich wurde, aufbrach, eine Flüssigkeit ergoss und aus der Grundfläche ein ansehnliches Horn trieb, welches sich, weggenommen, wieder erzeugte. [1]).

Diese hornartigen Excrescenzen sind indess nicht bloss auf den Kopf eingeschränkt, sondern brechen an allen übrigen Stellen der Haut hervor.

Dumonceau [2]) erzählt zwey Fälle dieser Art, wo in dem Schenkel alter Frauen lange Hörner wuchsen, von denen das eine neun Zoll lang, an der Basis drey Zoll, am Ende einen Zoll dick, das andere eben so dick, aber zwey Zoll länger war.

Auch Carradori [3]) hat einen ähnlichen Fall. Eine 70jährige Frau hatte an ihren Schen-

1) Mem. di Verona. T. XVI. p. 127.

2) Journ. de medec. T. 14. Fevrier 1761.

3) Opusc. scelti di Milano Vol. 20. Osserv. filos. supra duo corne umane. p. 231—341.

keln zwey Hörner. Die ersten waren kürzer als die folgenden. Drey Jahre nachdem sie abgeschnitten worden waren, kamen an derselben Stelle längere, krümmere und härtere wieder, die kegelförmig, grau und hart wie Ziegenhörner, vier Zoll lang, an der Grundfläche einen Zoll, an der Spitze einen halben Zoll dick, rauh, weder glatt noch rund waren. Durch erweichende Mittel wurde in einem Monate die Haut an der Grundfläche der Hörner so erweicht, dass sie losgingen. Sie waren an dieser Stelle wirklich macerirt, indem sie, wie faules Holz, in Fäden zerfielen. Nachdem sie sechzehn Stunden im Wasser gelegen hatten, wurden sie weich und leicht in halbdurchsichtige Fasern theilbar. Zwischen diesen Fasern befand sich thierischer Leim. Die Hörner waren ganz solide, an der Spitze härter, inwendig mehr knöchern, aber doch sehr locker.

An dem Schenkel fehlte an der Stelle, wo sie abgefallen waren, die Haut, und es fand sich hier bloss glattes Zellgewebe. Da sie anfangs blosse Warzen gewesen waren, und ein noch sitzen gebliebenes Stück nicht ohne Schmerzen berührt werden konnte, so hält sie Carradori für eine Verlängerung aller Theile der Haut, und die inwendige Substanz für das mit phosphorsaurem Kalk durchdrungene, unter der Haut befindliche Zellgewebe.

Rigal sah ein Horn in der Nähe des Brustbeins, ein anderes bey einem andern Menschen auf dem Sitzhöcker. [1])

Die Grösse dieser Hörner ist bisweilen sehr ansehnlich. Ausser den von Dumonceau so

---

5) Dict. des sc. méd. T. IV. p. 251.

eben beschriebenen führt auch Home ein im brittischen Museum befindliches an, das von einer 48jährigen Frau stammte, 11 Zoll Länge und $2\frac{1}{2}$ Zoll im Umfange hatte. Gewöhnlich sind sie mehr oder weniger gewunden.

Ungewöhnlichere Stellen der Haut, an welchen sich Hörner bilden, sind solche, wo die Haut den Schleimhäuten ähnlich wird. So wie hier im normalen Zustande keine Haare vorkommen, entwickeln sich auch hornartige Auswüchse selten. Doch hat Caldani kürzlich einen interessanten Fall beschrieben und abgebildet, wo sich bey einem Manne an der Eichel ein ansehnliches Horn entwickelte.[1]) Einen ähnlichen Fall sah auch Ebers [2]). Auffallend erinnern die Hornbildungen an dieser Stelle an die normalen Hornbildungen an der Eichel mehrerer Thiere.

Noch ungewöhnlicher ist die Bildung derselben in andern Systemen. So beschreibt Goquelin einen Fall, wo sich um die Zeit des Aufhörens der Menstruation ein Horn an der harten Hirnhaut bildete, welches durch das Hinterhauptsbein nach aussen drang, nachdem in Folge einer schon in der Kindheit geschehenen Verbrennung der Haut dieser Gegend sich beständig ein kleiner, abwechselnd abfallender und sich wiedererzeugender Schorf gefunden hatte.[3]) Vielleicht war dieser Hornanwuchs mehr eine faserknorplige Bildung, die gewöhnlicher als eine Art des Hirnhautschwammes an der harten Haut vorkommt.

---

1) Memorie di Verona. T. XVI. p. 124. ff. Meckels Archiv, Bd. 1. S. 298. Taf. 3. Fig. 2.

2) Bey Otto. Seltne Beobachtungen u. s. w. Berl. 1816. p. 109.

3) Sedillot Journ. gén. de médec. T. 54. 1815. p. 96. ff.

Bisweilen erstreckt sich die Hornerzeugung über den ganzen Körper, statt dass sie sonst nur auf einzelne Stellen eingeschränkt ist.

Ein Mädchen, das bis zum dritten Jahre gesund war, bekam von dieser Zeit an fast an allen Gelenken hornige Auswüchse, die, besonders an der Grundfläche, warzenähnlich, gegen die Spitze härter und hornartiger wurden. Alle Finger und Zehen waren mit Auswüchsen dieser Art, die so lang als die Finger und Zehen selbst waren, besetzt. Sie wuchsen zwischen den unvollkommnen Nägeln und der Haut hervor, waren gebogen und hatten eine graue Farbe. Die an den übrigen Gelenken befindlichen waren kleiner. Bisweilen fielen sie ab und erneuerten sich. An den Knieen und Ellenbogen fanden sich sehr viel, am Ellenbogen zwey, von denen das eine vier Zoll lang und einen halben dick war. Zugleich war die ganze Haut hart und hornig, das zwölfjährige Mädchen übrigens gesund. [1])

Einen ähnlichen Fall hat Musäus [2]) beschrieben. Bey einem 20jährigen Mädchen vergrösserten sich, ohne wahrnehmbare entfernte Ursache, die Nägel aller Finger so sehr, dass einige, vorzüglich an den Händen, sechs Zoll lang wurden. Deutlich sah man ihre Bildung aus verschiedenen über einander liegenden Schichten. Inwendig waren sie weisslich, aussen röthlichgrau, hie und da auch schwarz. In einer Zeit von drey bis vier Monaten fielen sie ab und wurden durch neue ersetzt. Ausserdem sprossten an den Ellenbogengelenken,

---

1) Ash in den phil. Tr. n. 176.

2) Dissertatio de unguibus monstrosis. Hafn. 1716. c. fig.

den Kniegelenken, dem Schultergelenke, dem Fuſsgelenke, den Mittelhandgelenken hornartige Kruſten hervor, die in Rückſicht auf die Subſtanz völlig mit den degenerirten Nägeln überein kamen.

Auch Locke [1]) beobachtete einen jungen Menſchen von demſelben Alter, der an den Spitzen aller Finger Hörner, wie es ſchien, durch Verdickung und Verlängerung der Nägel, die klauenartig gebogen waren, bekam. An den Stellen, wo ſie mit der Haut verbunden waren, hatten ſie eine ſehr erhöhte Empfindlichkeit, übrigens aber waren ſie ohne Gefühl. Auch auf dem Handrücken befanden ſich mehrere, die warzenähnlich, aber härter waren. Die Krankheit war nach den Pocken entſtanden und hatte ſchon drey Jahr gedauert. Eines der Hörner hatte vier Zoll Länge und einen Zoll im Umfange.

Unſtreitig gehört hieher auch die ſeltne Erzeugung hornähnlicher Schuppen auf der ganzen Oberfläche der Haut, welche den Perſonen, wo ſie eintrat, den Namen der Stachelſchweinmenſchen verſchafft hat, Alibert's Ichthyoſis cornea.

Die Oberhaut iſt bey dieſer Krankheit an den meiſten Stellen des Körpers ſchwielig, rauh und trocken, zugleich mit einem grauen Ueberzuge bedeckt, der ſich allmählich ſo dick abſetzt, daſs er eine anſehnliche Rinde bildet, welche alle Ungleichheiten der Oberhaut vergröſsert darſtellt. Sie trennt ſich in ſo viel Bruchſtücke, als es Einſchnitte der Oberhaut

---

1) Phil. Transact. n. 230.

giebt, und erſcheint daher nicht aus völlig regelmäſsigen Erhabenheiten gebildet. Die Länge dieſer Stücke ſcheint nach dem Alter und der Jahreszeit zu variiren. Bey Erwachſenen und im Herbſt hatten ſie die Länge eines Zolles.

Dieſer Ueberzug iſt weder hart, noch mit ſcharfen Spitzen verſehen: er iſt ſogar weicher als das gewöhnliche Horn; doch veranlaſst das Reiben der Stiele, woraus er beſteht, ein heftiges Geräuſch. Unter ſich ſowohl als mit der Oberhaut hängen ſeine einzelnen Theile feſt zuſammen, ſo daſs keine Stachel herausgeriſſen werden kann, ohne Blutung zu erregen, wahrſcheinlich weil ihre untern Schichten wegen der Nähe der Haut feucht und nachgiebig erhalten werden. Inwendig iſt jedes einzelne Stück weiſslich, hell, äuſserlich ſchwarz. Im Herbſt fallen die dickſten Kruſten ab, auſserdem aber täglich mehrere. Mehrere Bruchſtücke ſitzen auf einen gemeinſchaftlichen Stiele. Sie umgeben die Haare der Haut ſo, daſs dieſe durch und in ſie hineingewachſen ſcheinen, offenbar bloſs, weil ſich die anfangs weichere Kruſte um dieſelben legte.

Wahrſcheinlich iſt dieſe Erſcheinung in einer fehlerhaften Bildung der Haut begründet, da die Hauthügelchen auch an den nicht mit Kruſten bedeckten Stellen bey den leidenden Perſonen erhabner als gewöhnlich, und durch tiefere Einſchnitte von einander getheilt ſind. Doch ſcheint auch die Abſonderungsthätigkeit der Haut regelwidrig, indem ihre Mündungen, unter dem Mikroskop betrachtet, entweder nicht gut zu erkennen, oder verſtopft, oder mit einer zähen dickflüſſigen Materie angefüllt erſcheinen.

Merkwürdig ist es, daſs diese krankhafte Beschaffenheit der Haut erblich, aber bis jetzt nur auf eine Familie eingeschränkt scheint. Dieſs ist die englische Familie Lambert. Ohne wahrnehmbare äuſsere Ursache entwickelte sich diese Krankheit zuerst im Anfange dieses Jahrhunderts bey einem Knaben aus derselben, acht Wochen nach der Geburt, wo er erst gelb, dann schwarz und seine Haut rauh wurde. Nur das Gesicht und die Hand- und Fuſssohlen blieben verschont. [1])

Dieser Mensch zeugte einen Sohn, der mit derselben Krankheit behaftet war und von Baker [2]) beschrieben wurde. Von ihm leben jetzt zwey Söhne, welche Tilesius [3]), und später Buniva [4]) untersuchten und beschrieben.

Auffallend ist, daſs dieses Hautübel sich bis jetzt nach der Aussage dieser beiden Brüder bloſs auf die männliche Nachkommenschaft fortpflanzt. Sie selbst haben sieben Schwestern mit der reinsten Haut.

VI. Gefäſse.

Gefäſse entwickeln sich, mit Ausnahme der kleinen, in neuentstandenen Theilen sich erzeugenden, selten oder nie, selbst wenn ein Gefäſs aus irgend einer Ursache zerstört worden ist. Zwar scheint sich aus Parry's Versuchen, wo wiederholentlich nach der Unterbindung der Kopfpulsadern bey Schaafen an Stellen, wo im normalen Zustande durchaus

1) Machin in den phil. Transact. No. 424. p. 299. ff.

2) Phil. Transact. Vol. 49. part. 1. p. 1.

3) Ausführliche Beschreibung und Abbildung der beiden Stachelschweinmenschen. Altenb. 1802.

4) Mém. de Turin. 1809—1810. p. 364—403.

keine Nebengefäſse ſichtbar waren, die beiden über und unterhalb der Unterbindungsſtelle befindlichen Pulsaderſtücke durch mehrere und ſehr anſehnliche Gefäſsgeflechte vereinigt gefunden wurden [1]), zu ergeben, daſs ſich auch groſse Gefäſse neu bilden, wenn das alte zerſtört iſt; indeſſen beſchreibt Parry nicht die Textur dieſer Gefäſse, und es iſt alſo unentſchieden, ob ſich wirklich die Wege, welche übrigens, auch wenn ſie neu waren, ſich doch nur an die eben erwähnte Erſcheinung anſchlieſsen würden, zu dem normalen Pulsadergewebe erhoben hatten. Ich geſtehe übrigens, daſs ſie mir, ihrer Einmündung in das obere und untere Pulsaderſtück wegen, vielmehr ſchon vorhandene erweiterte Gefäſse, als neuentſtandene zu ſeyn ſcheinen. Nur die Krankheit, welche ich oben [2]) beſchrieben habe, gehört wahrſcheinlich zum Theil hieher, indem ſich hier [3]) die Gefäſse nicht bloſs erweitern, ſondern auch vermehren. Man kann daher dieſe Bildungen als eine Wiederholung eines auch im normalen Zuſtande vorhandenen Gewebes, des zelligen oder cavernöſen, anſehen und mit dieſem Namen belegen. So hat ſie Cruveilhier gut unter dem Namen „Anſchwellungs-Gewebe" (Textus erectilis) betrachtet, und mehrere, vorzüglich von Dupuytren beobachtete Fälle beſchrieben. Oben habe ich ſchon die verſchiedenen Stellen des Körpers bemerkt, an welchen ſie ſich

1) On the arterial pulſe. London 1816. p. 158. ff.

2) Bd. 2. Abth. 2. S. 242—250.

3) Ebend. S. 245.

sich bildet. Dem dort Gesagten kann man 1) beyfügen, dass Dupuytren dieses Gewebe bisweilen auch in der Niere fand [1]), dass es sich 2) vorzugsweise am Kopfe, sowohl in und unter der Haut desselben, als in den Augenhöhlen zu entwickeln pflegt, und 3) dass, nach Recamier's Untersuchungen [2]) die Hämorrhoidalknoten grösstentheils neue Bildungen dieser Art sind. Belege für den zweyten Punkt geben mehrere Beobachtungen von Travers [3]) und Dalrymple [4]), wo durch Unterbindung der gemeinschaftlichen Kopfpulsader die Krankheit völlig gehoben wurde.

Ausser den beschriebenen Afterorganisationen sind mir keine bekannt, welche als Wiederhohlungen normaler Gewebe beschrieben werden könnten. Zwar hat Herr Fleischmann behauptet [5]) es lasse sich unwidersprechlich darthun, dass alle Aftergebilde nur mehr oder minder vollkommne Nachahmungen normaler Theile seyen; allein, wenn auch gleich die Analogie zwischen den bisher betrachteten und schon im normalen Zustande vorhandenen Theilen unverkennbar ist, und wenn man auch mit ihm allenfalls das Atherom der normalen Talgdrüse, die Lymphge-

1) Cruveilhier a. a. O. S. 135.

2) Cruveilhier a. a. O. S. 145. ff.

3) Aneurism by anastomosis in the orbit etc. in med. chir. Transact. Vol. II. p. 1.

4) Aneurism by anastomosis in the left orbit. Ebend. Vol. VI. p. 111.

5) Leichenöffn. S. 112.

schwulst dem Schleimbeutel, und in den meisten Fällen gewiss dem Fette das Lipom gegenüberstellen wird, so wird man ihm schwerlich beypflichten, wenn er dem Muskelfleische das Sarkom, dem Fett und Muskelfleische das Fettsarkom, der Bauchspeicheldrüse und dem Hirnmarke neue Bildungen parallelisirt, welchen Abernethy bloss ihrer sinnlich wahrnehmbaren Eigenschaften wegen den gleichen Namen beygelegt hat. Wollte man bloss hiernach gehen, so dürfte man allerdings eine abnorme Wiederhohlung der Drüsenstructur und Nervenmarkstructur annehmen, sofern Abernethy [1]) nicht bloss ein pankreasartiges, sondern auch ein brustdrüsenartiges Sarkom [2]) festsetzt. Ausserdem hat er auch ein markähnliches Sarkom [3]) als eigne Gattung festgesetzt, welches auch Laennec unter dem Namen von Encephalois [4]) beschreibt; allein da nicht, wie bey den übrigen Wiederhohlungen normaler Organe, das innere Gewebe, die Funktionen und die ganze Art der Existenz dieser Gebilde mit denen übereinkommen, welchen man sie vergleicht, so kann ich mich unmöglich entschliessen, jener Ansicht beyzutreten, und noch weniger dürfte man Herrn Steinbuch's Ueberzeugung theilen, der ein sehr deutlich charakterisirtes Mark- oder Schwammsarkom, weil es im Gehirn vor-

---

1) On tumours. S. 34. ff.

2) Ebend. S 46. ff.

3) Ebend. S. 56. ff.

4) Dict. des sc. médec. T. II. p. 55.

kam, als einen Verſuch zur Bildung eines neuen Gehirns anſieht. [1])

Zweyter Abſchnitt.

Von den regelwidrigen, der normalen Zuſammenſetzung des Organismus völlig fremden Bildungen.

Die regelwidrigen Gebilde, welche nicht als Wiederhohlungen normaler Theile erſcheinen, unterſcheiden ſich weit weniger beſtimmt von einander als die, welche nur durch die Stelle, an welcher ſie vorkommen, abnorm ſind. Daher hat man früher, und im bloſs praktiſchen Leben noch jetzt gewöhnlich, faſt alle mit dem von einer hervorſtechenden Eigenſchaft, der Härte, entlehnten Namen des Scirrhus belegt, ja dieſen ſelbſt auf knorplige und faſerknorplige Geſchwülſte, die ſchon im Vorigen betrachtet wurden, ausgedehnt.

Die neuern Unterſuchungen haben dagegen eine weit gröſsere Verſchiedenheit zwiſchen den verſchiedenen neuen Bildungen nachgewieſen, ja vielleicht iſt man jetzt zum Theil in den entgegengeſetzten Fehler verfallen, indem manche ſehr zufällige Verſchiedenheiten als weſentliche angeſehen und zu Bildungen eigner Arten von Aftergebilden benutzt werden. Auſser der Verſchiedenheit der äuſsern und innern Geſtalt und des Verlaufes oder der Lebensweiſe diebis jetzt hierüber Bekannten bestehen sie wahrscheinlich ganz oder gröſstentheils aus Eyweiſs.[1]) Ihr Gewebe ist mehr oder weniger deutlich zellig, schwammig, so daſs sie eine Flüssigkeit von verschiedener Consistenz in verschiedentlich gestalteten Räumen enthalten. In ihrem Verlaufe kommen sie insofern mit einander überein, als sie anfänglich härter als in spätern Perioden sind, dann meistens härter als die Organe in welchen sie vorkommen, Knochen und Knorpel ausgenommen, sich aber allmählich von innen nach auſsen erweichen, und dadurch, indem sie sich in eine Flüssigkeit oder eine lockere Substanz verwandeln, zerstört werden, auf ähnliche Weise, wie sich der Dotter des bebrüteten Hühnchens umwandelt. Ihre äuſsere Form ist im Allgemeinen mehr oder weniger rundlich. Auch hierin kommen sie, wie durch Mischung, Gewebe und Veränderungen, mit dem Ey überein. Die mehr runden Astergebilde erhalten den Namen von Sarkomen, die länglichen den von Polypen. Sie entstehen entweder im Innern der Organe, oder an ihrer freien Oberfläche. Doch ist dieser Unterschied wahrscheinlich nur scheinbar. Alle neuen Bildungen entstehen vielmehr im Innern des Theiles, in welchem sie vorkommen, und wenn sie frey zu Tage liegen, so haben sie ihn erst zerstört, oder früher vor sich her gedrängt. Auf diese Weise kann man die Polypen und Schwammbildungen der Schleimhäute sehr wohl mit den im Innern

---

1) Bayle obs. sur les indurations blanches des organes. In Roux Journ. de méd. Vol. IX. p. 285. ff. Laennec sur les mélanoses in Bulletin de la soc. de médec. 1806. p. 24.

der Drüsen vorkommenden rundlichen Geschwülsten vereinigen. Für beide gilt, dass dieselbe äussere Gestalt mit der bedeutendsten Verschiedenheit in Hinsicht auf Gewebe, Mischung und Verlauf verknüpft ist, so wie auf der andern Seite die äusserlich verschiedensten Bildungen durch jene Bedingungen auffallend mit einander übereinkommen. Die längliche Form der Polypen hängt höchst wahrscheinlich von der Gestalt der Theile, in welchen sie vorkommen, ab, indem sie sich, wegen dieser, nur in der Längenrichtung entwickeln können. Wo diese äussere Veranlassung fehlt, ist daher auch die Gestalt der Polypen rundlicher, wie z. B. die der Polypen der Nasenhöhle. Uebrigens offenbart sich auch in ihnen das Streben zur rundlichen Gestalt durch ihre immer mehr oder weniger deutliche Anschwellung an ihrem freien Ende.

Unter den neuern Schriftstellern, welche die Aftergebilde vorzüglich zum Gegenstande ihrer Untersuchung gemacht haben, zählt Abernethy [1]) fünf eigne Arten ganz regelwidriger Aftergebilde, das pancreasartige, brustdrüsenartige, breyige oder markige, tuberkulöse und krebsige Sarkom. Laennec [2]) bemerkt, dass er durch seine Untersuchungen wenigstens sieben verschiedene Arten aufgefunden habe, von welchen er aber nur das tuberkulöse, scirrhöse, hirnähnliche Gewebe und die Melanosen beschreibt. Ein eignes Gewebe, welches unstreitig Laennec's Melanosen, seinen

1) A. a. O.

2) Dict. des sc. médic. T. II. p. 55.

hirnähnlichen und Abernethy's Markſarkom, auſserdem auch dem tuberknlöſen des letztern entſpricht, iſt neuerlich von J. Burns unter dem Namen der ſchwammigen Entzündung (Spongoid inflammation) [1]), von Hey[2]) und Wardrop[3]) als Blutſchwamm (Fungus haematodes) beſchrieben worden, nachdem es vorher gewöhnlich zum Krebs gezählt, aber doch als eine Varietät deſſelben unter dem Namen des weichern Krebſes aufgeführt worden war. Unſtreitig gehört wohl zu dem letztern Gewebe die Degeneration der Schleimhäute, welche Monro als Fiſchmilchähnliche Geſchwulſt derſelben beſchreibt und abbildet, und keinem Zweifel iſt es wohl unterworfen, daſs die meiſten Polypen der Schleimhäute hieher gezählt werden müſſen.

Die gehörige Claſſification dieſer Aſtergebilde iſt übrigens ſehr ſchwierig, indem ſie einerſeits ſowohl durch die Individualität des Körpers als des Organs, in welchem ſie vorkommen, äuſsere zufällige Urſachen, und die Krankheitsperiode, in welcher ſie unterſucht werden, äuſserſt vielfach abgeändert werden, andrerſeits ſo viele Eigenſchaften mit einander gemein haben, ſo unmerklich in einander übergehen, daſs ſie, wie Abernethy [5]) ſehr ſchön ſagt, den Farben gleichen, „wo auch nur

---

1) Lectures on inflammation. Vol. II. p. 302—331.

2) On the fungus haematodes in Pract. obſerv. in ſurgery. Lond. 1814. 3. ed. Chap. VI.

3) Obſervations on fungus haematodes or oft cancer. Edinburgh 1809.

4) Morbid anatomy of the human gullet etc. Edinb. 1811. p. 160—181.

5) A. a. O. S. 107.

die vorzüglichsten unterschieden und bestimmt werden können, während die, welche Uebergänge bilden, zwar durch genaue Beobachtung und Vergleichung von einander und den übrigen verschieden erscheinen, aber weder deutlich beschrieben noch benannt werden können."

Da die äussere Form, das Gewebe und die Mischung, so wie der Verlauf aller dieser Bildungen im Wesentlichen dieselben sind, da alle in der Tendenz das Organ und den Organismus, in welchem sie vorkommen, zu zerstören, übereinkommen, und sie sich nur durch Consistenz und Farbe unterscheiden, so scheint es offenbar am zweckmässigsten, alle nur als Abänderungen, Varietäten desselben Gewebes zu betrachten. In der That sind diese verschiedenen Gebilde in Hinsicht auf Farbe und Consistenz kaum so sehr von einander verschieden, als die verschiedenen Saugaderdrüsen und Muskeln, besonders mancher Thiere, die, weil ihre Structur und Function im Wesentlichen übereinkommen, dennoch nur als Modificationen desselben Gewebes angesehen werden, und eine und dieselbe abgesonderte Flüssigkeit unter verschiedenen Umständen. Keinesweges aber unterscheiden sie sich auch nur entfernt so sehr von einander, als die verschiedenen normalen Organe und abgesonderten Flüssigkeiten, wie es doch der Fall seyn müsste, wenn man sie gleich hoch stellen und also streng von einander sondern wollte.

Dessenungeachtet ist es nothwendig, die vorzüglichsten Modificationen zu schildern.

Betrachtet man diese in der Folge, in welcher sie sich allmählich von den Wiederhohlungen normaler durch Structur und Verlauf entfernen, so dürfte zuerst das Bauchspeicheldrüsenähnliche, hierauf das Brustdrüsenähnliche, dann das Hirn- oder Markähnliche oder das schwammige, ferner das scirrhöse, zuletzt das tuberkulöse oder skrophulöse Gewebe beschrieben werden.

I. Pankreasähnliches Gewebe.

Das Pankreasähnliche Gewebe besteht aus unregelmäſsigen Massen, welche durch Farbe, Gewebe und Gröſse den gröſsern Lappen der Bauchspeicheldrüse ähneln, und, wie diese, durch ein lockeres Schleimgewebe unter einander verbunden sind. Es kommt bisweilen einzeln im Schleimgewebe und in den Lymphdrüsen, vorzüglich aber in der weiblichen Brust, besonders in der Nähe der Warze, nach meinen Untersuchungen auch in der Vorsteherdrüse vor. Unter zweckmäſsiger Behandlung verkleinern sich diese Gebilde, und verschwinden sogar völlig, vergröſsern sich dagegen sich selbst überlassen meistens allmählich. Oft erleiden sie auſserdem keine Veränderungen, sind schmerzlos und verbreiten sich nicht durch Ansteckung über andere Theile. Gehen aber in ihrem Innern Veränderungen vor, entzünden sie sich, so verursachen sie heftige Schmerzen, die Entzündung verbreitet sich nicht bloſs über die sie bedeckende Haut, sondern auch die benachbarten Lymphgefäſse und Drüsen werden auf dieselbe Weise verändert. Gebilde dieser Art, welche diese Erscheinungen darbieten, vergröſsern sich meistens nicht beträchtlich. Sind sie weggenommen, so erscheinen sie gewöhnlich nicht wieder. Eben so können sie aus dem gereizten Zustande dauernd auf den früheren unthätigen zurückgeführt werden.

II. Brustdrüsenähnliches Gewebe. [1])

Das Brustdrüsenähnliche Gewebe ist weisslich, mehr oder weniger fest und durchaus homogen, kommt einzeln ohne Balg im Zellgewebe oder in drüsigen Theilen, bisweilen auch in Fettgeschwülsten vor. Eine weichere, bisweilen vorkommende Verhärtung, deren Abernethy [2]) gedenkt, ist bräunlich oder röthlich. Dieses Gewebe hat im Allgemeinen Neigung, sich in ein unheilbares Geschwür umzuwandeln und im Laufe der Lymphgefässe auszubreiten. Wo ich nicht irre, so geht es vorzüglich durch die weichere bräunliche Varietät in den Blutschwamm über.

III. Blutschwamm oder Marksarkom.

1. Allgemeine Betrachtung.

Der Blutschwamm ist höchst wahrscheinlich mit Laennec's Melanose und Abernethy's tuberkulösem oder Marksarkom, Laennec's Encephalois, Monro's Fischmilchähnlicher Geschwulst der Schleimhäute völlig eins. Die Gründe für diese Behauptung sind vorzüglich folgende:

1) Zwar wird eine weissliche Farbe von Abernethy und Laennec als ein charakteristisches Kennzeichen der hirnähnlichen Bildung angegeben, dagegen sind Laennec's

1) Abernethy a. a. O. S. 46—51.

2) A. a. O. S. 49.

Melanosen schwarz; allein Abernethy sagt selbst, er habe sie so oft bräunlich gefunden,[1]) dass er nicht angeben könne, welche Varietät die häufigere sey, und Wardrop bemerkt sogar: „der Blutschwamm sey von allen, welche einen Versuch zu seiner Beschreibung gemacht haben, in Hinsicht auf Farbe und Consistenz mit Hirnmarksubstanz verglichen worden."[1]) Beide Farben sind überdiess häufig in derselben Geschwulst oder in verschiedenen Geschwülsten derselben Person vereinigt. So z.B. fand Lawrence in einem Falle dieser Art, den er als Blutschwamm beschreibt, in demselben Kranken einige Geschwülste aus einer weichen, weissen, Hirnmark ähnlichen, mit geronnenem Blut untermischten Substanz, andere aus einer weichen, aschgrauen oder dunkelgrauen, andere aus einer rothbraunen, noch andere aus einer völlig schwarzen Substanz gebildet.[2])

In einem von Earle beschriebenen Falle war der zuerst kranke Hode in eine graue, weiche, faulendem Gehirn ähnliche Masse umgewandelt, welche sich zwischen unregelmässigem Fasergewebe befand[3]). Geschwülste, die sich in demselben Körper im Gehirn entwickelt hatten, waren dagegen sehr hart, schmutzigroth und weisse Streifen in sie eingesprengt.[4]) Wardrop sagt auch an einer andern Stelle, dass der Blutschwamm, wenn er gross ist, an verschiedenen Stellen derselben Geschwulst weisslich, dunkelgelb, dunkelroth, leberähn-

1) A. a. O. S. 57.

2) Med. chir. Transact. Vol. III. p. 285—287.

3) Med. chir. Transact. Vol. III. p. 62.

4) Ebend. S. 67.

lich, und auf dieselbe Weise sogar der Consistenz nach bedeutend verschieden ist.[1] Die Farbe ist daher durchaus keine wesentliche Bedingung.

2) Die Structur wird als verschieden angegeben, allein auch hier findet man die grössten Widersprüche.

Laennec z. B. beschreibt die hirnmarkähnliche Substanz als gewöhnlich in ungleichen unregelmässigen Lappen gebildet, welche durch ein lockeres, mit grossen dünnhäutigen Blutgefässen angefülltes Zellgewebe verbunden, und, oft sehr undeutlich, durch weniger durchsichtige Streifen in kleinere abgetheilt werde;[2] dagegen sagt Burns vom Blutschwamm, dass er aus einem festen, Maschen bildenden Gewebe und darin enthaltener, markähnlicher Substanz gebildet sey, welche man aus dem ersten so auswaschen könne, dass diese übrig bleibe. Dagegen sey die weiche Substanz des Marksarkoms nur locker in einem Balge enthalten, und dieser erscheine, wenn sie ausgewaschen worden, an seiner innern Fläche nur mit Flocken besetzt[3]. Man sieht auch leicht, dass diese Verschiedenheit nur zufällig und von dem Grade der Festigkeit und Ausbreitung der die Maschen bildenden Substanz abhängig ist.

Daher findet man auch von mehrern, z. B. Wardrop,[4]) Wishart,[5]) Marksarkom

1) A. a. O. S. 106.

2) A. a. O. S. 55.

3) Surg. anat. of the head and neck p. 220.

4) A. a. O. S. 8.

5) Case of fungus haematodes. Im Edinb. med. Journal. Vol. VII. p. 48.

und Blutschwamm als synonym gebraucht. Wishart sagt in der genauen Beschreibung eines Falles, den er als ein Beispiel und mit der Ueberschrift: „Blutschwamm" anführt, daſs die Zweckmäſsigkeit von Abernethy's Benennung: „Marksarkom" sich nirgends deutlicher gezeigt habe, indem die Substanz der am Schädel von auſsen nach innen gedrungenen Geschwulst fast durchaus ununterscheidbar von dem Gehirn gewesen sey,

Diese Identität als erwiesen angesehen, so läſst sich folgende Darstellung des Blutschwammes entwerfen.

Die Geschwulst ist, äuſserlich untersucht, weich, elastisch, rundlich, und verursacht im Leben und im Tode ein Gefühl von Fluctuation einer in ihr enthaltenen Flüssigkeit, so daſs, wenn sie im Leben durch das Gefühl wahrgenommen werden kann, häufig Einstiche gemacht werden, [1]) indem man sie entweder für eine Eiter- oder Wasseranhäufung hält. Sie ist meistens deutlich umgränzt und von einer eignen zelligen Hülle umgeben, besteht aus einer weichen Substanz, welche oft kaum merklich durch feines Zellgewebe in gröſsere und kleinere unregelmäſsige Lappen abgetheilt ist, in deren Zwischenräumen groſse aber dünnhäutige, daher leicht zerreiſsende Gefäſse verlaufen, deren Wände sich oft nicht einmal deutlich nachweisen lassen.

Die Farbe ist weiſslich, graulich, röthlich, braun, selbst schwarz, wo sie dann den Namen der Melanose erhält.

---

1) Wardrop a. a. O. S. 126. M' Kechnie case of fungus haematodes in Edinb. med. and surgic. Journ. Vol. VII. p. 168.

Indem sich die Geschwulst vergrösert, rückt sie allmählich näher an den Umfang des Körpers oder überhaupt des Organs, in welchem sie sich entwickelt. Hiedurch werden die sie bedeckenden Theile durch Verschwärung zerstört und sie kommt frey zu Tage. Es erscheint hiebey keine eiterähnliche Flüssigkeit, sondern eine blutige Jauche, und in sehr kurzer Zeit bildet sich ein rundlicher, ungleich gestalteter Schwamm, der sich allmählich vergrösert, dunkelgeröthet, sehr gefäsreich, locker ist, auch bey leiser Berührung stark blutet, und immer eine grünliche Flüssigkeit absondert. Vergrösert sich der Schwamm beträchtlich, so stirbt er an der Oberfläche ab, wodurch die ausgeschwitzte Flüssigkeit äusserst übelriechend wird und häufige Blutung entsteht.

Die Schwammbildung in Folge der Verschwärung der bedeckenden Theile scheint aber nur bey ursprünglichen Geschwülsten, nicht bey constructiv in Saugaderdrüsen erzeugten, zu entstehen. [1]).

Der Verlauf der Krankheit ist meistens schnell, besonders im Vergleich mit dem Scirrhus, so dass oft der Blutschwamm in eben so so viel Monaten tödtet, als der letztere Jahre braucht. [2])

Sie verbreitet sich durch die einsaugenden Gefäse und in der Richtung der in ihnen bewegten Flüssigkeit; doch bisweilen, wenn gleich längs ihnen, doch in entgegengesetzter Richtung, so dass sie sich in einem Falle, wo sie ursprünglich am Oberschenkel entstanden war, längs den entzündeten Saugadern, in das Becken und in

1) Wardrop a. a. O. S. 24.
2) M' Kechnie a. a. O. S. 168.

die Kniekehle fortpflanzte[1]), also wahrscheinlich nicht bloss durch Einsaugung, sondern auch durch Reizung.

Die Schnelligkeit der Ansteckung der Saugaderdrüsen steht in keinem geraden Verhältniss mit der Grösse und überhaupt dem Zustande der ursprünglichen Geschwulst, indem sie bisweilen erfolgt, wenn diese noch sehr klein ist, bisweilen selbst dann nicht, wenn sie schon eine sehr bedeutende Grösse erreicht hat. Oft tritt sie erst ein, wenn schon Verschwärung Statt findet.

Ausserdem verbreitet sie sich auch auf andre Weise von einem Organ zum andern, indem sie in Theilen, die nicht durch Saugadern verbunden sind, entsteht, oder erscheint zugleich in mehrern, und es giebt beynahe keine Zusammensetzung dieser Art, welche nicht Statt gefunden hätte.

Sie kommt vorzüglich in der Jugend vor.

Die Veranlassung ist nicht immer dieselbe. Bisweilen ging eine mechanische Verletzung voran, bey weitem am häufigsten aber entwickelt sich die Krankheit ohne eine wahrnehmbare entfernte Ursache.

Es giebt beynahe kein Organ, in welchem sich diese Afterorganisation nicht entwickelte, doch kommt sie in einigen weit häufiger vor als in andern. Vorzüglich sind das Hautsystem, sowohl das äussere als das innere, und die Drüsen der Sitz derselben. Ausserdem ist sie auch im Augapfel besonders häufig.

---

1) Abernethy a. a. O. S. 63. 64.

2. Besondere Betrachtung des Blutschwammes in den verschiedenen Systemen und Organen.

A. Zellgewebe und Haut.

Im Zellgewebe entwickelt sich der Blutschwamm vorzüglich zwischen den Muskeln und unter der Haut, häufiger an den obern und untern Gliedmaſsen [1]) als am Kopfe und Halse. Er wächst hier verhältniſsmäſsig langsam und kommt nicht so vorzugsweise häufig in den frühern Lebensperioden vor als in andern Organen, worin vielleicht das langsamere Wachsthum begründet ist. An den gröſsern, dem Stamme nähern Abtheilungen der Gliedmaſsen ist er häufiger als an den kleinern.

B. Schleimhäute.

In den Schleimhäuten kommt die Schwammbildung vorzüglich in Gestalt von Auswüchsen vor, welche den gröſsten Theil der Polypen bilden. Namentlich gehören hieher die sogenannten bösartigen, weichen, leicht blutenden und verschwärenden und sich durch Ansteckung fortpflanzenden. In der Harnblase, wo sie eine mehr rundliche Gestalt haben und auf einem kürzern Halse aufsitzen, erhalten sie auch in der That den Namen von Schwämmen, und Wardrop sagt sehr richtig, daſs der Schwamm des Augapfels, so lange er klein ist, mit den weichen, von den Schleimhäuten wachsenden Polypen viele Aehnlichkeit hat. [2])

Hier wird es daher am zweckmäſsigsten seyn, die Polypen und Schwämme der Schleim-

---

1) Wardrop a. a. O. S. 99—124.

2) A. a. O. S. 12.

häute im Allgemeinen und ins Besondere, die an andern, namentlich an Faserhäuten und im Gefäßsystem vorkommenden Bildungen dieses Namens dagegen bey diesen Organen zu betrachten.

a. Allgemeine Bedingungen der Schleimhautpolypen und Schwämme.

1. Die Polypen und Schwämme sind regelwidrige, an der freien Oberfläche der Schleimhäute vorkommende Auswüchse, welche im Verhältniß zu der Ausdehnung der Oberfläche, an welcher sie entstehen, bald mehr bald weniger lang sind. Die länglichen erhalten speciell den Namen von Polypen, die niedrigern, mehr rundlichen den von Schwämmen (Fungi). Fast immer sind beide an ihrer Grundfläche eingeschnürt, nur selten in ihrer ganzen Länge vom gleichem Durchmesser. Am meisten von der Schwammgestalt entfernt ist die Form, wo der Polyp nur in ein kaum merkliches Knöpfchen anschwillt. Den Uebergang von den Polypen zu den Schwämmen machen sehr rundliche, breite und kurzgestielte Auswüchse. Beide sitzen gewöhnlich nur mit einer einfachen Grundfläche auf, doch habe ich mich durch zahlreiche Untersuchungen überzeugt, daß die zusammengesetzte Form, wo ein solcher Auswuchs mit mehreren Wurzeln entsteht, bey beiden Formen nicht ganz selten ist. Ich habe einige Fälle vor mir, wo die Wurzeln vom Gebärmutterpolypen einen halben bis ganzen Zoll lang von einander getrennt sind. Niedrige Schwämme der Gebärmutter sehe ich gleichfalls durch mehrere kurze Stiele auf derselben wurzeln.

zeln. Unentſchieden iſt es hier, ob anfangs die Wurzel einfach war und ſich durch Verſchwinden an mehrern Stellen ſpaltete, oder ob anfangs getrennte Wurzeln zu einer Maſſe verwuchſen. Doch iſt das letztere theils wegen der normalen Beſchaffenheit der zwiſchen den verſchiedenen Wurzeln befindlichen Fläche des Organs, auf welchem ſie wachſen, theils wegen der Analogie mit andern im Innern von Organen ſich bildenden Geſchwülſten, die offenbar allmählich verſchmelzen, wahrſcheinlicher.

Faſt immer ſind beide an ihrer Grundfläche eingeſchnürt, nur ſelten in ihrer ganzen Länge von gleichem Durchmeſſer. Am meiſten von der Schwammgeſtalt entfernt iſt die Form, wo der Polyp nur in ein kaum merkliches Knöpfchen anſchwillt. Den Uebergang von den Polypen zu den Schwämmen machen ſehr rundliche, breit- und kurzgeſtielte Auswüchſe.

2. Das Gewebe dieſer Auswüchſe iſt durchaus nicht immer daſſelbe, indeſſen können dennoch alle hier betrachtet werden, weil die Verſchiedenheiten doch nur als Abänderungen deſſelben allgemeinen Typus [1]) erſcheinen, und weil höchſt wahrſcheinlich die Beſchaffenheit des Organs, in welchem ſie entſtehen, dieſelben gröſstentheils bedingt.

Sie unterſcheiden ſich a) durch den Grad ihrer normalen Conſiſtenz, indem ſie bald beträchtlich weich, bald ſehr hart ſind. Die härteren kann man Abernethy's Bruſtdrü-

1) S. oben S. 295.

senſarkom, vielleicht auch dem Scirrhus, die weichen dem Markſarkom vergleichen.

b) Durch ihre Farbe, die vom weiſslichen Grau zum dunkeln Roth oder Braun variirt.

c) Durch ihre innere Anordnung. Bald ſind ſie dem Anſchein nach völlig homogen, überall aus derſelben Subſtanz gebildet, gefäſslos, bald bemerkt man einen deutlich ſaſerigen oder zelligen Bau, bald Gefäſse in ihnen. Die Faſern ſtehen meiſtens ſenkrecht auf der Grundfläche, auf welcher ſie aufſitzen. Die Gefäſse ſind häufig ſehr anſehnlich, meiſtens ſehr dünnhäutig, ja ſie gleichen oft, wie die neuentſtandenen Gefäſse in der Dotterhaut und in der Nachgeburt, mehr groſsen Höhlen, indem ihre Wände nicht von der umgebenden Subſtanz unterſcheidbar ſind. Deshalb bluten ſie leicht. Im Allgemeinen ſind die weichern Polypen weniger homogen und weit gefäſsreicher als die härtern.

Uebrigens iſt das Gewebe deſſelben Polypen in allen dieſen Hinſicht nicht an allen Stellen vollkommen daſſelbe.

3. Die Gröſse variirt bedeutend. Sie hängt nicht von dem Umfange ihrer Grundfläche ab, indem beträchtlich breite Schwämme oft ſehr niedrig, lange Polypen oft ſehr dünn ſind. Eben ſo wenig wird ſie durch die Textur bedingt, wenn gleich die weichern ſchneller als die härtern wachſen. Auch iſt die Gröſse deſſelben Polypen, beſonders des weichern, veränderlich.

4. Hiemit hängt der Grad der Schnelligkeit ihres Wachsthums zuſammen, der gleichfalls ſehr bedeutend variirt. Im Allgemeinen wachſen die weichen bedeutend ſchneller, wie

bey normaler Entwicklung das Wachsthum in den frühesteu Perioden, wo der Embryo am weichsten ist, am schnellsten geschieht.

5. Im Allgemeinen besitzen sie ein sehr starkes Reproductionsvermögen, indem sie sich, weggenommen, fast immer wieder erzeugen, wenn nicht der Boden, in welchem sie wurzeln, zerstört ist. Diess beweist ihre Uebereinkunft mit den Geschwülsten im Innern der Organe.

6. Ihre Zahl ist nicht immer dieselbe. Meistens sind sie einfach, nicht selten aber auch in größerer Zahl vorhanden. Unter letzterer Bedingung befinden sie sich aber gewöhnlich an derselben, seltner an von einander entfernten Stellen derselben Schleimhaut oder der Schleimhaut anderer Organe.

7. Sie kommen nicht in allen Gegenden des Schleimhautsystems gleich häufig vor. Allgemeines Gesetz ist hier zuerst, dass sie vorzugsweise häufig in einer geringen, aber doch in einiger Entfernung der Schleimhaut von ihrer Uebergangsstelle in das äussere Hautsystem vorkommen. So sind die Polypen in der Speiseröhre, dem Magen, dem grössten Theile des Darmkanals, der Gallenblase, den Harnleitern, den Trompeten, eine äusserst seltne, zum Theil unerhörte Erscheinung. Dagegen sind sie sehr häufig in der Nasenhöhle, dem Rachen, dem Anfange des Schlundkopfes, der Gebärmutter, der Harnblase; dass sie aber doch in einiger Entfernung von den Uebergangsstellen vorzugsweise vorkommen, beweist der Umstand, dass sie vorzüglich in den Nebenhöhlen der Nase, am hintern Ende

der Mundhöhle, häufiger als in der Scheide vorkommen.

Ist der Grund dieser Verschiedenheit in der Structur oder in den Functionen der Organe und dem Verhältniss derselben zu äussern Bedingungen enthalten? — Wahrscheinlich in allen diesen Momenten zugleich.

In der Structur insofern, als es ein zweites, sehr allgemeines Gesetz ist, dass diese Bildungen in den Ausführungsgängen selten oder gar nicht vorkommen. Diess beweist die Seltenheit oder der gänzliche Mangel derselben in den Speichelgängen, den Gallenorganen, den Harnleitern, den Trompeten, den Saamenabführungsgängen, der Scheide, der Harnröhre.

Der Einfluss der Structur ergiebt sich auch daraus, dass gerade der weiche Gaumen und das obere Ende des Schlundkopfes, wo sie am häufigsten sind, sich von den übrigen Theilen durch ausserordentliche Schleimdrüsenentwicklung unterscheiden.

Indessen beweist ihr häufiges Vorkommen in der ganz verschiedentlich angeordneten, nicht drüsenreichen Gebärmutter dagegen, dass dieses Moment nicht das einzige ist.

Wahrscheinlich ist wohl ein bestimmtes Verhältniss zu den Aussendingen, namentlich Luft, ein Hauptmoment zu ihrer Entstehung. Diese Annahme dürfte erklären, warum gerade in gewisser Entfernung von der äussern Oberfläche, an Stellen, welche der Einwirkung der Luft, aber nicht der unmittelbar eintretenden ausgesetzt sind, besonders häufig diese Bildungen entstehen.

Wahrſcheinlich aber läſst ſich dieſes Geſetz richtiger auf das zurückführen, daſs vorzugsweiſe häufige und verſchiedentliche Reitzung die Entſtehung dieſer Theile begünſtigt.

Natürlich findet dieſe an geraden Stellen, welche dem Einfluſſe der Luft am häufigſten ausgeſetzt ſind, beſonders Statt. Daher dann das beſonders häufige Vorkommen am hintern Theile der Naſen- und Mundhöhle und der Oberkieferhöhle. In den vor dieſem liegenden Gegenden kämen dann dieſe Auswüchſe weniger häufig vor, weil ſie an die äuſsern Einflüſſe mehr gewöhnt, und durch ihre Structur mehr dagegen geſchützt wären, in den innern, weil die äuſsern Einflüſſe hier ſchon gemildert wären, z. B. der Temperaturgrad der Luft und der eingenommenen Speiſen ſich dem des Körpers mehr näherten.

Daſs die häufig gereitzte Gebärmutterſchleimhaut vorzugsweiſe der Sitz der Polypen iſt, erklärt ſich nur aus dieſem Geſetze. Nicht unwahrſcheinlich iſt es, daſs ſie ſich hier nach dem Princip der Entſtehung der hinfälligen Haut bilden.

b) Beſondere Bedingungen der Schleimhaut-Polypen.

a. Schleimhaut des Darmkanals.

Die Auswüchſe der Schleimhaut des Darmkanals erſcheinen entweder in Geſtalt von Polypen oder von Schwämmen. Die letztere Bildung iſt im Allgemeinen die häufigere. In der Mundhöhle gehört hieher die Epulis, eine mit einer breiten Grundfläche aufſitzende, ſich über eine gröſsere oder kleinere Strecke des Zahnfleiſches ausbreitende, lockere oder feſtere, verſchiedentlich gefärbte, bald homogene, bald deutlicher gefaserte Geschwulst. Im Schlundkopfe kommen Polypen weit häufiger als in der Speiseröhre vor. Hier sind sie dagegen sehr selten. Fälle davon findet man indessen bey Monro [1]) und Baillie. [2]) Der von Monro beschriebene sass ungefähr in der Mitte der Speiseröhre, und spaltete sich an seinem untern Ende in mehrere Lappen, von denen der gröfste bis zum linken Magenmunde herabreichte. Der Baillie'sche sass mit einer breiten Grundfläche auf und bestand aus auf der innern Fläche der Speiseröhre zum Theil senkrecht stehenden Fasern.

An der innern Fläche des Magens erscheint diese Bildung weit häufiger in Gestalt von Schwämmen als von Polypen. Hier habe ich mehrmals ohne anderweitige Degeneration in einer gröfsern oder kleinern Strecke keulenförmige Fortsätze von der Länge eines ganzen bis halben Zolles von einem lockern, schwammigen Boden herabhängend gefunden. Hieher gehört auch ein von Monro beschriebener und abgebildeter Fall [3]), wo bey einer vierjährigen Frau eine ansehnliche, äusserst harte, glatte, homogene, auf einem kurzen, dicken Stiele sitzende Geschwulst von der Gröfse eines Hühnereyes an der innern Fläche des Magens gefunden wurde.

Häufiger kommen Polypen, vielleicht wegen gröfsern Umfanges des Bodens, im Darmkanal vor.

---

1) In Edinb. phys. and literary essays. Vol. II. p. 525. ff. Tab.

2) Morbid. anat. p. 65.

3) Morbid. anat. of the gullet etc. Tab. VI.

Hieher gehören wahrscheinlich starke, bis zur Länge eines Zolles vergrösserte Falten der Schleimhaut, welche Fortassin bey einem Manne fand, der oft an Gallenfiebern und gastrischen Beschwerden gelitten hatte.

Häufiger scheinen diese Bildungen wieder im dicken als im dünnen Darme zu seyn. Portal führt drey Fälle an, wo er sie in verschiedenen Gegenden des Grimmdarms fand. In dem einen Falle standen mehrere in beträchtlicher Menge dicht neben einander.[1] Rhodius,[2] Fantoni,[3] Baillie,[4] Monro,[5] führen ähnliche Fälle an. Sie erreichen hier eine beträchtliche Grösse, so dass sie den ganzen Darmkanal verstopfen. Der Fantonische wog acht Pfund.

Diese Geschwülste sitzen meistens mit einem einfachen, bisweilen aber mit mehreren Stielen auf. So bildet Monro einen Fall ab, wo der Grimmdarm durch einen Klumpen von kleinen Geschwülsten, welcher sich von einer Wand des Grimmdarms zur andern erstreckten, in zwey Hälften abgetheilt war.[6]

Vorzüglich kommen sie, nach dem oben angeführten Gesetz, im Mastdarm in einiger Entfernung vom After vor, und erscheinen dann meistens in Gestalt kleiner, rundlicher, neben einander stehender Auswüchse.

1) Anat. médicale. T. IV. p. 245.

2) Act. Hafn. Vol. 4. p. 1 und 86.

3) Lieutaud L. I. Sect. 4. o. 379.

4) Morbid. anat. p. 100.

5) Morbid. anat. p. 191 und 198.

6) A. a. O. S. 201. Taf. 7.

b. Schleimhaut des Respirationssystems.

Hier kommt die Schwammbildung vorzüglich in der Oberkieferhöhle vor, und erreicht bisweilen einen sehr beträchtlichen Umfang, veranlaſst dann Zerstörung der Wände dieser Höhle, dringt nach allen Seiten hervor, steckt die benachbarten Theile, vorzüglich die Lymphdrüsen, an, verschmilzt mit diesen zu einer Masse, zerstört zuletzt die Haut, und liegt dann als eine schwärzliche, eine übelriechende Jauche ergieſsende, leicht blutende Feuchtigkeit zu Tage.

Doch entwickelt sie sich bisweilen auch an andern Stellen. So waren in einem von Burns [1]) beobachteten Falle, wo die Thränendrüse ursprünglich gelitten zu haben schien, die Stirn-, Riech- und Keilbeinhöhle mit Geschwülsten von einem ähnlichen Baue besetzt, die Schleimhaut der Kieferhöhle dagegen auf beiden Seiten völlig gesund. [2])

Die hier entstehenden Polypen sind gewöhnlich einzeln und bieten alle oben angeführten Texturverschiedenheiten dar.

Im Kehlkopf und der Luftröhre findet man, häufiger als hier, bisweilen Bildungen, welche gleichfalls mehr oder weniger deutlich in diese Classe gehören. Dagegen ist mir weder in den Luftröhrenästen noch ihren Zweigen in der Lunge ein Fall dieser Art bekannt. In der Substanz der Lunge selten vorkommende Geschwülste dieser Art werde ich weiter unten betrachten.

---

1) Surgical anatomy of the head and neck p. 364—371.

2) A. a. O. p. 369.

c. Schleimhaut der Geschlechtstheile.

Vorzüglich ist die Schleimhaut der weiblichen Geschlechtstheile, und namentlich der Gebärmutter [1]), häufig der Sitz von verschiedenartigen Polypen und Schwämmen, die man nach der Stelle, an welcher sie sich bilden, in Polypen des Grundes, des Körpers und des Halses theilt.

Sie erreichen bisweilen eine sehr beträchtliche Grösse, so dass selbst Polypen des Grundes aus den äussern Geschlechtstheilen hervorreichen. Beträchtlich grosse Polypen dieser Art können Umkehrung der Gebärmutter veranlassen [2]). Bisweilen entwickeln sie sich besonders deutlich in der Substanz der Gebärmutter und wachsen aus derselben nach innen hervor [3]). Sie haben zwar gewöhnlich eine längliche Gestalt, nicht ganz selten aber sind sie breit und niedrig, bedecken einen grossen Theil der innern Fläche der Gebärmutter, und vereinigen die entgegengesetzten Flächen mit einander. Gewöhnlich hängen sie von oben nach unten herab, indessen habe ich einen kleinen, festen Auswuchs dieser Art am innern Muttermunde vor mir, der, unten fest, mit dem freien Ende nach oben gewachsen ist.

i. Drüsen.

a. Hode.

Nach Abernethy kommt unter allen Drüsen der Blutschwamm am häufigsten im Ho-

---

1) A. F. Walter de polypis uteri. In ann. acad. Berol. 1786. I.
2) Denman midwifry. Lond. 1801. Tab 14. 17.
3) Clarke in transact. for the improv. of med. and chir. knowl. T. III. p. 303. ff.

den vor, der unter dieser Bedingung von Baillie [1]) unter dem Namen breyiger Hode beschrieben worden ist. Ausserdem erhält die Krankheit hier auch besonders den Namen des weichen Krebses. Sie ist eine Art des Fleischbruches (Sarcocele). Auch hier ist sie in der Kindheit häufiger als in spätern Lebensperioden [2]). Indessen ist sie auch in diesen gerade hier nicht selten, weil eine bestimmte entfernte Ursache, Uebertragung oder Fortpflanzung des Trippers auf den Hoden, die häufigste Veranlassung dazu zu seyn scheint. [3]). Die Krankheit schreitet nur langsam vor. Sie entsteht häufiger im Hoden als im Nebenhoden. Hat die Geschwulst beträchtlich zugenommen, so kann man sie kaum von den Hydatiden unterscheiden. Allmählich wird sie dann auch stellenweise beträchtlich weich, an andern weit härter als vorher. Die äussern und innern Leistendrüsen schwellen an, und es bilden sich im Laufe derselben und längs der grossen Gefässe oft ungeheure Geschwülste [4]). Gewöhnlich hat der Blutschwamm im Hoden eine hellbräunliche oder röthliche Farbe. Gerade im Hoden ist die Geschwulst oft sehr zusammengesetzt, und mit andern, z. B. Knochenproductionen, vermengt. Der Samenstrang ist zwar im Leben dicker, wird aber im Tode nicht alienirt gefunden. Selten berstet die harte Haut des Hoden und der Hodensack, so, dass sich ein

---

1) Morbid. anat. p. 235.

2) Wardrop a. a O. S. 129. Earle med. chir. Transact. Vol. III. p. 59. ff.

3) Autenrieth in den Tübinger Blättern. Bd. I. S. 187. ff.

4) Autenrieth a. a. O. Morgagni Ep. a. m. 39. a. 2.

Schwamm entwickelte, sondern meistens erfolgt der Tod durch allgemeine Ansteckung und Erschöpfung bey weitem früher.

Von dieser Krankheit des Hoden muss eine andere, von Lawrence beschriebene unterschieden werden, wo nach vorangegangener, gewöhnlich durch mechanische Veranlassung der Uebertragung des Trippers veranlasster schmerzhafter Anschwellung der Hodensack allmählich dünn wird, verschwärt, durch die Oeffnung ein im Allgemeinen unempfindlicher, harter Auswuchs hervorwächst, und die umgebenden Bedeckungen beträchtlich verhärtet und verdickt sind.

Der Schwamm hat im Allgemeinen seinen Ursprung in der Substanz des Hoden und dringt durch eine in der Faserhaut desselben entstandene Oeffnung hervor: seltner wurzelt er in der Faserhaut, während die Substanz des Hoden normal ist. Nach dem Ausbruche des Schwammes mindert sich die Krankheit und pflanzt sich nie wieder fort, sondern ist, wenn der Schwamm durch Aetzmittel zerstört wird, durch Vernarbung heilbar. Hier findet zugleich bloss Entzündung und Ausschwitzung im Innern des Hoden Statt, allein theils wegen besserer Gesundheit, theils wegen der Beschaffenheit der entfernten Ursachen giebt diese nicht zu Entwicklung eines, den Organismus zerstörenden Aftergewebes Anlass.

b. Eyerstock.

So häufig der Hode der Sitz des Blutschwamms ist, so selten scheint er in dem Eyerstocke vorzukommen. Doch führen Baillie, [1]) Wardrop [2]) und Burns [3]) Fälle an, die hieher zu gehören scheinen. Meistens ist die Afterorganisation nicht einfach, sondern es finden sich zugleich seröse, mit verschiedenartigen Flüssigkeiten angefüllte Bälge oder andre Nachbildungen normaler Theile. Ich habe sie einige Mal allein oder verschiedentlich zusammengesetzt gefunden.

c. Vorsteherdrüse.

Die Vorsteherdrüse habe ich einigemal mit beträchtlicher Vergrösserung in eine weiche, an einigen Stellen bräunliche, an andern weissliche, durch zellige Fächer abgetheilte Substanz umgewandelt gefunden, und wahrscheinlich gehören hieher mehrere Fälle von Scirrhus derselben.

d. Gebärmutter.

Der Analogie mit der Vorsteherdrüse wegen kann man hier auch die Gebärmutter betrachten. Ausser mehrern Fällen von sogenannten Scirrhen, Fleischgeschwülsten u. s. w. gehören hieher vorzüglich 1) die Fälle, wo aus der Gebärmutter, vorzüglich an ihrem Grunde, schwammige, röthliche, lockere Geschwülste hervorwachsen [4]); 2) die weichen, lockern, grossen, dickgestielten, stark blutenden Polypen, welche, abgebunden, oft wieder wachsen; 3) eine eigenthümliche Umwandlung des Scheidentheiles der Gebärmutter, wobey er be-

---

1) Morbid anat. p. 263.

2) A. a. O. S. 171.

3) Surgical anat. of the head and neck p. 220.

4) Wardrop a. a. O. S. 167—169.

trächtlich anschwillt, ungleich, locker und weich wird. [1]) Merkwürdig ist es, dass man unter der letztern [2])und auch unter der ersten [3]) Bedingung häufig, aber nicht immer, indem ich mehrere sehr deutliche Fälle dieser Art vor mir habe, nach dem Tode kaum eine Spur davon findet, so dass also mit diesem die Substanz, welche die Spannung im Leben bewirkte, entweder ganz oder zum Theil aufgesogen oder condensirt zu werden scheint.

Die Gebärmutter ist dabey häufig beträchtlich vergrössert, und häufig scheint das während der Schwangerschaft erhöhte bildende Leben derselben die Veranlassung zur Entstehung dieser Aftergebilde zu geben.

e. Brustdrüse.

Unter den mehrfachen Texturveränderungen der weiblichen Brüste, welche mit dem Namen von Knoten und Krebs belegt werden, kömmt unstreitig auch diese einzeln oder mit andern vermengt vor. Ich habe in der That einige Mal die ganze Brustdrüse beträchtlich vergrössert und ganz oder zum Theil in eine, durch mehrere zellige Scheidewände unregelmässig abgetheilte, weiche, homogene, an einigen Stellen graue, an andern röthliche oder bräunliche Masse umgewandelt gefunden, welche mir dem Blutschwamme noch ähnlicher als in den von Wardrop beschriebenen Fällen schien.

---

1) Clarke on the Cauliflower excrescence of the os uteri. In Transactions of a society for the improv. Vol. III.
2) Clarke a. a. O. S. 331. 332. 336.
3) Clarke two cases of tumour of the Uterus. Ebendas. p. 298. 307.
4) A. a. O. S. 172.

f. Leber.

In der Leber ist diese Krankheit keine ganz ungewöhnliche Erscheinung, kommt aber in ihr, wo ich nicht irre, häufiger bey ältern Personen, als in der Jugend vor. Diess gilt nicht bloss für eine besondere Art von Knoten, wie es Baillie[1]) für die gewöhnlichern kleinern angiebt, sondern für alle. Diess könnte über das Wesen der Fälle um so mehr Ungewissheit verbreiten, als die neuen Bildungen nicht immer genau in derselben Gestalt erscheinen. Indessen halte ich die meisten unter dem Namen von Knoten beschriebenen Geschwülste der Leber durchaus nur für Modificationen derselben Afterorganisation, und noch neuerlichst scheint mir Farre[2]) diese viel zu hochgestellt zu haben. Baillie[3]) unterscheidet gewöhnliche, grosse, weisse und weiche, braune Knoten der Leber, ausserdem noch skrophulöse. Die gewöhnlichen sind rundlich, meistens durch die ganze Substanz der Leber verbreitet, variiren meistens von der Grösse eines Nadelknopfes bis zu der einer Haselnuss, sind aber oft beträchtlich grösser nnd bestehen aus einer bräunlichen oder gelblichen und festen Substanz. Dabey ist die Leber meistens nicht vergrössert, oft gelb. Die zweite Art von Knoten hat gewöhnlich die Grösse einer Ka-

---

1) A. a. O. S. 141.

2) Farre the morbid anatomy of the liverbeing an inquiry into the anatomical character, symptoms and treatment of certain diseases which impair or destroy the structure of that viscus. London 1812—1815. 2 Hefte. Enthalten bis jetzt nur die Beschreibung und Abbildung mehrerer fast nur hieher gehörigen Geschwülste.

3) A. a. O. S. 141—147.

ſtanie, iſt aber oft beträchtlich gröſser oder kleiner. Sie ſind härtlich, weiſs, befinden ſich vorzüglich im Umfange der Leber, und ſind oft in dem vorliegenden Theile ihres Umfangs vertieft. Die zwiſchen ihnen befindliche Subſtanz der Leber iſt meiſtens geſund, die ganze Leber häufig beträchtlich vergröſsert. Die weichen braunen Knoten liegen gleichfalls vorzüglich im Umfange der Leber und ſind weich und breyig. Durch dieſe verſchiedenen Arten von Knoten wird die Oberfläche der Leber ungleich. Gewöhnlich iſt ihre Thätigkeit alienirt, und der Kranke gelbſüchtig. Die gewöhnlichen Knoten ſieht er als eine eigne Krankheit der Leber an, vergleicht dagegen die der zweiten Art dem Scirrhus und läſst es unentſchieden, ob die der dritten für ſkrophulös zu halten ſeyen.

Nach Wardrop hat vor ihm niemand den Blutſchwamm in der Leber beſchrieben, [1]), doch vergleicht er die dritte Art von Baillie mit demſelben. Die Charaktere, welche er nach einigen von ihm betrachteten Fällen angiebt, kommen vorzüglich mit denen von Baillie's zweiter und dritter Art überein, nur fügt er hinzu, daſs die Zahl dieſer Geſchwülſte von 1—4 variirt, und, wenn ſie die Oberfläche der Leber erreicht haben, die Bauchfellhaut zuletzt zerſtört und der gewöhnliche Schwamm erzeugt wird. Nicht immer geſchieht dieſs nach der Oberfläche hin, ſondern bisweilen bilden ſich Höhlen in der Subſtanz der Leber, in welche Schwämme hineinwachſen,

1) A. a. O. S. 149.

so daſs ſie immer in der Leber nur conſecutiv erſcheinen.

Farre hat als allgemeinen Charakter der Leberknoten (Tubera hepatis) einen zelligen, ſchwammigen Bau, und durch ſie im Allgemeinen an der Oberfläche des Organs veranlaſste Erhebung aufgeſtellt, und ſie dann in umgränzte und ausgebreitete (Tubera circumſcripta et diffuſa) abgetheilt. Seine umgränzten Knoten ſind Baillie's Knoten zweiter Art, die ausgebreiteten unterſcheiden ſich von dieſer ſowohl durch Unregelmäſsigkeit der Geſtalt, als durch Verbreitung über mehrere andere Organe, während die erſtern nur auf die Leber beſchränkt ſeyn ſollen. Sie bieten mehrere Varietäten dar, indem ſie bisweilen eingebalgt ſind, bisweilen mehr oder weniger weich und locker, bald in der Leber urſprünglich, bald nur conſecutiv entſtehen, bald gröſser, bald kleiner ſind, ſchneller oder langſamer wachſen.

Eine genaue Vergleichung der Charaktere der verſchiedenen Varietäten und ſelbſt Geſchlechter zeigt indeſſen, daſs ſich durchaus keine weſentlichen Verſchiedenheiten finden, und daſs in der That alle nur unbedeutende Modificationen ſind, die vom Individuum und zufälligen äuſsern Bedingungen abhängen. Man braucht auch nur die Abbildungen der angeblich verſchiedenen Textur, z. B. des erſten Geſchlechts und der letzten Varietät des zweiten (Taf. I. und Taf. IV. Fig. 2.) zu vergleichen, um jeden Zweifel an der völligen Identität beider zu verlieren.

Daſs

Daſs die begränzten, oder Baillie's groſse weiſse Knoten nur in der Leber vorkommen, iſt völlig falſch, indem ich mehrmals durchaus ähnliche Knoten zugleich in andern Organen, der weiblichen Bruſtdrüſe, den Gekrösdrüſen, der Schleimhaut des Darmkanals, gefunden habe.

Lange habe ich eine Vertiefung an dem vorliegenden Theile des Umfangs der Geſchwulſt, die Baillie als eine häufige Erſcheinung erwähnt, für ein unterſcheidendes Merkmal gehalten, allein ich habe mich ſpäter durch die Unterſuchung mehrerer Fälle, wo Knoten derſelben Art und Gröſse in derſelben Leber mit und ohne ſie vorkamen, vom Gegentheil überzeugt.

Die Wardrop'ſche Angabe, daſs ſich nur bis vier ſolcher Geſchwülſte finden, iſt eben ſo unrichtig, indem ich mehrmals bis dreyſsig mit allen von Baillie für die zweyte und dritte Art angegebenen Charakteren geſehen habe.

g. Milz.

In der Milz habe ich mehrmals an einer oder mehrern Stellen bey übrigens geſunder Beſchaffenheit des Organs einen oder mehrere gelbliche oder bräunliche, unregelmäſsige, meiſtens mit einem Theil ihres Umfangs die Oberfläche derſelben erreichende Knoten vom Durchmeſſer eines bis zweyer Zolle gefunden, welche wahrſcheinlich hieher gehören. In einem ſolchen Falle, wo nur einer vorhanden war, hatte dieſer die Bauchfellhaut zerſtört, und war an ſeiner Oberfläche mit dem gewöhnlichen Schwamme bedeckt. Wardrop fand durch eine ansehnliche Menge weisslicher Geschwülste dieser Art, von denen die meisten die Grösse einer Kastanie hatten, fast die ganze Substanz der Milz zerstört und dieselbe so vergrössert, dass sie 2½ Pfund wog. Die Krankheit war ursprünglich in den Leistendrüsen entstanden.[1]) Unstreitig ist aber die Milz verhältnissmässig äusserst selten der Sitz dieses Aftergewebes.

h. Speicheldrüsen.

Wahrscheinlich gehören hieher mehrere Fälle, welche als Scirrhen derselben beschrieben werden, Alienationen sowohl der Mund- als Bauchspeicheldrüsen, gleichviel, ob sie ursprünglich in der Substanz derselben oder in den in ihrer Nähe oder Mitte befindlichen Saugaderdrüsen entstehen.[2]) Die Ohrspeicheldrüse habe ich mehrmals auf diese Weise abgeändert und zugleich beträchtlich vergrössert gefunden.

i. Schilddrüse.

Die anfänglich indifferente Bildung, welche sich in der Schilddrüse entwickelt, nimmt unstreitig bisweilen auch den Charakter des Blutschwammes an. Burns führt einen Fall davon an[3]) und ich habe selbst einige Mal allein, in andern Fällen zugleich mit Bälgen, Knorpel- und Knochensubstanz weiche, bald weissliche, bald bräunliche, selbst ganz schwarze Geschwülste in derselben gefunden.

k. Nieren.

Selten sind die Nieren der Sitz des Blutschwammes, doch beschreibt Wardrop ei-

1) A. a. O. S. 155—161.
2) Burns surgical anat. of the head and neck. p. 282. ff.
3) A. a. O. S. 222.

nen Fall, wo gleichzeitig mit einem deutlichen Blutschwamm in der Gegend des Hüftgelenkes sich in der einen, dadurch vergrösserten Niere drey grauweisse, rothgesprenkelte, etwas weichere, unregelmässig gestaltete, von der gesunden Substanz scharf abgegränzte, an der Oberfläche vorragende Geschwülste gebildet hatten.

1. Lungen.

Eben so selten kommt auch die Krankheit wohl in den Lungen vor. Baillie beschreibt [1]) weiche, hellbraune, nicht eingebalgte Knoten von der Grösse einer Stachelbeere, welche vorzüglich an der Oberfläche der Lungen lagen, und wahrscheinlich hieher gehören. Die von Laennec in den Lungen gefundenen waren eingebalgt. [2])

D. Faseriges System.

Das faserige System kann man insofern auf die Schleimhäute und drüsigen Organe folgen lassen, als an einem Theile desselben, der harten Hirnhaut, Geschwülste, die wenigstens oft in die Klasse des Markgewebes gehören, und deshalb auch den allgemeinen Namen des Hirnhautschwammes (Fungus durae matris) führen, nicht ganz selten vorkommen. Ich sage: oft, denn in mehrern Fällen dieser Art, welche ich selbst zu untersuchen Gelegenheit hatte, erschienen sie offenbar dem faserigen oder faserigknorpligen Gewebe weit ähnlicher als irgend einem andern, was theils wegen der Nachahmung des Organs, auf wel-

1) S. 50.

2) Dict. des sc. médic. T. XII. Encéphaloide. p. 171.

chem sie sich entwickeln, theils wegen der Correspondenz zwischen ihnen und den am entgegengesetzten Körperende vorkommenden Faserknorpeln in und an der Gebärmutter nicht unwichtig ist. Auch an andern Stellen des Fasersystems kommen sie indessen vor, namentlich vorzugsweise wohl an der Beinhaut, hier weit häufiger als in den Sehnen, was sich von der Bedeutung der harten Hirnhaut schon im Voraus erwarten liess. An der innern Fläche mehrerer Knochen habe ich sie einige Mal, vorzüglich in Verbindung mit ähnlicher Zerstörung der Gebärmutter an, zum Theil sehr entlegenen, Stellen so stark entwickelt gefunden, dass die Knochen dadurch hin und wieder in ihrer ganzen Substanz zerstört waren. Die Richtigkeit der Ansicht, dass die meisten Hirnhautschwämme hieher gehören, wird auch durch des trefflichen Laennec Aussage bestätigt. [1]).

Schwamm der harten Hirnhaut. [2])

Der Schwamm der harten Hirnhaut verdient, weil er vorzugsweise an dieser vorkommt, eine besondere Betrachtung.

1) Die Stelle ist im Allgemeinen die äussere Fläche. Nach Wenzel kommt der Hirnhautschwamm nur hier vor: den von ihm zusammengestellten Fällen, aus welchen er dieses Resultat zog, kann ich einen eignen zusetzen, wo ich gleichfalls nur an der äussern Fläche der harten Hirnhaut einen Schwammauswuchs fand.

1) Dictionn. des sc. médic. T. XII. p. 173.

2) Louis mémoire sur les tumeurs fongueuses de la dure mère in Mém. de l'acad. de chirurg. T. V. p. I. ff. I. C. Wenzel über die schwammigen Auswüchse auf der harten Hirnhaut. Mainz 1811.

Auch ein von Langſtaff [1]) beobachteter Fall beſtätigt die gröſsere Häufigkeit des Vorkommens derſelben an der äuſsern Fläche; indeſſen beweiſt ein von Gondange [2]) ſchon lange, und ein von Otto [3]) kürzlich beobachteter Fall, daſs jene Behauptung etwas eingeſchränkt werden muſs, ſofern hier von der Grundfläche des Schädels aus ſich beträchtliche Auswüchſe nach innen entwickelt hatten. Auch in einem Fall, den ich vor mir habe, finde ich zwey Auswüchſe an der innern Fläche der harten Hirnhaut [4]), und Baillie bildet zwey Fälle ab, wo ſich mehrere Geſchwülſte dieſer Art an der innern Fläche gebildet hatten. [5]).

Am gewöhnlichſten kommen dieſe Auswüchſe am Schädeltheile der harten Hirnhaut vor; doch iſt auch nach den ſchon längſt bekannten Beobachtungen und Unterſuchungen nicht das Hinterhauptsloch die Gränze derſelben [6]), indem Geſchwülſte von derſelben Beſchaffenheit von Knox [7]) und Philipps [8]) an dem Rückgrattheile der harten Haut gefunden wurden.

Im Schädel kommen ſie vorzüglich am obern Theile und zwiſchen mehreren Knochen,

---

1) Med. ch. Transact. Vol. II. p. 288.

2) Mém. de Montpellier. T. I. 1776. hiſt. p. 111.

3) Seltne Beobachtungen 1816. S. 108.

4) Allgem. Literaturz. 1813. Oct. S. 202.

5) Engravings Faſc. 10. Pl. 5.

6) Wenzel a. a. O. S. 56.

7) Medical obſ. and inquir. Vol. III. p. 160. ff.

8) New London medical Journal. Vol. I. p. 144—148.

alſo unter den Näthen vor, bey weitem am ſeltenſten an der Grundfläche.

2. Mit der harten Hirnhaut hängen dieſe Auswüchſe oft beträchtlich feſt, oft nur äuſserſt locker zuſammen, ohne daſs man dieſe Verſchiedenheiten immer als zufällig und von den angewandten Heilverſuchen abhängig anſehen und feſtſetzen könnte, daſs der feſte Zuſammenhang erſt ſpäter entſtanden ſey, [1]) indem ich in den angeführten, von mir geſehenen Fällen, wo dieſe durchaus nicht Statt gefunden hatten, die Befeſtigung äuſserſt genau fand, und die Analogie mit andern Auswüchſen gegen dieſe Annahme ſpricht.

3. Die harte Hirnhaut verhält ſich gleichfalls nicht immer auf dieſelbe Weiſe. Oft iſt ſie völlig normal, oft dagegen verdickt, dann zugleich verhärtet oder aufgelockert, oft regelwidrig feſt mit den Schädelknochen verbunden. Wahrſcheinlich iſt ſie wohl anfänglich immer mehr oder weniger in ihrer Textur verändert, wenn gleich ſpäter dieſe auf den normalen Zuſtand zurückkehren mag. Dieſs wird beſonders aus einer Beobachtung von Burns wahrſcheinlich, wo bey Schwammbildung in der Augen- und Naſenhöhle und am äuſsern Umfange des Schädels die harte Haut an mehrern Stellen auf dieſelbe Weiſe verdickt, verhärtet und gelblich gefärbt war, [2]) was wegen der übrigen Degenerationen wahrſcheinlich als der erſte Schritt zur Bildung dieſer Geſchwülſte anzuſehen iſt.

---

1) Wenzel a. a. O. S. 44.

2) Surgical anat. of the head and neck. p. 369.

4. Die äuſsere Form der Auswüchſe iſt meiſtens rundlich, die Oberfläche bey den weichern runzlich, bey den härtern glatter. Bisweilen ſind ſie mit einer eignen, dünnen, häutigen Hülle bedeckt.

5. Die Verſchiedenheiten der Angabe der Beobachter über das Gewebe der Hirnhautſchwämme, indem ſie von den verſchiedenſten Graden der Härte, bald homogen, bald faſerig, bald aus einer bröcklichen Maſſe zuſammengeſetzt, bald an verſchiedenen Stellen verſchiedentlich gebildet gefunden wurden, beweiſen hinlänglich, daſs, wenn auch alle urſprünglich aus derſelben eyweiſsähnlichen Subſtanz beſtehen, dieſe ſich dennoch allmählich mehr oder weniger beträchtlich ſo umwandelt, daſs die anfängliche Identität kaum noch erkannt werden kann.

6. Die Gröſse dieſer Auswüchſe variirt bedeutend. Sie ſind bisweilen ſo beträchtlich, daſs ſie faſt die Gröſse eines Kopfes erreichen,[1]) gewöhnlich viel kleiner.

7. Die Zahl iſt meiſtens nur einfach.[2]) So verhielt es ſich in den meiſten der von Wenzel zuſammengeſtellten Fälle [3]); eben ſo auch in einer Beobachtung von Langſtaff.[4]) Doch fand ich in einem der Fälle, welche ich vor mir habe, vier, Wenzel eben ſo viel, Baillie [5]) fünf, Sandifort achtzehn.

8. Die Geſchwulſt bringt, je nachdem ſie ſich nach innen oder nach auſsen entwickelt,

1) Grima in Mém. de chirurgie. T. V. p. 40.

2) Wenzel a. a. O. S. 57.

3) A. a. O. S. 288.

4) A. a. O. Fig. 2.

5) Baillie a. a. O. Fig. 1.

im Gehirn oder in den Schädelknochen Eindrücke und Subſtanzverluſt hervor, letzteres aber weit häufiger als das erſtere. Bey anſehnlicher Entwicklung erzeugt ſie allmählich Oeffnungen im Knochen. Meiſtens mag dieſs bloſs mechaniſch durch den Druck derſelben bewirkt werden, allein nicht ganz ſelten, namentlich in den Fällen, wo ſich zugleich an derſelben Stelle oder auch in einiger Entfernung äuſserlich am Schädel ähnliche Geſchwülſte fanden, [1]) und der Knochen nicht bloſs aufgelockert, ſondern auch angeſchwollen war, ſcheint dieſelbe Krankheit in allen zugleich alienirten Theilen zu wurzeln.

E. Nervenſyſtem.

a. Nervenſyſtem überhaupt.

Geſchwülſte im Nervenſyſtem, welche vielmehr für Nachahmungen normaler Bildungen, namentlich Knorpel und Knochen zu halten ſind, habe ich ſchon oben beſchrieben. Andre, nicht als ſolche zu betrachtende ſcheinen hieher zu gehören. Sie ſind im Gehirn nicht ganz ſelten. Auch hieher gehören wahrſcheinlich mehrere Fälle, die man als Scirrhen, oder unter dem allgemeinen Namen von Tuberkeln beſchreibt.

Sie ſind mehr oder weniger hart, weiſslich, gelblich, röthlich, geſprenkelt oder dunkelroth, hängen bald feſt und ununterbrochen mit der Subſtanz des Gehirns zuſammen und erſcheinen als eine Umwandlung derſelben, bald lie-

---

1) Burns a. a. O. S. 52.

gen sie fast ganz frei, so dass sie, wenn das Gehirn bis auf sie durchschnitten wird, hervorfallen. Das letztere bemerkte Earle bey sieben sehr ansehnlichen Geschwülsten dieser Art, welche sich im Gehirn eines Kindes entwickelt hatten, das ursprünglich an derselben Degeneration des Hoden litt [1]). Aehnliche Fälle findet man unter andern bey Lobstein, [2]) Farre, [3]) Laennec. [4])

Einen wahrscheinlich auch hieher gehörigen Fall habe ich selbst beschrieben. [5]) In einem andern, den ich gleichfalls noch vor mir habe, hatte sich bey einem Manne von 40 Jahren, der lange an heftigen Kopfschmerzen litt, in der linken Seitenhöhle des Gehirns eine homogene, weiche, bräunliche Geschwulst von drey Zoll Länge, einem Zoll Höhe und Breite gebildet, welche an mehrern Stellen ihres Umfangs auf dem Boden derselben wurzelte.

b. Auge.

Besonders häufig entwickelt sich der Blutschwamm im Auge, und hier ganz vorzüglich, wenn gleich nicht allein, im jugendlichen Alter. Unter 24 Fällen kamen 20 bey Kindern vor. [6]) Er entwickelt sich entweder, diess gewöhnlicher, im Augapfel, oder im Umfange des-

1) Med. chir. Transact. Vol. III. p. 66.

2) Rapport sur les travaux exéc. a l'amphith. d'anat. de Strasbourg 1805. p. 68.

3) Morbid anatomy of the liver. F. I. p. 20.

4) Corvisart Journal de médecine. 1815.

5) Archiv für die Physiologie. Bd. 3. Heft 2.

6) Wardrop p. 25.

ſelben. Im erſtern Falle iſt das erſte Zeichen eine gelbbräunliche oder grünliche Farbe, welche die Pupille annimmt, und Erweiterung derſelben durch Unbeweglichkeit der Blendung. Bald ergiebt es ſich, daſs die Farbenveränderung von einem im Grunde des Auges ſich entwickelnden feſten, mit einer ungleichen Oberfläche verſehenen, hier dunkelrothen Körper herrührt, der ſich ſehr ſchnell von hinten nach vorn entwickelt, ſo daſs er bald die Hornhaut erreicht und, wenn dieſe durch ihn zerſtört worden iſt, durch ſie, ſeltner durch die harte Haut, vordringt. Bey der Unterſuchung des Augapfels findet man die harte Haut meiſtens normal, die Geſchwulſt am Eintritt des Sehnerven befeſtigt, die Aderhaut durch ihn mehr oder weniger aus der Stelle gedrängt, ſtärker als gewöhnlich geröthet, oft ſehr beträchtlich verdickt. Die Feuchtigkeiten des Auges werden in demſelben Maaſse zerſtört, als die Geſchwulſt ſich ſtärker entwickelt. Immer iſt die Netzhaut mehr oder weniger alienirt. Auch der Sehnerv iſt oft nicht normal, ſondern entweder dicker, feſter und härter, graubraun, homogen, ohne Röhrenbau, oder in mehrere Stücke geſpalten, die Zwiſchenräume durch die neugebildete Subſtanz angefüllt, die Stücke deſſelben ſelbſt ſind weich, breyig, gelblich. Bald weicht nur das Neurilem, bald nur die Markſubſtanz des Nerven vom Normal ab. Immer findet man die Netzhaut alienirt, wenn der Sehnerv krank iſt, nicht aber umgekehrt, ſo daſs die Krankheit im Innern des Auges, und, da immer die Netzhaut alienirt iſt, in dieſer anzufangen ſcheint. Iſt der Sehnerv krank, ſo reicht ſeine Degeneration meiſtens bis zur Vereinigungsstelle, oft auch zum Sehhügel, der auch nicht selten alienirt ist. Häufig sind auch die Substanz oder die Häute des Gehirns mehr oder weniger auf ähnliche Weise krank.

F. Gefässsystem.

Wohl äusserst selten entwickelt sich diese Bildung im Gefässsystem. Vielleicht gehören hieher die seltnen Fälle, wo 1) an der innern Fläche des Herzens Geschwülste, welche in die Höhle desselben hineinragen, oder 2) auch in der Substanz desselben entstehen.

Einen Fall der ersten Art beschreibt Otto [1]). Im rechten Vorhof des Herzen eines 50jährigen Mannes befand sich ein rundlicher, erbsengrosser, mit einer ungleichen Oberfläche versehener Fleischauswuchs.

Noch mehr hatte sich diese Bildung in einem Falle entwickelt, den ich vor mir habe, wo in allen Höhlen des Herzens eines Erwachsenen rundliche, bräunliche, mit einer etwas ungleichen Oberfläche versehene, kurz und breitgestielte Geschwülste aufsitzen, deren Textur homogen und lockerer als die des Herzens selbst ist [2]).

Vielleicht gehört hieher auch ein von Spens beobachteter Fall, wo bey einer vierjährigen Frau sich an der innern Fläche der linken Kammer, nahe an der arteriösen Mündung, ein dem Anschein nach äusserlich aus Faserstoff, im Innern aus einer weichen rahmähnlichen Sub-

1) Seltne Wahrnehm. Breslau 1816. S. 99.

2) Abb. dieses Falles in meinen Tab. anat. pathol. Fasc. I. Tab. VII. Lips. 1817. Mehrere ältere Fälle in meiner Diss. de cordis cond. abn. S. 35. 36. 77. 78.

stanz gebildeter Balg erzeugt hatte, der sehr fest mit dem Herzen zusammenhing [1]).

Aehnliche Bildungen entwickeln sich bisweilen auch in andern Theilen des Gefässsystems. So fand Hodgson [2]) in der Milzvene eines Mannes, dessen Magen und Zwölffingerdarm zum Theil von einer markähnlichen Geschwulst umgeben war, an der innern Haut eine rundliche, haselnussgrosse Geschwulst von derselben Textur.

Einen Fall, wo sich an der äussern Fläche des Herzens unter der serösen Bekleidung desselben, gleichzeitig mit ähnlichen Erscheinungen in mehrern andern Organen, mehrere weisse Knoten gebildet hatten, sahe Lawrence [3]). In dem von Spens beobachteten, eben angeführten Falle, war ein grosser Theil der Substanz der rechten Kammer in eine weissliche, feste Substanz umgewandelt, welche mit der in scrophulösen Drüsen vorkommenden Aehnlichkeit hatte.

Hier können am zweckmässigsten die Polypen des Gefässsystems, und namentlich des Herzens betrachtet werden, wenn gleich ihre Entstehung keinesweges immer dieselbe ist. Diess sind Körper, welche in den Höhlen des Herzens und der Gefässe vorkommen, und in Hinsicht auf Gestalt, Bau, Festigkeit, Farbe, Grösse, Verbindung mit den Wänden bedeutende Verschiedenheiten darbieten.

Der gewöhnlichen Ansicht zu Folge entstehen sie durch Gerinnung des Blutes, ohne

---

1) Edinb. med. and surg. Journ. Vol. XII. 1816. p. 194.

2) Diseases of the arteries and veins. London 1815. S. 524.

3) Med. ch. Transactions. Vol. III. p. 78.

dafs nothwendig Veränderung der Mischung desselben vorangegangen wäre. Neuerlich haben indessen mehrere Schriftsteller, namentlich Burns, [1]) Testa [2]) und Kreyfsig [3]) die Ansicht aufgestellt, dafs die Polypen entweder, nach der Meinung der beiden letztern, blofs ein Product der entzündeten innern Fläche des Herzens seyen, oder, nach dem erstern, ausser der Gerinnung des Blutes auch auf die letztere Weise entstehen können.

Frank hat gewissermaassen eine zwischen beiden Ansichten stehende Meinung vorgetragen, dafs nämlich die Bildung von Polypen ohne abgeänderte Beschaffenheit der gerinnbaren Lymphe nicht wohl denkbar sey, [4]) indem er doch hiebei annimmt, dafs die Polypen sich durch Gerinnung des im Herzen enthaltenen Blutes bilden.

Unstreitig unterliegt die Entstehung der Polypen durch Gerinnung des Blutes bedeutenden Zweifeln, und von dieser Seite haben besonders beide Pasta die Möglichkeit der Entstehung der Polypen mit entschiednem Glücke angefochten; indessen ist es auf der andern Seite eben so wenig richtig, die Möglichkeit der Scheidung des Blutes in seine Bestandtheile schon während des Lebens unter gewissen Bedingungen durchaus zu läugnen. Theils beweist das Vorkommen dieser Scheidung in den aneurys-

---

1) Herzkrankh. S. 231.

2) Krankh. des Herzens, übers. von Sprengel. S. 44. ff.

3) Krankheiten des Herzens, Bd. 2,

4) Grundf. über die Behandl. der Krankheiten des Menschen. Bd. 6. Mannheim 1807. S. 61.

matischen Säcken (Bd. 2. Abth. 2. S. 251.), in unterbundenen Gefäfsen [1]), die Möglichkeit einer solchen Gerinnung, wenn das Hauptererforderniss, Ruhe, gegeben ist, theils finden sich bestimmte Beobachtungen über den Eintritt dieser Veränderung in dem im Herzen enthaltenen Blute, wenn durch örtliche Ausdehnung desselben jene Bedingung eingetreten war.

Fälle dieser örtlichen Ausdehnung wurden von Walter, [2]) Baillie, [3]) Wood [4]) und Hodgson [5]) verzeichnet. Im Walterschen Falle wird bloss der Erweiterung gedacht, Baillie bemerkt, dass sie wenig geronnenes Blut enthalten habe, Hodgson aber in zwey Fällen ausdrücklich die Absetzung des Faserstoffs unter dieser Bedingung. In dem einen Falle war der linke Vorhof wegen Verengung der venösen Mündung erweitert, in dem andern die linke Kammer passiv aneurysmatisch ausgedehnt. Im erstern war das Ohr ganz mit einem, aus Schichten gebildeten Gerinnsel, das warzenförmig in den Lungenvenensack ragte, angefüllt, im zweyten befand sich das Gerinnsel in der Gegend der Spitze der Kammer, und unterschied sich von dem in den aneurysmatischen Säcken vorkommenden bloss durch weniger deutlich geschichteten Bau. Zwischen den Muskelbündeln befanden sich ähnliche, fadenförmige oder warzenähnliche Productionen. In dem Wood'schen Falle,

1) Hewson exper. inquis I. p. 21.

2) Mém. de Berlin 1785. p. 64.

3) Anat. des krankh. Baues. S. 14.

4) Dissection and history of a case, in which a foreign body was found in the heart. In Edinb. Journ. Vol. X. p. 50.

5) Diseases of the arteries and veins. p. 83. ff.

wo man die Aorten- und Mitralklappen beträchtlich verdickt, verhärtet, und auch die linke venöse Oeffnung sehr verengt fand, lagen in dem linken, erweiterten Vorhof drey ansehnliche, theils rundliche, theils unregelmäſsige, feste Körper, von welchen der eine mehr als $\frac{1}{2}$ Zoll im Durchmesser hielt, äuſserlich aus einer Menge von Blättern, im Innern aus geronnenem Blute bestand, die übrigen auf ähnliche Weise angeordnet waren.

Eine andere Frage aber ist es, ob das auf diese Weise entstandene Gerinnsel mit dem Herzen verwachsen könne? Burns nimmt dies an,[1]) Kreyſsig dagegen bestreitet die Möglichkeit davon[2]), indem sich der aus der Blutmasse durch Gerinnung des Blutes abgeschiedene Faserstoff nicht zu organisiren vermöge, auch die Gerinnsel in den aneurysmatischen Säcken nie mit den Arterienwänden verwüchsen. Indessen dürfte dadurch die Ansicht von Burns nicht geradezu widerlegt werden, indem die Unmöglichkeit der Organisirung des durch Gerinnung abgeschiedenen Faserstoffes weder erwiesen, noch im geringsten wahrscheinlich, und die letztere Thatsache wohl noch nicht mit hinlänglicher Gewiſsheit ausgemacht ist. Der durch Gerinnung abgeschiedene Faserstoff ist vermöge seiner Natur offenbar sehr wohl zur Organisirung und Verwachsung mit den Herzwänden geneigt, und in dieser Hinsicht wie jeder andere belebte fremde Körper zu betrachten, der, in genaue Berührung mit einem andern gebracht, mit demselben verwächst.

---

1) A. a. O. S. 222.

2) A. a. O. S. 96. ff.

Häufiger aber entstehen unstreitig wohl Polypen als Folge von Entzündung der innern Fläche des Herzens in Folge von Ausschwitzung, wo dann auch die ergossene und gerinnbarer gewordene Lymphe anfänglich von der Fläche, auf welcher sie ausschwitzt, getrennt ist, bald aber mit ihr, indem sie erhärtet, verwächst, später aber wieder leicht von ihr getrennt werden, und dann lose in der Höhle des Herzens vorkommen kann.

Kreysig hat selbst nach der Analogie der Entzündungen anderer Organe eine polypöse Herzentzündung angenommen, welche von dieser Art der Ausschwitzung vorzugsweise begleitet sey, und in der That findet man die innere Fläche des entzündeten Herzens bisweilen mit ergossener Lymphe bedeckt.

Diese kann sich selbst ohne Entzündung bisweilen an derselben ergiessen. [1])

Dieser Erklärung der Entstehungsweise der Polypen ist die von mir schon vor geraumer Zeit vorgetragene nahe verwandt, der zu Folge sie Auswüchse des Herzens sind, [2]) welche aber in ihrer frühesten Periode nicht von den Wänden des Herzens getrennt waren. Durch diese Ansicht wird allen den Schwierigkeiten vorgebeugt, welche man der zweyten entgegensetzen kann, und ich halte daher die auf diese Weise entstehenden Polypen für die gewöhnlichsten.

Von dieser Art sind unstreitig die Fälle, welche ich oben (S. 331. 332.) erzählt habe. Auf welche Weise aber auch die Herzpolypen entstehen

1) Burns S. 231.

2) De condit. cordis abnormibus 1802. p. 48.

stehen mögen, so ist ihre Organisirung und Belebung keinem Zweifel unterworfen. Da Burns sogar in einem Falle Eiterbildung in ihrer Substanz [1]) und Blutgefäfse in ihnen fand, welche sich von den Kranzgefäfsen aus aufblasen liesen, also wahrscheinlich mit ihnen zusammenhingen, [2]) oder an der Stelle des Herzens, auf welcher sie sasen, deutlicher als gewöhnlich entwickelt waren. [3]) Eine, die von Burns gemachte völlig bestätigende Beobachtung hatte ich so eben (1817) am Herzen eines Mannes von 60 Jahren zu machen Gelegenheit, von dessen Krankheitsgeschichte aber leider nichts in Erfahrung gebracht werden konnte. Der ganze untere Theil der rechten Kammer ist mit weisslichen, zwischen und an den Balken durch dünne Stiele wurzelnden, gröfstentheils rundlichen, weissen, weichen Körpern von der Gröfse einer Erbse bis zu der Länge eines Zolles, der Dicke von vier bis fünf Linien besetzt, die alle mehr oder weniger deutlich hohl, und deutlich mit Eiter angefüllt sind. Die innere Haut und die Muskelsubstanz des Herzens ist völlig normal, nur die äufsere deutet durch mehrere Flecken auf früher Statt gefundene Entzündung hin.

IV. Krebs.

Die krebsige oder cancröse Degeneration oder Afterbildung verläuft mehrere Pe-

1) Burns S. 230.

2) Burns S. 231.

3) Burns S. 230.

orden. In der ersten wird sie mit dem Namen des Scirrhus belegt. Die gemeinsamen Charaktere des Scirrhus, die sich in allen Organen, welche diese Veränderung erleiden, wieder finden, sind folgende. Das Organ weicht in Hinsicht auf den Grad seiner Cohärenz bedeutend vom Normalzustande ab, indem es weit härter und fester als gewöhnlich ist. Zugleich ist es gewöhnlich etwas vergrössert. Es hat eine mehr weissliche, bleiche Farbe als gewöhnlich. Näher, besonders mit der Linse betrachtet, bemerkt man zwei Substanzen in dem Scirrhus. Die eine ist fibrös und undurchsichtig, die zweite, welche kaum organisch zu seyn scheint, ist gewöhnlich mehr oder weniger durchsichtig. Die erstere besteht aus unregelmässigen, verschiedentlich gestellten, einander kreuzenden Blättern, deren Dicke und Gestalt, so wie ihr Verhältniss zu der zweiten Substanz nicht immer dieselbe ist. Sie bilden Zellen, in welchen die ungeformte Substanz, die in der Regel eine hellbräunliche, bisweilen aber eine bläuliche, grünliche, weissliche oder röthliche Farbe hat, enthalten ist. Die letztere hat immer einen gewissen Glanz und ist gewöhnlich eben so fest als die Fasern der undurchsichtigen Substanz, die sie zellenartig einschliessen. Die Fasern haben bisweilen eine knorplige Härte.

Bisweilen bilden sich im Scirrhus vorzüglich der Brüste und der Hoden, Balggeschwülste, die mit einer verschiedentlich gefärbten Flüssigkeit angefüllt sind.

Diess ist die erste Periode des Krebses. In der zweiten wird die durchsichtige, in den Zellen enthaltene Masse erweicht, oder sie geht, gewöhnlich von aussen nach innen, bisweilen von Innen nach aussen in Eiterung über. Der Abscess bricht auf und entleert eine, bisweilen in ausserordentlicher Menge ausfliessende dünne, gelbliche Flüssigkeit. Monro [1]) führt mehrere Fälle an, wo auf einmal bey der Eröffnung einer krebsigen Brust zwey, drey bis vier Pfund einer blutigen, bald schwärzlichen, bald gelblich-wässerigen, dünnen, geruchlosen, aber salzigen, am Feuer gerinnenden Lymphe ausflossen. Das Geschwür vergrösert sich vorzüglich in seinem Umfange, nicht aber in der Tiefe, die Ränder werden sehr hart und biegen sich um. Jetzt erhält das Aftergebilde den Namen Karcinom.

Vorzüglich charakteristisch ist die Bildung eines blutigen, harten Schwammes, der sich an mehrern Stellen des krebsigen Theiles erzeugt, sich über die Ränder des Geschwüres mehr oder weniger erhebt und ein blumenkohlähnliches Ansehen hat. Dieser Schwamm erzeugt sich oft äusserst schnell, nachdem der Scirrhus in Eiterung übergegangen ist, und scheint in der That nichts als eine Modification der Fleischwarzenbildung zu seyn. So wie der Schmerz während der ganzen Krankheit weit höher als bey einer gewöhnlichen Entzündung ist und gewissermassen die Unheilbarkeit derselben andeutet, so spricht sich diese auch durch die regellose Expansion der Organe aus, die, bey einer geringern Abweichung vom Normalzustande, die unmittelbaren Bewirkungsmittel der Heilung sind. Die Verwandlung des Abscesses in ein Geschwür, oder die Communication desselben mit der äussern Luft, ist übrigens keine nothwendige Bedin-

1) Histories of collections of bloody lymph in cancrous breasts, in Edinb. med. essays. Vol. 5. par. 1. p. 339. No. XXXII.

gung zur Erzeugung des Schwammes. Himly [1]) fand bey einer Brust, die er im Zustande des verborgenen Krebses untersuchte, in einem schon weich gewordenen Höcker derselben den vollkommen ausgebildeten, über einen Zoll hohen, gestielten und gekrönten blumenkohlähnlichen Schwamm. Bisweilen vernarbt dieser Schwamm, bricht aber gewöhnlich wieder auf, oder es erzeugen sich wenigstens unaufhörlich neue Geschwüre.

Diese Veränderungen treten gewöhnlich zuerst an der Oberfläche ein und das schwammige Geschwür bedeckt daher eine sehr harte Geschwulst, die entweder noch im Zustande des Scirrhus, oder im Uebergange vom ersten Stadium in das zweite begriffen ist. Zugleich nehmen die benachbarten Theile dieselbe Beschaffenheit an, und durchlaufen allmählich dieselben Perioden, wodurch das Geschwür immer mehr vergrösert wird.

Diese Erweckung der benachbarten Theile zu derselben krankhaften Thätigkeit, die sich auf die Haut, die Muskeln, die Beinhaut, das Zellgewebe, die serösen Häute, selbst die unter dem ursprünglich afficirten Theile befindlichen parenchymatösen Organe, beim Brustkrebs z. B. auf die Lunge, wenn sie durch die gewöhnlich in der Pleura veranlasste Entzündung mit der innern Fläche der Rippen in Verbindung getreten ist, erstreckt, ist sogar nach Abernethy [2]) ein charakteristisches Kennzeichen dieser Afterorganisation, indem bey verwandten

1) In Hufeland's und Himly's Journ. der prakt. Heilk. 1809. St. XII. S. 126.

2) Med. chirurg. Beobachtungen. S. 49.

Afterorganiſationen entweder nur der unmittelbar über ihnen befindliche Theil der Haut durch Eiterung zerſtört, oder die Lymphdrüſen, welche durch lymphatiſche Gefäſse mit dem urſprünglich kranken Theile in Verbindung ſtehen, afficirt werden. Dieſe Neigung der benachbarten Theile, in dieſelbe krankhafte Thätigkeit zu gerathen, entſteht ſchon früher in ihnen, als ihre Structur ſichtbar verändert wird.

Auſserdem aber breitet ſich die Krankheit auch durch die Lymphgefäſse aus. Die benachbarten Lymphdrüſen zuerſt, darauf die zwiſchen ihnen und dem Milchbruſtgange befindlichen, erleiden dieſelben Veränderungen als der urſprünglich afficirte Theil. Merkwürdig iſt es, daſs nicht ſelten auch Lymphdrüſen erkranken, die offenbar auſser dem Laufe der Lymphe liegen, beim Bruſtkrebs [1]) z. B. auſser den Achſeldrüſen und innern Bruſtdrüſen auch höher am Halſe gelegene, zum Beweiſe, wie es ſcheint, daſs ſich die Krankheit wenigſtens nicht bloſs durch das eingeſogene Secretum, ſondern gröſstentheils durch Umwandlung der Thätigkeit, längs der Lymphgefäſse fortpflanze.

Der Krebs ſcheint ſich bisweilen als ein Balg, alſo als ein von dem Organ, worin er entſteht, verſchiedenes Organ zu bilden, häufiger aber durch Umwandlung der Subſtanz des Organs ſelbſt zu entſtehen. Im letzten Falle können die Gränzen des geſunden und kranken nicht genau angegeben werden, weil die krebſige Production in die geſunde Subſtanz des Organs ſelbſt ununterbrochen übergeht. In beiden Fällen aber nimmt der Krebs gewöhn-

1) Ebend. S. 52.

lich Anfangs nur eine kleine Stelle ein, von der er sich nach allen Richtungen strahlenförmig ausbreitet. Andere Geschwülste dagegen breiten sich sogleich bey ihrem Entstehen in einem ansehnlichen Umfange aus.

Bisweilen ist der Scirrhus nur auf ein Organ eingeschränkt. Vielleicht findet diess, wenigstens wenn die Krankheit lange dauert, nur in Fällen Statt, wo eine ursprünglich nicht krebsige Krankheit durch zufällige Umstände in eine krebsige verwandelt wurde; doch fragt es sich freilich, ob diess je der Fall war und ob, wenn er auch einträte, nicht dennoch in demselben Maasse auch die Constitution umgeändert wird? Wenigstens sind die Beobachtungen nicht ganz selten, wo die krebsige Degeneration sich über mehrere Organe zugleich erstreckte.

Einen besonders merkwürdigen Fall dieser Art beschreibt Boulet [1]). Ein 36jähriger Mann, der schon vor zwölf Jahren den Gebrauch des rechten Auges verloren hatte, bekam, zwey Jahre vor seinem Tode, den Krebs an demselben. Von dieser Zeit an entstand zugleich eine beinahe ganz schmerzlose Geschwulst im Epigastrium und herumziehende Schmerzen in der rechten Seite des Körpers. Die äussern drey Viertheile des, um zehn Linien über die Augenhöhle hervorragenden Auges bildeten eine einförmige, harte, schwärzliche, verschiedentlich gefurchte Masse, aus der eine Menge Jauche floss. Nach dem Tode fand man die Leber ungeheuer gross, mit Tuberkeln von verschiedener Farbe besäet. Die meisten waren schwarz, andere gelblich und enthielten

1) Desault Journ. de médec. T. I. p. 132.

dieselbe Masse, welche man bisweilen in krebsigen Brüsten findet. Das kleine Netz war gleichfalls in eine solche Masse von neun Zollen Länge und sechs Zollen Breite verwandelt und in der Mitte an einigen Stellen brandig. Auch längs dem Magen erstreckte sich ein, aus ähnlichen Tuberkeln, wovon einige zwey Zoll im Durchmesser hatten, gebildeter Strang. Das Gekröse, so wie der dicke Darm war damit angefüllt. Am letztern nahmen sie die Stelle der Fettanhänge ein. Zwey Geschwülste von dieser Beschaffenheit, die drey Zolle im Durchmesser hatten, sassen auf der Blase und reichten über das Schaambein empor. Das ganze Becken war von andern, die sich längs dem Mastdarm herab erstreckten, angefüllt. In der Lunge fanden sich ähnliche, aber kleinere Geschwülste derselben Art, deren Zahl zugleich geringer war. Auch die Basis der Aorta und der Lungenarterie war mit zwey ganz gleichen, die einen halben Zoll im Durchmesser hatten, besetzt.

Auch Rengger erzählt einen Fall von einer allgemeinen Scirrhosität, die er bey einer 43jährigen Frau fand [1]). Das Brustfell war mit einer Menge kleiner weisslicher Knötchen besetzt, die er auch in der Lunge und dem Mittelfelle fand. Die Leber, welche sehr vergrössert war, enthielt eine Menge Knoten von der Grösse einer Haselnuss, bis zur Grösse eines Hühnereyes. Andre nahmen das Becken ein, bedeckten die Geburtstheile und besetzten das Bauchfell.

Ich habe gleichfalls an der Leiche einer 36jährigen Frau eine ähnliche Beobachtung zu machen, Gelegenheit gehabt.

---

1) Museum der Heilkunde. B. 2. S. 111. ff.

Seit funfzehn Jahren war ſie Magenbeſchwerden unterworfen geweſen, und ſeit zwey Jahren hatten die Brüſte zu leiden angefangen.

Die linke Bruſt war ſcirrhös, die rechte auſserdem an ihrer ganzen Oberfläche in einen ungleichen, ungefähr eine Linie hohen, rothen Schwamm verwandelt. Dieſer ging unmittelbar in ein ſcirrhöſes Gewebe, die degenerirte Haut, über, welche eine halbe bis zwey Linien Dicke hatte. Vorzüglich war ſie im Umfange des Schwammes beträchtlich verdickt. Auf dieſe degenerirte Haut folgte eine, vier Linien dicke Schicht harten, bröcklichen Fettes, das ſich an mehrern Stellen in die Bruſt erſtreckte. Unter dieſem lag die Bruſt ſelbſt, in eine harte, einförmige, mit engen, aber überall deutlich von der Drüſenſubſtanz verſchiedenen, mit einer weiſsen Flüſſigkeit angefüllten Milchgefäſsen durchzogene Maſſe verwandelt. Unmittelbar unter der Bruſt befand ſich, feſt mit ihr verklebt, der Bruſtmuskel, der in ſeinem äuſsern Theile in der Hälfte ſeiner Dicke ganz hart und ſcirrhös war. Auch die Achſeldrüſen, auſserdem aber auch die Gekrösdrüſen, die Leber, die Nebennieren, die Gebärmutter waren ſcirrhös.

Die Milchgefäſse der linken Bruſt ſtrotzten von einer milchähnlichen Flüſſigkeit, die auf einen Druck durch die Milchöffnungen der Warze ausfloſs. Auſserdem drang aus der Durchſchnittsfläche der Bruſt eine, von der Milch ganz verſchiedene, viel dünnere Flüſſigkeit. Beide Drüſen hatten eine matte, grauweiſsliche Farbe.

Die Farbe der Bruſtmuskeln war etwas mehr rothgrau, ihre Faſern feſt untereinander zu einer Masse verklebt. Auf einen Druck auf dieselbe drang aus ihrer Durchschnittsfläche eine bläulichweisse, dünne Flüssigkeit, die mit der in der Brust befindlichen übereinkam. Deutlich sahe man sie aus einer unendlichen Menge feiner Oeffnungen, wahrscheinlich den Fasern des Muskels, hervordringen. Die Durchschnittsfläche des Muskels war in mehrere, durch dunkle Ränder umgränzte, aber nicht trennbare Bündel abgetheilt. In der rothgrauen Substanz derselben befanden sich mehr weissliche Pünktchen.

Die Lymphdrüsen waren gelblichweiss, weniger hart als die Muskeln und die Brustdrüsen und enthielten an mehrern Stellen eine durchscheinende, glänzende, weniger feste, bläuliche Masse, die an einigen Stellen in eine mehr sehnige, weisse Substanz eingesprengt war, an andern diese umgab, an noch andern ganz isolirt lag und das eine Ende der Drüse bildete.

Die Leber war fast um das Doppelte vergrössert und mit einer unzähligen Menge von Knoten angefüllt. Diese hatten eine etwas röthlichere Farbe als die Brustdrüse, waren aber mehr röthlichweiss, nicht röthlichgrau, wie die Muskeln. Der Grad ihrer Consistenz war weit geringer als in allen übrigen, durch die krebsige Degeneration afficirten Organen, doch waren sie viel härter als die normale Substanz, in die ich sie locker eingepflanzt fand. Bey weitem die meisten befanden sich an der Oberfläche dieses Organs, zum Theil erhoben sie sich über dieselbe, zum Theil bildeten sie nur eine Fläche mit ihm, zum Theil waren sie in der Mitte eingesunken und im Umfange erhaben. Oft, doch nicht immer, umgab sie ein hochrother

Gefäſskranz, aus dem ſich in die meiſten ſehr deutliche Gefäſse fortſetzten, deren ſie aber in weit geringerer Menge als die normale Leberſubſtanz enthielten.

Sie beſtanden deutlich aus einer weiſsen und einer mehr grauen, durchſichtigen, weichern Subſtanz, die hier in gröſserer Menge als in den übrigen Organen angehäuft und von jener wie mit einem Rande umgeben war. Aus vielen einzelnen Körperchen dieſer Art war jeder Knoten gebildet. Nie war der Umfang derſelben, ſo weit ſie in der Leberſubſtanz verborgen lagen, ganz glatt, ſondern immer ausgeſchnitten, ſo daſs die Leberſubſtanz ſich in die Vertieſung legte. Bey gröſsern befand ſich die Leberſubſtanz oft in der Mitte, vermuthlich, weil ſie durch das Zuſammenwachſen mehrerer gebildet wurden.

Ihre Gröſse variirte beträchtlich, indem einige nur zwey Linien, andere drey Zoll im Durchmeſſer hatten. Die gröſsern waren weiſser, die kleinern grauer, weil dort die mittlere weiche Subſtanz in geringerer Menge vorhanden war.

Gleich groſse Tuberkeln waren an ihrem äuſsern, freyen Umfange oft in der Mitte eingeſunken, oft nicht. Der geringſte Grad dieſer Afterorganiſation ſchien eine Verminderung der Vaſculoſität der Leber zu ſeyn, indem ihre Subſtanz in kleinern und gröſsern Stellen, bald abwechſelnd mit normaler Subſtanz, bald ununterbrochen in groſsen Strecken, mehr braun, weniger röthlich war. Dieſe Stellen fand ich ſogar zum Theil etwas mehr erhaben als die normale benachbarte Subſtanz.

Die Verbindung mit der eigenthümlichen Haut der Leber, war an einigen Knoten fester als an andern, auf eine von der Gröſse derselben durchaus unabhängige Weise. Die Peritonealhaut lieſs sich überall mit gleicher Leichtigkeit trennen.

Auch die Lunge, besonders die rechte, war an mehrern Stellen fester und hier mehr grau und bröcklich. Diese Stellen, die aus einer körnigen Masse gebildet waren, lieſsen sich von der gesunden Masse zum Theil trennen, hingen aber auch zum Theil sehr genau mit ihr zusammen und gingen unmerklich in sie über. Zugleich strotzten beide Lungen von Flüssigkeit und waren überall mit dem Brustfelle verwachsen.

Am Herzen fanden sich bloſs mehrere Flecken; das an der Stelle der Thymus liegende Fett aber war härter, bröcklicher als gewöhnlich und durch feste und dicke Scheidewände abgetheilt.

Am Herzbeutel fanden sich an mehrern Stellen ungleiche, geschlängelte, scirrhöse Höcker, die eine Linie weit in die Höhle ragten.

Dasselbe fand sich am Bauchfell, das, so wie der Herzbeutel, im Allgemeinen bedeutend verdickt war.

Die Gebärmutter war doppelt so groſs als gewöhnlich, etwas, aber nicht bedeutend hart. Die Dicke der fibrösen Haut der Ovarien betrug über eine Linie. Zugleich war sie sehr runzlich und machte Windungen von der Tiefe zweyer Linien; die Substanz selbst war normal.

Die Nieren waren gleichfalls gesund; allein in beiden Nebennieren fand sich eine gelblichgrüne scirrhöse Masse von der Gröſse einer

Haselnuss, die oben und unten unmerklich in die normale Substanz überging, in ihrem übrigen Umfange aber dieselbe fast ganz verdrängt hatte.

Vor nicht langer Zeit hat ein geistreicher Arzt, Adams, das Wesen des Krebses in der Erzeugung von Hydatiden gesetzt, [1]) nachdem vor ihm schon Hunter dieselbe Meinung geäusert hatte.

Er hält die sehnenartigen weisslichen Scheiwände, welche die scirrhösen Theile durchkreuzen, für Zellen oder Bälge, welche mit einer, nach Verschiedenheit der Theile verschiedenen Flüssigkeit angefüllt sind. [2])

Die Krebshydatide (Hydatis carcinomatosa) welche, wie alle übrigen Hydatiden, nur das einfachste Thier, das bloss aus einem Balge und der darin enthaltenen Substanz besteht, darstellt, unterscheidet sich von diesen ausser der verschiedenen Beschaffenheit der in ihm enthaltenen Substanzen, noch durch das Vermögen, die Theile, worin sie sich bildet, zur Schwammbildung zu reizen [3]). Der Schwamm ist nicht eine Veränderung des ganzen Scirrhus, sondern nur ein Anhang der Kreshydatiden.

Die Beschaffenheit der im Balge der Hydatiden enthaltenen Substanzen differirt nach der Beschaffenheit der Theile.

---

1) On morbid poisons. London 1795. Observations on the cancerous breasts; consisting chiefly of original correspondence between the Author and Dr. Baillie, Mr. Cline Dr. Robington, Mr. Abernethy and Dr. Stokes. London 1801.

2) Obs. S. 43.

3) Ebend. S. 39. ff.

In dem Bruſtkrebſe hat ſie die Geſtalt von Fett. Bey beträchtlicher Vergröſserung der krebshaften Bruſt nämlich, findet man an mehrern Stellen des Scirrhus eine Subſtanz, welche vorzüglich den ganzen hintern Theil der Geſchwulſt und den, zwiſchen ihr und der Achſelhöhle befindlichen Raum einnimmt. Dieſe Subſtanz, welche durchſichtiger, dünner als der übrige Theil der Geſchwulſt iſt, eine grünlichgelbe Farbe hat, hält man gewöhnlich für Fett, allein, nach Adams Meinung, mit Unrecht, indem ſie alle Eigenſchaften einer Hydatide beſitzt.

Daſſelbe Zuſammenziehungsvermögen nämlich, welches die Hydatiden der Schaafe, wie er ausdrücklich ſagt, darbieten, nimmt man auch in dieſer Subſtanz wahr. Durchſchneidet man eine friſch amputirte krebſige Bruſt unmittelbar nach der Operation, ſo iſt die Durchſchnittsfläche der fettigen Subſtanz ganz glatt, augenblicklich aber bekommt ſie ein warzenförmiges Anſehen. Dieſs leitet Adams von der Zuſammenziehung der Kapſeln her, welche die fettähnliche Subſtanz einſchlieſsen und die Krebshydatiden darſtellen. Jene Veränderungen der Durchſchnittsfläche treten dagegen nicht ein, wenn der Schnitt durch den amputirten Theil erſt geführt wird, nachdem dieſer der Kälte ausgeſetzt geweſen iſt, oder einige Stunden lang im Waſſer gelegen hat, und man kann nun die Krebshydatiden kaum vom gewöhnlichen Fette unterſcheiden, um ſo mehr, da jetzt die in den Bälgen enthaltene Subſtanz undurchſichtig geworden iſt.

Dieſe Subſtanz unterſcheidet ſich vom gewöhnlichen Fette auſser ihrer geringen Conſistenz und Farbe dadurch, daſs man sie leicht durch ein stumpfes Instrument, ohne alle anhängende Fasern, herausnehmen kann. Die Bälge, welche sie enthalten, weichen von den gewöhnlichen Fettbälgen dadurch ab, daſs sie nach Herausnahme der in ihnen befindlichen Substanz, nicht zusammenfallen, leicht zu unterscheiden sind und einen weit höhern Grad von Stärke und Festigkeit haben.

Diese Substanz soll vermöge eines Processes erzeugt werden, der mit der normalen Vegetation durchaus keine Aehnlichkeit hat, indem sie sich in der kranken Brust in weit gröſserer Menge findet, als das Fett in der gesunden [1]).

Die in der Magen- und Gebärmutterkrebshydatide enthaltene Substanz, unterscheidet sich noch mehr vom Fette als die in der Hydatide des Brustscirrhus befindliche, stellt daher mehr eine Substanz eigner Art dar.

Der Schwamm, zu dessen Bildung die Hydatide die benachbarten Theile reizt, entsteht zum Schutze der lebenden Hydatide gegen den nachtheiligen Einfluſs, welchen die, auf den Tod einer oder mehrerer, eintretende Eiterung in den benachbarten Theilen auf jene haben würde, wenn sie nicht mit lebenden Theilen umgeben wären.

Daher findet man in einer krebsigen Brust, die noch nicht lange in diesem Zustande ist, und in welcher die Krankheit keine bedeutende Fortschritte gemacht hat, keinen Schwamm. Ist die Krankheit aber weiter fortgeschritten, so daſs verschiedene Hervorragun-

---

1) Ebend. S. 70.

gen in der Haut entstanden sind, so findet man Schwamm zwischen der Hydatide und der Haut. Bey bedeutender Vergrösserung der Brust hat der Schwamm verschiedene Abtheilungen, die mit Hydatiden, welche sich in verschiedenen Zuständen befinden, angefüllt sind, indem sich einige in einem abgestorbenen, andere im Zustande des Wachsthums befinden. Tod oder Annäherung an denselben in einer oder mehreren Krebshydatiden, reizt die übrigen und die nahen Theile zur Bildung des Schwammes, der sie von einander trennt. So werden in verschiedenen Theilen derselben Brust, verschiedene Actionen hervorgerufen von denen die eine das Ulceriren, oder ein beständig Statt findendes Absterben und Abgestossenwerden des Schwammes, die andere ein Produciren eines neuen Schwammes, zum Schutze der noch lebenden Hydatiden, ist.

Der heranwachsende Schwamm theilt die Hydatiden in mehrere Haufen, weshalb man sie von einander entfernt findet und schützt nicht bloss die noch lebenden, sondern begünstigt auch die Entstehung neuer.

Ist eine Schicht von Hydatiden abgestorben, so fängt der zu ihnen gehörende Schwamm zu eitern an, und wenn er sich absondert, die darunter befindliche Schicht von Hydatiden abzusterben an. Wenn die Eiterung langsam vor sich geht und sich alle Hydatidenhäute absondern, so wird die Oberfläche rein und schickt sich zur Heilung an. Befinden sich keine Hydatiden in der Nähe, so bedeckt sie sich mit einem Schorfe oder sogar mit einer Haut: das Gegentheil findet dagegen Statt, wenn noch Häufe von Hydatiden zurückgeblieben sind.

Diese Hydatiden scheinen sich ausserordentlich schnell zu vervielfältigen und ihr Leben ist in demselben Verhältniss auf eine kürzere Dauer beschränkt; daher der verschiedene Zustand, in welchem man die verschiedenen Hydatiden, bey Eröffnung einer krebshaften Brust, findet. Bis zu der Periode, wo sie sich zu vermehren anfangen, scheinen sie sich in einem mehr oder weniger torpiden Zustande zu befinden, zuweilen zuwachsen, dann aber wieder eine Zeitlang still zu stehen.

Doch finden sich in krebsigen Theilen nicht bloss Hydatiden von einerley Art, sondern Adams [1]) setzt selbst drey Arten derselben fest. Die eine ist die gewöhnliche Hydatide, die mit einer blutwasserähnlichen Flüssigkeit angefüllt ist. Ihre Wände und der Schwamm, worin sie enthalten ist, haben eine knorpelartige Härte. Daher rührt die ausserordentliche Härte des Brustkrebsschwammes, welche man bisweilen bemerkt.

Die zweite nennt er die Gallerthydatide, deren Höhle mit einer gallertähnlichen Flüssigkeit angefüllt ist. Nach ihm sind dieses die Krebshydatiden, die ihre verschiedenen Perioden, welche sie von ihrer Geburt bis zu ihrem Tode durchlaufen, erlitten haben und in einem Schwamme enthalten sind.

Die dritte Art endlich ist die Bluthydatide, die mit einer blutigen Feuchtigkeit angefüllt und in einem mehr lockern und blutigen Schwamme enthalten ist.

Man

1) A. a. O. S. 65.

Man sieht also aus der gegebenen Darstellung, daſs Adams den Scirrhus selbst für belebt hält, indem er ausdrücklich die Fettbälge der krebsigen Brüste und die Loculamente anderer Scirrhen für Thiere hält. Wenn man ihm daher den Einwurf macht, daſs man in krebsigen Theilen nie Hydatiden gefunden habe, so widerlegt man seine Meinung nicht.

Dagegen scheint es mir sowohl sehr gewagt als sehr unnöthig, die genannten Theile in der That für eigne und belebte Organismen anzusehen.

Cline [1]) bemerkt sehr richtig, daſs man, und namentlich er selbst, oft in den Brüsten Zellen voll verschiedener Flüssigkeiten gefunden habe, sie aber durchaus nicht für lebende Thiere halten könne, indem sie nie umschriebne, nicht durch Gefäſse mit den umliegenden Theilen in Verbindung stehende Membranen seyen.

Wenn Adams dagegen bemerkt, daſs die mit einer lymphatischen Flüssigkeit angefüllten Bälge nicht der Krebsbrust wesentlich seyen, sondern sich zufällig in dem Schwamme bilden, der zur Beschützung der wahren Krebshydatiden bestimmt sey, so widerspricht er sich theils selbst, indem er sie an einem andern Orte als Scirrhushydatiden anführt, theils hat er die Thierheit des Scirrhus und die Nichtidentität des Krebsfettes u. s. w. mit wahrem Fette noch zu erweisen, indem die Charaktere, welche er als Beweise für die Thierheit desselben

1) Bey Adams S. 51.

anführt, sich sehr leicht aus einer Verdickung und Verhärtung der ursprünglich vorhandenen Fettzellen erklären lassen, welche mit dem Wesen des Zustandes sehr genau zusammenhängt und sich aus demselben erklären läſst.

Gute Beobachter haben auch die Adams-sche Ansicht durch das Ansehen der krebsigen Theile nicht bestätigt gefunden.

In allen krebsigen Brüsten, Hoden und andern krebsigen Geschwülsten, welche ich untersuchte, sagt Burns [1]), fand ich nie etwas, das mit Bestimmtheit als eine Hydatide angesehen werden konnte, und ich vermuthe daher, daſs man mit diesem Namen die kleinen krebsigen Abscesse mit dicken knorplichen Wänden beschrieben hat, die man fast allgemein in scirrhös-krebsigen Drüsen findet. So entsteht auch der Krebs unter Bedingungen, wo keine Hydatiden entstehen können, z. B. ein krebsiges Geschwür, wenn eine Warze abgerissen wird; allein an der Grundfläche der Warze findet sich keine Hydatide, welche dieses hervorbringen könnte.

Auch Himly [2]) bemerkt ausdrücklich, daſs er nie in einer krebsigen Brust etwas einer individuellen Thierbildung ähnliches gefunden habe. Eben so untersuchte er mehrere Mutter- Lippen- und Augenkrebse, ohne etwas einer Hydatide ähnliches zu entdecken.

---

1) Dissertat. on inflammation. Vol. II. Glasgow 1800. pag. 445. ff.

2) Journal der praktischen Heilkunde von Hufeland u. Himly, 1809. St. XII. S. 126. ff.

Eben so fand auch ich bey der Untersuchung krebshafter Theile nie in ihrer Structur im Allgemeinen Bedingungen, welche mich zu der Annahme, daſs das Wesen der Krankheit Bildung eigner Organismen sey, berechtigt hätten, ungeachtet die Bildung von Bälgen in denselben keine seltene Erscheinung ist.

Unter allen Organen erleiden das innere Hautsystem und die drüsigen am häufigsten die krebsige Degeneration.

Namentlich greift sie besonders häufig mehrere Theile des Darmkanals, beym weiblichen Geschlecht die Brüste und die Gebärmutter an.

A. Verdauungssystem.

1. Speisekanal.

Unter den verschiedenen Theilen des Verdauungssystems sind vorzüglich der Schlund, der Magen und der letzte Theil des Grimmdarms zu dieser Degeneration geneigt. Die scirrhösen Wände des Schlundes sind dann verhärtet, verdickt, häufig zu einer homogenen Masse verschmolzen. Gewöhnlich findet man sie im Zustande der Verschwärung, ja die Geschwüre des Schlundes sind sogar meistens scirrhös, indem gewöhnlich der Boden und ein sehr ansehnlicher Theil ihres Umfangs auf die angegebene Weise degenerirt ist.

a. Schlund.

Von den Gegenden des Schlundes ist vorzüglich das obere und das untere Ende, welches ſich zunächſt über dem obern Magenmunde befindet, geneigt, in ein Geſchwür überzugehen. Nach Hunter [1]) iſt der Grund dieſes häufigen Vorkommens ſcirrhöſer Geſchwüre am obern und untern Ende des Schlundes ſehr einfach. In der erſtern Gegend entſtehen ſie, weil eine Subſtanz, die durch ihre Geſtalt fähig iſt, die innere Haut des Schlundes zu reitzen, hier zuerſt in ſeine Höhle tritt, in der letztern, weil dieſe durch die Muskelfaſern der Cardia bis auf einen gewiſſen Grad verengt werden kann, wodurch gleichfalls ein fremder Körper leichter als in den übrigen Theilen des Kanals Gelegenheit hat, die innere Haut zu verletzen.

Bisweilen aber erſtreckt ſich die Scirrhoſität und Verſchwärung über einen weit gröſsern Theil der Speiſeröhre.

So fand ſie Bleuland [2]) bey einem fünf- und vierzigjährigen Mädchen, das mehr als ein Jahr lang Schlingbeſchwerden gehabt hatte, in ihrem untern Theile acht Queerfinger weit hart, ſehr verdickt, nur dicht über dem Magen normal. Der obere Theil der afficirten Stelle war an der innern Fläche mit harten Auswüchſen von verſchiedener Gröſse beſetzt, die an der Oeffnung, womit ſie verſehen waren, deutlich für die vergröſserten und verhärteten einfachen Schleimdrüſen der Speiſeröhre erkannt wurden. Dieſe Oeffnungen, von denen einige eine Schweinsborſte, andere eine ſilberne Sonde einlieſsen, hatten harte, wulſtige Ränder. Einige

1) Baillie a. a. O. S. 53.

2) Obſervationes de ſana et morboſa oeſophagi ſtructura. L. B. 1785. p. 113. ff. tab. VII.

von den Drüſen waren bloſs vergröſsert, andere zeigten durch ſchwärzliche Farbe eine gröſsere Degeneration. An einer Stelle von der Länge eines Zolles war durch ſie die Speiſeröhre ſo verengt, daſs ſie faſt ganz verſchloſſen ſchien; an einigen andern fehlte die innere Haut und die Wände waren verdickt, allein man nahm keine vergröſserten Drüſen wahr. Im untern Theile zeigten ſich dieſe, aber nicht ſo beträchtlich vergröſsert.

Dieſer Fall beweiſt ſehr ſchön, daſs von den einzelnen Theilen des Schlundes vorzüglich die Drüſen afficirt ſind.

Bisweilen kommt ein ſcirrhöſes Geſchwür der Speiſeröhre mit den benachbarten Theilen in Gemeinſchaft.

So fand Bleuland [1]) bey einer Frau von 38 Jahren, die ſeit zwey Jahren an erſchwerten Schlingen gelitten hatte, ein groſses Geſchwür in der Lunge, in welches ſich die Speiſeröhre durch ein Loch mit rauhen und ſehr verdickten Rändern öffnete. Aeuſserlich hing ſie genau mit der Lunge zuſammen, vom ſiebenten Rückenwirbel an war ſie ſehr hart, dick und dadurch in der Länge von drey Queerfingern ſo verengt, daſs ſie kaum eine Schreibfeder durchlieſs. Ihr oberer Theil war ſehr erweitert.

b. Magen.

Unter allen Gegenden des Magens iſt der Pförtner und der dicht vor ihm befindliche

---

1) A. a. O. S. 94. ff. tab. VI.

Theil am häufigsten der Sitz der Scirrhosität; wahrscheinlich aus keinem andern Grunde, als weil hier die Schleimdrüsen dieses Organs am grössten und zahlreichsten sind. Die villöse Haut vertritt hier für den unter ihr befindlichen krebsigen Theil die Stelle der allgemeinen Bedeckungen für den Brustkrebs. In einer beträchtlichen Anzahl von Fällen, die ich theils frisch untersuchte, theils noch in Weingeist aufbewahre, finde ich sie nicht ursprünglich degenerirt, nur lockerer und den Zusammenhang zwischen ihr und der Gefässhaut geringer als gewöhnlich, nie sah ich sie verhärtet. Ursprünglich leiden wahrscheinlich immer die im Zellgewebe hinter der innern Haut befindlichen Schleimdrüsen. Watson fand bey einem Kranken, der nach langem Schmerz gestorben war, in dem Pförtner, dessen Wände beynahe die Dicke eines Zolles hatten, und der fast ganz verschlossen war, an dem rechten Magenende einen Haufen dicht nebeneinander stehender Tuberkeln, die alle von der innern Haut des Magens, welche nur etwas lockerer, bläulich, schwammig, aber nicht exulcerirt war, bedeckt waren, und in den Vertiefungen zwischen ihnen, dicken, geronnenen Schleim. Im Pförtner selbst waren die Tuberkeln am kleinsten und dicksten, gegen die Mitte wurden sie flacher und weiter auseinander gerückt, und verschwanden im Grunde des Magens ganz. Offenbar nahmen sie die Stelle der Drüsen ein, oder waren vielmehr die von einem entzündeten und verdickten Zellgewebe umgebenen Drüsen selbst [1]).

---

1) Medical obs. and inquir. Vol. VI. p. 408. ff.

Die Drüsenschicht, welche den Pförtner bisweilen umgiebt, fand ich in einigen Fällen dieser Art zwey bis drey Linien dick, ihre Drüsen beträchtlich vergrössert, und mit einem zähen, dicken Schleim angefüllt.

Die Gefässhaut und die ganze, zwischen der Zotten- und Muskelhaut befindliche Masse ist in allen Fallen, die ich vor mir habe, am meisten degenerirt, entweder in eine drüsige, gelbliche, mit sehnenartigen, auf der Zottenhaut mehr oder weniger senkrecht stehenden Streifen durchkreuzte, oder in eine harte, weisse, ganz homogene Substanz verwandelt.

Auch die Muskelhaut aber ist nicht selten beträchtlich verdickt, verhärtet und mit den gewöhnlichen sehnenartigen Schichten durchwachsen.

Die Peritonealhaut leidet seltner, wird aber zuletzt auch verdickt, verhärtet und hängt fester mit der Muskelhaut zusammen. Bisweilen sind alle Häute des Magens zu einer einzigen homogenen, harten Masse verschmolzen, die ich mehrmals von der Dicke eines Zolles, und die Wände der ganzen rechten Hälfte des Magens bildend fand.

Die scirrhöse Stelle ist gewöhnlich, wegen der Verdickung der Zellhaut, mehr oder weniger über die übrige Fläche des Magens erhaben, selten aber doch in dem Grade, als Baillie [1]) fand, der in dem übrigens ganz gesunden Magen bisweilen eine Geschwulst von der Grösse

1) A. a. O. S. 76. ff.

einer welschen Nuſs sah, die einen strahligen Bau und in der Mitte ihrer Oberfläche einen leichten Eindruck hatte.

Der Uebergang von der alienirten in die gesunde Stelle des Magens war in allen Fällen, die ich sah, sehr plötzlich; doch findet sich gewöhnlich im Umfange der degenerirten Stelle einige Anschwellung der Häute.

Weit seltner als der Pförtner ist die Kardia der Sitz von Scirrhus und Krebs, und gewöhnlich scheint sich dann die Krankheit von dem untern Theile der Speiseröhre erst in den Magen ausgebreitet zu haben. Von beiden Stellen aus dehnt sie sich bisweilen über den ganzen Magen, vorzüglich längs dessen oberem Theile aus. Ausser den beyden angegebenen Stellen entsteht sie indessen, allein oder zugleich, auch an jedem andern Punkte des Magens.

Auch bleibt sie häufig nicht im Magen stehen, sondern setzt sich, vorzüglich wenn die Periode des Karcinoms eingetreten ist, in alle benachbarten Organe fort, deren Substanz dadurch mehr oder weniger zerstört, und in ein Geschwür umgewandelt wird.

c. Darm.

Ungeachtet alle Theile des Darmkanals der scirrhösen Entartung unterworfen sind, ist sie doch in dem dünnen Darme und dem vordern Theile des dicken verhältniſsmäſsig selten, häufiger dagegen in dem Endtheile des dicken, namentlich in der *S* förmigen Krümmung, und dem Mastdarme.

Beyde Stellen ſind, wahrſcheinlich wegen des gröſsern Drüſenreichthums, die erſtere auſserdem wegen ihrer Krümmung und der geringen Weite des dicken Darms in dieſer Gegend, wodurch der Fortgang des Kothes aufgehalten, mithin Reizung des Darmkanals veranlaſst wird, die letztere vorzüglich durch die vorhergegangene Entwickelung anderer Krankheiten, namentlich Hämorrhoidalgeſchwülſte, ſyphilitiſcher Auswüchſe, und die Reizung, welche um die Zeit des Aufhörens der Menſtruation in dieſer Gegend eintritt, dazu geneigt.

2. Nebenorgane.

Die wahre krebſige Entartung iſt in den Nebenorganen des Darmkanals eine nicht gewöhnliche Erſcheinung, und die davon angeführten Fälle gehören unſtreitig weit häufiger zum Markſarkom oder Blutſchwamm, als hieher. Doch habe ich die Ohrſpeicheldrüſe einige Mal auf dieſe Weiſe in dem gröſsten Theile ihrer Maſſe umgewandelt gefunden.

Die Afterorganiſationen der Leber ſind unſtreitig wohl bisweilen wahre Scirrhen, indeſſen glaube ich nach meinen Unterſuchungen die für die Nebenorgane des Darmkanals im Allgemeinen gemachte Bemerkung ganz beſonders auf dieſes Organ anwenden zu müſſen.

Mit Beſtimmtheit habe ich, mit ſchirrhöſer Degeneration der Gebärmutter und des Magens die Leber einigemal bedeutend verkleinert, durch eine Menge kleiner Erhabenheiten ungleich, hart, weiſslich und in ein dem wahren Scirrhus analoges Gewebe umgewandelt gefunden.

Für die Milz- und Bauchspeicheldrüsen gilt ungefähr dasselbe; doch habe ich einmal in der Milz eine, ihre gewölbte Fläche beträchtlich überragende, von ihrer übrigens gesunden Substanz leicht trennbare Geschwulst von der Grösse eines Hühnereyes gefunden, welche durch Härte und Gewebe ganz mit dem Scirrhus übereinkam und sich von dem Gebilde, welches ich oben (S. 321.) vermuthungsweise dem Marksarkom verglichen habe, bedeutend unterschied.

B. Zeugungstheile.

Nächst dem Darmkanal sind unstreitig die Zeugungstheile am häufigsten der Sitz des Krebses, und unter ihnen kommt er in den weiblichen, höchst wahrscheinlich wegen der höhern Steigerung der bildenden Thätigkeit in denselben, weit häufiger als in den männlichen vor. Wieder sind die Gebärmutter und die Brüste ihm unter allen am häufigsten unterworfen.

a. Gebärmutter.

Der scirrhöse Zustand der Gebärmutter unterscheidet sich sehr leicht von der Entwickelung faseriger, faserigknorplicher, knorplicher und knöcherner Körper [1]), ungeachtet diese gewöhnlich unter dem Namen von Scirrhen aufgeführt werden. Diese Aftergebilde sind der Substanz der Gebärmutter völlig fremd, metamorphosiren sich auf die oben angegebene Weise, und verschwären dagegen nie. Dagegen ist der Scirrhus der Ge-

1) S. oben S. 242. ff.

bärmutter eine Umwandlung ihrer Subſtanz auf die in der allgemeinen Beſchreibung dieſes Aftergebildes angegebene Weiſe, wobey ſie ſich zugleich mehr oder weniger vergröſsert. Im Allgemeinen fängt dieſe Umwandlung in dem untern Theile der Gebärmutter an, und erſtreckt ſich von hier aus zum Grunde. Denſelben Weg nimmt die karcinomatöſe Verſchwärung, durch welche nach meinen ſehr vielfachen Beobachtungen dieſer Krankheit, dieſes Organ allmählich von dem untern Ende deſſelben bis zum Grunde zerſtört wird. Bey dieſem Verſchwärungsproceſſe werden auch die benachbarten Theile zerſtört, und es entſtehen daher regelwidrige Communicationen zwiſchen der Gebärmutter, dem Maſtdarm und der Harnblaſe, ſelbſt der Unterleibshöhle und den äuſſern Geſchlechtstheilen. Zugleich iſt ſowohl in Folge der entzündlichen Thätigkeit, deren Produkte dieſe Aftergebilde ſind, als der durch ſie verurſachten Reizung, die Gebärmutter mit den benachbarten Theilen gewöhnlich ſehr eng verwachſen und ſowohl deshalb, als wegen der Vergröſserung dieſes Organs, findet man gewöhnlich die Harnleiter mehr oder weniger bedeutend erweitert, oft die Nierenſubſtanz gröſstentheils aufgeſogen.

b. Eierſtöcke.

Weit ſeltner als die Gebärmutter, erkranken die Eierſtöcke am Krebs. Ungeachtet eine nicht geringe Anzahl von Beobachtungen davon angeführt werden, ſo ſind die für dieſe Afterbildung gehaltnen Gewebe am gewöhnlichſten Faſerkörper, Faſerknorpel, Knorpel- und Knochengewebe oder Markſarkome. Höchſt wahrscheinlich hängt diese sehr merkwürdige Bedingung davon ab, daſs der Eierstock, vermöge der in ihm auf das Höchste gesteigerten Bildungsthätigkeit, die anfänglich indifferenten Gewebe den normalen Geweben des Körpers möglichst verähnlicht.

c. Brüste.

Die weibliche Brust ist noch häufiger als die Gebärmutter der Sitz des Krebses. Beyde Organe unterscheiden sich in dieser Hinsicht zugleich insofern von einander, als 1) die Brust weit seltner als die Gebärmutter nur an einfachem Krebs leidet, sondern sich gewöhnlich zugleich mehrere Aftergebilde, namentlich der eigentliche Scirrhus und das Marksarkom, auſserdem zugleich das faserige, faserknorpliche, Brustdrüsenähnliche Gewebe u. s. w. zugleich entwickeln; 2) weniger häufig die Substanz der Brustdrüse in das Aftergewebe umgewandelt wird, als dieses, von ihr getrennt, in ihr oder in ihrer Nähe sich erzeugt, wenn es sich gleich später, statt daſs es vorher von ihr getrennt war, enger mit ihr verbindet, und nun auch die Substanz der Drüse selbst sich umwandelt.

Diese abgesondert entstehenden scirrhösen Massen sind anfänglich rund, ziemlich glatt, beweglich, schmerzlos. In dieser Periode haben sie die gewöhnliche Bildung des Scirrhus. Hierauf tritt eine zweyte ein, wo der Umfang derselben ungleich wird, sie sich röthet, oft von einer serösen Feuchtigkeit durchdrungen wird, selbst in ihrer Substanz sich Eiterheerde entwickeln und mehr oder weniger heftige Schmerzen eintreten, die Periode des verborgenen Krebſes, welche man an der Bruſt, als einem äuſsern Theile, genauer als an andern Stellen, beobachten kann, die aber unſtreitig der Krebs in allen Organen mehr oder weniger deutlich durchläuft, ehe er die dritte, die des offenen Krebſes, erreicht, wo er ein Geſchwür bildet, welches die oben im Allgemeinen angegebenen Merkmale beſitzt. In dieſer Periode ſind zugleich nicht nur die benachbarten Theile, vorzüglich die Lymphdrüſen, auſserdem aber auch Muskeln und Knochen umgewandelt, ſondern es haben ſich mehr oder weniger verſchiedenartige Aftergewebe in der Bruſtdrüſe ſelbſt entwickelt.

d. Hoden.

In den männlichen Zeugungstheilen iſt unſtreitig der Hode am häufigſten der Sitz des Krebſes, der eine Art des Fleiſchbruches (Sarcocele) bildet. Die verſchiedenen Perioden der Krankheit laſſen ſich hier auf dieſelbe Weiſe als an der Bruſt erkennen, und beyde Organe kommen vorzüglich durch die gleichzeitige Anweſenheit mehrerer regelwidriger Gebilde überein.

c. Vorſteherdrüſe und Samenblaſen.

Die Vorſteherdrüſe iſt nicht ſelten der Sitz des wahren Scirrhus, wobey ſie ſich oft beträchtlich, bis zum Durchmeſſer von drey Zollen vergröſsert. Verhältniſsmäſsig ſelten wird ſie krebſig. Der Sitz des Scirrhus iſt keineswegs, nach Home, der nicht einmal immer vorkommende mittlere Lappen, ſondern, nach mehrfachen, von mir angeſtellten

Beobachtungen ſind es wenigſtens eben ſo häufig die Seitenlappen derſelben. Doch darf man die reine Vergröſserung dieſer Drüſe, die oft ohne deutlich ſichtbare Texturveränderung eintritt, nicht mit den Scirrhus verwechſeln.

Die Samenblaſen leiden meiſtens nur in Verbindung mit der Vorſteherdrüſe, wo ich ſie einigemal ſcirrhös gefunden habe.

C. Reſpirationsſyſtem.

In den Lungen entwickelt ſich die krebſige Afterbildung nur ſelten, ſey es durch Umwandlung des Gewebes, oder durch Entſtehung eigner begränzter, ſcirrhöſer Maſſen in denſelben, welche auf die gewöhnliche Weiſe in das Karcinom übergehen und mit dem Markſarkom und den Tuberkeln verbunden ſind. Dieſs iſt Bayle's krebſige Lungenſchwindſucht (Phthiſis cancerosa) [1]), welche unter 900 Fällen von Schwindſucht dieſes Organs nur dreymal beobachtet wurde [2]).

Eben ſo iſt ſie auch in der Schilddrüſe ſehr ſelten, kommt gleichfalls ſelten allein vor, und unterſcheidet ſich von der bloſsen Vergröſserung derſelben und andern unſchädlichen Aftergebilden im Allgemeinen durch gröſsere Härte, Ungleichheit der Drüſe und durch früher oder ſpäter eintretenden Schmerz. Indeſſen reichen die beyden erſten Kennzeichen zur Unterſcheidung des Scirrhus von der weit häufigeren Faſerknorpel-, Knorpel- und Knochenbildung in der Schilddrüſe nicht hin.

---

1) Rech. ſur la Phthiſie pulmon. à Paris 1810. p. 34.

2) A. a. O. p. 38.

D. Harnsystem.

Auch das Harnsystem ist nur selten der Sitz der Krebsbildung. In den Nieren entsteht sie zuweilen ursprünglich, in der Harnblase gewöhlich in Folge derselben Degeneration in andern benachbarten Organen, namentlich beym Manne der Vorsteherdrüse, beym Weibe der Gebärmutter, vorzüglich, wenn der karcinomatöse Zustand dieser Theile eingetreten ist.

E. Aeussere Haut.

Weit seltner als das innere Hautgewebe und dessen Entwickelungen, die Drüsen, ist die äussere Haut ursprünglich der Sitz des Scirrhus, wenn gleich krebsige Geschwüre, welchen wenigstens nicht deutlich Scirrhosität voranging, sich nicht selten in ihr entwickeln. Hierher gehören indessen kleinere und grössere, harte, rundliche Geschwülste, welche sich in grösserer oder geringerer Menge entwickeln, alle Perioden des Krebses durchlaufen und seltner allein, als mit derselben Entartung anderer Organe, namentlich solcher, welche Theile des innern Hautsystems sind, vorkommen.

F. Nervensystem.

Im Gehirn entwickeln sich häufiger eine oder mehrere, eigne, rundliche, ungleiche, scirrhöse Massen, welche von einer Lage erweichter Hirnsubstanz umgeben sind, als dass sich das Gewebe dieses Organs selbst auf diese Weise umwandelte. Gewöhnlich sind sie mehr oder weniger tief in der Substanz des Gehirns verborgen und in einfacher oder geringer Zahl vorhanden. Ihre Grösse variirt von dem Durchmesser einiger Linien bis zu dem von 3—4

Zollen. Dafs der Hirnhautfchwamm bisweilen auch hierher gehöre, ift fchon oben bemerkt. Auch ift es möglich, dafs die Nervengefchwülfte, welche in der Lehre von der regelwidrigen Knochenbildung befchrieben wurden, bisweilen krebfige Gebilde find.

G. Muskelfyftem.

Die Muskeln find fehr felten und vielleicht nie der Sitz des urfprünglichen Scirrhus, wenn gleich fehr oft die benachbarten willkührlichen Muskeln und die aus unwillkührlichen Muskelfafern gebildete Schicht des Darmkanals u. f. w. nicht felten confecutiv auf diefe Weife umgewandelt werden.

H. Knochenfyftem.

Die Knochen leiden zwar auch häufiger confecutiv als primitiv, jedoch find unftreitig oft das Ofteofteatom, die Ofteofarkofe, der Winddorn, der Knochenkrebs u. f. w. ganz oder zum Theil krebfige Gebilde. Da, wo der Krebs andere, befonders mehrere Organe, lange und bedeutend zerftörte, tritt in den Knochen weit feltner daffelbe Aftergebilde, als Brüchigkeit ein. Mehrmals habe ich auch, und namentlich mit bedeutendem Karcinom der Gebärmutter, fowohl die benachbarten als die entfernten Knochen durch mehr oder weniger anfehnliche, nur ganz locker an ihnen liegende, ungleiche rundliche Gefchwülfte, ftellenweife ganz zerftört gefunden. Da ich oft gutartige Gefchwülfte verfchiedener Art von weit beträchtlicherer Gröfse in derfelben Beziehung zu den Kno-

Knochen, ohne Zerstörung derselben fand, so glaube ich diese in den angeführten Fällen nicht bloss mechanisch von dem Drucke dieser Geschwülste, sondern um so mehr einer eigenthümlichen schädlichen Einwirkung derselben auf das Leben der Knochen herleiten zu müssen, als zugleich die Knochen brüchiger und dünner als gewöhnlich waren, wenn gleich die Ränder der in ihnen befindlichen Öffnungen eben und glatt erscheinen.

V. Skropheln.

Unter den neuen Bildungen, welche im normalen Zustande dem Organismus durchaus fremd sind, kommen die Skropheln, Tuberkeln oder Knoten am häufigsten vor.

Nach Bayle's [1]) Berechnung stirbt ein Drittheil der Personen, die chronischen Krankheiten unterliegen, daran. Sie bilden sich in allen Organen, doch nicht in allen gleich häufig.

Sie haben eine rundliche Gestalt, graue oder mattweisse, gelbliche Farbe, sind meistens undurchsichtig und erhärten gleichmässig durch Trocknen, Hitze, Kochen im Wasser und Behandlung mit Säuren. Sie durchlaufen vorzüglich drey Perioden.

In der ersten unterscheidet sich der degenerirte Theil des kranken Organs von dem gesunden nur durch eine mattweisse, graue Farbe, ist aber auch in Organen, die im Normalzustande weiss sind, mehr todt, bleich und undurchsichtig als der gesunde Theil. Zugleich ist er gewöhnlich härter und compacter.

In der zweyten Periode wird die afficirte Stelle noch undurchsichtiger, fester und härter,

---

1) Bayle remarques sur la dégénérescence tuberculeuse non enkystée du tissu des organes in Corvisart. J. de m. T. IX. p. 438.

bisweilen knorpelhart, doch ist sie immer noch deutlich organisirt und zerfällt durch einen starken Druck in kleine, unregelmäßsige Massen, zwischen denen sich immer Zellgewebe, bisweilen auch, wiewohl selten, kleine Gefäſse unterscheiden lassen. Stark [a]) läugnet sogar die Gegenwart von Gefäſsen in den Lungenknoten durchaus, indem er sie selbst mit dem Mikroskop nicht entdecken konnte.

Das dritte Stadium wird durch gänzlichen Mangel alles Anscheins von organischem Bau, und endlich durch Auflösung des afficirten Theiles von innen nach auſsen charakterisirt, wodurch die degenerirte Stelle in einen mehr oder weniger bröcklichen Eiter verwandelt wird, in welchem sich feste, unregelmäſsige, grauweiſse, käseähnliche Klümpchen befinden.

Oft werden die umgebenden Theile roth, hart, dicht, entzünden sich also, und werden durch Ergieſsung von Faserstoff abgeändert, eitern zuletzt sogar, werden aber nie selbst, im Gefolge dieser Veränderung, tuberculös.

Ein zufälliger Unterschied ist die Gestalt, in welcher die tuberculöse Degeneration erscheint. Es giebt vorzüglich zwey Modificationen, je nachdem die tuberculöse Substanz in einem Balge enthalten ist, oder nicht. Im letztern Falle nimmt die tuberculöse Masse bisweilen, auch in den frühesten Perioden, einen sehr groſsen Theil des leidenden Organs ein; doch ist diese Form vorzüglich beym Menschen selten. Bey Thieren habe ich sie, und zwar bey Säugthieren aus den verschiedensten Familien, namentlich mehrern Affenarten, Antilopen, Hunden, häufiger angetroffen. Immer hängen sowohl die eingebalgten, als die mit keinem Balge verse-

---

a) Klin. und anat. Bemerk. a. d. Engl. 1789. S. 56.

henen, sehr genau mit der normalen Substanz der Organe zusammen. Fast nie aber wird, die Gestalt, unter welcher die Degeneration erscheint, sey welche sie wolle, ein Organ ganz dadurch erfüllt. Wenn es gleich gewöhnlich an mehrern Stellen zugleich afficirt und mit Tuberkeln bisweilen durchsäet wird, so sind sie doch immer durch gesunde Stellen von einander getrennt.

Am häufigsten kommen sie in den Lungen vor. Nach Bayle [1]) erliegen unter fünf Menschen, die an Lungenkrankheiten sterben, vier der tuberculösen Schwindsucht. Nächst den Lungen bilden sie sich am häufigsten in den Lymphdrüsen. Die übrigen Organe folgen, nach Bayle, in Hinsicht auf die Häufigkeit der Tuberkeln, in folgender Ordnung auf einander. Zuerst die Schleimhäute, dann die Nieren, die Hoden, die Leber, die Milz, die Schilddrüse, das Herz, die willkührlichen Muskeln, die Gebärmutter, der Magen, die Knochen, das Nervensystem. Gegen diese Anordnung glaube ich nur bemerken zu können, dass sie mir in dem Nervensystem, namentlich dem Gehirn, häufiger als in den übrigen Organen, von der Schilddrüse an, vorzukommen scheinen. Wenn sie übrigens in den Lungen, den Lymphdrüsen, der Leber, der Milz, den Schleimhäuten, den Nieren keine ganz seltene, in den beiden ersten Organen sogar eine sehr gemeine Erscheinung sind, so werden sie dagegen in den übrigen höchst selten beobachtet.

Sie bieten in den verschiedenen Organen einige Modificationen dar, von denen die vornehmsten angeführt zu werden verdienen.

1) Ueber Tuberkeln. In Corvisart. j. de m. XI. Germinal.

a. Lungen.[1])

Die Gröſse der Lungenknoten variirt beträchtlich. Oft ſind ſie kaum merklich, von der Gröſse eines Stecknadelknopfes. Nach Baillie's Bemerkung, die ich häufig beſtätigt gefunden habe, liegen dann oft mehrere in einem Klümpchen beyſammen und vereinigen ſich wahrſcheinlich erſt allmählich durch Verſchmelzung zu einem Knoten; doch habe ich mehrmals, ſowohl bey Kindern als Erwachſenen, dieſe Knötchen, auch wenn ſie ſehr klein waren, ganz einzeln und in groſsen Entfernungen, durch die Lungenſubſtanz verſtreut gefunden. Oft dagegen ſcheinen mehrere Einſchnürungen und die unregelmäſsige Form groſser Knoten zu beweiſen, daſs ſie aus mehrern, urſprünglich getrennten, gröſsern zuſammenfloſſen. Meiſtentheils haben ſie zwey bis drey Linien im Durchmeſſer; doch fand ich ſie auch bey Menſchen einigemal einen bis zwey Zoll im Durchmeſſer haltend, und dann unregelmäſsiger als die kleinern. Die gröſsern finden ſich faſt immer in der Wurzel der Lunge und dem obern Lappen. Auſser ihnen aber kommen gewöhnlich zugleich kleinere in gröſserer Menge vor. Baillie läugnet die Anweſenheit einer Kapſel im Umfange des Lungenknotens, welche Bayle dagegen ſtatuirt und ſogar den gewöhnlichen Lungentuberkeln zuſchreibt. Sie wird nach ihm

---

1) W. Stark on the cauſes, ſymptoms and cure of the pulmonary conſumption etc. in den Med. Communications Vol. I. p. 359. N. Auch in deſſen klin. und anat. Bemerk. Aus d. Engl. Berlin 1789. Ant. Portal über die Natur u. Behandlung der Lungenſchwindſucht. Aus d. Franz. Bd. 1 u. 2. Hannover 1802. G. L. Bayle recherches ſur la phthiſie pulmonaire Paris 1810.

nur wegen ihrer Feinheit und sehr genauen Verbindung mit der Lungensubstanz an ihrer äussern, mit der tuberculösen dagegen an der innern Fläche, nicht erkannt. Ich habe bey genauen und oft angestellten Untersuchungen diese Kapsel nur selten wahrnehmen können.

Anfangs sind die Knoten ganz solide, mehr oder weniger hart. Bisweilen ist die Schnittfläche ganz glatt, bisweilen indess auch durch eine Menge kleiner Öffnungen durchbohrt. Allmählich vergrössern sich diese und nun verwandelt sich der Knoten nach und nach in eine Höhle, welche als ein Balg erscheint, der eine mehr oder weniger dickflüssige, eiterähnliche Substanz enthält. Die Verwandlung der festen Substanz des Tuberkels in diese mehr flüssige ist unabhängig von der Grösse desselben, indem man oft, wie ich mich mehrmals überzeugt habe, die Lunge ganz mit kleinen Eiterbälgen von einigen Linien im Durchmesser durchsäet findet, während in andern die Tuberkeln, auch wenn sie die Grösse einer Nuss haben, ganz solide sind. Mehrmals sah ich die innere Substanz, indem sie anfing sich etwas zu erweichen, zugleich eine röthliche Farbe annehmen.

Die erweichten Tuberkeln sind, wenn sie nur einige Linien weit sind, gewöhnlich völlig verschlossen; die, welche über einen halben Zoll im Durchmesser halten, communiciren dagegen fast immer durch eine kleine, runde, glattgerandete Öffnung mit einem Luftröhrenaste. Von dem Eintritte dieser Communication an bekommen sie den Namen der Vomica.

In dem erweichten Zustande ist die Kapsel deutlicher zu erkennen. Allein vielleicht ist sie auch nur der noch nicht erweichte Theil des Knotens? Wenigstens findet man sie meistens dicker, je weniger die Erweichung fortgeschritten ist, und bey grossen Lungengeschwüren an mehrern Stellen gar nicht [1]). Häufig ist sie innerlich mit einer weit dickern bekleidet, die ganz mit den Lagen auf alten Geschwüren übereinkommt. Die feine Kapsel umkleidet die isolirt in der Höhle der Vomica hängenden Lungengefäſse und unterscheidet sich gewöhnlich deutlich von der innern Bronchialhaut.

Ausser jenen Öffnungen, wodurch die Vomiken mit den Bronchien communiciren, und deren gewöhnlich in derselben Vomica, die kleinsten ausgenommen, mehrere, in den grössern sehr viele sind, finden sich andre, wodurch verschiedene Vomiken mit einander communiciren. Diese unterscheiden sich von jenen gewöhnlich durch Grösse und unregelmäſsige Gestalt ihrer rauhen Ränder.

Die Vomiken erreichen bisweilen eine ansehnliche Grösse, indem sie bis vier Zoll im Durchmesser halten. Gewöhnlich sind sowohl sie als die Tuberkeln etwas in der Substanz der Lunge verborgen, und immer adhärirt diese

---

[1]) Daher weiſs ich nicht, ob sich das vereiterte Lungentuberkel und das einfache Lungengeschwür wirklich, nach Bayle (Rech. sur la phthisie pulm. Paris 1810. p. 30) durch Anwesenheit einer absondernden Bekleidung oder eyweiſsartigen Schicht beym ersten, Mangel derselben bey dem letztern, unterscheiden.

in dem Umfange selbst grosser Vomiken fest an der innern Oberfläche des Brustfelles.

Eine von Stark, Baillie, Bayle, Sömmerring gemachte Bemerkung, welche ich in mehreren hundert Fällen bestätigt gefunden habe, ist es, dass der obere und hintere Theil der Lunge immer der am meisten afficirte Theil ist. Wenn auch die untere Hälfte vollkommen gesund war, fand ich doch hier häufig eine grosse Anzahl von Tuberkeln, und während diese in dem untern sich kaum zu bilden angefangen hatten und noch im ersten Stadium befanden, war oft der ganze obere Lappen in ein oder mehrere Geschwüre verwandelt. Nie fand ich das Gegentheil.

Doch scheint die obere Gegend der Lungen überhaupt, vielleicht wegen geringerer Beweglichkeit der Brusthöhle an dieser Stelle, am häufigsten zu leiden. Wenigstens fand ich sie weit häufiger und stärker entzündet, hepatisirt, verwachsen, als die übrigen Gegenden. Gewöhnlich ist auch die linke Lunge kränker als die rechte, oft allein krank. Oft bleibt nur der vierte Theil der Lungensubstanz zum Athmen tauglich, ja bisweilen sind beide Lungen durchaus in ungeheure Eiterbälge von der Dicke einiger Linien verwandelt, in welche die Gefässe oft einige Zoll weit frey hinein hängen.

Diese verengen sich in der Nähe grösserer Lungengeschwüre gewöhnlich plötzlich u. ziehen sich entweder in ihrem äussern Umfange, oder wenigstens in ihrer Höhle beträchtlich zusammen, indem diese fast ganz mit Faserstoff angefüllt ist. Sie sind oft mehrere Zoll weit ganz von den Wänden der Vomica getrennt und bilden im Innern derselben ein weitmaschiges Netzwerk. Diese Veränderung ist unstreitig eine Folge der Entzündung, welche sich von dem Umfange der Tuberkeln aus bis zu den gröſsern Gefäſsen verbreitete und durch die Ausschwitzung, die sie veranlaſst, den tödtlichen Einriſs der Blutgefäſse verhindert. Auf diese Weise ist unstreitig die Hallersche[1]) Beobachtung zu erklären, wo in die Höhle einer gänzlich zerstörten Lunge der Luftröhrenast und die groſsen Lungengefäſse offen hinein hingen.

Nach Stark ist diese Beschaffenheit der Lungengefäſse, besonders bey Anwesenheit gröſserer Vomiken, allgemein, und man kann daher weder Luft noch Injectionsmasse durch die Lungengefäſse in die Höhlen derselben treiben. Auch ich habe diese Beobachtung mehrmals gemacht, allein fast eben so häufig fand ich selbst die Gefäſse, welche sich netzförmig von einer Wand der Vomica zur andern begeben, völlig so weit offen, als es ihr äuſserer Umfang erwarten lieſs, ganz mit Injectionsmasse angefüllt, und, ungeachtet die Injection vorsichtig gemacht und absichtlich keine sehr feine Masse genommen wurde, dennoch die Höhlen ganz mit Masse angefüllt, die sowohl aus den Arterien als Venen gedrungen war.

Bisweilen heilen die Geschwüre der Lunge und bleiben dann entweder als verdichtete Stellen derselben, wahre Narben, welche ich einigemal mit Bestimmtheit in tuberkulösen Lungen gefunden habe, oder als Höhlen, nicht mehr mit Eiter angefüllte Sä-

---

1) Obs. path. XVII.

cke zurück, welche keinen Zusammenhang mit den Luftröhrenästen haben. [1])

Der Sitz der Tuberkeln ist, nach der verschiedenen Grösse, welche sie bey ihrem Enstehen haben, selbst nach ihrer mehr rundlichen, nicht länglichen Gestalt, nach der oft ungeheuren Anzahl, worin sie erscheinen, zu schliessen, das Gewebe der Lungen selbst, nicht aber die lymphatischen Drüsen, welche Portal, wie es mir nach meinen Untersuchungen bis jetzt zu schliessen erlaubt ist, nicht mit vollem Rechte von den Bronchialdrüsen unterscheidet, indem er diese als Absonderungsorgane ansieht, die seiner Meinung nach bey der tuberculösen Schwindsucht nie afficirt sind. Das letztere stimmt nicht vollkommen mit meinen Beobachtungen überein, indem ich beinahe in allen Fällen, wo die Lungen tuberculös waren, auch die Bronchialdrüsen auf eine ähnliche Weise alienirt fand. Für Portal's Meinung scheint zwar der Umstand zu sprechen, dass die tuberculöse Lungensucht vorzüglich solche Personen befällt, bey denen die Lymphdrüsen in andern Gegenden deutlich auf dieselbe Weise degenerirt sind; allein auf der andern Seite spricht die Vergleichung der tuberculösen Lymphdrüsen mit den Lungentuberkeln mehr gegen seine Annahme. Bey jenen erscheint immer die tuberculöse Masse in die normale Drüsensubstanz eingesprengt, diese dagegen sind in ihrer ganzen Ausdehnung homogen. Dieser Umstand nöthigt mich, in Verbindung mit den obigen Gründen, für jetzt noch der Baillie'schen Meinung beizutreten,

---

[1]) Autenrieth in dessen Tübinger Blättern Bd. 1. S. 121.

ten, der zufolge die Tuberkeln keine alienirten Drüsen, sondern Geschwülste sind, die sich in dem Zellstoff gebildet haben, der die Luftzellen vereinigt, ungeachtet Baillie's Einwurf nur gegen die Annahme, daß sie eine Degeneration von Schleimdrüsen seyen, gerichtet ist[1].

Die Tuberkeln entwickeln sich am häufigsten um das dreissigste Jahr; doch habe ich sie in allen Altern, schon bey zweymonatlichen Kindern, gefunden. Bey einem dreyjährigen Kinde waren beide Lungen mit erbsengrossen Tuberkeln, die, nach der vorher vollkommnen Gesundheit zu schliessen, sich binnen drey bis vier Wochen gebildet hatten, dicht durchsäet.

b. Lymphatisches System.

Nach Portal's Ansicht könnte man vielleicht das lymphatische System überhaupt als den Sitz der Tuberkeln ansehen, allein da ausser den so eben in Bezug auf die Lungenknoten angeführten Gründen gegen diese Annahme auch der in mehrern Organen bemerkte ununterbrochene Uebergang des degenerirten Theils in den gesunden, gegen diese Meinung spricht, so verdient dieses System, das nächst den Lungen am häufigsten der Sitz dieser Degeneration zu seyn scheint, eigends betrachtet zu werden.

Am häufigsten sind unter den Theilen des Lymphsystems die Drüsen, namentlich die Gekrösdrüsen, von der tuberculösen Degeneration

---

1) Anat. des kr. Baues. S. 39.

afficirt, doch findet man dieselbe Alienation nicht selten auch in den Achsel-, Leisten-, Hals- und Bronchialdrüsen.

Die Drüsen erscheinen vergrössert, sind es aber nicht immer, indem nicht die Substanz selbst degenerirt, sondern in ihr sich die Tuberkeln bilden. Diese entstehen bisweilen in der Mitte der Drüse, häufig aber auch an mehrern Stellen zugleich. Nach Bayle soll die Vereiterung derselben nur bey nicht eingebalgten Tuberkeln der Lymphdrüsen an mehrern Stellen zugleich anfangen, nie aber bey eingebalgten. Sind die Bronchialdrüsen krank, so werden die afficirten Theile erst grau, dann weiss, und die ganze Drüse hat oft ein schwarz und weiss marmorirtes Ansehen. Nur die weissen Theile eitern, oft aber sind noch schwarze zugegen, während die Drüse fast ganz zerstört ist. Hier kommen die nicht eingebalgten Tuberkeln häufiger als eingebalgte, oft beide zusammen, vor. Am häufigsten trifft diese Degeneration der Lymphdrüsen Kinder zwischen dem ersten und vierten Jahre, kommt aber nicht selten auch bis zum zehnten vor. Später wird sie seltner; allein nach dem funfzigsten tritt sie wieder häufig ein und die Kranken sterben mit denselben Zufällen als die Kinder. Im Allgemeinen ist die tuberculöse Degeneration, wenn sie nach den Kinderjahren eintritt, weit gefährlicher und schneller tödtlich als in frühern Perioden. Die Drüsen erlangen oft ein sehr bedeutendes Volum, ohne zu vereitern, verschmelzen zu einer Masse, und scheinen, auch wenn sie vereitern, seltner aufzubrechen als durch Resorption entleert zu werden.

Auch andere Theile des Lymphſyſtems zeigen bisweilen die tuberculöſe Degeneration. Namentlich hat A. Cooper[1]) einige intereſſante Beiſpiele von Affection des Milchbruſtganges durch dieſelbe verzeichnet.

In dem einen waren mehrere Klappenpaare deſſelben verdickt, und ragten tief in ſeine Höhle, ſo daſs ſie einander mit den Rändern berührten. Das dritte, oberſte war verwachſen, und daher die Höhle an dieſer Stelle obliterirt. Zwiſchen den Platten, welche die Klappen bilden, befand ſich eine molkenähnliche, den Tuberkeln ganz ähnliche Subſtanz. Zugleich waren die Halsdrüſen angeſchwollen und die Lungen tuberkulös.

In dem zweyten Falle befand ſich $1\frac{1}{2}$ Zoll über dem untern Ende des Milchbruſtganges ein kleiner Schwamm, welcher der Injectionsmaſſe den Weg verſchloſs. Zwey Zolle höher lag ein ähnlicher. Zwiſchen beiden waren die Häute des Gefäſses normal, allein überall, wo Gefäſse eintraten, die Klappen krank, dick, undurchſichtig. Zugleich waren die Gekrösdrüſen vergröſsert, und das Bauchfell mit kleinen Tuberkeln beſetzt.

Im dritten fand man die Wände des Milchbruſtganges dick und undurchſichtig, er ſelbſt war in zwey Drittheilen ſeiner Länge durch eine breiige, feſt anhängende Maſſe, völlig verſchloſſen. Zugleich bildeten die Lendendrüſen eine ähnliche Geſchwulſt von $4\frac{1}{2}$ Pfund, der

---

1) Three inſtances of obſtruction of the thoracic duct, in den med. records and reſearches, Vol. I. pag. 87. ff.

Hode war in eine breiige, aus zerfallner, geronnener Lymphe und blutfarbigem Eiter gebildete Masse verwandelt, die Lymphgefäſse des Samenstranges angeschwollen, und mit ähnlicher Substanz ganz angefüllt.

In allen diesen Fällen aber waren die Lymphgefäſse nicht voller als gewöhnlich, indem die Function des Milchbrustganges durch erweiterte Nebengefäſse verrichtet worden war.

c. Schleimhäute.

Unter den Schleimhäuten ist besonders die des Darmkanals, vorzüglich des Krummdarms und des dicken Darms, der tuberculösen Degeneration unterworfen. Doch kommt sie hier selten anders als in Gesellschaft mit Lungentuberkeln vor, und, so viel ich aus meinen Untersuchungen schliessen kann, entwickelt sie sich später als diese. Sie ist aber dann so häufig, daſs die Angabe von **Bayle**, der zu Folge zwey Drittheile der Schwindsüchtigen diese Alienation zeigen[1]), vielleicht noch zu gering ist. Anfangs erscheint sie als eine weiſse, röthliche, den Aphthen ähnliche Anschwellung, die häufig drey bis sechs Linien im Durchmesser hat und eine halbe Linie über die Schleimhaut emporragt. Allmählich bildet sich in ihrer Mitte ein Geschwür, das sich bis zum Umfange ausdehnt. Dann hat die degenerirte Stelle oft über einen Zoll im Durchmesser. Die Muskelhaut ist ge-

---

1) A. a. O. u. Rech. sur la phthisie pulmon. 1810. Er fand sogar unter 100 Kranken das Verhaltniſs noch ungünstiger, wie 2 : 1, indem bey 67 der Darmkanal exulcerirt, bey 33 gesund war. p. 59.

wöhnlich, wenigstens in dieser Periode, mürbe, und oft erstreckte sich die Degeneration zwischen ihren Fasern bis zu der Peritonealhaut des Darms, wo sie sich aber bisweilen auch unabhängig von der Schleimhaut entwickelt.

Die Anwesenheit dieser Degeneration hängt wahrscheinlich zum Theil mit den colliquativen Diarrhöen im letzten Stadium der Schwindsucht zusammen, so wie die Halsschwindsucht durch ähnliche Degeneration der Schleimhaut des Kehlkopfs und der Luftröhre veranlaßt wird [1]).

So viel sich aus meinen Beobachtungen schließen läßt, sind die Schleimdrüsen beider Organe der Hauptsitz der Degeneration. Selbst die Theile des Darmkanals, wo sie am meisten vorkommt, beweisen dafür; noch mehr aber der Umstand, daß ich in 40 Fällen dieser Art meistens die Peyerschen Drüsenhaufen dadurch zerstört fand, und daß sie in der Luftröhre, wie die hier befindlichen Drüsen, einzeln stehen, auch wenn sie sich schon in Geschwüre umgewandelt haben.

Außerdem kommt diese Degeneration, wiewohl seltner, auch in der Schleimhaut der Harnblase vor. Hier wurde sie von Delaroche beobachtet [2]).

1) Diese ist indessen, ungeachtet der größern Nähe der kranken Theile, weit seltner, indem Bayle unter 100 Phthisischen nur 17 mit Halsschwindsucht fand, a. a. O.

2) Bulletin de la Soc. de Médec. T. 13. 14.

d. Nieren.

In den Nieren find die Skropheln nicht sehr selten, weshalb auch Baillie[1]) bemerkt, dass die meisten Nierenabscesse, welche er beobachtete, skrophulös zu seyn schienen. Gewöhnlich bilden sie hier grosse Massen, die oft die ganze Niere der einen Seite einnehmen, während die andere gesund ist. Die Niere ist dann bisweilen vergrössert, bisweilen verkleinert, noch lange deutlich organisirt, wenn sich gleich kein Unterschied zwischen Mark- und Rindensubstanz wahrnehmen läst. Auch bey fast totaler Degeneration beider Nieren, ist die Harnabsonderung regelmäsig, nur der Harn viel heller als gewöhnlich. Verhältnismäsig selten tritt die Periode der Vereiterung ein.

e. Leber.

In der Leber findet man nicht ganz selten Knoten; doch läst es sich kaum mit Gewissheit angeben, ob und welche man für tuberculös oder für scirrhös zu halten habe.

Bayle hält zwey Gattungen von Leberknoten, eine grössere und eine kleinere, für wahre Tuberkeln, und bemerkt, dass die kleinere Varietät, welche nie die Grösse einer Haselnuss erreicht, den Lungenknoten durchaus ähnlich ist. In den grössern, die nach ihm so selten sind, dass er unter 600 Leichen diese Degeneration nur acht Mal fand, fängt die Vereiterung an mehrern Punkten zugleich an. Er fand sie nur bey Personen von ungefähr 25 Jahren, die kleinern dagegen in allen Lebensperioden. Die grössern

---

1) Anat. des kr. Baues. S. 161.

ſind, meiner Anſicht nach, nicht ſkrophulös, ſondern gehören zum Blutſchwamm. Dagegen ſind dieſs Baillie's ſkrophulöſe Knoten, indem ſie durch Gröſse, Bau und Eindruck auf das Gefühl vollkommen mit den Lungentuberkeln überein kommen. Ich habe Geſchwülſte von beyden Gattungen zugleich in einer, durch ſie ſehr vergröſserten Leber gefunden, allein ich bin über das Weſen derſelben ungewiſs, weil zugleich Bruſtkrebs gegenwärtig war [1]).

f. Milz.

Auch in der Milz findet man, doch ſelten, Knoten von verſchiedener Art. Bisweilen ſind ſie offenbar ſkrophulös und kommen ganz mit Lungentuberkeln überein. Knoten dieſer Art fand Baillie [2]) zweymal. Sie ſtanden in regelmäſsigen Entfernungen von einander und hingen nicht in Maſſen zuſammen. Keiner war im Zuſtande der Vereiterung. Nach Bayle kommen die Tuberkeln der Milz gewöhnlich einzeln vor, ihre Subſtanz iſt weich. Nie ſah er ſie den Tod veranlaſſen.

Ich ſelbſt habe die Milz einmal bei einem dreyjährigen Kinde, deſſen Lungen mit Tuberkeln durchſäet waren, gleichfalls voll wahrer ſkrophulöſer Knoten gefunden. Die Milz war beträchtlich vergröſsert, ſo daſs ſie $3\frac{1}{2}$ Zoll lang, über 2 breit und einen dick war. Die Tuberkeln hatten im Allgemeinen eine rundliche Geſtalt, eine weiſsliche Farbe und eine weit beträcht-

1) S. über die Leberknoten oben S. 318. ff.

2) A. a. O. S. 156.

trächtlichere Härte, als die normale Substanz. Die meisten waren solide, doch enthielten die grössern eine deutliche, überall verschlossene Höhle, die mit einer weichern, mehr eiterähnlichen Substanz angefüllt war. Sie konnten leichter als die Lungenknoten in demselben Körper von der Substanz des Organs getrennt werden und waren von einem deutlichen Balge umgeben.

Etwas weniger reichlich mit Knoten durchsäet ist die Substanz der Milz eines Erwachsenen, die ich in Weingeist vor mir habe. Zugleich sind sie kleiner, indem die meisten nur eine Linie im Durchmesser halten. Auch sie sind leicht von der normalen Substanz zu trennen, und die grössern sind hohl.

Weniger leicht trennbar und in weit geringerer Menge vorhanden sind sie in der Milz eines fünfjährigen Kindes, deren Substanz beträchtlich härter als gewöhnlich ist. Sie haben hier meistens drey bis vier Linien im Durchmesser, und man sieht sehr deutlich, dass sie von keinem Balge umgeben sind, ungeachtet sie scharf von der übrigen Milzsubstanz abgegränzt erscheinen.

g. *Geschlechtstheile.*

In den Geschlechtstheilen habe ich gleichfalls bey skrophulösen Subjecten Tuberkeln gefunden, die mit den Lungentuberkeln überein kamen. In den Hoden und Nebenhoden standen sie gewöhnlich einzeln, waren in geringer Menge vorhanden, sehr weiss, hart und deutlich eingebalgt. Doch vergrössert sich der Hode, wenn er skrophulös wird, gemeiniglich in seinem Umfange [1]) und verwandelt sich ganz in eine solche Substanz. Die Vorsteherdrüse war in einem Falle dadurch beträchtlich vergrössert. Vielleicht gehören hieher manche Fälle von Scirrhus der Prostata. Baillie fand auch sowohl die Vorsteherdrüse als die Samenblasen skrophulös [2]).

Die Gebärmutter einer vierzigjährigen Frau, deren Lungen ganz durch Tuberkeln zerstört waren, fand ich einmal ganz mit Bälgen von der Grösse einer Erbse bis Haselnuss durchsäet, die zum Theil eine den Lungenknoten ganz ähnliche Substanz, meistens aber einen gelblichen Eiter enthielten. Die gewöhnlichen Knoten der Gebärmutter sind ganz andrer Art.

h. Nervensystem.

Vom Nervensystem ist beinahe nur das Gehirn als Sitz von Tuberkeln bekannt. Vielleicht gehören hieher mehrere Beobachtungen über die Scirrhosität dieses Organs; unstreitig aber verdient eine merkwürdige Beobachtung von Reil [3]) die erste Stelle. Er fand bei einem dreyzehnjährigen skrophulösen Kinde, in dessen Hirnhöhlen alle Gefässe mit Blute strotzend angefüllt waren, in der Rindensubstanz des grossen und kleinen Gehirns wenigstens 200 rundliche und längliche Körperchen, die etwas härter als das Gehirn, meistens blassgelb, nur sehr selten etwas bläulich, breiähnlich, zum Theil in der

---

1) Baillie a. O. S. 205.

2) a. O. S. 192. 194.

3) Scrophulae encephali in Mem. clin. Vol. II. Fasc. 1. No. II. p. 39. ff.

Mitte mit einem dunklern Punkte versehen und in einem einfachen Balge enthalten waren. Einige hatten die Gröfse einer Linse, andere die einer Erbse und sassen mitten in der Rindensubstanz, so dafs sie weder nach aufsen, noch nach innen ragten. Alle waren leicht auszuschälen. Die meisten befanden sich an der obern Fläche des grofsen Gehirns, weniger im kleinen, sehr wenig an der Basis. Die Mesenterial- und Halsdrüsen waren ganz auf dieselbe Weise degenerirt.

Auch bey einem vierzehnjährigen Knaben von skrophulösem Habitus, der aber bis in sein dreyzehntes Jahr völlig gesund gewesen war, um diese Zeit eine starke Kniegeschwulst bekommen hatte und in den letzten zwey Monaten seines Lebens an heftigen Kopfschmerzen gelitten hatte, fand Merat [1]) das Gehirn grofs, die Windungen flach, die Gefäfse angeschwollen und in eine Lage von gallertähnlichem Blutwasser eingesenkt, in den seitlichen Hirnhöhlen zwey Unzen Wasser. Zugleich befand sich hinter dem obern Theile des verlängerten Markes ein fettiger Körper von der Gröfse einer Wallnufs und röthlicher Farbe, dessen innere, völlig gleichfarbige Substanz von kleinen rothen Linien, wahrscheinlich Blutgefäfsen, durchdrungen war. Er war in einer sehr dünnen Haut eingeschlossen, die nur locker mit den nahen Theilen zusammenhing. In der Mitte des linken Lappens vom kleinen Gehirn befand sich ein ähnliches, nur nicht völlig so grofses Tuberkel.

---

1) Journal de Médec. par Corvisart etc. Vol. X. Vendem. p. 3.

Derſelbe Beobachter fand bey einem fünf und dreyſsigjährigen, immer krankenden, und noch in dieſem Alter ſkrophulöſen Manne, deſſen ganzer Körper mit Narben und ſkrophulöſen Geſchwüren bedeckt war, im obern und mittlern Theile der rechten Hirnhälfte ein feſtes Tuberkel von der Gröſse eines Taubeneyes, das einen feinen, röthlichen Balg hatte. Inwendig war es gelblich und kam in dieſer Hinſicht etwas mit dem Gehirn überein, von dem es ſich aber durch ſeine Textur auffallend unterſchied. Im vordern Theile des linken Lappens des kleinen Gehirns ſaſs eine zweymahl ſo groſse, mehr runde, übrigens der beſchriebenen völlig ähnliche Geſchwulſt. In den Seitenhöhlen des weichen Gehirns fanden ſich drey Unzen Serum. Die Eingeweide des Unterleibes und der Bruſt waren im höchſten Grade ſkrophulös.

Auch in dieſem Falle fand ſich in den letzten ſieben Monaten heftiges Kopfweh, ſo daſs man vielleicht bey heftigen Kopfſchmerzen ſkrophulöſer Subjekte immer Tuberkeln im Gehirn vermuthen kann.

Die geringe Menge von Zellgewebe, welche ſich im Gehirn findet, veranlaſste in dieſen und mehreren andern Fällen wahrſcheinlich die geringe Adhärenz der Tuberkeln an der Hirnmaſſe. In beyden wurden dieſe Tuberkeln mit Tuberkeln des Meſenteriums verglichen, ohne daſs man den mindeſten Unterſchied zwiſchen beyden wahrnehmen konnte.

Nach Jadelot's Beobachtungen veranlaſſen die ſkrophulöſen Geſchwülſte im Gehirn der Kinder einen intermittirenden Tetanus, doch nur, wenn ſie ihren Sitz im kleinen Gehirn haben, vorzüglich, wenn ſie mit der harten Hirnhaut verwachſen ſind. Befinden ſie ſich indeſs in dem mittlern und untern Theile der Halbkugeln des kleinen Gehirns, ſo verurſachen ſie Lähmung, Veitstanz, wenn ſie in der Brücke liegen [1]).

Den Werth der Symptomatologie laſſe ich dahin geſtellt ſeyn.

i. Muskeln.

In den willkührlichen und unwillkührlichen Muskeln, vorzüglich aber im Herzen, entwickelt ſich die tuberculöſe Degeneration nur ſelten. Anfangs wird die kranke Stelle nur etwas entfärbt, graugelb, härter und brüchiger, behält aber noch lange ihre faſerige Structur und die Faſern gehen ununterbrochen in den normalen Theil über. Gewöhnlich ſind nur einzelne Stellen degenerirt, andere vollkommen geſund. Iſt das Herz afficirt, ſo ſcheint ſich der faſerige Bau früher als in den willkührlichen Muskeln zu verlieren und das Gewebe ſich in eine dichte Subſtanz zu verwandeln, durch welche von einem Ende der Degeneration bis zum andern ein ſehr feines, leicht zerreiſsliches Zellgewebe verläuft. Bisweilen, aber nicht immer, ſpringen die degenerirten Theile über den übrigen Umfang des Organs hervor.

Selten ſcheinen dieſe Organe allein, ſondern immer nur im Gefolge oder mit Leiden anderer afficirt zu ſeyn.

1) Ebend. Vol. VIII. p. 209.

So fand Bayle[1]) bey einem fünf und zwanzig jährigen Manne mit Tuberkeln der Halsdrüsen und der Leber, beträchtlicher Anschwellung der Gekrösdrüsen, Umwandlung der Nieren und des Blinddarms in skrophulöse Substanz, an dem Herzen, das seine normale Grösse hatte, zwölf längliche, rundliche, graugelbe und röthliche, rundliche Geschwülste von drey bis fünf Linien im Durchmesser, welche tief in den Wänden verborgen lagen, kaum über die Oberfläche hervorragten, mit den Muskelfasern continuirten und in keinem Balge enthalten waren. Sie hatten ein homogenes Ansehen, enthielten aber deutliche Gefässe.

In einem andern Falle[2]) fand er mit Tuberkeln der Lunge, Leber, der Mesenterialdrüsen, des Bauchfelles, Verwachsung des Herzbeutels mit dem Herzen, in der Substanz der Wände des letztern Tuberkeln von der Grösse einer Erbse bis zu der einer Nuss. Eine Menge linsenförmiger, fester, weisser Tuberkeln hatte sich auch in einer, über einen Zoll dicken Lage festen Zellstoffes entwickelt, der sich zwischen dem Bauchfell und den Unterleibseingeweiden ergossen hatte.

k. Knochen.

Endlich bieten auch die Knochen bisweilen diese Degeneration dar. So fand Bayle[3]) bey einer Frau von fünf und zwanzig Jahren, wo die innere Tafel des rechten Scheitelbeins und des Stirnbeins zum Theil zerstört, die har-

---

1) Corvisart j. de m. T. X. p. 36.

2) Ebdas. S. 41.

3) A. a. O. S. 65.

te Hirnhaut fest mit der Oberfläche des Knochens verbunden war, die Diploë an dieser Stelle mit gelblich weissem Brey infiltrirt und zugleich kleine, weissliche, der harten Hirnhaut sehr ähnliche Auswüchse. Von dem Zapfenfortsatze des Hinterhauptbeines drang ein Gang neben dem Hinterhauptsloche durch den Atlas bis zur äussern Fläche des Hinterhauptbeines. Er war mit einer halbdurchsichtigen Membran ausgekleidet und hing mit einer Geschwulst von der Grösse einer Haselnuss zusammen, die linkerseits vor dem Hinterhauptsloche lag und einen bröcklichen gelblichweissen Brey enthielt. Aehnliche, die, wie diese, in einer dünnen, gegen den Knochen fehlenden, Haut enthalten waren, fanden sich an mehrern Stellen der Wirbelsäule und der Rippen. Die Knochen waren erweicht und mit derselben bröcklichen Substanz infiltrirt.

Auch der breite Rückenmuskel enthielt mehrere Tuberkeln von der Grösse einer Nuss, und die Lungen waren degenerirt.

Zweyte Abtheilung.

Von den neuen Bildungen, welche mit dem Organismus in keiner Continuitätsbeziehung stehen.

Die neuen Bildungen, welche mit dem Organismus in keiner Continuitätsbeziehung stehen, die Entozoen und Steine (oben S. 21.) kommen in Hinsicht auf ihre Entstehungsweise, ausser der angegebenen Verschiedenheit des

Ortsverhältnisses, insofern miteinander überein, als sie nicht, wie die eigentlich sogenannten Aftergebilde, durch einen der Ernährung analogen Procefs aus dem Blute hervorgehen, sondern in einer untergeordneten abgesonderten Flüssigkeit allein, oder einem Gemisch mehrerer organischer Flüssigkeiten und fremder, mit ihnen in Wechselwirkung getretener Substanzen entstehen.

Bey dieser Uebereinkunft aber unterscheiden sich diese neuen Bildungen sowohl durch das Wesen ihrer Entstehung, als durch ihre Bedeutung und die Art ihres Daseyns auffallend, ja mehr von einander, als von den eigentlich sogenannten Aftergebilden. Die Entozoen entstehen da, wo sie nicht auf eine noch weit verschiedenere Weise von gleichartigen älterlichen Organismen gezeugt werden, durch spontane Zeugung, die Steine dagegen durch chemische Niederschlagung: jene erheben sich zu einem selbstständigen Leben, stehen mit dem enthaltenden Organismus in einer Nahrungs- und Erhaltungsbeziehung, erlangen sogar gröfstentheils die Fähigkeit sich fortzupflanzen; diese erleiden, einmal entstanden, keine andere Veränderung, als die von der fortdaurenden Mischungsabweichung der Flüssigkeit, der sie ihre erste Entstehung verdankten, abhängige, oder durch sie, als vorhandnen Anziehungskern, veranlafste Vergröfserung. Die Steine sind daher die niedrigsten, am wenigsten organischen, die Entozoen die höchsten, vollkommensten neuen Gebilde.

Erster Abschnitt.

Von den Entozoen[1].

Die Entozoen unterscheiden sich unter einander; 1) in Hinsicht auf ihr Ortsverhältniss zu den Organen, worin sie vorkommen; 2) ihre äussere Form, den Grad und die Art der Vollendung ihrer Organisation bedeutend.

1. Sie liegen entweder in hohlen Organen, namentlich in dem Darmkanal, oder befinden sich in der Substanz derselben, und sind unter dieser Bedingung gewöhnlich ganz frey, seltner an ihrem hintern Ende mit ihrer innern Fläche verbunden, von einem gefässreichen, mit den benachbarten Theilen verbundnen Balge umgeben. Diese Bälge, welche sich von den andern Bälgen nicht wesentlich unterscheiden, kann man mit den Eyhäuten des Embryo vergleichen und daher in dieser Hinsicht die frey liegenden Würmer um so richtiger den in Bälgen enthaltenen als vollkommner gegenüber stellen, als diese auch durch ihre Organisation im Allgemeinen bedeutend tiefer stehen.

2. Die quantitativen und qualitativen Verschiedenheiten ihrer Organisation muss die Zoologie und vergleichende Anatomie, die Art ihrer Entstehung, so wie ihre Lebensweise, die erstere und die Physiologie genau untersuchen; hier betrachte ich vorzüglich nur die Verschiedenheit ihrer äussern Form. In Hinsicht auf diese bilden die Eingeweidewürmer eine Reihe, deren niedrigste Glieder durch rundli-

[1]) Statt aller Literatur führe ich nur C. A. Rudolphi Entozoorum s. vermium intestinalium historia naturalis. Vol. I. II. Amstel. 1808. an.

che, deren höchste durch sehr länglich-rundliche Geschlechter gebildet werden, und welche durch platte, mehr oder weniger rundliche oder längliche, mit einander verbunden werden. Bey näherer Untersuchung findet man, dass die rundlichen Eingeweidewürmer grösstentheils aus zwey mehr oder weniger von einander verschiedenen Theilen bestehen, dem Kopfe und Körper, und der mehr oder weniger angeschwollenen Schwanzblase (Vesica caudalis), in welche das hintere Ende des Körpers übergeht, und die man nicht ohne Grund mit einer zweyten Eyhaut vergleichen könnte. Die erste, durch den äussern Balg gebildete, wäre dem mütterlichen Theile des Eyes, die zweyte dem kindlichen zu vergleichen. Diese Ansicht erscheint desto richtiger, da man den Körper mehrerer dieser Würmer oft nur sehr locker mit der gemeinschaftlichen Schwanzblase verbunden findet, sie bey mehrern Arten, wo jede Schwanzblase nur einen trägt, ganz verschwunden ist, ja sogar bei mehreren Individuen derselben Art, welche gewöhnlich damit versehen sind, fehlt, und der Körper sich mehr oder weniger in sie zurückziehen kann.

A. Die unvollkommenste Form stellen runde Blasen von verschiedener Grösse dar, welche man gewöhnlich mit dem Namen von Hydatiden belegt.

a) Allgemeine Bedingungen.

Sie kommen am gewöhnlichsten in Höhlen, oder in der Substanz von Organen vor und erscheinen auf den ersten Anblick und grösstentheils selbst unter dem Mikroskop durchaus homogen. Man erkennt weder Muskelfasern, noch Gefäſse und Nerven, ungeachtet Monro [1]) diese, jedoch mit der weiſen Einschränkung annimmt, daſs ſie zu klein ſeyen, um geſehen zu werden.

Gewöhnlich liegen die Hydatiden, ſie mögen in einem eigenen Balge, oder in einer urſprünglich gebildeten Höhle, z. B. der Hirnhöhle entſtanden ſeyn, frey, und ſind weder unter ſich, noch mit den Wänden der Höhle verbunden.

Gewöhnlich findet man in einem Balge mehrere Hydatiden von verſchiedener Gröſse.

Brehm [2]) fand bey einer ſechs und vierzigjährigen Frau faſt den ganzen Unterleib von einer, aus dicken und harten Häuten gebildeten Geſchwulſt eingenommen, die mit der Wirbelſäule und den Eingeweiden, vorzüglich aber der Gebärmutter, der Leber und dem Gekröſe eng verbunden war und mehrere Tauſend mit einer ſeröſen Flüſſigkeit angefüllter Blaſen enthielt. Sie war in mehrere zellenähnliche Vertiefungen abgetheilt, in deren jeder ſich mehrere Hundert dieſer Blaſen befanden. Dieſe waren völlig von einander getrennt, ſo daſs ſie leicht hervorfielen, ohne Bänder und Faſern und von verſchiedener Gröſse. Die in den kleinern, wie es ſchien, neu entſtandenen Höhlen befindlichen waren kleiner und Hanfkörnern ähnlich, in den gröſsern fand man ſie ſo groſs als Hühnereyer. Von den gröſsern Blaſen enthielten mehrere 30, 40, ja 100 kleinere, die eben ſo durchaus von einander getrennt

1) Morbid anat. of the human gullet. etc. Edinb. 1811. p. 264.

2) Diſſ. de hydatidibus. Erford. 1745. recuſ. in Halleri Coll. diſſ. praet. T. IV. no. 121. pag. 256.

waren. In mehrern der kleinern befanden sich andre. Auch unter der Lunge und dem Herzen lag in der Brusthöhle eine ähnliche Geschwulst, die eine Menge Hydatiden enthielt. Alle bestanden aus zwey weisslichen Häuten.

Brandis [1]) fand in der Brusthöhle einer Frau, deren Unterleib schon lange ausserordentlich stark ausgedehnt gewesen war, acht grosse Säcke, die theils in dem Becken, theils in der eigentlichen Bauchhöhle fast ganz frey lagen, und nur durch wenige kleine Gefässe und Zellgewebe mit den Organen und dem Bauchfelle zusammenhingen. Ihre äussere Decke war lederartig, fast von der Dicke eines Federkieles. Ieder konnte ungefähr sechs Pfund Wasser enthalten, war aber mit einer Menge Hydatiden von der Grösse einer Erbse bis zur Grösse eines Hühnereyes angefüllt. Alle hingen so wenig zusammen, dass man sie ohne die geringste Gewalt aus dem Sacke schütten konnte. Die durchsichtige, ihre Wand bildende Membran war äusserst dünn, vielleicht dünner als das Amnion, und das in ihm enthaltene Wasser ganz klar und nicht durch die Wärme zum Gerinnen zu bringen.

Dieses Freiliegen der Wasserblasen wird fast von allen Beobachtern ausdrücklich erwähnt.

Andere Beobachter bemerken ausserdem noch andere Umstände, welche die Vergleichung dieser Körper mit Eyhüllen zu rechtfertigen scheinen oder wenigstens ihre Entstehung durch eine Gerinnung der Flüssigkeit wahrscheinlich

---

1) Versuch über die Lebenskraft 1795. S. 8.

machen. Gewöhnlich nämlich ſind ſie aus zwey Häuten gebildet.

Fahner [1]) fand bey einer dreyſsigjährigen ſchwangern Frau in der Unterleibshöhle einen Sack, der den Magen, die Leber, die Milz und einen groſsen Theil der Gedärme einſchloſs, vorzüglich feſt am Zwerchfell und den Unterleibswänden auffaſs, über acht Pfund wog, und eine Elle breit, eine halbe Elle lang war.

Die Peritonealhaut der Därme war mit vielen kleinen geſtielten Blaſen beſetzt. Die Gebärmutter enthielt auſser einem ſechsmonatlichen Fötus und ſeiner Nachgeburt eine Menge Blaſen von der Gröſse einer Wallnuſs. In dem groſsen Sacke befanden ſich auf zweyhundert Blaſen, von denen einige die Gröſse einer Fauſt hatten. Alle waren eyförmig, lagen frey, hatten durchaus keine Spur von Gefäſsen und beſtanden aus zwey Häuten, die durch Zellgewebe zuſammengehalten wurden. Beide waren durchſichtig, die äuſsern dicker als die innern, jene blättrig und faſerig. Alle Blaſen enthielten ein grünliches Serum, in dem ein gelbes Pünktchen ſchwamm, das mit einem Dotter Aehnlichkeit hatte.

Die in der Gebärmutter und dem Sacke enthaltenen kamen unter einander und mit denen, welche am Bauchfelle ſaſsen, vollkommen überein und unterſchieden ſich von den letztern nur durch den Mangel des Stieles.

Die Hydatiden enthalten nicht allein in dem Waſſer, welches ſie einſchlieſsen, kleine

1) Beyträge zur gerichtlichen und prakt. Arzneik. Bd. 1. 1799. No. XI. S. 98.

Hydatiden, sondern diese sitzen sogar bisweilen an ihren Wänden.

Baader [1]) fand bey einer funfzigjährigen Frau, die seit funfzehn Jahren nach einem Tertianfieber eine Geschwulst in der Lebergegend gehabt hatte, diese über zehn Pfund schwer und sehr vergrössert. Auf ihrer convexen Fläche ragte eine starke Balggeschwulst hervor, die zum Theil von der Lebersubstanz, zum Theil von dem Bauchfell umgeben war. Der Balg war vier Linien dick und hing äusserst fest mit den genannten Theilen zusammen. In einer sehr übelriechenden, dicken, gelblichen Flüssigkeit, welche dieser Sack enthielt, schwammen ganz frey vier grosse runde Blasen, welche vollkommen die Grösse eines Kinderkopfes hatten, völlig durchsichtig und ausserordentlich elastisch waren. Ihre innere Fläche war mit einer ungeheuren Menge kleiner rundlicher Hydatiden von der Grösse eines Hanfkornes besetzt, schien sogar ganz daraus zu bestehen. Ausserdem enthielten sie eine vollkommen helle, von der, worin sie schwammen, völlig verschiedene Lymphe und eine Menge heller Blasen, deren Grösse, wie gewöhnlich, beträchtlich variirte und von denen die beträchtlichsten wieder an ihrer Fläche mit einer Menge kleinerer besetzt waren.

Auch Hunter hat einen ähnlichen Fall sehr genau beschrieben. [2])

Er fand bey einem sechs und dreyssigjährigen Manne, der, nachdem er ungefähr einen Mo-

1) Observ. medicae. No. 43. rec. in Sandifort. Thes. diss. Vol. III. p. 53.

2) Transact. of a soc. for the inprovem. of medical and chir. knowledge. Lond. 1793. vol. I. p. 34—53.

nat lang an Harnbeschwerden gelitten hatte, plötzlich gestorben war, zwischen dem Halse der Harnblase eine Geschwulst, welche das ganze Becken einnahm, und die letztere ungeheuer ausgedehnt. In dem Unterleibe befand sich viel Wasser und eine Menge Hydatiden, von denen die kleinsten die Grösse eines Nadelknopfes, die grössten einen Durchmesser von anderthalb Zollen hatten. Die Geschwulst war ganz mit Hydatiden und Wasser angefüllt. Nahe am Blasenhalse befanden sich zwey kleine Geschwülste voll Hydatiden und ausserdem sassen auf der Blase zwey andere von der Grösse einer Bohne, die mit einer käseartigen Substanz angefüllt waren. Auch zwischen dem Magen, der Milz und der Bauchspeicheldrüse hing eine grosse Geschwulst von zehn Zollen im Durchmesser, die aus mehrern kleinern bestand, von denen eine Hydatiden, eine andre eine Substanz, welche mit im Wasser aufgeweichtem Frauenglas Aehnlichkeit hatte, eine dritte reines Wasser enthielt. Diese letzte war an ihren Wänden mit kleinen Partikelchen besetzt. In andern dieser Bälge befanden sich Hydatiden, von denen einige mit Wasser gefüllt, andere zerrissen, mit ihren Wänden an einander geklebt waren und so die frauenglasähnliche Masse bildeten. Alle Geschwülste hatten dicke Wände, waren sehr contractil und bestanden aus zwey Häuten, von denen die innere weich, körnig, die äussere hart war.

Einige Hydatiden waren gelb, mit dickern Wänden versehen als die übrigen und immer war gerade die innere Fläche dieser mit kleinen, Perlen ähnlichen Körperchen besetzt. Die Zahl dieser letztern war weit geringer als die Zahl der übrigen. In dem Wasser, welches die Hydatiden einschlossen, befand sich ausserdem noch eine zahllose Menge nur durch das Mikroskop entdeckbarer Hydatiden, von denen die kleinsten noch kleiner als Blutkügelchen waren.

Unter dem Mikroskop erschienen die kleinen an der Innenseite der grössern aufsitzenden perlenähnlichen Körperchen hier nicht bloss eingesenkt, sondern mit einer dünnen, durchsichtigen Haut bekleidet, also zwischen zwey Schichten sitzend.

Auch ich habe mehrere Mal Gelegenheit gehabt, sowohl in Leichen, die ich selbst öffnete, als in Präparaten, die sich in meiner Sammlung befinden, die Beschaffenheit dieser Hydatiden zu untersuchen. Immer hatten sie sich in der Leber erzeugt. In einem Falle, wo sich der ganze rechte Leberlappen in einen Balg verwandelt hatte, der über zehn Zoll im Durchmesser hielt, überall aber durch eine Platte dichtes Zellgewebe von der Lebersubstanz geschieden war, fand ich eine grosse Menge Hydatiden. Die grössten kamen dem Sacke fast an Grösse gleich, die kleinsten hatten nur die Grösse eines Taubeneyes. Die Wände der grössern sind eine bis zwey Linien, die der kleinern nur eine halbe, bisweilen aber auch eine Linie dick. Gewöhnlich setzen die Schriftsteller, wie sich aus mehrern der angeführten Fälle ergiebt, die Zahl der Häute der Hydatiden auf zwey fest und auch Baillie [1]) führt diess als ein wenigstens den in der Leber vorkommenden Wasserblasen

1) Lehre vom krankh. Zustande. S. 135.

blasen allgemein zukommendes Attribut an; allein es finden sich nach meinen Untersuchungen beständig weit mehrere. Auf den ersten Anblick scheinen die in diesem Balge enthaltenen Hydatiden aus drey Häuten zu bestehen, die sich leicht von einander trennen lassen; in der That aber kann man sie in weit mehrere scheiden. Die äussere, am leichtesten von den übrigen trennbare, ist dünner und bey weitem lockerer als die übrigen, hat insofern einen netzförmigen Bau, als sie aus einer Menge dickerer, schwammiger Maschen besteht, welche mit grössern und kleinern, dünnmembranösen Zwischenräumen abwechseln und ihre äussere Fläche sehr rauh machen. Auf sie folgen vier bis fünf eng verbundene grauweisse Schichten von festern Membranen, die ein nicht homogenes Ansehn haben, und auf diese wieder eine weit leichter zu trennende, schwammige, innere Haut, die dickste von allen, die auch an ihrer äussern Fläche mehrere flockige Stellen enthält, inwendig aber glatt ist.

An der innern Fläche von mehreren finden sich eine Menge kleiner Excrescenzen, die immer nur Productionen der innern Haut zu seyn scheinen. Sie sind undurchsichtiger, fester und dicker als diese, weisslich, von einer unregelmässigen, aber meistens rundlichen Gestalt, oft ganz hohl, und sitzen mit einem kurzen Stiele, der schmäler als ihr übriger Umfang ist, auf. An der äussern Fläche der innern Haut correspondirt ihrem Stiele, wenn sie hohl sind, eine kleine Öffnung, ein Umstand, der deutlich ihre Entstehung von der innern Haut allein charakterisirt, indem die nach aussen folgenden Häute unversehrt über diese Öffnung weggehen. Immer ist in der Nähe einer solchen Excrescenz, auch wenn sie nur klein ist, die innere Haut beträchtlich verdickt und undurchsichtig, und oft finden sich an mehrern Stellen einer solchen verdickten Gegend aussen kleine Öffnungen, ohne dass ihnen Excrescenzen an der innern Fläche entsprächen. Wahrscheinlich entwickeln sich diese verdickten Stellen nachher alle zu hervorragenden Productionen; wenigstens habe ich an Stellen, wo in der Breite eines oder einiger Zolle mehrere Hundert dieser Auswüchse dicht an einander gedrängt stehen, nie in ihren Umfange diese Verdickung der innern Haut bemerkt, die sich immer im Umfange der einzeln stehenden findet und oft sehr weit erstreckt.

Solche in Massen stehende Excrescenzen unterscheiden sich von den einzeln stehenden hauptsächlich durch die beträchtliche Länge und Schmalheit ihres Stieles und durch ihre immer statt findende Solidität. Beides sind sehr merkwürdige Bedingungen, indem sie mit dem Alter der Excrescenzen in einem directen Zusammenhange zu stehen scheinen. Der Stiel verlängert sich und reisst endlich ab, wenn die anfangs hohle Excrescenz, die damals bloss eine Falte der innern Haut war, sich mit einer Flüssigkeit angefüllt hat. Jetzt findet sich an ihrer Basis auswendig keine Öffnung mehr, sondern im Gegentheil eine starke Protuberanz. Dass aber diese Periode die spätere sey, beweisen, wie es mir scheint, die gleichzeitig grössere Anzahl der Excrescenzen, der Mangel der Verdickung in ihrem Umfange, die Art der Veränderung ihrer Form, die Anfüllung mit einer weisslich gelben Substanz selbst, und die Grösse der von den auf diese Weise veränderten Excrescenzen eingenommenen Stellen, welche dem Umfang der mit hohlen Excrescenzen vergesellschafteten Verdickung entspricht.

Merkwürdige Bedingungen bieten mir auch Hydatiden dar, welche von denen stammen, die Veit in Reils Archiv [1]) beschrieb. Sehr auffallend unterscheiden sich die kleinern von den grössern durch die Dicke ihrer Häute. Diese sind bei jenen immer verhältnissmässig zu ihrer Höhle und oft absolut viel dicker als bei den grössern. Vorzüglich spricht sich dieser Unterschied in dem Maasse stärker aus, als die Grösse der verglichenen Blasen mehr differirt. Die, welche ungefähr die Grösse einer Erbse haben, sind bey weitem am dickhäutigsten, ganz weiss und undurchsichtig, diejenigen von der Grösse einer Faust dagegen aus durchsichtigen und netzförmigen Häuten gebildet. Die Blasen von mittlerer Grösse, z. B. die, welche einen halben bis ganzen Zoll im Durchmesser haben, fangen an einer Stelle an, ihre weisse Farbe, Dicke, und Undurchsichtigkeit zu verlieren, und sich nun beträchtlich zu expandiren.

Auch die kleinste Hydatide enthält fast immer in ihrer Höhle einen zusammengewickelten, sehr dünnhäutigen, bräunlichen Sack, der immer in der in ihr enthaltenen Feuchtigkeit schwimmt und einen weit kleinern Raum einnimmt, als sie selbst, ungeachtet er, wenn man ihn entwickelt, sie oft an Grösse übertrifft. Am häufigsten liegt dieser Sack frey, doch habe ich ihn in einigen Hydatiden, die nur die Grösse

1) Bd. 2. S. 493.

einer Erbſe hatten, durch einen ſchmalen Stiel an der innern Oberfläche derſelben befeſtigt gefunden. Wahrſcheinlich ſitzt er auch anfänglich immer feſt, da ich ihn nie ohne eine ſich von dem übrigen Umfange der Hydatiden ſehr deutlich unterſcheidende Hervorragung auf ihrer innern Fläche gefunden habe, die mit der breiten weiſslichen Verdickung der innern Haut, die ich an den Hydatiden des vorigen Balges bemerkte, übereinkommt.

Auf der innern Fläche dieſes Sackes befindet ſich eine groſse Menge dicht an einander liegender Körnchen, die einzelne, nahe an einander gerückte Haufen bilden, welche die Gröſse von kleinen Stecknadelknöpfen haben. In mehrern gröſsern Hydatiden fand ich nicht dieſe zuſammengefallnen Säcke, ſondern groſse gallertähnliche Blaſen, die ſich von den Säcken nur durch die weit beträchtlichere Gröſse der aus kleinen Kugeln beſtehenden Haufen unterſchieden.

Auf der innern Fläche mehrerer ſaſsen auch einzelne, ziemlich langgeſtielte Waſſerblaſen.

In einigen gröſsern Hydatiden fand ich nicht dergleichen Säcke, ſondern röthliche, dem ſogenannten Fleiſchmolen ſehr ähnliche Klumpen, die im Verhältniſs zur Gröſse der Hydatide ſehr klein ſind. Merkwürdig iſt es, daſs man immer da, wo ſich dieſe Klumpen finden, die Häute der Hydatide auf eine eigene Weiſe alienirt findet. Sie ſind nämlich dann immer an einer Stelle dunkelbraun, zugleich beträchtlich verdickt und verhärtet. Beſonders erſtreckt ſich dieſe Alienation auf die innere Haut, die hier weit brüchiger und in kleine

Schuppen zerrissen erscheint. Sie ist braun, die äussere Membran nur hellgelb, nach aussen ganz weisslich. In der Mitte ist die innere Membran lockerer als im Normalzustande mit der äussern verbunden, im Umfange viel fester als gewöhnlich.

Sehr häufig findet sich an einer Stelle der kleinern Wasserblasen, d. h. solcher, die eine Wallnuss nicht an Grösse übertreffen, eine zweite kleinere, die mit ihr bisweilen, aber auch dann nur durch einen engen Hals, communicirt, bisweilen aber auch völlig von ihr getrennt ist.

In einem Falle dieser Art hatte die kleinere Blase zwey Hüllen, die von dem engen Halse entsprangen und von denen jede weit dicker als sie selbst war. Auf der innern Fläche der äussern Hülle befanden sich zwey hohle Hydatiden, die mit rundlichen Bäuchen aufsassen, und mit einem etwas längern Halse frey in ihre Höhle ragten.

Bezeichnen die verschiedenen Zustände der Hydatiden und das in ihnen Enthaltene verschiedene Perioden ihrer Existenz, oder sind sie zufällige Verschiedenheiten und wurden die verschiedenen Substanzen ursprünglich als solche gebildet? Die erste Meinung ist mir bey weitem die wahrscheinlichere, indem sie sich sehr gut mit der Beschaffenheit der verschiedenen Zustände dieser Körper vereinigen läst. Die Excrescenzen an der innern Haut sind, wie die kleinsten, frey schwimmenden Hydatiden, dickhäutig. Sie sind anfangs, wenn sie kleiner sind und allein stehen, hohl, und kurzgestielt, der Stiel verlängert sich in dem Maasse als sie sich füllen, als sich vielleicht in der Verdopplung der innern Haut eine neue Wasserblase erzeugt, die, mit einem Theile der innern Haut verbunden, abfällt. Die soliden Klumpen, welche nach Hunters Untersuchungen, zusammengefallene und mit ihren Wänden verklebte Hydatiden sind, stellen den abgestorbnen Zustand dieser Productionen dar.

Hunter [1]) glaubte, die kleinen Hydatiden entstünden immer in dem Wasser, welches die grössern enthält. Die grosse Menge kleiner in dem Wasser schwimmenden Kügelchen macht diese Vermuthung wahrscheinlich. Es scheint, als sey diese Flüssigkeit besonders belebt, als habe jedes der Kügelchen, welches sie, wie alle belebte Flüssigkeiten enthält, die Fähigkeit sich zu vergrössern, oder mit dem benachbarten zusammenzufliessen, um eine grössere Kugel zu bilden. Doch glaube ich, dass die Vervielfältigung dieser Hydatiden noch auf jene andre Weise geschieht. Hunter glaubt, die im Wasser entstandenen Hydatiden saugten sich an der innern Oberfläche der grossen an; allein die Phänomene, welche ich anführte, machen es höchst wahrscheinlich, dass sie häufig hier zuerst entstehen und sich nachher trennen. Dann fallen die neu entstandenen Blasen in die Höhlen der alten.

Vielleicht findet auch noch eine andre Art von Vervielfältigung Statt, indem sich allmählich eine Blase an einer Stelle zusammenschnürt und in zwey Hälften trennt. Diess wird wenigstens durch die Blasen sehr wahrscheinlich, welche durch einen engen Hals mit einander communicirten und mit denen nahe verwandt zu seyn

1) A. a. O. S. 40.

ſcheinen, wo die äuſsere Hülle noch gemeinſchaftlich, die Höhlen der innerſten Häute aber ganz von einander getrennt ſind.

Es fände dann bey dieſen Blaſen ungefähr daſſelbe Statt, was man bey niedern Thieren bemerkt. So pflanzen ſich nach Dicquemann[1]) einige Actinien durch Abſchnürung eines Theils ihres Fuſses und durch Ausſpeien von Jungen fort. Denkt man ſich die Actinien als einen geſchloſſenen Waſſerſack, ſo hat man ganz daſſelbe Phänomen.

Auch die Blattläuſe[2]) pflanzen ſich bekanntlich im Sommer durch lebendige Junge, im Herbſte durch Eyer fort, offenbar auch eine Analogie.

Ob dieſe Hydatiden aber für Thiere zu halten ſind, iſt eine ſchwere Frage, die ſich kaum auf eine befriedigende Weiſe beantworten läſst. Wenn jene Verſchiedenheiten in ihrer Structur u. ſ. w. wirklich verſchiedene Entwicklungszuſtände bezeichnen, die kleinen Excreſcenzen an der innern Wand, wie es doch aus der gegebenen Darſtellung derſelben äuſserſt wahrſcheinlich iſt, wirklich Rudimente neuer Hydatiden ſind, ſo möchte ich in der That ſie für eigne Thiere halten. Freilich ſind ſie nur auf einer ſehr niedrigen Stufe ſtehen geblieben, ſind nur vergröſserte Kügelchen, mehr nur Bildungshäute für Thiere, die ſich nie entwickeln; allein ſie leben, ohne mit den benachbarten Theilen auf die gewöhnliche Weiſe in Verbindung zu ſtehen, und bilden ſich unaufhörlich wieder, ſo daſs die Art immer erhalten wird.

---

1) Phil. tr. T. 63. 65 67.

2) Trembley, polypes p. IX—XI. préface.

Offenbar aber sind diess die einzigen Charaktere, wodurch sich ein Thier, oder wenigstens ein eigner belebter Organismus von den übrigen Organen eines gröſsern Organismus, in dem er wohnt, unterscheidet.

Die Gründe, wodurch man die Nichtthierheit der Hydatiden zu erweisen gesucht hat, sind wenigstens nicht haltbar.

Veit sieht als solche: 1) den verschiedenen Grad ihrer Durchsichtigkeit; 2) die Verschiedenheit ihrer Farbe; 3) ihre völlige Trennung von einander, sowohl nach dem Tode, als im Leben der Kranken, welche er beobachtete; 4) ihre Zusammensetzung aus mehrern leicht trennbaren Lamellen; 5) die Verschiedenheit der Gestalt der gröſsern und der kleinern; 6) die Existenz eines in ihnen enthaltenen zu Grunde gefallenen Bodensatzes; 7) ihre Zerreiblichkeit; 8) ihr leichtes Zerplatzen; 9) ihre Gefäſslosigkeit an.

Allein diese Umstände sind theils nicht ganz treu angegeben, theils beweisen sie in der That nicht, was sie beweisen sollen.

Schon oben habe ich bemerkt, daſs die Durchsichtigkeit der Bälge mit ihrer Gröſse zunimmt. Die Verschiedenheit der Farbe ist theils Abnormität, kränkliche Beschaffenheit der Häute an einer Stelle, theils nicht auf diese niedrigsten Thiere eingeschränkt, auf welche unstreitig der Einfluſs der Nahrung bedeutender als bey vollkommnern ist. Sie sind nicht immer von einander getrennt, sondern scheinen sich, bisweilen wenigstens, wirklich durch Aussprossen fortzupflanzen. Gerade die Verschiedenheit in der Gestalt beweist für die Meinung, daſs sie Thiere sind, denn die kleinern ſind immer mehr rundlich, die gröſsern oval, aber das jüngere Thier hat im Allgemeinen rundlichere Formen als das ältere.

Die Zuſammenſetzung aus mehreren Lamellen beweiſt vielmehr für die Meinung, daſs dieſe Blaſen eigene Thiere ſeyen, indem dieſe Lamellen immer in einer gewiſſen Ordnung auf einander folgen. Bey den Veit'ſchen Hydatiden finde ich immer eine äuſsere, flockige, weiche, netzförmige Membran, die von einem ſehr dünnen äuſsern Epidermisartigen Häutchen bedeckt iſt, dann mehrere Lagen dichterer, feſterer, weiſslicher Membranen, endlich eine flockige, der äuſsern ähnliche, die wieder an ihrer innern Fläche mit einer dünnern bekleidet iſt, welche ſehr mit der äuſserſten übereinkommt.

Der Bodenſatz, den Veit angiebt, iſt bey weitem in den meiſten Fallen ein häutiger, mit Hydatidenſpröſslingen angefüllter Sack. Wo ſich ein wahrer Bodenſatz, ein Klumpen findet, iſt er mit der angegebenen Degeneration der Häute verbunden, vielleicht ein krankhaftes Product, vielleicht eine abgeſtorbene Hydatide.

Gefäſsloſsigkeit endlich iſt ein Attribut aller niedern Thiere, und der von ihr entlehnte Einwurf kann nur als ein Grund gegen die Meinung, daſs dieſe Productionen degenerirte, urſprünglich im normalen Zuſtande vorhandene Theile ſeyen, angeführt werden.

Die ungeheure Menge von Hydatiden, welche in dem von Veit beobachteten Falle die Gröſse des Balges bey weitem übertraf, könnte man inſofern als einen Grund für die Nichtthierheit dieſer Hydatiden anſehen, als ihre schnelle Entstehung nicht mit dem Begriffe von thierischer Fortpflanzung übereinzukommen scheint; allein dieser Grund verliert sehr viel von seinem Gewichte, wenn man bedenkt, daſs so niedrige Thiere äuſserst schnell und leicht in groſser Menge entstehen können, da weit höhere und zusammengesetztere sich mit einer so ungeheuren Rapidität fortpflanzen und vermehren.

Diese Productionen sind vielleicht sogar mehr als bloſse mit Wasser angefüllte Eyhäute, wenn sie wirklich immer Rudolphi's Echinococcus hominis [1]) sind, indem hier die Hydatide, das Ey, mit Würmern an der innern Fläche besetzt ist. Immer aber ist auch dann das Thier auf der niedrigsten Stufe der Bildung stehen geblieben, indem es das ganze Leben hindurch im Ey verweilte, oder vielmehr dieses eigentlich das Thier ist, und die sogenannten Würmer nur seine Köpfe sind. Uebrigens bringt dieser Unterschied keine Abänderung in dem hervor, was ich über die Phänomene der Fortpflanzung u. s. w. sagte, denn die Würmer sind nach Rudolphi kleiner als Sandkörnchen, die Theile, welche ich als neu entstehende Hydatiden ansehe, oft mehrere Linien hoch.

Indessen unterscheidet Laennec [2]) diese Hydatiden von Rudolphi's Echinococcus unter dem Namen Acephalocystis und belegt das Geschlecht Echinococcus nach Zeder mit dem Namen Polycepha-

---

1) Entoz. hist. nat. T. II. part. 2. p. 247.

2) Mém. sur les vers vesiculaires im Bullet. de l'école de médec. à Paris an XIII. et XIV. p. 131 — 136.

lus. Nach ihm unterscheiden sich die Acephelocysten von allen übrigen Blasenwürmern durch den gänzlichen Mangel des Kopfs, des Horns, Rüssels u. s. w. und durch ihre Fortpflanzung. Er nimmt es als erwiesen an, dass die Jungen sich in den Wänden der Mutterhydatide entwickeln und sich davon losmachen, um nach aussen oder nach innen in die Höhle der Mutter zu fallen. Schütten diese wieder in die von ihnen gebildete Höhle Junge aus, so werden mehrere Hydatiden in einander geschachtelt. Laennec glaubt, dass die verschiedene Fortpflanzungsweise eigene Arten dieses Geschlechtes charakterisire; doch habe ich oben bemerkt, dass wenigstens die an derselben Stelle in demselben Individuum vorkommenden Hydatiden sich auf verschiedene Weise fortzupflanzen scheinen, dieser Umstand mithin nicht zu der Annahme einer specifischen Verschiedenheit berechtigt.

Rudolphi [1]) hält es zwar für unrecht, die Hydatiden selbst als Thiere anzusehen, weil sie keine Organe irgend einer Art, keine eigene Bewegung, also auch kein Leben haben; allein man sieht in der That nicht ein, warum zum Begriffe der Thierheit durchaus besondere Organe und Bewegungsfähigkeit erfordert werden sollen. Die Fähigkeit, ohne in organischer Verbindung mit den übrigen Körpern zu stehen, dennoch sich und ihr Geschlecht zu erhalten, wohnt offenbar den Hydatiden ein, und macht sie zu eignen, für sich bestehenden lebenden Organismen: ihre Aehnlichkeit mit verwandten, höher organisirten Einge-

1) Entozoor. hist. t. II. p. 2. pag. 367.

weidenthieren zu Thieren. Jene Fähigkeit aber kann man ſich einem thierloſen, völlig einfachen Balge eben ſo wohl als einen an ſeiner Oberfläche mit Thierchen beſetzten einwohnend denken und z. B. die Hydatide mit dem Volvox, der ſich in der That nur durch ſeine Kleinheit von ihr unterſcheidet, vergleichen. Uebrigens iſt es nichts weniger als unwahrſcheinlich, daſs einige Hydatiden auf einer niedern Stufe gehemmt werden und dann als bloſse Blaſen erſcheinen, andere aber ſich weiter entwickeln und mit Thieren beſetzen; allein ich würde nie dieſe allein als das Belebte, das Thier, anſehen, ſondern nur das Ganze mit dieſem Namen belegen, ſo wie man bey den horn- und ſteinerzeugenden Pflanzenthieren nicht bloſs die Polypen, ſondern nur dieſe und die Maſſen, worin ſie eingeſenkt ſind, zuſammen als das Thier betrachtet.

b) Beſondere Bedingungen.

Am häufigſten entwickeln ſich die Hydatiden in der Höhle des Unterleibes und den darin enthaltenen Organen.

Zuerſt einige Beyſpiele von Bildung eines mit Hydatiden angefüllten Balges in der Unterleibshöhle, der in keinem beſondern Organ ſeinen Sitz hatte.

Ein vierzigjähriger Mann ſtarb, nachdem er ſeit achtzehn Monaten waſſerſüchtig geweſen, und drey Tage vor ſeinem Tode, ohne daſs Waſſer gefolgt wäre, punctirt worden war.

Ein ungeheurer Balg nahm den ganzen Unterleib ein. Er ſaſs mit einem ſtarken Halſe über dem zweyten Lendenwirbel am Gekröſe, war mit einer Menge Hydatiden, von denen die meiſten eine Orange an Gröſse übertrafen und die zusammen fünf und dreifsig Nöfsel ausmachten, angefüllt, und enthielt aufserdem nur wenig Wasser. [1])

Ein fünf und zwanzigjähriges Mädchen, die immer gesund gewesen war, verlor plötzlich die Menstruation, bekam eine Geschwulst im rechten Hypochondrium, wurde wassersüchtig, und starb ein Jahr nach dem Aufhören der Menstruation, bald nachdem die Paracenthese vergeblich vorgenommen worden war. Man fand das Bauchfell glatt, hart, mit weifslichen Vorsprüngen besetzt, sehr wenig Gefäfse enthaltend, und in der Unterleibshöhle eine grosse, mit dem Becken und linken Ovarium nur sehr locker und an wenig Punkten verbundene Masse, die aus einer ansehnlichen Menge von äufserst dünnen Bälgen bestand. Nicht alle enthielten dieselbe Flüssigkeit. Die meisten Bälge waren glatt und nur wenige inwendig mit kleinen, kugelförmigen, durchsichtigen Hydatiden besetzt. Alle berührten einander entweder unmittelbar oder hingen durch feste Häute zusammen.

Merkwürdig ist es, dafs bey der ganzen Section nur sehr wenig Blut gefunden wurde. [2])

Ruysch [3]) fand bey einem asthmatischen Mädchen einen grossen Sack über dem Magen, der eine Menge Hydatiden von verschiedener Gröfse enthielt, von denen einige an der innern Wand des Sackes befestigt waren, die meisten aber frey schwammen.

Sehr häufig bilden sich auch in der Leber mit Wasser angefüllte Bälge, und vielleicht giebt

---

1) Mackleay in Edinb. med. journ. Vol. II. 1806. p. 170.

2) Targioni Tozzetti raccolta d'op. med. prat. Vol. III. p. 137.

3) Obs. anat. et. c. obs. 27. fig. 24.

es kein Organ, wo ſich ſo häufig in der enthaltenen Flüſſigkeit Hydatiden bilden, als in dieſen. Sie ſind hier entweder einfach, oder in groſser Menge vorhanden. Ich fand bey einer vierzigjährigen Frau, die, wenig Wochen nach dem Anfange einer äuſserſt heftigen Gallſucht, mit ſehr heftigen Schmerzen in der Lebergegend geſtorben war, die Leber beträchtlich vergröſert und blauroth. Auf einen ungefähr einen Zoll tiefen Einſchnitt in die obere Fläche des rechten Lappens ſprang eine ſehr groſse Menge einer hellen farbloſen Flüſſigkeit hervor, die in einem aus mehrern Schichten gebildeten Balge, der ungefähr fünf bis ſechs Zoll im Durchmeſſer hatte, ſich aber nirgends bis zur Oberfläche der Leber erſtreckte, befindlich geweſen war. In der Feuchtigkeit ſchwamm eine längliche, ungefähr vier Zoll lange, zwey Zoll breite, weiſse, halbdurchſichtige, gallertähnliche, mit einer ähnlichen Feuchtigkeit angefüllte Hydatide, an der ich nur drey Häute fand. Eine braune Stelle, die etwa vier Linien im Durchmeſſer hielt, bot allein einige Verſchiedenheit in der Structur dar, indem hier alle Häute verdickt, verhärtet und zu einer Maſſe verſchmolzen waren.

In einem andern Falle fand ich bey einem jungen Manne im rechten Leberlappen gleichfalls einen Balg, der eine ähnliche Hydatide enthielt, in dieſer aber zwey einzeln ſchwimmende kleinere, von der Gröſse einer Wallnuſs.

Gewöhnlich finden ſich mehrere Hydatiden in der Leber. Laſſus [1]) fand an der untern

[1]) Sur l'hydropiſie enkyſtée du foie in Corviſart j. de médec. Brum. an IX. no. II.

Fläche der Leber einen dicken und grossen Balg, der Wasser und zwölf Hydatiden enthielt, zugleich den Unterleib voll Wasser.

Ein Mensch bekam nach einem heftigen Aerger eine Geschwulst in der Lebergegend. Diese wurde durch einen Schnitt geöffnet und an dreyhundert Hydatiden, nebst einer dickern und einer dünnern, durchsichtigen Flüssigkeit ausgeleert. Ein Jahr nach der Operation starb der Mensch. Man fand die Leber verdickt und an ihrer Stelle einen grossen Balg voll Hydatiden und Flüssigkeit.

Ein Chirurg öffnete eine Geschwulst im rechten Hypochondrium einer Frau. Augenblicklich drangen eine Menge Hydatiden hervor. Nach dem bald erfolgten Tode der Frau fand Ruysch [1]) die Leber mit dem Bauchfell verwachsen, und in einen Balg verwandelt, der eine Menge Hydatiden enthielt.

Ich habe gleichfalls mehrere Fälle dieser Art vor mir, wo mehrere grössere und kleinere Hydatiden einen in der Lebersubstanz befindlichen Balg einnahmen. Einen davon habe ich schon oben [2]) beschrieben. Ein andrer kommt sehr mit ihm überein, nur ist er kleiner und die Zahl und Dicke der Schichten, woraus er besteht, in demselben Verhältniss geringer. Die ganze Dicke der Wände jenes Sackes betrug zwey bis drey Linien, hier nur eine. Die Schichten, welche ihn bilden, lassen sich leicht von einander trennen uud sind frey in die Lebersubstanz eingesenkt.

1) Obs. anat. obs. 65.

2) S. 400 ff.

Merkwürdig ist, dass sowohl in den drey oben angeführten Fällen als in diesem und noch zwey andern der Sitz des Balges immer der rechte Leberlappen ist.

Doch finde ich in einem andern Falle den linken Leberlapp dadurch zerstört. In einem andern finden sich zwey Bälge, der eine im rechten, der andre im linken Leberlappen, von denen der erste sieben, der zweite fünf Zoll im Durchmesser hält.

Mehrere andere Fälle, wo sich eine Menge Hydatiden in der Leber fanden, habe ich schon oben angeführt. [1])

Weit seltner ist die Bildung der Hydatiden in der Gallenblase, wovon Simmons ein Beyspiel anführt, ungeachtet auch hier leicht eine Täuschung statt finden konnte, indem die Gallenblase vielleicht nur durch den Druck des Hydatiden-Balges zerstört war, der deshalb für dieses Organ selbst gehalten wurde.

Nicht ganz selten öffnet sich ein in der Leber gebildeter Hydatidenbalg in den Darmkanal, und die Hydatiden gehen mit dem Stuhlgange ab. Wenigstens beweisen die wahrzunehmenden Erscheinungen in den meisten Fällen, wo das letztere Statt fand, dass die Hydatiden sich nicht im Darm, sondern in der Leber, an ihrer gewöhnlichsten Stelle, gebildet hatten.

So gingen bei einer gelbsüchtigen Frau drey Wochen nach dem ersten Erscheinen ihrer Krankheit nach und nach eine Menge Blasen durch den Stuhlgang ab, deren Grösse von einem

1) S. 400 ff.

nem Stecknadelknopfe zur Gröſse eines Hühnereyes differirte, und die eine gallertähnliche Flüſſigkeit enthielten. [1])

Eine dreyſsigjährige Frau bekam die Gelbſucht und einen ſtumpfen Schmerz dicht über dem Nabel. Die Geſchwulſt verſchwand, allein der Schmerz ſtellte ſich fünf Monate nachher wieder ein, und wurde nach vier Monaten ſo heftig, daſs er die allgemeine Geſundheit angriff. Ueber dem Nabel war die Haut geſpannt, die Stelle auch gegen den äuſsern Druck empfindlich. Der Magen war äuſserſt reizbar und konnte nur eine geringe Menge von Speiſen halten. Plötzlich wurde der Schmerz äuſserſt heftig und durch ein Tabacksklyſtier eine Menge gallertartigen Schleimes und mehrere Hydatiden ausgeleert. Dieſs hielt eine Woche lang an, verſchwand darauf, allein drey Wochen lang hatte die Kranke beſtändig ein Gefühl von Wundſeyn und einen ſtumpfen Schmerz über dem Nabel. [2])

Biſſet glaubte zwar, der Hydatidenbalg habe ſich in der Muskelhaut des Darms gebildet, allein die vorangegangenen Zufälle machen es unſtreitig wahrſcheinlicher, daſs der Balg ſich in der Leber bildete und in den Darmkanal öffnete.

Einer fünf und funfzigjährigen Frau gingen plötzlich ſiebzehn runde Hydatiden von der Gröſse eines Taubeneyes durch den After ab. Sie beſtanden aus einer dicken, durchſichtigen Membran, enthielten eine eyweiſsartige Flüſſigkeit und in der Mitte einen ſehr gelben, in

1) Musgrave in philoſ. transact. No. 295. p. 1798.

2) Biſſet in Duncan med. comment. Dec. I. T. IX. p. 244. ff.

einer eigenen, sehr feinen Membran eingeschlossenen Körper, der Lebergalle zu seyn schien.

Dieser Abgang hielt eine Woche lang beständig an. Dabey hatte die Kranke eine gelbe Farbe und Kolik. Einige Zeit nachher bildete sich in der Magengegend eine ansehnliche Geschwulst, die man öffnete und mit einer Menge Ueberbleibseln von Hydatiden und einer grünlichen Flüssigkeit angefüllt fand. Einen Monat nachher entstand unter der Narbe eine neue Geschwulst, aus der acht und zwanzig Tage täglich ein Pfund Galle ausfloss. Merkwürdig ist es, dass dennoch der Stuhlgang regelmässig war, nur der Harn seltner abging. Die Kranke wurde vollkommen geheilt [1]).

Auch Sivarès [2]) sah bey einer Frau nach einer heftigen Kolik mehrere Bälge von der Grösse eines Tauben- oder eines Hühnereyes abgehen, von denen einige gelb, andere grau, andere roth und noch andere schwarz gefärbt waren. Sie wurde geheilt, hatte aber noch zwey Wochen lang eine brennende Empfindung im Unterleibe.

Offenbar gelangten auch in einem von Heuermann [3]) beobachteten Falle die Hydatiden aus der Leber in den Darmkanal. Ein acht und funfzigjähriger Mann litt an einem Wechselfieber, das gestopft wurde. Seit dieser Zeit siechte er, und wurde anderthalb Jahre nachher gelbsüchtig. Plötzlich bekam er eine heftige Kolik, wobei er einige Tage lang hundert und funfzig Hydatiden von der Grösse einer Erbse

1) Brillouet in Corvisart. j. de méd. T. VII. p. 237.
2) Roux j. de médec. 1775. Oct. p. 310.
3) Med. Bemerk. Bd. 2. Kopenh. 1767. S. 229.

bis zur Gröſse einer Wallnuſs durch den Stuhl von ſich gab.

Ein ſieben und zwanzigjähriger, ſchwächlicher, zur Schwindſucht geneigter Mann bekam nach rheumatiſchen Schmerzen, die durch eine Erkältung entſtanden, eine Geſchwulſt in der Lebergegend. Er war dem Tode nahe, als er plötzlich nach äuſserſt heftigen Schmerzen in der Lebergegend und allgemeinen Convulſionen Durchfall bekam, wobey mit blutigen Excrementen eine Menge Blaſen abgingen, die alle eine gallertähnliche Flüſſigkeit enthielten, und von denen einige die Gröſse eines Hühnereyes hatten. Er wurde völlig geheilt, nachdem allmählich 528 Blaſen abgegangen waren [1]).

Sehr beſtimmt wird die Richtigkeit jener Meinung durch eine Beobachtung von Lambsma [2]), der bey einem Manne, der lange an einer Leberkrankheit gelitten und in den letzten drey Wochen ſeines Lebens über 200 Hydatiden, die eine weiſse und gelbe Flüſſigkeit enthielten, excernirt hatte, in der Leber einen groſsen, mit Waſſer und Hydatiden, von denen einige die Gröſse einer Erbſe hatten, andere einem Hühnerey gleich kamen, zum Theil frey ſchwammen, zum Theil feſtſaſsen, angefüllten Sack fand.

Doch beweiſt folgende Beobachtung, daſs ſich in der That bisweilen Hydatidenbälge im Magen entwickeln.

Jodon [3]) fand bey einer Frau, deren Magengegend drey Jahre hindurch, ohne Statt fin-

1) Wöltge in Baldingers n. Mag. Bd. 4. S. 557.

2) Ventris fluxus multiplex. Cap. XII. p. 118.

3) Diſſ. de hydrope ventriculi. Lond. 1696.

dendes Erbrechen, ausserordentlich stark angeschwollen gewesen war, den mit Wasser angefüllten Magen eine Elle lang und beide Mündungen nahe an einander gerückt. In der innern Haut, deren Fasern ungeheuer stark ausgedehnt waren, fanden sich eine grosse Menge Wasserblasen. Auch von dem Schlunde aus erstreckte sich ein Sack voll Wasser in den Zwölffingerdarm. Einige dieser Blasen waren zerfetzt, andere noch mit Wasser angefüllt, doch rührte unstreitig das in Menge enthaltene Wasser nicht bloss von den zerfetzten Wasserblasen her, indem Wasser- und Hydatidenbildung gewöhnlich gleichzeitig ist.

Ausser dem angeführten gewöhnlichen, bahnen sich die Hydatidenbälge bisweilen, aber seltner, einen andern Weg unmittelbar nach aussen; oder in die Brusthöhle, wo sie entweder in das Brustfell oder in die Substanz der Lunge gelangen und dann durch den Mund ausgeworfen werden [1]).

b. Milz.

Auch in der Milz entwickeln sich bisweilen, doch selten, ähnliche Bälge.

Eine acht und vierzigjährige Frau, die mehrere Jahre lang Verdauungsbeschwerden gehabt hatte, bekam nach einer starken Mahlzeit heftiges Erbrechen und Schmerz in der Magengend. Das erstere verging in einigen Tagen, der Schmerz in der Magengegend und der ganzen linken Seite aber blieb. Nach ungefähr

1) S. mehrere fremde und eigene Fälle hievon bey Monro morbid anat. of the human gullet etc. Edinb. 1811. p. 289. 90.

6 Monaten, während derer außerdem beständiges Fieber Statt gefunden hatte, starb sie sehr abgemagert.

Man fand die Häute des Magens dreymal dicker als gewöhnlich, beyde Magenmündungen gesund, nur etwas über dem Pförtnerschließer eine Unze von einer käseähnlichen körnigten Substanz, die genau mit der äußern Haut des Magens zusammenhing, aber nicht den Uebergang der Speise in den Zwölffingerdarm verhinderte. Der sehr vergrößerte und fast mit dem Bauchfell und Darmkanal verwachsene Magen war mit einer ähnlichen Masse bedeckt, die an einigen Stellen die Dicke eines Zolles hatte.

Die Milz war durchaus alienirt. Zur Hälfte war sie absorbirt und zerstört und der übriggebliebene Theil desorganisirt und fast aufgelöst. Die Peritonealhaut ihrer innern, concaven Oberfläche war zu einem großen Balge ausgedehnt, auf dem sich ungeheuer weite Blutgefäße vertheilten. Der obere Theil desselben hing fest mit dem Magengrunde, der untere mit dem obern Rande des Quergrimmdarms zusammen. Er war sechs Zoll weit und enthielt über ein Pfund eines dunklen, dicken, geronnenen Geblütes, von welchem Stücken von der Größe einer Faust in einem Maaß voll braunen Blutwassers schwammen. Schon vor dem Tode hatte man zwey Maaß Blutwasser weggenommen. Der Grund und die Wände dieses Balges waren in der Höhe eines Zolles mit einer schwarzen, zähen, honigdicken Masse bedeckt, der gleichfalls eine käsigte Masse eingemengt war. Der Magen war sehr in die Höhe, der Quergrimmdarm sehr nach unten gedrückt und an dieser Stelle nicht weiter als ein dünner Darm.

Der Balg communicirte mit keinem Eingeweide des Unterleibes [1].

c. Respirationssystem.

Auch in der Höhle des Brustfelles und selbst der Lungensubstanz erzeugen sich diese Productionen bisweilen.

Bey einem durch Ausschweifungen geschwächten, häufigen Katarrhen unterworfenen Menschen von zwanzig Jahren, der drey Jahre nach dem ersten Erscheinen einer Gelbsucht gestorben war, zu welcher sich eine bleibende, sehr starke Geschwulst im rechten Hypochondrium gesellt hatte, fand Geoffroy [2]) ausser einem ansehnlichen Balge, der die Stelle des linken Leberlappens einnahm und mit einer beträchtlichen Menge kleiner Hydatiden von der Grösse einer Erbse angefüllt war, auf jeder Seite der Brusthöhle zwei Geschwülste, die von der Spitze dieser Höhle bis zum Zwerchfell reichten, überall mit dem Brustfell zusammenhingen, das Herz aus der Brusthöhle in die Magengegend gedrängt und die Lungen ganz zusammengedrückt hatten. Sie waren gespannt, fluctuirten deutlich, und jede enthielt unter einer weissen, fibrösen, dünnen, aber festen Hülle eine ungeheure Hydatide, welche die ganze Höhle einnahm und durch eine schleimige, klebrige Masse anhing. Jede dieser Hydatiden war beynahe einen Fuss lang und fasste über fünf Nössel Wasser.

Auch Pellegrini [3]) fand bey einem fünf und zwanzigjährigen Mädchen, die seit mehre-

---

1) Edinb. med. journal 1808. T. II. p. 409—18.
2) Bulletin de la soc. de l'éc. de méd. an XIII. XIV. p. 164.
3) Orteschi giornale di medicina T. II. p. 331.

ren Jahren an Herzklopfen und beständigen Respirationsbeschwerden litt, besonders in den letzten 2 Jahren dem Keichhusten unterworfen gewesen und endlich plötzlich, mit Ausflüssen von etwas Serum aus dem Munde, gestorben war, an der Stelle der ganz zerstörten rechten Lunge, von der nichts als das überall angewachsene Rippenbrustfell übrig war, einen ganz weichen, weissen, gefässlosen Sack von der Dicke einer Linie.

Ich habe gleichfalls einigemal bey Personen, deren Lungen mehr oder weniger zerstört waren, in einem zwischen dem Rippen- und Lungenbrustfelle gebildeten Sacke einen an einigen Stellen freien, an andern anhängenden, lockern, weisslichen, gefässlosen, mit einer wässrigen, hellen Flüssigkeit angefüllten Sack gefunden.

Hieher gehört auch ein von Maloët [1]) beschriebener Fall, wo sich aber der Balg in der Substanz der Lunge selbst bildete. Er fand bey einem alten Manne, der zwey Jahre lang an den heftigsten Respirationsbeschwerden gelitten hatte, durchaus kein Wasser in der Brusthöhle, allein auf beiden Lungenlappen eine Geschwulst, deren grösster Durchmesser ungefähr sechs, so wie der kleinste vier Zoll betrug. Beyde enthielten etwas helle Flüssigkeit und eine weissliche, weiche Blase von der Dicke einer Linie, die sich leicht von der innern Fläche der Geschwulst trennen liess, weder mit Gefässen, noch Fasern, noch Drüsen versehen war, aus mehrern Schichten gebildet zu seyn schien, sich

1) Mém. de l'ac. des sc. 1732 p. 350. ff. Observations sur deux tumeurs enkystées des poumons etc.

aber leicht durch den Druck zerstören liess. Die innern Schichten waren weit lockerer und weicher als die äussern. Zugleich fand sich auch in der Leber eine ähnliche Höhle, die eine eben solche Blase enthielt.

Hieher gehören auch die Fälle von Hydatiden, welche durch den Mund ausgeworfen werden.

Eine Frau von mittlern Jahren warf plötzlich Blut, das mit einer Menge einer hellen zähen Substanz vermischt war, aus. Bey einer genauern Untersuchung der letztern fand man eine Menge dünner, durchsichtiger Blasen von der Grösse einer Erbse bis zu der eines Hühnereyes gebildet, die meistens zerrissen waren, und wahrscheinlich jene zähe Flüssigkeit enthalten hatten [1]).

Collet [2]) beobachtete einen ähnlichen Fall, wo es aber nicht so gewiss ist, ob die Hydatiden sich in der Lunge, oder nicht vielmehr in der Leber erzeugt hatten, und aus dieser in dieselbe gelangt waren.

Eine Frau, die vier Jahre lang gekränkelt und zuletzt ein Jahr lang Respirationsbeschwerden gehabt hätte, warf endlich mit Husten nach und nach binnen vier Monaten 135 Hydatiden aus, die von der Grösse einer Erbse bis zu der eines Hühnereyes variirten. Immer ging ein heftiger Anfall von Husten voran, beständig waren sie geborsten, nie von Wasser, sondern bloss von einem zähen Schleime begleitet. Einige Monat, ehe der erste Auswurf eintrat, hatte sich indess über dem Nabel eine beträchtliche

1) Doubleday in med. obs. and. inq. vol. V. p. 143.
2) Medical transact. vol. 1. no. 22. p. 486. ff.

Geschwulst gebildet und im ganzen Unterleibe fühlte man mehrere ähnliche.

Auch durch Leichenöffnungen findet man indessen die Existenz von Hydatiden in den Lungen bestätigt. Wenigstens findet sich bei Bonet [1]) eine Beobachtung, wo ein Lappen der Lunge mit Blasen angefüllt war, die eine helle, zähe, eyweissähnliche Flüssigkeit enthielten.

In einem andern Falle waren die Lungen voll einer Menge kleiner Hydatiden, die auf einen geringen Druck eine Menge dünner Feuchtigkeit von sich gaben [2]).

Ich besitze selbst zwey Fälle, wo eine ansehnliche Vomica in der einen Lunge einer Person, die im Leben häufig Hydatiden ausgeworfen hatte, mehrere Hydatiden enthielt, welche sich, da an andern Stellen keine Spur davon oder von einer früher durch sie veranlassten Entartung vorkam, auch die Vomica mit Ausnahme der Öffnung in die Luftröhre überall verschlossen war, nothwendig hier gebildet hatten.

Auch in andern Gegenden des Respirationssystems entwickeln sich die Hydatiden.

Ein Mann der von einem Typhus geheilt war, starb, nachdem er vier und zwanzig Tage an der heftigsten Beklemmung und Beschwerde im Kehlkopf gelitten hatte. Bey der Leichenöffnung fand man hinten und unten am Kehldeckel, nahe an seiner Vereinigung mit dem Kehlkopfe zwey halbdurchsichtige Bläschen von der Grösse einer kleinen Nuss, die einen Theil der Kehlkopfshöhlen einnahmen, mit ihrem freyen Rande nach innen ragten und die Stimm-

1) Sepulcr. anat. lib. 1. obs. 36.
2) Ebds. Sect. 2. obs. 38.

ritze ganz verschlossen. Sie enthielten eine eyweissähnliche Feuchtigkeit und waren mit der äussern Höhle ihres Umfangs in die nahen Theile eingesenkt [1]).

d. Geschlechtstheile.

Bisweilen findet man auch in der Gebärmutter Hydatiden, die nicht mit der Degeneration der Placenta, welche man eine Hydatidenmole nennt, und die ich als eine überschrittene Erweiterung der Gefässe schon oben [2]) betrachtet habe, verwechselt werden müssen.

So hatten sich in einem von Fahner beschriebenen Falle ausser mehreren Hydatidenbälgen im Unterleibe auch in der Gebärmutter Hydatiden erzeugt.

Hieher gehört wahrscheinlich auch ein anderer, wo bey einer Frau vier Monate nach der Niederkunft zwanzig an einander hängende Hydatiden aus der Scheide abgingen, von denen die grössten so gross als ein Taubeney waren, und in einer dünnen Haut eine wasserhelle Flüssigkeit enthielten. Auf sie folgte eine Menge Gallert [3]).

Bisweilen, aber nicht häufig, kommen auch in Bälgen des Ovariums freiliegende Hydatiden vor. In der That wundere ich mich, dass sie hier nicht häufiger vorkommen, da sich in diesem Organ so häufig Bälge bilden, welche die am vollständigsten organisirten, ganz nach dem normalen Typus gebildeten Organe, Haare, Zähne, Knochen u. s. w. erzeugen.

---

1) Sedillot j. gén. de méd. t. 32. p. 148.

2) Th. 2. Abth. 2.

3) Baldingers n. Magazin. Bd. X. S. 345.

Wepfer[1]) fand in einem sehr vergrösserten Ovarium der rechten Seite ausser einer übelriechenden trüben Flüssigkeit eine Menge gelblicher Blasen von der Grösse einer wilden Kirsche, die frey in dem Balge gelegen hatten und zugleich mit jener Flüssigkeit hervorsprangen. Zugleich enthielt der Balg zwey Haarknäuel von der Grösse eines Eyes.

Vielleicht gehört auch hierher eine Bemerkung von Sloane[2]), der bey einer neun und zwanzigjährigen Frau das rechte Ovarium in eine Menge dicker Bälge, von denen einige die Grösse des Magens hatten, verwandelt fand. Die grössern enthielten einige kleinere, diese waren voll einer eyweisswähnlichen, jene voll einer honigartigen Flüssigkeit.

e. Harnsystem.

Auch im Harnsystem, namentlich in den Nieren, entwickeln sich Hydatiden.

Eine ältliche Frau litt an Nierenschmerzen, die anfangs monatsweise, nachher öfter eintraten, und mit Blutharnen verbunden waren. Zugleich gingen Hydatiden ab, welche die Länge von anderthalb Zollen und die Dicke eines Gänsekieles hatten[3]).

Ein dreyssigjähriger Mann, der an unerträglichen Lendenschmerzen litt, harnte auf einmal, nachdem er Terpentin eingenommen hatte, funfzehn mit hellem Wasser angefüllte Blasen von der Grösse einer Flintenkugel aus, die aus einer dicken, durchsichtigen Haut ge-

1) Peyer Imhoff Ovarium hydropicum in virgine repertum. Basil. 1718. rec. in Halleri coll. diss. part. t. IV. no. 128. p. 382.

2) Phil. transact. no. 252.

3) Davis in phil. transact. no. 273. p. 897.

bildet und so hart waren, dass sie sich zwischen den Fingern nicht zerdrücken liessen [1]).

Ein zwey und dreyssigjähriger Mann wurde vom Pferde geworfen, bekam einen heftigen Stoss in die Lendengegend, harnte viel Blut und bekam fünf Monate darauf einen Anfall von Blutlinsten, der aber nach einem Monate verschwand. Nach vier Jahren bekam er Schmerzen in der linken Seite und eine Geschwulst des linken Hypochondriums, die sich zwey Monate lang vergrösserte, zuletzt den ganzen Raum zwischen den Rückenwirbeln, der Nabelgegend, den Rippen und dem Hüftbein einnahm und die Grösse eines Kinderkopfes zu haben schien. Plötzlich ging mit dem Harn viel Eiter und den folgenden Tag zugleich eine Menge Hydatiden ab. Einen Monat darauf erfolgte eine ähnliche Entleerung, nachdem sich vorher gleichfalls eine Geschwulst gebildet hatte; doch gingen nur sieben Hydatiden ab. Von neuem gingen oft Hydatiden, ohne vorher erfolgende Anschwellung, bloss nachdem sich der Kranke vorher eine Bewegung gemacht hatte, ab, oder gelangten, wenn sich ein unangenehmes Gefühl in der Lebergegend einstellte, durch einen blossen Druck auf dieselbe in die Blase, wo sie sich eine Zeitlang aufhielten. Die ersten waren nur klein, von der Grösse einer Erbse, zuletzt aber wurden sie so gross, dass sie schwer durch die Harnröhre abgingen. Sie hatten zuletzt die Grösse eines Hühnereyes. Sechs Monate nach dem ersten Erscheinen der Geschwulst hörte der Abgang der Hydatiden auf und der Kranke wurde völlig wieder hergestellt.

---

1) Lossii obs. med. lib. IV. London 1762. obs. 58.

In einem ganz ähnlichen Falle ſtellten ſich zehn Jahr nach der Verletzung Schauder, und ein Gefühl von Druck und Schwere ein, worauf mehrere Hydatiden von der Gröſse einer Erbſe abgingen. Dieſs geſchah aller vier bis fünf Monate. Nachher erfolgte daſſelbe aller zwey Monate und zugleich wurden die Hydatiden gröſser [1]).

Unſtreitig hatte ſich hier zuletzt ein Hydatiden-Balg geöffnet und die kleinern Hydatiden ſich zuerſt vorgedrängt.

Auch Fynney [2]) beobachtete einen ähnlichen Hydatidenabgang bey einer waſſerſüchtigen Frau.

Auſser den in den vorigen Fällen der Ausſonderung der Hydatiden vorangegangenen Zufällen, beweiſt auch eine von Blackburne [3]) angeſtellte Leichenöffnung den Urſprung derſelben in den Nieren. Ein Mann fiel von einem Tiſche herab und hatte ſeit dieſer Zeit beſtändig heftige Schmerzen in der linken Seite. Einige Wochen nachher gab er mehrere Waſſerblaſen mit dem Harne von ſich, die anfänglich klein waren, zuletzt die Gröſse eines Hühnereyes erreichten. Nach vier Jahren ſtarb der Kranke und man fand auf der rechten Seite keine Spur einer Niere, oder eines Harnleiters, die linke dagegen fünfmahl gröſser als gewöhnlich, das Becken ſehr ausgedehnt, zum Theil durch einen groſsen Stein, gröſstentheils aber durch eine dicke Feuchtigkeit und mehrere Hydatiden angefüllt.

---

1) Lettſon two caſes of hydatides renales in Mem. of the Lond. med. ſoc. vol. II. p. 32—42.
2) Ebendaſ. S. 516.
3) London med. journal 1781. vol. I. p. 125.

In einem von Tyſon beobachteten Falle ſcheinen ſich ähnliche Bälge in der Harnblaſe gebildet zu haben. Er fand dieſe von der Gröſse eines Kinderkopfes und aus drey Linien dicken Wänden gebildet. Neben den Harnleitermündungen befanden ſich zwey Höcker, deren jeder die Gröſse eines Hühnereyes hatte. Die Harnleiter waren ſo weit als der dünne Darm eines Kindes, voll Urin, der aber nicht aus ihnen in die Blaſe gedrückt werden konnte. Die Nieren hatten die normale Gröſse, waren aber bloſse Beutel und ihr Becken enthielt acht Unzen Urin. In der Blaſe fanden ſich zwölf Bälge von der Gröſse eines Hühner- und Gänſeeyes, einige aus dicken, die andern aus dünnen Häuten gebildet, durchaus ohne Stiel und mit einer gallertähnlichen, wäſſerigen Flüſſigkeit angefüllt.

f. Nervenſyſtem.

Nicht ganz ſelten beobachtet man in den Hirnhöhlen Hydatiden.

Eine vierzigjährige Frau litt an beſtändigen Kopfſchmerzen, die in der Regel täglich dreymal exacerbirten und ſo oft wiederkehrten als die Kranke gerade in die Höhe ſah. Der Anfall endigte ſich immer mit einer Ohnmacht, worauf ein profuſer Schweiſs oder Erbrechen von Galle eintrat. Der Schmerz breitete ſich über eine Strecke von der Gröſse einer hohlen Hand aus, wo der Kopf eine beträchtliche Vertiefung hatte. Die Kranke wurde endlich trepanirt, ſtarb aber vierzehn Tage nach der Operation. In der linken Seitenhöhle fanden ſich ſechs bis acht Unzen Blutwaſſer und eine Menge

Hydatiden von der Gröſse einer Erbſe bis zu der eines Hühnereyes [1]).

Thomas [2]) fand bey einem zwanzigjährigen Menſchen, der ſeit vier Jahren an epileptiſchen; aller zwey Wochen wiederkehrenden Anfällen litt, in den Hirnhöhlen einen äuſserſt dünnen Balg voll einer ganz durchſichtigen, wäſſerigen Flüſſigkeit. Seiner Meinung nach entſtanden die Anfälle, ſo oft die Hydatide mit Waſſer angefüllt war, doch iſt es möglich, daſs ihre Wiederkehr von der Anhäufung der Erregbarkeit abhing, welche erſt einige Zeit nach dem Anfall wieder Statt finden konnte. Einen ähnlichen Fall hat auch Mackenzie [3]).

Dieſe Blaſen kommen auch an der äuſsern Fläche des Gehirns vor.

So fand Panaroli [4]) deren mehrere auf dem Balken eines am Schlagfluſs geſtorbenen Mannes.

Aehnliche Erſcheinungen findet man auch in der Höhle der Wirbelſäule.

Eine Frau von zwey und zwanzig Jahren bekam im dritten Monate ihrer Schwangerſchaft im obern und hintern Theile der rechten Bruſthöhle Seitenſtechen, gegen das Ende der Schwangerſchaft Lähmung der untern Extremitäten und ſtarb zehn Tage nach ihrer Niederkunft.

Man fand die Lunge an der Stelle, wo ſie zuerſt Seitenſtechen gehabt hatte, adhärirend, compact und einen Theil eines Balges bildend,

---

1) Helsham in Duncan's med. comment. dec. II. vol. 3. p. 289—91.

2) Roux j. de med. t. XXVII. p. 238.

3) Monro morbid. anat. of the gullet etc. S. 272.

4) Iatrolog. p. 26. obſ. 17.

der auf der rechten Seite des Rückgrates lag und fünf Zoll lang, aber nicht völlig so breit war. Er enthielt eine Menge durchsichtiger, eyförmiger Hydatiden, von denen einige anderthalb Zoll, andere nur einige Linien im Durchmesser hielten, andere noch kleiner waren. Der dritte und vierte Rückenwirbel waren an einigen Stellen erodirt und zwischen der dritten und vierten Rippe befand sich eine Vertiefung, die bis zu den Dornfortsätzen derselben reichte, und zwischen die Rückenmuskeln führte. Das vierte Zwischenwirbelloch war ganz offen, so dass man leicht einen Finger durch dasselbe bis zum ersten Rückenwirbel führen konnte. Hier fanden sich zwölf Hydatiden, die äusserlich an der harten Haut sassen und einen Ring um dieselbe bildeten. Die harte Haut selbst war hier entzündet und verdickt, und drückte das Rückenmark zusammen. Die unterhalb dieser Stelle aus dem Rückenmark tretenden Nerven waren verhältnissmässig zu klein und fest, auch der rechte grosse sympatische Nerv, der in der Geschwulst lag, kleiner als der linke [1]). Doch ist es ungewiss, wo sich hier die Hydatiden gebildet hatten.

Die Hydatiden entwickeln sich auch in der Substanz des Gehirns.

Einen Fall von einer sehr grossen Balggeschwulst im grossen Gehirn erzählt Bateman [2]).

Ein fünfjähriges Mädchen bekam eine Woche nach überstandenen Masern heftige Konvulsio-

---

1) Corvisart j. de médéc. t. 14. p. 231.

2) Edinb. med. journ. 1805. Tom. I. p. 150.

ſionen des Körpers, die zwey Tage faſt ohne Intermiſſion anhielten. Die Muskeln der linken Seite waren ſtarr, während ſich die der andern Seite beſtändig bewegten. Nach Verſchwinden der Konvulſionen beklagte ſie ſich über Schmerz in der rechten Hälfte des Kopfes. Fünf Wochen nachher erſchien ein neuer Anfall von Krämpfen. Nachdem man ein Blaſenpflaſter auf den Kopf gelegt hatte, entſtand eine weiche Anſchwellung in der Nähe der Pfeilnaht, die ſchief längs dem rechten Scheitelbeine bis zur vordern Seite des Ohres herabreichte, eine dicke Flüſſigkeit zu enthalten ſchien und nur in ihrem Umfange ſchmerzte. Sie ſchielte mit dem rechten Auge, hatte aber nie Schlafſucht oder Betäubung. Als die Geſchwulſt mit einer Lanzette geöffnet wurde, floſſen 4 bis 6 Unzen Eiter aus. Die Geſchwulſt, die ſich nachher wieder vermehrt hatte, verlor ſich allmählich gänzlich, allein das Kind ſtarb in der funfzehnten Woche nach dem Erſcheinen der erſten Zufälle. Kurz vorher war es ganz blind geworden, und die immer fortdauernden Konvulſionen hatten ſich in gänzliche Bewuſstloſigkeit verwandelt.

Man fand den Kopf verhältniſsmäſsig zum Körper etwas gröſser als gewöhnlich, die Haut an der rechten Seite feſter als gewöhnlich am Schädel hängend und die Nähte vollkommen verſchloſſen. An der rechten Seite hing gleichfalls die harte Hirnhaut feſt mit dem Schädel und der Gefäſshaut und dieſe mit dem Gehirn ſehr genau zuſammen. Die erſtere war daſelbſt dicker und undurchſichtiger als gewöhnlich.

Die rechte Hemiſphäre war vorzüglich in ihrem hintern Theile ſtärker angeſchwollen, die Windungen weit weniger deutlich und die Oberfläche glatter als gewöhnlich. Die Subſtanz des Gehirns war an dieſer Stelle hart und feſt und wenig Rindenſubſtanz daran zu bemerken. Der ganze rechte hintere Lappen war faſt ganz von einem runden Sacke eingenommen, der ſehr leicht mit dem Finger von der umgebenden Hirnſubſtanz getrennt werden konnte. Dieſer Sack war ſehr gefäſsreich, von einem feſten Gewebe und enthielt ungefähr vier Unzen grünen Eiter. Er war drey Viertelszoll vom Schädel entfernt, und an allen Seiten von der Hirnſubſtanz umgeben, nur einen kleinen Theil ſeines Umfanges ausgenommen, der ſich in der Nähe des hintern Theils der rechten Hirnhöhle befand und einen kleinen Theil ihres Umfangs bildete.

Bisweilen ſetzt ſich die Hydatidenbildung im Gehirn mit allgemeiner Waſſeranhäufung in den Höhlen dieſes Organs zuſammen.

Ein fünfjähriges Kind, das von ſeiner Geburt an einen ſehr groſsen Kopf gehabt hatte, bekam einen Ausſchlag am Kopfe. Dieſer wurde vertrieben, allein von nun an ſtellte ſich Kopfſchmerz, Lähmung der Extremitäten und des Darmkanals ein und zugleich vergröſserte ſich der Kopf beträchtlich, die Nähte wichen aus einander und der Tod erfolgte nach drey Jahren.

Der Umfang des Kopfes in horizontaler Richtung betrug zwey Fuſs, die Entfernung von einem Ohre zum andern, über den Scheitel weg gemeſſen ſiebzehn Zoll, die Stirn- und Kranznath waren zwey Zoll breit, das Scheitel-

und Stirnbein zwey, das Hinterhauptsbein eine Linie dick. Die Lappen des Gehirns waren nicht deutlich, Mark und Rinde an der nur drey Linien dicken Hirnsubstanz nicht unterscheidbar. Die von ihr gebildete Höhle enthielt acht und dreissig Unzen Wasser. Auf der Grundfläche des Schädels lag ein dünner, mit einer klebrigen Lymphe angefüllter Sack, der siebzehn Unzen wog und dessen Wände beynahe so dick als die Wände der harten Hirnhaut waren [1]).

g. Muskelsystem.

Auch in den Muskeln bilden sich bisweilen, wiewohl selten, Bälge, welche Hydatiden enthalten.

Ein zwanzigjähriges, gesundes Mädchen bekam in der Lendengegend eine grosse, umschriebene Geschwulst, die ihr heftige Schmerzen verursachte. Die Hautfarbe war an dieser Stelle normal, die Geschwulst selbst sass unter der Aponeurose des queren Bauchmuskels. Als sie geöffnet wurde, floss eine durchsichtige, gelbliche Flüssigkeit nebst mehrerern ungestielten Hydatiden, von denen einige die Grösse eines Hühnereyes hatten, und die alle eine helle, wässerige, durchsichtige Feuchtigkeit enthielten, aus. Alle sassen in einem Balge, der ohne Gewalt herausgenommen wurde. Ungeachtet noch vier Tage lang einige Hydatiden aus einem Gange, der gegen das rechte Hypochondrium emporstieg, abgingen, schloss sich die Wunde doch nach zwölf Tagen vollkommen [2]).

1) Berdot in act. helvet. Vol. V.

2) Jannin in Sedillot recueil périod. T. XXIII. p. 254—61.

Bisset [1]) fand zweymal eine weiſse, etwas schmerzhafte Balggeschwulst, die eine helle zähe Lymphe, etwas gallertähnliche Flüssigkeit und Hydatiden von verschiedener Gröſse enthielt, welche eine ähnliche Lymphe einschlossen, auf dem sehnigen Theile eines Muskels, der die Basis der Geschwulst bildete. Die eine saſs auf dem zweibäuchigen Oberschenkelmuskel, die andere auf dem untern Theile des äuſsern schiefen Bauchmuskels.

b. Gefäſssystem.

Nur selten findet man auch Hydatiden am Herzen. Auſser einem Falle, den ich vor mir habe, kenne ich nur vier, von denen der eine von Dupuytren, der andere von Morgagni, der dritte von Rutty, der vierte von Clossius beobachtet wurde.

Dupuytren [2]) fand bey einer leukophlegmatischen vierzigjährigen Frau, mit Hirn-Bauch-, Brust- und Herzbeutelwassersucht, den rechten Herzvorhof so groſs als das ganze übrige Herz. Ihre Wände, die einen Zoll dick waren, wurden in ihrem obern Theile durch eine fettähnliche, gelbliche Masse, die aber bloſses Eyweiſs war, unten dagegen durch eine rothe, faserstoffähnliche Substanz gebildet. Diese Substanz befand sich zwischen der äuſsern und innern Haut der Vorkammer, auf deren innerer Fläche mehrere, durch eine glatte Membran, welche die Dicke einer halben Linie hatte, gebildete Bälge hervorragten. Sie füllten fast die ganze Höhle der Vorkammer aus, in welche sich die obere und untere Hohlvene

1) Duncan med. comment. Dec I. t. IX. p. 244.
2) Corvisart j. de méd. an XI. Brumaire.

daher nur durch eine kleine Mündung öffneten. Die kleinsten dieser Balge, die alle in Zellgewebe versenkt waren, hielten einen, die grösten anderthalb Zoll im Durchmesser.

Morgagni [1]) fand an der linken Herzkammer eines vier und siebzigjähriges Greises eine zur Hälfte hervorragende Geschwulst von der Grösse einer Kirsche. Auf einen Stich floss etwas helles Wasser ab, eine trübe Flüssigkeit aber blieb zurück. Diese befand sich nebst einer dünnen, einige weissliche, schleimige und sehnenartige Theile enthaltenden Membran in einem weisslichen, dichten, einen rauhen und ungleichen Balge, der fest in der ganz gesunden Muskelsubstanz des Herzens sass.

Der von Rutty beobachtete Fall kommt einigermaassen mit dem Dupuytren'schen überein.

Er [2]) fand bey einem drey und zwanzigjährigen Mädchen, deren linkes Ovarium eine ungeheure Menge von Bälgen enthielt, die rechte Herzkammer an ihrer innern Fläche mit Hydatiden besetzt.

Auch Clossius [3]) fand am rechten Herzvorhof einige Wasserblasen bey einem sechs und zwanzigjährigen Mädchen, die seit einem Jahre ihre Menstruation verloren hatte, und deren ganzer Unterleib von einem Sacke angefüllt war, der aus dem Zellgewebe des Bauchfelles in der Nabelgegend entstand, eine Menge Hydatiden enthielt und mit einem zweyten zusammenhing, der aus der concaven Leberfläche

---

1) De c. et f. Ep. XXI. art. 4.

2) Phil. transact. no. 405.

3) Baldingers n. Magazin. Bd. 10. S. 543.

entstand. Beyde hingen nur locker an; der letztere wog 21, der erstere 35 Pfund.

In dem sehr merkwürdigen Falle dieser Art, welchen ich vor mir und abgebildet habe [1]), fand sich an der äusseren Fläche des linken Herzens eines ungefähr funfzigjährigen Mannes ein Balg von der Grösse eines Hühnereyes, der fast bis in die Höhle drang, stellenweise verknöchert war und mehrere über einander liegende, in einander geschachtelte Hydatiden enthielt.

i. Knochensystem.

Cuillerier [2]) fand sogar im Knochen Hydatiden.

Ein drey und zwanzigjähriger, syphilitischer Kranker hatte zwey Geschwülste am Schienbein, von denen die untere drey Zoll im Durchmesser und zwey Zoll Höhe hatte. Diese war nicht schmerzhaft, hatte nur eine steatomatöse Härte, aber einen knöchernen Rand, der eine die Geschwulst enthaltende Höhle andeutete. Die obere war viel kleiner, weicher und nicht mit dem Knochen verbunden. Beyde waren seit zwey Jahren nach einer heftigen Quetschung entstanden, anfänglich unter heftigen Schmerzen schnell, nachher langsam gewachsen. Als durch Aetzmittel und glühendes Eisen die grosse Geschwulst geöffnet wurde, floss zuerst eine Menge einer Weinhefen ähnlichen Flüssigkeit aus, auf die mehrere Hydatiden von drey bis vier Linien Durchmesser, deren Häute so dick als Weinbeerenhäute waren, folgten. Eine davon, die einen Zoll im Durchmesser hatte, enthielt mehrere kleine und etwas Serum.

---

1) Tab. anat. path. Fasc. I. 1817. Tab. VIII.
2) Corvisart j. de méd. t. 12, p. 125.

Die Höhle im Knochen, worin sich diese Bälge gebildet hatten, war drey Zoll lang und anderthalb breit.

B. Diesen Bildungen zunächst steht der Blasenschwanz. (Cysticercus. Zeder.) Statt einer mehr oder weniger ansehnlichen Menge von Würmern findet sich nur einer, der verhältnissmässig zu der Blase, welche sein hinteres Ende bildet, weit grösser als bey dem Geschlecht Echinococcus ist und sich in derselben nach Gefallen verbergen und aus ihr hervorstrecken kann. Die beym Menschen gefundene Art, Cysticercus cellulosae, welche ihm, mehrern Affen und dem Hausschweine gemeinschaftlich ist, kommt in dem Zellgewebe der Muskeln und der Gefässhaut des Gehirns vor [1]). Hierauf folgt der von Stiebel gefundene Dyacanthus polycephalus [2]).

C. An diesen schliesst sich das Doppelhorn. (Diceras rude Rud.) Der eyförmige, platte Körper läuft vorn in zwey langen Hörner aus, ist hohl, mit Ausnahme der Hörner in einer Blase eingeschlossen, und kommt im Darmkanal vor [3]).

D. Hierauf kann man die kurzen und platten Doppellöcher und Viellöcher, (Distoma und Polystoma) folgen lassen. Von dem ersten Geschlechte kommt D. hepaticum in der Gallenblase und den Gallengängen, von dem zweyten P. pinguicola im Eierstocke vor [4]).

---

1) I. G. Steinbuch commentatio de taenia hydatigena anomala adnex. cogitatis quibusdam de vermium visceralium physiologia. Erlangae 1802.

2) Meckel's Archiv Bd. 3. S. 174. ff.

3) K. Sulzer Beschr. eines neuentdeckten Eingeweidewurmes im menschlichen Korper. Strasburg 1802.

4) F. A. Treutler obs. path. anat. Lip. 1793. Tab. III.

F. Die Bandwürmer (Taenia) machen von diesen den Uebergang zu den folgenden, indem sie als eine Reihe von in der Längenrichtung an einander gereihten platten Körpern erscheinen, welche zwar von einander sehr deutlich getrennt sind, aber zusammen eine sehr beträchtliche Länge haben. Beym Menschen kommen zwey Arten, T. solium und lata, beyde im Darmkanal vor.

Bey den übrigen Würmern überwiegt die Länge zugleich die übrigen Dimensionen bedeutend und zugleich sind sie im Verhältniss zu ihrer Breite weit dicker als die Bandwürmer, haben daher eine mehr cylindrische Gestalt, wodurch sie sich näher an die höhern Thiere anschliessen.

G. Den Tänien am nächsten scheinen längliche, in der Mitte stark eingeschnürte, im Durchschnitte viereckige, an beyden Enden stark zugespitzte Würmer zu seyn, welche Lawrence bey einer Frau in grosser Menge durch die Harnröhre abgehen sah [1]).

H. An diese schliessen sich zunächst die an dem vordern Ende sehr lang und dünn zugespitzten Haarköpfe (Trichocephalus) wovon T. dispar im Dickdarm wohnt.

I. Hierauf folgen die an beyden Enden stumpfzugespitzten Spulwürmer (Ascaris) und Strongylus wovon Asc. lumbricoides den Dickdarm, Asc. vermicularis den Dünndarm, Mastdarm und die äussern weiblichen Schamtheile St. gigas die Nieren bewohnt.

---

1) Case of a woman who voided a large number of worms by the urethra. Lond. med. ch. transact. II. p. 385. ff.

K. Endlich sind Hamularia subcompressa [1]) Filaria medinensis [2]) und eine von Lawrence beschriebene Wurmart, von welchen die erstere in den Bronchialdrüsen, die zweyte in dem Zellgewebe der Haut und den Muskeln, die dritte im Harnsystem vorkommt, die, bey welchen die Längendimension den übrigen am meisten vorwaltet.

Zweyter Abschnitt.

Von den steinigen Concretionen [3]).

Alle organischen Bildungen, regelwidrige und regelmäfsige gehen aus Flüssigkeiten hervor. Von ihnen unterscheiden sich aber die steinigen Concretionen, wenigstens bey weitem die meisten, durch den Umstand, dass sie aus gewissen eigenthümlichen Flüssigkeiten entstehen, welche auch im gesunden Zustande nothwendig und die Producte eigner, sehr individualisirter Secretionsorgane sind und bestimmte Functionen möglich machen. Sie haben ihren Namen sowohl von ihrer, zum Theil beträchtlichen Härte, als dem Mangel einer Form, wel-

1) Treutler a. a. O.

2) A. a. O.

3) F. A. Walters anatomisches Museum. Bd. I. Berlin 1796. Mit fünf Kupfertaf.

Wendelstädt über Steine im menschl. u. thier. Körper, in dessen medic. und chirurgischen Wahrnehmungen, Bd. I. Osnabr. 1800. S. 156—264.

A. F. Fourcroy sur le nombre, la nature et les caractères distinctifs des différens matériaux qui forment les calculs, les bézoards et les diverses concrétions des animaux. In den Annal. du muséum d'histoire naturelle. T. I. p. 93. ff. 1802. Mit Abbild.

A. Marcet an essay on the chemical History and medical Treatment of calculous Disorders. London 1817.

che mit der Form der Organe Aehnlichkeit hätte, während die ihnen zukommende Textur sich mehr der Textur der Mineralien nähert; doch kommen sie mit den festharten thierischen Theilen insofern überein, als wenigstens die Harnsteine, wie die Knochen, aus einer thierisch gemischten, weichen, schleimigen Substanz und mehr oder weniger vorkommenden Substanzen bestehen, von denen jene, nachdem diese durch chemische Mittel entfernt wurden, zurückbleibt und die ganze Gestalt wie den ganzen Umfang des Steines zeigt [1]). Sie stellen auch in ihrer Mischung die Flüssigkeiten, in welchen sie vorkommen und aus welchen sie entstehen, insofern dar, als sie alle, oder wenige, oder auch nur einen der Bestandtheile derselben enthalten. Die Ursache ihrer Entstehung ist bey weitem am häufigsten eine Abänderung der Thätigkeit des Secretionsorgans, in welchem sie vorkommen, deren Resultat die Production einer gleichfalls dergestalt alienirten Flüssigkeit ist, dass sich in ihr steinige Concretionen entwickeln. Diese Alienation kann vorzüglich vierfacher Art seyn. Entweder ist die thierisch gemischte Substanz, welche in allen Flüssigkeiten vorkommt, in Hinsicht auf Qualität oder Quantität, oder beydes zugleich, so verändert, dass dadurch Bindung gewisser Substanzen bewirkt wird; oder 2) die Qualität oder 3) die Quantität mancher Bestandtheile der Flüssigkeiten ist so verändert, dass sie in dem auflösenden Medium nicht länger auflöslich sind. Auch hier können beyde Bedingungen zugleich Statt finden, oder endlich 4) es können sich so-

1) Tenon Mém. de Paris 1764.

gar ganz neue, eigenthümliche Bestandtheile in den Flüssigkeiten bilden, die, der gewöhnlichen Mischung derselben fremd, sich aus ihnen in fester Form abscheiden.

Am häufigsten kommen steinige Concretionen im Harnapparat und in dem Gallenapperat vor, doch giebt es fast keine Flüssigkeit, in welcher sie sich nicht bildeten. Die Concretionen derselben Flüssigkeit differiren selbst unter einander bedeutend.

I. Harnsteine [1]).

Die Harnsteine kommen in allen Theilen des Harnsystems, am häufigsten aber in der Harnblase vor, ungeachtet die, welche sowohl hier als in einem andern Theile dieses Systems vorkommen, sich häufigst schon im Nierenbecken bilden, es sey denn, dass sie sich um einen zufällig in die Blase als Kern gekommenen fremden Körper anlagern. Am seltensten kom-

---

1) Tenon sur la nature des calculs. Mém. de Paris 1764.
C. W. Scheele Untersuchungen d. Blasensteins. Schwed. Abhandl. Bd. 37.
H. F. Link de analysi urinae et origine calculi. Gott. 1788.
H. Wollaston on gouty and urinary concretions. Phil. tr. 1797. p. 2. pag. 386. ff.
Pearson Experiments and observations, tending to show the Composition and Properties of urinary Concretions. Phil. tr. 1798. p. I. pag. 15. ff.
Fourcroy examen des expériences et des observations de M. G. Pearson. Ann. de Chimie. Vol. 27. p. 225. ff.
Guyton note sur le même sujet. Ebend. p. 294.
Brande von den Verschiedenheiten der Steine, welche von ihrer Bildung an verschiedenen Stellen des Harnsystems herrühren etc. A. den phil. transact. 1808. In Meckel's Archiv. f. d. Physiol. Bd. 2. S. 684—697.
Wollaston über das Blasenoxyd. A. d. phil. tr. 1810. Ebend. S. 700—705.
Das oben angeführte Werk von Marcet betrifft gleichfalls vorzüglich die Harnsteine.

men sie zwischen der Vorhaut und der Eichel, in Folge angeborner oder zufälliger Verengung der Öffnung der erstern vor. Einen höchst seltnen Fall dieser Art beobachtete Penada bey einem jungen Manne, bey welchem sich nach einem starken Schlage auf die Eichel über hundert Steine von mehreren Linien im Durchmesser bildeten, die aus phosphorsauren Kalk und Ammoniakmagnesia bestanden [1]).

Gewöhnlich liegen die Harnsteine frey, so dass sie weder mit dem Wänden der sie enthaltenden Organe zusammenhängen, noch sich in eigenen, von der grossen Höhle derselben abgesonderten Anhängen befinden, doch findet man auch bisweilen das Gegentheil [2]). So habe ich selbst bey einem vierzehnjährigen Knaben, der seit seiner Kindheit an Steinbeschwerden litt, einen sehr ansehnlichen, mit einer dicken Schleimlage bedeckten Stein so eng mit der Blase verbunden gesehen, dass ich ihn nur mit Gewalt trennen konnte.

Die physischen Eigenschaften der Steine hängen mit ihrer Mischung zusammen und werden daher bey und nach der Betrachtung der verschiedenen Arten derselben am zweckmässigsten angegeben werden. Doch kann man hier bemerken, dass die Form der enthaltenden Organe auf die der Harnsteine influirt. Erlangen sie z. B. im Nierenbecken schon eine beträcht-

---

1) Mem. intorno alla formazione di una gran massa di calcoli singolari in un luogo insolito. In Brera's Giornale di med. prat. T. 12. 1817. p. 1. ff.

2) V. Malacarne osserv. anat. e pathologiche sugli organi uropoietici In Mem. di Verona. T. V.
Van de Laar obs. chir. et anat. de calculo, vesicae inhaerente, eique adnexo in ejusd. Observ. Chirurg. etc. 1794. p. 1—38.

liche Gröſse, ſo füllen ſie es oft ganz aus und geſtalten ſich dann ganz nach den Kelchen deſſelben. Die Harnblaſenſteine haben meiſtens eine längliche, etwas platte Form.

In die Zuſammenſetzung der Harnſteine gehen, ſo viel die neueſten Unterſuchungen dargethan haben, zwölf verſchiedene Subſtanzen ein, nämlich, auſser der thieriſchen Subſtanz, welche in allen vorkommt: 1) die von Scheele entdeckte Harnſäure, die er aber unrichtig als alle Harnſteine zuſammenſetzend anſah; 2) das von Wollaſton entdeckte Blaſenoxyd; 3) phosphorſaurer Kalk, den Pearſon in ihnen fand; 4—8) harnſaures Ammonium, welches indeſs von Brande geläugnet wird; phosphorſaure Ammoniak-Magneſia, ſauerkleeſaurer Kalk und Kieſelerde, welche von Fourcroy und Vauquelin dargethan wurden, kohlenſaurer Kalk und Eiſen, welche neuerlich Cooper [1]) nachwies. Auſserdem fand Marcet [2]) noch zwey Harnſteine von eigenthümlicher Beſchaffenheit, von denen er den einen, wegen der gelben Farbe, die er in Verbindung mit Salpeterſäure annimmt, Oxydum Xanthicum, den andern, wegen der Uebereinkunft mit dem Faſerſtoff des Blutes, Faſerſtein (Calculus fibrinus) nennt.

Dieſe Subſtanzen kommen in den verſchiedenen Blaſenſteinen entweder einzeln oder gemiſcht vor.

Einzeln, ſo daſs der ganze Stein nur aus derſelben Subſtanz beſteht, wurden bis jetzt nur

---

1) London medical repoſitory. Vol. VII. 1817. p. 43.
2) On calculous diſorders. Angez. im Lond. med. repoſit. Vol. VIII. p. 513.

1) die Harnſäure, 2) die Blaſenſäure, 3) das harnſaure Ammonium und 4) der kleeſaure Kalk gefunden.

Die verſchiedenen einzelnen Beſtandtheile ſetzen ſich ſowohl in Hinſicht auf ihre Art, als auf die Beſchaffenheit ihrer Aggregation und auf ihre Zahl ſehr verſchiedentlich zuſammen; doch hat man bis jetzt nur zwey-, drey-, vier- und fünffache Verbindungen gefunden.

Die zweyfachen ſind:

Harnſäure und ein phosphorſaures Salz;

Harnſäure und kleeſaurer Kalk;

Harnſaures Ammonium und phosphorſaure Ammoniak-Magneſia;

Phosphorſaurer Kalk und phosphorſaure Magneſia;

Die dreyfachen:

Harnſäure und beyde phosphorſaure Salze;

Harnſaures Ammonium und beyde phosphorſaure Salze;

Kleeſaurer Kalk und phosphorſaure Salze;

Kohlenſaurer Kalk mit einer Spur von phosphorſaurem Kalk und Eiſenoxyd.

Die vierfachen:

Harnſäure mit kleeſaurem Kalk und phosphorſauren Salzen;

Harnſäure mit harnſaurem Ammonium, Kieſelerde und einem phosphorſauren Salze.

Die fünffachen;

Harnsäure mit harnsauren Ammonium, kleesaurem Kalk und phosphorsauren Salzen.

Diese und die vorletzte Klasse sind sehr selten.

Von diesen verschiedenen Bestandtheilen kommen nur der thierische Stoff, die Harnsäure uud die phosphorsauren Salze regelmäfsig im Harne vor.

Harnsaures Ammonium kommt zwar auch im Harne vor, entwickelt sich aber nur durch Fäulnifs darin.

Kleesaurer Kalk findet sich, indessen auch vielleicht nicht allgemein, im Harn rachitischer und wurmkranker Kinder.

In allen, den einfachsten wie den zusammengesetztesten Harnsteinen, kommt auch auf die vorher angeführte Weise eine eigenthümliche thierische Substanz vor, deren Natur nicht immer dieselbe ist, sondern in den verschiedenen Arten auf eine constante Weise variirt, in den harnsauren und aus harnsaurem Ammoniak bestehenden Steinen eyweifsartig und mit Harnstoff verbunden ist, in den phosphorsauren Salzen ein lockeres Eyweifs und Gallert, in den übrigen ein weit festeres und gefärbteres Eyweifs darstellt.

Die Art der Mengung der verschiedenen Bestandtheile zusammengesetzter Steine variirt bedeutend.

Diese sind entweder von einander abgesondert, so dafs sie in getrennten Schichten über einander liegen, oder innig unter einander gemengt. Selbst die Steine, welche aus denselben Bestandtheilen bestehen, bieten in dieser Hinſicht Verſchiedenheiten dar. So giebt es unter den aus Harnſäure und einem oder mehrern phosphorſauren Salzen gebildeten Steinen einige, welche aus ſehr deutlich abgeſonderten Schichten gebildet ſind, von denen die innere Lage oder der Kern aus Harnſäure, die äuſsere aus phosphorſauren Salzen beſteht, während andere aus einer unendlichen Menge äuſserſt feiner abwechſelnder Schichten oder eingeſprengter Stücken beſtehen. Die aus harnſaurem Ammonium und phosphorſauren Salzen zuſammengeſetzten, bilden zwar gleichfalls Schichten, allein die Miſchung aller iſt dieſelbe. Die aus Harnſäure und kleeſaurem Kalk gebildeten beſtehen aus einem harnſauren Kern und einer kleeſauren Hülle. Dieſe wird bey den aus klee- und phosphorſauren Salzen beſtehenden aus den letztern, jene aus dem erſtern gebildet. Bey den zuſammengeſetztern ſind die Schichten gewöhnlich ſtreng chemiſch geſchieden. Am gewöhnlichſten haben die Steine deſſelben Kranken dieſelbe Miſchung; indeſſen führt Brande einen Fall, wo bey einem Kranken während des Lebens harnſaures Ammonium abging, und nach dem Tode ein Blaſenſtein aus phosphorſaurer Magneſia und Ammonium gefunden wurde [1]), und Gaultier de Chaubry einen andern an, wo die eine Niere einen aus Harnſäure und phosphorſaurem Kalk, die andere vier, aus kleeſaurem Kalk und Harnſäure gebildete Steine enthielt [2]). Un-

1) Meckel's Archiv f. d. Phyſiol. Bd. 2. S. 305.

2) Ann. de Chimie T. 93. p. 67. ff.
Meckel's Archiv Bd. 3. H. 3.

Unter den verſchiedenen Beſtandtheilen iſt die Harnſäure der häufigſte, die Kieſelerde und Blaſenſäure dagegen ſind die ſeltenſten.

Fourcroy und Vauquelin fanden unter 600 von ihnen unterſuchten Blaſenſteinen 150 aus reiner Harnſäure gebildet.

Als noch weit allgemeineres Material dieſer Concretionen aber erſcheint die Harnſäure durch die Bemerkung, daſs ſie bey weitem in den meiſten zuſammengeſetzten Steinen einen mehr oder weniger bedeutenden Beſtandtheil ausmacht. Dieſs beweiſen ſchon die oben aufgeſtellten Arten von Steinen, wo unter vierzehn bey ſechs die Harnſäure einen Beſtandtheil, und, was merkwürdig iſt, gewöhnlich den Kern, alſo den zuerſt entſtandenen Theil, ausmacht. Unter dreyhundert Blaſenſteinen fand Pearſon kaum einen, der nicht wenigſtens etwas Harnſäure enthielt, und die meiſten waren offenbar ihrem gröſsten Theile nach daraus gebildet. Damit kommt auch die Angabe von Brande überein, der unter 150 Harnſteinen 132 zu einem gröſsern oder geringern Theile aus Harnſäure gebildet fand. (A. a. O. S. 687). Auch iſt der mit dem Harn von Steinkranken abgehende Harnſand oder Gries gewöhnlich reine Harnſäure.

Ferner ſtellt auch das harnſaure Ammonium einen ſehr häufigen Beſtandtheil dar, indem es in fünf Arten von Steinen vorkommt.

Nach Fourcroy käme nächſt der Harnſäure der kleeſaure Kalk am häufigſten vor, indem er unter den von ihm unterſuchten Harnſteinen allein die aus kleeſaurem Kalk gebildeten den fünften bis vierten Theil bildend fand und überdieſs dieſer Beſtandtheil noch in vier andern Arten, von denen beſonders die eilfte ſehr häufig iſt, vorkommt; indeſſen weicht hiervon Brande's Angabe bedeutend ab, indem er unter 150 Blaſenſteinen nur eilf ganz oder zum Theil aus kleeſaurem Kalk gebildet fand.

Die Kieſelerde und das Blaſenoxyd kommen am ſeltenſten vor. Unter 600 von Fourcroy unterſuchten, kam jene nur in zweyen, in Verbindung mit Harnſäure, harnſaurem Ammonium und phosphorſauren Salzen vor. Wollaſton fand nur zwey aus Blaſenoxyd gebildete Concretionen. So fand auch Marcet das Oxydum xanthicum und den Faſerſtein nur einmal. Nächſt der Harnſäure und dem kleeſauren Kalk kommen nach Fourcroy und Brande die phosphorſauren Salze am häufigſten vor, indem ſie ſich unter den angeführten Arten in acht finden, unter dieſen die zehnte nach Fourcroy nächſt den aus reiner Harnſäure beſtehenden die häufigſte, auch die achte zahlreich iſt, und Brande unter 150 in 116 mehr oder weniger phosphorſaure Salze fand. Merkwürdig iſt es nach dieſer Vergleichung der verſchiedenen Arten von Blaſenſteinen, daſs die Harnſäure, die am allgemeinſten in ihnen vorkommende Subſtanz, zugleich nicht nur im normalen Zuſtande im Harn vorkommt, ſondern ſich auch aus dieſem ſehr leicht niederſchlägt, auch höchſt wahrſcheinlich nur eine Modification des Harnſtoffes, ein oxydirter Harnſtoff iſt, der bekanntlich $\frac{25}{100}$ des waſſerfreien Harnes bildet. Sofern die Steinbildung häufigst durch Vermehrung der Menge der Harnsäure mittelst Oxydation des Harnstoffes zu entstehen scheint, ist es wieder merkwürdig, daſs zunächst Verbindungen von Säuren die häufigsten Harnconcretionen darstellen, ja sogar die Kleesäure, ein gewöhnlich gar nicht vorhandener Bestandtheil, sich erst bildet.

Die Seltenheit der Kieselerde ist wegen des Mangels derselben in fast allen bis jetzt untersuchten Harnarten und wegen der Natur derselben merkwürdig.

Krankhaft erscheint also hier beym Menschen ein Element, das zur normalen Zusammensetzung niedriger Pflanzen und Thiere gehört, indem sie bey den Conferven, Alcyonien, Sabellen u. s. w. vorkommt.

Die physischen Eigenschaften der Harnsteine differiren natürlich wie ihre Mischung.

1. Die aus Harnsäure gebildeten sind gelblich, röthlich oder rothbraun, holzfarben, brüchig, aber fest, fein, von einem strahligen, dünn- oder dickblättrigen Baue, meistens länglichrund, platt gedrückt, glatt oder nur wenig rauh.

2. Die aus harnsaurem Ammonium bestehenden haben ungefähr dieselbe Form als die harnsauren, aber eine dem Milchcaffee ähnliche Farbe.

3. Die blasensauren sind gelblich, halbdurchsichtig, haben einen schimmernden Glanz, kein blättriges Gefüge, sondern erscheinen als eine durchaus vereinigte krystallisirte Masse.

4. Die aus kleesaurem Kalke bestehenden haben eine sehr ungleiche, höckerige, mit vielen Spitzen besetzte Oberfläche, im Allgemeinen eine mehr kugelähnliche Gestalt als die übrigen, eine dunkelbraune Farbe, beträchtliche Härte und Festigkeit. Mangel dieser ungleichen Oberfläche bey diesen Steinen rührt wahrscheinlich nur von der gleichzeitigen Anwesenheit mehrerer und dem dadurch veranlassten Abschleifen her [1]).

5. In den aus kleesaurem Kalk und Harnsäure gemengten bildet der erstere Bestandtheil den meistens genau in der Mitte befindlichen Kern, der zweite die Schale, so dass sie auf den ersten Anblick sich nicht von der ersten Art unterscheiden. Dasselbe gilt für die aus kleesaurem Kalk und phosphorsauren Salzen gebildeten; doch habe ich mehrmals die phosphorsauren Salze nur die Räume zwischen den Zacken anfüllend und diese mehr oder weniger lang hervorstehend gefunden.

6. Die aus phosphorsaurem Kalk und phosphorsaurer Ammoniakmagnesia gebildeten Concretionen sind rein weiss, sehr zerreiblich, daher abfärbend, selten rundlich, sondern meistens von unregelmässiger Gestalt, bisweilen genau gemischt, bisweilen aus abwechselnden Schichten gemengt und sehr leicht. Aus ihnen bestehen die Steine, welche sich um fremde, in die Harnwege gelangte Körper, oder da, wo der Harnausfluss, wie z. B. in dem Penada'schen Falle, regelwidrig aufgehalten

1) Martres sur des concrétions d'oxalate de chaux qui ne sont pas murales. In den Ann. de chimie et de physique. T. VI. p. 220. 221.

wird, erzeugen, und eben so bilden sie auch die äusserste Lage zusammengesetzter Harnsteine.

Sowohl die neunte als die zehnte Art bieten eine doppelte Varietät dar. Entweder nämlich sind alle drey Substanzen genau unter einander gemengt, oder in abgesonderten Schichten über einander gelagert. Unter der letztern Bedingung bilden die Harnsäure und das harnsaure Ammonium den Kern, die phosphorsauren Salze die Schale, und diese unterscheiden sich daher äusserlich nicht von denen der achten und fünften Art.

Die erste Varietät unterscheidet sich von dieser zweyten durch gräulichgelbliche Farbe. Beyde Varietäten gehen durch solche Concretionen in einander über, die aus verschiedenartigen, aber äusserst feinen Schichten gebildet sind.

Die zusammengesetztern Arten bestehen gewöhnlich aus deutlich getrennten, verschiedenartigen Schichten. Bey 12 und 14 bildet die Kleesäure den Kern, die Harnsäure oder das harnsaure Ammonium die mittlern, die phosphorsauren Salze die äussern Schichten. Bey 13 vertritt die Kieselerde die Stelle des kleesauren Kalkes.

In Bezug auf die Grösse und Schwere der Harnsteine kann man im Allgemeinen bemerken, dass sie von der eines Sandkorns bis zu dem Umfange mehrerer Zolle und dem Gewichte mehrerer Pfunde variiren.

Ich selbst habe einen 14½ Unze schweren Blasenstein vor mir, dessen Länge 4, die Breite fast 3, die beträchtlichste Dicke 2 Zoll beträgt, und die Beobachter führen Fälle von noch weit größern und schwerern an. So beschreibt und bildet z. B. Earle[1]) einen von 3 Pfund 4 Unzen engl. Apothekergewicht ab, der in der größten Diagonale 16, der kleinern 14 Zoll im Umfange hatte.

Die Größe der Steine scheint in einer genauen Beziehung mit ihrer Mischung zu stehen. So sind die aus phosphorsauren Salzen oder aus diesen und Harnsäure gebildeten unter allen die größten, die aus harnsaurem Ammonium bestehenden die kleinsten. Die aus kleesaurem Kalk und die aus Harnsäure gebildeten erreichen doch selten die Größe eines Truthahneyes.

Der, dessen ich vorhin erwähnte, besteht, der Farbe und Form nach zu urtheilen, wenigstens äußerlich aus Harnsäure, ist also wohl einer der größten dieser Art.

Der von Earle beschriebene bestand bloß aus einem Gemenge von phosphorsaurer Ammoniakmagnesia und phosphorsaurem Kalk.

Die Zahl der Steine variirt. Am gewöhnlichsten findet sich nur einer, doch sah man sogar mehrere Hundert. In so großer Menge vorhandene sind gewöhnlich klein, doch ist die Masse von solchen, die mit wenigen zugleich vorkommen, nicht selten beträchtlich genug, indem, wo drey bis neun zugleich gefunden wurden, mehrere über einen Zoll im Längendurchmesser hatten und mehrere Unzen wogen.

II. Gichtische Concretionen.

Mit der häufigsten Art von Harnsteinen verwandt sind die Gichtknoten oder poda-

1) Phil. tr. 1812.

grischen Concretionen. Sie bilden sich im Umfange der Gelenkkapseln, hängen häufig genau mit den Knochenenden zusammen und haben eine weissliche Farbe, unregelmässige Gestalt, sehr geringes specifisches Gewicht, porösen Bau, glatte Schnittfläche.

In Hinsicht auf ihre Mischung glaubte man früher, dass sie aus phosphorsaurer Kalkerde beständen, bis Wollaston [1]) entdeckte, dass sie aus harnsaurem Natron bestehen, eine Beobachtung, die nachher von Fourcroy [2]) mit dem Zusatze bestätigt worden ist, dass das harnsaure Natron in den Gichtknoten von einer weit grössern Menge einer schleimigen Substanz eingehüllt sey. Eine, wegen des zwischen Stein und Gicht obwaltenden Zusammenhanges sehr merkwürdige Thatsache.

III. Gallensteine [3]).

Die Gallensteine kommen zwar in allen Gegenden des Gallensystems, am gewöhnlich-

---

1) Phil. transact. 1797. p. 2. p. 386—400. Uebers. in Scherers Journal f. d. Chemie. Bd. 4. S. 371—385. Ausgez. von Horkel in seinem Archiv f. d. thier. Chemie. H. 1. S. 143—148.

2) Syst. des conn. chim. T. X. p. 265. ff.

3) Morand sur des pierres de fiel singulières. In Mém. de Paris 1741. p. 355. ff.
Vicq. d'Azyr in den Mém. de la société de médecine. 1779.
Fourcroy a. a. O. u. Syst. des connoissances chimiques T. X. p. 53—60.
Sömmerring de concrementis biliariis. Francf. 1795.
Thénard von d. Gallensteinen beym Menschen. In dessen Abh. über die Galle A d. Mém. d'Arcueil in Gehlens Journal f. d. Chemie u. Physik Bd 4. S. 537. ff.
Mosovius diss. de calculorum animalium eorumque, imprimis biliarium, origine et natura. Berol. 1812. In Reils Archiv Bd. II. S. 237. ff.

ſten aber in der Gallenblaſe vor, wo ſie ſich auch vorzugsweiſe bilden. Aus den Gallenwegen gelangen ſie bisweilen in den Darmkanal, bisweilen auch, wenn durch ſie, oder eine andere entferntere Urſache veranlaſst, entzündliche Verwachſung zwiſchen der Gallenblaſe und der vordern Unterleibswand und darauf entſtandene Eiterbildung und Exulceration derſelben eingetreten iſt, von der Gallenblaſe aus dem Körper. Beydes, vorzüglich letzteres, ſeltene Bedingungen, indem der Austritt eines einigermaaſsen groſsen Gallenſteins auf dem gewöhnlichen Wege ſehr ſchwer iſt, und ſelbſt groſse und zahlreiche Gallenſteine ſelten Entzündung ihres Behälters verurſachen. Bisweilen finden ſich auch Gallenſteine in den Wänden der Gallenblaſe zwiſchen den Häuten derſelben, wo ſie ſich unſtreitig nicht bildeten, ſondern wohin ſie erſt von der Gallenblaſe aus gelangten.

Nicht alle Gallenſteine haben dieſelben phyſiſchen und chemiſchen Eigenſchaften und es laſſen ſich nach den vorzüglichſten Verſchiedenheiten, welche ſie in dieſer Hinſicht darbieten, mehrere Claſſen bilden.

Morand und Walter haben ſich nur der äuſsern Charaktere bedient, ſchon Vicq d'Azyr aber, und noch mehr Fourcroy, Thénard und Moſovius vorzüglich die Verſchiedenheit der Miſchung als Eintheilungsgrund angeſehen. In der That iſt das letztere Verfahren auch hier richtiger, da die Form ein Reſultat der Miſchung iſt, und die Kenntniſs der Miſchung zur Kenntniſs ihrer Entſtehungsweiſe führt.

Es finden ſich vorzüglich zwey Beſtandtheile in den Gallenconcretionen. Der eine, welcher nach Fourcroy's Entdeckung mit dem Wallrath, nach Moſovius mehr mit Wachs oder einem oxydirten vegetabiliſchen Oel viele Aehnlichkeit hat, iſt weiſs, glänzend, faſerig, fettig anzufühlen, geruch- und geſchmacklos, ſchmelzbar und entzündlich, im Waſſer und in Säuren unauflöslich, in Oelen und Alcohol auflöslich.

Der zweyte Beſtandtheil iſt immer gefärbt, vom hellſten Gelb bis zum vollkommenen Schwarz, unauflöslich in Oelen und Alcohol, leicht auflöslich dagegen in Säuren, weniger entzündlich als jener, unſchmelzbar, ſchwerer als ſie, übrigens auch geruch- und geſchmacklos und im Waſſer unauflöslich. Er iſt, wie der erſtere, eine eigenthümliche, aber in der Galle auch im Normalzuſtande enthaltene Subſtanz, und nicht, wie Fourcroy glaubte, verdickte Galle, indem er ſich durch ſeine chemiſchen Eigenſchaften von derſelben unterſcheidet.

Beyde Subſtanzen, die einander alſo in ihren chemiſchen Eigenſchaften gewiſſermaſsen entgegengeſetzt ſind, kommen gewöhnlich zugleich in demſelben Gallenſteine vor, doch giebt es, wenn gleich ſehr ſelten, Gallenſteine, die wenigſtens beynahe nur aus der zweyten Subſtanz [1]) und, wenn gleich auch ſelten, doch

1) Thénard fand unter 300 Gallenſteinen zwey bis drey durch und durch ſchwarzbraune, ohne irgend einen glänzenden oder kryſtalliniſchen Punkt, und faſt ohne allen Gehalt von Fettwachs, (a. a. O. S. 538.) und ich habe ſelbſt einen drey Zoll langen, einen Zoll dicken, aus mehrern Schichten gebildeten Gallenſtein von brauner Farbe vor mir, der, aus mehrern übereinander liegenden Blättern gebildet, die ganze Gallenblaſe einnimmt und, wenigſtens ſo viel die äuſsere Betrachtung ergiebt, keine Spur von Wallrath zeigt.

häufiger als diese, solche, die nur aus der ersten bestehen.

Die aus blossem Wallrath gebildeten sind gewöhnlich grösser als die übrigen, aber meistentheils einzeln, wenn ich gleich einige Mal zwey in derselben Gallenblase gefunden habe, eyförmig, bald ausserordentlich länglich, bisweilen dagegen sehr rundlich, entweder ganz glatt oder von einer ungleichen, aus einer Menge kleiner, gewöhnlich regelmässiger Höckerchen, welche die Grundflächen einer grossen Menge von Dreiecken, deren Spitzen in der Mitte des Steines zusammentreffen, sind, zusammengesetzten Oberfläche, gewöhnlich undurchsichtig, bisweilen fast vollkommen durchsichtig. Selten findet sich auf der äussern Fläche eines durchsichtigen weichen Steines dieser Art Stellenweise ein undurchsichtigerer härterer Anflug, der, gegen die Regel, dann sehr eckig, rauch und spitzig zu seyn pflegt. Bisweilen, doch seltner, bestehen sie aus einer grossen Menge dünner, in einander geschachtelter Schichten.

Die zusammengesetzten, bey weitem die häufigsten, haben eine mehr rundliche Form, welche darum unregelmässiger als die der erstern ist, weil wegen des gewöhnlich gleichzeitigen Vorhandenseyens mehrerer von derselben Art sich an einer oder mehreren Stellen ihres Umfangs durch gegenseitige Berührung Flächen bilden, die unter mehr oder weniger spitzen Winkeln mit einander verbunden sind. Deshalb findet man bisweilen ganz glatte Steine dieser Art, an denen die Menge glänzender, unter stumpfen Winkeln abgegränzter Flächen deutlich beweisen, dass ihre ursprüngliche Gestalt auf die angegebene Weise umgewandelt wurde.

In Hinsicht auf die Art und das Verhältniss der Mengung der in ihre Zusammensetzung eingehenden Bestandtheile variiren sie bedeutend. In Hinsicht auf die Art auf doppelte Weise. Entweder nämlich bestehen sie aus einer oder mehrern Schichten, von denen die eine aus der wachsähnlichen, die andere aus der gefärbten Masse gebildet ist und die beyde scharf von einander abgegränzt sind; oder sie bestehen zwar auch aus mehrern Schichten, allein jede dieser Schichten ist wieder selbst aus untereinander gemengter wachsartiger und gefärbter Substanz zusammengesetzt, und alle sind daher etwas, wenn gleich verschieden gefärbt. Nicht selten entsteht eine dritte Art durch die Zusammensetzung dieser beyden, indem der grössere innere Theil aus auf die zweyte Art unter einander gemengter Wachs- und färbender Masse in verschiedenen Schichten, der äussern aus reiner Wachsmasse besteht. Beyde Arten bilden Walters Calculi corticati, die letztere aber ist bey weitem die häufigste. Am gewöhnlichsten bildet die gefärbte Substanz den Kern, doch habe ich einen sehr ansehnlichen Stein vor mir, wo der kleine Kern durch reine wachsähnliche Masse, die weit grössere Schale durch gefärbte Substanz gebildet wird.

Für beyde Arten gilt das Gesetz, dass, je reiner in einer Schicht oder an einzelnen Stellen die weisse Wachsmasse erscheint, desto dunkler gefärbt und desto reiner auch die daneben, darunter oder darüber befindliche gefärbte Substanz ist.

In den Steinen der zweyten Art liegt zwar gewöhnlich die am dunkelſten gefärbte Subſtanz in der Mitte, doch wechſeln von innen nach auſsen mit den hellen wieder dunkle ab. Gewöhnlich ſind auch die innern Schichten die breiteſten. Die färbende Subſtanz bildet auch hier, wie in den rein aus gefärbter Subſtanz gebildeten, concentriſche Ringe, durch welche die Strahlen der wachsartigen von der Mitte zum Umfange ununterbrochen fortgehen. Dieſe gemiſchten Steine haben, wenn ihr Umfang durch überwiegende gefärbte Subſtanz gebildet wird, gewöhnlich eine glatte Oberfläche, doch habe ich einige kleine von einer äuſserſt zuſammengeſetzten Geſtalt vor mir, die einen äuſserſt vielzackigen, vielfach geſpaltenen Stern darſtellen, ohne daſs ſie etwa die Folge einer Abſchleifung durch benachbarte wären, indem der ganze Umfang ſehr kraus und rauh iſt.

Die Zahl der zuſammengeſetzten Gallenſteine iſt bisweilen ungeheuer groſs und ſteht gewöhnlich mit der Gröſse im entgegengeſetzten Verhältniſs, ſo daſs ich ſelbſt mehrere Tauſende gefunden habe, von denen die meiſten dann den Durchmeſſer von 1—2 Linien hatten, viele aber auch weit kleiner, wenige mehr oder weniger beträchtlich gröſser waren.

Gewöhnlich ſind die Gallenſteine derſelben Gallenblaſe, ſo verſchieden auch ihre Gröſse ſeyn mag, doch von derſelben Structur, und ich ſah, wie Sömmerring [1]), nie eine Ausnahme von dieſer Regel; doch haben Walter [2]) und Köhler [3]) Fälle von gleichzeitiger

1) V. 118.
2) Muſeum. Bd. 1. S. 127.
3) Beſchreibung der Loderſchen Präparate. S. 203.

Anwesenheit wachsähnlicher und gefärbter verzeichnet. Wahrscheinlich entstehen hier wohl die verschiedenen Steine zu verschiedenen Zeiten, ungeachtet es möglich ist, dass zu derselben Zeit, wo die färbende, auch im Normalzustaude in der Galle enthaltene Substanz sich aus dieser Flüssigkeit absondert und gerinnt; auch eine Umwandlung in ihr vorgeht, welche die regelwidrige Bildung des Fettwachses zur Folge hat, vorzüglich, da Fettwachs und färbende Substanz in denselben Gallensteinen am gewöhnlichsten zugleich vorhanden sind.

Am gewöhnlichsten liegen die Gallensteine frey in der Höhle der Gallenblase; doch findet man sie bisweilen auch im Umfange derselben und mit den Häuten in Verbindung. In den Fällen dieser Art, die mir vorkamen, sah ich meistens deutlich, dass der Stein einen Bruch der innern Haut der Gallenblase durch die äussern veranlasst hatte. Gewöhnlich hing die Höhle, worin er sich befand, durch eine mehr oder weniger deutliche Öffnung mit der grossen Höhle der Gallenblase zusammen, und wo sie ganz abgesondert war, schien sie durch später entstandene Verwachsung davon getrennt. Vorzüglich gilt diess für die kleinen Steine dieser Art.

Mit der Anwesenheit von Gallensteinen ist die Gallenblase bisweilen beträchtlich ausgedehnt und voll von Galle, bisweilen eng um die Gallensteine zusammengezogen, und dadurch selbst auf ein sehr kleines Volum reducirt, zugleich ihre Wände verdickt, eng um die Gallensteine zusammengezogen, bisweilen auch beträchtlich ausgedehnt, aber nicht von Galle, sondern von einer eyweissartigen Flüssigkeit.

Die letztere Bedingung tritt dann ein, wenn der Gallenstein einen festen Sitz im Halse der Gallenblase oder dem Gallenblasengange hat, so daſs er den Eintritt der Galle in die Blase hindert, während die anfangs vorhandene Galle aufgesogen und ihre Stelle durch die ungestört secernirte Flüſsigkeit der Gallenblase ersetzt wird, die sich aus demselben Grunde oft in ungeheurer Menge anhäuft. Im erstern Falle mögen die Gallensteine temporär den Austritt der Galle hindern und so zur Vermehrung derselben und zu Vergröſserung der Gallenblase Gelegenheit geben. Wahrscheinlich aber wird zugleich, theils wegen des mechanischen Reizes auf die Gallenblasenwände, theils wegen des temporär gehinderten Abflusses auch eine reichliche Secretion der Gallenblasenfeuchtigkeit veranlaſst, wenigstens fand ich immer die Galle unter dieser Bedingung heller gefärbt, schleimiger und zäher.

Die zweyte Bedingung ist wohl nur in einer Störung der Secretion der Gallenblasenhäute begründet, welche bisweilen mit der Anwesenheit der Steine im Causalnexus stehen kann, bisweilen nicht.

Das Erscheinen der Gallensteine ist an gewisse Bedingungen geknüpft, welche höchst wahrscheinlich nicht für alle dieselben, ja vielleicht, so wie ihre Natur, einander entgegengesetzt sind. Doch fehlen hierüber Beobachtungen: nur bemerkt Fourcroy [1]), daſs die wachsähnlichen Gallensteine beym weiblichen Geschlecht häufiger als beym männlichen vorkommen und daſs weit häufiger, als man glaubt,

1) A. a. O. S. 59.

bey Männern am Ende von Gallenkrankheiten, vorzüglich aber von chronischer Gelbsucht unregelmäſsige, weiche, mehr talgähnliche Concretionen dieser Art mit dem Stuhl abgehen.

Allgemeine Bedingungen sind, daſs sie vorzüglich nur bey ältern Personen, bey sitzender Lebensart, beym weiblichen Geschlechte, bey fetten Personen vorkommen. Bisweilen tritt sogar in dem Unterleibe, selbst in der Leber und der Gallenblase gleichzeitig die Bildung fettartiger Massen ein. Ferner begünstigen niedrige, kalte und feuchte Gegenden ihre Entstehung.

Vorzüglich scheint sie also in einer vorwaltenden Entwickelung von Hydrogen begründet zu seyn.

Sehr selten kommen andre Substanzen in den Gallensteinen vor.

Doch fanden Gaitskell, Thomson und Marcet Steine, welche nach Leberleiden bey einer Frau von mittlern Jahren mit einer groſsen Menge Hydatiden abgingen, im Innern aus Wallrath, im Umfange aus kohlensaurem Kalk gebildet[1]). Daſs die Kalkschicht sich erst im Darmkanal um den Wallrathkern gelegt hätte, läſst sich wenigstens nicht aus der bisher bekannten Analyse der Darmconcretionen schlieſsen, da diese keinen kohlensauren Kalk enthielten. Am wahrscheinlichsten wär sie indessen ein Product der Secretion der Gallenblasenhäute.

---

1) London medical repository. Tom. IV. 1815. p. 469.

IV. Darmsteine[1]).

An die Betrachtung der Gallensteine schliefst sich zunächst die der bisweilen im Darmkanal vorkommenden. In Rücksicht auf ihre Entstehungsstätte sind diese im Allgemeinen doppelter Art, indem sie entweder nur aus der Gallenblase in den Darmkanal gelangen, oder sich ursprünglich in diesem bilden. Die erstern bedürfen hier nur insofern einer Erwähnung, als es wegen ihrer bisweilen beobachteteten, sehr ansehnlichen Gröfse merkwürdig ist, dafs sich die an sich engen Gallengänge hinlänglich ausdehnen konnten, um ihnen den Durchgang zu erlauben. So habe ich selbst einen auf diese Weise in den Darmkanal gelangten Gallenstein vor mir, der in seinem kürzesten Durchmesser 1'' 1''', in seinem längsten 1'' 6''' hält.

Die letztern sind weit seltner und erst neuerlich der Gegenstand genauerer, wenn gleich noch nicht befriedigender Untersuchungen geworden. Sie bieten, in Hinsicht auf die wichtigsten Momente, vorzüglich folgende Bedingungen dar:

1. Die Stelle, an welcher sie vorkommen, ist nicht genau dieselbe. Ihre ursprüngliche Bildungsstätte läfst sich desto weniger mit Gewifsheit ausmitteln, da sie mehrmals durch den After abgingen. Sie wurden in allen Theilen des Darmkanals gefunden.

2. Gewöhnlich liegen sie frey im Darmkanal, bilden nur selten eine seine innere Haut bekleidende Schicht.

3. Ihre Gröfse variirt vom Durchmesser weniger Linien bis zu dem mehrerer Zolle.

4. Die

---

1) I. F. Meckel über die Concretionen im menschlichen Darmkanal. Archiv f. d. Physiologie. Bd. 1. S. 454—467.

4. Die Zahl ist gewöhnlich einfach, doch gingen in einem Falle bis zwölf ab.

5. In Hinsicht auf die äussere Gestalt sind sie im Allgemeinen rundlich, da, wo mehrere zugleich vorhanden sind, stellenweise durch einander abgeschliffen, oft, aber nicht immer, die grössern durch eine äussere, den kleinern fehlende Schicht rauh.

6. Für ihr Gewebe gilt, dass sie aus feinen, filzartig verwebten Fasern bestehen, deren Lücken durch härtere Substanz ausgefüllt werden, und nur selten einförmig, meistens aus mehrern über einander liegenden Schichten zusammengesetzt sind, deren Gestalt der Gestalt des ganzen Steines ziemlich genau entspricht. Meistentheils findet man im Innern einen von der übrigen Substanz verschiedenen, zufällig in den Darmkanal gelangten Kern. Die Steine selbst sind mehr oder weniger locker und porös.

7. Die Farbe ist meistentheils braun, und die verschiedenen Schichten unterscheiden sich nur durch die Helle oder Dunkelheit eben dieser Farbe von einander. Nur die äussere Schicht der grössern Steine pflegt sich durch die Farbe qualitativ von den übrigen zu unterscheiden.

8. Ihre Consistenz ist gering, meistens bröcklich.

9. Ihre specifische Schwere ist nicht bedeutend, im Durchschnitt wie 1400 : 1000.

10. Durch ihre Mischung kommen nicht alle Darmsteine genau überein. Phosphorsaurer Kalk ist der einzige, nach den bisher vorhandenen Untersuchungen, allen gemeinsame

Beſtandtheil. Zwey von Marcet unterſuchte kamen genau mit den aus phosphorſaurem Kalk und phosphorſaurer Ammoniakmagneſia gebildeten Harnſteinen überein; Robiquet fand einen Darmſtein aus einer wallrathähnlichen Maſſe, phosphorſaurem Kalk und einer verhältniſsmäſsig geringen Menge thieriſcher Subſtanz, Thomſon einen andern aus einer eigenthümlichen, von allen bisher bekannten verſchiedenen, thieriſchen Subſtanz, welche ſeine Grundlage bildete, Eyweiſs, einer braunen, dem Pflanzenextractivſtoff ähnlichen, und mehrern Salzen zuſammengeſetzt.

11. Hiernach ergiebt ſich, daſs die Darmſteine keineswegs immer bloſs in den Darmkanal gelangte Gallenſteine oder verhärteter Koth ſind. Selbſt in den Fällen, wo ſie ſich um einen in den Darm gelangten fremden Körper bilden, ſind ſie doch im Allgemeinen wahrſcheinlich Erzeugniſſe einer krankhaften Thätigkeit der innern Darmhaut.

12. Im Leben ſind ſie nur dann mit Sicherheit zu erkennen, wenn ſie durch das Gefühl äuſserlich wahrgenommen werden. Bisweilen bleiben ſie lange im Darmkanal, namentlich im Blinddarm, gewöhnlich gehen ſie durch den After, ſelten durch ein vom Darmkanal ſich zu der Haut erſtreckendes Geſchwür ab.

Auſser den angegebenen Concretionen kommen ähnliche Producte auch in den Behältern andrer Flüſſigkeiten vor, aus welchen ſie ſich daher zu bilden ſcheinen. Am nächſten in Hinſicht auf Häufigkeit ſtehen den angeführten die Speichelſteine, welche ſich in den

Gängen aller Speicheldrüsen, sowohl der im Umfange des Mundes befindlichen als der Bauchspeicheldrüse, vorzüglich aber im Whartonschen Gange bilden.

Ein Stein dieser Art, den ich vor mir habe, ist weisslich, rundlich, hat ungefähr vier Linien im Durchmesser, eine sehr ungleiche Oberfläche, erscheint als ein Aggregat von einer grossen Menge unregelmässig an einander liegender Blätter von verschiedener Grösse, ist weich und fühlt sich fettig an.

Nach einer von Fourcroy angestellten Untersuchung bestehen die Speichelsteine aus phosphorsaurem Kalk und einem thierischen Schleime, womit die Mischung des Weinsteins, der sich um die Zähne bildet, übereinkommt [1]).

Mit diesen Steinen kommen in Hinsicht auf ihre Mischung die Concremente, welche sich häufiger in dem Parenchyma der Lungen, aus welchem sie nicht selten ausgeworfen werden, die in der Substanz und im Umfange der Thränendrüse beobachteten nach Fourcroy [2]) und die in den Gängen der Vorsteherdrüse gefundenen nach Wollaston [3]) überein.

Wahrscheinlich gilt dasselbe auch für die Concretionen, die in andern Höhlen, wiewohl weit seltener, z. B. den Samenblasen und den Ausspritzungsgängen, den Venen, (wenn diese nicht immer Knochenconcremente waren) gefunden wurden. Diess wird durch

1) Syst. des conn. chim. T. IX. p. 368.

2) Fourcroy ebendas. p. 312. p. 381—82.

3) Phil. trans. 1797. p. 396.

Lightning Source UK Ltd.
Milton Keynes UK
UKHW010927261118
332983UK00012B/1430/P